Den funfzehn Englischen Freunden.

Worte, die der Dichter spricht,
Treu, in heimischen Bezirken,
Wirken gleich, doch weiß er nicht
Ob sie in die Ferne wirken

Britten! habt sie aufgefaßt:
„Thätigen Sinn, das Thun gezügelt;
Stetig Streben, ohne Hast."
Und so wollt Ihr's denn besiegelt.

Weimar
28. August.
1831.

JWGoethe

Goethes Dank an die fünfzehn englischen Freunde

IM ZEICHEN DER HOFFNUNG

IM ZEICHEN DER HOFFNUNG

Ein Lesebuch

herausgegeben von

ERWIN DE HAAR

1961

MAX HUEBER VERLAG MÜNCHEN

Bei der Auswahl wirkten beratend mit:
Dr. Dora Schulz, Dr. Johannes Schmidt, Dr. H. Himstedt

Einbandgestaltung: Prof. Joseph Faßbender, Köln
Gesamtherstellung: St. Otto-Verlag, Bamberg
Printed in Germany

Den Freunden
der deutschen Sprache
in allen Völkern

INHALT

ERSTER TEIL: WANDERUNG

Zweiter Teil: Stufen des Lebens

Dritter Teil: Verzweiflung und Hoffnung

Vierter Teil: Sprache der Kunst

GEORG CHRISTOPH LICHTENBERG

Gespräch zwischen einem Leser und dem Verfasser

Der Gast. Was haben Sie Gutes, Herr Wirt?
Der Wirt. Nichts, als was Sie hier sehen, was auf dem Küchenzettel steht, den Sie soeben in der Hand hatten.
Der Gast. Und ist das alles?
Der Wirt. Alles, mein Herr.
Der Gast. Aber sagen Sie mir um aller Welt willen, könnten Sie sich nicht auf etwas Besseres gefaßt machen?
Der Wirt. Ja, was heißen Sie besser, mein Herr, ist das nicht gut?
Der Gast. Nein, so etwas, was mehr widerhält. Sauerkraut und Speck, oder so etwas.
Der Wirt. Das habe ich nicht. Wenn ich gewußt hätte, daß ich die Ehre von Ihnen haben würde, und daß Sie Sauerkraut und Speck liebten, so hätte ich mich vorgesehen. Aber es kommen der Personen so viel, und jeder verlangt etwas anders, so daß ein armer Wirt nicht weiß, was er anschaffen soll. Dieses Gericht fand gestern Beifall!
Der Gast. Daß Sie doch kein Sauerkraut haben! — Doch wenn es nicht anders ist, so geben Sie her!
Der Wirt. Ich hoffe, Sie sollen zufrieden sein, es ist zwar ein schlechtes Gericht, aber ich weiß es auf eigene Art zurechtzumachen. Ich werfe allerlei daran, was einem hungrigen Magen bekommt. Belieben Sie näher zu treten, mein Herr.

ERSTER TEIL

WANDERUNG

Ihr teuern Ufer, die mich erzogen einst,
Stillt ihr der Liebe Leiden, versprecht ihr mir,
Ihr Wälder meiner Jugend, wenn ich
Komme, die Ruhe noch einmal wieder?

FRIEDRICH HÖLDERLIN

ERNST SCHNABEL

Sie sehen den Marmor nicht

Die Straßenjungen in Rom und Carrara sehen den Marmor nicht. Es gibt dort ein helles Gestein, grau, weiß, innen mit einem gelbsamtenen Widerschein dicht unter der Haut. Es kommt aus den Bergen, und man macht Häuser und Treppen und Säulen und Menschenfiguren daraus. Das ist nicht mehr als in der Ordnung. Andernorts nimmt man Granit.
Die Jungen bei uns sehen den Schutt nicht. Vordem waren die Häuser und Treppen und Säulen daraus gemacht, aus einem grauen Felsgestein. Aber seitdem die Häuser zusammengebrochen, die Treppen eingefallen und die Säulen umgestürzt sind, sieht man, daß dieses Gestein aus Ziegeln bestand. Der graue Putz ist weggeplatzt, darunter leuchtet es rot. Das ist nicht mehr als in Ordnung. Andernorts stehen die Häuser noch aufrecht am Straßenrand.
Aber sie sehen es nicht. Die Alten haben gesagt, die Luft sei voll von Sphärenmusik, doch man höre sie nicht, weil man sie immer hört. Doch es gibt Tage, da sieht der Schutt aus wie Marmor, wie das geborstene Goldgeleucht vom Kapitol. Im Februar zum Beispiel. Im Sommer auch, aber im Februar vor allem. Bei großer Kälte und klarer Luft und rosavioletter Sonne am Himmel. Dann sind die Schatten blau, die Ziegelbrocken glühen, in den Fugen liegt durchsichtiger Zuckerschnee. Die ganze Stadt mit ihren geborstenen Mauern und einsam ragenden Ziegelschloten sieht aus wie die alten Städte Griechenlands, von denen man sagt, sie seien niedergesunken. Hier sagt das keiner. Und zwischen den Trümmern liegt eine der beiden Karyatiden, die einen Hauseingang flankierten. Sie liegt auf dem Rücken und hat Schnee im Mund und in den Augenhöhlen und zwischen den Brüsten. Die andere ist verschwunden. In halber Höhe ist ein Stück der inneren Hauswand, die noch steht, mit weißen Kacheln belegt. Eine Badewanne hängt schräg über dem abgebrochenen Fußboden herab, und ein Heizkörper klebt verschneit an der Mauer. Aber die bloßen Ziegel dazwischen und überall im Trümmerfeld glühen samten und weich im frostig-violetten Licht und sehen wie Marmor aus.
Er sah es nicht. Er stieg mit langen Schritten quer durch den Schutt, weil er zum Deich wollte. Seitdem die Häuser eingestürzt sind, kann man den Weg abkürzen, indem man quer durch den Schutt steigt. Die Ziegel liegen ausgesät auf dem Boden. So stieg und sprang er halb von Mauerklotz zu Mauerklotz, lief dann quer über die Straße und die Deichböschung hinauf und blieb eine Zeitlang oben stehen. In der Hand hielt er eine Fahrradpumpe. Er trug sie, wie die englischen Offiziere, die zu-

erst dagewesen waren, ihre Stöckchen getragen hatten: wippend in der Rechten. Als er stillestand, wippte er die Luftpumpe leicht gegen den Handteller seiner Linken. So hatte er es bei ihnen gesehen, ehe sie wieder abzogen. Dann waren die Amerikaner eingerückt.

Aber auf dem Deich war nichts zu sehen. Die Schleusen, die Weser, die Marsch auf der anderen Seite. Flußabwärts ein ankerndes Libertyschiff im Strom, nichts. Es waren auch nur wenige Menschen da. Ein Jeep unten auf der Straße, zwei Soldaten und zwei Mädchen auf dem Deich. Die Leute, die in den Trümmern gewohnt hatten, hatten sich verzogen, nach dem nördlichen Stadtrand hin, wo die Häuser stehengeblieben waren.

Es war ihm zu kalt auf dem Deich, er rannte die Böschung hinab und stieg wieder im marmorschimmernden Ziegelschutt umher, stocherte mit seiner Luftpumpe zwischen den Steinen herum, blieb dann plötzlich stehen und hob die Pumpe an den Mund. Er hatte sie im Herbst in den Trümmern gefunden. Sie war beim Brand nicht ausgeglüht, sondern hatte noch einen weichen Lederpropfen am Kolben, den man leicht und lautlos hin- und herschieben konnte. Zischend fuhr die Luft durch das Anschlußloch. Hier allerdings fehlte die Gummidichtung. Sie war nicht mehr zu gebrauchen, die Pumpe, zum Pumpen nicht, aber Musik konnte man auf ihr machen. Der Junge spitze seinen Mund und legte die Pumpe an, und wie die Luft über ihr Anschlußloch blies, entstand ein lauter, kräftig schwingender Pfiff. Er zog den Kolben sacht heraus, und der Pfiff wurde zu einem vollen Flötenton. So probierte er eine Weile, laute Pfiffe und leise, dunklere, weiche. Dann pfiff er ein Lied. Er hatte seit dem Herbst geübt. Er verstand sich auf eine ganze Reihe von Liedern. »Sah ein Knab« und »Ein Schifflein sah ich fahren, Kapitän und Leutenant.« Auch einige Schlager aus dem Kino, die pfiff er, und der laute, weiche, tremulierende Ton hallte in den Mauern wider, brach sich an ihnen und flog weiter über das ganze Trümmerfeld.

Ein paar Soldaten trotteten eine abgelegene Straße entlang. Sie gingen mitten auf dem Fahrdamm, die Hände in den Taschen, die Schultern frierend hochgezogen, die Gesichter schwermütig und grau vor Kälte. Es waren Neger. Sie redeten nicht. Als sie die plötzliche Musik hörten, fuhren ihre Köpfe hoch. Sie blieben stehen, starrten einander eine Sekunde lang an, dann riß einer sich los und begann zu laufen. Die anderen trabten hinter ihm her. Alle hundert Meter blieben sie stehen und horchten. An einer Straßenecke änderten sie die Richtung, sie suchten, sie durchquerten ein Trümmerfeld. Der als erster lief, begann mitzusingen, laut mit wiegendem Kopfe und klein zusammengekniffenen Augen. Schließlich fanden sie den Jungen. Sie umringten ihn und starrten ihn an.

Der Junge blies. Er stand ein wenig vorgeneigt, einen Fuß auf der Brust

der gestürzten Karyatide. Die Soldaten staunten. Einer nahm ihm die Luftpumpe weg und prüfte sie genau. Dann pfiff er selbst über das Loch hin, wie er es bei dem Jungen gesehen hatte. Das gab zuerst nur ein zischendes Geräusch, dann aber plötzlich einen grellen Ton. Schnell zog er den Kolben heraus, der Ton sank in die Tiefe. Ein anderer wollte ihm die Pumpe entreißen, aber der Soldat tänzelte über die Trümmer hin, blies und floh. Die anderen lachten und steckten sich Zigaretten an. Der Junge sah ihnen stumm zu. Er sah ihnen auf den Mund, auf diese frostgrauen Lippen in ihren dunklen Gesichtern, auf die schwarzen Pupillen in dem grellen Weiß ihrer Augen, und schwieg. Er verstand ihre Sprache nicht. Das einzige, was er in diesem Jahr gelernt hatte, war: Uncle, give me a gum. Das hatte er gelernt. Aber man konnte es nicht immer sagen. Immer hatten die Soldaten auch keinen Kaugummi bei sich, wenn er auch oft welchen von ihnen bekommen hatte. Einige Male waren es auch gefüllte Schokoladestangen gewesen, die sie Candy nannten. Sie gaben ihm seine Luftpumpe wieder, und er blies. Sie klopften ihm auf die Schulter und lachten und schlugen sich voller Bewunderung mit den flachen Händen auf die Oberschenkel. Sie vergaßen, wo sie waren, sie vergaßen den Februar, die violette Sonne, sie sangen mit. Sie hatten runde, gurgelnde kehlige Stimmen, die dennoch seidig klangen, und lachten und stießen einander mit den Ellenbogen in die Seiten. — Er blies. —
Sie nannten ihn Kid und Guy und steckten ihm ein Päckchen Kaugummi in die Tasche, obgleich er sie noch gar nicht darum gebeten hatte.
Er blies »Kapitän und Leutenant«.
Und sie wurden nicht satt, ihm zuzuhören, und er blies die Schlager und »Sah ein Knab« noch einmal und auch noch einmal »Kapitän und Leutenant« und blies und schaute beim Blasen mit starren, festen Augen über ihre Köpfe hinweg auf einen Punkt in der Luft, nahe bei der Badewanne, die schräg an der Mauer hing, und hinter dem Deich war Sonnenuntergang. Das ging sehr schnell. Das rosa Licht losch zuerst aus, dann wurde auch aus dem lila Licht ein stumpfes Grau. Der Ziegelschutt verlor seinen Marmorschein, der Schnee in den Ritzen sah kälter aus.
Einen Fuß auf der Brust der Karyatide stand er und blies und starrte auf den Punkt in der Luft. Und die fremden Soldaten lachten noch immer und steckten ihm ein zweites Päckchen Kaugummi in die Jackentasche.

HANS LEIP

Hamburg

Andere sind nach München, Frankfurt, Leipzig, Berlin, Köln, Zürich oder Paris unterwegs. Der Hamburger aber, trifft man ihn nicht zu Hause, ist in London oder New York oder Singapore, sagt man. Jedenfalls, Onkel Theodor, wohlgeformter Siebziger, sagte den Tag: »Ich muß mal eben nach Dakar, Henry. Die Lieferung Schiffsschrauben braucht ein bißchen persönliches Auge. Morgen bin ich per Luft zurück. Und heut nachmittag trifft ja nun Tante Auguste ein mit dem Dampfer von Sao Paulo. Da gehst Du wohl hin und holst sie ab. Und wenn Du sie höflich mit Agosta anredest, wie sie drüben gewohnt, statt wie früher mit Guschi, dann wird sie sehn, daß wir uns noch immer anzupassen wissen in Hamburg.«
Neffe Henry begibt sich also pünktlich zur Überseebrücke, die nahe der Innenstadt liegt, ihr direkt am Herzen wie der ganze Hafen. Welch ein Erlebnis! Von zwei winzigen, aber desto durchdringender heulenden Schleppern geleitet, schiebt sich der Südamerika-Turbiner durch das braune Hafenwasser heran und legt so sachte am riesigen Landepier an wie ein Alsterdampfer am Jungfernstieg. Nur ein leises Beben und Schaukeln geht durch den Ponton, der ja schwimmt wie alle Anlegestege hier, und geht durch die betuliche Menge der Wartenden, als seien sie selber an Bord. Welch Tücherwinken mischt sich mit dem Geflatter der Möven! Und sechs Stockwerke hoch das Weiß der Stewardkapelle, und es mixt sich das blitzende schmatzende Blech ihrer Musik in den atonalen Lärm der Werften, Docks und Kais, löst sich in Papierschlangen und Konfettiregen und das südatlantische Temperament, das endlich wieder festes Land und die Seele der Heimat — oder Fremde — wittert.

Stadt Hamburg an der Elbe Auen,
wie bist du stattlich anzuschauen ...

Du bist es wieder, stimmt Henry sachte der lokalen Hymne zu. Vor zehn Jahren war hier nichts als Schrott und Totenstille, und zweitausendneunhundert Wracks verstopften die Hafenschlünde, diese glücklich gebauten Tentakeln, denen die Weltkonkurrenz das Einsaugen und Verteilen der Güter dieser Erde für immer glaubte abgewöhnt zu haben. Kein Seehund hätte damals einen Krümel Einheitsbrot von einem Hamburger annehmen mögen. Und wir hatten nicht einmal die Nägel, um die Kisten für die erste scheue Bestellung auf Emaillegeschirr und Thermometer via Suez gen Bombay versandfähig zu machen.

Indes rollt die Gangway an die Pforte des Ozeaners. Die Fahrgäste entquellen ihm wie die Pralinen dem Weihnachtsmann. Und es ist genau so feierlich und jedermann so begierig. Auch die Zöllner. Aber sie verfahren milde mit Senhora Agostas fünf imposanten Koffern. Und vom Hotel »Vier Jahreszeiten« ist auch schon ein Page da und übernimmt das Gepäck. Selbst der halbmeterlange Inka-Fetisch (ein Geschenk für Theodor) kommt tributlos durch, weil sich herausstellt, daß er »Made in Germany« ist. Und diesen unter dem einen Arm, Tante Agosta unter dem andern, will Henry zum Wagen.

Nu aber erstmal: »Hummel, Hummel!« lacht die Tante. Sie sieht aus wie vierzig, tropisch rosig braun, elegant nach den neuesten Modeblättern gekleidet.

»Mors!« antwortet Henry, etwas verlegen, wie man in Hamburg Damen gegenüber ist. Tante Guschi galt früher doch als so etepetete. Nun lacht sie nochmals: »Im Ausland ist das ganz ungeniert unsere Hamburger Parole. Da sind wir ja richtig wie Vorposten, die sich im Dunkeln begegnen auf dem Felde, das am Hapaghaus gemeißelt heißt: Mein Feld ist die Welt. Oder steht es etwa nicht mehr?«

»Doch, Tante Agosta!« nickt Henry.

»Sag ruhig Guschi, Henry, wenn ich schon mal auf ein paar Tage wieder hergeweht bin. Und nun gehn wir zu Fuß. Ich will das sehn. Zwanzig Jahre bin ich nicht hiergewesen. Den Michel hab ich schon von weitem gegrüßt, unsern geistlichen Schutzmann neben dem weltlichen ohne Helm, unserm Roland-Bismarck. Und das Tropeninstitut. Da hab ich den alten berühmten Professor Nocht noch gekannt. »Gehn Sie man ruhig zwischen Äquator und Südpol«, hat er gesagt, »eine rechte Hamburgerin ist überall daheim.« Das kommt von den Golfstromlüften hier, sonst säßen wir ja auf Kamtschatka und dem Nichts hier. Und die Klima-Einflüsse machen hier einen Wirbel, hat er erklärt, und da sitzen wir mit Hamburg ziemlich mitten drin wie ein Bumskreisel, darum sind wir auch manchmal so, nach innen stur auf Achse, nach außen mächtig aktiv, Henry. Und wenn wir uns nicht stemmen und steif halten, schwupp, fliegen wir in alle Winde, wir Hanseaten. Das ist unsere Rührigkeit, das ist Natur und Gegebenheit. Darum sind wir hier auch nicht klein zu kriegen und unser Hafen auch nicht.«

»Letztes Jahr haben wir schon wieder runde sechzehntausend Seeschiffe gelöscht und geladen mit unsern siebenhundert neuen Riesenkränen und Wundern an Elevatoren und Einrichtungen. Ein halbes Hundert verschiedenster Nationalflaggen, Tante Guschi! Und der Grieche Onassis läßt bei Howaldt Tanker bauen, groß wie die ›Europa‹ vormals.«

»Ischa doll, Henry! Öl und Fett schwimmt wohl sowieso wieder oben,

las es im ›Abendblatt‹, das laß ich mir nach drüben kommen wie ›Die Welt‹ und den ›Anzeiger‹ und das ›Echo‹ auch. Aber wenn der Schiffbau hier auch erst halb so viel einbringt wie die Margarine und Raffinerie, so sind da doch vier mal so viel Leute in Arbeit. Und sogar Blohm & Voß fangen neu an. Und so kann Frau Nietenwärmer sonntags wieder auf fein sagen: Mein Mann arbeitet bei Blume und Fuchs.«
»Die haben uns jetzt ein Seebäderschiff gebaut, wirklich ganz ordentlich.«
»Dann muß es wahrhaftig ganz großartig sein, wenn ein Hamburger schon ›ganz ordentlich‹ sagt, Henry. Und daß ihr es ›Wappen von Hamburg‹ getauft habt, hat mich gefreut. Ich will damit zumindest nach Cuxhaven auf die ›Alte Liebe‹, auch das neue Steubenhöft nahebei besehn und übers Watt nach der Insel Neuwerk mit Pferd und Wagen, das ist doch der abenteuerlichste der Ausflüge auf Hamburger Gebiet, und der Leuchtturm da, der so furchtbar hohe und dicke, — wie hab ich mich als Kind gegrault, wenn Großvater im Herrenzimmer oben die Geschichten erzählte, die da passiert sind, seit Hamburg ihn gebaut anno 1299, und ist wohl der älteste Feuerturm der Welt, und in ganz Hamburg ist kein Stein älter, weil er nämlich nicht im Wege lag für Hafen und Verkehr, sonst wär er längst umgelegt. Wenn es um die Wirtschaft geht, braucht Hamburg weder die Hilfe von Brand noch Bomben, da saniert es rücksichtslos selber. Mich wundert nur, daß sie das kleine Oevelgönne — welch idyllischer Gegensatz zu der riesigen Tankstadt gegenüber! — noch haben unangetatzt gelassen; ist wohl zu schmal das Ufer für Industrie und Molen, reicht eben für die Puppengärten und den Fliesenweg und die Lotsenhäuschen und die kleinen Bootsvermietungen, Lokale und die Treppe Himmelsleiter, die hinaufgeht zur Flottbeker Chaussee und zu den Villen und Parks, die nun wohl bald alle allen gehören. Ich sah durchs Glas, wie gepflegt alles ist und die Parks und die Strandpromenade bis Blankenese und Badestrand Wittenbergen. Vom Fährhaus dort haben sie unser Schiff mit der brasilianischen Hymne bewillkommt. Dafür hat sich unsere Bootskapelle eben revanchiert. Wir sind auch, als es vor Brunsbüttel neblig wurde, voll voraus weitergerummelt, radar-gelenkt, was Hamburg eingerichtet hat, wie immer auf dem Draht mit allem, was Elbe heißt und Fahrrinne, und wenn es noch so viel kostet mit der ewigen Versandung und Baggerei, Henry, die hundert Kilometer, die wir von See weg liegen. Und einen Tag weiter weg vom Atlantik als Rotterdam oder Antwerpen. Und sogar Bremen liegt günstiger. Da müssen wir uns schon sputen, Henry, und — nun sieh dir diesen Betrieb an, die Helgen alle voll, wenn noch auch mehr für ausländische Rechnung, und die Docks gefüllt und die Fähren und die Rundfahrtbarkassen auch! Und

diese neuen St. Pauli-Landungsbrücken! Wie lang? Sechshundert Meter? Könnte ja ›König Saud I‹ zweimal anlegen.«
»Brauchen wir aber glatt für den Kleinverkehr elbab und elbauf, Tante Guschi. Sind bald zwei Millionen Einwohner, die Viertel Million Flüchtlinge eingerechnet. Wenn das so auf Ausflug geht ... Und bald passen unsere Siele und Wasserrohre nicht mehr. Wir blühen nicht nur wieder auf Börse und Banken in alter Frische, wir haben auch bedenkliche Wachstumsschmerzen.«
»Das seh ich, Henry. Wie bringen denn diese Massen Hafenarbeiter bloß fertig, gesund von der Hochbahn an die Pontons zu kommen? Ohne dich würde ich mich kaum selber hinüberwagen. Gewiß, der Takt der Motoren hat sich überall rascher entwickelt als der Takt der Autofahrer und die Ideen der Verkehrspolizei, und in Hamburg, das war schon immer so, sind Welthafen und Städtebau allzu verschwistert, als daß sie sich stets vertragen. Einer schiebts auf den andern, so wie Teedje und ich. Er wär wohl sonst nicht so auf den Stutz abgeflogen. Ist aber nett von dir, Henry. Wir hätten uns sonst gleich über Heinrich Heine gezankt, den er nicht leiden kann wegen seiner Spötterei über die Hamburger, ich aber gerade deswegen, weil er manches aufdeckt, was wir uns verbergen wollen, obschon wir sonst nie fürs Vorspiegeln sind. Und ich hätte gewünscht, die beiden Denkmäler wären noch hier. Wo wir doch jeden auf seine Weise selig sein lassen und Albert Ballin nicht gehindert haben, unser und der Welt größter Reeder zu werden. Denn das ist die demokratische Auslese der Freien und Hansestadt Hamburg. Selbst der Briefträger leuchtet vor Hochachtung, wenn er mir drüben so ein behördliches Schreiben mit dem stolzen Absender bringt und wenn es sich auch nur um die Abwicklung unseres ausgebombten Grundstückes handelt, und wir sollen es ja fürn Ei und Butterbrot hergeben und tun es auch, weil der Staat ein Jugendheim darauf errichten will.«
»Die schönste Jugendherberge steht da oben, Tante Guschi!«
»Das ist doch das Hafenkrankenhaus und das Seemannsheim — ach so, da hinterm Stintfang. Da möchte man ja gleich zwölf Jahre sein und ein Knabe und aus Zwickau, um mit dem grandiosen Ausblick auf den Hamburger Hafen die erste Etappe Sehnsucht zu stillen nach den Abenteuern der See. Und dann zu merken, daß weniger Romantik dabei ist als in den Büchern steht oder doch eine andere, verkappte, die man lange suchen muß in der Enttäuschung, daß diese Stadt und dieser Hafen nichts ist als harte Arbeit und Kalkulation, nichts als krasse Nötigkeit und Gegenwart.«
»Bißchen Genuß ist auch mal dabei, Tante.«
»Ist ja auch, Henry. Und darum nu erstmal einen steifen Grog!«

GERHART HAUPTMANN

Ausfahrt eines Binnendeutschen

Am Tage vor der Abfahrt hatte ich mit Georg einen Besuch in einem schwimmenden Hause gemacht. Es war ein Stockfisch führender Dampfer der Slomann-Linie. Kapitän Sutor, schlank und mittleren Alters, hieß mich willkommen. Abends gab mir, wie ich es wünschte, Vater allein das Geleit zum Schiff.

So war ich bis zum Rande Europas gelangt, dessen Boden mein Fuß bisher nicht verlassen hatte. Ein kleines Brett vom Kai zum Deck löste mich davon los.

Mein Vater und ich erlebten zum ersten Male einen so gearteten Abschiedsaugenblick. Natürlich, daß wir ernst und bewegt waren.

Es ist eine Binsenwahrheit, daß es Leute gibt, die nur oberflächlich sehen, hören, fühlen, schmecken, riechen und denken können. Der Durchschnittsmensch sieht in meiner Reise eine Vergnügungsfahrt, um die man mich höchstens beneiden konnte. Ihm ist es nur lächerlich, von einem so gewöhnlichen Vorgang irgend Wesens zu machen.

Nein, es war nicht gewöhnlich für mich. Es war ein großes Erlebnis, vielleicht in meinem bisherigen Dasein das größte, weil zugleich mit dem kleinen Frachtdampfer mein eignes Lebensschiff vom festen, vom heimatlichen Ufer stieß und sich — so war mein bewußtes Gefühl — schicksalhafter, uferloser Unendlichkeit überlieferte.

Es sind neue Empfindungen, Urgefühle, die in solchen Stunden aufsteigen und alles seßhaft gestaltende, eingefriedete Wesen in Frage stellen. Schon die Gewalt des geahnten Eindruckes läßt die festesten Deiche vor dem Einbruch des Meeres zerschmelzen und spült sie hinweg. Wer wüßte nicht, daß eine einzige Flutwelle allem, was sich ihr entgegensetzt, sei es Elternhaus oder Stadtmauer, Straßburger Münster oder Parthenon, das gleiche Schicksal bereiten kann!

Es war unbestimmt, ob die »Hamburg« schon diese Nacht ausfahren würde oder nicht. Der Vater nahm gegen zehn Uhr Abschied von mir, mit dem Versprechen, am Morgen wiederzukommen. Ein Gefühl des Alleinseins in der Welt, wie ich es nach dem kühlen Kuß in Vaters Schnurrbart gehabt habe, als er meinen Blicken entschwunden war, zeigte mir, welcher Steigerung selbst die Erfahrung von Einsamkeit fähig ist. Ich kroch in meine Kabine hinunter.

Natürlich, daß mich beim Glucksen der Wellchen an die Schiffswand jene Träume heimsuchten, die mit dem Halbschlaf verbunden sind.

Im Traum durchlief ein Knabe sein Vaterhaus. Plötzlich war es da

wie ein wieder aufgetauchtes Vineta. Eigentlich war es nicht mehr vorhanden. Zuweilen war es mir in den letzten Jahren gewesen, als ob es niemals bestanden hätte. Jedenfalls schien es, als reiche kein Eimer an einem noch so langen Seil bis zum Grunde des schwarzen Brunnens, in dem es lag. Nun durchlief, durchschwebte ich wieder mein Vaterhaus; bei dem alten Gott Vater auf dem Absatz der Treppe, die zu den mystischen Quellen im Grunde des Hauses führt, machte ich halt. Dann strich ich im Traume die Böden ab und klopfte an die Bretter des Spielzeughimmels, der Siebenkammer. Das alte Gerümpel flüstert und knackt. Das Geschrill der Mäuse mischt sich darunter. Spiel, Spiel, oh, wie über alle Begriffe beglückend ist Spiel! Gott kann nur spielen, niemals arbeiten. Und nun steigt ein Knabe treppauf, treppab, ist eigentlich überall zugleich. Er liest die Nummer an jeder Zimmertür, um ohne zu öffnen einzutreten.
Dann ist mir, als läge ich gar nicht in eine dunkle Kabine der »Hamburg« eingepfercht, sondern im ebenerdigen, nächtlichen Zimmer des Lederoser Gutshauses. Wieder dröhnt die Schelle des Nachtwächters. Ich werde geweckt, trete ans lukenartige kleine Fenster. Ein seltsames Glucksen dringt von der Dorfstraße. Ist etwa das still fließende Wasser hinter den Gärten übergetreten, in dessen Weiden- und Erlenbüschen die Nachtigallen so schmelzend wetteiferten? Die Dorfstraße ist von Wasser bedeckt. Aber als wenn es nicht so wäre, kommt wieder der Lehrer Brendel mit seinen Schulkindern die Dorfstraße herauf. Sie singen, so scheint's; der Gesang ist herzbrechend. Ist es am Ende Tante Julie, die singt? Leb wohl, Geliebte! Geliebte, leb wohl!
Nun begann ein gewaltiges Kettengerassel, als ob die Giganten des alten Erdteils mir drohen wollten wegen meiner Fahnenflucht. Das Kettengerassel verstärkte sich. Ich hörte schreien und dicht über meinem Kopf Füße trampsen. Rhythmische Rufe schollen durch die Nacht.
Da erwachte ich und begriff sogleich: man war dabei, den Anker an seinen mächtigen Ketten emporzuwinden.
Ade! Ade! Ich weiß nicht, von wieviel Menschen und Sachen, Hoffnungen und Befürchtungen, schönen wie trüben Erinnerungen ich in diesen Minuten Abschied nahm. Hatte ich nicht beinahe von meinem ganzen früheren Selbst Abschied genommen? Wie nie zuvor drängte das Gestern in seiner Irrealität sich auf und konnte fast nur als verloren gelten.
Ich zuckte die Achseln: dies ist im Dunkeln, im Liegen, im Bette oft meine Art. Kein Anker hält! ist dabei mein Gedanke.
Die gewaltigen Ketten schlugen mit klirrendem Donner aufs Deck. In die glucksenden Rhythmen an der Schiffswand kam Veränderung. Ich brachte das Heulen kleinerer Dampfboote damit in Zusammenhang. Die »Ham-

burg« hatte Vorspann bekommen, wurde aus dem Hafen geschleppt. Ich sagte zu mir: Du hast es gar nicht gewußt, wie gerne du das geliebte ernste Haupt deines Vaters am kommenden Morgen noch einmal erblickt hättest. Aber damit war nun nichts. Navigare necesse est — und es hat seine eigenen festen Gesetze.
Die »Hamburg« ging bereits mit eigener Kraft, als ich nach einigen Stunden aufwachte. Ich zog mich an und ging an Deck. Ich glaubte bereits, auf dem Meere zu sein, da man die fernen Ufer der Elbe im Grau des Morgens kaum unterschied. Das weite Himmelsgewölbe stülpte sich in wolkiger Trübe auf die endlose Erdfläche. Endlich traten wir in die mehr und mehr bewegte Nordsee hinaus.

JOACHIM RINGELNATZ

Segelschiffe

Sie haben das mächtige Meer unterm Bauch
Und über sich Wolken und Sterne.
Sie lassen sich fahren vom himmlischen Hauch
Mit Herrenblick in die Ferne.

Sie schaukeln kokett in des Schicksals Hand
Wie trunkene Schmetterlinge.
Aber sie tragen von Land zu Land
Fürsorglich wertvolle Dinge.

Wie das im Winde liegt und sich wiegt,
Tauwebüberspannt durch die Wogen,
Da ist eine Kunst, die friedlich siegt,
Und ihr Fleiß ist nicht verlogen.

Es rauscht wie Freiheit. Es riecht wie Welt. —
Natur gewordene Planken
Sind Segelschiffe. — Ihr Anblick erhellt
und weitet unsre Gedanken.

JOACHIM RINGELNATZ

Arm Kräutchen

Ein Sauerampfer auf dem Damm
Stand zwischen Bahngeleisen,
Machte vor jedem D-Zug stramm,
Sah viele Menschen reisen

Und stand verstaubt und schluckte Qualm
Schwindsüchtig und verloren,
Ein armes Kraut, ein schwacher Halm,
Mit Augen, Herz und Ohren.

Sah Züge schwinden, Züge nahn.
Der arme Sauerampfer
Sah Eisenbahn um Eisenbahn,
Sah niemals einen Dampfer.

KONRAD WEISS

Geist und Geister Bremens

Es geschieht fast mit einem Schlage, daß man, in der Mitte der Stadt vor Rathaus und Dom angelangt, während links die gotische Liebfrauenkirche hereinschaut, das Stadtwesen Bremens bemerkt. Anders als in anderen Städten, wo man sich mehr an die einzelnen Denkmale wendet, ist man hier, umgeben von dem Formschein eines Alters, welches eine ruhige Gegenwart geblieben ist, alsbald auf den Geist der Gesellschaft selber gewiesen. Hier ist der Ausdruck eines deutschen Stadtgesichts und also des innewohnenden Geistes deutlicher als anderwärts auf dem Übergang vom Mittelalter zu Renaissance beharren geblieben ... Der schmuckvolle und doch von der gotischen Männlichkeit getragene, bürgerliche Spiegel des Rathauses hat seinen Widerschein auch an den anderen öffentlichen Bauten, dem Schütting, der das Amtshaus der Kaufleute war, dem alten Krameramtshaus, der Stadtwaage, und auch an Wohnhäusern wie dem Essighaus in schöner Vermehrung des Gesellschaftsbildes gefunden.
Man geht durch die Altstadt und glaubt immer eine menschliche Maß-

kraft, eine sachliche Verhaltenheit und eine stolze Beredtheit zu spüren. Die treibenden Formen der Frühzeit sind in ein konservatives Wesen, Geschichte und Lebenssinn in eine feste Gemessenheit aufgenommen. Man kann wohl fragen, welche Zeiten das Wesen des deutschen Menschen am meisten gebildet haben. Wie in den erhaltenen Formen der Städte muß wohl ein ähnliches Gesetz der Bildung und Bindung auch in den Menschen geblieben sein. Und jedenfalls: nirgends so wie im alten Bremen glaubt man, daß der deutsche Mensch zwischen Mittelalter und Renaissance behaust geblieben sei oder von da aus seine innere geistige Einrichtung getroffen habe. Mehr als Hamburg steht Bremen noch als geistiges Gesicht zwischen Geschichte und bleibender Gegenwart und zwischen Reich und Erde.

Gewiß muß man sich entschuldigen, wenn man bloß von kurzen Anblicken auf ein Gesetz schließen will, wobei man allerdings für sich hat, daß Bremen ein besonderes Gesicht dessen ist, was man auch sonst gesehen hat. Aber nicht nur, daß die Stadt diese Gedanken gibt; es gehören auch Namen zu ihr, die man besonders in dieser Weise verstehen kann. Man kann an den Schriftsteller und Übersetzer Gildemeister erinnern, der auch Bürgermeister von Bremen war. Heute gehört der Name Roselius hierher, wenn auch die Böttcherstraße mit sehr seltsamen Wucherungen über das Lebensgesetz hinausgeschossen scheint. Anderes in ihr ist mit dem Stil des Backsteinbaus eine Sehenswürdigkeit geworden. Dann gehört Anton Kippenberg hierher als Goethesammler und mit dem Sinne, der die Vergangenheit und Gegenwart fortbildet und weithin wirkt. Und schließlich ist der Dichter Rudolf Alexander Schröder eine ganz bremische Erscheinung, sowohl wie er die Antike neu erwirbt, als wie er auch die andere Seite seines Bildungsgesetzes, das wir zu sehen glauben, die angestammte stille Seele, zur Aussage bringt.

RUDOLF ALEXANDER SCHRÖDER

Dank an Bremen

Zur Verleihung der Ehrenbürgerwürde - Januar 1948

Hochansehnliche Versammlung! — Als ich soeben aus den Händen des regierenden Herrn Bürgermeisters die Urkunde der mir am heutigen Tag unter meinen Mitbürgern zugedachten Ehrung entgegennehmen durfte, wanderten meine Gedanken zurück in die Vergangenheit. Ich sah einen

1 Bremen: Der Schütting, das Gildehaus der Kaufmannschaft und der Roland, Hüter der Stadtfreiheit

Knaben die schöne Wendeltreppe hinaufsteigen, die ihn an der Hand seines Vaters zum ersten Mal aus dem damals noch mit Amtsräumen verbauten Untergeschoß in die obere Rathaushalle hinaufführte.
Der Vater zeigte dem Knaben beim Hinaufsteigen in der unteren Fensternische den vergitterten Raum, der ehemals zänkischen Frauen zu erzwungenem, wenn auch vorübergehendem Aufenthalt gedient, zeigte ihm die Stelle, an der früher die Schoßkiste gestanden, in die zu Zeiten einer heut märchenhaft anmutenden Steuerpolitik jeder Bürger seinen Beitrag zum öffentlichen Wesen nach eigenem Ermessen niedergelegt, wies ihm an der langen Saalwand das Bild der Schlacht von Loigny, den Kaiser Karl und den Erzbischof, das Urteil Salomonis und die Bilder der in den heimischen Gewässern gefangenen Walfische. An der östlichen Schmalseite mit den drei Wappenfenstern stand damals noch nicht das prunkende Ratsgestühl; auch die übrigen Wände entbehrten noch der reichen Täfelung, nur der Einbau der Güldenkammer prangte in seinem seit Jahrhunderten berühmten Schmuck. — Aber neben den Kaiserbildern an der weitgespannten Balkendecke und den von ihr herabhängenden Schiffsmodellen, war es vor allem eines, das den Blick des Knaben auf sich zog, das marmorne Standbild des Bürgermeisters Johann Smidt, das nun hoffentlich bald wieder auf seinen alten Platz zurückkehren wird. — Hatte doch der Vater gemeinsam mit dem Sohn des »alten« Smidt im fernen Osten die Firma gegründet, die ihrer beider Namen trug. Der Knabe war in dem schönen, nun längst verschwundenen Haus an der Contrescarpe und in den miteinander verbundenen Gärten der Verwandtschaft und Nachkommenschaft aus und ein gegangen. Kein Wunder also, daß sich in ihm vor diesem ehrwürdigen Bildnis zum ersten Mal das Gefühl des eigenen Verknüpftseins mit der Vergangenheit seiner Vaterstadt meldete. Er hätte damals freilich ein Denkmal auf einem der öffentlichen Plätze für ruhm- und ehrenvoller gehalten und tröstete sich mit dem Gedanken, daß ein solches wenigstens in Bremerhaven auf offenem Markt errichtet sei. Erst später hat er begriffen, welch hohe Ehrung dies Wohnrecht »auf ewige Zeiten« im Herzen der alten Stadt für den bedeute, der hier dargestellt war mit dem Bürgerkranz in der Hand.
Heut haben Senat und Bürgerschaft Bremens mir altem Mann einen solchen Kranz gereicht, und es würde ein Zeichen falscher Bescheidenheit sein, wollte ich meinerseits mit verkleinernden Worten von solcher mir an dieser durch große Erinnerung geweihten und geheiligten Stätte zugesprochenen Ehre reden. Aber freilich, man wird selber klein unter der Last so hoher Verantwortung, und der Rückblick auf das eigene Leben und die eigene Leistung trägt in solchem Moment nicht dazu bei, das

beschämende Gefühl der Unzulänglichkeit zu beheben. Jedenfalls hat, als ich noch auf dem Alten Gymnasium die Schulbank drückte, nichts dafür gesprochen, daß gerade ich einmal Ehrenbürger meiner Vaterstadt werden würde. Ich wüßte unter den hier Anwesenden den einen oder den andern, der mir das wahrheitsgemäß bestätigen könnte. Aber jedes durchlebte lange Leben gleicht ohnehin einem Ritt über den Bodensee. Wer sich nach überstandener Gefährde der Geborgenheit des anderen Ufers nahe weiß, was kann der weiter tun als Gott, dem Herrn, kniefällig zu danken? — Immerhin: meine Mitbürger haben mir heut ihr Wohlgefallen an der Tatsache bezeugt, daß ich ein Sohn unsrer lieben Stadt Bremen bin. Mehr und Höheres kann einem tagenbaren Bremer nicht zuteil werden. Und so sind es denn doch vor allem Gefühle tiefster Dankbarkeit, die mich in diesem Augenblick bewegen.

Viele Gedanken gehen einem in solcher Stunde durch Herz und Sinn. — Ich denke an das ehrwürdige Wappen unsrer Stadt, das ich seit je her für das schönste und ansprechendste aller Städtewappen gehalten habe, den Bremer Schlüssel. Und da gebe ich der Hoffnung Raum, es werde bald die Zeit kommen, wo er wieder in eigener Machtvollkommenheit Wächter unsrer Tore und Häfen sein und der Roland seinen Spruch von neuem wird wahrmachen dürfen: »Vryheid do ik u openbar«. Ich denke an das Wahrzeichen Bremens: die Henne mit ihren Küchlein. Die ins Herz getroffene, die schwer verwundete Mutter, wie weit hat sie ihre Flügel aufgetan, um ihre Kinder trotz allem von neuem unter ihnen zu versammeln! Hundert- und Aberhunderttausende haben schon wieder ihre Zuflucht bei ihr gesucht und gefunden. Wessen Gemüt solchem Geschehen nicht mit tiefer Rührung, nicht mit ehrfürchtigem Staunen erwidert, der — ich muß es schon mit Sarastros Worten aus der *»Zauberflöte«* sagen — »verdient nicht, ein Mensch zu sein«.

Ich denke an die drei Wahrsprüche unsrer Stadt. Der älteste: »Navigare necesse est, vivere non necesse est.« — Man könnte im gegenwärtigen Zeitpunkt sich versucht fühlen, ihn umzukehren, in der Meinung, erst sei es einmal nötig, am Leben zu bleiben, alles andere komme in zweiter Linie; aber freilich: Leben und Schiffahrt sind für Bremen ein und dasselbe. — Dann denke ich an den anderen, uns durch Otto Gildemeister geschenkten, den, der über dem Portal des Schütting in goldenen Schriftzeichen zum Rathaus hinübergrüßt: »Buten und Binnen — Wagen und Winnen«. Das ist ein stolzes und freudiges Wort; aber es gehört wohl zu denen, von denen es für eine Weile nach dem Wort Gambettas am besten heißen wird: »Toujours y penser, jamais en parler«. — Der dritte, wieder ein Wort aus alten Zeiten: »Bremen wees bedächtig«. — Ich möchte ihm heut eine etwas andere Wendung geben, möchte sagen: »Bremen wees indächtig«. — »Bremen sei gedenk.« In dem Wort klänge dann für mich doch auch etwas vom »Wagen und Winnen« mit an. Gedenken an das, was Bremen ehemals groß gemacht hat, aber zugleich ein festes und männliches ins Auge Fassen und Gedenken dessen, was uns in jüngster Zeit vor uns selbst und vor der Welt schuldig gemacht, und wofür sie uns ihre Quittung in dem Trümmerfall rings um die gnädig bewahrten Heiligtümer von Dom und Rathaus ausgestellt hat. Beides muß mit strengem und gefaßtem Ernst bestanden und gewagt werden, wenn wir das Wagnis unsrer Zukunft bestehen und gewinnen wollen.

»Bremen wees bedächtig«. — Indem unsre Stadt durch einen mich bis in die tiefsten Wurzeln meines Inneren erschütternden Vertrauensbeweis in meiner Person grade einen nicht so sehr der Wagenden und Winnenden als vielmehr der Bedächtigen geehrt hat, hat sie etwas getan, wofür es freilich für mich persönlich keines so drastischen Hinweises bedurft hätte. Sie hat sich in aller Bedächtigkeit als eine Stadt und ein Staatswesen bekannt, das auch heut Ehre besitzt und Ehre zu vergeben hat. — Erlauben Sie mir, auf eine kurze Formel zu bringen, was das für mich bedeuten will. Jedem Einzelnen unter Ihnen und darüber hinaus jedem Einzelnen meiner Mitbürger fühle ich mich, muß ich mich verpflichtet fühlen für die mir erwiesene Ehre. Jedem Einzelnen habe ich zu danken, jedem mich nach Kräften dankbar zu erweisen. Aber darüber hinaus fühle ich uns alle verbunden in einer großen, gemeinsamen Verpflichtung, in der nämlich, für alle Zeit ehrenwerte Bürger der alten ruhmreichen, ehrwürdigen Freien und Hansestadt Bremen zu sein und zu bleiben.

THEODOR STORM

Meeresstrand

Ums Haff nun fliegt die Möve,
und Dämmrung bricht herein;
über die feuchten Watten
spiegelt der Abendschein.

Graues Geflügel huschet
neben dem Wasser her,
wie Träume liegen die Inseln
im Nebel auf dem Meer.

Ich höre des gärenden Schlammes
geheimnisvollen Ton,
einsames Vogelrufen —
so war es immer schon.

Noch einmal schauert leise
und schweiget dann der Wind;
vernehmlich werden die Stimmen,
die über der Tiefe sind.

RAINER MARIA RILKE

Die Insel

Nordsee

I

Die nächste Flut verwischt den Weg im Watt,
und alles wird auf allen Seiten gleich;
die kleine Insel aber draußen hat
die Augen zu; verwirrend kreist der Deich

um ihre Wohner, die in einen Schlaf
geboren werden, drin sie viele Welten
verwechseln schweigend; denn sie reden selten,
und jeder Satz ist wie ein Epitaph

für etwas Angeschwemmtes, Unbekanntes,
das unerklärt zu ihnen kommt und bleibt.
Und so ist alles, was ihr Blick beschreibt,

von Kindheit an: nicht auf sie Angewandtes,
zu Großes, Rücksichtsloses, Hergesandtes,
das ihre Einsamkeit noch übertreibt.

II

Als läge er in einem Kraterkreise
auf einem Mond: ist jeder Hof umdämmt,
und drin die Gärten sind auf gleiche Weise
gekleidet und wie Waisen gleich gekämmt

von jenem Sturm, der sie so rauh erzieht
und tagelang sie bange macht mit Toden.
Dann sitzt man in den Häusern drin und sieht
in schiefen Spiegeln, was auf den Kommoden

Seltsames steht. Und einer von den Söhnen
tritt abends vor die Tür und zieht ein Tönen
aus der Harmonika wie Weinen weich;

so hörte ers in einem fremden Hafen —.
Und draußen formt sich eines von den Schafen
ganz groß, fast drohend, auf dem Außendeich.

* * *

CARL J. BURCKHARDT

Erinnerungen aus Osteuropa

Was ich heute berichte, hat nichts mit sogenannten politischen Tatsachen zu tun. Ich möchte Ihnen von drei Männern des Nordostens sprechen, die in den Jahren, welche ich in der Freien Stadt Danzig verbrachte, mir viel bedeutet haben: von einem Unbekannten, der mir bis heute unbekannt geblieben ist; von einem Freunde, einem Diplomaten, einem scharfen, bittren, bisweilen etwas ausfälligen Geist, einem grundehrlichen Mann, bei dem alles hart auf hart ging, der sich schließlich im Jahre 1945 in Ostpreußen das Leben genommen hat; endlich von einem Danziger Bürger, einem großen Weisen.
Als ich im Jahre 1937 zum erstenmal in jenem totalitär regierten Staatsgebiete eintraf, wurde mir, da ich das Haus betrat, welches ich in der Folge fast drei Jahre lang bewohnen sollte, ein in Danzig abgestempelter Brief übergeben. Dieser Brief enthielt nur ein Blatt ohne Anrede, ohne

Unterschrift; und auf dem Blatte stand ein mich und meine Aufgabe betreffender griechischer Aphorismus, welcher ironisch oder wohltuend, ja mitleidig gemeint sein konnte. Er lautet kurz übersetzt:
Es gibt nichts Schwierigeres für die Menschen, als nachzudenken und dabei niemandem etwas zu befehlen zu haben.
Von wem mochte die anonyme Zusendung stammen? Wer war der geistvolle Einwohner der mir noch völlig unbekannten Stadt, welcher sich der alten Sprache bediente, um einen so einleuchtenden Gedanken zu meiner Lage zu formulieren? Halb unbewußt habe ich ihn wohl in den ersten Wochen meines Aufenthaltes gesucht.
Ich lernte damals, von Tag zu Tag mehr bezaubert, eine der schönsten alten Städte des nordöstlichen Europas kennen; ein von den letzten zweihundert Jahren unversehrt gelassenes Stadtbild; helle, heitere, ich möchte sagen musikaliche Plätze; geschmückte Straßenzüge; breite, barocke, aber auch gotisch enge Gassen, die sich um die Festung, die feste Burg, die Kathedrale, die trotzige Marienkirche drängten. Ich sah gewaltige, altertümliche Speicher und alte Handelshäuser an Strom und Grachten. Und wenn ich so durch die Gassen ging, schaute ich unwillkürlich in die Gesichter der Vorübergehenden; ich suchte nach einem besonders gearteten Gesicht, in welchem ein Lächeln, flüchtig genug, vorübergeglitten wäre.
Da befand sich nahe bei der Kathedrale die Auslage eines Trödlers, eines Altwarenhändlers, welche es mir besonders angetan hatte. Aus der großen Zeit der Stadt stammten viele schöne Gegenstände, die da zum Verkauf angeboten wurden: viel englische Möbel des 17. und 18. Jahrhunderts, die einst jenem europäischen Patriziat der Hansestadt deutscher, polnischer, holländischer, französischer und englischer Herkunft gehört hatten. Tafelsilber oder aus Malachit gearbeitete Gegenstände, kleine Tische, Truhen, Möbel, Überreste privaten russischen Eigentums kamen in jener Auslage zum Vorschein; vor allem aber waren es oft alte Bücher, die mich zum Verweilen einluden.
Eines Tages nun stand ich wieder vor den grünlich matten Scheiben des in einen gotischen Bogen eingebauten Ladenfensters, und ich betrachtete drei Tritonenhörner, Muscheln aus südlichen Meeren, die im trüben Winterlicht nur matt aufschimmerten, als plötzlich ein Mann neben mir stand, groß, gebeugt, schlank, den Pelzkragen des langen Mantels hochgeschlagen, die Kappe tief über die Ohren gezogen; rasch mit dem Zeigefinger seiner in schweren gefütterten Handschuhen steckenden Hand, zeigte er auf einen Stoß Bücher:
»Nietzsche«, sagte er, »der wird jetzt auch ausgeweidet zu dunklen Zwecken, dabei hat er alles vorausgesehen und vorausgesagt.« Und dann noch rasch: »Wissen Sie, wer schuld ist an dem ganzen Elend, in dem

wir stecken? — Nietzsches Bildungsphilister ist schuld daran! Guten Abend, mein Herr.«

Er führte die Hand zur Kappe und verschwand eilig um die Hausecke.

Zu Hause, am Abend, schlug ich einen Nietzscheband auf. Und ich las in den »Unzeitgemäßen Betrachtungen« die schon im Jahre 1874 geschriebene Stelle:

»Alles dient schon heute der kommenden Barbarei, die jetzige Kunst und Wissenschaft mit inbegriffen.«

Und Nietzsches Bildungsphilister? — Eine Erinnerung aus der Studentenzeit. Als Prototyp des Bildungsphilisters betrachtete Nietzsche den von ihm mit Schärfe, einfallsreicher Munterheit und Kampflust mißhandelten Dr. David Friedrich Strauß, dessen Name in unserem Lande noch unvergessen ist, weil — wie Sie alle wissen — im Kanton Zürich der sogenannte Straußenputsch sich ereignet hat, damals, als das Züricher Landvolk sich gegen die Berufung dieses — wie man zu sagen pflegte — Freidenkers an die Züricher Universität zur Wehr setzte. Geistig totgeschlagen hat Nietzsche diesen Biedermann, für welchen inzwischen gar manche Ehrenrettungen versucht wurden; totgeschlagen hat er ihn hauptsächlich, indem er ihn selbst zitierte, so etwa durch die Stelle:

»Wir sind weit davon entfernt (das heißt ich, Dr. David Friedrich Strauß, bin weit davon entfernt), in einem so problematischen Produkt wie der Neunten Symphonie Beethovens Verdienste zu suchen. Es ist ein Elend, daß man sich bei Beethoven den Genuß und die gern gezollte Bewunderung durch solche Einschränkungen verkümmern muß.«

Oder dann durch das andere Zitat, das Nietzsche als Quinta essentia der Bildungsphilisterei hinstellt, die Stelle, in welcher Strauß sein irdisches Paradies schildert; sie lautet:

»Wir wollen nur noch andeuten, wie wir es treiben, schon lange Jahre getrieben haben. Neben unserem treu erfüllten Berufe suchen wir den Sinn möglichst offenzuhalten für alle höheren Interessen der Menschheit: wir haben während der letzten Jahre lebendigen Anteil genommen an dem großen nationalen Krieg und der herrlichen Aufrichtung des deutschen Staates, und wir finden uns durch diese ebenso unerwartete als herrliche Wendung der Geschichte im Innersten erhoben. Dem Verständnis dieser Dinge helfen wir durch geschichtliche Studien nach, die jetzt mittels einer Reihe volkstümlich geschriebener, nüchtern die Tatsachen feststellender Geschichtsbücher leicht gemacht wird. Dabei suchen wir unsere Naturkenntnisse zu erweitern, wozu es an allgemein verständlichen Mitteln auch nicht fehlt; und endlich finden wir in den Schriften unserer großen Dichter, bei den Aufführungen der Werke unserer großen Musiker eine Anregung für Geist und Gemüt, für Phantasie und

Humor, die nichts zu wünschen übrigläßt. So leben wir, so wandeln wir beglückt.«
Ja, so sah Nietzsches Bildungsphilister aus, auf den der anonyme Sprecher am Schaufenster angespielt hatte:
»So leben wir, so wandeln wir beglückt — mit Anregung für Geist und Gemüt, für Phantasie und Humor, die nichts mehr zu wünschen übrigläßt.«
Waren wohl der Aphorist und der pelzverbrämte Nietzsche-Kenner vor dem Schaufenster dieselbe Person? Ich sprach eines Tages mit meinem Freund, dem Diplomaten, über diese Frage. Er meinte in seiner immer extremen Art:
»Der Polizei ist heutzutage nichts mehr unmöglich; ihre Technik ist nahezu vollendet. Wenn Sie ihr eine Schriftprobe des Anonymus und das Signalement geben, bringt sie Ihnen den Mann innerhalb von vierundzwanzig Stunden. Wissen Sie«, setzte er hinzu, »wir sind jetzt hier in diesem Teile der Welt in eine Lage hineingeraten, in welcher alles auf die Spitze getrieben wird; bald wird die halbe Erde so weit sein, und wenn Sie genauer hinschauen, so bestehen zwischen diesen totalitären Ländern und den anderen, die noch glauben, frei zu sein, vielleicht nur noch Gradunterschiede. Im Grunde kennt unsere moderne technische Zivilisation schon seit geraumer Zeit keine freien Einzelwesen mehr, sondern nur noch menschliche Kategorien. Die meisten sind sogenannte Angestellte oder Beamte und somit festgelegt unter der Drohung, ihre Pension zu verlieren. Sie sind Menschen von links oder von rechts; sie sind als Vertreter — denn alle sind Vertreter von Rechtsparteien oder Linksparteien — jeweils als Reaktionäre oder als Revolutionäre, als Kollektivisten oder als Asoziale zu verfolgen. Jeder Mensch, auch schon in den sogenannten freien Ländern, hat eine Karteikarte, ist statistisch bestimmt und vorgemerkt. Wir sind alle Sklaven unserer eigenen Erfindungen, Sklaven einer Zivilisation, deren Kennzeichen die Hollerithmaschine ist. Wir sind Sklaven von Ideen, Sklaven eines Apparates, Sklaven der Bürokratie. Wenn sich diese Tendenz nur um ein weniges verschärft, dann ist die Komplementärgröße dieser Lebensform ganz selbstverständlich Gefängnis, Kerker, Konzentrationslager, in welchen diejenigen untergebracht werden, die sich angeblich an die momentan herrschenden Zustände nicht angleichen lassen, weil sie zu feindlichen Kategorien gehören.«
»Gut, und was machen Sie in dieser solcherart geschilderten Welt mit dem Bildungsphilister Nietzsches?« fragte ich ihn, »jenem Bildungsphilister, von welchem mein Unbekannter mit solchem Ingrimm behauptet, er sei an allem schuld?«
»Haben Sie«, antwortete der Diplomat, »schon einmal über einen Begriff

nachgedacht, den ich gern mit dem Worte ›die Interessantigkeit‹ bezeichne? Zweierlei — meiner Ansicht nach — dient als Erkennungszeichen des Bildungsphilisters: sein Hang zur ›Interessantigkeit‹, seine Manie, einfach alles ›interessant‹ zu finden, und sodann seine Eigenschaft, immer ›wir‹ zu sagen und nicht ›ich‹: ›wir‹ wissen, sagt er, ›wir‹ besitzen; ›wir‹ haben zum Beispiel die besten Autostraßen oder eine gewaltige Luftwaffe, wir haben Kulturrekorde, oder auch: ›uns Europäern‹ gehören Voltaire und Goethe, Spinoza und Pascal oder Descartes und Rousseau — ja, ja, solche Paare zusammenzunennen, stört unseren Bildungsphilister gar nicht; mögen Leute wie beispielsweise Spinoza und Pascal sich vertragen wie Feuer und Wasser, der Bildungsphilister läßt sich dadurch nicht irremachen, sind doch beide so ›interessant‹, und beide gehören zu seinem Kulturbesitz. Der Bildungsphilister unterscheidet nicht, er trennt nicht, er vermischt in einer ungeheuren Euphorie der Gemütlichkeit; er besitzt, er hat. Auch seine Nation ist sein Eigentum, seine Partei, sein Verein; deswegen sagt er immer ›wir‹ oder ›man‹. Er ist stiller Teilhaber der öffentlichen Meinung.«

»Gut, und so weiter«, unterbrach ich ihn. »Aber jetzt dieser glückliche, behagliche, alles zu allem bringende fortschrittsgläubige Bildungsphilister — wie bringen Sie den in Zusammenhang mit den kargen, bildungsfeindlichen, grausamen Simplifikatoren, die jetzt überall in der Welt auf den Plan treten?«

»Wo ich den Zusammenhang suche?« lachte der Diplomat. »Es handelt sich um gar keinen Zusammenhang, es handelt sich um ein und denselben Typus, eben durchaus um den Bildungsphilister selbst in neuer Maske. Ihr Unbekannter vom Trödlergeschäft hat vollkommen recht gehabt; ja, jener ist jetzt wild geworden — der wildgewordene Philister. Längst hat er sich übernommen an seiner Bildung; er glaubt schon lange an nichts mehr, und plötzlich steht er vor dem großen Nichts. Schon von den Bildungsanstalten geht er weg mit einem gelähmten Kopf, unfähig, selbst noch richtige Gedanken hervorzubringen, fähig nur noch, zusammenzureden und zusammenzuschreiben, was schon tausendfältig abgeschrieben worden ist; Generationen verschrobener, anspruchsvoller Köpfe folgen sich, strotzend von Absichten, blutarm an Einsichten. Allzu lange waren diese Köpfe voll von einer leeren Begeisterung; dann aber hat schon der erste Krieg ihnen die gemütlichen Wände ihres Bildungskasinos aufgerissen, und durch die Mauerrisse gewahrten sie die Nacht, die kalte, eisige Nacht. Da fuhr ihnen die Angst in die Knochen, und jetzt schreien diese einst so optimistischen Philister noch viel lauter als vorher ihr Lieblingswort ›wir‹! Der Herdentrieb, ihr Grundtrieb, wird nun mächtig in ihnen; sie wagen es auch nicht mehr, einen Augenblick allein zu sein. Ihr Lunapark,

in welchem ihre Sammlung widerspruchsvoller toter Genies wie Fackeln so ›interessant‹ geleuchtet hatte, ist jetzt dunkel geworden, und die armen Bildungsphilister müssen sich in ihrem Schreck zusammenscharen; denn nach der Periode der heitern und genußreichen Überzeugungslosigkeit brauchen sie jetzt raschestens, dringend ein paar Dogmen, ein paar primitive Dogmen, um sich daran festzuhalten; denn sie versinken, der Boden ist flüssig geworden. Ja, wahrhaftig, wer hätte das gedacht? Ein paar ganz leicht verständliche, simple Dogmen, auf welche die ganze Herde sich einschwören läßt — Dogmen, Organisation, Gleichschritt, Lenkung, Führung, um der Todesangst, die den Philister bedrängt, in sich selbst zurufen zu können: Nimm dich in acht, Angst! Nehmt euch in acht, unbekannte Gefahren! Wir sind stark! Wir sind unüberwindlich! Wir sind die Zukunft! Wir überleben alle Gefahren! Wir sind tausendjährig! Also hüte man sich vor dem leeren Bildungsbetrieb; es geht nicht um den Bildungsbetrieb, es geht um Bildung, das heißt um Unterscheidungsgabe, um die Fähigkeit auch zur Ablehnung. Wenn wir diese Fähigkeit verlieren, dann ist alles verloren; denn das Allzuviele, mit genießerischer Sammlerfreude gehäuft, ergibt das Nichts, und aus dem Nichts erhebt sich die zu furchtbaren Taten antreibende Panik.«
Aber mit allen diesen heftigen Aussprüchen waren wir der Spur unseres geheimnisvollen Gräzisten nicht nähergekommen. Bald schon jedoch ließ er wieder von sich hören.
Es war nach einer Zeremonie, welche bei Anlaß einer Städtebauausstellung stattfand; etwas feierliche, sehr höfliche Reden waren gehalten worden. Am Abend desselben Tages lag der zweite anonyme Brief im Kasten, und auf dem Zettel stand folgendes — diesmal auf deutsch:
»Die wahre Höflichkeit ist Schuldigkeit — die falsche ist Betrug! Sie ist nicht Sache des Anstandes, sondern ein Mittel, um andere in die Hand zu bekommen.«
Der Freund meinte: »Auch dieses ist ein Zitat, und zwar eine Übersetzung aus einer lateinischen Sprache; Syntax und Klang verraten es.«
Mir stieg schon damals eine Vermutung auf; aber da ich nicht sicher war, wollte ich sie nicht aussprechen.
Jetzt folgten sich die Zettel in rascher Folge.
Es war in den Wochen, in welchen eine Annäherung Polens und Deutschlands durchgeführt wurde, welche dann unter anderem schließlich zur Annektion Teschens führen sollte. Es fanden auf dem Gebiete des Freistaates mehr oder weniger geheime Zusammenkünfte statt; unter Schlagzeilen aber verkündete die Presse die »epochale Bedeutung« dieser Annäherung.
Da fand ich denn im Briefkasten den Spruch:

»Die Poesie ist tiefsinniger und beträchtlicher als die Geschichte.«
Nach einem üblen gerichtlichen Vorgang aber hieß es:
»Unusquisque tantum iuris habet, quantum potentia valet«. Und die Variante: »Uniuscuiusque ius potentia eius definitur«.
Wobei die erste Zeile heißt:
»Jeder hat soviel Recht, als er Gewalt hat.«
Die zweite:
»Jedes Menschen Recht wird bestimmt durch die Macht, welche er besitzt.«
Manchmal schrieb der Absender auf französisch. Nach der Wahl eines neuen hohen Justizbeamten hieß es:
»Car y suivront la créance et estudes
De l'ignorante et sotte multitude
Dont le plus lourd sera reçu pour juge.«
Das war ohne weiteres zu bestimmen: Es war im 68. Kapitel von Rabelais' Gargantua.
Aber wo stammte das nach einem Besuche eines Machthabers aus der Reichshauptstadt gesandte Zitat folgenden Wortlautes her?
»Ex quovis ligno fit mercurius.«
»Aus jedem Holze läßt sich ein Gott schnitzen.«
Und einmal — nach einem sehr gründlichen Vortrag eines Professors über die Ostseebelange und ihre historischen Voraussetzungen — fand ich schon beim Nachhausekommen das Wort:
»Le secret d'être ennuyeux, c'est de tout dire.«
Dieser Spruch stammt bekanntlich von Voltaire.
Ich bewahre sechzig Zettel von der Hand des Unbekannten auf. Seine Briefe lagen regelmäßig im Briefkasten meiner Wohnung; nur die erste Zusendung war durch die Post gekommen; alle späteren wurden überbracht, und zwar meistens durch einen kleinen Jungen. Nur mit dem Diplomaten hatte ich darüber geredet.
»Erwähnen Sie nie ein Wort«, sagte er mir. »Es könnte jemand von der Sache weitererzählen, und dann beginnt die Jagd. Der Aphorist wird festgenommen und verhört — man weiß, wohin das führt.«
Nun, der arme Aphorist verstummte im November 1938; damals erhielt ich den letzten seiner Zettel; auf diesem stand:
»Man scheinet mehr als andere die zu beneiden, die, durch der eignen Flügel Kraft erhoben, Gewöhnlichkeit der großen Menge meiden.«
Das ist die Übersetzung eines Verses von Petrarca. Ich fürchtete sehr für den Unbekannten und entbehrte ihn als nahen Bekannten, dessen Zuspruch und Teilnahme mir sehr viel bedeuteten.
Mit Recht sagte der Diplomat: »Wir müssen in diesen kollektiven Zeiten

die einzelnen Menschen, wie Diogenes, mit einer Laterne suchen; finden wir einen, dann ist es ein wirklicher Mensch; denn, nicht wahr, es gab soziale Zustände, in welchen es zum guten Ton gehörte, sich menschlich zu geben. Aber *diese* Menschlichkeit bewährt sich nicht, wenn sie auf die Probe gestellt wird. Nehmen Sie — um ein Lieblingswort der Epoche zu gebrauchen — einmal an, das Menschliche sei unter ganz bestimmten Umständen nicht mehr rentabel, wie viele bleiben dann noch menschlich? Diejenigen Menschen dagegen, die wir hier noch finden, hier in dieser Stadt, die sind es wirklich; denn es bringt ihnen gar nichts ein, und sie werden dafür sicher nicht berühmt. Manche treten jetzt aus angeborener Menschlichkeit beiseite, möglichst unauffällig, und leben versteckt. Einige aber sind da, die alle Konsequenzen auf sich nehmen — auch die letzte. Sie schwimmen gegen den Strom.«
Wenn ich an jene denke, die Widerstand leisteten und zugrunde gingen, und an jene, welche abseits, außerhalb der politischen Gegenwart ehrenhaft zu leben sich bestrebten, so erstaunt mich ihre große Zahl; denn, nicht wahr, für jeden, der keine offizielle Funktion bekleidete, der kein Beamter, kein Mitglied, kein Vertreter von irgendetwas Offiziellem war, war es sehr gefährlich, mit mir in Verbindung zu treten. Und trotzdem könnte ich jetzt noch nach Jahren sehr viele aufzählen, ihre Taten beschreiben — von dem Bäcker, welcher durch Wochen hindurch politisch Verfolgte bei sich verbarg, bis zu dem Pfarrer, der, selbst ein Schwerkranker und vom Tode gezeichnet, durch Jahre hindurch und dann noch während des ganzen dunklen Krieges denjenigen beistand, die zu Tode verurteilt waren...

Eine merkwürdige Begebenheit aber, die mit dem Kunstsinn zusammenhängt, will ich doch erwähnen: Eines Tages standen in meinem Büro zwei kleine, unscheinbare Männer. Der eine räusperte sich. Was war sein Anliegen?
»Wir bauen«, begann er, »in der Marienkirche eine neue Orgel. Die elektrische Orgel der Jetztzeit ist ein Orchestrion; die Orgel des 18. Jahrhunderts wurde allzu zierlich und ahmte die Instrumente des Orchesters nach; wir möchten in unserer Bauweise dort anknüpfen, wo man im 17. Jahrhundert stand, zu den Zeiten Bachs. Jetzt sind wir so weit. Ein Freund von uns, ein großer Organist, kommt nächste Woche. Er wird ein erstes Mal das Instrument probieren; es wird niemand dabei sein als wir und einige Musikanten.« Dann machte er eine kleine Pause, räusperte sich wieder und setzte an: »Man hat es jetzt sehr schwer«, sagte er, »Sie haben es auch schwer, das wissen wir, und da haben wir uns gedacht, daß es Ihnen vielleicht Freude machen könnte — nicht wahr, es ist kein

Konzert, wir probieren nur —, wir dachten, daß es Ihnen vielleicht trotzdem Freude machen könnte, dabei zu sein. Wir würden Sie, falls es Ihnen recht wäre, am kleinen Eingang des Seitenschiffes am Donnerstag um neun Uhr abends erwarten. Es ist besser«, setzte er hinzu, indem er sich mit einem scheuen Blick umwandte, »es ist besser, wenn man nicht davon spricht.«

Ich ging hin. In dem ungeheuren Schiff der als Basilika gebauten Ordenskirche brannten nur einige Kerzen in den an die Pfeiler geschmiedeten eisernen Ringen. Nur die Hauptorgel und die beiden Seitenorgeln über dem Chor waren beleuchtet. Himmelhoch türmte die Dunkelheit sich in dem mächtigen Gewölbe der Kathedrale. Wir waren nur fünf Menschen am Fuße des einzigen beleuchteten, in die Nacht hinansteigenden Riesenpfeilers — und das Spiel begann.

Bachs Präludium und die Fuge in e-moll; jedes Motiv, jede Figur plastisch, schwamm die Tongewalt durch die schwere Stille des unermeßlich scheinenden Raumes. Manuale und Pedale gaben dem polyphonen Vortrag die höchste Durchsichtigkeit, von der scharfen Hervorhebung des Gegensätzlichen bis zur zarten Unterscheidung des Verwandten und Gleichartigen. Zeitlos erhaben meditiert der große Mystiker Johann Sebastian Bach; er schließt an unser Geheimstes an und befreit. Die ganze Breite und Tiefe unseres Wesens wird uns erst offenbar, wenn wir dieses alte, große, ewige Ursprungsland unseres Wesens mit der Seele suchen. Wer Bach ist, können vielleicht die Engel im Himmel sagen, nicht wir Menschen; uns ist er außerhalb von jedem Vergleich und Maß der Inbegriff aller Musik, der gewesenen und der kommenden, ein Lebenselement, ohne das wir verkümmern müßten.

Eine Pause im Spiel — leise frage ich meinen Gastgeber, den kleinen Musiker, der in so rührender und schlichter Weise mich eingeladen hatte, leise frage ich ihn: »Wer spielt? Wer ist Ihr Freund, der die Orgel einweiht?«

Nahe an meinem Ohr antwortet er flüsternd:

»Günther Ramin; er ist von Leipzig eigens herübergekommen« — und wieder beginnt die Musik.

Im Entstehen und Fortwirken, Sichentfalten und Herrschen der deutschen Musik, ganz abseits von der chaotischen, katastrophenreichen Geschichte der Deutschen, ist kein Bruch vorhanden. Man sagt, dieses Volk habe kein Gedächtnis. Für die Werte der bildenden Kunst, die Architektur vor allem, mag dies fast ebenso wahr sein wie für die sozialen und politischen Einrichtungen. Aber in der deutschen Musik fehlt jeder gewaltsame, doktrinäre Eingriff, fehlt jede Unterbrechung. Sie ist uns allen gegenwärtig, spricht gegenwärtig zu uns, und vielleicht ist dies mit deutscher Dichtung, deutschem Schrifttum ähnlich wie mit der Musik — im Gegensatz zu dem, was immer behauptet wird. Wohl vergessen die Deutschen ihre großen Autoren rascher als andere Völker, weil ihr Urteil ein unsicheres und schwankendes ist; aber ich dachte an jenem Abend nach — wir lesen Grimmelshausen, wir lesen Ekkehard, wir lesen den Ackermann und den Meier Helmbrecht völlig wie zeitgenössische Werke, und Isaaks Lied: »Innsbruck, ich muß dich lassen«, wie ergreifend heutig, gegenwärtig klingt es uns . . .

Es war eine unvergeßliche Nacht: die Kerzen brannten herunter, droben saß der Meister am Instrument; unerschöpflich entströmten diese durchseelten, gedankenklaren Systeme aus Klang und Rhythmen der neugeschaffenen, der aus uralter Erfahrung neugewordenen Orgel. Draußen lag die nächtliche Stadt mit ihren in die Netze der Gegenwart verstrickten Menschen. Wie so bald schon sollte diese Stadt, sollte diese mächtige Kathedrale, sollte auch die neugeschaffene Orgel nicht mehr sein! Die Welt der Klänge aber, in der wir uns ergingen, war unvergänglich. Mit dem Hören nahm es kein Ende — Bilder wurden sichtbar, und während die Töne als Kraft und Ordnung uns erfüllten, sah ich diese bedrohte Stadt mit ihren getriebenen, unglücklichen, ihrem Schicksal ohnmächtig ausgelieferten Bewohnern wie von innen heraus, und hinter der Stadt sah ich jene unschuldige, freie Landschaft, die sie umgab: Ebenen sah ich, Wälder und Wasser in gedämpftem, silbernem Schein. Waldseen in den frühen Stunden des Sommermorgens, wenn das erste Licht wie eine milde Lohe aufleuchtet an roten Föhrenstämmen — und mit einem Male hört man den glückseligen, den unvergeßlichen Ruf des Kranichs, den ersten Ruf, der in der Natur beim Beginn des Tages erschallt. Bald singt und lockt es allenthalben, die Büsche rauschen auf, ein unsichtbares Wild springt ab... Wir sitzen im flachen Kahn, stoßen ab vom Ufer; der Kahn zieht, getrieben von seltenen Ruderstößen, durch das eben noch schwarze, jetzt von kühlem Schein überschauerte, dann in silbernem Fluß gleitende Wasser. Raschelnd, sirrend geht es in die Schilfgärten hinein, eine Kette Enten steigt hoch; eifrig, hart die Flügel schlagend, winden sie sich aufwärts, bilden den Keil der Flugordnung; schon sind sie fern und sausen vorwärts über hellen Wipfeln. Jetzt brechen die letzten Schilfrohre, auseinandergepreßt von den Bootsrändern; das Boot hebt sich an ihrem Widerstand, die Rohrdommel schlägt und lacht dazu; die Bekassinen schwirren in gerissenen Zickzackkurven ins Blau, weit über dem durchscheinenden Blitzen der Libellen, und nun ist wieder freie Sicht. Der See — wie ein stiller Flußarm — wandert jetzt unter dem Morgenwind. Dort, nur einen guten Steinwurf weit, vor der frei ihr mächtiges Astwerk breitenden Eiche, an der Spitze der den Waldsee in zwei Arme teilenden Landzunge, am leicht bespülten, sandigen Uferstreifen, stehen die wilden Schwäne. Sie sträuben das blanke Gefieder gegen die ziehende Luft und lassen sich ins Dunkel der wieder im Schilf sich verlierenden Wasser treiben. Das Boot aber bleibt im Licht. Es zieht an der Halbinsel vorüber und gelangt nun zum scheinbaren Abschluß des Sees, dort, wo schwarze Tannenzweige bis zur Fläche leise wiegend niederhängen. Wir aber heben den von straffen Nadeln strotzenden Ast, bücken uns, stoßen vor ins Dämmerlicht des Waldes. Dann der Wasserweg, schmal wie ein Bach, leise gurgelnd über dem schwarzbraunen, sumpfigen Grund; er führt weiter, an Blößen vorüber, auf denen vereinzelte große Steine im hohen Farne stehen. Dort hausen Füchse — jetzt schlafen sie im Bau. Und wieder schließt sich drängendes Blattwerk, buschiges Niederholz der Buchen und Haselsträucher. Bisweilen schließen die hohen Kronen des hundertjährigen Waldes so dicht, daß das Licht zu grünem Dunkel wird. Manchmal auch stehen die stillen, hohen Bäume freier, der Wind bewegt sie singend auseinander. Der Spiegel, auf dem wir gleiten, wird breiter, blinkt auf, der Himmel wird frei. Hoch über uns reviert ein Weih, und während sein pfeifender Schrei über den unabsehbaren Wipfeln gellt, zieht sein Schatten über die Fläche des Teiches, den wir jetzt durchqueren. Dann beginnt leise Gewalt der Strömung, und mit einem Male, zwischen zwei hellen Birkenstämmen, gelangen wir wieder ins Freie; und nochmals tut ein anderer See sich auf vor uns, weit ausholend zu fernen Ufern. Die Stille ist vollkommen; nur hin und wieder springt ein Hecht, oder Reiher streichen von den Horsten. Vielleicht erleben wir es, daß durch das Buschwerk, schmale Stämme biegend wie Halme, der Elch aus Urzeiten ans Ufer tritt, daß seine gewaltigen Schaufeln, als ein Zeichen freister Natur, vor dem Himmel der östlichen Ebene stehn, der Ebene, die nun am Rande der Wälder sich ohne Ende breitet, so daß nur ein ferne ziehender Rauch bezeugt, daß auch dort, in dieser unversehrten Welt, Menschen ihre harte und herrliche Heimat haben . . .

Noch schwebten die Klänge, aber plötzlich brach das Spiel mit einem letzten Akkord ab. Eine Türe schlug zu, mächtig hallte der Schall in den hohen Gewölben nach; ein kalter Luftzug ließ die tiefheruntergebrannten Lichter flackern. Unbehagen brach ein; beunruhigt schauten die Musiker, welche mich geholt hatten, nach der Richtung, in welcher im Dunkel Schritte schallten; die Schritte kamen näher — einen Augenblick glaubte ich, am Rande des schwachen Lichtkreises eine Gestalt zu sehen, groß, schlank, vorgebeugt, aber sie trat sogleich in den Schatten zurück, wieder hörte man Schritte, und wieder schlug die Türe.

»Was war es?« fragte der eine der Musiker.

»Es war nichts«, sagte der andere aufatmend.

Wieder fragte ich mich, war diese schattenhafte Erscheinung in der Kirche der Aphorist? dieser Mann, der meine Phantasie beschäftigte? Es gelang mir nicht, es zu wissen; es gelang mir nicht, ihn kennenzulernen, er verstummte — wie gesagt — und verschwand, aber ich verdanke ihm die Bekanntschaft mit einem der merkwürdigsten Männer, die die Freie Stadt hervorgebracht hat, mit einer Figur, der ich allerdings schon früher einmal flüchtig begegnet war; aber die Art, in welcher der Unbekannte mir zu diesem neuen und vertieften Kennenlernen des beträchtlichsten Stadtbürgers verhalf, das möchte ich erst am Schluß meiner heutigen Ausführung erwähnen.

Ich sehe ihn vor mir, diesen alten Danziger Bürger: klein, trocken, beweglich, mit einem Haupt aus demselben ernsten Trotz geschaffen wie die Danziger Marienkirche und wie sie voll von nach oben drängender Kraft. Herrliche stahlblaue Augen, wahrlich »Lichter«, wie man vom Wild sagt, ein Republikaner von der alten Art, welcher allerdings nicht »wir« sagt, sondern »ich«, der sagt: »Ich« verspreche und »ich« halte, »ich« liebe und »ich« lehne ab. Einer, der sein Ich der Gemeinschaft zur Verfügung stellt, wenn sie es wirklich braucht, der sich aber an keine Kollektivität verliert, an keine Gruppe — und nicht in dem »wir« aufgeht wie ein leichtlöslicher Stoff.

Herrliche Gespräche konnte man mit ihm führen, wann immer man ihn aufsuchte; über ein uraltes Traumbuch, beispielsweise das »Oneirokritikon« des Artemidoros, über Somnambulismus oder über Gespenster. Man war dann jeweils sofort weit entfernt von Rüstungskoeffizienten, Sanktionen gegen Angreifer, Fünfjahresplänen oder Kartoffelschlachten.

Alle Gegenstände, die ihn beschäftigten, erfaßte er mit größter Originalität. Einen Winter lang trieb er Generalbaß behufs seiner Studien zur Metaphysik der Musik.

Er war ein Polterer und Schimpfer, anders als der Diplomat, urmäßiger, humorvoll grimmig: »Deutscher Geist«, lachte er, »als ob es das gäbe! Es ist doch ganz gleichgültig, ob ein Cartesius in Deutschland oder Frankreich gelebt hat.« Ich höre noch den Rhythmus seiner Ausbrüche. Von den Vertretern der Geisteswissenschaft an unseren Universitäten hielt er bitter wenig ...

Mein Weiser, den man gottlos genannt hat, weil er Gottes Namen nicht gern im Munde führte, stand einmal vor dem Bilde des Gründers von La Trappe, des Stifters des Trappistenordens, Rancé. Er wandte sich plötzlich ab mit tränenüberströmtem Gesicht und sagte: das ist nur durch die Gnade möglich.

In seinem Hauptwerk hat er geschrieben: »Ein entschieden edler Charakter, bei gänzlichem Mangel intellektueller Vorzüge und Bildung, steht da,

2 Die Krypta im Dom zu Speyer, erbaut 1030-1041

wie einer, dem nichts abgeht; hingegen wird der größte Geist, wenn mit starken moralischen Flecken behaftet, noch immer tadelhaft erscheinen. Denn, wie Fackeln und Feuerwerke vor der Sonne blaß und unscheinbar werden, so wird Geist, ja Genie und ebenfalls die Schönheit überstrahlt und verdunkelt von der Güte des Herzens. Wo diese in hohem Grade hervortritt, kann sie den Mangel jener Eigenschaften so sehr ersetzen, daß man solche vermißt zu haben sich schämt. Sogar der beschränkteste Verstand wie auch die groteske Häßlichkeit werden, sobald die ungemeine Güte des Herzens sich in ihrer Begleitung kundgetan, gleichsam verklärt, umstrahlt von einer Schönheit höherer Art, indem jetzt aus ihnen eine Weisheit spricht, vor der jede andere verstummen muß. Denn die Güte des Herzens ist eine transzendente Eigenschaft, gehört einer über dieses Leben hinausreichenden Ordnung der Dinge an und ist mit jeder anderen Vollkommenheit inkommensurabel. Wo sie in hohem Grade vorhanden ist, macht sie das Herz so groß, daß es die Welt umfaßt, so daß es jetzt alles in ihm — nichts mehr außerhalb liegt; da sie ja alle Wesen mit dem eigenen identifiziert . . . Was ist dagegen Witz und Genie?«

Über die Lauterheit und infolgedessen die Wirkung seines eigenen unbestechlichen Denkens war er zuversichtlich; er glaubte, er weise in die Zukunft.

»Das Wahre und das Echte würde leichter in der Welt Raum gewinnen«, sagte er, »wenn nicht die, welche unfähig sind, es hervorzubringen, zugleich verschworen wären, es nicht aufkommen zu lassen. Aber es geht nicht um das vorübereilende, mit seinem einstweiligen Wahn beschäftigte Geschlecht. Die echten Werke sind nicht auf das Zeitalter ihres Entstehens abgestimmt; es bleibt ihnen jederzeit eine ganz eigentümliche stille, langsame mächtige Wirkung, und wie durch ein Wunder sieht man sie endlich aus dem Getümmel sich erheben, gleich einem Aerostaten, der aus dem Dunstkreis des Erdenraumes in reinere Regionen emporschwebt, wo er, einmal angekommen, stehenbleibt und keiner ihn mehr herabzuziehen vermag.«

Sie haben ihn nun bereits alle erkannt an dieser Stelle, meinen alten Danziger Freund, der mir in seiner Vaterstadt so wacker, klar, so frank und frei zur Seite stand. Er heißt Arthur Schopenhauer und ist in Danzig im Jahre 1788 geboren, aus altem Stamm der Freien Stadt. Gestorben ist er 1860 zu Frankfurt am Main. Sein Vater, seiner republikanischen Gesinnung treu, ist nach der preußischen Besetzung in den neunziger Jahren des 18. Jahrhunderts aus Danzig nach der Republik Hamburg ausgewandert.

Und wieso nun hat der anonyme Aphorist mir seine nähere und zuletzt eine sehr nahe Bekanntschaft vermittelt? Dadurch, daß während jener

Jahre der Gewaltherrschaft jedes der mir von ihm zugesandten Zitate ausschließlich aus Schopenhauers Werken übernommen war, aus dem Hauptwerk:
»Die Welt als Wille und Vorstellung«; vor allem aber aus »Parerga und Paralipomena«.
Dieser Unbekannte, welcher seit 1938 verstummt war, war also ein großer Kenner des Meisters, seines Landsmannes; auch ihn mag er damals in Angst und Not getröstet haben, so wie er mich tröstete. Ich verdanke diesem Unbekannten viel, und ich bin nun recht glücklich, auch berichten zu können, daß vor nicht langer Zeit, an einer internationalen Konferenz in Paris, dieser erbitterte Gegner des Bildungsphilisters mir zu meiner größten Freude endlich wieder ein Lebenszeichen gab. Auf meinem Platz lag nämlich am zweiten Sitzungstage ein geschlossener Briefumschlag, der diesmal nicht nur *einen* Aphorismus, sondern mehrere aufs Mal enthielt. Der eine lautete:
»Verwechslung von Grund und Folge.«
Es folgten drei andere, dann zuletzt noch der Vers aus Ilias:

χείλεα μὲν τ'ἐδίην' ὑπερῷην δ' ὀυκ ἐδίηνεν.

Es ist der 495. Vers aus dem 22. Gesang, und er heißt auf Deutsch:

Nur die Lippen benetzt es,
doch nicht benetzt es den Gaumen.

Alle Zitate bezogen sich auf die Konferenz, in der eine großzügige Finanzierungsaktion zur Steigerung der europäischen Wirtschaft studiert wurde.
Aber wieder trat der Anonymus als Person nicht in Erscheinung. Also immer noch: wer ist es? Vielleicht — wer weiß — sitzt er heute abend in diesem Saal. In diesem Falle — der langen Mystifikation nun müde — würde ich mich freuen, wenn er sich zu erkennen geben würde. Ich könnte ihm dann sagen, warum ich ihm damals, bei Anlaß des Zitates über die Höflichkeit, zum erstenmal auf die Spur gekommen bin, dem Zitat, von welchem der Diplomat sagte, es stamme aus der lateinischen Sprache. Er hatte recht: es stammte aus dem Buche des spanischen Paters Gracian, dem Buche »Handorakel«, welches Schopenhauer entdeckerfreudig übertragen hat. Dieses Buch aber enthält — wenn ich mich richtig erinnere — auch eine Stelle, welche besagt:
»Allzu große Diskretion in der Aufnahme wichtiger Lebensbeziehungen vergeudet kostbare Zeit.«
... Kostbare Zeit, die es erlauben würde, zu danken.

KÄTHE KOLLWITZ

Jugend in Königsberg

Wofür ich den Eltern immer sehr dankbar gewesen bin, das ist, daß sie Lise und mich stundenlang nachmittags in der Stadt herumstreifen ließen. Auch hier wieder großzügiges Vertrauen und keine Nachspürerei. Nur wünschten die Eltern, daß wir nicht auf Königsgarten promenierten. Königsgarten entsprach etwa der Tauentzienstraße. Wir durften ihn nur überqueren, wenn der Weg so führte. Wir legten ihn meist so. Wir waren auf unsere Weise sehr eitle Dinger, ließen das Halstuch herauswehen und putzten uns zurecht, waren oft albrig und sehr kindisch. Das war der Teil Wegs, der über Königsgarten führte. Dann aber wurde es besser. Erst kauften wir Kirschen oder was es gab, und dann ging das los, was wir Bummeln nannten. Und was auch wirklich so war. Wir bummelten durch die ganze Stadt und zu den Toren hinaus, ließen uns über den Pregel setzen und strichen am Hafen herum. Dann standen wir wieder und sahen den Sackträgern zu, dem Auf- und Abladen der Schiffe. Die kleinsten, romantischsten Gäßchen, die unter Torbögen durch kreuz und quer die alte Stadt durchzogen, kannten wir. Wie oft standen wir, wenn Brücken aufgezogen wurden, am Geländer und sahen zu, wie unten die Dampfer und Kähne durchzogen, sahen auf das Gewirre von Obstkähnen hinunter, bummelten durchs Schloß, bummelten am Dom vorbei, bummelten auf die Pregelwiesen hinaus. Wir wußten, wo die Witinnen, die Getreideschiffe, lagen mit den Jimkes drauf in Schafspelzen und mit lappenumwickelten Füßen. Russen oder Litauer waren das, gutmütige Leute. Abends spielten sie auf den flachen Schiffen die Ziehharmonika und tanzten dazu. Dieses scheinbar planlose Bummeln war der künstlerischen Entwicklung sicher förderlich. Wenn meine späteren Arbeiten durch eine ganze Periode nur aus der Arbeiterwelt schöpften, so liegt der Grund dazu in jenen Streifereien durch die enge, arbeiterreiche Handelsstadt. Der Arbeitertypus zog mich, besonders später, mächtig an. Die erste Zeichnung, die ganz deutlich Arbeitertypen hatte, machte ich freilich mit etwa sechzehn Jahren, es war eine Zeichnung aus dem Gedicht »Die Auswanderer« von Freiligrath. Diese Zeichnung legte ich auf Wunsch meines Vaters ein Jahr später meinem Lehrer Stauffer-Bern in Berlin vor, er erkannte sie als so charakteristisch, wie sie tatsächlich für mich und das Milieu, aus dem ich kam, war.

Später zwischen den Aufenthalten in München und meiner Verheiratung, ging ich vollkommen bewußt daran, das Arbeiterleben in seinen charakteristischen Situationen wiederzugeben. Mit der Übersiedlung nach Berlin wurde das ganz unterbrochen, weil der Arbeitertyp, wie Berlin ihn bot, ein ganz anderer war. Der Berliner Arbeiter stand auf einem höheren Niveau und war in allen mir sichtbaren Äußerungen künstlerisch nicht verwertbar. Ich habe es später (besonders bei einem Besuch in Hamburg) bedauert, in Königsberg nicht so lange geblieben zu sein, bis ich alles dort herausgeschöpft hatte, was ich hätte herausschöpfen können.

KARL KRAUS

Zum ewigen Frieden

> »Bei dem traurigen Anblick nicht sowohl der Übel, die das menschliche Geschlecht aus Natururschen drücken, als vielmehr derjenigen, welche die Menschen sich untereinander selbst antun, erheitert sich doch das Gemüt durch die Aussicht, es könne künftig besser werden; *und zwar* mit uneigennützigem Wohlwollen, wenn wir längst im Grabe sein und die Früchte, die wir zum Teil selbst gesät haben, nicht einernten werden.«

Nie las ein Blick, von Tränen übermannt,
Ein Wort wie dieses von Immanuel Kant.

Bei Gott, kein Trost des Himmels übertrifft
die heilige Hoffnung dieser Grabesschrift.

Dies Grab ist ein erhabener Verzicht:
»Mir wird es finster, und es werde Licht!«

Für alles Werden, das am Menschsein krankt,
stirbt der Unsterbliche. Er glaubt und dankt.

Ihm hellt den Abschied von dem dunklen Tag,
daß dir noch einst die Sonne scheinen mag.

Durchs Höllentor des Heute und Hienieden,
vertrauend träumt er hin zum ewigen Frieden.

Er sagt es, und die Welt ist wieder wahr,
und Gottes Herz erschließt sich mit »und zwar«.

Urkundlich wird es; nimmt der Glaube Teil,
so widerfährt euch das verheißne Heil.

O rettet aus dem Unheil euch zum Geist,
der euch aus euch die guten Wege weist!

Welch eine Menschheit! Welch ein hehrer Hirt!
Weh dem, den der Entsager nicht beirrt!

Weh, wenn im deutschen Wahn die Welt verschlief
das letzte deutsche Wunder, das sie rief!

Bis an die Sterne reichte einst ein Zwerg.
Sein irdisch Reich war nur ein Königsberg.

Doch über jedes Königs Burg und Wahn
schritt eines Weltalls treuer Untertan.

Sein Wort gebietet über Schwert und Macht
und seine Bürgschaft löst aus Schuld und Nacht.

Und seines Herzens heiliger Morgenröte
Blutschande weicht: daß Mensch den Menschen töte.

Im Weltbrand bleibt das Wort ihr eingebrannt:
Zum ewigen Frieden von Immanuel Kant!

JOSEPH VON EICHENDORFF

ABSCHIED

O Täler weit, o Höhen,
O schöner, grüner Wald,
Du meiner Lust und Wehen
Andächtger Aufenthalt!
Da draußen, stets betrogen,
Saust die geschäftge Welt,
Schlag noch einmal die Bogen
Um mich, du grünes Zelt!

Wenn es beginnt zu tagen,
Die Erde dampft und blinkt,
Die Vögel lustig schlagen,
Daß dir dein Herz erklingt:
Da mag vergehn, verwehen
Das trübe Erdenleid,
Da sollst du auferstehen
In junger Herrlichkeit!

Da steht im Wald geschrieben
Ein stilles, ernstes Wort
Von rechtem Tun und Lieben,
Und was des Menschen Hort.
Ich habe treu gelesen
Die Worte, schlicht und wahr,
Und durch mein ganzes Wesen
wards unaussprechlich klar.

Bald werd ich dich verlassen,
Fremd in der Fremde gehn,
Auf buntbewegten Gassen
Des Lebens Schauspiel sehn;
Und mitten in dem Leben
Wird deines Ernsts Gewalt
Mich Einsamen erheben,
So wird mein Herz nicht alt.

ERHART KÄSTNER

Nachrichten aus Dresden

Immer wieder um Deutschland kreisen natürlich unsere Gespräche. Wenn wir nur erst gewußt hätten, wie es aussah daheim! Aber es zeigte sich, daß es schwer war, ein Bild zu bekommen. Berichte, die nach und nach kamen, meist von Ausländern verfaßt, waren nicht imstande, es sichtbar zu machen. Sie gaben Einzelheiten, aber kein Bild. Nicht einmal das Äußere wahrhaft zu schildern, hatten sie genug Kraft. Es kamen Berichte über Berichte, und es ergab sich kein Bild.
Es erwies sich: die es erlebt hatten, denen waren die Zungen gelähmt. Die

es aber nicht miterlebt hatten, deren Worte waren zu anders und schwach, um das Unglück zu schildern. Wirklich, es ist nicht abzusehen, welche Weltmacht die Phantasielosigkeit ist. Sie ist eine der furchtbaren unheilstiftenden Mächte im schrecklichen Ablauf der Menschheitsgeschichte.

Erst als uns nach und nach Briefe erreichten, stellte sich einige Anschauung ein. Diese Frauen und Mütter und Brüder, die gar nicht versuchten, die allgemeine Lage zu schildern: aber ihre oft unbehilflichen Sätze beschworen das, wonach wir verlangten: ein Bild ...

... So erfuhren wir spät, nach und nach, die Tragödien von Würzburg, Hildesheim, Potsdam, Freiburg und Köln. Am meisten aber zehrte der Gram um die Stadt Dresden an uns. Den Untergang dieser Stadt schien sich der Satan als etwas Besonderes bis zum Schlusse aufgehoben zu haben. Niemals vielleicht, solang die Erde bestand, wurden so viele Menschen in einer Stunde zu Tode gequält, niemals so eine Summe von Schönheit in einer Stunde zerstört.

Niemand lebt auf der Welt, der diese Stadt kannte und hätte sie nicht mit besonderer Liebe geliebt. Daß es diese Stadt gab, mußte jeden ein wenig glücklicher machen, auch den, der fern von ihr lebte. Ihr Reichtum war unerschöpflich, man brauchte sich nur zu nehmen davon: es war immer noch mehr und mehr da. Dresden, das war ein unablässiges frauliches Schenken.

Monatelang quälte uns die Ungewißheit über das Maß dieses Ruins. Sicheres war nicht zu erfahren, wir schwankten zwischen Hoffnung und Furcht. Viele Male träumte ich immer den nämlichen Traum: ich kam wieder nach Dresden und alles war gar nicht so schlimm. Ich ging durch die Straßen, beglückt, über die Terrassen, die milden Treppen, durch die Paläste, die Galerien, die glänzenden Säle, die gespiegelten Wände, die Sandsteinskulpturen: und alles war da. Ich erwachte dann immer unsagbar beglückt.

Eines Tages hörte ich, es sei einer da, der noch nach jener Untergangsnacht in Dresden gewesen sein sollte. Sobald ich konnte, suchte ich diesen Mann auf. In der Tat, er war unmittelbar nach der Nacht des Entsetzens mit einem Hilfszug in Dresden gewesen und hatte furchtbare Aufgaben gehabt. So unendliche Weiten vom wirklichen Dresden entfernt, gingen wir nun in einem langen Sternengespräch Straße für Straße und Platz für Platz überall hin, wohin er damals gekommen war. Entsetzen war noch in ihm, und nun auch in mir. Trümmer, Leichen und Brände: mir sank alle Hoffnung dahin. Das war jenseits von allem Verlieren, das war eine Flammenschrift an der Wand. Wenn das geschehen war, hatte es noch einen Sinn, übrigzubleiben? Weiterzuleben war offenbar nur in sinnloser Leichtfertigkeit möglich.

Nicht lange danach erreichten uns einige Briefe aus Dresden; wir brachten sie uns und zeigten sie stumm. »Wenn ich Ihnen berichten soll«, schrieb eine gelehrte Dame an mich, »so werde ich mir freilich nicht anders vorkommen wie der Chronist Heinrich des Vierten: Wer gibt Wasser meinen Augen und Tränenbäche meinen Wangen, daß ich weine? Gestern Nacht ging ich durch die Villenstraße beim Großen Garten nach Haus: die Raben schrieen, über den Trümmern wächst Buschwerk, der Mond beschien die rötlichen Ziegelruinen mit unbarmherzig gasigem Licht — und kein Mensch unterwegs, kein einziger Mensch. Man geht wie durch einen makabren Traum. Schon nachmittags und gegen Abend kann man durch Stunden hindurch in den alten, einst so vertrauten Straßen irren: man trifft keinen lebendigen Menschen. Diese Stadt, dies geliebte Stück Welt, allen zur Freude geboren: sie ist jetzt ganz fremd. Was noch steht, sieht ganz anders aus: ganz und gar fremd. Die Galerie ist geraubt, aus unserem Herzen gerissen, das Grüne Gewölbe verschleppt, die Antiken, die früheste Sammlung nördlich der Alpen, ganz aus Winckelmanns Geist, sind dahin. Die Porzellansammlung, die größte und glänzendste auf der Welt, ist zu kläglichen Scherben zertrümmert. Die schönste Oper verbrannt, der Zwinger zu großen Teilen in Schutt. Unsere geliebte Bibliothek, das ganze Japanische Palais, ist in Trümmern. Fünfzehn von den Unseren sind tot.«
Ein anderer Brief war schon damals in den entsetzlichen Tagen geschrieben, er erreichte mich jetzt. Es war einer der ungezählten, namenlosen Briefe aus jener Zeit, größer, als das Schicksal es ist. Man müßte sie sammeln, weil nichts sie ersetzt.
»... es braucht so viel Kraft, um dir das halb hinzuschreiben, daß mir immerfort die Tränen rinnen. Der Kummer überwältigt uns und die Sorge ums Nächste. Am 13. Februar stand ich auf dem Gebirg und starrte hinab auf das brennende Meer, den Untergang Dresdens. Es war wie eine riesige glühende Kugel. Unser geliebtes Dresden. Und ich wußte Eltern, Geschwister und Freunde dort. Wir standen und starrten hinab und hielten uns an den Händen, lauter fremde Menschen. Ich glaubte, ich müsse vergehen. Am 19. Februar in der Frühe, die Sterne standen noch hell, der Wagen war über mir, ging ich mit meiner Laterne nach einem hellen guten Haus wie zur Christmette, betete um Kraft und brachte dort am Vormittag meinen Sohn zur Welt. Ein Leben in meinen Armen, gesandt in diesen Vernichtungstagen! Am vierten Tag stand ich auf, ich mußte nach Haus. Mein Bruder war da. Er hatte unsere Eltern in Dresden gesucht. Umsonst. Unsere arme Mutter fanden sie im verbrannten Haus hinter der Tür zusammengesunken, winzig klein. Vom Vater werden wir nie erfahren, wie und wo er ums Leben gekommen ist. Inzwischen kamen

immer noch mehr Freunde und Bekannte aus der verbrannten Stadt zu uns ins Gebirge herauf, Menschen über Menschen. Ein Strom, der bis heut noch nicht versiegt. Ich bin umringt von Bekannten und Unbekannten und umschart von Kindern. Elf oder vierzehn sind keine Seltenheit bei uns. Und keines hat was, es fehlt am Nötigsten. Ich teilte aus, was ich konnte, an Ruhe war nicht mehr zu denken. Aber ich komme trotzdem wieder zu Kräften. Ich sitze stillend unter den vielen jammernden Menschen, ich weiß nicht wo anfangen. In all der Not wurde gestern ein Leseabend gehalten, Hermann und Dorothea. Es war ergreifend, die vertriebenen, zusammengelaufenen Menschen hockten gepfercht in ein Stübchen. Der Tod ist dem Weisen kein Schrecken und dem Frommen kein Ende. Abends gehe ich oft hinaus, nach den Sternen zu sehen . . .«
Und noch ein dritter Brief kam an: man müßte sie alle so lesen, wie wir sie damals empfingen: in jener weltfernen Verbannung, welche Sehnsucht und Schmerzen, Liebe und Kummer ins Ungemessene vermehrt.
» . . . die Frauenkirche — jetzt stehst du davor und es sind nur noch zwei ragende Klippen, hier eine und drüben die andere. Und der Schuttberg dazwischen ist zehn Meter hoch: das ist alles. Ein ganzes Fassadenteil samt dem prachtvoll geschwungenen Giebelstück ist im Sturze erhalten geblieben, Stein bei Stein, aber weiß Gott wie es kam: es liegt nun verkehrt, köpflings auf der schrägen Schutthalde, die Spitze nach unten vor deinen Füßen, wie im Sturz der Verdammten. Du schaust hinauf, und die Tränen kommen dir nicht. Wenn du durch Dresden gehst, weinst du nicht und das Herz blutet dir nicht, denn es wird dir zu Stein in der Brust. Dann schaust du zwischen den beiden Riffen hindurch, und da siehst du, dahinter, weiß Gott: du siehst genau in der Lücke die widerwärtige Glaskuppel der Akademie, dies geschmacklose Ding aus dem vorigen Jahrhundert, das wir immer die Zitronenpresse nannten, das einzige, was das Stadtbild über der Elbe verdarb. Und siehe, das Abenteuer ist ihr ausgezeichnet bekommen. Der blödsinnige goldene Engel auf dem blödsinnigen Glas steht immer noch da, süß und sentimental, und macht seine Ballettgebärde auf einem Bein. Er ist unversehrt. Und dann schaust du wieder auf die Schuttberge, die rings um dich sind, denn irgendwohin mußt du doch schauen. Da siehst du die Kränze liegen. Sie werden jetzt, bald zwei Jahre danach, noch immer erneuert, denn unter den Schuttbergen in den Kellern, da liegen sie noch. Und der sentimentale Engel macht sein Ballett. Du besinnst dich lang, was für eine Straße da lief, wo du jetzt stehst, denn du bist da unzählige Male gegangen. Da sind noch Türpfosten. Mit Kreide steht noch immer an ihnen geschrieben (der Regen hat sich nicht dieser Schriftzeilen erbarmt): ›Max und Trautel, wir sind bei Großmutti in Sebnitz‹, oder: ›Karl, wir sind nach Pulsnitz

zu Hermann, wir sind alle am Leben‹ — natürlich, denn die Toten schreiben ja nicht. So steht an allen Pfosten und Mauerresten etwas, denn das ist die Post unserer Zeit. Und du kannst es nicht mehr ertragen und schaust wieder hinauf, denn irgendwohin mußt du doch schauen, und da siehst du, was du früher niemals bemerkt hast: die scheußliche Akademie trägt eine Inschrift am Giebel, früher sah man sie nicht, jetzt ist sie stolz, denn über die Trümmer der Frauenkirche hinweg kommt sie endlich zu Ruhm. Und du liest genau zwischen den beiden kostbaren ragenden Riffen: ›Dem Vaterland zur Ehr und Zier‹. Und darüber der blödsinnige Engel auf dem goldenen Bein. Du kannst es nicht länger ertragen und, ohne dich einen Schritt zu bewegen, siehst du in deinem Blickfeld, das so viel Irrsinn umfaßt, am Platz vor der Kirche eine Plakatsäule stehen, sie wird noch immer beklebt, weiß der Himmel für wen, denn du siehst keine Menschenseele zwischen den Trümmern. Du siehst ein Plakat: ›Ein Abend Lachen mit Arthur Preil‹ und der Plakat-Mann auf dem Bild biegt sich und krümmt sich vor Lachen.
Und doch muß ich dir sagen: hab keine Sorge, wiederzukommen. Vielleicht kannst dus nicht glauben, aber die Stadt ist immer noch stark und großartig in ihrem Ruin. Lieblich sogar. Du mußt es dir vorstellen wie in Rom, wie den Palatin: überblüht.
Neulich waren wir zum ersten Mal in der Oper. Sie spielt jetzt in Bühlau draußen im Vorstadtgasthof, wo früher der Sonntagstanz war. Wir kamen etwas zu spät und kamen hinein, als der Tenor gerade sang: Wie schön ist die Prinzessin Salome, sieht sie nicht aus wie das Bild einer weißen Rose im silbernen Spiegel? Halt es für möglich: die Oper in diesem Stall hat die Glorie von einst. Wen das nicht rührt. Es ist unsere Dresdener Oper geblieben in strahlender Pracht. Der Saal ist viereckig wie eine Kiste; von wirklich dämlicher Viereckigkeit. Das Orchester nimmt gerade den vierten Teil ein, es ist keinerlei Absatz zwischen den Musikern und dem Publikum. Mitten durch den Raum gehen zwei Reihen scheußlicher gußeiserner Säulen, wie das bei solchen Sälen eben so ist. Da sind für die Beleuchtung unter der Saaldecke zwei Laufstege gezogen, von Säule zu Säule; der Beleuchter steigt in seinem Arbeitskittel hinauf, macht etwas an seinen Lampen, steigt ganz ruhig wieder herunter, geht auf die andere Seite hinüber und schafft dort. Niemand fühlt sich gestört. Alle hören und schauen und fühlen ganz stark. Es ist so, daß sich in diesem gemeinen Lokal etwas Falsches nicht hält. Vor so viel Trostlosigkeit würde alles Pomphafte lächerlich werden: nichts kann sich halten als pure Kunst. Wie der Prophet auf den Rand der Zisterne trat und Den verkündete, der nach ihm kommen werde, war rings um ihn ägyptische Nacht und die Sterne und die unendliche Wüste, und wir dachten von hier aus an

dich. Ich bin nicht wert, sang er wunderbar schön, seine Schuhriemen zu lösen, aber die Wüsten werden aufjauchzen unter seinem Schritt. Auch wir gehen hier durch eine unabsehbare Wüste, du wirst sehen. Aber ob sie noch einmal aufblüht für uns?«

FRIEDRICH SCHNACK

Dresden — Zauber einer Stadt

Ich war noch nicht lange in Dresden und wollte auch nicht sehr lange bleiben, — ich überließ es mehr dem Zufall als der Absicht. Bald war Hellerwein bei seinem Lieblingsthema, der Stadt. »Grundsätzlich, au fond«, gestand er, »bevorzuge ich Städte an großen Flüssen und Strömen. Wasser belebt, Wasser verbindet, und es fördert den Geist. Könnten Sie sich Frankfurt, Goethes Geburtsort, ohne den Main vorstellen? Regensburg, wo Albertus Magnus Bischof war, ohne die Donau? Köln ohne den Rhein, Rom ohne den Tiber? Ohne diese Flüsse würde diesen Städten an ihrem großen geistigen und geschichtlichen Zug viel fehlen. Alle diese Herzstädte besitzen ihre mächtige Aorta: man spürt kräftig den Puls der Welt in ihnen.«
»Die Elbe«, schwärmte er, »schwingt ihr großes silbernes ›S‹ zwischen Altstadt und Neustadt dahin, ihren Wassergruß, ihr Salute. Man muß es aus der Vogelschau sehen, vom Flugzeug aus. Das ist ein Bild! Ein Nerv! Eine Liebkosung! Der Arm des Elementes schmiegt sich an den Busen der Stadt. Und Dresden ist schön und begehrenswert. So viele Fremde kommen zu uns, zu Besuch oder zum Dableiben für immer. Leipzig«, fügte er hinzu, »hat gewiß mehr Rhythmus und Arbeitsstil, aber Dresden hat mehr Takt und Charme. Über den sächsischen Kern seiner Menschen, nicht durchgängig allerfeinstes Korn, es stecken Splitter, Spitzen, Tücken darin, hat sich der weltmännische Glanz einer Fremdenstadt gelegt — die Impression von ›laisser aller‹, von Freimut und glücklicher Harmonie.«
Mich zöge, bemerkte ich, die Mischung aus Norden und Süden an, wie sie sich in der Architektur verschmelze, auch die wundervollbewegte Landschaft des Elbtales und seiner Höhen und seine reiche Vegetation. Ich sei durch eine Alleestraße gegangen, die beiderseits mit Ginkgobäumen bepflanzt sei — Goethes »Gingo biloba«. Weimar sei förmlich hierherverpflanzt.

Er drückte mir die Hand vor Freude. »Da kommen Sie auf etwas, was mich immer stark bewegt hat«, erklärte er. »Nicht Berlin hat Weimar beerbt, sondern Dresden.«
Wir hatten das Café verlassen und umschlenderten den Altmarkt, die klar gewinkelte Fläche, auf die das alte Rathaus seine Fensterblicke gerichtet hatte. Und dann zeigte er mir das barocke, leider vielfach durch die Hand des Baumeisters veränderte Eckhaus, über dessen Haustür das Gesicht eines Dichters in Form eines Medaillons geschnitten war.
»Ludwig Tieck«, sagte Hellerwein, »in Dresden zu einem glänzenden Novellisten herangereift, hatte hier einen bedeutenderen Freundeskreis um sich versammelt als jemals der alte Goethe in Weimar. Es gibt einen Holzschnitt nach einer Zeichnung von Julius Pietsch, sehr instruktiv: Abend bei Ludwig Tieck in seinem Dresdner Heim. Er zeigt den Dichter am Vorlesetisch in seinem vom Kerzenlicht erhellten Salon. Unter den Zuhörern sind Bettina von Arnim, Eichendorff, Rauch, Jacob Grimm, Schelling, Mendelssohn und Cornelius, Humboldt und Meyerbeer, Varnhagen von Ense, auch der Schlesier Holtei und der Kölner Heinzelmännchen-Kopisch. Ein Geisterchor! Aus ganz Europa stellten sich Gäste ein, um den Dichter zu hören. Er hat das Dresden seiner Zeit glorifiziert. König Johann hatte damals die Accademia Dantesca gegründet. Er besaß eine eminente Bildung, gewaltiges Wissen, übersetzte Dante und hatte eine Dantebücherei von unvorstellbarem Wert. Da oben in diesem Haus übertrug Tiecks Tochter Dorothea mit Wolf Graf Baudissin den Shakespeare — auch ein Ruhmesstück unserer Stadt! Zur Dante-Akademie gehörte ferner Goethes Freund, der Leibarzt des Königs, Carus. Der Geist der Dichtung, lieber Freund«, rief er aus, »hat die Atmosphäre der Stadt vorgeformt, durchdrungen.«
Den Weg um den schönen, repräsentativen Platz weitergehend und in eine Seitengasse einbiegend, kamen wir an dem Geschäftshaus vorüber, in dem Carl Maria von Weber eine Zeitlang gewohnt hatte.
»Weber und Dresden, ein großes Thema«, meinte Hellerwein. »Ich bin kein Musiker, sondern ein Wort- und Bildmensch. Ich erzähle und sammle. Hier am Altmarkt lag Webers erstes Nest, gewärmt und traulich gemacht von seiner Gattin Caroline, einer strengen Kritikerin seines Komponierens. Aber erst in Hosterwitz entstanden die großen Werke, und das Elbtal inspirierte ihn auch mit Musik und Bildern, melodiösen Gleichnissen zur Landschaftsmalerei des Caspar David Friedrich, der in Dresden am Elbberg sein nüchternes Atelier hatte. Was sag' ich? Atelier? Nein, eine kahle Werkstätte! Und ich könnte davon erzählen, daß Kleist bei ihm war, immer wieder: wohnte doch der Dichter des ›Michael Kohlhaas‹, des ›Käthchens‹, der ›Hermannsschlacht‹ und des ›Zerbrochenen

Krugs‹ in der Pillnitzer Straße. Ja, wir haben Köpfe, Genies vorzuweisen! Auch Schiller weilte in Carlowitz. Aber ich wollte von der Musik sprechen: Ton- und Wortkunst haben Dresden aufklingen und brausen lassen, daß es von Lerchen, Engeln, Orgeln und Gedichten in die Weite schallte. Unendlichen, unsäglichen Wohllaut hat Dresden in die Welt geschickt. Aber, ach, es wird doch alles vergessen! Die Menschen sind oberflächlich, und sie verdienen eigentlich gar nicht diese großen Bezauberer, diese Paradiese. Wer an den ›Freischütz‹ denkt und an die ›Aufforderung zum Tanz‹, hat noch nicht den richtigen Weber. Der steckt in der ›Euryanthe‹! Und in Dresden, in dieser glücklichen Luft, hat der Meister seine Lebensreife gewonnen. Dabei hatte er gegen Kleinlichkeit und schauerliche Quertreibereien zu kämpfen. Aber er überflog seine Zeit und schuf die deutsche Oper. »Kommen Sie«, wandte er sich eindringlich an mich, »auf mein Zimmer: ich werde Ihnen Bilder zeigen!« . .

* * *

HANS CAROSSA

Morsche Scholle streift am Ufer.
Schnee tropft von den schrägen Klippen;
Schwarze silberknospige Bäume
Stehn im ungebundnen Licht.
Wellen drängen Wellen, eine
Läßt ihr Leuchtendes der andern.
Breitem Stromeslaufe folgen
Langsam große Marmorwolken
Und die Kraniche, die grauen
Flügelwanderer der Luft.

WILHELM HAUSENSTEIN

Passau

Die Linie der Eisenbahn läuft mit der Donau. So wird man des Vorzugs teilhaftig, der Stadt schon aus einiger Ferne auf *natürliche* Weise zustreben zu dürfen. Selten ist der Weg der Eisenbahn der Weg der Natur; hier ist er es, und darum lebt man, schon ehe man die herrliche

Stadt erreicht, in dankbarem Wohlgefühl. Es nährt sich am Wasserlauf; es nährt sich an dem schönen Hügellande, das rechts und links die Zureise eigentümlich rahmt. Höchst eigentümlich rahmt! Denn obgleich man nur etwa aussagen könnte, um den Strom sei bläuliches Dunkelgrün von Wäldern, fruchttragendes Mattgold der Felder, das lichte und saftige Grün von Wiesen, ist diese Landschaft doch von aller Welt unterschieden: hier ist *Niederbayern* — ein erfreulicher Bereich für sich...

Die Ankunft. Schon vom Bahnhof her erblickt man über zwei Drittel der Stadtlänge hin die runden Hauben des Doms.

Die Schritte richten sich sofort auf ihn, der, Mitte der Stadt in jedem Sinn, das Bild und Wesen beherrscht, das Passau heißt. Nach einer Weile irren sie ab, rechtshin; aber es ist ein ergiebiger Umweg — just der richtige. Der Inn erst, mit seinem vielen Wasser heute gewiß noch einmal so großartig wie sonst, gibt dem Anstieg zum Domberg die letzte und volle Spannung. Nun geht es durch ein uraltes Tor mit geistlichem Steinwappen, nun über eine dunkle, kellerkühle, uralte Steinstiege — und mit einem Male ist das strahlende, weiträumige Rechteck erreicht, an dem der Domchor und die fürstbischöfliche Residenz sich unter einem goldblau leuchtenden Himmel zueinanderhalten. Der Chor trägt die Stilzeichen später Gotik und läßt, so weich sie gebildet sind, keinen Zweifel daran, daß wir uns im Norden der Alpen wissen sollen. Doch abgesehen vom Chor, der mit einer hier fast gesonderten Gestalt hereinragt, ist dieser Platz eines jener vollkommen bayrischen Gleichnisse des Südens. Er ist geschlossen und klarförmig wie ein mittelmeerländischer Platz, ist wändig wie die Bauform südlicher Märkte und wie die Platzräume des Südens mit waagrechten Dachlinien gesäumt. Sein Wesen ist, mit einem Worte, klassisch. Auch im barocken Antlitz der Residenz; denn mit ihren vorgeschwellten Portalen und den Balkonbrüstungen drüber steht sie im sicheren Besitz einer fast genuesischen oder römischen Würde da.

Man muß sich den Anziehungen der Lage, ja einfach den Füßen überlassen. Man darf den Grundriß vergessen, denn die Geheimnisse und Offenbarungen der Erscheinung lenken einen richtig. Von selbst ergibt sich der Weg durch die enge Gasse neben dem Domchor, die »Zengergasse« heißt. Sie ist regensburgisch eng, auf regensburgische Weise hoch und altertümlich; wenn die Gestalt der Stadt von der Kulturgeschichte des Inns bestimmt ist, so ist sie auch von der Kulturgeschichte der Donau bestimmt. Durch diese Gasse, über der sich der purpurblaue Himmel nur mit der Breite eines Bandes hinzieht, gelangt man auf den anderen Platz: den Platz, dem der Dom die Stirnseite zukehrt. Noch sieht man sie nicht; noch *fühlt* man erst die Größe des Doms zur Rechten, ohne sie einzusehen. Noch breitet sich erst der Domplatz: südlich gestaltet wie der

Residenzplatz, den die Chorseite beherrscht, aber nun darf man wagen, sich umzukehren — und nun steht die ganze schlagende Größe der Domfront in dem auffassenden Auge. Es ist eine römische Größe, dem Rinascimento noch ebenso verpflichtet wie dem Barock schon aufgeschlossen: es ist die prächtige und feste Haltung des späten siebzehnten Jahrhunderts. Welch eine Darstellung ist diese Domstirn und der Platz, den sie beherrscht! . .

Das Innere des Doms eines Carlo Lurago, von Giambattista Carlone pomphaft stukkiert, würde der Glorie Roms wahrlich nicht weniger anstehen als das Äußere. Es ist dem stolzen Inneren der Theatinerkirche in München ebenbürtig: ja zum wenigsten in diesem Maß ist es prächtig, weit und wie im einzelnen so im Raumganzen deutlich. Auch unter der Fülle des Prunks ist antikische Klarheit nicht verschwunden — Element einer Kraft, die den strömenden Überfluß an die vollkommene Strenge des Gesetzes bindet; die das Prunkvolle, wo es sich etwa verlieren könnte, wieder zurechtrückt, damit das Bild der unbedingten Gefügtheit, der hohen Ordnung nicht verlorengehe. Der Aufschwung des verschwenderischen Dekors erhebt sich von Gesimsen, deren mächtige Einfachheit und Festigkeit beruhigt und zu gläubigem Vertrauen stimmt . . .
Was macht den Stil der *ganzen* Stadt so groß und so angenehm? Das unterhaltende, schauspielhafte Auf und Ab des Geländes. Das Bewußtsein des Wandernden, daß er mit der Stadt von zwei großen strömenden Wassern umfangen und gesichert ist — und mit den ziehenden Wassern doch der weiten Welt verbunden bis ins Schwarze Meer. Dann die Erhabenheit der Wandungen, die nicht von allzu vielen Fenstern zerrissen sind, sondern unzerklüftet sich in die Breite und in die Höhe dehnen — oft *lauter* Wand: denn zahlreich sind die Häuserstirnen, die nicht einmal ein einziges Fenster tragen. Was macht den Charakter der *ganzen* Stadt so bedeutend und so erfreulich? Die Einheit mit jener schönen und von verkehrsreicher Menschengeschichte dicht erfüllten Lebenszone, die, von Norden nach Süden und von Süden nach Norden gerichtet, den Namen „Inntal“ führt. In Passau umhergehen heißt gewiß vor allem Passau sehen, aber auch an alle die schönen Städte denken, die wie lauter Kronen der Landschaft die alte Handelsstraße des Inns hinaufstehn — an das imponierende Mühldorf, an das verzaubernde Wasserburg, an das alte innere Rosenheim, das längst nicht nach Gebühr gewürdigt wird; an Kufstein und Hall und Innsbruck. In Passau gehen und staunen heißt endlich noch weiter hinaus- und hinüberdenken: an die alte nord-südliche Straße der Römer und der deutschen Kaiserzeit — an Sterzing und Brixen und Bozen. So weit reicht der Atem von Passau; man weiß es, indem man spazierengeht. Gar nicht erst davon zu er-

zählen, daß der Dom von Passau dem von Salzburg gewiß nichts nachgäbe.
Denn die geistliche Natur ist ebenso Passaus Gesicht und Wesen wie die uralte Südlichkeit inmitten unseres Nordens und Ostens. Die Kirchen drängen einander. Die Studienkirche, die von den Jesuiten errichtet worden ist, besitzt zwar nicht die ganze herrenhaft-geistliche Pracht des Doms; aber mit ihren schwarzgoldenen Altären unter den weiß in weiß geschmückten Wölbungen ist sie prächtig genug. Die Gotik hat sich in etlichen denkwürdigen Kirchen befestigt, und die romanische Basilika zum heiligen Kreuz, zwar nicht mehr in ihrer unmittelbarsten Gestalt gegenwärtig, zeugt vom hohen geistlichen Alter dieser Stadt, die zu den frühesten Herzstätten des nördlichen Christentums gehört.
Aber dies ist noch nicht alles. Merkwürdig die schmalen Gassen mit den Stützbogen zwischen hohen alten Häusern — Bogen, die sich einklemmen wie Kletterer im Kamin. Man ist verlockt, zu behaupten, das viele Wasser um die Stadt gebe ihr eine gleichsam venezianische Note. Das Wasser reicht wie an der Riva degli Schiavoni fast unmittelbar an die Höhe der Uferwege; der Platz vor dem Rathaus ist eine richtige Piazetta; die Bereitschaft der Bootführer am Donaukai ist ein wenig wie die der Gondolieri . . .
Das Boot wird durch die drei Wasser getrieben: erst ein Stück auf der glatt strömenden Donau hin, dann eins auf dem größeren und rasenden Inn, der die Ufer bedroht; dann eins auf der Ilz, die moorbraun und langsam vom Bayrischen Wald kommt. Schließlich landet es mich an der Terrasse einer Fischküche. Für die Terrasse fassen sich Stadt und Flüsse und Land schier in einen einzigen Blick. Da sieht man Oberhaus und Niederhaus und am jenseitigen Innufer den Mariahilferberg; da sieht man inmitten das erhabene Inner-Passau mit den drei gleichen Hauben des Doms, die Kuppel und Türme überwölben, und dazu alle Türme der Stadt, geistliche, weltliche. Die Wasser der Flüsse grenzen sich noch im Zusammenströmen voneinander ab: das matte Grün der Donau, die in langzügigen Streifen fließt; das Gelb des Inns, den das Hochwasser am meisten schwellt, ein erdiges Gelb mit lila und rosa Reflexen; das tintige Dunkel der Ilz. Bis an die Grenzen der Begegnung halten die Wasser ihre Farben ein; man könnte die Grenzen mit dem Finger nachzeichnen . . .
Die unmittelbare Nähe der Natur ist eine der großen Schönheiten dieser Stadt. Dicht hinter der hochgelegenen Feste Oberhaus, von der herab man die Stadt beinahe mit Händen greifen und bewältigen kann, beginnt das Ackerland. Die Stadt verliert sich nicht in ungewisse Vorstadt. Burg Oberhaus hat ihr eine Schranke gesetzt, und gar die Wasser haben die Stadt in starken Grenzen gehalten, so daß sie es bis auf diesen Tag ver-

3 Albrecht Altdorfer
Alexanderschlacht, 1529

mag, sich deutlich, wie in einem Akt, eigentümlich fertig, gegen die nahe Landschaft abzusetzen.

Natur und Stadt halten die allernächste Nachbarschaft. Wie weit diese aber auch tragen kann, ermißt man, wenn man von der Höhe des Oberhauser Schauturms durch eine süße und zart verflorte Luft die Bläuen des Bayrischen Waldes sichtet, der die Grenze gegen Böhmen bezeichnet und die Gedanken zur geliebten Welt Stifters hinüberleitet. Auch Linz ist nicht gar so weit.

Man muß aber endlich noch aufs andere Innufer hinüberlaufen, um dem Verlangen das Bild der Stadt auch noch von dort aus zu bestätigen. Die Wahl tut weh: ist das Bild der Stadt von dieser Seite nicht am herrlichsten? Da steht es noch einmal, von einem neuen Standpunkt aufgefaßt und doch dasselbe: in seinen Kirchen befestigt, in ihnen verklammert — am meisten im Dom und in der Figur der Studienkirche mit ihren angeschrägten Stumpftürmen — und vom Inn auf dieser Seite so bedingungslos abgeschlossen wie von der Donau mit ihrem nördlichen Hochufer auf der anderen. Aber ob es auch zuviel wäre, behaupten zu wollen, von Innbrücke und Innstadt her sei das Bild des inneren und eigentlichen Passau am glorreichsten; so darf ich doch berichten, daß mir am Wesen der über die Maßen bewegenden, der wahrhaft hinreißenden, wie ihr eigener Triumphzug begeisternden Stadt von diesem Standpunkt her das Eigentümlich-Allgemeinste am meisten aufgegangen ist: ihre schöpferische Fülle.

GEORG TRAKL

Ein Winterabend

Wenn der Schnee ans Fenster fällt,
Lang die Abendglocke läutet,
Vielen ist der Tisch bereitet
Und das Haus ist wohl bestellt.

Mancher auf der Wanderschaft
Kommt ans Tor auf dunklen Pfaden.
Golden blüht der Baum der Gnaden
Aus der Erde kühlem Saft.

Wanderer tritt still herein;
Schmerz versteinerte die Schwelle.
Da erglänzt in reiner Helle
Auf dem Tische Brot und Wein.

Verklärter Herbst

Gewaltig endet so das Jahr
Mit goldnem Wein und Frucht der Gärten.
Rund schweigen Wälder wunderbar
Und sind des Einsamen Gefährten.

Da sagt der Landmann: Es ist gut.
Ihr Abendglocken lang und leise
Gebt noch zum Ende frohen Mut.
Ein Vogelzug grüßt auf der Reise.

Es ist der Liebe milde Zeit.
Im Kahn den blauen Fluß hinunter
Wie schön sich Bild an Bildchen reiht —
Das geht in Ruh und Schweigen unter.

Rondel

Verflossen ist das Gold der Tage,
Des Abends braun und blaue Farben:
Des Hirten sanfte Flöten starben,
Des Abends blau und braune Farben;
Verflossen ist das Gold der Tage.

HANS CAROSSA

Der alte Brunnen

Lösch aus dein Licht und schlaf! Das immer wache
Geplätscher nur vom alten Brunnen tönt.
Wer aber Gast war unter meinem Dache,
Hat sich stets bald an diesen Ton gewöhnt.

Zwar kann es einmal sein, wenn du schon mitten
Im Traume bist, daß Unruh geht ums Haus,
Der Kies beim Brunnen knirscht von harten Tritten,
Das helle Plätschern setzt auf einmal aus,

Und du erwachst, — dann mußt du nicht erschrecken!
Die Sterne stehn vollzählig überm Land,
Und nur ein Wandrer trat ans Marmorbecken,
Der schöpft vom Brunnen mit der hohlen Hand.

Er geht gleich weiter, und es rauscht wie immer.
O freue dich, du bleibst nicht einsam hier.
Viel Wandrer gehen fern im Sternenschimmer,
Und mancher noch ist auf dem Weg zu dir.

STEFAN GEORGE

München

Mauern wo geister noch zu wandern wagen ·
Boden vom doppelgift noch nicht verseucht:
Du stadt von volk und jugend! heimat deucht
Uns erst wo Unsrer Frauen türme ragen.

FRIEDRICH SIEBURG

Vorübergehend in München

Einst wurde München geliebt, weil es, trotz großer Dimensionen, eine landstädtische Traulichkeit bot, in die man sich vor der anonymen Härte anderer Großstädte flüchten konnte. Heute lieben wir es, weil es als einzige Stadt der Bundesrepublik völlig Stadt geblieben ist, und zwar eine Großstadt, in der man sich anonym bewegen kann, ohne auf Schritt und Tritt an jenen »Gewerbefleiß« erinnert zu werden, dem andere Städte ihr neues Leben, aber auch die Problematik ihrer Form und die Künstlichkeit ihres Zusammenhalts verdanken. Die Dinge haben sich also auf den Kopf gestellt. Vielen Menschen wohnt der Drang inne, von Zeit zu Zeit planlos durch belebte Straßen zu irren, von Schaufenster zu Schaufenster zu trödeln, sich von der Menge mitschwemmen zu lassen, ohne an ihrer Eile teilzunehmen und ihr

Ziel zu kennen, mit einem Wort, freiwillig und für begrenzte Zeit in der Masse unterzutauchen und doch nicht zu ihr zu gehören. Dafür ist München der rechte Boden geworden. Das Freiheitsgefühl dessen, der für eine Weile müßig geht, ist aus unseren Städten geschwunden. Ihre Ordnung und Zweckmäßigkeit erlauben uns nicht, an den Ecken herumzustehen, um das Getriebe oder gar den blaugeputzten Himmel zu betrachten. Sie sind fast alle zu Einfassungen für ungeheure Produktionsstätten geworden, wenn auch diese Produktion viel nach sich zieht. Siedlungen, verglaste Bürogebäude, Villenviertel mit Rasenflächen und Ladenstraßen für kleine und große Konsumenten. München hat widerstanden, es ist eine Stadt geblieben, vielleicht keine moderne Stadt, aber eine, in der man als flüchtiger Besucher das Glück des Asphalts fühlt: zwar kannst und darfst du hier keine Wurzeln schlagen, aber du brauchst dich auch nicht einzugliedern, du bist nicht eingeplant, du bist weder Verbraucher noch Verkehrsteilnehmer, man läßt dich bleiben, was du bist, versprengt, vielleicht einsam, aber ganz und gar dir selbst überlassen.

Die höchste Unabhängigkeit herrscht da, wo niemand dich für sich in Dienst nehmen kann, wo du nicht in das Quadratnetz einer durchkonstruierten Ordnung gerätst. Das mag für jemanden, der in München ein festes und ständiges Leben zu führen hat, seine Haken haben, und es ist wahr, daß der Durchreisende in keiner Stadt soviel weinerliche oder erbitterte Klagen hört wie in München. Es habe die Chancen des Wiederaufbaus nicht zur echten Erneuerung benutzt, sondern die alten Fassaden nachgeahmt? Grade das gefällt uns! Es sei eine seellose Großstadt geworden und — im gleichen Atem — ein besseres Dorf geblieben; es übertreibe den Hang zur Dekoration, oder es sei grau und schmucklos geworden; es befinde sich in der Hand korrupter Hinterwäldler, oder es habe seine Seele unbayrischen Technokraten ausgeliefert; es habe zu viel oder zu wenig Industrie, es habe die Verbindung mit dem Lande verloren, oder es sei ein bloßer Hopfen- und Viehmarkt geworden. Allen Klagen ist gemeinsam, daß München seinem Wesen untreu geworden sei; denn es habe sich entweder zu wenig oder zu viel verändert.

Für den, der die Stadt im Vorübergehen in sich aufnimmt, bilden diese Widersprüche einen Katalog ihrer Reize. Auch die Durchreisenden sind Menschen, und wenn sie vielleicht auch nur den flüchtigen Abglanz aufnehmen können, so gibt es doch andere Städte, von denen sie nur die Kälte und lieblose Einförmigkeit gewahren. Soll München ein Opfer seiner sentimentalen Legenden werden, die den Nachfahren immer wieder von der blauweißen Latinität, dem Hartschier am Königsthron, vom katholischen, augenzwinkernden Freisinn und vom harmonischen Zusammenwirken biederer Gebirgler und des prächtig dekorierten Künstlervölkchens erzählen! Der trotzige Maßkrug, der dem zackigen Preußen gemütlich das Nasenbein zertrümmert, die

Ludwigstraße als Eingang nach Italien, die Fronleichnamsprozession, bei der die Sozialisten geweihte Kerzen tragen, und das Oktoberfest, auf dem die Lebenslust »in Breughelschen Ausmaßen« überschäumt, alles das sind heute Klischees, die dazu dienen, aufzuzeigen, daß München nicht mehr das ist, was es war. Aber von welcher menschlichen Siedlung kann man behaupten, daß sie sich nicht von Grund auf verändert habe? Jede Stadt, zerbombt oder nicht, hat sich in ihrem Wesen gewandelt — aber entscheidend ist, daß sie überhaupt noch ein Wesen hat. München hat der ungeheuren Stanzmaschine, mit der die industrielle Gesellschaft ihr Leben formt, besser widerstanden als irgendeine andere Stadt in der Bundesrepublik. George hat sie als die Stadt gerühmt, in der »Geister noch zu wandeln wagen«. Möglich, daß der Wunsch, zu wandeln, nicht mehr mit der produktiven Tätigkeit vereinbar ist. Wer indessen in unserem Lande, in dem monotone Erfolgsmenschen, griesgrämige Besserwisser und rangierte Aufrührer in fester Stellung das Leben beherrschen, noch den Drang verspürt, sich für einige Tage treiben zu lassen, im Menschenstrom unterzugehen, auf dem Viktualienmarkt zu staunen, in Lädchen zu kramen, kurzum einen anonymen Augenblick großstädtischer Freiheit zu erleben, dem bleibt nur München.
Eine Großstadt ist kein Boden wie ein Acker, sie ist Menschenwille und Geist. Darum war es nicht nur infam, sondern auch dumm, den Asphalt zum Kennzeichen der großstädtischen Verderbtheit und Unfruchtbarkeit zu machen. Der »Asphalt« und was damit zusammenhängt, ist in unheilvollem Ausmaß aus unserem geistigen Leben verschwunden, und das Vertrocknen unserer Literatur mag mit diesem Vorgang eng zusammenhängen. Der Literat, der Kritiker, der Dichter, der Deuter der Zeit, sie alle gehören für die Periode, in der sie ihre Form finden, in die große Stadt, sie gehören auf den Asphalt, dessen Härte sie in sich selbst zurückweist. Ob nun München sich verwandelt oder sein Wesen gerettet hat, es bietet uns das Gelände einer Großstadt, in der die Autonomie des Geistes noch Chancen hat, zu kämpfen und sich selbst zu genügen, ehe ihm der gierige Kulturapparat das Landhaus am Waldrand oder im Tessin zur Förderung seiner Schaffenskräfte zur Verfügung stellt.
Aber vielleicht ist sogar das München von heute noch zu schön, um in die allmächtige Theorie von der Lebensform der modernen Konsumgesellschaft zu passen. Es gibt dort in der Tat Bauwerke, Plätze, Durchblicke und Kulissen, vor denen man immer wieder mit der gleichen Überraschung den Atem anhält. Man spürt eine begrabene Seligkeit sich regen, aber man spürt — wenn man ein rechter Zeitgenosse ist — auch eine Art von Schuld. Darf man den Anblick gewisser Kirchen und Fassaden, die man unversehens aus einer Seitenstraße erblickt, noch genießen? Bekennt man sich damit nicht zur »Restauration« von Formen und Einrichtungen, die der Sturmwind der Zeit davongetragen hat? Welch eine trostlose Theorie, denn niemand wird doch

wohl behaupten wollen, daß eine Millionenstadt ein lebendiger Anachronismus sei und gegen die Gegenwart lebe. Wohl ist es richtig, daß München in einem sehr deutlichen Grade bayrisch geblieben ist und daß die einst ländliche Prägung in den Gesichtern und der Kleidung hier und da noch zu spüren ist. Aber die neuen Elemente haben sich ganz natürlich eingefügt. Die Mehrzahl der Menschen sieht aus wie in allen anderen Städten, aber die Gesichtszüge sind um eine winzige Nuance ruhiger und brünetter, die Röcke, Schuhe und Krawatten verraten mitunter einen gewissen Farbensinn, der uns wie eine Erinnerung an ländliche Trachten vorkommt. Zu der Marktfrau, dem Biertrinker mit der Uhrkette und dem Grafen mit der Spielhahnfeder am verwitterten Hut tritt jetzt noch der weibliche Filmnachwuchs im zerzausten Blondhaar, mit einem Ammenbusen, der in brutalem Kontrast zu den hautengen Hosen steht. Die Stadt lebt, soweit ihre Erscheinung lenkbar ist, deutlich auf ihre Legende zu, die nun im Dienste der Werbung steht. Der Platz vor der Universität ist in milden Mittagsstunden mit echter Jugend gefüllt. Was von Schwabing übrigblieb, liegt in den Händen der Gastwirte und ist mit sorgfältig als Boheme kostümierten Leuten gefüllt, die alle im Dienste des Fremdenverkehrs zu stehen scheinen.

Die Stadt ist indessen groß genug, um der wahren Improvisation noch Raum zu bieten und dem eingefleischten Großstädter hier und da noch eine Chance zu geben. Von der Masse getragen und nicht erdrückt zu werden, im Strom der Straßen zu schwimmen, ohne sich verloren zu fühlen, den Menschen zuzusehen, ohne sich indiskret vorzukommen, in verräucherten Riesenlokalen derb zu frühstücken, ohne zum Essenempfänger degradiert zu sein, sich an den ausgelegten Waren zu ergötzen, ohne sich als Verbraucher erfaßt zu fühlen, das sind die ersten Entspannungen, deren derjenige teilhaftig wird, der sich vorübergehend in München aufhält. In anderen deutschen Großstädten wird er solche Lockerungen vergebens suchen. Von den sogenannten Sehenswürdigkeiten soll erst gar nicht gesprochen werden, obwohl inzwischen sowohl Snob wie Banause gelernt haben, daß das, was in einer Stadt als »Sehenswürdigkeit« proklamiert wird, meist auch der Betrachtung in hohem Grade würdig ist und nicht übergangen werden darf.

So tritt uns München in den Stunden kurzer, aber darum doch nicht oberflächlicher Besuche entgegen, ihrer Legenden entkleidet und dafür um den neuen Reiz vermehrt, in unserem Lande diejenige Großstadt zu sein, die noch die zusammenhaltende Kraft alter Menschensiedlungen besitzt, ohne unaufhörlich und aufdringlich auf ihre Zweckhaftigkeit hinzuweisen. Viele unserer Großstädte sind in ihrer neuen Form kaum mehr als betongewordene Soziologie, daher übersichtlich, bürokratisch geordnet, ohne Zufälligkeiten und Improvisationen. An ihnen ist alles zu loben, nur langweilt man sich in ihnen und fühlt sich als Gegenstand wackerer Bemühungen, die noch nicht ganz von Erfolg gekrönt sind. Wer dauernd in München lebt, ist geneigt, sich über das Fehlen solcher Bemühungen zu beklagen. Beschwerden dieser Art mögen berechtigt sein, aber sie stehen dem, der vorübergeht, nicht an. Ja, soll denn das Bild einer Stadt von denen gemacht werden, die gleichsam nur durchreisen? Darauf wird es wohl hinauslaufen, denn obwohl es nicht gleichgültig ist, ob die Durchreise acht Tage oder fünf Jahre dauert, geht der Ruf Münchens fast ausschließlich auf jene zurück, die sich die Stadt freiwillig als Wohnsitz gewählt haben. Die großen Kritiker Münchens sind denn auch, außer Joseph Ruederer, meist Wahlmünchener gewesen. Die höchste Liebe ist freiwillig und setzt eine freie Wahl voraus, aber sie ist auch von dem Trieb begleitet, zu beeinflussen, zu kritisieren und sich zu beklagen. Sowohl Hausenstein (1920) wie Thomas Mann (1927) bangten um München, dem sie die höchsten Eigenschaften »heiterer Humanität« zuerkennen, ohne der Befürchtung seines unaufhaltsamen Niederganges Herr zu werden. Beide werden im Anblick der politischen Ausschreitungen, deren Schauplatz die Stadt ist, von bösen Ahnungen geplagt. Beide wünschen der Stadt, die der »Sitz aller Verstocktheit« und eines geistfeindlichen Ordnungsbegriffs zu werden droht, diejenigen Eigenschaften zu bewahren, die sie bewogen hat, sie als Wohnsitz und Arbeitsstätte zu wählen. Für Thomas Mann ist sie »als Stadt von Welt« bedroht, für Hausenstein hat sie nicht »Welt« genug. Aber im Grunde haben beide, die ebenso zu München wie der Spanier Picasso oder der Pole Kiesling zu Paris gehören, die gleiche Sorge, nämlich, daß die teure Stadt in »Provinzialismus« versinken möge.

So lautete die Klage um München vor langen Jahrzehnten, also jenseits des historischen Abgrundes, den wir uns selbst und der Welt angeschafft haben. So lautet sie auch heute wieder, aber sie ist unberechtigter denn je. Man kann mit dem Begriff des Provinzialismus gar nicht behutsam genug umgehen; er wird allzu gern angewandt, um Tatbestände zu verdecken, die dem menschlichen Wollen seit langem entzogen sind. Ob nun seegängige Schiffe vor unserer Tür festmachen oder Düsenjäger auf unserem Dach landen, wir können nicht anders, als die Welt um uns entweder eng oder leer zu finden. In einem Gedicht von Gottfried Benn heißt es:

> Meinen Sie, Zürich zum Beispiel
> Sei eine tiefere Stadt,
> Wo man Wunder und Weihen
> Immer als Inhalt hat?

Dieser Zuruf soll jene trösten, die den geistigen Verfall der Städte für ein Zurücksinken in provinzielle Zustände halten. Der Verlust geht viel tiefer; außer den großen Weltzentren kann sich keine Stadt in der modernen Massengesellschaft noch behaupten und im alten Sinn Stadt sein. Wir leben neuen Formen entgegen, und wenn wir eine Stadt provinziell nennen, so meinen wir, daß zwischen ihr und der Welt kein Austausch mehr stattfindet. Diese Wechselwirkung ist dem Individuum überlassen, hier mag es seine Lust zur Selbstbehauptung beweisen. Das Provinzielle täuscht kleine Verhältnisse, mauerumhegte Geborgenheit und Rückzug auf veraltete Werte vor. In Wirklichkeit ist, um es zugespitzt zu sagen, das reine Nichts gemeint, die Ungeneigtheit, sich in die allgemeinen Weltverhältnisse hineinzudenken und an einem Begriff von der Menschheit mitzuwirken. Das Los der deutschen Großstädte ist ein geistiges Absterben, kein Rückzug. Es ist, im Gegenteil, ein Auseinanderfließen und eine zwar phrasenreiche, aber bequeme Kapitulation vor den Richtlinien der »verwalteten Welt«. In diesem Prozeß mögen Handel und Gewerbe, Architektur und Theater wohl gedeihen — wer wollte blind für die dort waltenden Talente sein! —, aber die alte Gestaltungskraft des Menschen, die einst zur Bildung von Städten als Zentren freigewollten Lebens führte, ist darin nicht mehr enthalten. Noch macht München eine Ausnahme. Vielleicht hat es ihm geholfen, daß es der Gefahr des Provinzialismus stets ausgesetzt war. Denn es ist besser, Provinz als bloße Organisation zu sein. Halten wir uns an München, das uns erlaubt, wir selber zu sein, sei es auch nur vorübergehend.

WILHELM HAUSENSTEIN

Ein Bild in der Alten Pinakothek: Albrecht Altdorfers Alexanderschlacht

... Da ist nun Mann an Mann, Reiter an Reiter, Pferd an Pferd, und alles ist im selben Maße gezeichnet wie gemalt, gemalt wie gezeichnet: stahlblaue Panzer und Helme und die tausendfältige Zier der weißen Straußenfedern. Allein, wie dürfte man sich unterstehen, eine Ziffer zu gebrauchen? Kaum einer brächte es fertig, die Figuren auch nur nachzuzählen, die hier ein Meister auf seiner Tafel mit seiner Hand in Kampfordnung aufgestellt und über das Schlachtfeld gejagt hat! Und er hätte nun allerdings erreicht, was er, so scheint es, erreichen wollte: ein Ganzes, das er nicht als solches, nicht summarisch malen mochte, sondern aus lauter Einzelheiten, mit einer unvorstellbaren Geduld für das Kleine und Kleinste aufzubauen unternahm, dennoch als Ganzes wirken zu lassen. Denn diese streitenden Heere sind ein Ganzes — sind mehr als Addi-

tion der Einzelheiten, sind wie das kämpfende Massenleben selbst eine organische Gesamtheit, die sich mit sich selbst vervielfacht. Einen Teil des Geheimnisses, das im übrigen Geheimnis bleibt und eben damit die Unerschöpflichkeit des genialen Werkes bewahrt — einen Bruchteil des Rätsels dieser Komposition begreift man, wenn man wahrnimmt, wie der Meister mit den Fahnen orientierend in das Getöse und Getümmel hineinwirkt, einem Kapellmeister gleich, der ein Orchester bändigt und bündelt: Weiß mit Gelb, Weiß mit Rot, reines Blau, reines Rot, Schwarz mit Gelb flattern ordnend über den Häuptern. In der Mitte verfolgt durch einen konstruktiven Zwischenraum hin Alexander der Große den dritten Darius, den Perserkönig. Dieser Besiegte unter goldenem Helm und goldenem Schirm sendet von seinem flüchtigen Sichelwagen herab den langen, schweren Blick des vom Schicksal Preisgegebenen auf den Sieger zurück: man sieht es deutlich, und das Gemüt erbebt im Anblick eines weltgeschichtlichen Geschehnisses, welches durch die Hand des Mazedoniers und Griechen den Okzident errettete. Nach obenhin und in den Hintergrund hinaus klärt sich das Bild zu einfacheren Zusammenhängen: seitlich als Zeltstadt aus blaßblauen, rosaroten, aus weißen und gelblichen Tuchbahnen; als olivgrüner Hügel inmitten, der von der Abendröte widerglüht; als blaues Mittelmeer, verblauendes Gebirge, blauer Himmel. Die gesamte obere Hälfte des Bildes ist blau in blau gemalt, so blau, daß es das Entzücken des Vermeer van Delft gewesen sein müßte. Doch nein, es ist noch mehr in dieser oberen Bildhälfte. Wie ein Himmelszeichen, recht wie ein »Verhängnis« in des Wortes buchstäblicher Bedeutung, ist aus dem höchsten Himmel eine Schreibtafel herausgelassen, auf der eine Inschrift von epigraphischer Kürze den Sinn des Bildes zusammenfaßt. Quaste und Wimpel an der Tafel sind karmin. Welcher Gegensatz zur Bläue — aber auch welche Harmonie des einen mit dem anderen! Welche Selbstverständlichkeit überdies in der Schräge, mit welcher die Tafel dahängt, von der mancher irrtümlich gemeint hat, sie störe das Bild! So wenig stört sie es, daß sie es vielmehr mit der Macht des Unentbehrlichen vollendet. Sie ist die Stimme des Fatums selbst und darum wahrlich nicht weniger wichtig als das Mondhorn, welches die kommende Nacht des Geschlagenen nur karg erleuchten wird, und als die Sonne, die im Horizont, am Rande orangerot verglüht.
Dies will der Himmel über der Stadt Issus im kleinasiatischen Cilicien sein, der Himmel des Jahres 333 vor Christus, gefährlich, mit Gewittern schwanger. Der Meister hat ihn nach dem Urbild des heimischen Föhngewölks gemalt, und siehe: die phantastischen Wirbel dieses Gewölks, die Feuer des bayrischen Föhnhimmels, sein aufwärts mit rauchigem Grau leise verfärbtes Blau waren genug, die Bläue und den explosiven Brand

des mittelmeerländischen Uranos vorzustellen. Nicht anders ist es eine überzeugende schöpferische Naivität, wenn in das imaginäre Bild der kleinasiatischen Berge, welche zwar nicht der Phalanx Alexanders, wohl aber der Reiterei des Darius die Bewegung verwehrten, Erinnerungen an bayrische und tirolische Steingebirge eingemengt sind und wenn in die Mitte einer Stadt, die hinter Cypern liegt, eine Kirche gerückt ist, die aus Nürnberg herübergehoben sein könnte.

Aber das Rätsel der Rätsel in diesem Bilde: daß die beiden Hälften, das Oben und Unten, zusammenhalten! Die schräge Tafel im Himmel droben, die exzentrische Komposition der Himmelslichter, der Aufgang des Mondes, das Wechselspiel von Buchten, Inseln und Vorgebirgen, die ineinandergreifen, das Schmelzfeuer einer Sonne, welche dem Perserkönig schrecklich untergeht, während sie, ein triumphales Freudenfeuer der hellenischen Welt, das ganze Bild in einen blutig-goldenen Glanz taucht: — dies alles ist an der Einheit des Bildes nicht unschuldig. Doch sie erwuchs auch dank unerklärlichen Kräften, welche das unvergleichliche Haupt- und Staatswerk des Altdorfer bis auf diesen Tag hilfreich durchwirken.

* * *

RUDOLF ALEXANDER SCHRÖDER

Gruss an die Schweiz

Zürich 1932

... Als Deutscher darf ich es in der Stadt, an deren Münster das Bild Karls des Großen thront, getrost aussprechen, daß dieses Gemeinschaftsideal christlich-europäischer Welt im alten Reichsgedanken vorgebildet war. Und wenn ich diesem Gedanken und seiner Geschichte nachgehe, so wundere ich mich nicht, daß es grade die Schweiz ist, in der eine Deutsch redende Mehrheit mit zwei so großen und mächtigen Minderheiten brüderlich zusammenhaust. Es ist der konservative Geist des Gebirges, der Geist einer ständig benötigten, ständig wachen Selbstbehauptung und Selbstverteidigung, der, wie er Ihrer herrlichen Volkssprache alle Elemente hochdeutscher Sprachentwicklung nicht im literarischen Herbarium, sondern im lebendigen Wachstum bewahrt hat, auch Ihrem staatlichen Dasein jenes Wesen erhalten hat und forterhält, das sich ohne Gefahr so modern, so aufgeschlossen, so neu-europäisch geben darf, weil es ein Wesen uralter Herkunft, uralter Verfassungen, uralten »abendländischen« Ausgleichs ist. Eine Herberge der Nationen hat man neben Rom auch wohl die Schweiz genannt. Sie ist es gewesen und geblieben, seit ihr geschichtliches Dasein begonnen hat, sich in deutlicheren Zügen von dem mählich verdämmernden Hintergrund des alten Reiches abzulösen. Nicht nur als Freistatt erlauchter Einzelner, von Hutten und Calvin an bis zu den Tagen Byrons und der Frau von Stael, sondern auch in dem Sinne, daß jede der drei großen Nationen, die das Gesicht und Geschick der alten kontinentalen Christenheit gestaltet haben, sich in ihr, als wäre es in ihrem Eigensten, zu Hause fühlen und den andern auf einem Boden begegnen darf, auf dem gegenseitiges Geltenlassen, gegenseitige Anteilnahme und Befruchtung selbstverständlich sind.

So zeigt sich denn der Betrachtung das eigentümliche Bild, daß es im Grunde nicht so sehr zentrifugale Bestrebungen waren, sondern recht eigentlich die Treue zu einer älteren Form des deutschen und des europäischen Daseins, die Ihr Land vor Zeiten sich hat aus dem Gesamtbestand des sinkenden Imperiums auf sich selbst zurückziehen lassen. — Aber wenn ich vorhin auf die Beharrungskraft Ihrer Volkssprache als auf eine der Bürgschaften für das geschichtliche Fortleben anderer, in ähnlicher Weise am Lande selbst und seinen natürlichen Gegebenheiten haftender Eigentümlichkeiten und Eigenständigkeiten verweisen durfte, so darf ich jetzt vielleicht, den Blick in eine größere Ferne und zugleich auf ein rein geistiges Gefild richtend, sagen, daß ich neben dem staatlichen Dasein der Schweiz noch einen anderen, sehr merkwürdigen und in dieser seiner Eigenschaft eigentlich zu wenig beachteten Bürgen und Verwirklicher europäischer Zusammengehörigkeit wüßte. Es ist diesmal ausschließlich das Gebiet der Sprache, und zwar einer von allen andern europäischen Sprachen weniger durch ihre örtliche Absonderung als durch eine nur ihr anhaftende Eigenheit geschiedenen Sprache, in dem wir diesen Bürgen zu suchen hätten.

Die Sprache des heutigen Engländers ist, wie wir alle wissen, auf natürlichem und geschichtlichem Wege das geworden, was neuere Kunstschöpfungen vergeblich zu werden trachten, Universalsprache, Weltsprache. Wohl mag den, der des eigenen, bodenwüchsigen Wortes gewohnt ist, angesichts ihrer unbekümmerten Fülle, ihres sprachlichen „Imperialismus" manchmal ein gelinder Schrecken ankommen. Aber wer einmal gesehen hat, wie in der Fremdsprache und Volkssprache, gelehrte und gemeine Rede, germanisches und keltisches Erbgut und romanischer Zuwachs durcheinander bestehen und, sich gegenseitig ergänzend und abwertend, eine beispiellose Fülle und Knappheit des Ausdrucks ermöglichen, der wird in

dem Wunder dieser zugleich unorganischen und organischen, zugleich völlig künstlichen und völlig natürlichen Sprache auf geistigem Felde so etwas wie das Problem jener Quadratur des Zirkels gelöst finden, als das der bürgerliche, der wirtschaftliche, der staatliche Ausgleich der europäischen Nationen leider Gottes immer von neuem erscheint.
Freilich, dies englische Feld sprachlichen Ausgleichs steht ebenso unter seinen besonderen, nur ihm eignenden Gesetzmäßigkeiten und Bedingnissen, wie das geschichtliche und politische Feld, auf dem Ihr Land die Formeln seines zugleich nationalen und übernationalen Ausgleichs gefunden hat und hat finden müssen. Wer glauben würde, diese oder ähnliche Bedingungen künstlich herbeizuführen oder gar bloß ihr Ergebnis nachahmen zu sollen, der würde sich am Genius der Geschichte versündigen.

»Arkadien in Spartas Nachbarschaft.« Mit diesen Worten schildert Goethe das Traumgriechenland seines Helenagedichtes. — Wohl ist es die Pelopsinsel, der diese Schilderung gilt. Aber in ihrem eigentlichen Kernstück, von da ab, wo es mit ergreifender Huldigung an Schillers Alpengedicht heißt:

Und duldet auch auf seiner Berge Rücken
Das Zackenhaupt der Sonne kalten Pfeil . . .

verschwindet jeder Gedanke an das Meer; wir finden uns mitten in der Majestät des Hochgebirges.

Die Quelle springt, vereinigt stürzen Bäche,
Und schon sind Schluchten, Hänge, Matten grün.
Auf hundert Hügeln unterbrochner Fläche
Siehst Wollenherden ausgebreitet ziehn.
Verteilt, vorsichtig abgemessen schreitet
Gehörntes Rind hinan zum jähen Rand.
— — — — — —
Alt-Wälder sind's! Die Eiche starret mächtig,
Und eigensinnig zackt sich Ast an Ast;
Der Ahorn mild, von süßem Safte trächtig,
Steigt rein empor und spielt mit seiner Last.
Und mütterlich im stillen Schattenkreise
Quillt laue Milch bereit für Kind und Lamm;
Obst ist nicht weit, der Ebnen reife Speise — —

Alles das, oder doch das meiste davon, hat den Dichter nicht das Italien, das er kannte, nicht das Griechenland, das er nicht kannte, sehen und sich ins Herz prägen lassen. Es gründet zum größten Teile auf seinen Schwei-

zer Erinnerungen. Und so ist mir auch die vorher zitierte Schlußwendung des ganzen Lobgesangs immer als eine der geistvollsten Formulierungen des geschichtlichen wie des wirtschaftlichen, des landschaftlichen wie des geistigen Bildes der Schweiz vor der Seele gestanden.
Ein Volk von Hirten und Kriegern, von Bauern und Bürgern, ein Volk, in dem strenge und rauhe Zucht ebenso zu Hause ist wie der heitere Sinn, der das Jahr in eine Kette gemeinsamer festlicher Begehungen zusammenfaßt, der Hang zur Idylle ebenso wie der zur wortlos versonnenen Grübelei: Arkadier und Sparter in einem, sind die Schweizer es nicht heute noch, und ist nicht in dieser goetheschen Formel obendrein der Ausgleich städtischen, regsamen Wesens und uralt ländlicher Beharrlichkeit ausgedrückt, der den gesunden Kern, das unaufhebbare Gleichgewicht Ihres Landes in all seinen Gauen und Völkern ausmacht? Und wenn wir uns hier nochmals vor Augen halten, daß dieser durch besondere natürliche Gegebenheiten geforderte und geförderte Ausgleich es sei, der jenen anderen vom Geist geforderten und geborenen ermöglicht hat, so sehen wir auch diese abschließende Betrachtung aufs engste mit unserm führenden Gedanken verknüpft.
Arkadien in Spartas Nachbarschaft. — Schon der, der auf den Hügeln um seinen schönen See herum das neue, arbeitsame Zürich aufgebaut sieht, wird etwas von der Schlüssigkeit der goetheschen Formel empfinden, und wenn es ferner von jenem Arkadien heißt:

> Hier ist das Wohlbehagen erblich,
> Die Wange heiter wie der Mund,
> Ein jeder ist an seinem Platz unsterblich . . .

so dürfen wir diese Zeilen im Sinne heilwünschender Vorbedeutung getrost an das anknüpfen, was Sie alle und mit Ihnen und mir viele Ihrer Nachbarn dankbaren Herzens als das unsterbliche Teil an dem Dasein und So-Sein Ihres Landes kennen, lieben und heilighalten.

GOTTFRIED KELLER

Waldlied

Arm in Arm und Kron an Krone steht der Eichenwald verschlungen,
Heut hat er bei guter Laune mir sein altes Lied gesungen.

Fern am Rande fing ein junges Bäumchen an sich sacht zu wiegen,
Und dann ging es immer weiter an ein Sausen, an ein Biegen;

Kam es her in mächtgem Zuge, schwoll es an zu breiten Wogen,
Hoch sich durch die Wipfel wälzend kam die Sturmesflut gezogen.

Und nun sang und pfiff es graulich in den Kronen, in den Lüften,
Und dazwischen knarrt und dröhnt es unten in den Wurzelgrüften.

Manchmal schwang die höchste Eiche gellend ihren Schaft alleine,
Donnernder erscholl nur immer drauf der Chor vom ganzen Haine.

Einer wilden Meeresbrandung hat das schöne Spiel geglichen;
Alles Laub war weißlich schimmernd nach Nordosten hingestrichen.

Also streicht die Geige Pan der Alte laut und leise,
Unterrichtend seine Wälder in der alten Weltenweise.

In den sieben Tönen schweift er unerschöpflich auf und nieder,
In den lieben alten Tönen, die umfassen alle Lieder,

Und es lauschen still die jungen Dichter und die jungen Finken,
Kauernd in den dunklen Büschen sie die Melodien trinken.

CONRAD FERDINAND MEYER

Fülle

Genug ist nicht genug. Gepriesen werde
Der Herbst! Kein Ast, der seiner Frucht entbehrte.
Tief beugt sich mancher allzureich beschwerte,
Der Apfel fällt mit dumpfem Laut zur Erde.

Genug ist nicht genug. Es lacht im Laube.
Die saftge Pfirsche winkt dem durstgen Munde.
Die trunknen Wespen summen in die Runde:
»Genug ist nicht genug!« um eine Traube.

Genug ist nicht genug. Mit vollen Zügen
Schlürft Dichtergeist am Borne des Genusses,
Das Herz, auch es bedarf des Überflusses,
Genug kann nie und nimmermehr genügen.

JOHANN WOLFGANG GOETHE

Abschied von Rom

Auf eine besonders feierliche Weise sollte mein Abschied aus Rom vorbereitet werden: drei Nächte vorher stand der volle Mond am klarsten Himmel, und ein Zauber, der sich dadurch über die ungeheure Stadt verbreitet, so oft empfunden, ward nun aufs eindringlichste fühlbar. Die großen Lichtmassen, klar, wie von einem milden Tage beleuchtet, mit ihren tiefen Schatten, durch Reflexe manchmal erhellt, zur Ahnung des einzelnen, setzen uns in einen Zustand wie von einer andern, einfachern, größern Welt.

Nach zerstreuenden, mitunter peinlich zugebrachten Tagen macht ich den Umgang mit wenigen Freunden, einmal ganz allein. Nachdem ich den langen Corso, wohl zum letztenmal, durchwandert hatte, bestieg ich das Kapitol, das wie ein Feenpalast in der Wüste dastand. Die Statue Marc Aurels rief den Kommandeur in Don Juan zur Erinnerung und gab dem Wanderer zu verstehen, daß er etwas Ungewöhnliches unternehme. Dessen ungeachtet ging ich die hintere Treppe hinab. Ganz finster, finstern Schatten werfend, stand mir der Triumphbogen des Septimius Severus entgegen; in der Einsamkeit der Via Sacra erschienen die sonst so bekannten Gegenstände fremdartig und geisterhaft. Als ich aber den erhabenen Resten des Coliseo mich näherte und in dessen verschlossenes Innere durchs Gitter hineinsah, darf ich nicht leugnen, daß mich ein Schauer überfiel und meine Rückkehr beschleunigte.

Alles Massenhafte macht einen eignen Eindruck, zugleich als erhaben und faßlich, und in solchen Umgängen zog ich gleichsam ein unübersehbares Summa Summarum meines ganzen Aufenthaltes. Dieses, in aufgeregter Seele tief und groß empfunden, erregte eine Stimmung, die ich heroisch-elegisch nennen darf, woraus sich in poetischer Form eine Elegie zusammenbilden wollte.

Und wie sollte mir gerade in solchen Augenblicken Ovids Elegie nicht ins Gedächtnis zurückkehren, der, auch verbannt, in einer Mondnacht Rom verlassen sollte. Cum repeto noctem! seine Rückerinnerung, weit hinten am Schwarzen Meere, im trauer- und jammervollen Zustande, kam mir nicht aus dem Sinn, ich wiederholte das Gedicht, das mir teilweise genau im Gedächtnis hervorstieg, aber mich wirklich an eigner Produktion irre werden ließ und hinderte; die auch, später unternommen niemals zustande kommen konnte.

Wandelt von jener Nacht mir das traurige Bild vor die Seele,
Welche die letzte für mich ward in der Römischen Stadt,
Wiederhol ich die Nacht, wo des Teuren soviel mir zurückblieb,
Gleitet vom Auge mir noch jetzt eine Träne herab.
Und schon ruhten bereits die Stimmen der Menschen und Hunde,
Luna, sie lenkt in der Höh nächtliches Rossegespann.
Zu ihr schaut ich hinan, sah dann Kapitolische Tempel,
Welchen umsonst so nah unsere Laren gegrenzt.

JEAN PAUL

Aus des Luftschiffers Giannozzo Seebuch

Wunderbarer Tag! Hell ziehen schon die schimmernden Schweizer Gebirge mit ihren Tiefen und Zinnen vor mir heran und schütten den Rhein weg; aber hinter mir wachsen eilig die Gewitterwolken in den Himmel herauf und schweigen grimmig; die Lüfte gehen immer langsamer und bewegen mich kaum.

Jetzt regt sich nichts mehr. Vor welcher Welt schweb ich still! Vor mir donnert der Rhein, hinter mir das Wetter — die Stadt Gottes mit unzähligen glänzenden Türmen liegt vor mir — tief in der Ferne stehen auf ewigen Tempeln weiße helle Götterbilder, und der hohe König der Götter, der Montblanc, und der auf die tiefe Erde herabgeworfene Rhein steigt als ein weißer Riesengeist wieder auf und hat den himmlischen Regenbogen um und schwebt silbern und leicht.

Was ist das? Kommt mein Schicksal? — Scharrt der schwarze Hahn? — Ich wollte mich jetzt tiefer senken vor die herrliche, auf der alten ruhende neue Welt; aber ich konnte nicht; die Verbindung zwischen den Lufthähnen ist durch das schnelle Aufreißen in der Schlacht zertrennt; ich kann mich bloß, wenn ich nicht durch Windstöße eine Alpe erreiche, eh mich das Gewitter ergreift, durch das Aufschlitzen der Kugel erretten.

Jetzt trägt mich ein Windstoß ganz nahe vor die göttliche Glanzwelt. Aber schon arbeiten die Wolken lauter als der Strom, die schwarze Wolkenschlange hinter mir ringelt sich auseinander und zischt und schillert schon neben mir in Osten. — Der Sonnenwagen geht schon tief im Erdenstaube. Wie fliegen die Goldadler der Flammen überall, um die Sonne, um die Eiskuppeln, um den zerknirschten Rhein und um die giftige Wolke, und ruhen mit aufgeschlagenen Flügeln an grünen Alpen aus. — Ich

4 Wallfahrtskirche Vierzehnheiligen
1745—1772 erbaut von Balthasar Neumann

glaube, ich soll heute sterben, das große Gewitter wird mich fassen. So sterb ich gern, Verhüllter über mir; vor dem Angesicht der Berge und der Sonne und des gewölbten Blaues weicht gern mein Geist aus der einklemmenden Hütte und fliegt in den weiten, freien Tempel. Ich drücke die sonnenrote Stunde und die gebirgige Welt noch tief ins brausende Herz, und dann zerbrech es, woran es will.

O wie schön! In Morgen rauschen Donner und Fluten, und auf ihnen hängt statt des Regenbogens ein großes, stilles Farbenrad, ein flammiger Ring der Ewigkeit aus Juwelen. — Die warme, sanfte Sonne glimmt nicht weit von den Gewitterzacken. — Noch sonnen die goldgrünen Alpen ihre Brust, und herrlich arbeiten die Lichter und die Nächte in den aufeinander geworfenen Welten der Schweiz durcheinander; Städte sind unter Wolken, Gletscher voll Glut, Abgründe voll Dampf, Wälder finster, und Blitze, Abendstrahlen, Schnee, Tropfen, Wolken, Regenbogen bewohnen zugleich den unendlichen Kreis.

Jetzt gähnet ein Wolkenrachen vor der Sonne; noch seh ich einen Sennenhirten mit dem Alphorn, dessen Töne nicht herüberreichen, am purpurnen Abhang unter weißen Rindern, und ein Hirtenknabe trinkt an seiner Ziege den Abendtrank. — Wie lebt ihr still im Sturme des Seins! — O die schwarze Wolke frisset an der Sonne! — Das erhabene Land wird ein Kirchhof von Riesengräbern, und nur die weißen, hohen Epitaphien der Gletscher glänzen noch durch. — —

Ich bin geschieden von der Welt — die unendliche Wetterwolke überdeckt die Schweiz und alles — unter dem schwarzen Leichentuch regnet es laut unten auf der Erde — es blitzt lange nicht und zögert fürchterlich. — Sterne quellen oben heraus, und mir ist, als schwämmen ihre matten Spiegelbilder als silberne Flocken auf dem düstern Grund. — Ha! der Wind kehret um und treibt mich mitten über die stumme, gefüllte Mine, deren Lunte schon glimmt. Wie düster! Ach, unter der Wolke werden noch Bergspitzen in sanftem goldnen Abendscheine stehen.

Kein Blitz, nur Schwüle! — Aber ich merke, die Wolke zieht mich zu sich. Ach! jetzt wölbt sich auf einmal zusehends ein zweites Gewitter über mir; beide schlagen dann gegeneinander, und eines greift mich, jetzt versteh ichs. —

Bis auf die letzte Schlagminute schreib ich, vielleicht wird mein Tagebuch nicht zerschmettert.

Nun geraten schon die Enden der Gewitter aneinander und schlagen sich. — Wie höllenschwül! — Oho! jetzt riß es meinen Charonskahn in den brauenden Qualm hinab! — Ich sehe nicht mehr. — Was ist das Leben — die feigen hockenden Menschen drunten singen jetzt gewiß zu Gott, und die Erbärmlichen werden gewiß jeden vermahnen bei meinem Leichnam. — Wie es hinauf und hinab schlägt. — In Wörlitz war mein letzter Tag, das ahnete ich ja — Himmel! der heutige Traum hat ja mich und mein Ende klar geträumt; er soll auch ganz wahr werden, und ich will jetzt mit meinem Posthörnchen wütig ins Wetter blasen, wie ihr Mozart drunten im Don Juan, und den Heuchlern auf dem Boden den Anbruch des Jüngsten Tages weismachen — —

ANNETTE VON DROSTE-HÜLSHOFF

Am Turme

Ich steh auf hohem Balkone am Turm,
Umstrichen vom schreienden Stare,
Und laß gleich einer Mänade den Sturm
Mir wühlen im flatternden Haare;
O wilder Geselle, o toller Fant,
Ich möchte dich kräftig umschlingen,
Und Sehne an Sehne, zwei Schritte vom Rand
Auf Tod und Leben dann ringen!

Und drunten seh ich am Strand, so frisch
Wie spielende Doggen, die Wellen
Sich tummeln rings mit Geklaff und Gezisch
Und glänzende Flocken schnellen.
O, springen möcht ich hinein alsbald,
Recht in die tobende Meute,
Und jagen durch den korallenen Wald
Das Walroß, die lustige Beute!

Und drüben seh ich ein Wimpel wehn
So keck wie eine Standarte,
Seh auf und nieder den Kiel sich drehn
Von meiner luftigen Warte;
O, sitzen möcht ich im kämpfenden Schiff,
Das Steuerruder ergreifen
Und zischend über das brandende Riff
Wie eine Seemöwe streifen.

Wär ich ein Jäger auf freier Flur,
Ein Stück nur von einem Soldaten,
Wär ich ein Mann doch mindestens nur,
So würde der Himmel mir raten;
Nun muß ich sitzen so fein und klar,
Gleich einem artigen Kinde,
Und darf nur heimlich lösen mein Haar
Und lassen es flattern im Winde!

GERHARD STORZ

Grösse und Heiterkeit

Ottobeuren

... Droben auf einer Hügelklippe tritt man aus dem Wald, und unter dem schweren Vorhang der letzten Fichtenzweige blickt man in eine alterslos scheinende, ungeschichtliche Welt hinunter und hinaus: da sind nur Wälder, Weiher, Weiden, Gehege und Kühe. Das helle Gerassel ihrer Glocken, das bald milder, bald kräftiger, aber immer in dieser Luft ist wie der Duft vom Heu, wird gegen Abend vom stetigeren Geläut eines Glöckchens übertönt. Bald sehen wir es eifrig hin und her schwingen im verschnörkelten Dachreiter über dem Hof dort oben. Leicht und lustig ragt die schmiedeeiserne Zier in den Abendhimmel, und die Fensterreihen darunter funkeln inbrünstig von den letzten Sonnenstrahlen. Das Haus ist auffallend groß, doch wohlgebaut. Drin ist Wohnung, Stall und Scheuer, daneben Schuppen, Waschküche, Backofen, Holzstapel, Brunnen, aber auch ein Kapellchen ist in das vereinzelte Gemeinwesen einbezogen. Stattlich erscheint das Haus, aber nicht herrenmäßig: unter der wahrhaftigen Hut des langen Daches sieht es so wohnlich, so heimelig her, ein Ort, in dem, fast noch wie am Anfang, Eltern und Kinder, Menschen und Tier freundwillig zusammenwohnen, nahe bei Weide, Holz und Bach.

Der Weg, auf den wir schließlich geraten sind, belebt sich jetzt: auf zweiräderigen Wagen fahren Kinder mächtige Milchkannen von den Höfen hier und dort zur nächsten Kreuzung. Dort kippen sie die Last, den Ertrag des Tages, auf eine niedere Holzpritsche, und von da nimmt später ein Fahrzeug der Molkerei die Kannen mit. Im letzten Licht erscheint zwischen Wiesen und Wäldern, einsam im weiten Revier, ein zierlicher Bildstock, und vor der winzigen Gestalt der Gottesmutter steht andächtig ein frischer Blumenstrauß.

Der »labor improbus« des Ackerbaues scheint in dem Bereich zwischen Günz und Iller noch nicht begonnen zu haben. In Wahrheit ist er überwunden worden: planende Einsicht hat ihn vor alters zugunsten der Vieh- und Milchwirtschaft verdrängt. Sie ernährt, auf großer, zusammenhängender Fläche betrieben, nicht nur ihren Mann, sie macht ihn begütert. Umsicht und Rührigkeit wirkten ineinander, aber offensichtlich haben sie weder stumpf noch unrastig gemacht: der freundliche Menschenschlag läßt sich gern Zeit, nicht nur bei Handel, Wandel und Verzehr, sondern auch zu Andacht und frommer Begebung. Die Einwohner des Marktfleckens reichten allein nicht hin, seine Kirche zu füllen, es braucht die Umwohner, die sich Sonntag für Sonntag aus ihrer idyllischen Vereinzelung hier zur einen, großen Gemeinde vereinen. Spätlinge finden zur Not noch Platz am Portal, dort, wo der vom Chor her streichende Weihrauch über den Ruch von Heu und Stall nicht mehr ganz Herr wird.

Nach dem Hochamt verwandelt sich der Markt unterhalb der Treppe in ein wahrhaftiges Forum: der Strom der Kirchgänger zerschlägt sich in Gruppen und Grüppchen, die sich, im engeren und weiteren Sinn des Wortes, als recht standhaft erweisen. Denn die schwäbische Rede bedarf des Zeitraumes für ihre Entfaltung. Drum setzt sich, was auf dem Marktplatz begann, im Hirsch, im Mohren, im Ochsen fort. Aber es bleibt bei einer vielstimmigen, behaglich summenden Stetigkeit. Schwung und Darstellungsdrang bajuwarischer Geselligkeit fehlen, episches Maß und familiäre Sitten scheinen hier zu bestimmen. Denn, wiewohl innerhalb der weiß-blauen Grenzpfähle, sind wir in schwäbischem Land.

In lebendiger Gestalt stellen sich also hier die Anlässe frühester Stadtgründung dar: Kirche und Markt. Ja, noch mehr — hinter unmittelbarer Gegenwärtigkeit glaubt man ein sehr fernes Urbild hervorscheinen zu sehen: war es nicht solche Gemeinsamkeit von Ein- und Umwohnern im Zeichen des Heiligtums, die von den Griechen »Amphiktionie« genannt wurde? Überhaupt — bezeugt sich in diesem Landstrich nicht mannigfaltig das Aufsteigen und Übergehen des Täglich-Irdischen ins Überirdische? Und umgekehrt das Eingehen des Heiligen ins Heimische, also christliche Entsprechung zu antiker Frömmigkeit?

Streng und doch prächtig ragen die Gesimse, die Pilaster, die Architrave der Kirchtürme, ihre eleganten Kuppeln über die anspruchslose Behäbigkeit des Marktfleckens. Schon allein ihre außergewöhnliche Größe hätte genügt, der Kirche den Ehrentitel einer päpstlichen Basilika einzutragen. Aber der Eintretende wird alsbald von der Klarheit und Heiterkeit dieses Raumes berührt, so daß er darüber seine riesige Ausdehnung fast übersieht. Den gewaltigen Maßen, dem unendlichen Reichtum vielfältiger Dekoration hält die Harmonie des Ganzen, seine geistreiche, einfache Gliederung die Waage. Und solche Vereinigung von Gegensätzen, ihre Auflösung in lebendiger Ruhe — sie machen das Besondere dieses Bauwerkes aus. Es gibt keine Seitentüren, nur das dreigeteilte Portal unter der gemessen-prunkenden Nordfassade gegenüber dem Chor. So tritt der Hereinkommende in die richtige Perspektive: sie führt durch das Langschiff über den Kommunions- zum Hochaltar.

Die beiden Seitenschiffe, mehr Kapellen als durchlaufender Raum, begleiten die Wanderung vom Portal auf den Chor zu, aber nur bis zum entscheidenden Punkt: jetzt tut sich plötzlich der Raum noch einmal auf in eine unsagbare Weite und Helligkeit. Denn ein Querarm, an Maßen dem Längsarm gleich, bestimmt das Kreuz zum Grundriß dieser Kirche: was zunächst als Längsbau erschien, erweist sich nun als Zentralbau. Der Chor tritt als ebenbürtiger, gleich großer Raum nach Süden zu West-, Längs- und Ostschiff hinzu. Ihn trennt weder Schranke noch Gitter ab: sieben wunderbar geschwungene, niedere Stufen, die den Kommunionsaltar ehrfürchtig und zärtlich zugleich umfangen, erheben ihn über das Längsschiff.

Erst unter der Vierungskuppel stehend erfaßt man also, daß sich von hier aus vier Hallen in gleich majestätischer Monumentalität nach den vier Himmelsrichtungen hin öffnen und erstrecken. Hier aber, in ihrem Ursprung, scheint der Raum im Licht, zugleich aber auch im Überfließen seiner eigenen Fülle und Wohlgestalt wahrhaftig zu schweben. Dieser Mittelpunkt ist denn auch zugleich Herzpunkt: von ihm erhält das Ganze Gesetz, Sinn und Leben. Über ihm, der Vierung, zeigt das Deckenfresko das Pfingstwunder und das Übergreifen der einen, an Pfingsten gestifteten Kirche auf die vier Himmelsrichtungen und auf alle Völker. Über den mächtigen Gesimsen der Vierungspfeiler am Ansatzpunkt des Gewölbes, sitzen in schwindelnder Höhe vier Gestalten: die großen und heiligen Lehrer der Kirche, Ambrosius, Augustin, Hieronymus, Gregor. Vor den Sockeln, auf denen die vier Säulenpaare der Pfeiler ruhen — und schon diese Sockel sind über mannsgroß — stehen sich vier Altäre gegenüber, und über ihnen, in überlebensgroßen Alabasterfiguren, der Schutzengel, Sankt Michael, Sankt Joseph, Sankt Johannes der Täufer. Diese Vier vertreten die vier christlichen Haupttugenden: Klugheit, Tapferkeit, Gerechtigkeit, Mäßigkeit. Von den vier Himmelsrichtungen zu den vier Kardinaltugenden, — dergestalt führt die Dekoration von außen nach innen. Solcher Folgerichtigkeit entspricht die Sinngliederung der Räume überhaupt, die der architektonischen gesellt wird: die Deckengemälde weisen

dem Längsschiff vom Portal her den geschichtlichen Bereich zu. Hier wird die Stiftung der Abtei, dann die Wirksamkeit der Söhne des hl. Benedikt innerhalb der Kirchengeschichte erzählt. Die Vierung gehört, wie schon angedeutet, der Universalität der Kirche. Der Chor deutet auf Weltende und Gericht, der Bezirk um den Hochaltar auf das Geheimnis der letzten Offenbarung und der göttlichen Wesenheit selbst. So entspricht der Gang vom Portal zum Hochaltar dem Fortschreiten des Heilsplanes und der Offenbarung. Der Ostflügel gehört dem Kirchenpatron, der Geschichte des hl. Alexander, der Westflügel ist der Marienverehrung gewidmet. Die Dekoration wird also zur Katechese, aber das Bildwerk über Seitenkapellen, in Gewölbezwickeln, auf Altarblättern nimmt dem Lehrbuch die Strenge: es wird zum unerschöpflichen Bilderbuch für manch geruhsame Stunde.
Der erste Eindruck bestätigt sich, nunmehr geklärt und vertieft, im endgültigen: Größe und Heiterkeit durchdringen sich wundersam. Auf Licht und Farbe hin scheint sich diese Architektur zu richten und eine malerisch bestimmte Gesamtwirkung zu erstreben. Aus dem vorherrschenden Weiß an Wänden und Pfeilern, aus dem hellen Grau und dünnen Gelb der Steinfliesen auf den ungeheuren Bodenflächen ist ebenso behutsam wie virtuos ein unbegreiflich gelungener Farbenzusammenklang entwickelt worden: dunkles Braun und Mattgold am Chorgestühl, Purpur in den Reliquiaren der Altäre, dem der Purpur gemalter Brokatvorhänge in der höchsten Höhe antwortet. Sepia, Grau und Fleischfarbe an den mächtigen Säulen treffen sich mit dem lichten Blau der Altardekoration. In der Deckenregion gesellen sich kräftiger Ocker unter den Gurtbögen, Meergrün und Rosa an den Füllungen der gemalten Logen und Galerien. Immer wieder begegnet das Auge dem Unerwarteten, aber zugleich wird es gewahr, wie dieses sich in die Harmonie des Ganzen einfügt. Sie läßt an den Einklang draußen denken, an das Zusammenstimmen von schneeschimmerndem Hochgebirg und freundlich-bescheidenen Fluren. Die Erinnerung, durch häufige Besuche und längeres Verweilen vertieft, vermag denn auch nicht mehr zu trennen: das prangende Heiligtum ist ihr mit den sanften Hügeln, Wäldern und Weiden zu einem einzigen Element der Freude zusammengeflossen.
In solcher Erinnerung tönt freilich auch der tief beruhigende Strom nach, der beständige Wellenschlag des Psalmodierens, der vom Chor her durch die weiten Wölbungen hallt und die Zeit vergessen macht, böse wie gute: »Quam magnificata sunt opera tua, Domine! Omnia in sapientia fecisti: impleta est terra possessione tua.« (Ps. 104,24.)

EDUARD MÖRIKE

Im Frühling

Hier lieg ich auf dem Frühlingshügel:
Die Wolke wird mein Flügel,
Ein Vogel fliegt mir voraus.
Ach, sag mir, alleinzige Liebe,
Wo du bleibst, daß ich bei dir bliebe!
Doch du und die Lüfte, ihr habt kein Haus.

Der Sonnenblume gleich steht mein Gemüte offen,
Sehnend,
Sich dehnend
In Lieben und Hoffen.
Frühling, was bist du gewillt?
Wann werd ich gestillt?

Die Wolke seh ich wandeln und den Fluß,
Es dringt der Sonne goldner Kuß
Mir tief bis ins Geblüt hinein;
Die Augen, wunderbar berauschet,
Tun, als schliefen sie ein,
Nur noch das Ohr dem Ton der Biene lauschet,
Ich denke dies und denke das,
Ich sehne mich, und weiß nicht recht nach was:
Halb ist es Lust, halb ist es Klage;
Mein Herz, o sage,
Was webst du für Erinnerung
In golden grüner Zweige Dämmerung?
— Alte unnennbare Tage!

FRIEDRICH HÖLDERLIN

Der Neckar

In deinen Tälern wachte mein Herz mir auf
  Zum Leben, deine Wellen umspielten mich,
    Und all der holden Hügel, die dich,
      Wanderer! kennen, ist keiner fremd mir.

Auf ihren Gipfeln löste des Himmels Luft
Mir oft der Knechtschaft Schmerzen; und aus dem Tal,
Wie Leben aus dem Freudebecher,
Glänzte die bläuliche Silberwelle.

Der Berge Quellen eilten hinab zu dir,
Mit ihnen auch mein Herz, und du nahmst uns mit
Zum stillerhabnen Rhein, zu seinen
Städten hinunter und lustgen Inseln.

Noch dünkt die Welt mir schön, und das Aug entflieht,
Verlangend nach den Reizen der Erde, mir
Zum goldenen Paktol, zu Smyrnas
Ufer, zu Ilions Wald. Auch möcht ich

Bei Sunium oft landen, den stummen Pfad
Nach deinen Säulen fragen, Olympion!
Noch eh der Sturmwind und das Alter
Hin in den Schutt der Athenertempel

Und ihrer Gottesbilder auch dich begräbt,
Denn lang schon einsam stehst du, o Stolz der Welt,
Die nicht mehr ist. Und o ihr schönen
Inseln Ioniens! wo die Meeresluft

Die heißen Ufer kühlt und den Lorbeerwald
Durchsäuselt, wenn die Sonne den Weinstock wärmt,
Ach! wo ein goldner Herbst dem armen
Volk in Gesänge die Seufzer wandelt,

Wenn sein Granatbaum reift, wenn aus grüner Nacht
Die Pomeranze blinkt und der Mastixbaum
Von Harze träuft und Pauk und Zymbel
Zum labyrinthischen Tanze klingen.

Zu euch, ihr Inseln! bringt mich vielleicht, zu euch
Mein Schutzgott einst; doch weicht mir aus treuem Sinn
Auch da mein Neckar nicht mit seinen
Lieblichen Wiesen und Uferweiden.

FRIEDRICH HÖLDERLIN

Heidelberg

Lange lieb ich dich schon, möchte dich, mir zur Lust,
Mutter nennen und dir schenken ein kunstlos Lied,
Du, der Vaterlandsstädte
Ländlichschönste, so viel ich sah.

Wie der Vogel des Walds über die Gipfel fliegt,
Schwingt sich über den Strom, wo er vorbei dir glänzt,
Leicht und kräftig die Brücke,
Die von Wagen und Menschen tönt.

Wie von Göttern gesandt, fesselt' ein Zauber einst
Auf der Brücke mich an, da ich vorüber ging
Und herein in die Berge
Mir die reizende Ferne schien

Und der Jüngling, der Strom, fort in die Ebene zog,
Traurigfroh, wie das Herz, wenn es, sich selbst zu schön,
Liebend unterzugehen,
In die Fluten der Zeit sich wirft.

Quellen hattest du ihm, hattest dem Flüchtigen
Kühle Schatten geschenkt, und die Gestade sahn
All ihm nach, und es bebte
Aus den Wellen ihr lieblich Bild.

Aber schwer in das Tal hing die gigantische,
Schicksalskundige Burg, nieder bis auf den Grund
Von den Wettern zerrissen;
Doch die ewige Sonne goß

Ihr verjüngendes Licht über das alternde
Riesenbild, und umher grünte lebendiger
Efeu; freundliche Wälder
Rauschten über die Burg herab.

Sträuche blühten herab, bis wo im heitern Tal,
An den Hügel gelehnt, oder dem Ufer hold,
Deine fröhlichen Gassen
Unter duftenden Gärten ruhn.

REINHOLD SCHNEIDER

Speyer

Wieviel auch eine jede deutsche Stadt zu sagen hat vom Schicksal eines Volkes, dem die Krone des Reiches, das Symbol aller irdischen Ordnung, überantwortet war, so ist doch keine erfahrener als Speyer; die kleine Stadt im alten Kaiserland ist freilich sehr still geworden unter den Stürmen: so still wie der Rhein selbst, der in gemessenem Bogen an ihr vorüberzieht, von Pappeln begleitet, und nur mit den weißen Schaumlinien an den Tragebooten der Schiffbrücke seine geheime Heftigkeit verrät.
Der Dom liegt einsam am Strom, von Wipfeln umfaßt, einem Schiff gleich, das in grauer Zeit einmal hierhergetrieben wurde, und nun nicht mehr zurückgetragen wird auf die Wellen des Lebens: vielleicht weil seine Zeit vorüber ist; vielleicht auch weil es zu schwer wurde vom Frachtgut des Schicksals. Die Sonne fällt in breiten Strahlenbändern durch die offenen Fensterbogen der Türme; sie umspielt die Kreuze auf den Spitzen und auf der Vierungskuppel; die Stadt liegt verborgen hinter dem Domhügel und den Bäumen, und der Strom eilt den schönsten Landschaften seiner Wanderung zu: fern sind noch die schwellenden Weinhügel seines beginnenden Mittags um Bingen, die Höhen und Abstürze des Siebengebirges; ferner der Dom zu Köln, dessen Geläut die erste Mahnung der Mündung, des Abends, herniederträgt. Dennoch sind sie eins: der Dom und der Rhein und das weit sich hindehnende Feld des rechten Ufers, wo die Heere sich sammelten und vorüberzogen: das Haus der Toten, die, an Leben gesättigt, in der Krypta ruhen; der Strom, der dem Neuen entgegendrängt, sie grüßen einander in ihrer Verbundenheit. Aus der Landschaft wuchs der Bau, sie zu überragen, und ihr den höchsten Sinn zu geben: als Schauplatz der Geschichte... Diese weite Landschaft von den blauen Höhen der Hardt bis zu den Höhen des Odenwaldes: was wäre sie endlich in all ihrem stillen Glanz ohne die Entscheidungen, die auf ihr sich vollzogen; und wie hätten diese Entscheidungen fallen können, wenn die Landschaft nicht ihren Raum bestimmt und mitgewirkt hätte mit Bergen und verstreuten Waldstücken, dem Strom und der Mündung des kleinen Speyerbachs, unter dem Hügel des Gotteshauses?
Eiche und Esche, Linde und Ahorn, von Efeu beschwert, reichen dicht bis an die Apsis; der Stein leuchtet rot durch das Laub, und die Türme verlieren sich unter den Zweigen. Hier, wo der Dom dem Strome zugekehrt ist, ruht er ganz in der Stille, und die alte Reinheit der Form blieb ungetrübt. Schmale Säulen tragen die Bogen, die Galerie umkreist das Rund; hoch überragen die Türme die Kuppel. Das Portal öffnet sich gegen die

Stadt. Und wenn nun auch kleine bunte Häuser die Straße bilden und das Blühen vor den Fenstern, die Behaglichkeit der geschwungenen Giebel und grünen Läden die frohe Genügsamkeit umschränkten Lebens zeigen, so hat der Zug der Straße vom Dom zum hochragenden Tor hinab doch die alte Größe: hier konnten Kaiser schreiten; hier herauf bewegten sich die Fürsten zum Reichstag. Das nüchterne Licht eines erschöpften Jahrhunderts erfüllt die Hallen, doch es vermochte nichts über den Raum, und die blassen Gestalten vergehn vor der Größe der Maße, der schwebenden Wucht der Gefüge: diese mit schmalen Diensten geschmückten Pfeiler, diese in ferne Höhe hinaufgetriebene Wölbung ahnt schon einen neuen Raum; schon ist das Gewicht überwunden, entschwert unaufhaltsames Streben die Masse.
Aber die Krypta dunkelt unter dem Chor: es ist der erhabenste Raum auf deutscher Erde. Schwere Säulen steigen aus dem Dämmer; auf nach unten gerundeten Würfelkapitälen ruht die Last. Oben, in der Halle ist freie Herrlichkeit, Streben und Steigen: hier allumfassender Ernst. Hier erschallte am Karfreitag, bei verhüllten Fenstern, die Klage um den Erlöser; und der Brauch erhielt sich bis zu diesem Tag. Einst bewahrten die Gewölbe ein verschollenes Heiligtum: den rauschenden Kelch; Taube lauschten in ihn hinab, in der Erschütterung ihres Glaubens: sie hörten die Tiefe ohne Grund und wurden geheilt; in das Bodenlose senken sich die Pfeiler. Rudolf von Habsburgs Grabmal steht in der Mitte, dem Portal der Gruft gegenüber, das als Inschrift die Worte dessen trägt, durch den Könige herrschen: »Per me reges regnant.« Wenn das Licht auf das Antlitz des Kaisers fällt, so ist es uns seltsam nah und zugleich fern: Leben, über das der Friede kam; die schweren Falten der Stirn zeugen noch von dem Gewicht des Amtes, und die Hände lassen Zepter und Apfel nicht; aber die Augen des Kaisers sind vertraut mit der Dunkelheit und mit dem Licht, das, den unsern unsichtbar, hinter ihr erstrahlt!

STEFAN GEORGE

Rhein

Dies ist das land: solang die fluren strotzen
Von korn und obst· am hügel trauben schwellen
Und solche türme in die wolken trotzen —
Rosen und flieder aus gemäuer quellen.

Lied

Im morgen-taun
Trittst du hervor
Den kirschenflor
Mit mir zu schaun·
Duft einzuziehn
Des rasenbeetes.
Fern fliegt der staub . .
Durch die natur
Noch nichts gediehn
Von frucht und laub —
Rings blüte nur . . .
Von süden weht es.

JOHANN WOLFGANG GOETHE

Sankt-Rochus-Fest zu Bingen

. . . Und so gelangten wir in weniger als viertehalb Stunden nach Rüdesheim, wo uns der Gasthof zur Krone, unfern des Tores anmutig gelegen, sogleich anlockte.

Er ist an einen alten Turm angebaut und läßt aus den vordern Fenstern rheinabwärts, aus der Rückseite rheinaufwärts blicken; doch suchten wir bald das Freie. Ein vorspringender Steinbau ist der Platz, wo man die Gegend am reinsten überschaut. Flußaufwärts sieht man von hier die bewachsenen Auen in ihrer ganzen perspektivischen Schönheit. Unterwärts am gegenseitigen Ufer Bingen, weiter hinabwärts den Mäuseturm im Flusse.

Von Bingen heraufwärts erstreckt sich, nahe am Strom, ein Hügel gegen das obere flache Land. Er läßt sich als Vorgebirg in den alten höheren Wassern denken. An seinem östlichen Ende sieht man eine Kapelle, dem heiligen Rochus gewidmet, welche soeben vom Kriegsverderben wiederhergestellt wird. An einer Seite stehen noch die Rüststangen; dessen ungeachtet aber soll morgen das Fest gefeiert werden. Man glaubte, wir seien deshalb hergekommen, und verspricht uns viel Freude . . .

Wir gingen sachte den Strand hinab, und wer uns auch begegnete, freute sich über die Wiederherstellung der nachbarlichen heiligen Stätte: denn

obgleich Bingen vorzüglich diese Erneuerung und Belebung wünschen muß, so ist es doch eine fromme und frohe Angelegenheit für die ganze Gegend, und deshalb eine allgemeine Freude auf morgen.
Denn der gehinderte, unterbrochene, ja oft aufgehobene Wechselverkehr der beiden Rheinufer, nur durch den Glauben an diesen Heiligen unterhalten, soll glänzend wiederhergestellt werden. Die ganze umliegende Gegend ist in Bewegung, alte und neue Gelübde dankbar abzutragen. Dort will man seine Sünde bekennen, Vergebung erhalten, in der Masse so vieler zu erwartenden Fremden längst vermißten Freunden wieder begegnen.
Unter solchen frommen und heitern Aussichten, wobei wir den Fluß und das jenseitige Ufer nicht aus dem Auge ließen, waren wir, das weit sich erstreckende Rüdesheim hinab, zu dem alten römischen Kastell gelangt, das, am Ende gelegen, durch treffliche Mauerung sich erhalten hat ...
Nun, im klaren Abendlichte, lag Rüdesheim vor und unter uns. Eine Burg der mittlern Zeit, nicht fern von dieser uralten. Dann ist die Aussicht reizend über die unschätzbaren Weinberge; sanftere und steilere Kieshügel, ja Felsen und Gemäuer sind zu Anpflanzungen von Reben benutzt. Was aber auch sonst noch von geistlichen und weltlichen Gebäuden dem Auge begegnen mag, der Johannisberg herrscht über alles.
Nun mußte denn wohl, im Angesicht so vieler Rebhügel des Eilfers in Ehren gedacht werden. Es ist mit diesem Weine wie mit dem Namen eines großen und wohltätigen Regenten: er wird jederzeit genannt, wenn auf etwas Vorzügliches im Lande die Rede kommt; ebenso ist auch ein gutes Weinjahr in aller Munde. Ferner hat denn auch der Eilfer die Haupteigenschaft des Trefflichen: er ist zugleich köstlich und reichlich.
In Dämmerung versank nach und nach die Gegend. Auch das Verschwinden so vieler bedeutender Einzelheiten ließ uns erst recht Wert und Würde des Ganzen fühlen, worin wir uns lieber verloren hätten; aber es mußte geschieden sein ...
Und nun ergreift uns das Gewühl! Tausend und aber tausend Gestalten streiten sich um unsere Aufmerksamkeit. Diese Völkerschaften sind an Kleidertracht nicht auffallend verschieden, aber von der mannigfaltigsten Gesichtsbildung. Das Getümmel jedoch läßt keine Vergleichung aufkommen; allgemeine Kennzeichen suchte man vergebens in dieser augenblicklichen Verworrenheit, man verliert den Faden der Betrachtung, man läßt sich ins Leben hineinziehen.
Eine Reihe von Buden, wie ein Kirchweihfest sie fordert, stehen unfern der Kapelle. Voran geordnet sieht man Kerzen, gelbe, weiße, gemalte, dem verschiedenen Vermögen der Weihenden angemessen. Gebetbücher folgen, Offizium zu Ehren des Gefeierten. Vergebens fragten wir nach einem erfreulichen Hefte, wodurch uns sein Leben, Leisten und Leiden klar würde;

Rosenkränze jedoch aller Art fanden sich häufig. Sodann war aber auch für Wecken, Semmeln, Pfeffernüsse und mancherlei Buttergebackenes gesorgt, nicht weniger für Spielsachen und Galanteriewaren, Kinder verschiedenen Alters anzulocken.

Prozessionen dauerten fort. Dörfer unterschieden sich von Dörfern, der Anblick hätte einem ruhigen Beobachter wohl Resultate verliehen. Im ganzen durfte man sagen: die Kinder schön, die Jugend nicht, die alten Gesichter sehr ausgearbeitet; mancher Greis befand sich darunter. Sie zogen mit Angesang und Antwort, Fahnen flatterten, Standarten schwankten, eine große und größere Kerze erhub sich Zug für Zug. Jede Gemeinde hat ihre Mutter Gottes, von Kindern und Jungfrauen getragen, neu gekleidet, mit vielen rosenfarbenen, reichlichen, im Winde flatternden Schleifen geziert. Anmutig und einzig war ein Jesuskind, ein großes Kreuz haltend und das Marterinstrument freundlich anblickend. »Ach!« rief ein zartfühlender Zuschauer, »ist nicht jedes Kind, das fröhlich in die Welt hineinsieht, in demselben Falle?« Sie hatten es in neuen Goldstoff gekleidet, und es nahm sich, als Jugendfürstchen, gar hübsch und heiter aus ...

Nun wurden wir aber sogleich gewahr, daß wir uns dem Lebensgenusse näherten. Gezelte, Buden, Bänke, Schirme aller Art standen hier aufgereiht. Ein willkommener Geruch gebratenen Fettes drang uns entgegen. Beschäftigt fanden wir eine junge tätige Wirtin, umgehend einen glühenden weiten Aschenhaufen, frische Würste — sie war eine Metzgerstochter — zu braten. Durch eigenes Handreichen und vieler flinker Diener unablässige Bemühung wußte sie einer solchen Masse von zuströmenden Gästen genugzutun.

Auch wir, mit fetter, dampfender Speise nebst frischem, trefflichem Brot reichlich versehen, bemühten uns, Platz an einem geschirmten, langen, schon besetzten Tische zu nehmen. Freundliche Leute rückten zusammen, und wir erfreuten uns angenehmer Nachbarschaft, ja liebenswürdiger Gesellschaft, die von dem Ufer der Nahe zu dem erneuten Fest gekommen war. Muntere Kinder tranken Wein wie die Alten. Braune Krüglein, mit weißem Namenszug des Heiligen, rundeten im Familienkreise. Auch wir hatten dergleichen angeschafft und setzten sie wohlgefüllt vor uns nieder.

Da ergab sich nun der große Vorteil solcher Volksversammlung, wenn, durch irgendein höheres Interesse, aus einem großen, weitschichtigen Kreise so viele einzelne Strahlen nach *einem* Mittelpunkt gezogen werden.

Hier unterrichtet man sich auf einmal von mehreren Provinzen. Schnell entdeckte der Mineralog Personen, welche, bekannt mit der Gebirgsart von Oberstein, den Achaten daselbst und ihrer Bearbeitung, dem Naturfreunde belehrende Unterhaltung gaben. Der Quecksilberminern zu Muschel-Landsberg erwähnte man gleichfalls. Neue Kenntnisse taten sich auf, und man faßte Hoffnung, schönes kristallisiertes Amalgam von dorther zu erhalten.

Der Genuß des Weins war durch solche Gespräche nicht unterbrochen. Wir sendeten unsere leeren Gefäße zu dem Schenken, der uns ersuchen ließ, Geduld zu haben, bis die vierte Ohm angesteckt sei. Die dritte war in der frühen Morgenstunde schon verzapft.

Niemand schämt sich der Weinlust, sie rühmen sich einigermaßen des Trinkens. Hübsche Frauen gestehen, daß ihre Kinder mit der Mutterbrust zugleich Wein genießen. Wir fragten, ob denn wahr sei, daß es geistlichen Herren, ja Kurfürsten geglückt, acht rheinische Maß, das heißt sechzehn unsrer Bouteillen, in vierundzwanzig Stunden zu sich zu nehmen.

Ein scheinbar ernsthafter Gast bemerkte, man dürfe sich zu Beantwortung dieser Frage nur der Fastenpredigt ihres Weihbischofs erinnern, welcher, nachdem er das schreckliche Laster der Trunkenheit seiner Gemeinde mit den stärksten Farben dargestellt, also geschlossen habe:

»Ihr überzeugt euch also hieraus, andächtige, zu Reu und Buße schon begnadigte Zuhörer, daß derjenige die größte Sünde begehe, welcher die herrlichen Gaben Gottes solcherweise mißbraucht. Der Mißbrauch aber schließt den Gebrauch nicht aus. Stehet doch geschrieben: der Wein erfreuet des Menschen Herz! Daraus erhellet, daß wir, uns und andere zu erfreuen, des Weines gar wohl genießen können und sollen. Nun ist aber unter meinen männlichen Zuhörern vielleicht keiner, der nicht zwei Maß Wein zu sich nähme, ohne deshalb gerade einige Verwirrung seiner Sinne zu spüren; wer jedoch bei dem dritten oder vierten Maß schon so arg in Vergessenheit seiner selbst gerät, daß er Frau und Kinder verkennt, sie mit Schelten, Schlägen und Fußtritten verletzt und seine Geliebtesten als die ärgsten Feinde behandelt, der gehe sogleich in sich und unterlasse ein solches Übermaß, welches ihn mißfällig macht und Gott und Menschen, und seinesgleichen verächtlich.

Wer aber bei dem Genuß von vier Maß, ja von fünfen und sechsen, noch dergestalt sich selbst gleich bleibt, daß er seinem Nebenchristen liebevoll unter die Arme greifen mag, dem Hauswesen vorstehen kann, ja die Befehle geistlicher und weltlicher Obern auszurichten sich imstande findet — auch der genieße sein bescheiden Teil und nehme es mit Dank dahin. Er hüte sich aber, ohne besondere Prüfung weiterzugehen, weil hier gewöhnlich dem schwachen Menschen ein Ziel gesetzt ward. Denn der Fall ist äußerst selten, daß der grundgütige Gott jemanden die besondere Gnade verleiht, acht Maß trinken zu dürfen, wie er mich, seinen Knecht, gewürdigt hat. Da mir nun aber nicht nachgesagt werden kann, daß ich in ungerechtem Zorn auf irgend jemand losgefahren sei, daß ich Hausgenossen und Anverwandte mißkannt, oder wohl gar die mir obliegenden geistlichen Pflichten und Geschäfte verabsäumt hätte, vielmehr ihr alle mir das Zeugnis geben werdet, wie ich immer bereit bin, zu Lob und zu Ehre Gottes, auch zu Nutz und Vorteil meines Nächsten mich tätig finden zu lassen — so darf ich wohl mit gutem Gewissen mit Dank dieser anvertrauten Gabe mich auch fernerhin erfreuen.

Und ihr, meine andächtigen Zuhörer, nehme ein jeder, damit er nach dem Willen des Gebers am Leibe erquickt, am Geiste erfreut werde, sein bescheiden Teil dahin. Und auf daß ein solches geschehe, alles Übermaß dagegen verbannt sei, handelt sämtlich nach der Vorschrift des heiligen Apostels, welcher spricht: Prüfet alles und das Beste behaltet.« —

Und so konnte es denn nicht fehlen, daß der Hauptgegenstand alles Gesprächs der Wein blieb, wie er es gewesen. Da erhebt sich denn sogleich ein Streit über den Vorzug der verschiedenen Gewächse, und hier ist erfreulich zu sehen, daß die Magnaten unter sich keinen Rangstreit haben. Hochheimer, Johannisberger, Rüdesheimer lassen einander gelten, nur unter den Göttern minderen Ranges herrscht Eifersucht und Neid . . .

GEORG FORSTER

Der Kölner Dom

Wir gingen in den Dom und blieben darin, bis wir im tiefen Dunkel nichts mehr unterscheiden konnten. Sooft ich Köln besuche, geh ich immer wieder in diesen herrlichen Tempel, um die Schauer des Erhabenen zu fühlen. Vor der Kühnheit der Meisterwerke stürzt der Geist voll Erstaunen und Bewunderung zur Erde; dann hebt er sich wieder mit stolzem Flug über das Vollbringen hinweg, das nur Eine Idee eines verwandten Geistes war. Je riesenmäßiger die Wirkungen menschlicher Kräfte uns erscheinen, desto höher schwingt sich das Bewußtsein des wirkenden Wesens in uns über sie hinaus. Wer ist der hohe Fremdling in dieser Hülle, daß er in so mannigfaltigen Formen sich offenbaren, diese redenden Denkmäler von seiner Art die äußeren Gegenstände zu ergreifen und sich anzueignen, hinterlassen kann? Wir fühlen, Jahrhunderte später, dem Künstler nach, und ahnden die Bilder seiner Phantasie, indem wir diesen Bau durchwandern.

Die Pracht des himmelan sich wölbenden Chors hat eine majestätische Einfalt, die alle Vorstellung übertrifft. In ungeheurer Länge stehen die Gruppen schlanker Säulen da, wie die Bäume eines uralten Forstes: nur am höchsten Gipfel sind sie in eine Krone von Ästen gespalten, die sich mit ihren Nachbarn in spitzen Bogen wölbt, und dem Auge, das ihnen folgen will, fast unerreichbar ist. Läßt sich auch schon das Unermeßliche des Weltalls nicht im beschränkten Raume versinnlichen, so liegt gleichwohl in diesem kühnen Emporstreben der Pfeiler und Mauern das Unaufhaltsame, welches die Einbildungskraft so leicht in das Grenzenlose verlängert. Die griechische Baukunst ist unstreitig der Inbegriff des Vollendeten, Übereinstimmenden, Beziehungsvollen, Erlesenen, mit einem Worte: des Schönen. Hier indessen an den gotischen Säulen, die, einzeln genommen, wie Rohrhalme schwanken würden, und nur in großer Anzahl zu einem Schafte vereinigt, Masse machen und ihren geraden Wuchs behalten können, unter ihren Bogen, die gleichsam auf nichts ruhen, luftig schweben, wie die schattenreichen Wipfelgewölbe des Waldes — hier schwelgt der Sinn im Übermut des künstlerischen Beginnens. Jene griechischen Gestalten scheinen sich an alles anzuschließen, was da ist, an alles, was menschlich ist; diese stehen wie Erscheinungen aus einer andern Welt, wie Feenpaläste da, um Zeugnis zu geben von der schöpferischen Kraft im Menschen, die einen isolierten Gedanken bis auf das äußerste verfolgen und das Erhabene selbst auf einem exzentrischen Wege zu erreichen weiß. Es ist sehr zu bedauern, daß ein so prächtiges Gebäude unvollendet bleiben muß. Wenn schon der Entwurf, in Gedanken ergänzt, so mächtig erschüttern kann, wie hätte nicht die Wirklichkeit uns hingerissen!

(1790)

STEFAN GEORGE

Kölnische Madonna

Schirmherrin du empfingst mich oft am tor
Wenn ich vom Westen kam mit gramem blicke:
»Einst bracht ein volk so klar wie tief hervor
Mich lächelnde Madonna mit der Wicke.«

OTTO H. FÖRSTER

Das deutsche Stadtbild

Italienische Städte empfangen ihren individuellen Charakter in der Regel von einem großen freien Platz. Der Markusplatz in Venedig ist der große, herrliche, regelmäßig gebaute Saal mit dem Himmel als Decke. Säulenreihen umziehen ihn auf drei Seiten, heiter und streng zugleich, Ausdruck der Klarheit und Ordnung. Die Markuskirche an der andern Schmalseite bringt eine fremdartige orientalische Note hinein: die seefahrende Stadt zeigt sich hier, die Herrin über die Schätze und Herrlichkeiten des Abend- wie des Morgenlandes ...

Völlig anders ist die Anlage der alten deutschen Stadt.

Zwar hat der Platz, der an einer Kreuzung wichtiger Straßen oder aus einer Ausweitung der Hauptstraße entsteht, häufig den Charakter der »guten Stube der Stadt«. Aber selten findet man, daß die Gebäude, die das Gesicht der Stadt bestimmen, selber an diesem Platz liegen; selten, daß die Stadt gleichsam von allen Seiten auf ihn zumündet. Vielmehr ist die deutsche Stadt, wie mit bewußter Überlegung, dezentralisiert; unsymmetrisch steht zu dem Platz die große Kirche, die unsere Phantasie von ihm weglockt, nicht zu ihm hinlenkt; in sich selber trägt der Platz die Tendenz nicht nur zum Zusammen, sondern noch mehr zum Auseinander: die Straßen tun sich anziehend, fortziehend auf nach verschiedenen Seiten, es fehlt das umfassend-geschlossene, zum behaglichen Verweilen einladende Wesen des südländischen Platzes.

In den kleineren deutschen Städten entsteht der Platz oft einfach aus einer trichterartigen Ausweitung der Straße, ein gemütlich plätschernder Brunnen, um den sich abends die Frauen versammeln, gibt der so entstehenden Räumlichkeit den Schwerpunkt. Selbst ein so ansehnlicher Platz wie der Römerberg in Frankfurt am Main ist eigentlich nichts als eine Straßenausweitung. Es entsteht so der Eindruck eines ununterbrochenen heimlichen Strömens, die Stadt gibt sich uns an keinem Punkte ganz und auf einmal zu erleben, wir müssen sehen, wie die Häuser zueinander stehen, wie die breiten Gassen und die schmalen, die freien Plätze und die bebauten Flächen sich zueinander verhalten und wie die Massen der großen Gebäude — Kirchen, Rathaus, Zeughaus, Lager-, Kauf- und Zunfthäuser — im Stadtbild verteilt sind ...

Die größten Plätze, wie z. B. der Marktplatz in Nürnberg, sind in dieser Beziehung genau so gebildet wie die kleinsten. Sie umgeben den Menschen mit dem Zauber des Geheimnisses, sie üben einen unerschöpflichen Anreiz auf die Phantasie. Ein solcher Platz ist nicht wie ein Saal oder ein

Zimmer, in dem man zu Hause ist, sondern er ist eine Welt für sich, in der man auf Entdeckungen ausgehen kann und die man nie ganz ergründen wird. Wenn auch die Kirche niemals in der Achse des Platzes liegt — auch die verschobene Lage der Apostelkirche zum Neumarkt in Köln ist typisch —, so ist doch der große Platz der Stadt nie ohne Mitwirkung der Kirche gestaltet; irgendwo von seitwärts wirkt ihre gedrungene Masse herein oder es setzt ein ragendes Turmmassiv einen kraftvollen einseitigen Akzent. Der Marktplatz mit der Marienkirche in Rostock ist eine besonders schöne, durchaus typische Lösung ...

Ob man in Danzig die Jopengasse mit der Marienkirche, in Ulm die Walfischgasse mit dem Münster, in Köln den Ursulaplatz ins Auge faßt, stets bleibt das grundlegende Verhältnis dasselbe: nicht nur im Bilde der Stadt, sondern vielfach auch der einzelnen Straße spielt die Kirche die bestimmende Rolle. Ihr Schatten liegt, vom ersten Tag des Lebens an, riesengroß über den Menschen, die in diesen Gassen heranwachsen. Alle besonderen Geschehnisse des Lebens haben mit ihr Verbindung, die großen Sorgen wie die großen Feste, die städtischen wie die persönlichen; alle Wege und Straßen münden zuletzt auf das Symbol der Ewigkeit. Dies gibt dem Erlebnis der alten deutschen Stadt das Hintergründige. Nicht der Reiz des einzelnen hübschen Hauses, der malerischen Überschneidungen, der überraschenden Ausblicke verursacht die Entrückung und Beglückung, die wir im Durchwandern solcher Städte erfahren, welche ihre alte Gestalt bewahren konnten: sondern das Eintauchen in eine Welt, die, im Gegensatz zu unserer eigenen, einen festen Mittelpunkt hat, auf eine bleibende Wesenheit hin geordnet ist als auf Ursprung und Ziel zugleich.

Sehr aufschlußreich, durch einen Vergleich zu verdeutlichen, wie in einer Hügelstadt ein Höhenunterschied an betonter Stelle gestaltet wird. In Rom die Treppe zum Kapitol: ein breiter klarer Lauf, der Anfang betont, das Ende betont, zielt auf die Mitte des weiten Platzes, der sich oben auftut und dessen Beschaffenheit man schon von unten erkennen kann; auf die durch Vorbau, Treppe, Ziergiebel und Turm akzentuierte Mitte der breiten mächtigen Palastfront, die die Rückwand des Platzes bildet. Die stark herausgehobene Mitte dieses Senatorenpalastes umfaßt wie ein Rahmen das Reiterstandbild in der Mitte des Platzes, das mit den beiden Gruppen rechts und links am oberen Ende der Treppe zusammenklingt und durch die Verkürzung im Verhältnis zu ihnen die Tiefenerstreckung fühlbar macht. Die Kranzgesimse der drei Paläste zeichnen die Form des Platzes nach, eines gewaltigen Raumquaders, den sie klar umgrenzen. Das alles umfaßt ein einziger Blick vom Fuß der Treppe aus. Wie am großen Platz in Siena der tiefste, so wird hier der höchste Punkt durch den schlanken Turm betont und mit unwiderstehlicher Anziehungskraft ausgestattet.

In Erfurt die Treppe zwischen Dom und Severikirche: neben den unregelmäßigen Unterbauten des Domes, von Bäumen — früher von regellos verstreuten kleinen Häusern — begleitet, die Ansätze und Gelenkpunkte verdecken, beginnt die Treppe irgendwo ihren Lauf, kommt sie, in mehreren unbestimmbaren Absätzen steigend, oben an, irgendwo oben — weder der Anfang noch das Ende stehen in einer klaren faßbaren Beziehung zu den Baumassen rechts und links. Da oben ist auch ein Platz, ein Plätzchen, von unbestimmbarer Form, aber das sieht man erst, wenn man oben ist. Die beiden Gebäudemassen liegen, auch gegeneinander seltsam verschoben, seitwärts, die Treppe zielt zwischen ihnen durch. Ein kleiner zierlicher Vorbau am Dom tritt ihr gewissermaßen in den Weg, aber nur etwa die Hälfte ihrer Breite fängt er ab, und auch zu ihr stellt er sich schräg, nicht wie der römische Palast herrisch mit Mittelbau und Turm heischend »hierher!«. So zielt die Treppe nicht auf ein Gebäude und nicht auf einen Freiraum, sondern zwischen allem hindurch ins Unbestimmte. Die Kirchen zeigen nirgends eine Fläche, ohne sie sofort zu zersetzen oder zu übertönen durch Tiefenmotive irrationaler Art; nirgends eine Horizontale, ohne sie zu überschneiden oder unwirksam zu machen mit hochaufschießenden Spitzen und Zacken. Der Raum zwischen ihnen hat keine benennbare oder beschreibbare Gestalt, und so wenig wie nach der Seite ist nach oben irgendein Abschluß: alles zuckt auf, sinkt zurück, verliert sich in der Unendlichkeit ...

Wie die Stadt als Ganzes, so hat auch das einzelne Bürgerhaus seine Individualität, auch für die Häuser ließen sich bestimmte Wesensmerkmale aufstellen — nur müßte man das Haus stets im Zusammenhang mit der Straße, ja der ganzen Stadt, und im Verhältnis zu den Monumentalgebäuden betrachten.

Das bürgerliche Monumentalgebäude — wie etwa der, als »Tanzhaus« der ratsfähigen Geschlechter gebaute, Gürzenich in Köln —, repräsentiert stets nur eine Seite der Lebensgesamtheit des Stadtbürgers und wird darum auch seinerseits nur im großen Zusammenhang richtig verstanden: auch der Reiz des Knochenhaueramtshauses in Hildesheim, der Perle unter den norddeutschen Zunfthäusern, beruht darin, daß es zwischen Wohnhaus und öffentlichem Gebäude eine Mittelstellung einnimmt, in unnachahmlicher Weise den Charakter der privaten Lebenssphäre monumentalisiert, die — in seiner Größe und in der Fülle des Schmuckwerks zum Ausdruck kommende — Würde des öffentlichen Gebäudes mit der Traulichkeit des alten Wohnstils verbindet. Das bürgerliche Monumentalgebäude ist niemals in dem Grade wie die große Stadtkirche gleichsam mikrokosmisch ein Ausdruck des Gemeinwesens als Ganzes, sondern es dient dazu, das Spannungsverhältnis, welches das Element des städtischen

Lebens ist, bewußt zu machen. Wo es, wie in den großen hanseatischen Stadtrepubliken, die selbstherrliche Staatsgesinnung zu verkörpern geschaffen wird — im Rathaus zu Thorn oder vollends zu Bremen etwa: da freilich streift gerade das städtische Monumentalgebäude oft verhältnismäßig früh den bürgerlichen Charakter ab. Zum ersten Male hier meldet sich gebieterisch zum Wort die Idee des Staates, im Gegensatz zu der auf die lebendige Einzelpersönlichkeit gestellten Idee des Fürstentums, wie sie sich in den Residenzen verewigt hat. Ihres noch im religiösen Welterlebnis gebundenen Anfangsstadiums werden wir Zeugen, wenn wir etwa vom Kölner Gürzenichsaal, in seiner noch völlig unmonumentalen Urgestalt, zweischiffig mit wuchtigen Eichenstempeln als Trägern der flachen Bohlendecke — zur feierlich strengen Pracht des Augsburger Rathaussaales von Elias Holl hinüberblicken.
Inbegriff des Wesens einer deutschen Stadt vor dem Durchbruch des Absolutismus ist die unvergeßliche Gruppe von Rathaus und Nikolaikirche in Stralsund: der städtische Monumentalbau und verschiedene Bürgerhäuser schließen sich mit der alles überragenden Baumasse der Kirche zu einer so reichen wie klaren, unvergleichlich sinnvoll abgestuften und dabei wie von selbst gewachsenen, harmonischen Einheit zusammen.

Unsere modernen Reisebücher sind geschrieben, als gäbe es nichts als Kunstwerke und schöne Landschaften, von denen man die ersteren am Sonntag anschaut, wo der Eintritt frei ist, die letzteren hingegen auch am Werktag, weil sie immer gratis sind.

JOSEF HOFMILLER

ALFRED POLGAR

Fremde Stadt

Da bin ich nun zum ersten Mal in der fremden Stadt, deren Namen nichts zur Sache tut. Sie ist schon lange Zeit vorhanden, viele Male hat sie sich um die Achse der Erde gedreht und mit ihr um die Sonne, vorausgesetzt, daß diese unwahrscheinlichen Drehungen wirklich stattfinden. Viel Welt- und Lokalgeschichte ist über die Stadt hinweggegangen, ihr Gesicht und Klang haben oft gewechselt, konsequent hielt sie nur am Klima und an der geographischen Lage fest.

Im wesentlichen besteht die Stadt aus Häusern. Ja, dies ist es geradezu, was sie zur Stadt macht. Denn wären nicht Häuser die Mehrheit, sondern etwa Bäume, Wasser, Felsgestein oder Äcker, so hieße sie Natur und hätte auf der Landkarte keinen schwarzen Kreis mit Punkt darin.
Die Häuser, zu Zeilen gereiht, bilden Straßen und sind durch lot- und waagerechte Mauern in Hohlwürfel geteilt, typisch für den menschlichen Nestbau. Es ist eine mir völlig *fremde* Stadt, doch geht es in ihr, das hat der Besucher bald heraus, nicht viel anders zu als in ihm wohlbekannten Städten. Die hier Lebenden finden sich miteinander zurecht vermittels gewisser Konventionen, wie sie überall, wo gezähmte Menschen hausen, in Geltung sind. Furcht, Berechnung, Polizei, sowie das Sittengesetz, das angeblich jedermann im Busen wohnt, regeln dieses Gedränge der Körper, Geister, Triebe und Interessen. Die Stadtbewohner haben Beschäftigungen, die einander einerseits ergänzen, andererseits aufheben —, oder sich zumindest kürzen ließen, wie die durch Gleiches teilbaren Zahlen eines Bruchs. Doch findet derlei Kürzung nicht statt, kraft eines stillschweigenden Paktes zwischen denen, die bei so geartetem Stand der Dinge Geld verdienen; die Bedürfnisse tun den Befriedigungen den Gefallen, da zu sein, und eine Überflüssigkeit wäscht die andere.
In jedem besseren Haus nistet ein Advokat oder Arzt und hat, ganz wie in anderen Städten auch, sein Schildchen am Tor. In den Wartezimmern liegen alte illustrierte Blätter auf, Badeort-Prospekte oder dergleichen. Die Friseure stellen Wachsköpfe mit Haarkompositionen ins Schaufenster, die Metzger Würste, die Buchhandlungen aufregende Weltliteratur. In den Schulzimmern hängen Landkarten an der Wand, in den Kontors Abreißkalender, in den Musikzimmern die Beethovenmaske, in der Stube des Straß'ab, Straß'auf wandelnden Mädchens eine Strohmatte mit Ansichtskarten. Auf dem Friedhof wachsen Zypressen, auf dem Pflaster Laternenpfähle, auf Rathaus und Kirche Türme mit großer Uhr. In die Kinos locken Plakate mit nackten Frauen, auch wenn keine solchen im Film, der gezeigt wird, vorkommen. Denkmäler erfüllen ihre Aufgabe als Ruhepunkte im bewegten Straßenbild sowie als Stelldichein-Orte, der auf dem Sockel oben jedoch interessiert nur die Tauben, Spatzen und Fremdenführer. Zwei- oder dreimal des Tags deckt sich die Stadt mit Zeitungen ein, die verschiedener Ansicht sind, und einmal im Monat ist Vollmond, der aber an städtischen Himmeln keine besondere Rolle spielt. Auch in dieser fremden Stadt liegen die Hunde gern in der Sonne, schätzt der Mensch, der genug zu essen hat, den Hunger, hüten Schloß und Riegel den Besitz, und eingefurcht in die erwachsenen Gesichter auch der hier Wohnenden ist die Spur der Mühe, dem Leben Sinn und Inhalt zu geben.

Es fehlt nicht an Sehenswertem und Interessantem, das den Aufenthalt in der fremden Stadt reizvoll macht. Aber was ihn ganz besonders reizvoll macht, ist das Bewußtsein, in ihr *nicht* zu Hause zu sein. Es ist ein positives Lustgefühl, Gefühl der freien Bewegung über einen Boden, in dem die hier Heimischen pflanzenhaft wurzeln. Alles ringsum, Sachen und Personen, geht den Stadt-Fremden nichts an; kein Fädchen vom Netz der Beziehungen, in das die Menschen hier eingesponnen sind, knüpft sich an seine Nervenfasern. Die Wirklichkeit rundum ist für ihn nichts weiter als ein mehr oder minder fesselndes Schau- und Hörspiel.
Fremde, wie bist du schön — für den, der noch eine Heimat hat!

GOTTFRIED BENN

Reisen

Meinen Sie Zürich zum Beispiel
sei eine tiefere Stadt,
wo man Wunder und Weihen
immer als Inhalt hat?

Meinen Sie, aus Habana,
weiß und hibiskusrot,
bräche ein ewiges Manna
für Ihre Wüstennot?

Bahnhofstraßen und rueen,
Boulevards, Lidos, Laan —
selbst auf den fifth avenueen
fällt Sie die Leere an —

ach, vergeblich das Fahren!
Spät erst erfahren Sie sich:
bleiben und stille bewahren
das sich umgrenzende Ich.

* * *

ANNETTE VON DROSTE-HÜLSHOFF

Im Grase

Süße Ruh, süßer Taumel im Gras,
Von des Krautes Arome umhaucht,
Tiefe Flut, tief, tief trunkne Flut,
Wenn die Wolk am Azure verraucht,
Wenn mir aufs müde, schwimmende Haupt
Süßes Lachen gaukelt herab,
Liebe Stimme säuselt und träuft
Wie die Lindenblüt auf ein Grab.

Wenn im Busen die Toten dann,
Jede Leiche sich streckt und regt,
Leise, leise den Odem zieht,
Die geschloßne Wimper bewegt,
Tote Lieb, tote Lust, tote Zeit,
All die Schätze, im Schutt verwühlt,
Sich berühren mit schüchternem Klang
Gleich den Glöckchen, vom Winde umspielt.

Stunden, flüchtger ihr als der Kuß
Eines Strahls auf den trauernden See,
Als des ziehenden Vogels Lied,
Das mir nieder perlt aus der Höh,
Als des schillernden Käfers Blitz,
Wenn den Sonnenpfad er durcheilt,
Als der heiße Druck einer Hand,
Die zum letzten Male verweilt.

Dennoch, Himmel, immer mir nur
Dieses eine mir: für das Lied
Jedes freien Vogels im Blau
Eine Seele, die mit ihm zieht,
Nur für jeden kärglichen Strahl
Meinen farbig schillernden Saum,
Jeder warmen Hand meinen Druck,
Und für jedes Glück meinen Traum.

ANNETTE VON DROSTE-HÜLSHOFF

IM MÜNSTERLAND

Allmählich bereiten sich freundlichere Bilder vor, zerstreute Grasflächen in den Niederungen, häufigere und frischere Baumgruppen begrüßen uns als Vorposten nahender Fruchtbarkeit, und bald befinden wir uns in dem Herzen des Münsterlandes, in einer Gegend, die so anmutig ist, wie der gänzliche Mangel an Gebirgen, Felsen und belebten Strömen dieses nur immer gestattet, und die wie eine große Oase in dem sie von allen Seiten, nach Holland, Oldenburg, Kleve zu, umstäubenden Sandmeer liegt. In hohem Grade friedlich, hat sie doch nichts von dem Charakter der Einöde; vielmehr mögen wenige Landschaften so voll Grün, Nachtigallenschlag und Blumenflor angetroffen werden, und der aus minder feuchten Gegenden Einwandernde wird fast betäubt vom Geschmetter der zahllosen Singvögel, die ihre Nahrung in dem weichen Kleiboden finden. Die wüsten Steppen haben sich in mäßige, mit einer Heideblumendecke farbig überhauchte Weidestrecken zusammengezogen, aus denen jeder Schritt Schwärme blauer, gelber und milchweißer Schmetterlinge aufstäuben läßt. Fast jeder dieser Weidegründe enthält einen Wasserspiegel, von Schwertlilien umkränzt, an denen Tausende kleiner Libellen wie bunte Stäbchen hängen, während die der größeren Art bis auf die Mitte des Weihers schnurren, wo sie in die Blätter der gelben Nymphäen wie goldene Schmucknadeln in emaillierte Schalen niederfallen und dort auf die Wasserinsekten lauern, von denen sie sich nähren.

Das Ganze umgrenzen kleine, aber zahlreiche Waldungen, alles Laubholz, und namentlich ein Eichenbestand von tadelloser Schönheit, der die holländische Marine mit Masten versieht — in jedem Baume ein Nest, auf jedem Aste ein lustiger Vogel und überall eine Frische des Grüns und ein Blätterduft, wie dieses anderwärts nur nach einem Frühlingsregen der Fall ist. Unter den Zweigen lauschen die Wohnungen hervor, die, langgestreckt, mit tief niederragendem Dache, im Schatten Mittagsruhe zu halten und mit halbgeschlossenem Auge nach den Rindern zu schauen scheinen, welche, hellfarbig und gescheckt, wie eine Damwildherde sich gegen das Grün des Waldbodens oder den blassen Horizont abzeichnen und in wechselnden Gruppen durcheinander schieben, da diese Heiden immer Allmenden sind und jede wenigstens sechzig Stück Hornvieh und darüber enthält. —

Was nicht Wald und Heide ist, ist Kamp, das heißt Privateigentum, zu Acker und Wiesengrund benutzt und, um die Beschwerde des Hütens zu vermeiden, je nach dem Umfange des Besitzes oder der Bestimmung, mit einem hohen, von Laubholz überflatterten Erdwalle umhegt. — Dieses begreift die fruchtbarsten Grundstrecken der Gemeinde, und man trifft gewöhnlich lange Reihen solcher Kämpe nach- und nebeneinander, durch Stege und Pförtchen verbunden, die man mit jener angenehmen Neugier betritt, mit der man die Zimmer eines dachlosen Hauses durchwandelt. Wirklich geben auch vorzüglich die Wiesen einen äußerst heiteren Anblick durch die Fülle und Mannigfaltigkeit der Blumen und Kräuter, in denen die Elite der Viehzucht, schwerer ostfriesischer Rasse, übersättigt wiederkaut und den Vorübergehenden so träge und hochmütig anschnaubt, wie es nur der Wohlhäbigkeit auf vier Beinen erlaubt ist. Gräben und Teiche durchschneiden auch hier, wie überall, das Terrain und würden, wie alles stehende Gewässer, widrig sein, wenn nicht eine weiße, von Vergißmeinnicht umwucherte Blütendecke und der aromatische Duft des Minzkrautes dem überwiegend entgegenwirkten; auch die Ufer der träg schleichenden Flüsse sind mit dieser Zierde versehen und mildern so das Unbehagen, das ein schläfriger Fluß immer erzeugt. — Kurz, diese Gegend bietet eine lebhafte Einsamkeit, ein fröhliches Alleinsein mit der Natur, wie wir es anderwärts noch nicht angetroffen. — Dörfer trifft man alle Stunden Weges höchstens eines, und die zerstreuten Pachthöfe liegen so versteckt hinter Wallhecken und Bäumen, daß nur ein ferner Hahnenschrei oder ein aus seiner Laubperücke winkender Heiligenschein sie dir andeutet und du dich allein glaubst mit Gras und Vögeln, wie am vierten Tage der Schöpfung, bis ein langsames »Hott« oder »Haar« hinter der nächsten Hecke dich aus dem Traume weckt oder ein grell anschlagender Hofhund dich auf den Dachstreifen aufmerksam macht, der sich gerade neben dir wie ein liegender Balken durch das Gestrüpp des Erdwalles zeichnet. —

So war die Physiognomie des Landes bis heute, und so wird es nach vierzig Jahren nimmer sein. Bevölkerung und Luxus wachsen sichtlich, mit ihnen Bedürfnisse und Industrie. Die kleineren malerischen Heiden werden geteilt, die Kultur des langsam wachsenden Laubwaldes wird vernachlässigt, um sich im Nadelholze einen schnelleren Ertrag zu sichern, und bald werden auch hier Fichtenwälder und endlose Getreideseen den Charakter der Landschaft teilweise umgestaltet haben, wie auch ihre Bewohner von den uralten Sitten und Gebräuchen mehr und mehr ablassen; fassen wir deshalb das Vorhandene noch zuletzt in seiner Eigentümlichkeit auf, ehe die schlüpfrige Decke, die allmählich Europa überfließt, auch diesen stillen Erdwinkel überleimt hat.

KONRAD WEISS

Im alten Essen

Das dichte Stadtnetz verläßt uns nicht mehr, bis wir in Essen-Mitte sind. Es wird schon abendlich; und da überrascht uns wieder die Wahrnehmung, daß mitten zwischen der Stattlichkeit von Hochbauten und den großen Baumalen der Gegenwart gerade doch zusammen mit dem Abendgefühl die alten Bauformen, wenn sie in ihrer geschlossenen Ruhe auftauchen, stärker auf das Gemüt wirken. Auch empfinden wir wieder, daß nach dem deutschen Norden zu die Bauten der alten Geschichte immer strenger in sich stehend erscheinen als im Süden. Und so steht nun in Essens Mitte an einem etwas schrägen, neuen und raumvollen Platze ein tausendjähriges Denkmal alter Baukunst wie eine Bauinsel für sich da. Der Gründer war der sächsische Bischof Altfrid, ein Vertrauter des Königs Ludwig des Deutschen. Essens Anfänge aber sind ein Frauenkloster gewesen. Und der Kirchenschatz von Essen enthält heute noch eine Anzahl der wertvollsten Leistungen alten deutschen Kunstgewerbes nach dem Jahr 1000, die auf die Äbtissinnen zurückgehen. Nach Altfrids Bau, wo er 874 begraben wurde, erstand der Anfang des heutigen Essener Münsters, das noch in Teilen bis vor das Jahr 1000 zurückgeht, während sein Weiterbau mit dem Chor bis in die Gotik reicht. Ein schöner Vorhof ist voll steinerner Ruhe. Unmittelbar über seiner Seite erhebt sich ein zentral gefaßter Westbau, der an Aachen erinnert und der den Rhythmus dieser altdeutschen Bauinsel beherrscht. Dieser Bauteil mit dem weiteren Grundriß ist wie ein altes Siegel, das an einem alten Pergament befestigt ist, auf dessen Blattseite die Jahre bis zur Gegenwart weitergeschrieben haben. Ein Kampf der alten Baukörper um strengen Abschluß und doch um ein eindringendes Licht, dieser Sinn fällt uns in einer Stadt der neuen Arbeitsgröße wie Essen vor allem auf. Es ist die gleiche Schönheit, welche auch die Gold- und Schmuckwerke, die aus Metall und Edelsteinen in reichem Glanz gefügt wurden, beherrscht. Um die alte stille Insel brandet die bewegte Stadt.

FRIEDRICH SIEBURG

WERDENDE KULTURLANDSCHAFT

Da ist von Kulturlandschaften die Rede, aber mir scheint, es gibt nur eine, und diese eine hat nie den Anspruch erhoben, eine eigene Kultur zu haben. Dafür hat sie Umriß und Gestalt und hebt die Züge des Menschenbildes täglich deutlicher ans Licht. Ja, wenn irgendwo in unserem Lande ein deutscher Typus sich erhält und sogar weiterformt, wenn irgendwo ein Leben sich abzeichnet, das aus eigenerem Stoff als bloß aus Resten der Vergangenheit gemacht ist, so ist es in der deutschen Industrielandschaft an Rhein und Ruhr. Die beiden großen Feinde unserer Lebensform, das Spießertum und die Brutalität, scheinen in diesem Landstrich aus rostigen Trümmern und unermüdlichen Werkstätten weniger regsam als anderswo. In dem Gedränge der Ruhrschnellzüge, die rastlos zwischen Wohnplätzen und Arbeitsplätzen hin und her eilen, schöpft man mehr Hoffnung auf eine deutsche Gestalt als in den alten Landschaften unseres Südens. Es ist, als ob dieser unterhöhlte Boden, diese ewig glimmende Erde und die völlige Verdrängung des Humus durch Fundamente mehr Schöpferkraft besäßen als die freundlich geschwungenen Äcker und Wälder ländlicherer Striche. Plötzlich ahnt man, daß es für den Menschen besser ist, in seiner Arbeit, als im Boden zu wurzeln. Man empfindet es fast als einen günstigen Umstand, daß dieses Rumpfdeutschland sich noch keinen echten Mittelpunkt zu geben vermocht hat, denn dazu gehörten viel Zeit und eine gründliche Befreiung von allen historischen Vorstellungen. Die Wünschelrute in den Händen unseres Schicksals schlägt am heftigsten über dem rußigen Land zwischen Köln und Münster aus: hier werden tiefe Quellen fühlbar, aber es sind junge Quellen. Wenn es wahr ist, daß die Industrie den Menschen entwurzelt, so ist die Wurzellosigkeit eine Chance. Denn der Mensch ist kein Baum, sondern ein freies Wesen, das kommt und geht. Aus den Furchen, die der Mensch in seinen Zügen trägt, wächst mehr als aus den Furchen der Äcker.

HEINRICH BÖLL

Im Ruhrgebiet

Die Väter des Ruhrgebiets waren harte Männer: es ging ihnen um Kohle, ging um Stahl, um Geld und Macht, aber sie waren auch — wie alle harten Männer — sentimental; sie machten in »Industrielandschaft«, Pathos und Patriotismus.

Seine Mutter war liebenswürdig und schwach; sie war jung, unerfahren, der Koketterie mit harten Männern nicht abgeneigt; sie hieß: Eisenbahn, ging freudestrahlend den Bund unverbrüchlicher Treue ein; nichts wird heute noch in Deutschland so billig transportiert wie Kohle und Stahl; alte Liebe rostet nun einmal nicht.

Unter Tage planten die Väter nach genauer Überlegung, nach langer Berechnung; gewaltige Intelligenzen wurden in Bewegung gesetzt und wirkten, um Welten zu erschließen und die Erschließung weiterer Welten im voraus zu planen; das Netzwerk der Stollen, Flöze, Schächte und Streben, und auch *über* der Erde wurde genauestens geplant, wo es um Transport und Produktion ging, der Mensch aber mußte sich *irgendwie* einrichten; wohnen mußte er ja, er mußte essen, trinken, beten; Läden, Schulen, Kneipen, Kirchen, Krankenhäuser, Apotheken — nichts fehlte ihm, aber hundert Jahre lang ließ man, ohne sich die geringsten Gedanken darüber zu machen, Staub und Ruß auf ihn herabregnen, machte die Landschaft, in der er lebte, zur Büßerlandschaft, ließ Dämpfe auf ihn los, knebelte ihm das Klima, raubte ihm jährlich einen ganzen Monat Sonne; man schuf »Industrielandschaft«, doch dieser Begriff, der so nüchtern klingt, ist nur eine romantische Verbrämung der Tatsache, daß die Industrie hier die Landschaft getötet hat, ohne eine neue zu bilden.

Großstädte entstanden, doch Großstadt ist nur ein quantitativer, ein Verwaltungsbegriff; von *Stadt* haben die Großstädte noch nichts; Stadt ist Landschaft; hier gibt es weder Stadt noch Land, nur riesige, ineinander-, aneinandergekoppelte Dörfer mit zwanzigtausend, sechzigtausend oder zweihunderttausend Einwohnern, Dörfer, die noch an der Barbarei ihrer Jugend leiden, die den brutalen Ausbeutungscharakter der Gründerjahre nicht loswerden, manchmal in Anfällen reizender Koketterie das ländliche Dörfchen herauskehren, das sie vor hundert Jahren einmal gewesen sind; viel Grün ist zu sehen: das Gras wächst noch, doch die nicht zu brechende Lebenskraft des Chlorophylls ist kein Beweis für die Menschen- und Naturfreundlichkeit der Industrie. Es gibt ihn noch, unverändert hübsch und echt: den vestischen Bauernhof, es gibt die Kuh vor dem Förderturm, weidende Schafe, säende, mähende Bauern, Garben und Ackerkrume, aber diese hübschen Bilder sind eine Täuschung (keine bewußte); in Landschaften, deren Gesicht von weidenden Kühen, grasenden Schafen bestimmt wird, gibt es anständigerweise mehr Kühe als Menschen, hier aber müßten neben jeder Kuh zehntausend, neben jedem Schaf dreitausend Menschen zu sehen sein: dann wäre annähernd das richtige Verhältnis hergestellt. So wirkt die Kuh vor dem Förderturm, das Schaf vor der Kokerei, der säende Bauer vor der Kulisse des Hüttenwerks, sie wirken wie eine Täuschung, sehen aus, als wären sie bestellt, um fotografiert zu werden; sie wirken als etwas, was sie nicht sind — denn die Kühe geben wirklich Milch, die Schafe wirklich Wolle, die Bauern säen und ernten wirklich — sie wirken trotzdem sentimental und verlogen, sie wirken eher schmerzlich als tröstend, weil sie keine Proportion zur Umgebung haben. Wenn man schon den Fortschritt proklamiert, sollte man an ihn glauben: die Häuser in die Höhe bauen — und aus den Äckern Parks machen; was man jetzt an Natur noch sieht, wirkt wie eine Vortäuschung von Natur, wie geplante Idylle, doch wahrscheinlich wären die riesigen Weiden als Parks nützlicher. In manchen Brennpunkten stirbt sogar das Chlorophyll, tragen Bäume keine Frucht mehr, und man zieht es vor, Häuser aufzukaufen, abzureißen, anstatt juristische Komplikationen heraufzubeschwören, die Präzedenz werden könnten.

Es gibt von Menschen bewohnte Räume, auf die jährlich pro Quadratmeter 800 Gramm Dreck herunterregnen: fast ein Kilo auf eine Fläche, die halb so groß ist wie ein Bett; 800 Gramm pro Quadratmeter, das sind 800 Tonnen pro Quadratkilometer: hier wird die simple Multiplikation zum Mittel der Verdeutlichung. Das Wort Fortschritt bleibt bittere Ironie, solange dem Menschen die Elemente: Erde, Luft und Wasser entzogen oder vergiftet werden; das Trinkwasser ist hygienisch zwar gehütet und gepflegt, ständig unter Kontrolle, doch Wasser ist mehr als eine möglichst keimfreie Substanz. Nur dem Feuer geschieht hier über der Erde Gerechtigkeit: das Eisen, das aus dem Mischer in den Konverter und weiter in die Kokille fließt, hat eine Temperatur von 1300 bis 1700 Grad; Gase entweichen, gelbe Flammen entströmen, böse Lichter strahlen auf, zehn Minuten von Straßen entfernt, in denen Kinder ihre uralten Spiele spielen. Sommer ist in diesen Brennpunkten nur ein klimatologischer Begriff, die Bezeichnung für eine Jahreszeit, die die klassische Vierzahl der Jahreszeiten vollendet, zwar Wärme, aber wenig Licht bringt; nur selten dringt die Sonne durch die Dunstglocke, und dieser Raub geschieht seit einem Jahrhundert. —

Kein Wunder, daß zwischen Dortmund und Duisburg, wo Weiß nur ein Traum ist, die Brieftaube ihre besten Freunde hat: Dieser hübsche zarte Vogel, der Kreise ziehen, in Fernen entfliegen, wieder zurückkehren kann;

kein Wunder, daß jedes winzige Gärtchen mit Liebe gepflegt und mit Sorgfalt geschützt wird: daß der Fußball hier seine echtesten Freunde hat und daß das Motorfahrzeug ein begehrtes Vehikel ist: Wenn Zeit Geld ist, ist sie es auch, wenn sie Feierabend ist. Die hübschen Nester im Ruhrtal von Werden bis Wetter, die Seen: sie mit den üblichen Verkehrsmitteln zu erreichen, ist qualvoll und nimmt den halben Sonntag in Anspruch; das Motorrad, das Auto erst, sie machen die Flucht aus der Enge, aus der Dunstglocke möglich. Ein Wunder ist, daß in diesem riesigen Dorf mit seinen sechs Millionen Einwohnern auch nach hundert Jahren Industrie der Mensch noch nicht verkümmert ist. Nirgendwo sonst in Deutschland sind die Menschen so nüchtern, herzlich, einfach und schlagfertig. Es scheint so, als ob die Touristenindustrie die Menschen eher verdürbe als Hütte und Grube. Von hier, aus dieser Provinz, stammen die meisten Artisten: Trapez und Piste, Pferdegeruch, rotes Licht, Trommelwirbel beim Balanceakt, wenn das flitterbespannte Mädchen in fünfzehn Meter Höhe übers Seil tänzelt. Viele Artisten haben den Gelsenkirchener Klang in der Stimme: ein verstädtertes Westfälisch, mit zahlreichen Idiomen eingefärbt, mit Rotwelsch, Jiddisch, Polnisch und Ostpreußisch. Noch sieht man Frauen mit masurischen Kopftüchern in Schalke und Erle, mit Korb und Kind am Arm, wie Bäuerinnen, die vom Markt kommen, zum Markt gehen. Sie sind nüchtern, handfest, wissen im gegebenen Augenblick sogar einen Schlag richtig zu parieren, für den Fall, daß einer mal zudringlich, allzu dreist werden sollte; eine neue Rasse hat sich hier gebildet, die in Tonfall und Umgangsform Gemeinsames hat und alle Vorzüge und Nachteile der Jugend: Frische, mit unbekümmerter, fast kolonialer Barbarei gemischt. Diese Provinz, die Ruhrgebiet heißt, erschließt sich dem Fremden nicht leicht; sie ist der Besichtigung abhold, mißtrauisch dem Müßiggänger gegenüber, hat touristische Einrichtungen nur für solche, die hinaus, nicht für die, die herein wollen; Hotels sind knapp, selbst in den Großstädten; für den Business-Talk stehen in entsprechender Entfernung vom Dreck freundliche Hotels zur Verfügung; im Ruhrtal, nahe der Lippe, am Rhein. Nur solche Menschen sind gesucht, willkommen, umworben, die arbeiten wollen; immer noch lockt die Ruhr, immer noch riecht es nach Geld, nach schwer verdientem, leicht ausgegebenem Geld; Söldnergeld, in Dekaden gezahlt, am Gedinge berechnet.

Die Armee der Hütten- und Grubenarbeiter ernährt diese Provinz; ihr zahlenmäßiges Verhältnis zur übrigen Bevölkerung entspricht genau dem Verhältnis der kämpfenden Truppe zum Troß einer Armee: 1 : 10 — einer arbeitet vor Ort, steht am Konverter — die anderen neun kochen für ihn, versorgen ihn, unterhalten ihn, verkaufen ihm Kleider, Bier, Kintopp, unterrichten seine Kinder, drucken seine Zeitungen, lieben ihn —

und üben die Macht aus. Die Macht an der Ruhr ist nicht mehr in Namen ausdrückbar: Krupp, Thyssen, Haniel. Macht entsteht heute durch Konzentration verzwickter, undurchsichtiger Verwaltungsgebilde: hinter unschuldig lächelnden Angestellten wird heute Macht versteckt. Macht, die sich auf die arbeitende Armee unter Tage und in der Hütte stützt. Kohle und Stahl sind Macht.

HEINRICH HAUSER

Wo Menschen Autos und Autos Menschen bauen

Das gibt es nirgendwo anders in Deutschland:
Ein Werk aus *einem* Guß, 1300 Meter lang, dreihundert breit.
Ein Werk, das man im Automobil von einem Ende bis zum anderen durchfahren kann, wenn's sein muß im Hundertkilometertempo, denn da ist kein Hindernis: 250 000 Produktions-Quadratmeter unter einem Dach.
Ein Werk, dessen 19 Produktions-Sektoren mit der dazugehörigen Verwaltung direkt gekuppelt sind: den 1,3 Produktionskilometern entsprechen 1,3 Bürokilometer.
Ein Werk, in dem sämtliche »Kellerräume« über der Erde liegen und dessen gesamte Produktion sich auf der »Beletage« abspielt.
Vor allen Dingen aber: Es gibt — wahrscheinlich auf der ganzen Welt — kein Werk, das zwei so grundverschiedene Produkte hervorbringt, wie es neue Autos und — neue *Menschen* sind.
Selbst bei der Anfahrt im Wagen dauert es eine ganze Weile, bis aus der roten Backsteinfront klar die Bastionen wachsen: neunzehn Treppenhäuser — mehr Glas als Stein — mit neunzehn Portalen. Nach der üblichen Pförtnerhaus-Zeremonie geht die Schranke hoch: man ist im Werk und doch wieder nicht im Werk, denn da kommt erst mal eine ungeheure Rechteckwiese, auf der bis letztes Jahr noch Korn wuchs, ein Stückchen Nahrung für das Werk. Dann kommen weite Parkplätze, auf denen eine kleine Europaarmee von Besucherwagen paradiert. — Und dann ist man immer noch lange nicht da und tut gut daran, sein Schuhwerk nochmal nachzusehen. Denn um die Produktion auch nur flüchtig zu verfolgen, muß man ja jede Sektion mindestens zweimal in der Längsrichtung und einmal in der Querrichtung gehen. Bei einigen Sektoren, wo Großmaschinen, wie Pressen, arbeiten, mag das genügen, aber da sind andere, in denen Fließbänder doppelgleisig und viergleisig nebeneinander laufen, die man dann

entsprechend viermal und achtmal begehen müßte ... Nicht in Rechnung gestellt sind dabei Außenwerke wie Gießerei und Kraftwerk: Kurzum, das Ganze ist eine regelrechte Tagestour, auf der man gut und gern so seine 30 bis 40 Kilometer zurücklegt, wobei die Anstrengung des Sehens erheblich größer als die des Gehens ist.

Der ganzen Länge der Produktion entlang verläuft in Stockwerkhöhe eine Fußgängergalerie, und die benutzt man zweckmäßig für einen allgemeinen Überblick. Da ist etwa eine Halle, die von oben und von fern her gesehen im wesentlichen aus Feuerwerk besteht: ununterbrochen stieben da garbenweise die Funken, kreuz, quer und in Bögen. Da ist der Karosseriebau, in dem Hunderte von Punktschweiß- und Nahtschweißmaschinen Stahlblechteile zum Ganzen vereinen.

Die nächste Halle ist mit Kolossalmaschinen derart bis zum Dach herauf gefüllt, daß sie ganz düster wirkt, wo man nur knapp erkennt, wie plumpe Riesenglieder langsam-schwer sich regen, wo es unheimlich faucht und zischt und dumpf zermalmend kracht wie losbrechende Lawinen, wo vorweltliche Kranichvögel den stählernen Mammuten ihr Futter bringen, das silbrig niedersinkt mit einem Scheppern, als ob sämtliches Porzellan eines Grand Hotels auf einen Hieb zerschmettert würde ... Das ist das Preßwerk.

Eine andere wiederum birgt eine Versammlung von Tunnels, kurze und lange, teils Stahl, teils Glas, teils dunkel, teils von innen her grellweiß erleuchtet, und in diesen Tunnels wütet das wilde Heer: lauter Gespenster, maskiert, verkappt, so wie sich das gehört, mit flügelmännischen Gebärden Besen schwingend. Wo immer diese Besen hinfahren, da wird alles rot oder grün oder braun, und es sind auch gar keine richtigen Besen, sondern die Sprühnebel von Spritzpistolen, und das Ganze ist die Spritzlackiererei ...

Und da ist eine offensichtlich nach dem Modell von Dantes Purgatorium gebaut, denn die ist angefüllt mit lauter feurigen Öfen, liegenden Öfen und aufrecht stehenden, in die man von oben hineinsehen kann. In denen brodelt flüssige Lava aller Grade: tief dunkelrot, kirschrot, sonnenrot und flammendweiß. Die übrige Ausrüstung besteht aus Zangen und anderen wirksamen Greifern, die unaufhörlich arme Sünder packen, traurig aussehende, skelettmagere Stahlgestalten, die sie gnadenlos von einem Feuertopf in den anderen tauchen. — Hier in der Härterei kann man das Gruseln lernen ...

In einer der letzten Hallen spielen — immer von oben und aus der Ferne gesehen — eine ganze Anzahl von Riesenschlangen Ringelreih und beißen sich dabei in den Schwanz. Indem sie so umeinanderkriechen, wird ihnen von winzig kleinen Menschlein allerhand Schmuck angehängt: silberne, goldene, schwarze und grünlich-gelbe Stücke, so daß die Schlangen zuletzt wie lebendige Christbäume aussehen. — Und neben jeder derartigen Schlange lauert ein einarmiger Dieb, der ihr jedes Schmuckkästchen abnimmt, gerade wenn es ganz voll geworden ist und besonders verlockend glitzert: — Das ist die Motorenmontage, und die »Schmuckkästchen« enthalten nicht so sehr Gold und Silber als vielmehr PS...

Kurzum: »Man nehme einen halben Quadratkilometer Fabrik, fülle ihn mit einem Maschinenpark für ca. 200 Millionen Mark und 15 000 Arbeitern, lasse die Werkstoffe einströmen, und heraus kommen am anderen Ende jährliche 100 000 Volkswagen?« — Nein, so einfach ist das Automobilbauen denn doch nicht...

Zwar die konstruktiven, die fabrikatorischen und die organisatorischen Probleme, die in solchem Wagen stecken, sind Gleichungen, die moderne Wissenschaft und Technik lösen können. Der große »Unbekannte« in der Rechnung des 20. Jahrhunderts aber ist der *Mensch,* und das ist auch der Grund, weshalb diese Rechnung oft nicht aufgehen will. Die Aufgabe, 15 000 Menschen im VW-Werk zusammenzubringen, diese Unbekannten zum Team zu verschweißen, zu verwurzeln, vor allem aber sie zu inspirieren *mit einer Idee* war viel größer und schwieriger als der physische Wiederaufbau des zu zwei Dritteln zerstörten Werks und das Ingangsetzen der Produktion. Das Wunder von Wolfsburg sind nicht die hunderttausend VWs, sondern die »neuen Menschen«, die das Werk sich geschaffen hat, indem es sie zusammenschweißte, verwurzelte und inspirierte mit seiner *Idee.* Wolfsburg von 1941—45 war im wesentlichen ein Heerlager unglücklicher Menschen, die, zur Zwangsarbeit gepreßt, ganz unvermeidlich diese Arbeit und diese ganze Umgebung hassen mußten. Wolfsburg war zum Unglück vieler Tausende geboren worden, und ein Geist des Unglücks fraß sich in die Torsostadt hinein.

Wolfsburg 1945 war ein Nothafen, in den — teils gewollt, teils ungewollt — Tausende von havarierten Lebensschiffchen einliefen: Flüchtlinge und entlassene Soldaten, unglückliche Menschen ausnahmslos, die Haus und Hof, die Stellung und Vermögen, die Familie und Heimat, die alles verloren hatten; manchmal sogar die Selbstachtung.

Im Sommer 1945 geschah etwas in der damaligen Zeit sehr Seltenes: Ein günstiges Gerücht erwies sich als wahr, es gab tatsächlich Arbeit bei VW. Rund 5000 Menschen räumten Trümmer, reparierten Maschinen, flickten Dächer und bauten sogar eine Anzahl VWs. Daß sie mit Leib und Seele bei der Sache waren, behaupteten nicht einmal sie selbst; leiblich war man sowieso recht schlecht zuwege, und seelisch war man gänzlich anderswo: bei den verlorenen Lieben, der verlorenen Heimat, dem verlorenen Lebensglück. Immerhin, man hatte sein Essen, und auch die Lohntüte war schätzenswert. Sie war die erste praktische Möglichkeit, gegen das Unglück anzukämpfen, sie bezahlte die ungezählten Briefe, durch die man Verbindung mit den Verlorenen suchte. Sie bezahlte Liebesgabenpäckchen, wenn man das Glück hatte, sie aufzufinden. Sie ließ sich umwandeln in Postanweisungen zur Linderung der Not oder in Fahrkarten, um die Wiedergefundenen herbeizuholen ... Es war nicht das, was der normale Mensch als Glück bezeichnet, was damals in Wolfsburg seinen Einzug hielt, aber es war die erste praktische Möglichkeit, das *Unglück zu bekämpfen*, und das war im Grunde doch schon ein Glück.

Von 1945 bis zur Währungsreform war Wolfsburg ein enormer Umschlagplatz und Wendepunkt für menschliche Schicksale. Zehntausende von Lebensschiffchen liefen in die große Schleuse des VW-Werks ein, nicht um zu bleiben, sondern um weiter zu schwimmen, sobald die Schleuse sie genügend hochgehoben hätte. Man arbeitete, weil das ja nun einmal sein mußte, um die nötige Anzahl Lohntüten zu sammeln für das eigentliche Vorhaben, und da das Werk dieses eigentliche Vorhaben eben nicht war, arbeitete man nur »recht und schlecht«. Zunehmend ergab sich aber etwas den Menschen selbst völlig Unerwartetes: je länger sie in der VW-Schleuse stecken blieben, desto mehr verloren sie das Verlangen zur Weiterfahrt. Viele wurden ganz einfach dadurch stetiger, daß es ihnen gelungen war, ihre Angehörigen zu sich zu ziehen. Andere hatten auf Erkundungsfahrten durch den ganzen deutschen Restbestand entdeckt, daß es in Wolfsburg mindestens nicht schlechter war als anderswo. Das Beste aber tat die Arbeit, indem sie — ob man wollte oder nicht — erstmalig wieder eine Ordnung in das Menschenleben brachte. Man sah doch, was man machte, es kam etwas dabei heraus; pro Jahr schon fast zehntausend Wagen. Noch immer ließen von hundert entwurzelten Menschen sich rund fünfzig wieder von dannen spülen, aber die andere Hälfte blieb hängen und instinktiv — den Menschen selber unbewußt — tasteten sich ihre bloßliegenden Wurzeln in den neuen Boden hinein. Und das war Glück, das erste *echte* Menschenglück, das der Ort seinen Bewohnern hatte geben können. Es war, als lichtete sich ein wenig jene Verfinsterung der Gemüter, die wie eine Plage des Herrn über der Stadt gelastet hatte.

1948, das Wendejahr der »Währung«, brachte eine schon beachtliche Produktion von 20 000 VWs, Vermehrung der Arbeitsplätze, Verminderung des Menschenumschlags und einen in der Öffentlichkeit viel kommentierten politischen »Rechtsruck«. Der hatte allgemein-deutsche, aber auch spezifisch Wolfsburger Hintergründe, und eben diese letzten sind interessant. Kein anderes Werk in Deutschland stand seit dem Zusammenbruch so restlos als abschreckendes Beispiel nazistischen Größenwahns am Pranger der Welt wie das VW-Werk. Umgekehrt: keine andere Automobilfabrik war so schnell

wieder in die Produktion gekommen und hatte so vielen Menschen einen neuen Lebensstart gegeben, wie eben das VW-Werk. Die VW-Arbeiter waren — mit völligem Recht — stolz auf ihre Leistung, stolz auf ihr Werk. Sie waren weitaus weniger zufrieden mit ihrer linksgerichteten Stadtverwaltung. Aus diesen soliden Gründen wählten sie eben »rechts«, nicht weil sie Nazis waren, sondern weil man ihnen, den erst nach dem Zusammenbruch Angekommenen, die Nazi-Herkunft des Werks zu oft und zu fälschlich an den Kopf geworfen hatte. Sie wählten, wie das ihre Selbstachtung und ihr Gewissen von ihnen forderte — und damit zog ein neues Glück in Wolfsburg ein. Zum ersten Mal in ihrem Dasein zeigte diese Stadt *Charakter*. Genau der hatte ihr nämlich bisher gefehlt. —
So wenig eine Schwalbe Sommer macht, so wenig können ein paar erste Ansätze zu neuem Lebensglück die Unsumme an Unglück liquidieren, das wie ein Krebs in den Stadtkörper sich eingefressen hat. Noch immer glichen die Wolfsburger nicht so sehr Bürgern, wie den Passagieren eines Auswandererschiffs, die der Zufall zusammengewürfelt hat. Nur innerhalb des Werks ziehen diese Menschen alle an einem Strang; nach der Schicht sind sie nicht Wolfsburger, sondern sind Sachsen, Ostpreußen, Schlesier, Sudetendeutsche, zusammengeschlossen in landsmannschaftlichen Grüppchen. Das innere Auge blickt noch immer in die Ferne, und daher sieht auch das äußere Auge oft das Gute nicht, das naheliegt.
So bleibt dem Werk auf menschlichem Gebiet denn noch unendlich viel zu tun. Mit allen Mitteln muß es danach streben, den Geist gemeinschaftlicher Arbeit, den es hat inspirieren können, auch auf die Sphäre des Privaten auszudehnen. Deutlicher noch als bei anderen Werken zeigt sich hier, daß der Industrie heutzutage Aufgaben der Menschenführung obliegen, die »eigentlich« durchaus nicht ihres Amtes sind, die aber dennoch übernommen werden *müssen*. Ich habe das Gefühl, daß Dr. Nordhoff diese ihm nolens volens in den Schoß gefallene Aufgabe der Menschenführung sehr deutlich erkennt. Nun kann er zwar wohl — in Grenzen des Möglichen — wie ein guter Bauer oder Gärtner handeln, indem er seine Menschen richtig ansetzt, sie in anständige Wohnungen pflanzt und aus für deutsche Verhältnisse gut gefüllten Lohntüten reichlich »angießt«. Das Beste und das Eigentliche aber, nämlich das Anwurzeln und Hineinwachsen, das müssen die Menschenbäumchen selber tun. Und als einer, der viel längere Jahre in einem viel fremderen Lande geweilt hat als die Neubürger Wolfsburgs, darf ich ihnen sagen: die alte Heimat, das ist die Mutter, die man für immer liebt und ehrt. Dies, euer Werk aber und diese eure neue Stadt, das ist die Frau, mit der man am besten durch dick und dünn durchs ganze Leben geht . . .
— Die jungen Mädchen und die Pärchen, die da abends vor den hellen

Schaufenstern Wolfsburgs tief in Gedanken stehen — Gedanken an die Möbel, das Geschirr, die Wäsche und was sonst der Mensch zum ehelichen Dasein braucht — die wissen was ich meine.

HEINRICH HEINE

Der Brocken

Ja, in hohem Grade wunderbar erscheint uns alles beim ersten Hinabschauen vom Brocken, alle Seiten unseres Geistes empfangen neue Eindrücke, und diese, meistens verschiedenartig, sogar sich widersprechend, verbinden sich in unserer Seele zu einem großen, noch unentworrenen, unverstandenen Gefühl. Gelingt es uns, dieses Gefühl in seinem Begriffe zu erfassen, so erkennen wir den Charakter des Berges. Dieser Charakter ist ganz deutsch, sowohl in Hinsicht seiner Fehler, als auch seiner Vorzüge. Der Brocken ist ein Deutscher. Mit deutscher Gründlichkeit zeigt er uns, klar und deutlich, wie ein Riesenpanorama, die vielen hundert Städte, Städtchen und Dörfer, die meistens nördlich liegen, und ringsum alle Berge, Wälder, Flüsse, Flächen, unendlich weit. Aber eben dadurch erscheint alles wie eine scharf gezeichnete, rein illuminierte Spezialkarte, nirgends wird das Auge durch eigentlich schöne Landschaften erfreut; wie es denn immer geschieht, daß wir deutschen Kompilatoren wegen der ehrlichen Genauigkeit, womit wir alles und alles hingeben wollen, nie daran denken können, das einzelne auf eine schöne Weise zu geben. Der Berg hat auch so etwas Deutschruhiges, Verständiges, Tolerantes; eben weil er die Dinge so weit und klar überschauen kann. Und wenn solch ein Berg seine Riesenaugen öffnet, mag er wohl noch etwas mehr sehen, als wir Zwerge, die wir mit unsern blöden Äuglein auf ihm herumklettern. Viele wollen zwar behaupten, der Brocken sei sehr philiströse, und Claudius sang: »Der Blockberg ist der lange Herr Philister!« Aber das ist Irrtum. Durch seinen Kahlkopf, den er zuweilen mit einer weißen Nebelkappe bedeckt, gibt er sich zwar einen Anstrich von Philiströsität; aber, wie bei manchen andern großen Deutschen, geschieht es aus purer Ironie.

KONRAD WEISS

Alte Harzstädte

Man kommt aus Thüringen auf die lange Südseite des Harzes heran über Nordhausen, wo alte Kaiserbilder als blumige und etwas bäuerliche Gestalten an den Hochwänden des Chores im gotischen Dome stehen. Man findet dann in der schmalen Ostflanke, wo sich der Harz im Laubwald herabsenkt, die beispielhafte Vollkommenheit der romanischen Basilika von Gernrode. Und wenn man am anderen Ende, wo die dunklen Nadelwälder von den Tälern zu den Bergen steigen, die hohe und ähnlich schmale Westflanke überwunden hat, kommt man bald in das stille Gandersheim mit seinem wie von einem alten geistlichen Gespräche nachklingenden romanischen Kirchenraum. Auf der langen Nordseite des Harzes aber ist Quedlinburgs aufgetürmte romanische Begräbniskirche voll des Gedächtnisses an den Beginn der Sachsenherrscher; dann folgt die geschichtlich und baulich reiche Ehrwürdigkeit von Halberstadt, und gegen Nordwesten Goslar, die kaiserliche Stadt. Wiederum stehen hier mittelalterliche, farbige Kaiserfiguren an der Stirnmauer der resthaften alten Domkapelle und schauen aus den fremdgewordenen Ordnungen der Geschichte in die Gegenwart. Der ganze Harz ist von den Erinnerungen an die sächsisch-ottonische Zeit eingefaßt, wozu sich in Goslar noch die salische Größe gesellt. Die schöngeformte Masse des Gebirgs aber liegt wie ein schräger Riegel von Südost nach Nordwest in der Mitte Deutschlands. Sowohl im Süden, in Nordhausen, wie im Norden, in Quedlinburg, wird das legendäre Gedenken an den Finkenherd gepflegt, von welchem man dem ersten Sachsenkönige Heinrich seinen Beinamen gegeben hat. Und in den frühen Aufschreibungen der mittelalterlichen Geschichte hört man immer wieder die Orte am Harz genannt, wo die deutschen Kaiser, von ihren Zügen zurückkommend, Ruhelager und Tagungen hielten und die kirchlichen Hauptfeste feierten.

»Dem Geier gleich«

Es ist eine erwartungsvolle Lust, nach dem Harz zu fahren. Die Gedanken fliegen darauf zu wie Vögel und kreisen noch im Gedächtnis darum wie um einen Vogelhorst. Auch die große geebnete Welle der weiten Felder Thüringens gehört zu diesem fliegenden Anlauf der Blicke und ebenso dann der weite jenseitige Ablauf des Landes, der nach Norddeutschland führt. Wenn die heiße Sonne auf die Ackerböden brennt, daß sie in nackter rötlicher Reinheit erglänzen, und alles Bepflanzte deutlicher mit der Trockenheit in unkrautlosen, gartengleichen und doch zu weiten Fernen gerichteten schönen Zeilen ergrünt oder sich, im Winde fächelnd, zur Reife färbt, scheint unter dem blauen Himmel der silberne Mittagsduft unermeßlich, bis er von dem tieferen Blaugrün der nahenden Waldhöhen gleichsam angesaugt und weggewischt wird. Und so fühlt sich auch der Reisende auf einmal von der Ebene weggenommen und in den Harzwald eingeschluckt; und er spürt, wenn er dann auf der ersten großen Höhe aufwärts kommt, die Einheit der ernsten, anderen Landschaft.

Der Harz ist ein Land im Lande und hat seine eigenen Züge im deutschen Bilde. Ein Trupp von Arbeitsleuten kommt über die hohe Straße herab, und man denkt, daß es wohl Holzarbeiter oder noch eher Bergleute sein müssen. Ihre Gestalten sind gedrungener als die von Landleuten und haben auch die kürzeren Bewegungen, welche mehr zu einer nahen Arbeit als zum Schaffen im größeren Felde gehören; ähnlich wie sich auch ihre Werkzeuge von denen der Bauern unterscheiden. Inzwischen ist uns auch der andere Klang der Landschaft wichtig geworden. Die erste Höhe hat uns gleich wie mit einer großen Strophe in eine kommende Dichtung geschickt. Die Höhen greifen sich und schließen hintereinander, und während wir alsbald in Hängen und Tälern der schmäleren Mitte des Harzes schon zueilen und die Stunden um uns ihre Schatten verlängern, haben wir bereits den Brocken erblickt, den stärksten Höhenzug, mit einer nicht spitzen, sondern langsamen und schweren Zubildung nach oben, der im Blauduft der halb nördlichen und westlichen Ferne erschienen war.

Es war das entscheidende Bild, auf das man gewartet hatte, mächtig und doch nicht von der einsinnigen und undeutbar aufgestellten Kraft eines felsigen Gebirges, sondern eben, wenn man die Wirkung des Anblicks so benennen will, bildhafter. Das will sagen, daß die Wirkung dem Menschen näher kommt. Er findet sich ihr zugeteilt durch eine mehr sehnende, mehr anfühlende, jedenfalls stärkere Möglichkeit der Stimmung, welche gerade hier in den gemessenen Verhältnissen eintreten kann gegenüber dem in keine Sehnsucht beschließbaren Anblick des Alpengebirges. Hier ist nicht bloß ein dauernder Blick, der vor der Größe staunen muß, sondern hingezogen zum schweren, durch den Brocken gescheitelten Bild der Berge fängt gleich der innere Sinn des Schauenden an zu weben und bald wie in einer Dichtung zu schwingen. Es scheint uns ein epischer Zug in diesem Harzlande zu wachen, in welchem jeder Teil von Bergen und Tälern, Weitungen und Engen, Breithängen, Hebungen und Kuppen, zuerst in sich wohlgebildet und dann zusammenkommend und zu dem ganzen Gebirgskörper anschwellend, Anteil hat an dem maßvollen Bilde der

Größe. Auch wenn wir später sehen werden, wie sich die Landschaft um den Brocken einschneidet und strenger erhebt und einsam wird und aufsteht bis zu der kahlen Unwirtlichkeit des Brockenhauptes selber, und wenn so das innere Gefühl herber wird und sich vom äußeren Bilde abtrennt zu der Empfindung einer einsamen, heroisch verdichteten deutschen Landschaft, so bleibt für uns doch auch der erste volle Zusammenklang über der Harzlandschaft liegen, und diese Zweiheit von einer erst gedrungen erfüllten Weite zu einer bildhaften einsamen Nähe, dies Widerspiel füllt sich in unsre Brust als die Wesensart des Harzes, bis sie sich zu der großen und letzten Strophe der herben Einsamkeit hinaufsteigert, welche der Brocken selber ist.
Wir können uns den jungen Goethe vorstellen, wie er im winterlichen Sturme, alles wie eine unfaßbare eigene Seele zusammennehmend, durch die große stumme Landschaft strebte. Eben die Leidenschaft, mit der er in dieser stummen Welt für den eigenen Lebensgeist Zwiesprache sucht, wie er ungestüm, »fragmentarisch, geheimnisvoll«, in kaum geregelten »rhythmischen Zeilen« hier die Maße für die »allerbesondersten Umstände« seines augenblicklichen Fühlens errafft, eben dies kann ein Beweis sein, wie das Erlebnis des Harzes zu einem kämpfenden Einklang ein Maß gibt. »Dem Geier gleich,/Der, auf schweren Morgenwolken/Mit sanftem Fittich ruhend,/Nach Beute schaut,/Schwebe mein Lied.« Im frühen Dezember 1777 stand Goethe auf dem Brocken, grenzenlosen Schnee überschauend.

JOHANN WOLFGANG GOETHE

Der Granit

Der Granit war in den ältesten Zeiten schon eine merkwürdige Steinart und ist es zu den unsrigen noch mehr geworden. Die Alten kannten ihn nicht unter diesem Namen. Sie nannten ihn Syenit, von Syene, einem Orte an den Grenzen von Äthiopien. Die ungeheuren Massen dieses Steines flößten Gedanken zu ungeheuren Werken den Ägyptiern ein. Ihre Könige errichteten der Sonne zu Ehren Spitzsäulen aus ihm, und von seiner rotgesprengten Farbe erhielt er in der Folge den Namen des Feurigbunten. Noch sind die Sphinxe, die Memnonsbilder, die ungeheuren Säulen die Bewunderung der Reisenden, und noch am heutigen Tage hebt der ohnmächtige Herr von Rom die Trümmer eines alten Obelisken in die Höhe, die seine allgewaltige Vorfahren aus einem fremden Weltteile ganz herüberbrachten.

Die Neuern gaben dieser Gesteinsart den Namen, den sie jetzt trägt, von ihrem körnichten Ansehen, und sie mußte in unsern Tagen erst einige Augenblicke der Erniedrigung dulden, ehe sie sich zu dem Ansehen, in dem sie nun bei allen Naturkundigen steht, emporhob. Die ungeheuern Massen jener Spitzsäulen und die wunderbare Abwechselung ihres Kornes verleiteten einen italienischen Naturforscher zu glauben, daß sie von den Ägyptiern durch Kunst aus einer flüssigen Masse zusammengehäuft seien.
Aber diese Meinung verwehte geschwind, und die Würde dieses Gesteines wurde von vielen trefflich beobachtenden Reisenden endlich befestigt. Jeder Weg in unbekannte Gebirge bestätigte die alte Erfahrung, daß das Höchste und das Tiefste Granit sei, daß diese Steinart, die man nun näher kennen und von andern unterscheiden lernte, die Grundfeste unserer Erde sei, worauf sich alle übrigen mannigfaltigen Gebirge hinaufgebildet. In den innersten Eingeweiden der Erde ruht sie unerschüttert, ihre hohen Rücken steigen empor, deren Gipfel nie das alles umgebende Wasser erreichten. So viel wissen wir von diesem Gesteine und wenig mehr. Aus bekannten Bestandteilen auf eine geheimnisreiche Weise zusammengesetzt, erlaubt es ebensowenig seinen Ursprung aus Feuer wie aus Wasser herzuleiten. Höchst mannigfaltig, in der größten Einfalt, wechselt seine Mischung ins Unzählige ab. Die Lage und das Verhältnis seiner Teile, seine Dauer, seine Farbe ändert sich mit jedem Gebirge, und die Massen eines jeden Gebirges sind oft von Schritt zu Schritte wieder in sich unterschieden und im ganzen doch wieder immer einander gleich. Und so wird jeder, der den Reiz kennt, den natürliche Geheimnisse für den Menschen haben, sich nicht wundern, daß ich den Kreis der Beobachtungen, den ich sonst betreten, verlassen und mich mit einer recht leidenschaftlichen Neigung in diesen gewandt habe. Ich fürchte den Vorwurf nicht, daß es ein Geist des Widerspruches sein müsse, der mich von Betrachtung und Schilderung des menschlichen Herzens, des jüngsten, mannigfaltigsten, beweglichsten, veränderlichsten, erschütterlichsten Teiles der Schöpfung, zu der Beobachtung des ältesten, festesten, tiefsten, unerschütterlichsten Sohnes der Natur geführt hat. Denn man wird mir gerne zugeben, daß alle natürlichen Dinge in einem genauen Zusammenhange stehen, daß der forschende Geist sich nicht gerne von etwas Erreichbarem ausschließen läßt. Ja, man gönne mir, der ich durch die Abwechselungen der menschlichen Gesinnungen, durch die schnellen Bewegungen derselben in mir selbst und in andern manches gelitten habe und leide, die erhabene Ruhe, die jene einsame und stumme Nähe der großen, leise sprechenden Natur gewährt, und wer davon eine Ahndung hat, folge mir.
Mit diesen Gesinnungen nähere ich mich euch, ihr ältesten würdigsten Denkmäler der Zeit. Auf einem hohen nackten Gipfel sitzend und eine

weite Gegend überschauend, kann ich mir sagen: Hier ruhst du unmittelbar auf einem Grunde, der bis zu den tiefsten Orten der Erde hinreicht, keine neuere Schicht, keine aufgehäufte, zusammengeschwemmte Trümmer haben sich zwischen dich und den festen Boden der Urwelt gelegt, du gehst nicht wie in jenen fruchtbaren schönen Tälern über ein anhaltendes Grab, diese Gipfel haben nichts Lebendiges erzeugt und nichts Lebendiges verschlungen, sie sind vor allem Leben und über alles Leben. In diesem Augenblicke, da die innern anziehenden und bewegenden Kräfte der Erde gleichsam unmittelbar auf mich wirken, da die Einflüsse des Himmels mich näher umschweben, werde ich zu höheren Betrachtungen der Natur hinaufgestimmt, und wie der Menschengeist alles belebt, so wird auch ein Gleichnis in mir rege, dessen Erhabenheit ich nicht widerstehen kann. So einsam, sage ich zu mir selber, indem ich diesen ganz nackten Gipfel hinabsehe und kaum in der Ferne am Fuße ein gering wachsendes Moos erblicke, so einsam, sage ich, wird es dem Menschen zu Mute, der nur den ältesten, ersten, tiefsten Gefühlen der Wahrheit seine Seele eröffnen will.
Ja, er kann zu sich sagen: hier auf dem ältesten ewigen Altare, der unmittelbar auf die Tiefe der Schöpfung gebaut ist, bring ich dem Wesen aller Wesen ein Opfer. Ich fühle die ersten festesten Anfänge unsers Daseins; ich überschaue die Welt, ihre schrofferen und gelinderen Täler und ihre fernen fruchtbaren Weiden, meine Seele wird über sich selbst und über alles erhaben und sehnt sich nach dem nähern Himmel. Aber bald ruft die brennende Sonne Durst und Hunger, seine menschlichen Bedürfnisse, zurück. Er sieht sich nach jenen Tälern um, über die sich sein Geist schon hinausschwang, er bemerkt die Bewohner jener fruchtbaren quellreichen Ebenen, die auf dem Schutte und Trümmern von Irrtümern und Meinungen ihre glücklichen Wohnungen aufgeschlagen haben, den Staub ihrer Voreltern aufkratzen und das geringe Bedürfnis ihrer Tage in einem engen Kreise ruhig befriedigen. Vorbereitet durch diese Gedanken, dringt die Seele in die vergangenen Jahrhunderte hinauf, sie vergegenwärtigt sich alle Erfahrungen sorgfältiger Beobachter, alle Vermutungen feuriger Geister. Diese Klippe, sage ich zu mir selber, stand schroffer, zackiger, höher in die Wolken, da dieser Gipfel noch als eine meerumflossene Insel in den alten Wassern dastand; um sie sauste der Geist, der über den Wogen brütete, und in ihrem weiten Schoße die höheren Berge aus den Trümmern des Urgebirges und aus ihren Trümmern und den Resten der eigenen Bewohner die späteren und ferneren Berge sich bildeten. Schon fängt das Moos zuerst sich zu erzeugen an, schon bewegen sich seltner die schaligen Bewohner des Meeres, es senkt sich das Wasser, die höhern Berge werden grün, es fängt alles an, von Leben zu wimmeln.
Aber bald setzen sich diesem Leben neue Szenen der Zerstörungen ent-

gegen. In der Ferne heben sich tobende Vulkane in die Höhe; sie scheinen der Welt den Untergang zu drohen, jedoch unerschüttert bleibt die Grundfeste, auf der ich noch sicher ruhe, indes die Bewohner der fernen Ufer und Inseln unter dem untreuen Boden begraben werden.
Ich kehre von jeder schweifenden Betrachtung zurück und sehe die Felsen selbst an, deren Gegenwart meine Seele erhebt und sicher macht. Ich sehe ihre Masse von verworrenen Rissen durchschnitten, hier gerade, dort gelehnt in die Höhe stehen, bald scharf übereinander gebaut, bald in unförmlichen Klumpen wie übereinander geworfen, und fast möchte ich bei dem ersten Anblicke ausrufen: hier ist nichts in seiner ersten alten Lage, hier ist alles Trümmer, Unordnung und Zerstörung. Eben diese Meinung werden wir finden, wenn wir von dem lebendigen Anschauen dieser Gebirge uns in die Studierstube zurücke ziehen und die Bücher unserer Vorfahren aufschlagen . . .

RICARDA HUCH

Deutschland

Grauenhaft infolge seiner Wälder, häßlich infolge seiner Sümpfe, feucht und windig, ganz und gar abschreckend erschien Deutschland zur Zeit des Tacitus den Römern, den begünstigten Kindern der Sonne. Sind nun auch Wälder gerodet und Sümpfe getrocknet, so ist doch das Klima unmilde geblieben: ein Himmel, der meistens mit Wolken verhangen ist, Regen, der sich unendlich ergießt, Stürme, die im Frühling über die junge Saat, im Herbst über die Stoppeln blasen, fröstelndes Winterwetter mitten im Sommer. Mehr durch die Strenge der Elemente erzogen als durch die Huld der Sonne verwöhnt, ist der Deutsche ernst und zugleich der Liebe und der Heiterkeit bedürftig, auf das Innere seines Hauses und seines Herzens hingewiesen. Aus dem tropfenden Nebel draußen flüchtet er in sein Haus, die Burg, wo auch der Bettler König ist, und träumt sich am Feuer seines Herdes ein Paradies. Während der Südländer vorzugsweise im Freien, auf dem Markte lebt, fühlt sich der Deutsche am wohlsten in seinem Hause, das schmückt er mit allem, was ihm gefällt, dort birgt auch der Ärmste, was er dem Leben abgerungen hat; es ist der Mantel, der ihn einhüllt und schirmt, in dem sein Wesen und Stand sich ausprägt. Indessen nicht nur mit dem Hause, auch mit der Natur ist der Deutsche mehr als der Südländer verwachsen. Bei künstlichem Licht und am Ofen zählt er die Tage, bis der Frühling den Winter verdrängt. Das allmähliche Wachsen des Tages, das frühere Hereindämmern des Morgens, die ahnungsvolle Bläue der laueren Abende, das triumphierende Rauschen südlicher Winde, alles das erlebt er mit voll Ungeduld und Sehnsucht. Frühling, was für ein Wort melodischen Zaubers, Herbst, was für ein Akkord aus goldener Fülle und unsäglicher Schwermut! Der rhythmische Wechsel der Jahreszeiten, der das Leben des Deutschen bestimmt, das jubelnde Hinausstürmen in das neubelebte Land, der Abschied vom Ersterbenden, der stete Anblick des unabänderlichen Werdens und Vergehens stimmt zur Nachdenklichkeit.

Aber noch in anderer Weise beeinflußte ihn die Härte des Klimas und die Unergiebigkeit des Bodens; sie zwang ihn zur Arbeit und lehrte ihn sie lieben. Nicht als Fluch und Siegel der Knechtschaft lernten die Deutschen die Arbeit betrachten, sondern als Kraft und Ehre und Ausdruck der Persönlichkeit. Sie sind immer ein armes und hart arbeitendes Volk gewesen, aber ein Volk, das mit Eifer und Liebe arbeitet, das seine Arbeit gern zur Kunst veredelt oder mit Kunst verbindet. Hans Sachs, der Schuster, der dichtet, Jakob Böhme, der Schuster, der philosophiert, Willegis, der vom Stellmacher zum Erzbischof, Derfflinger, der vom Schneider zum Feldherrn aufsteigt, das sind volkstümliche deutsche Gestalten. Die kunstgewerblichen Leistungen der Handwerker, ihr Innungswesen, und wie sie sich Anteil an der städtischen Regierung erkämpfen, dies Blatt unserer mittelalterlichen Geschichte betrachten wir mit Stolz.

Es war das eigentümliche Schicksal der Germanen, daß sie, ein junges Volk, mit der überlegenen Kultur eines alten, in der Auflösung begriffenen, sich auseinandersetzen mußten. Nach Italien und Frankreich strömten die Germanen hinein und verjüngten den römischen Stamm, in Deutschland bedrängte den jungen germanischen Stamm eine erobernde alte Kultur, verbunden mit deren bester, edelster Frucht, dem Vermächtnis der antiken Welt, dem Christentum. Kindlich-barbarische Wildheit fand sich der göttlichen Klarheit des Sterbens gegenüber und verschmolz mit ihr vermittels empfänglicher Gläubigkeit. Wenn die Deutschen Vertreter der Freiheit waren, so hängt das mit ihrer Religiosität zusammen; denn Freiheit war für sie das Merkmal der in der Gottheit wurzelnden Persönlichkeit. Aus den tiefsten, keiner menschlichen Kraft zugänglichen Gefühlsabgründen quillt auch die mächtigste, geheimnisvollste aller Künste, in welcher die Deutschen am meisten schöpferisch und wegweisend gewesen sind, die Musik.

Von dem Volke, das Tacitus geschildert hat, das gern auf der Bärenhaut lag, wenn es nicht mit Krieg oder Jagd beschäftigt war, das Gold und Silber gering achtete und sich nicht darum kümmerte, was für Schätze seine Erde barg, von dem Volk auch, das eine großartige, zugleich monarchische, aristokratische und demokratische Verfassung schuf, beweglich, umfassend, entwicklungsfähig wie die Natur selbst, deren Oberhaupt das Haupt des Abendlandes war, ist das gegenwärtige deutsche Volk so weit entfernt, daß es kaum dasselbe zu sein scheint; sind ihm doch auch wichtige Glieder seitdem entfremdet, wie Holland, die Schweiz, Österreich. Auch der einzelne Mensch, wenn er, gealtert, an seine Kindheit und Jugend zurückdenkt, wo er so weich, so gläubig und zugleich so ungestüm und herb und schneidend im Urteil war, möchte zweifeln, ob er derselbe ist, und doch werden sich von allen Phasen seines Daseins Spuren in seiner heutigen Erscheinung finden lassen. Deutschland ist jetzt ein Land rastloser und oft freudloser Arbeit, nüchterner Sachlichkeit, praktischen Zielen zugewandt, großstädtisch und auch großspurig, grell und laut; aber wer es aufmerksam durchwandert, wird doch auch dem alten Deutschland begegnen, seinen raunenden Wäldern, seinen grundlosen Brunnen, seinen verwilderten Ruinen, seinen Liedern, seinen Phantasien, seinen ernsten treuen Menschen, die der Gerechtigkeit nachjagen.

* * *

WOLFGANG KOEPPEN

Der Eiserne Vorhang

Der *Eiserne Vorhang* — war er hinter Bamberg, an der Saale, vor Thüringens grünen Bergen? Ein deutscher Mann kam in das Abteil. Seine Uniform war preußisch und war russisch, auf jeden Fall war sie militärisch, er selbst war jung und mochte wohl aus einer Kleinstadt stammen, wenn nicht vom Lande, und er war weltanschaulich geschult worden, das sah man ihm an, die Grundlehren des Marxismus-Leninismus steiften ihm den Rücken, versetzten ihn aber auch in eine immerwährende Abwehrstellung gegen eine Welt von Feinden, was nun wieder äußerst deutsch war, und im übrigen benahm er sich korrekt und sehr höflich. Er schrieb meine Personalien aus meinem Paß ab, und es war, als wenn ein höflicher, aber strenger Polizist einen aufschreibt, weil man bei rotem Licht über die Straße gegangen ist. Hatte ich das rote Licht übersehen? Ich lag in Deutschland in einem deutschen Zug in einem deutschen Mitropa-Bett, und der deutsche Polizist in der preußisch-russischen Uniform reichte mir

eine Durchschrift seiner Notizen und wünschte mir eine gute Nacht. Die Nacht war hell, Weimar mußte nahe sein und Eisenach und Wittenberg und Schillers Jena, und als früh der Morgen dämmerte, roch es nach Chemie und Gas, und das Leuna-Werk — auch dies eine deutsche Burg — lag unter trägem Rauch. Die Mauern bröckelten, die Fenster waren blind, die Höfe menschenleer, ein Spruchband flatterte und spornte zu höherer Leistung an. Wen? Für wen? Auf kleinen Bahnhöfen standen müde Menschen im Morgenwind. Diesmal kam ein Mädchen ins Abteil. Ihre Uniform war nicht preußisch und nicht russisch, aber sie erinnerte an den Krieg, weil Mädchen in Uniform immer das Bild des Krieges heraufbeschwören. Das Mädchen forderte den Zettel zurück, den mir der Volkspolizist gegeben hatte. Ich reichte ihn ihr, und das Mädchen strahlte und wünschte mir einen guten Morgen. Ich war kontrolliert worden. Hatte man befürchtet, ich könne in den mitteldeutschen Wäldern verschwinden und wie Karl Moor eine Räuberbande gründen?
Was blieb vom Bahnhof Zoo, was von dem Square Hardenbergstraße, Kurfürstendamm, Tauentzienstraße? Was blieb von Pompeji? Die neuen Bauten sehen wie nach einem Erdbeben errichtet aus. Werden sie standhalten? Im Hotel Kempinski war das bestellte Zimmer noch nicht frei. Wer kommt schon zu so früher Stunde an, wer reist noch mit dem Zug? Die Regierung fällt aus der Luft, und auch der Geschäftsmann steigt wie ein Gott aus der Wolke. Der Empfangschef belehrte mich, daß seine Gäste immer erst mit den Nachmittagsflugzeugen abzureisen pflegen; aber er empfahl mir, zu frühstücken. Im Frühstückszimmer waren einige der Leute, die erst am Nachmittag prächtige Himmelfahrt halten. Der Kellner wies mir auf englisch einen Platz an; es gab amerikanische Frühstücksspeisen und überseeische Zeitungen, und die Männer, die diese Speisen aßen und diese Zeitungen lasen, sahen aus, als ob sie die erdbebensicheren Bauten in der Stadt errichtet hätten und nun nach ihrem Gewinn sehen wollten. Wer saß in den Autobussen? Einst fuhren sie vom Grunewald zur City. Es gab keine City mehr. Die Autobuslinien enden am Potsdamer Platz. Für manchen endet hier die Welt. Wieder das Spiel Himmel und Hölle. Ein unsichtbarer Kreidestrich. Hypnotisierte Hühner. Polizisten hüben, und Polizisten drüben. Das Unkraut in der Mitte, — ein Stück der Wahrheit oder der Chimäre? In der ausgebrannten Halle des Anhalter Bahnhofs wächst Gras und lärmen Kinder; die Kinder schossen mit Wasserpistolen aufeinander und fielen tot zwischen die toten Gleise.
Ich brauchte für meine Reise ein polnisches Visum, und ich ging den Kurfürstendamm hinunter zur polnischen Militärmission. Auf einer Kaffeehausterrasse frühstückten Japaner. Ein Besichtigungsbus stand bereit zur Fahrt durch den West- und Ostsektor der Stadt. Die Japaner putzten die

Objektive ihrer photographischen Apparate blank; sie wollten Pompeji sicher nach Hause tragen. Im Gebäude der polnischen Militärmission drängten sich die Menschen. Es brauchten offenbar viele Reisende ein polnisches Visum. Im Warteraum wurden Fragebögen ausgefüllt, und hin und wieder kam eine Angestellte der Mission in das Zimmer und fragte noch nach Dingen, die in den Formularen nicht vorgesehen waren. Ich las die ausgezeichnet gestaltete, formal und inhaltlich hervorragende Zeitschrift »Polen« und fand dort die leidenschaftlichsten Bekenntnisse polnischer Schriftsteller zur literarischen und künstlerischen Freiheit, zur Freiheit der Gedanken und zur Freiheit des Gewissens. Eine Frau aus Hamburg, die in Allenstein geboren war, kämpfte um ein Visum, um in Allenstein an der Beerdigung ihrer Mutter teilnehmen zu können. Die Frau stellte sich ungeschickt an. Die anderen Visumbewerber waren viel geschickter. Sie wollten niemand beerdigen, sie wollten nach Posen zur Messe und dort Geld verdienen. Der Kulturattaché der Mission fragte mich vorwurfsvoll, warum das Innenministerium in Bonn zwei bedeutenden polnischen Schriftstellern die Einreise in die Bundesrepublik verweigert habe. Ich wußte es nicht; der Innenminister hatte sich nicht mit mir beraten. Der polnische Kulturattaché ließ mir mein Visum ausstellen und bot mir polnisches Gebäck an. Das Gebäck erinnerte mich an Thorn, an die Weichsel und an das Denkmal des Kopernikus. Das Gebäck schmeckte nach Honig und Schokolade, es schmeckte wie ein Kinderkonditoreibesuch in Thorn, ich stand im Schatten des Kopernikus und sicher in seinem Weltbild, Ulanen ritten durch die Stadt, ein Fesselballon schwebte über den Kasematten, und aus Thorn wurde Torun.

Ich mußte in das andere Berlin fahren, unterirdisch und überirdisch, die Stadtbahn und die Untergrundlinien verbinden noch die getrennte Welt, westdeutsches Theater, ostdeutsches Theater, — die Zeitungen des Ostens, die Zeitungen des Westens, und Mißmut reist mit den Menschen in diesen Zügen. Ein Morgen am Bahnhof Friedrichstraße. Vor einem Pavillon Propagandatafeln einer Ausstellung. Schwarzrotgoldene Fahnen. Volkspolizisten und Mädchen. Am Straßenrand eine Reihe von Telefonapparaten. Nimmt man den Hörer ab, erklärt einem eine vorwurfsvolle Stimme, warum es in der DDR keine Oppositionsparteien geben könne. Die Volkspolizisten und die Mädchen albern miteinander. In der Ausstellung wird deutsche Geschichte erzählt, deutsche Kriegsgeschichte von 1870, von 1914, von 1939, Bilder und Dokumente des Grauens und Erklärungen und Beweise, wie man am Entsetzlichen profitierte. Keine Lüge, aber Vereinfachungen. Die Wahrheit, aber nur die eine Seite der Wahrheit. Eine Schulklasse wird durch die grausige Schau geführt. Ein sehr junger Lehrer deutet auf ein Stück verschrumpeltes Pergament und sagt, dies wurde aus

Menschenhaut hergestellt. Die Kinder starren auf das Stück Pergament aus Menschenhaut. Was geht in ihnen vor? Ihre Gesichter sind Schulausflugsgesichter. Ein Mädchen ißt eine Stulle. An der Ecke Friedrichstraße-Unter den Linden blieb Hitlers Krieg verloren. Ein Grab der Hybris. Wenige Menschen bewegen sich in den langen pedantisch aufgeräumten Straßen der Ruinenfassaden wie in einem Schattenreich. Voll Menschen aber ist das deutsche Reisebüro in der Charlottenstraße. Die Welt ist geteilt, aber die Menschheit reist in jeder ihrer Hälften. Bunte Plakate locken nach Prag und nach Warschau, die ostdeutsche Lufthansa bietet ihre Flüge nach Bukarest an, verlangt werden Fahrkarten nach Leipzig und nach Wismar, aber auch Peking ist von hier leicht zu erreichen. Ich habe ein Billett nach Moskau bestellt. Ein sehr tüchtiges Mädchen, eine echte Berlinerin, sagt, ja, ein Herrenbett. Ich sage, nein, ein Einzelabteil. Das tüchtige Mädchen sagt, es gibt keine Einzelabteile im Berlin-Moskau-Expreß, es gibt nur Kabinen zu vier Betten. Ich bin enttäuscht, ich wollte träumen, nun sehe ich mich durch Unterhaltungen unbekannter Reisender gestört und denke an Herrn Twerdochlebows bequeme Flüge über Kopenhagen. Ich frage, wer reist mit mir in meinem Abteil? Eine Delegation der Wismutarbeiter. Ich sehe mich mit der Delegation in Moskau empfangen, ich denke an Brechts »Mann ist Mann« und besichtige Wismutbergwerke in der Sowjetunion. Ich frage das Mädchen, was kann man tun. Das Mädchen sagt, nichts. Sie sieht mich strahlend an. Ich sage, man kann nicht allein sein? Sie sagt, Sie müßten vier Betten bestellen, vier Fahrkarten kaufen. Es ist ein kapitalistischer Ausweg. Träume und Einsamkeit sind teuer. Ich entschließe mich, den kapitalistischen Weg zu gehen. Ich schäme mich. Das Mädchen fragt spöttisch, wollen Sie auch für vier Personen essen? Ich sage, nein, nur träumen. Das Mädchen schreibt vier Fahrscheine, vier Bettkarten und einen Essensbon aus. Der Essensbon spricht viele Sprachen. Mit geheimnisvollen Zeichen spricht er chinesisch und arabisch. Es ist eine internationale Strecke, es ist ein Weltweg, den ich fahren will. Das tüchtige Mädchen gibt mir vier dicke, korrekt ausgestellte Fahrscheinhefte und wünscht eine gute Reise. Nun brauche ich noch ein Durchreisevisum durch die DDR und eine Erlaubnis der deutschen Notenbank, Geld und Reiseschecks durch die Demokratische Republik transportieren zu dürfen. Es gibt viele Ämter, es gibt viele Formulare, es gibt viele Stempel in diesem Staat, der doch auch unser Staat ist. Die Behörden sind bewacht, die Portiers sind streng, vor jedem Schalter wartet eine Schlange, und man selber steht oft vor dem falschen Schalter an, aber überall fand ich eines der tüchtigen, hellwachen und selbstbewußten Berliner Mädchen, das, wenn man sich in Paragraphen und Bestimmungen hoffnungslos verstrickt glaubte, schnell das Vernünftige tat,

das Visum ausschrieb, die Erlaubnis erteilte und von Herzen eine gute Reise wünschte. Immerhin doch erschöpft, erreichte ich wieder den Bahnhof Friedrichstraße, ging in den Wartesaal, bestellte mir nach der Karte einen sowjetischen Wodka, und der Kellner sah mich mißtrauisch an und sagte, wir haben nur Adlershorster Wodka, und ich sagte, gut, also Adlershorster Wodka, und der Kellner war noch nicht zufrieden und sagte, Ihren Ausweis, und als ich ihn erstaunt ansah, fragte er nach meiner Aufenthaltsgenehmigung, und als ich ihm eingeschüchtert versicherte, ich hätte keine, da sagte er mir, dann müssen Sie in Westgeld zahlen. Ich besaß gar kein Ostgeld. Der Wodka schmeckte wirklich nach Adlershorst; er schmeckte nach einem kleinen Land.
Am Abend verließ ich die Bundesrepublik, verließ ich Westberlin durch die Hintertür. Es gibt hier nur die Hintertür. Kein Grenzschutzmann, kein Zollbeamter kontrollierte mich. Ich fuhr mit der Stadtbahn über die Brücke hinter dem Lehrter Bahnhof, ich sah das geschwungene Dach der neuen Kongreßhalle, sah die Ruine des Reichstags und war schon über dem grünen Garten der Charité in der östlichen Welt. Es war ein schöner Abend, eine linde Luft, ein paar Wolken am Himmel, kein Vorhang weit und breit. Doch der Ostbahnhof, der alte Schlesische Bahnhof war merkwürdig dunkel. Aber war er es nicht immer? Man mußte vom Stadtbahnsteig zum Fernbahnsteig durch lange Gänge gehen, die wie unterirdische Verliese wirkten. Es gab keine Gepäckträger. Die Reisenden hasteten mit ihren Lasten durch die schwach erleuchteten Tunnel, und jedermann war gereizt und wie in der Furcht, seinen Zug, sein Ziel, sein Leben zu versäumen.

BENNO REIFENBERG

Tagebuchnotizen aus Berlin 1947

Immer wieder ziehe ich mit Genugtuung den Plan der U-Bahn zu Rate. Er hat seine alte Reichweite, ich freue mich an der Geschicklichkeit, den Riesenkörper ganz zu durchbluten. Die Stadt wird als eine Allgegenwart gefühlt. Auf diesen Fahrten, beim Halleschen Tor über Scheinkulissen ausgebrannter Straßen, während der Minute Haltezeit am Wittenbergplatz oder Stadtmitte, beim Zischen der Bremsen und dem Hellwerden der Tunnels vor den Stationen, beim Dirigieren der oft weiblichen Stimmen »Türen schließen!«, »Abfahren!« vermag ich völlig die seltsame Landung in Tegel zu vergessen, die mir doch den wahren Zustand von Berlin enthüllte. Ich bin einer aus den Millionen, die, im Vertrauen auf das Fortleben dieser Stadt, hier ihr Dasein eingerichtet haben. Es zu beschreiben, würde das taumelnde Aufzählen seiner Erscheinungen, wie das Walt Whitman vermochte und so manche Autoren unserer Jahre erstrebten, nicht genügen; es müßte wohl ein Balzac sein, der in den scheinbar amorphen Menschenmassen neue Schichtungen entdecken würde, und in jeder Schicht — die keineswegs mit dem Klassenschema erschöpft wäre — würde der große Romancier Schicksale der Einzelnen aufleuchten lassen, wie Edelsteine oder Tränen. Hinter Gesundbrunnen steigen Frauen mit Hacken ein, die sie in altes Tuch gehüllt haben, sie dürfen irgendwo an Stadtbahnendpunkten auf schon abgeernteten Äckern nach Kartoffeln buddeln. Abends pressen sie sich und ihre Säcke in die Wagen, wo andere von draußen sich einfinden, Halbwüchsige, die Reisig, kleingebrochen und gebündelt, mit sich führen. »Mensch, det war mehr wie Mord«, sagte eine Alte zu mir, der ich half, als sie am Ende der Stadtbahn Friedrichstraße ausstieg. Sie hatte sich, nachdem das Abteil leer geworden war, vor die Bank von rückwärts gekniet und angelte nach den Riemen des schweren Rucksacks, rechts und links hatte sie griffbereit zwei weitere Bündel. Solche Bilder finden sich nach Krumme Lanke hinaus weniger häufig. Adrette Sekretärinnen bestimmen da die Szene. Aber die Kinder, die morgens aus dem Westen mit der U-Bahn in die Schule fahren, jedes seinen Topf für die Klassenspeisung am Tornister, zeigen auch hier dünne Gesichtchen. Noch ist der klassische Gegensatz zwischen dem behüteten Westend und dem armen Eastend aller europäischen Großstädte auch in Berlin zu spüren. Er verschleift sich nur langsam, und seltsamerweise ist es dem Fremden nicht möglich, ein Element der Flüchtlinge im äußeren Stadtbild wahrzunehmen. Die U-Bahn wird von Tätigen gefüllt, freilich der Rauch von Buchenblättern verbreitet wie nach 1918 Gram und Spärlichkeit, manche Aktentasche zeugt nicht mehr von gesichertem Bürodienst, sie ist abgewetzt, degradiert als Behältnis der Verzweiflung (in der Kanonierstraße sah ich einen Herrn die Aktentasche mit verkohlten Holzstücken füllen, die das Abräumen gerade an den Tag gefördert hatte). Aber ich würde, wenn vom Berliner die Rede ist, am ehesten an den Mann denken, der fest im schaukelnden U-Wagen gerade unter dem Licht steht (in den Kuppeln brennt je nur eine Birne), die Zeitungen liest, gespannt, sehr wach und der, ohne nach den Stationsnamen auszuschauen, rasch und geschickt den Wagen verläßt. Er liest natürlich mehrere Zeitungen zugleich, die aus den östlichen und den westlichen Sektoren.

Abends stand ich oben auf dem Bahnhof Friedrichstraße, sah Kähne im schwarzen Wasser an der Weidendammer Brücke liegen, in der zerstörten Häuserfassade brannte irgendwo ein Licht wie ein Signal. Als Licht in gewaltigen Dunkelheiten, so erschien mir plötzlich Berlin, Licht, das die dahinterliegenden Schwärzen noch undurchdringlicher macht. Ich hätte gerne gewußt, warum am Pariser Platz, diesem einstigen Entree zu einer großen angesehenen Nation, in den Trümmern der ehemaligen amerikanischen Botschaft mit Scheinwerferlicht die Nacht durch gearbeitet wird. Wenige hundert Meter hinter dem Brandenburger Tor erhebt sich, über dem Abgrund, der einst Tiergarten hieß, angestrahlt von den Projektoren, das weiße Denkmal für den Sowjetsoldaten; rechts und links vom Halbrund des Sockels sind zwei Tanks aufgefahren. Im äußersten Osten der Stadt hatte ich heute nachmittag beim Besuch von Freunden ein anderes Kriegerdenkmal der Russen betrachtet. Mir war aufgefallen, daß auf der Inschriftseite einige Steine erneuert waren. Ich wurde belehrt, vor etwa zwei Monaten sei die Stelle »Gefallen für das Vaterland« verändert worden in: »Gefallen für die Menschheit«. Wie bedaure ich, die Sprache nicht zu verstehen. Vielleicht fände ich durch sie einen Zugang zu der mir so fremden Welt. Als ich am Bahnhof Gesundbrunnen warten mußte, wartete neben mir ein sowjetrussischer Unteroffizier. Nach seinem langen Reitermantel würde ich denken, er war ein Wachtmeister. Er hatte den Mantel in mächtigem Bausch unter den Arm gepreßt — der Oktobertag war heiß — und lehnte gegen einen Laternenpfahl. Über dem altmodischen Schnurrbart schaute ein gleichmütiges, gesundes Gesicht ins Weite. Ich hatte das deutliche Gefühl, der Zug hätte noch Stunden ausbleiben können, und jener Gleichmut wäre nicht verschwunden, vielmehr wäre die rätselvolle Kraft in dem Mann angewachsen, ungemessen, ja ein Leben lang Zeit zu haben. Aber der Zug kam, der Wachtmeister stieg ein, und im Gedränge riß er sich eine Epaulette vom Mantel los. Geschickt schob sich der Soldat in eine Ecke, wo er einigermaßen geschützt stand, kramte in der Tasche, zog Nadel und Faden heraus und nähte geduldig die goldrote Litze wieder fest.

Heute nachmittag hat der nebelnde Regen aufgehört. Ich ging hinter K.s Wohnung etwas spazieren. Aus der Ferne denke ich immer an den Grunewald in der vereinfachten Jugendstilkulisse, die Walter Leistikow wohl zum erstenmal gesehen haben mag. Aber wenn mein Fuß diesen Sandboden betritt, überrascht mich dessen Farbenreichtum. Wie auf Ruisdaels Bildern von den Dünen ziehen mit stiller Helligkeit die Wege durch die Kiefern, als träumten sie von einer blassen Sonne. Ich begreife, warum die Berliner wie die Japaner die Bäume ihrer Heimat lieben müssen, diese immerwährenden Abendröten im Geäst unter dem mattgrünen Rauch der Nadelbüsche. Im Gehen verließ mich etwas die Unruhe, die seit so vielen

Gesprächen in mir wach geworden ist. Ich bin es schon gewohnt, daß fast jeder, der erfährt, ich sei aus dem Westen Deutschlands, von mir wissen will, ob die Amerikaner Berlin verlassen werden. Möglicherweise hat eine amerikanische Agenturmeldung dieser Woche und das Dementi hoher Autoritäten — kein Abzug, nicht jetzt und nicht in absehbarer Zukunft — die Frage so aktuell gemacht. Aber ich weiß, hier ist der Kernpunkt gemeint. Die Berliner sind bereit, ihre Stadt als eine Insel zu betrachten, umzäunte Quarantänestation in einem krankhaft entstellten Deutschland. Doch der Gedanke quält sie, diese Insel könnte trügen, sich losreißen und im Meer des Ostens als ein Riesenfloß davontreiben. Durch Berlin geht manchmal ein Zittern, wie vor einem Erdbeben, und an den Sektorenrändern sucht man nach den Rissen. Dann wieder plötzlich ist garnichts geschehen. Trieben Einbildungen ihr Spiel und gaukelten um die Straßenschilder in deutschen und kyrillischen Lettern? . . .

WALTER BENJAMIN

Berliner Kindheit — Abreise und Rückkehr

Der Lichtstreif unter der Schlafzimmertür, am Vorabend, wenn die andern noch auf waren, — war er nicht das erste Reisesignal? Drang er nicht in die Kindernacht voller Erwartung wie später in die Nacht eines Publikums der Lichtstreif unter dem Bühnenvorhang? Ich glaube, das Traumschiff, das einen damals abholte, ist oft über den Lärm der Gesprächswogen und die Gischt des Tellergeklappers vor unsere Betten geschwankt, und am frühen Morgen hat es uns abgesetzt, fiebrig, als wenn wir die Fahrt schon hinter uns hätten, die wir eben erst antreten sollten. Fahrt in einer ratternden Droschke, die den Landwehrkanal entlangfuhr und in der mir plötzlich das Herz schwer wurde. Gewiß nicht wegen des Kommenden oder des Abschieds; sondern das öde Beisammensitzen, das noch anhielt, noch dauerte, nicht vom Anhauch der Reise wie ein Gespenst vor der Morgendämmerung verflogen war, überschlich mich mit Traurigkeit. Aber nicht lange. Denn wenn der Wagen die Chausseestraße hinter sich hatte, war ich wieder mit den Gedanken unserer Bahnfahrt vorangeeilt. Seither münden für mich die Dünen Koserows oder Wenningstedts hier in der Invalidenstraße, wo den andern die Sandsteinmassen des Stettiner Bahnhofs entgegentreten. Meist aber war in der Frühe das Ziel ein näheres. Nämlich der »Anhalter«, laut des Namens Mutterhöhle der Eisenbahnen, wo die Lokomotiven zu Hause sein und die Züge anhalten mußten. Keine Ferne war ferner, als wo im Nebel seine Gleise zusammenliefen. Doch auch die Nähe, die mich eben noch umfangen hatte, rückte ab. Die Wohnung lag der Erinnerung verwandelt vor. Mit ihren Teppichen, die eingerollt, den Lüstern, die in Sackleinwand vernäht, den Sesseln, die überzogen waren, mit dem Halblicht, das durch die Jalousien sickerte, gab sie, indem wir eben erst den Fuß aufs Trittbrett unseres D-Zug-Wagens setzten, der Erwartung von fremden Sohlen, leisen Tritten Raum, die, vielleicht bald, über die Dielen schleifend, Diebesspuren in den Staub einzeichnen sollten, der seit einer Stunde gemächlich seine Niederlassungen bezog. Daher geschah es, daß ich jedesmal als Heimatloser aus den Ferien kam. Und noch die letzte Kellerhöhle, wo die Lampe schon brannte — nicht erst zu entzünden war — schien mir beneidenswert, mit unserer Wohnung verglichen, die im Westen dunkelte. So boten bei der Heimkehr aus Bansin oder aus Hahnenklee die Höfe mir viel kleine, traurige Asyle an. Dann freilich schloß die Stadt sie wieder ein, als reue ihre Hilfsbereitschaft sie. Wenn dennoch einmal der Zug vor ihnen zögerte, so war es, weil ein Signal kurz vor der Einfahrt uns die Strecke sperrte. Je langsamer er fuhr, desto schneller zerging die Hoffnung, hinter Brandmauern der nahen Elternwohnung zu entkommen. Doch diese überzähligen Minuten, eh alles aussteigt, stehen heute noch in meinen Augen. Mancher Blick hat sie vielleicht gestreift wie in den Höfen Fenster, die in schadhaften Mauern stecken und hinter denen eine Lampe brennt.

THEODOR FONTANE

Auf der Suche

Ich soll Ihnen etwas schreiben, wenn es auch nur eine »Wanderung« wäre. Nun so sei's denn; und wenn nicht eine Wanderung durch die Mark, was zu weitschichtig werden könnte, so doch wenigstens eine Wanderung durch Berlin W. Aber wohin? Ich war tagelang auf der Suche nach etwas Gutem und wollt' es schon aufgeben, als mir der Gedanke kam, mein Auge auf das Exterritoriale zu richten, auf das Nicht-Berlin in Berlin, auf die fremden Inseln im heimischen Häusermeer, auf die Gesandtschaften. Das Neue darin erfüllte mich momentan mit Begeisterung und riß mich zu dem undankbaren Zitate hin, undankbar gegen unsere gute Stadt: »Da, wo du nicht bist, ist das Glück.«

Also Gesandtschaften! Herrlich. Aber wie sollte sich das alles in Szene setzen? Wollt ich interviewen? Ein Gedanke nicht auszudenken. Und so stand ich denn in der Geburtsstunde meiner Begeisterung auch schon wieder vor einer Ernüchterung, der ich unterlegen wäre, wenn ich mich nicht rechtzeitig einer mehr als dreißig Jahre zurückliegenden Ausstellung erinnert hätte, die der damals von seiner Weltreise zurückkehrende Eduard Hildebrandt vor dem Berliner Publikum zu veranstalten Gelegenheit nahm. Wie wenn es gestern gewesen wäre, steht noch der Siam-Elefant mit der blutrot neben ihm untergehenden Sonne vor mir; was mir aber in der Reihe jener damals ausgestellten Aquarelle mindestens ebenso schön oder vielleicht noch schöner vorkam, waren einige farbenblasse, halb hingehauchte Bildchen, langgestreckte Inselprofile, die, mit ihrem phantastischen Felsengezack in umschleierter Morgenbeleuchtung, vom Bord des Schiffes her aufgenommen waren. Nur vorübergefahren war der Künstler an diesen Inseln, ohne den Boden derselben auch nur einen Augenblick zu berühren, und doch hatten wir das Wesentliche von der Sache, die Gesamtphysiognomie. Das sollte mir Beispiel, Vorbild sein, und in ganz ähnlicher Weise, wie Hildebrandt an den Sechellen und Comoren, wollt' ich an den Gesandtschaften vorüberfahren und ihr Wesentliches aus ehrfurchtsvoller und bequemer Entfernung studieren.
Aber mit welcher sollt' ich beginnen? Ich ließ die Gesamtheit der Gesandtschaften Revue passieren, und da mir als gutem Deutschen der Zug innewohnt, alles, was weither ist, zu bevorzugen, entschied ich mich natürlich für China, Heydtstraße 17. China lag mir auch am bequemsten, an meiner täglichen Spaziergangslinie, die, mit der Potsdamer Straße beginnend, am jenseitigen Kanalufer entlangläuft und dann unter Überschreitung einer der vielen kleinen Kanalbrücken von größerem oder geringerem (meist geringerem) Rialtocharakter am Tiergarten hin ihren Rücklauf nimmt, bis der Zirkel an der Ausgangsstelle sich wieder schließt.
Eine Regenwolke stand am Himmel; aber nichts schöner als kurze Aprilschauer, von denen es heißt, daß sie das »Wachstum« fördern; und so schritt ich denn »am leichten Stabe«, nur leider um einiges älter als Ibykus, auf die Potsdamer Brücke zu, deren merkwürdige Kurvengeleise, darauf sich die Pferdebahnwagen in fast ununterbrochener Reihe heranschlängeln, immer wieder mein Interesse zu wecken wissen. Und so stand ich auch heute wieder an das linksseitige Geländer gelehnt, einen rotgestrichenen Flachkahn unter mir, über dessen Bestimmung eine dicht neben mir angebrachte Brückentafel erwünschte Auskunft gab: »Dieser Rettungskahn ist dem Schutze des Publikums anempfohlen.« Ein zu schützender Retter; mehr bescheiden als vertrauenerweckend.

Und nun war der Brückensteg da, der mich nach China hinüberführen sollte. So schmal ist die Grenze, die zwei Welten voneinander scheidet. Eine halbe Minute noch, und ich war drüben.
Kieswege liefen um einen eingefriedeten »lawn«, den an dem einen Eck ein paar mächtige Baumkronen überwölbten. Da nahm ich meinen Stand und sah nun auf China hin, das chinesisch genug da lag. Was da vorüberflutete, gelb und schwer und einen exotischen Torfkahn auf seinem Rücken, ja, war das nicht der Yangtsekiang oder wenigstens einer seiner Arme, seiner Zuflüsse? Am echtesten aber erschien mir das gelbe Gewässer da, wo die Weiden sich überbeugten und ihr Gezweig eintauchten in die heilige Flut. Merkwürdig, es war eine fremdländische Luft um das Ganze her, selbst die Sonne, die durch das Regengewölk durchwollte, blinzelte chinesisch und war keine richtige märkische Sonne mehr. Alles versprach einen überreichen Ertrag, ein Glaube, der sich im Näherkommen nicht minderte; denn an einer freigelegten Stelle, will sagen da, wo die Maschen eines zierlichen Drahtgitters die chinesische Mauer durchbrachen, sah ich auf einen Vorgarten, darin ein Tulpenbaum in tausend Blüten stand und ein breites Platanendach darüber. Alles so echt wie nur möglich, und so war es denn natürlich, daß ich jeden Augenblick erwartete, den unvermeidlichen chinesischen Pfau von einer Stange her kreischen zu hören.
Aber er kreischte nicht, trat überhaupt nicht in Erscheinung, und als mein Hoffen und Harren eine kleine Viertelstunde lang ergebnislos verlaufen war, entschloß ich mich, ein langsames Umkreisen des chinesischen Gesamtareals eintreten zu lassen. Ich rückte denn auch von Fenster zu Fenster vor, aber wiewohl ich, laut Wohnungsanzeiger, sehr wohl wußte, daß, höherer Würdenträger zu geschweigen, sieben Attachés ihre Heimstätte hier hatten, so wollte doch nichts sichtbar werden, eine Tatsache, die mir übrigens nur das Gefühl einer Enttäuschung, nicht aber das einer Mißbilligung wachrief. Im Gegenteil. »Ein Innenvolk«, sagte ich mir, »feine, selbstbewußte Leute, die jede Schaustellung verschmähn. All die kleinen Künste, daran wir kranken, sind ihnen fremd geworden und, in mehr als einer Hinsicht ein Ideal repräsentierend, veranschaulichen sie höchste Kultur mit höchster Natürlichkeit.« Und in einem mir angeborenen Generalisierungshange das Thema weiter ausspinnend, gestaltet sich mir der an Fenster und Balkon ausbleibende Chinese zur Epopöe, zum Hymnus auf das Himmlische Reich.
Schließlich, nachdem ich noch einigermaßen mühevoll, weil durch den Flur des Hauses hin, einen in der Hofnische stehenden antiken Flötenspieler entdeckt hatte, war ich um die ganze Halbinsel herum und stand wieder vor dem Gitterstück mit dem Tulpenbaum dahinter. Aber die

Szene hatte sich mittlerweile sehr geändert; und während mehr nach rechts hin, in Front der massiven Umfassungsmauer, vier Jungen Murmel spielten, sprangen mehr nach links hin, vor einem ähnlichen Mauerstück, mehrere Mädchen über die Korde. Die älteste mochte elf Jahre sein. Jede Spur von Mandel- oder auch nur Schlitzäugigkeit war ausgeschlossen, und das mutmaßlich mit Wasser und einem ausgezahnten Kamm behandelte Haar fiel, in allen Farben schillernd, über eine fußlige Pelerine, der Teint war grießig und die grauen Augen vorstehend und überäugig; so hupste sie, gelangweilt, weil schon von Vorahnungen kommender Herrlichkeit erfüllt, über die Korde, der Typus eines Berliner Kellerwurms.
Ich sah dem zu. Nach einigen Minuten aber ließen die Jungens von ihrem Murmelspiel und die Mädchen von ihrem Über-die-Korde-Springen ab und gaben mir, auseinanderstiebend, erwünschte und bequeme Gelegenheit, die blau und roten Inschriften zu mustern, die gerade da, wo sie gespielt hatten, die chinesische Mauer reichlich bedeckten. Gleich das erste, was ich las, war durchaus dazu angetan, mich einer reichen Ausbeute zu versichern. Es war das Wort »Schautau«. Wenn »Schautau« nicht chinesisch war, so war es doch mindestens chinesiert. Vielleicht ein bekannter Berolinismus, in eine höhere fremdländische Form gehoben. Aber all meine Hoffnungen, an dieser Stelle Sprachwissenschaftliches oder wohl gar Geschichte von den Steinen herunterlesen zu können, zerrannen rasch, als ich die nebenstehenden Inschriften überflog. »Emmy ist sehr, sehr nett« stand da zunächst mit Kinderhandschrift über drei Längssteine hingeschrieben, und es war mir klar, daß eine schwärmerische Freundin Emmys (welch letztere wohl kaum eine andere als die mit der Pelerine sein konnte) diese Liebeserklärung gemacht haben müsse. Parteiungen hatten aber auch dies Idyll an der Mauer schon entweiht, denn dicht daneben stand: »Emmy ist ein Schaf« welche kränkende Bezeichnung sogar zweimal unterstrichen war. Auf welcher Seite die tiefere Menschenkenntnis war, wer will es sagen? Haß irrt, aber Liebe auch.
Ich hing dem allem noch nach, mehr und mehr von der Erfolglosigkeit meiner Suche, zugleich auch von der Notwendigkeit eines Rückzuges durchdrungen. Ich trat ihn an, nachdem ich zuvor noch einen Blick nach dem gegenüberliegenden Hause, Heydtstraße 1, emporgesandt hatte. Hier nämlich wohnt Paul Lindau, der, als er vor kaum einem Jahrzehnt in diese seine Chinagegenüberwohnung einzog, wohl schwerlich ahnte, daß er, ach wie bald, von einem Landsmann (auch Johannes Schlaf ist ein Magdeburger) in den Spalten dieser Zeitschrift [Die neue Rundschau] als Stagnant und zurückgebliebener Chinesling erklärt werden würde.
Was nicht alles vorkommt!
Und wieder eine Viertelstunde später, so lag auch die heuer schon im

April zur Mailaube gewordene Bellevuestraße hinter mir und, scharf rechts biegend, trat ich bei Josty ein, um mich, nach all den Anstrengungen meiner Suche, durch eine Tasse Kaffee zu kräftigen. Es war ziemlich voll unter dem Glaspavillon oben, und siehe da, neben mir, in hellblauer Seide, saßen zwei Chinesen, ihre Zöpfe beinah kokett über die Stuhllehne niederhängend. Der Jüngere, der erraten mochte, von welchen chinesischen Attentanten ich herkam, sah mich schelmisch freundlich an, so schelmisch freundlich, wie nur Chinesen einen ansehen können, der Ältere aber war in seine Lektüre vertieft, nicht in Kon-fut-se, wohl aber in die Kölnische Zeitung. Und als nun die Tasse kam und ich das anderthalb Stunden lang vergeblich gesuchte Himmlische Reich so bequem und so mühelos neben mir hatte, dacht ich Platens und meiner Lieblingsstrophe:

Wohl kommt Erhörung oft geschritten
Mit ihrer himmlischen Gewalt,
Doch dann erst hört sie unsre Bitten,
wenn unsre Bitten lang verhallt.

(1890)

MAX RYCHNER

Alexander von Humboldt

Der Mann, dem wir unsere Aufmerksamkeit zuwenden wollen, wird in dem modernen französischen Werk, das sich La grande Encyclopédie nennt, aufs allgemeinste mit folgendem Satze charakterisiert: »Alexandre v. Humboldt a été sans conteste le plus éminent naturaliste de son temps.« Mit diesem Satz wird das Ausmaß der Person, wie die Größenordnung ihrer Leistungen, fast sichtbar bestimmt. Das Urteil, das er enthält, ist französisch formuliert, spricht aber die Ansicht der Urteilsfähigen Europas aus, nicht nur Europas, sondern ebenso die beider Amerika. Nach Goethes Tod, 1832, erlangte kein deutscher Name so rasch und so erfolgreich Umlauf in der ganzen uns bekannten Welt, ausgenommen den Fernen Osten, wie der Name Humboldt. In Amerika gibt es Landesgegenden, Buchten, Bergzüge, Gipfel, eine Meeresströmung, einen Salzsee, einen Fluß, Dörfer, kleine Städte, welche den Namen unseres Forschers tragen, 22mal kommt er so vor; in China heißt eine Bergkette im Nan Schan-Gebirge nach ihm, in Grönland ein Gletscher. Von den Denkmälern in

Bronze und Marmor, die ihm errichtet wurden, lassen Sie mich schweigen; es ist gleichfalls eine stattliche Schar.

In einem erstaunlichen Ausmaß wurde da ein Liebhaber und Ergründer der Natur in seinem Willen erkannt und bejaht, nicht nur von Fachgenossen: wo er hinkam, wo seine Schriften hinkamen, wurde er von den Menschen angenommen und dann bald auch gefeiert. Es ist, als wäre er nicht bloß mit den Sternen, den Gesteinen, Pflanzen und Tieren, nicht bloß mit den Meeren, dem Klima, den Lebensvorgängen, die er erforscht hat, vertraut gewesen, es ist auch, als habe er mit der zarten Naturkraft der menschlichen Sympathie in einem besonders engen Bunde gestanden. Sie suchte ihn auf, sie strömte ihm zu, durch alle Lebensalter; er hatte sie nie zu vermissen. Etwas vom Sonntagskind war ihm eigen; alles, was er angriff, schlug zu seinem Glücke aus, und er unternahm nur, was ihm Lust machte, wobei er dann freilich auch die größten Anstrengungen ohne Klage, mit Schwung und Freude auf sich nahm. Wie entfaltete sich dieses Leben, das 90 Jahre umfaßt und das so tätig, fruchtbar und geistreich verlief?

Geboren wurde Humboldt im gleichen Jahre wie Napoleon, Cuvier, Chateaubriand, Walter Scott, 1769 in Berlin. Seit einer Generation etwa trug die Familie das Adelsprädikat; sein Vater, dessen Munterkeit und kavaliershafte Lebensfrische stets hervorgehoben werden, war erst Offizier, dann Kammerherr bei Prinz Heinrich, dem Bruder Friedrichs des Großen, der damals noch siebzehn Jahre friedlicher Herrschaft vor sich hatte. Die Mutter, eine Colomb, entstammte einer Familie, die 1685 als hugenottische Refugianten nach Preußen gekommen war; sie brachte bedeutenden Grundbesitz ihrem Manne zu, so das berühmte Jagdschlößchen Tegel bei Berlin, an einem Havelsee gelegen, in dieser anmutigen Landschaft, wo im herbstlichen Lichte die dunklen Seen, die mattgrünen Wiesen, die ockerbraunen Kiefernwälder, der blaßkühle Himmel wie von Pastellfarben leicht hingewischt erscheinen. Früh starb der heitere Vater, die Mutter kränkelte, was ihre Strenge den beiden Knaben gegenüber eher verschärft als gemildert hat. Beiden: denn Alexander wuchs mit dem um zwei Jahre älteren Bruder Wilhelm auf, seinem lebenslang innigen Freund, der als Sprachforscher, Diplomat, geistvoller Gesellschafter sich, in Deutschland zumindest, einen Ruf erwarb, der dem brüderlichen nicht nachsteht. Rahel von Varnhagen, die in der romantischen Zeit den glänzendsten Salon Berlins hatte, wo Fichte, Schelling, Schleiermacher, die Brüder Schlegel, Tieck und andere Vertreter der Literatur sich mit Berlinern vom Hof und aus der Stadt trafen, Rahel, die scharfzüngige, kritische, hat von Wilhelm gesagt: »Er hat Geist, soviel er will.«

Zusammen wuchsen die beiden Knaben auf, von Hauslehrern erzogen, in der kühlen Atmosphäre ihrer Mutter. Man hat aus dieser versagten Mutterliebe den mokanten Zug in Alexanders Wesen herleiten wollen, auch eine gewisse Eitelkeit oder Freude am Glänzen durch seine Geistesgaben, worüber er sich übrigens manchmal selber lustig machte. Vielleicht war das der Grund, vielleicht aber nicht; in einem so sehr begabten Menschen verwandelt sich die Erbanlage und wirken Einflüsse auf unberechenbare Weise. Den ersten Unterricht empfingen die Knaben von dem Hauslehrer Campe, der Defoes Robinson Crusoe übersetzte, und gleichzeitig, oder deswegen, erwachte in dem Schüler die Leidenschaft für das Meer, für den bunten Überschwang der tropischen Länder. Der zweite Lehrer, Kunth, war hervorragend; er verwaltete der Mutter ihre Güter und brachte die Zöglinge zu den richtigen Professoren, die sie auf die Hochschule vorbereiteten. In eine öffentliche Schule sind sie nie gegangen. Als sie dann an die nicht eben berühmte Universität Frankfurt an der Oder kamen, mußten beide, nach mütterlichem Willen, etwas anderes studieren, als sie wollten: Wilhelm Jurisprudenz, Alexander die Kameralwissenschaft, heute würden wir sagen Nationalökonomie. Für den Staatsdienst sollten sie sich vorbereiten; das ergab sich aus Stand und Besitz der Familie. Beide taten, wie verlangt, und beide haben neben dem befohlenen Studium noch ein zweites, das ihrer Neigung, durchgeführt, nach Frankfurt in Göttingen: Wilhelm die klassische Philologie und vergleichende Sprachwissenschaft, Alexander Geologie, Botanik, Physik. In Göttingen blühte Alexander auf, der in früher Jugend ein geistig eher zurückbleibendes Kind gewesen war; hier floß seinen Interessen die Nahrung zu, an der sie wuchsen und lebendig wurden; von hier an gewann ein neuer Rhythmus Macht über ihn und bewegte ihn schnell und energisch weiter. Unter seinen Studiengenossen war einer, mit dem er später Briefe wechselte: Graf Clemens Metternich, nachmaliger österreichischer Staatskanzler und zäher Gegner Napoleons, der dann wie keiner Einfluß hatte auf die mitteleuropäische Entwicklung bis zu den revolutionären Explosionen des Jahres 1848. Nach Göttingen folgte noch eine Lernzeit an der Handelsakademie Hamburg, wo Humboldt in die höhere Verwaltung eingeführt wurde, dann wechselte er hinüber an die Bergakademie Freiberg, wo ihn bald schon der Staat holte und ihn anstellte in der Bergwerk- und Hüttenverwaltung. Ein erstes Ziel — er wußte heimlich: ein Zwischenspiel — war erreicht.

Nun zeigte sich, was an Wissensdrang und Arbeitsschwung in dem Dreiundzwanzigjährigen steckte. Nach wenigen Monaten war er Oberbergmeister der Herzogtümer Ansbach und Bayreuth; er erhöhte die Golderzförderung sogleich auf das Achtfache, er gründete eine Freischule für Bergmänner, eine Art Unfall- und Krankenversicherung, er erfand eine bessere Grubenlampe, kurz, um das Größte und Kleinste kümmerte er sich, und wo er zupackte, wurde eine Entwicklung vorangetrieben. Das war indessen nicht alles. In den kaum drei Jahren dieser Tätigkeit schrieb er mehrere große Arbeiten, mit denen er zum erstenmal in der wissenschaftlichen Welt Aufsehen erregte: auf seinen Grubenfahrten hatte er Moose und Flechten gesammelt und befaßte sich mit der Frage, wie Pflanzen unter der Erde gedeihen können und warum auch sie grün werden. Er vermutete, daß unter bestimmten Verhältnissen der Sauerstoff ähnlich auf das Chlorophyll wirke wie normalerweise das Licht. Eine zweite Arbeit hatte den Titel *Versuche über die gereizte Muskel- und Nervenfaser;* galvanische Wirkungen auf den tierischen und menschlichen Körper werden darin derart behandelt, daß der Verfasser heute zu den Anregern auf dem Gebiet der elektrischen Therapie gezählt wird.

Ein Freund schilderte damals den ruhelosen wissenschaftlichen Eifer Humboldts und seine »beispiellose Arbeitsamkeit«, die ihn jeden Augenblick tätig nützen ließ, was für seine Umgebung wahrscheinlich nicht immer bequem gewesen sein mag. Vier Stunden Schlaf genügten ihm, damit kam er aus; die übrigen zwanzig Stunden war er wach, und wacher als die meisten. Es ist, als hätten sich damals in ihm seine Kräfte aufeinander abgestimmt und geordnet; die Freude, die ihn an seinem Wirken manchmal heiß durchströmte, ist Zeugnis dafür. Auch sie drängte ihn, zusammen mit seiner Weltneugier, weiter, hinaus aus der Staatsstellung, obwohl er nichts als Anerkennung und Versprechen für raschen Aufstieg zu hören bekam. Er reichte beim Ministerium seinen Abschied ein, indem er vag in Aussicht stellte, daß er später, vielleicht, dann wieder bereichert um Schätze der Erfahrung, zurückkehren wollen könnte... Aber das waren Redensarten. Einzig der Gedanke an Reisen erfüllte ihn jetzt, alles andere warf er hinter sich.

Zunächst kam er noch nicht weit. Er träumte zwar allerlei von Rußland und Sibirien, aber daraus wurde vorerst Österreich, Venedig und die Schweiz, wo er 1795 in Genf den Physiker Marc-Auguste Pictet besuchte und den Erforscher der Pflanzenernährung de Saussure. Pictet hat er von da an als Freund betrachtet. Genf hat ihn eine Zeitlang stark angezogen; es war eine Liebe auf den ersten Blick, wie aus einem Brief an Pictet hervorgeht: »C'est une de mes plus douces espérances qu'après avoir parcouru les tropiques, contemplé une grande partie de l'univers, je puisse un jour me reposer aux bords de votre lac.« Hier herrsche der Friede, der das Schaffen des Geistes und die Bürgertugenden so sehr begünstige. Die Stadt leuchtete damals in die Welt hinein als Wohnstätte einer erstaunlichen Zahl bedeutender Naturforscher.

Die Ausflugsversuche führten immer bald wieder zurück in die Heimat, der eine freilich an einen wichtigen Ort: nach Jena. Dort hielt sich damals sein Bruder auf, dort wirkte Schiller als Dozent für Geschichte, dorthin fuhr oft in seinem bequemen zweispännigen Reisewagen Goethe von dem zwanzig Kilometer entfernten Weimar, denn er versah, neben andern Ämtern, auch das eines Kurators der Universität. Jena, das hieß für die Brüder: Bekanntschaft und Umgang mit den beiden Dichtern, wobei sich eine noch besondere Anziehung zwischen Wilhelm und Schiller, anderseits, auf Grund der naturwissenschaftlichen Interessen, die zwischen Goethe und Alexander ergab. Goethe, dem nichts entging, war schon auf Schriften des jungen Mannes aufmerksam geworden. Die beiden trafen sich damals namentlich auch in der Auffassung der neptunischen Entstehung der Erde, d. h. der allmählichen, leisen, friedvollen Sedimentabsetzung, im Gegensatz zu den Plutonisten mit ihrer Theorie von der vulkanischen Erdentstehung. Diese Vorstellung willkürlicher feuriger Ausbrüche, die das Werdegesetz unserer Mutter Erde ausmachen sollten, war dem nachitalienischen Goethe mit seiner Vorliebe für die Stete der Entwicklungen tief zuwider. Im Faust hat er die Vulkanisten verspottet; kam er auf sie zu sprechen, so spie er Feuer: »Die Sache mag sein, wie sie will, so muß geschrieben stehen, daß ich diese vermaledeite Polterkammer der neuen Weltschöpfung verfluche.« Nun fand er Hilfe bei dem erdkundigen Obergrat Humboldt — der freilich dann später, der Kraft eigener Erfahrungen sich beugend, ins Lager der Vulkanisten überlief, zum Kummer Goethes, der ihn jedoch deshalb nicht minder hochschätzte. Noch in seinem hohen Alter haben ihn Besuche Humboldts in einen erregt glücklichen Zustand versetzt; dieser eine Mann, so meinte er, sei ja allein eine ganze Akademie. »Er wird ein paar Tage hier bleiben«, sagte er einmal zu Eckermann, »und ich fühle schon, es wird mir sein, als hätte ich Jahre verlebt.«

Welchen Eindruck Goethe auf den um zwanzig Jahre Jüngeren gemacht hat, erfahren wir am eindrücklichsten aus einem Brief, den dieser nach der großen südamerikanischen Reise, in der Erinnerung an sie geschrieben hat: »... in den Wäldern des Amazonenflusses wie auf dem Rücken der hohen Anden erkannte ich, wie von Einem Hauche beseelt von Pol zu Pol nur Ein Leben ausgegossen ist in Steinen, Pflanzen und Tieren und in des Menschen schwellender Brust. Überall ward ich von dem Gefühl durchdrungen, wie mächtig jene Jenaer Verhältnisse auf mich gewirkt, wie ich, durch Goethes Naturansichten gehoben, gleichsam mit neuen Organen ausgerüstet worden war!« Ich wüßte kein schöneres Zeugnis für die tiefe Wirkung eines großen Mannes auf einen heranwachsenden — ebenfalls großen — als dieses Geständnis, das ihm im Urwald, in seinem zwischen halbschlafenden Krokodilen stromab treibenden Kanu bewußt wurde oder blieb, wie sein Naturempfinden, seine Naturerkenntnis in den Begegnungen mit dem Dichter höher entwickelt worden waren. Mit »neuen Organen« fühlte er sich ausgerüstet: mit dem seiner selbst bewußten Gefühl von der Einheit allen Lebens, von einem der Ahnung vorgegebenen, in der Erkenntnis seine Schönheit offenbarenden Weltzusammenhang. Wir spüren in jenen Sätzen etwas von dem Geiste, in dem Goethe seine Studien über den Granit schrieb, über die Metamorphose der Pflanzen, die anatomischen Äußerungen über den menschlichen Zwischenkieferknochen, den er entdeckt hatte, die Farbenlehre, die Wolkenformen. Goethes Kenntnisse der Natur und der Naturwissenschaften waren, auf der Stufe seiner Zeit, umfassend, aber es waren die Kenntnisse eines Künstlers, der im Schaffen der Natur eine nie aussetzende Inspiration wahrnahm, eine hohe Lust des all-einen Lebens, Formen in unerschöpflicher Fülle hervorzubringen. In ihrer Betrachtung bildet sich unser Geist, der ja gleichfalls darauf angelegt ist, Form zu gewinnen und Formen zu erschaffen. Es heißt bei Goethe: »Jeder neue Gegenstand, wohl beschaut, schließt ein neues Organ in uns auf.« Ein neues Organ: es ist die Formel, die Humboldt im Gedenken an die Zeit in Jena und an den Dichter niederschrieb: dort hat er sie wohl gehört, empfangen, zur seinen gemacht. In ihm selbst ist Goethes Geist produktiv geworden; wir vernehmen es noch aus Klang und Rhythmus seiner angeführten Sätze, wir gewahren es in seinem Bestreben, Idee und Erfahrung in Einklang zu bringen, wobei das Denken nicht in die bloße Spekulation durchbrennen, anderseits die Tatsachenforschung nicht im Detail sich verlieren und dadurch verkümmern sollte. Harmonisch sollte der erkennende Mensch an die Natur herantreten, die ja seit den Griechen als eine harmonische Gesamtordnung, als Kosmos, galt. Diese Idee in allen Verkleidungen der Natur wirkend zu finden und sie als Urkraft auch der künstlerischen Schöpfung zu wissen, zu wollen, und diese Erkenntnis von den Künstlern zu fordern: das war klassisch, war ein Lebensgedanke unserer Klassik, erwachsen aus der humanistischen Erfahrung unseres Abendlandes . . .

Alexander von Humboldt an Goethe

Paris, den 3. Januar 1810

Ihnen allein, mein teurer, verehrungswerter Mann, der Sie alle Tiefen des Lebens und der besseren Gefühle kennen, wird es erklärbar sein, wie ich mir so lange die Freude habe versagen können, Ihnen zu danken. Ein so freund-

liches liebevolles Andenken von Ihnen — Rückerinnerung an die schönsten Zeiten meines Lebens, wo ich in Ihrer Nähe Ihres wohltätig-begeisternden Einflusses genoß; Zusendung eines trefflichen jungen Mannes, in dem Ihre Einwirkung unverkennbar ist — das alles war geeignet, mich tief zu ergreifen. Aber eben weil es mich ergriff, wollte ich auch so vor Ihnen erscheinen, als wisse ich durch Arbeit und deutschen Fleiß mich so großen Wohlwollens würdiger zu machen. Ich hoffte seit Monaten Ihnen überreichen zu können, was ich Ihnen heute auf einem andern Wege zusende, mein pittoreskes Werk über die Denkmäler und Reste alter Zivilisation des Menschengeschlechts in Amerika. Typographisch-buchhändlerische Schwierigkeiten (ein Werk, das 400 000 Livres Vorschuß bedarf, außerhalb Frankreichs nicht 40 Exemplare absetzt und auf dem ganzen Erdenrund von niemand unterstützt wird!) — buchhändlerische Schwierigkeiten haben die Herausgabe verzögert, und heute erst bin ich imstande, Ihnen, Verehrungswerter! dieses geringe Opfer meiner dankbaren Liebe darzubringen. Natur und Kunst sind in meinem Werke eng verschwistert. Möchten Sie mit der Bearbeitung nicht ganz unzufrieden sein, möchten Sie in einzelnen Ansichten sich selbst, Einfluß Ihrer Schriften auf mich, Einfluß Ihrer herrschenden Nähe erkennen! Ich habe kein Recht, Briefe von Ihnen zu fordern, sollte ich aber das Geständnis verhehlen, daß ein öffentliches Wort von Ihnen, eine Note, eine simple Bezeigung Ihrer Zufriedenheit mit meinen Arbeiten, eine Erwähnung meines Namens in einer Ihrer Schriften mich auf das kindlichste erfreuen würden? Dieser Wunsch (nicht der Eitelkeit, nein, des edleren Stolzes) hat, seitdem ich Jena verließ, mich über Meer und Land begleitet. Das Beste im Menschen ist, was man rein aussprechen darf, und so gereut es mich auch nicht, mich so vor Sie gestellt zu haben . . .
Ich führe in diesem nüchternen Lande, mitten unter dem leeren Treiben der Menschen, ein beschäftigtes, einförmiges, in mich gekehrtes Leben. Ich bin von dem Gefühle gepeinigt, nicht schneller vollenden zu können, was ich mir selbst schuldig bin. Meine Ansicht der Welt ist trübe. Der Anblick einer großen Natur, Einsamkeit der Wälder und der rege Wunsch ins Weite und Blaue haben eine Stimmung in mir vermehrt, die nicht heiter ist, mich aber nie im Arbeiten stört und meinen Mut nicht sinken läßt. Meine Gesundheit, mannigfaltige rheumatische Übel (Folgen der Nässe der Wälder), ein etwas lahmer Arm — von dem allen melde ich Ihnen nichts. Mein Befinden wird besser sein, sobald ich erst wieder in der heißen Zone lebe. Mein Projekt ist, mich nach dem Kap einzuschiffen, an der Südspitze von Afrika ein Jahr zu bleiben und mich mit den südlichen Strömen zu beschäftigen; dann nach Ceylon und Kalkutta zu gehen, mich in Benares, wo Karawanen von Lhasa ankommen, auf Tibet vorzubereiten und dann weiter vorwärts nach Norden einzudringen. Möge die äußere Lage der Welt meine Pläne bald begünstigen.

Und Ihr großes optisches Werk, nach dem wir so lange begierig sind? Ich höre, daß der größere Teil davon gedruckt ist. Lassen Sie es kühn vom Stapel laufen, damit Sie selbst noch die sich doch nur langsam entwickelnden Folgen einer solchen Unternehmung sehen können.

Mit alter Anhänglichkeit und Verehrung

Ihr

Alexander Humboldt

RUDOLF KASSNER

Das Lob des kleinen Mannes von Berlin

... ich möchte an dieser Stelle einmal das *Lob des kleinen Mannes von Berlin* singen. Ich weiß nicht, ob es nicht ein anderer schon getan hat. Im allgemeinen sind die Urteile über den Berliner nicht immer die freundlichsten gewesen und haben den kleinen Mann dabei nicht ausgelassen. Er ist vielleicht nicht der begabteste von den kleinen Männern der großen Städte, auch nicht auf eine besonders auffällige Art Volk, volkhaft, wurzelig mit allerhand Pittoreskem an sich; aber niemand ist anspruchsloser, gutwilliger, geduldiger mit etwas Bemutterndem, niemand höflicher mit der Höflichkeit des in jeder Beziehung Genügsamen als so ein Berliner Taxichaffeur, Droschkenkutscher, Träger, Schaffner oder welchen Titel auch immer der trägt, auf dessen Dienste zumal der Fremde angewiesen bleibt. Alles das kann ja keineswegs auf Jahrhunderte einer gewissen Verwöhnung mit kleinen Sonderansprüchen zurückblicken, auch hat die Dienstbereitschaft nichts Evangelisches an sich, wie man dem seinerzeit im alten Rußland begegnen konnte, sondern hat sich im Schatten des Militärischen gebildet, dort seine Form gefunden, im Militärischen wohl auch eine gewisse Erhöhung des Menschlichen gesehen, sehen müssen, die Erhöhung eines an sich Kargen, auf Sparsamkeit Angewiesenen. Gewiß hatte man auch seinen Anteil gehabt an der großen Prosperität der Stadt, Deutschlands und ganz Europas vor 1914; doch ist man auch damals nicht weit über Weißbier, Wurststullen, Käsebrote und Hering hinausgegangen. Der erste Weltkrieg aber hat dem allen schnell ein Ende bereitet und dem kleinen Mann im Handumdrehen Gelegenheit gegeben, die angestammten Tugenden des kleinen Lebens mit Eifer zu üben. Ohne Ranküne, aber auch ohne zu ahnen, daß während des zweiten Weltkrieges, vor allem nach diesem, noch ganz andere Ansprüche an die Genügsamkeit und Willigkeit, besser: an die Fähigkeit zu hungern und frieren und sich erschlagen zu lassen, gestellt werden würden. Ahnungen und ähnliches sind nicht seine Sache; doch habe ich immerhin Beispiele dafür, daß er in Rücksicht auf das Kommende richtiger geurteilt, vielmehr empfunden hat als viele, viele andere. Am Tag der Besetzung von Prag durch Hitler geht eine Wiener Dame meiner Bekanntschaft schnell auf ein Taxi zu, öffnet, da sie sich verspätet hat, die Tür mit einer gewissen Abruptheit und ersucht den Chauffeur um Eile. Dieser, offenbar ohne Verständnis, daß Menschen es heute wegen eines Frühstücks oder aus ähnlichen Gründen eilig haben können, wo doch Gedanken an ganz andere Dinge am Platze wären, sagt nur, seine Säumigkeit der Eilfertigen gegenüber begründend: »Ja, wissen denn die Dame nicht, was heute Nacht geschehen ist?« »Nein! Was? Sagen Sie!« »Ein großes Unrecht ist geschehen. Wir sind in Prag eingezogen, wozu wir kein Recht hatten. Dafür wird das ganze deutsche Volk zu büßen haben. Na, steigen Sie mal ein! Ich führe Sie schon, wohin Sie wollen.«

Ein Jahr vor dem Kriege stehe ich am Lehrter Bahnhof, den Gepäckträger mit den Koffern neben mir, auf ein Taxi oder eine Droschke wartend. Ein Tag brauner Geschäftigkeit; irgend etwas ist wieder in der Stadt los, das dem Volke zeigen soll, wie schnell wir uns dem Tausendjährigen Reich nähern, ja wie sehr wir eigentlich schon mitten drinnen stecken, ohne es ganz wahrzuhaben. Eine Kompanie Reichswehr, vielmehr schon Wehrmacht, zieht vorbei, im Augenblick das Heranfahren des Taxis hindernd: »Na«, sagt der Gepäckträger, »vielleicht werden wir durch die da das ganze braune Getue und das Gegrüße mit Heil Hitler! wieder los. Schön wäre es, nur sagen darf man es nicht.« Ebenso wie mir ist es vielen anderen ergangen.

FRIEDRICH SIEBURG

Wer füttert die Tauben?

Wie hätte man Berlin mit Paris oder auch nur mit London vergleichen sollen! Niemals kam ich auf die Idee, wie sehr mich auch die feste und mit nichts anderem zu verwechselnde Tradition seiner Architektur — selbst da, wo sie häßlich war — immer wieder entzückte. Das ist schwer zu erklären, es sind sozusagen Herzensangelegenheiten. Die merkwürdige Kahlheit des Stadtbildes, ob es nun in den rauhen Dunst oder ins kühle Licht ragte, rührte mich mit einem Hauch der Jugend an. Welch eine rüstige Stadt war es doch, daß

es jeden, der seine Atmosphäre einatmete, unternehmungslustig und hoffnungsvoll stimmte. Ich hatte nach dem ersten Krieg vier Jahre hier gelebt, vier dramatische Jahre, viel Bürgerkrieg, Hunger und Unsicherheit. Und doch waren es keine engen, keine kümmerlichen Jahre gewesen, nein, das Leben zwischen diesen grauen oder gelben Häusern war ein fortgesetzter Akt der Selbstbehauptung. Sich nicht unterkriegen lassen, widerstehen, überleben! Mehr als das —, angespannt sein, nicht stehen bleiben, weiter, weiter: das war die Botschaft dieser Stadt an den Menschen, der mit der Last seiner Zeit rang. Die Form eines Volkes, das der Form zu spotten schien, wurde wie ein Schauer fühlbar. Noch war fast alles roher Block, von scharfer Luft umwittert, aber man sah schon, wo der Meißel angesetzt worden war und wo die harten Splitter absprangen. Man glaubte, die Zukunft mit den Händen greifen zu können, und konnte darum nie ganz verzagen.
Weiter, weiter! Ist es uns wirklich gegeben, auf keiner Stätte zu ruhen? Werden wir selbst auf der Schwelle unseres Hauses, selbst am eigenen Herd nie ganz am Ziele sein? Wenn es auf diese Fragen überhaupt eine Antwort gab, müßte sie, so dachte ich, am ehesten von Berlin kommen. Hier war die Ruhelosigkeit zum Stein, zum Bau geworden und doch Ruhelosigkeit geblieben. Die Bewegung hatte sich in gemauertes Fundament verwandelt und ging trotzdem weiter. Ja, ich sah es wohl ein, Dauer war unsere Sache nicht, die Dauer war uns kein Ideal. Wir hatten das Gefühl der Zeit dafür eingetauscht, so gründlich, daß alles Endgültige uns fast wie der Tod vorkam. Damals empfing ich jene Treue zu Berlin, die mich nie wieder verlassen hat. Diese Treue ist das nimmermüde Auswerfen von Samenkörnern in einen Boden, den Not und Zerrüttung ausgedörrt haben, der aber darum doch nichts Festes an sich zu haben scheint. Quadern aus Flugsand, das war Berlin.
Nun sehe ich die Stadt wieder, und diese umgewühlteste aller Weltstädte, in der kaum noch ein Stein auf dem anderen steht, scheint sich nicht verändert zu haben. Gewiß, es ist sozusagen alles anders geworden, ganze Stadtviertel sind überhaupt nicht wiederzufinden, andere sind — was noch schlimmer ist — durch einen politischen Kordon von der übrigen Stadt getrennt. Wir wissen es alle. Wir haben es tausendmal gelesen und gehört und schließlich selbst gesehen. Die Sektorengrenzen, die vier Flaggenmasten vor der Kommandantur, die Wechselstuben, der Temperaturwechsel in der U-Bahn, wenn sie in den Ostsektor gleitet, die Trümmer und der Humor, alles das sind uns vertraute Farbflecke auf dem düsterdrohenden Bild der Weltspannung. Es ist die anschaulich-impressionistische Seite einer höchst monotonen, darum aber doch nicht weniger lebensgefährlichen internationalen Lage. Ohne die bunten Reportagetupfen, die uns Berlin so bereitwillig liefert, könnten wir uns unter dem ganzen, weltumspannenden Jammer überhaupt nichts Rechtes vorstellen, obwohl uns das Messer an der Kehle sitzt. In diesem Punkt gibt

Berlin viel her, darum nur den Pinsel ordentlich eingetunkt, ihr Leute. Aber wißt ihr auch wirklich, wie es vorher war? Denn sonst helfen alle Vergleiche nichts!

Es ist immer noch der alte Antrieb, den der Zurückkehrende spürt, es ist nach wie vor die Aufforderung, sich nicht zufriedenzugeben und weiterzustreben, die uns anweht. Die Energie durchdringt uns wie ein Strom —, aber kommt sie aus den alten Quellen? Ist es nicht vielmehr so, daß das, was einst dem Wesen der Stadt entstieg, heute aus politischen Bereichen kommt? Keine Stadt geht an der Zerstörung ihrer Bauten zugrunde, sondern an dem Zurücksinken in die Mittelmäßigkeit, die damit verbunden ist. Berlin hat seine Zerstörung überlebt, weil in dem Augenblick, wo seine Flamme erlöschen wollte, eine politische Situation entstand, die es zu einem neuen Aufschwung zwang. Durch die Gefahr ist die Stadt wieder das geworden, was sie einst war. Sollte diese Gefahr je abklingen oder gar normalen Verhältnissen Platz machen, werden wir erst richtig sehen können, ob ihr Wesen unzerstört ist. Man tut den Berlinern keinen Gefallen damit, wenn man sie in der Illusion bestärkt, »das alte Leben« sei wiedergekommen. Der Kurfürstendamm und die Steglitzer Schloßstraße sind strahlende Fassaden, hinter denen sich mehr Anstrengung als Fülle verbirgt. Wie sollte es auch anders sein in einer Stadt, deren Wirtschaft erst wieder im Anfang der Normalisierung steht und die bei dem besten Willen aller Beteiligten das Provisorische nicht los wird! Ihr Potential liegt in ihren Menschen, die echtere Kinder dieser Zeit sind als wir und deren »Wurstigkeit« nichts von Stumpfheit oder Gleichgültigkeit an sich hat. Sie stellen einen flinkeren und urbaneren Menschenschlag dar, als wir ihn in der Bundesrepublik repräsentieren. Das Unglück ist nur, daß die Stadt keine ausreichenden Möglichkeiten bietet, sich ihrer zu bedienen. Sie sind auf der Höhe der Situation, aber hart daneben ist der Abgrund. Wir haben uns, halb gezwungen durch die Aufteilung des alten Deutschland, sehr schnell von ihnen abgewandt und hätten ohne die Blockade vielleicht nie wieder zu ihnen zurückgefunden. Mit welcher Gleichgültigkeit haben wir dem Begräbnis Preußens zugesehen, als ob die Problematik, die dem deutschen Charakter aus dem Wesen Preußens zuwuchs, mit dieser eiligen Einscharrung aus der Welt geschafft worden wäre! Das war ein kläglicher Versuch, sich aus dem deutschen Gesamtschicksal fortzustehlen. Preußen abschütteln hieß auch ein wenig von Berlin abrücken. Prüfen wir uns. Rheinländer, Hanseaten, Süddeutsche, ob wir nicht in unserem Innern die ehemalige Reichshauptstadt verleugneten, in der Hoffnung, damit unsere Verantwortung für das Geschehene zu verringern. Das war ein kindisches Unterfangen, denn wenn die deutsche Nation unteilbar ist, dann sind auch Ruhm, Verdienst, Schuld und Sühne unteilbar.

Der Tiergarten wird aufgeforstet, auch auf der Potsdamer Straße sind neue

Bäume gepflanzt, rührende kleine Gewächse. Wie wird das Berlin aussehen, das einst ihre Wipfel rauschen hören wird? Plötzlich erheben sich Hügel aus regellosem Gelände, sanft in ihrem Rasengrün. Es sind Schuttberge, die sich langsam in die Landschaft einzulassen beginnen. Die ehemaligen Außenviertel sind nahe gerückt, da die inneren Stadtteile zerstört sind. Viele Ämter, Büros und Redaktionen liegen an den Rändern der Stadt. Dahlem, Zehlendorf und Grunewald sind vom schweren Sommergrün der alten Bäume wie zugedeckt. Man geht entzückt unter diesen dichten Schatten dahin, als ob alles beim alten sei, bis man plötzlich vor einem Ruinenfeld steht. Wer könnte dem bitteren Verlangen widerstehen, die Spuren seines alten Lebens aufzusuchen, und es ist fast wie eine Gnade, wenn er nichts mehr findet! So wandere ich im Hansaviertel umher, ich hatte es gänzlich vergessen und aus meinem Leben streichen wollen, und doch suche ich die alte Straße wieder. Aber die Zerstörung ist mir hold gewesen, nichts ist mehr da, eine weite Fläche läßt ferne Stadtumrisse sehen, die ich früher nie gewahrt hatte. Saubere Haufen aufgeschichteter Ziegelsteine begrenzen den ehemaligen Straßenverlauf, nur ein Rest der Laterne, unter der ich damals meinen Wagen parkte, steht noch da. Es ist unfaßlich, daß die Kulisse eines Lebensabschnittes so gänzlich verwandelt werden kann, es ist schrecklich, es ist wunderbar. Etwas Totes trieb auf der Oberfläche meines Lebens, jetzt sinkt es endgültig unter und wird nie wieder auftauchen. Schön und klar steht der sommerliche Himmel über Berlin. Es ist gegen Abend, der kühle Glanz ist wieder da, das saubere, stille Licht, das in keiner Stadt der Welt seinesgleichen hat. Die Linden blühen.
Ein schmaler Pfad am Bahnhof Tiergarten führt zwischen einigen verschonten Bäumen hindurch und läßt so für eine flüchtige Sekunde die Illusion des alten Wipfelglücks erstehen. Auf dem übergrünten Schuttberg fahren die Kinderwagen spazieren, die Reste des Kommandobunkers liegen wie ein gekentertes Schlachtschiff in der Gebüschwildnis. Auf der kleinen Brücke über der Schleuse haben sich die Menschen versammelt, sie nehmen an dem Jauchzen teil, mit dem eine Gesellschaft von Schulkindern sich auf drei winzigen Ausflugsdampfern durchschleusen läßt. Der Vorgang nimmt sehr viel Zeit in Anspruch, unendlich langsam füllt sich das Becken. Aber den Kindern wird die Zeit nicht lang. Sie kommen von einer Fahrt nach Spandau zurück, ihr Schreien und Jubeln erfüllt die Luft des späten Tages. Es sind saubere Kinder, manche tragen kleine Taschen umgehängt, die jetzt wohl leer sind. Fröhlich rufen sie zu den Zuschauern hinauf, aber nun öffnet sich die Schleuse, die kleinen Fahrzeuge gleiten langsam dahin. Die Kinderschar wird stiller, als ob sie sich der allmählich länger werdenden Schatten bewußt würde. Nun stimmen sie ein Lied an, dessen wehmütige Gezogenheit sie voll auskosten:

»Möchte so gerne noch bleiben,
Aber der Wagen rollt ...«

So ziehen ihre kleinen Schiffe davon, um bald in dem wirren Gelände des ehemaligen Tiergartens zu verschwinden, aber die hohen Stimmen sind noch lange zu hören.

Alles, was an der Berliner Situation abstoßend, jammervoll und verrückt ist, scheint sich auf den Potsdamer Platz zu konzentrieren. Er ist eine Art von Jahrmarkt der Unvernunft, denn hier treten sich die beiden Welten demonstrativ gegenüber. Die Sektorengrenze läuft diesseits des Verkehrskreises, so daß man nicht von der Potsdamer Straße in die Bellevuestraße gelangen kann, ohne den westlichen Sektor, wenn auch nur für einige Schritte, zu verlassen. Das gehässig Bedrückende, das jeder Grenze anhaftet, macht sich hier so stark bemerkbar, daß man sich unwillkürlich in die Atmosphäre der schrägen Blicke, der schleichenden Schritte und der gemurmelten Angebote hineinziehen läßt. Einige armselige Verkaufsbuden bieten den Leuten, die in den Sowjetsektor gehen, liniiertes Briefpapier oder Klebemittel an. Ärmliche Gestalten stehen umher, man weiß nicht, wohin sie gehören. Die Stimmen sind gedämpft, die Bewegungen zögernd. Ein kümmerlicher Schwarzmarkt, meist von alten Leuten betrieben, läßt Kleinigkeiten, in Zeitungspapier gehüllt, von Hand zu Hand gehen. Aber drüben, auf der anderen Seite, zwischen den ausgebrannten Ruinen und verrosteten Eisengerippen hängen die Propagandaanschläge der SED, die von den Aufbaufortschritten in ihrem Bereich erzählen und von den »Diversanten« und »Interventen« warnen. Ein Lautsprecher berichtet von den Plänen zum Wiederaufbau der Staatsoper. Einige Volkspolizisten, sehr junge Leute, denen die Haarmähne unter der schiefgesetzten Mütze hervordringt, blicken gelangweilt in das Gewimmel. Drüben, unweit der Reste des »Esplanade«, hantiert ein Beamter der Westsektoren mit einer rotweißen Scheibe: »Halt, Zoll!« Die Welt ist hier ein böser Traum, aus dessen zäher Umklammerung sich müde und gebrochene Menschen zu befreien versuchen. Grenze zweier Weiten? Mein Gott, es ist nur eine Stufe im endlosen Gefälle menschlicher Erniedrigung. Immer wieder werde ich angesprochen, aber ich verstehe nicht, was die Leute sagen, so erloschen sind die Stimmen. Wenn ich bitte, das Gesagte zu wiederholen, verschwindet der Fragende lautlos im Gedränge.

An Bretterzäune und Ruinenstücke sind Anschläge geheftet. Keine Plakate, wie sie so leicht zustandekommen, sondern Zettel in ungelenker Schrift, Nachrichten, Angebote und Fragen nach Adressen. Auf einem kleinen Stück Papier lese ich in steifen Bleistiftbuchstaben: »Wer füttert meine Tauben?« Ein Mann aus Mariendorf kann nicht mehr in seinen Schrebergarten in Klein-Machnow gelangen. Sein Gartenstück liegt hart an der Stadtgrenze

in der Sowjetzone, die jetzt hermetisch gesperrt ist. Wie mag es den Tauben gehen, die der Mann nun nicht mehr versorgen kann? Er sucht eine hilfreiche Seele, die drüben wohnt und ihm die Sorge abnimmt, bis ... ja, bis wann? Wäre es nicht besser, die Tauben zu verkaufen oder sie einfach in Stich zu lassen? Die internationale Spannung kann lange dauern, und es wird schwer sein, jemanden zu finden, der das verlassene Federvieh für die Dauer der Krise in treue Hut nimmt. An Hilfsbereitschaft fehlt es gewiß auch den Berlinern nicht, die im Ostsektor wohnen, aber die meisten werden wohl im Laufe der Jahre gelernt haben, solchen Problemen schweigend den Rücken zu kehren. Niemand will ja in den Verdacht geraten, ein »Diversant« zu sein oder zu den »Interventen« zu gehören.
Übrigens liest niemand den Zettel, ich bleibe lange in der Nähe stehen, aber kein Blick bleibt an der ungelenken Bleistiftschrift haften. Es steht schlecht für die Tauben. Aber sie haben ja Flügel.

RICARDA HUCH

Letzte Ansprache

Gehalten beim Schriftsteller-Kongreß 1947 in Berlin

Es ist mir ein Bedürfnis, meine Freude darüber auszusprechen, daß Schriftsteller sich aus allen Zonen zahlreich eingefunden haben. Das gibt das Gefühl, in Deutschland zu sein, nicht nur in einem Teil, sondern im ganzen, einigen Deutschland. Die Dichter und Schriftsteller haben eine besondere Beziehung zur Einheit, nämlich durch die Sprache. Die Sprache scheidet ein Volk von anderen Völkern, aber sie hält auch ein Volk zusammen. Die Schriftsteller sind die Verwalter der Sprache, sie bewahren und erneuern die Sprache. Sie bewegen durch ihre Sprache die Herzen und lenken die Gedanken. Durch die Sprache sind sie auch Verwalter des Geistes; denn »die Sprache ist ja die Scheide, in der das Messer des Geistes steckt«. In der Zeit, als Italien von vielen fremden Fürsten regiert war, errichteten die Italiener in allen Städten ihrem größten Dichter Dante Denkmäler: es war das Symbol ihrer Einheit, die politisch nicht bestand. Wir Deutschen hätten es nicht so leicht: die beiden größten Meister unserer Sprache, Luther und Goethe, werden nicht von allen Deutschen gleicherweise gekannt und geliebt. Aber wir wollen jetzt absehen von den großen Dichtern der Vergangenheit — jede Zeit hat ihre besonderen Probleme, Gefahren und Nöte, und die leben-

den Schriftsteller müssen diese Probleme erfassen und diesen Gefahren begegnen.
Kaum je in unserer Geschichte ist die Aufgabe der geistigen Führung so schwer gewesen wie jetzt. Es hat wohl auch früher scharfe Konflikte gegeben — im Zeitalter der Glaubensspaltung, zur Zeit des Dreißigjährigen Krieges und in der letzten vergangenen Zeit; aber am schwersten ist es doch in einer Zeit, in der fast alles fragwürdig geworden ist, und wo alle Bemühungen auf Hoffnungslosigkeit, Verbitterung, die Gleichgültigkeit der Entkräftung stoßen. In welchem Sinn nun die Aufgabe durchgeführt wird, das muß der Überzeugung und dem Gewissen eines jeden überlassen bleiben; man kann nur wünschen. Wenn ich Wünsche äußern darf, so bezieht sich einer auf das Nationalgefühl, von dem in letzter Zeit oft gesprochen und geschrieben wurde.
Man hat den Deutschen ein zu starkes Nationalgefühl vorgeworfen; ich möchte eher sagen, wir hätten ein zu schwaches oder besser, ein teils zu schwaches, teils zu starkes. Das hängt, wie ich glaube, mit dem historischen Erbe zusammen, das uns zuteil geworden ist. In den Anfängen unserer Geschichte übernahmen die Deutschen vereint mit den Italienern den römischen Weltreichsgedanken und waren demzufolge universal und partikularistisch eingestellt; Universalismus und Partikularismus pflegen zusammenzugehen. Das Einheitsgefühl war schwach, die deutschen Kaiser mußten sich jeweils ihr Reich erst erobern, und keiner hat es ganz in seine Hand bekommen. Allmählich bildeten sich die anderen Nationen, zum Teil an Deutschland angrenzend, zu Einheitsstaaten mit starkem Nationalgefühl. In den Beziehungen zu diesen bekam der deutsche Universalismus einen anderen Charakter — er wurde zur Schwäche, beinahe zur Charakterlosigkeit. Man weiß, daß lange Zeit nur die unteren Volksklassen deutsch sprachen, die höheren Schichten sprachen französisch. Ein preußischer König sagte von sich selbst, er spreche deutsch wie ein Kutscher. Noch Napoleon verhöhnte die Deutchen, sie seien leicht in die Netze gegangen, die er ihnen gestellt habe, befehdeten sich untereinander und merkten den äußeren Feind nicht. Als dann endlich, von Preußen unterbaut, ein deutscher Einheitsstaat mit entsprechendem Nationalgefühl entstand, waren die Deutschen voll Glück und Stolz, daß sie nun auch das besaßen, was die anderen schon lange hatten, und äußerten ihren Stolz wohl etwas prahlerisch. Das Ausland, das sich durch diese Veränderung einer neuen Kombination gegenübergestellt sah, empfand das Neue als störend und beinahe unberechtigt, und es gab auch Deutsche, die dem so stark betonten Nationalgefühl gegenüber zurückhaltend waren, zum Teil, weil sie es nicht empfanden, zum Teil, weil sie den lauten Patriotismus geschmacklos fanden. Es blieb etwas Unorganisches; auf der einen Seite die Neigung, fremde Nationen schwärmerisch zu bewundern und die

eigene herabzusetzen und zu bemäkeln, auf der anderen im Gegensatz dazu ein heftig hervorbrechendes, herausforderndes Nationalgefühl. Hier wäre eine Besserung wünschenswert. Allerdings ist es außerordentlich schwer, etwas zu lehren oder beizubringen, was naiv sein soll, was eigentlich seine Berechtigung daraus zieht, daß es natürlich und selbstverständlich ist. In der Bibel ist uns gesagt: liebe deinen Nächsten wie dich selbst. Es gilt auch von den Nationen; daß jede sich selbst liebt, ist selbstverständliche Voraussetzung. Über die Selbstliebe sollte sich dann die Liebe zu den anderen entfalten. Die Schriftsteller müßten wohl, um ihrer Aufgabe zu genügen, ihre Lehren weniger vorschreiben als vorleben, indem sie Weltbürger werden, aber zugleich und in erster Linie Deutsche.

Was mich betrifft: ich habe Geschichte studiert und kenne nicht nur die Geschichte unseres eigenen Volkes, sondern auch die der anderen Nationen gut; ich habe jahrelang in der Schweiz gelebt und fühle mich dort zu Hause, ich war mit einem Italiener verheiratet, und ich habe sehr gerne in Italien gelebt; all diese Umstände haben bewirkt, daß ich ganz frei von einseitigem Nationalismus bin, aber national fühle ich durchaus. Ich bin in den schrecklichen letzten Jahren oft an meinem Volk verzweifelt; aber gleichzeitig habe ich so viel Seelengröße, Opferbereitschaft, Heroismus und hohe Tugend gesehen und nach dem Zusammenbruch so viel Geduld und Haltung im Ertragen unermeßlichen Elends, daß für mein Gefühl viel Schlechtes dadurch ausgeglichen ist. Mich hat immer der Ausspruch eines sehr großen, sehr volksnahen deutschen Schriftstellers bewegt, der vielleicht mehr als irgendein anderer Deutscher über die Grenzen seines Landes hinaus gewirkt hat, nämlich Luthers: »Für meine Deutschen bin ich geboren und ihnen diene ich auch.« Deutschland zu dienen, Deutschland zu retten, haben in den letzten Jahren viele ihr Leben geopfert. Ihrer soll jetzt in Treue und Verehrung gedacht werden.

* * *

KONRAD WEISS

Morgen-Leis

Nach einer schlaflos langen Nacht
Den Sinn dumpf, müd und überwacht
weckt quirlend eine Vogelstimme,
das klingt so rein im frühen Schein,
und über jedem dunklen Grimme
schläft Unrast ein und Eigenpein.

Da irgendwo, wo ich nicht weiß,
singt nun das Kehlchen wirbelleis
und steht auf seinen zarten Füßen,
es singt sein Mund, ihm selbst nicht kund,
als müsse doppelt es begrüßen
zu dieser Stund den Erdenrund.

Mein Sinn und mein Gedankenspiel
sucht neu erquickt das alte Ziel:
so will ich meine Seele schreiben,
so rein und nicht verdroßner Pflicht,
daß nirgendwo die Füße bleiben,
daß mein Gesicht vergeht im Licht.

ZWEITER TEIL

STUFEN DES LEBENS

Der Mensch

Empfangen und genähret
Vom Weibe wunderbar,
Kömmt er und sieht und höret
Und nimmt des Trugs nicht wahr;
Gelüstet und begehret
Und bringt sein Tränlein dar;
Verachtet und verehret,
Hat Freude und Gefahr;
Glaubt, zweifelt, wähnt und lehret,
Hält nichts und alles wahr;
Erbauet und zerstöret
Und quält sich immerdar;
Schläft, wachet, wächst und zehret;
Trägt braun und graues Haar.
Und alles dieses währet,
Wenns hoch kommt, achtzig Jahr.
Dann legt er sich zu seinen Vätern nieder,
Und er kömmt nimmer wieder.

MATTHIAS CLAUDIUS

THEODOR DÄUBLER

»SCHNEE, SCHNEE!«

»Vielleicht wird es endlich in diesem Winter schneien!« Diese wenigen Worte umflimmern meine allerfernsten Erinnerungen. Wer hatte sie zu mir gesprochen? Wahrscheinlich die Mutter; denn Winterwünsche umwirbeln noch jetzt die Vorstellung von meiner Mutter, bevor ihre Flechten weiß wurden. Und heute verdunkeln sich alle kleinen Erlebnisse der Kindheit immer mehr: einige Spiele umklingen mich ferne her; vereinzelte Verwandte raunen noch in manchem Traum. Das Gemurmel um meine Geburt verwirklicht sich aber noch deutlich um mich herum. »Es schneit, es schneit!« hörte ich mich nach vielen Jahren, da es nicht schneite, an ein dunkles Fenster rufen. Schnee? war mein freudiger Geburtsschrei. Meine Mutter wickelte mich in irgendein schwarzes Tuch und öffnete vorsichtig ein Fenster. Dann nahm sie meine Händchen und hielt sie in eine milde Nacht, aus der sich kleine Schmerzchen auf meine weiche Hand hefteten, hinaus. Ich entsinne mich nur des Dunkels vor mir. Und als ich meine Händchen zurückzog, hörte das weiche Weh auf, und die Finger waren leicht benetzt. Dann schloß die Mutter das Fenster und legte mich wie immer zu Bett. Ich wollte aber wieder zurück zum Fenster, Schnee, Schnee, weißen, winterlichen Schnee mochte ich sehn und fühlen. Ich war enttäuscht, und alle Enttäuschungen meiner Kindheit wurden in mir bewußt. Zuerst weinte ich leise, dann rief ich, schrie ich: »Schnee, Schnee!« Alle Weihnachten, alle Geburtstage, an denen ich nie meine Wünsche erfüllt sah, begannen mich zu schmerzen. Ich suchte ja immer meine Enttäuschung zu verbergen, denn ich schämte mich meiner Unzufriedenheit. Diesmal aber konnte ich noch durch kein Schluchzen, kein Verbergen zwischen Kissen mein Leid verstecken. Ich wollte weißen, weichen Schnee sehn. Meine Mutter sprach wohl von Erkältung, vertröstete mich auf den Morgen, trug mich Weinenden im Zimmer herum; dann summte ihre Stimme um mich her, und ich schlief beruhigt ein ...

ELSE LASKER-SCHÜLER

DIE EISENBAHN

Oben auf dem Oller, wie die Wuppertaler die Bodenkammern zu nennen pflegen, befand sich das Laboratorium meines jüngsten Bruders, »das Gift-Zimmer«, darin Flaschen mit verschiedenartigen Salzen und Säuren und allerlei Chemikalien seltsamsten Farbeninhalts standen. Namentlich die grünspangelben Schwefelwürfel wirkten auf mich faszinierend. Mit Chemie und Naturwissenschaft beschäftigte sich mein Bruder mit Vorliebe, aber auch kleine Lokomotiven zu bauen, machte ihm große Freude. Man hörte sie schon im untersten Treppenhaus pfeifen. Manchmal rief er mich in sein Laboratorium, wenn die niedlichen Räder der Dampfmaschine, wie die einer D-Zug-Lokomotive im vollen Tempo über die Schienen rund um den breiten Tisch, durch den kleinen St. Gotthard, den mein Bruder ebenfalls gebaut und durchbrochen hatte, rasten. Meine zwei zierlichen Wachspuppenzwillinge — beide hießen sie Meta — durfte ich in den Wagen I. Klasse setzen, eigens für sie angehängt. Nur vor den Flaschen hatte ich eine unerklärliche Angst ... in der blauen ... saß ein Gespenst ... Wenn mein Bruder die eine oder die andere öffnete, roch es so giftig in der Luft, ich glaubte ersticken zu müssen. Aber er war ein Zauberer, denn er konnte aus grün und gelb blau zaubern und wieder zurück. Zwei Säuren, die er zusammengoß, wurden auf einmal lila und ein Tropfen vom Salpeter genügte, um aus lila rot zu verwandeln. Auf den Eckbrettern lagen übereinander griechische und lateinische Bücher und eine alte mächtige Bibel in weißen verwitterten Lederdeckeln. Mein Bruder war fromm. Doch mich interessierten seine Herbarien mit den zarten Zittergräsern und sorgsam getrockneten Blumen, Winden, Wicken und Weißdorn und eine große Königskerze. Im Glasschrank stand seine Münzensammlung, manche waren schon verrostet, und seine herrliche Steinsammlung. Der große Lapislazuli hatte es mir angetan und der Kristall — noch im Berg. Wenn es Abend wurde, machte mein Bruder seine Aufgaben. Er besuchte die Prima im Gymnasium und gab mir Nachhilfestunden, denn ich träumte zuviel in der Schule. Addieren und multiplizieren konnte ich halbwegs bis 100, in der Geographie wußte ich nur die Städte und Flüsse, wo ich schon gewesen war, oder das Meer, darin ich geplätschert hatte. Mein Bruder aber besaß eine Himmelsgeduld, und zum Schluß erzählte er mir immer wieder meine Lieblingsgeschichte von Joseph und seinen Brüdern und zeigte mir das Bild dazu, wie er verkauft wurde. Eines Tages im Winter am Sonntag starb mein Bruder. Genau wie er zu unserer treuen Mutter gesagt hatte — am Sonntag. Ein Heiligenschein lag um seine Sonnenhaare — er lächelte, er war reinen Herzens gewesen und schaute den lieben Gott. Ich trug einen Flor um den kleinen Arm und eine lange Kette mit schwarzen Glasperlen um den Hals. Die Kinder in der Schule beneideten mich heimlich darum, und ich kam mir so erwachsen vor. Aber einmal in der Frühe, ich schlief noch, stand mein toter Bruder vor meinem Bettchen und nahm mich bei der Hand. Wir stiegen bis auf den Oller in das Giftzimmer, dort goß er Spiritus in den Kessel der Lokomotive, genau wie ein Heizer; dann raste sie nur so über die Schienen — und er sagte zu mir: »Die großen Lokomotiven führen in alle Städte, ja, in alle Länder der Welt, aber diese kleine bis in den Himmel hinein.«

THEODOR FONTANE

Brief an den kleinen George

London, den 25. Januar 1857

Mein lieber George!

Deine Bleistiftzeichnungen sind mir gestern zugegangen und haben mich sehr erfreut. Die Vieren sind von der äußersten Porträtähnlichkeit und berechtigen zu den schönsten Hoffnungen. Werde unter den Malern, was Dein Vater unter den Dichtern ist, und Du wirst als Nachtwächter Dein gutes Brot haben. Den Prediger, den Du gezeichnet, würd' ich gewiß als solchen erkannt haben, wenn er nicht einem Wickelkinde ähnlich sähe. Vielleicht ist das ein feiner Gedanke von Dir, eine Schelmerei; Du betrachtest die Geistlichen als Wickelkinder des lieben Gottes, während wir andern wild aufwachsen oder schief gewickelt sind. — Im Baumschlag bist Du glücklich; Du malst ihn, eh' er da ist, und gibst statt dessen eine einzige Knospe, die, nach ihrer Dicke zu schließen, die ganze Pracht des Frühlings enthält. Niemand kann Dir beweisen, daß die Blätter, die darin verborgen sind, nicht alles aus dem Felde schlagen, was die Landschaftsmalerei bis jetzt geleistet hat. — Eine besondere Aufmerksamkeit hast Du dem »Hotel« gewidmet, was ich nur billigen kann. Der Rauch steigt aus zwei Schornsteinen in die Höhe und läßt auf eine gute Küche schließen. Flasche und Glas stehn auf der Straße und scheinen anzudeuten, daß der Wirt ein splendider Mann ist, der nicht blaß wird, wenn sein Gast einen Teller zerbricht. Die beiden Bäume, von denen der eine im zweiten Stock, der andre gar sich auf dem Dach befindet, sind mir nicht völlig klar; doch muß denn alles klar sein? Dummes Zeug! Alles Große hüllt sich in Dunkel, und alles Dunkle (nur muß es *sehr* dunkel sein) darf auf die Größe pochen, die sich in ihm verbirgt. Wir wollen mündlich unsre Gedanken über diesen Gegenstand austauschen.

Empfiehl mich Deiner Mama und Großmama sowie auch dem kleinen Theodor und harre aus in der Kunst. Wie immer Dein Vater

Theodor Fontane

GERHART HAUPTMANN

Der erste Schultag

Der durch Jahre vorausgeworfene Schatten des ersten Schultags verdichtete sich. Eines Tages nach Weihnachten sagte meine Mutter zu mir: Wenn das Frühjahr kommt, mußt du in die Schule. Ein ernster Schritt, der getan werden muß. Du mußt einmal stillsitzen lernen. Und überhaupt mußt du lernen und lernen, weil auf andere Weise nur ein Taugenichts aus dir werden kann.

Also du mußt! du mußt!

Ich war sehr bestürzt, als mir diese Eröffnung gemacht wurde. Daß ich erst etwas werden solle, da ich doch etwas war, begriff ich nicht. War ich doch völlig eins mit mir! Nur immer so weiter zu sein und zu leben, war der einzige, noch fast unbewußte Wunsch, in dem ich beruhte. Freiheit, Stille, Freude, Selbstherrlichkeit: warum sollte man etwas anderes wollen? Die kleinen Gängelungen der Eltern störten diesen Zustand nicht. Wollte man mir dieses Leben wegnehmen und dafür ein Sollen und Müssen setzen? Wollte man mich verstoßen aus einer so vollkommen schönen, mir so vollkommen angemessenen Daseinsform?

Ich begriff diese Sache im Grunde nicht.

Etwas auf andere Weise zu lernen als die, welche mir halb bewußt geläufig war, hatte ich weder Lust, noch fand ich es zweckmäßig. War ich doch durch und durch Energie und Heiterkeit. Ich beherrschte den Dialekt der Straße, so wie ich das Hochdeutsch der Eltern beherrschte. Erst heute weiß ich, welch eine gigantische Geistesleistung hierin beschlossen ist und daß sie, geschweige von einem Kinde, nicht zu ermessen ist. Spielend und ohne bewußt gelernt zu haben, hantierte ich mit allen Worten und Begriffen eines umfassenden Lexikons und der dazugehörigen Vorstellungswelt.

Ob ich mich nicht wirklich vielleicht ohne Schule schneller, besser und reicher entwickelt hätte?

Vielleicht aber war das Schlimmste ein Seelenschmerz, den ich empfand. Meine Eltern mußten doch wissen, was sie mir antaten. Ich hatte an ihre unendliche, uferlose Liebe geglaubt, und nun lieferten sie mich an etwas aus, ein Fremdes, das mir Grauen erzeugte. Glich das nicht einem wirklichen Ausstoßen? Sie gaben zu, sie befürworteten es, daß man mich in ein Zimmer sperrte, mich, der nur in freier Luft und freier Bewegung zu leben fähig war — daß man mich einem bösen alten Mann auslieferte, von dem man mir erzählt hatte, was ich später genugsam erlebte: daß er die Kinder mit der Hand ins Gesicht, mit dem Stock auf die Handteller oder, so daß rote Schwielen zurückblieben, auf den entblößten Hintern schlug!

5 Albrecht Dürer, Selbstbildnis, um 1492
Handzeichnung, Erlangen

Der erste Schultag kam heran. Der erste Gang zur Schule, den ich, an wessen Hand weiß ich nicht mehr, unter Furcht und Zagen zurücklegte. Es schien mir damals ein unendlich langer Weg, und so war ich denn recht erstaunt, als ich ein halbes Jahrhundert später das alte Schulhaus suchte und nur deshalb nicht fand, weil es aus dem Fenster der alten Preußischen Krone sozusagen mit der Hand zu greifen war.

Unterwegs gab es Verzweiflungsauftritte, die nach vielem guten Zureden meiner Begleiterin, und nachdem sie mich an der Schultür unter den dort versammelten Kindern allein gelassen hatte, dumpfe Ergebung ablöste.

Es gab eine kurze Wartezeit, in der sich die kleinen Leidensgenossen tastend miteinander bekannt machten. Im Hausflur der Schule zusammengepfercht, pirschte sich ein kleiner Piks an mich heran und konnte sich gar nicht genugtun in Versuchen, die Angst zu steigern, die er bei mir mit Recht voraussetzte. Diese kleine schmutzige Milbe und Rotznase hatte mich zum Opfer ihres sadistischen Instinktes ausgewählt. Sie schilderte mir das Schulverfahren, das sie ebensowenig kannte wie ich, indem sie den Lehrer als einen Folterknecht darstellte und sich an dem gläubigen Ausdruck meines angstvoll verweinten Gesichts weidete. Er haut, wenn du sprichst, sagte der kleine Lausekerl. Er haut, wenn du schweigst, wenn du niesen mußt. Er haut dich, wenn du die Nase wischst. Wenn er dich ruft, so haut er schon. Paß auf, er haut, wenn du in die Stube trittst.

So ging es, ich weiß nicht wie lange, fort, mit den Worten und Wendungen des Volksdialekts, in dem man sich auf der Straße ausdrückt.

Eine Stunde danach war ich wieder zu Haus, aß mit den Eltern vergnügt und renommistisch das Mittagbrot und stürzte mich mit verdoppelter Lust ins Freie, in die noch lange nicht verlorene Welt meiner kindlichen Ungebundenheit.

Nein, die Dorfschule mit dem alten, immer mißgelaunten Lehrer Brendel zerbrach mich nicht. Kaum wurde mir etwas von meinem Lebensraum und meiner Freiheit weggenommen und gar nichts von meiner Lebenslust.

ANNETTE VON DROSTE-HÜLSHOFF

KINDER AM UFER

»Oh sieh doch! siehst du nicht die Blumenwolke
Da drüben in dem tiefsten Weiherkolke?
O, das ist schön! hätt ich nur einen Stecken,
Schmalzweiße Kelch mit dunkelroten Flecken,
Und jede Glocke ist frisiert so fein
Wie unser wächsern Engelchen im Schrein.
Was meinst du, schneid ich einen Haselstab
Und wat ein wenig in die Furt hinab?
Pah! Frösch und Hechte können mich nicht schrecken —
Allein, ob nicht vielleicht der Wassermann
Dort in den langen Kräutern hocken kann?

Ich geh, ich gehe schon — ich gehe nicht —
Mich dünkt, ich sah am Grunde ein Gesicht —
Komm, laß uns lieber heim, die Sonne sticht!«

JOHANN WOLFGANG GOETHE

ST. NEPOMUKS VORABEND

Lichtlein schwimmen auf dem Strome,
Kinder singen auf der Brücken,
Glocke, Glöckchen fügt vom Dome
Sich der Andacht, dem Entzücken.

Lichtlein schwinden, Sterne schwinden.
Also löste sich die Seele
Unsres Heil'gen, nicht verkünden
Durft' er anvertraute Fehle.

Lichtlein, schwimmet! Spielt, ihr Kinder!
Kinderchor, o singe, singe!
Und verkündiget nicht minder,
Was den Stern zu Sternen bringe.

STEFAN GEORGE

Der kindliche Kalender

Die ersten wochen nach Erscheinung des Herrn hatten ausser den fremdländischen gesichten der drei Weisen mit gold weihrauch und mirren kaum andere erinnerungen als die schlittenfahrten über den zugefrorenen strom· der mit der ebene eines geworden war. Um Mariä Lichtmess hörten wir viel von der zunehmenden helligkeit und der hoffnung auf winters ende. In der frühe gingen wir zur weihe des wachses und empfingen tags drauf den segen der kerzen. Der Fasching wo wir mit bunten und seltsamen kleidern einherzogen brachte uns die schau einer umgekehrten welt· wo sich männer in weiber und menschen in tiere verwandelten. Morgens noch als es dunkelte· sagten kinder die auf hohen stangen aufgespiesste brote trugen singend die Fastnacht an. Am Aschermittwoch traten wir zum altar und der priester zeichnete unsre stirnen mit dem aschenkreuz. Um Lätare beobachteten wir die ersten arbeiten auf dem feld und als der saft in den bäumen stieg sassen wir im weidicht und schnitten aus den lockergeklopften rinden uns flöten und pfeifen. Die schwalben und die störche kehrten wieder. Die Heilige Woche kam mit ihren zerstörten altären· der verstummten orgel und dem tönen der klapper statt der klingeln und glocken. Am Karfreitag lagen wir· nachdem pfarrer und mesner vorangegangen waren· der länge nach ausgestreckt auf dem chor und küssten das niedergelegte Heilige Holz. In der dämmerung erklangen die uralten klageweisen über den untergang der Stadt. Darauf der Samstag mit der enthüllung des kreuzes und den posaunen der osterfreude. Am Weissen Sonntag weckten uns in der frühe die choräle von den türmen und wir stellten uns auf um den zug der kleinen bräutigame und bräute zu sehen die zum erstenmal zum Tisch des Herrn zogen. Alle hatten sie auf ihren stirnen die blässe der angst und andacht und dies war der einzige tag wo auch die plumpen kinder des volkes schön wurden. Ende april begannen wieder unsere regelmässigen fahrten in die wiesen und auf die berge. Unsere mutter lehrte uns die namen und die kräfte der blumen und kräuter und wir bekamen die schwer zugängliche kuppe gezeigt wo die seltene Blume diptam wächst aus der des nachts weisse flammen perlen. Im monat der Maria gingen wir des abends mit kränzen und großen fliederbüschen zur kapelle um das bild der himmelskönigin zu schmücken. Hier wurden uns die beiden gebärden des gebetes gewiesen: die eine mit ineinandergeschlungenen geneigten fingern um ergebenheit und dank auszudrücken, die andere mit aufrechten aneinandergelegten zu bitte und preis. Am Fronleichnam wurde in grossem aufzug das Allerheiligste durch die bestreuten und geschmückten weihrauchduftenden strassen geführt und mit den dumpfen männerstimmen vereinigten sich unsre helleklingenden zum Tedeum. Mit Pfingsten begann der sommer und die gesänge im wald und am flusse. In grossen steinkrügen trugen wir den wein bergaufwärts· wir durften ihn in den bächen kühlen und lagerten uns auf dem grunde zu den frohen abendmahlzeiten im tannenrund. An Johanni sammelten wir von haus zu haus holz und reisig. Es wurde auf karren geladen und auf den höhen in großen haufen aufgeschichtet. Nach einbruch der dunkelheit wurde es entzündet und wir liebten es unsre nackten arme in die freie züngelnde flamme zu schnellen. In den erntetagen wenn die hitze etwas nachgelassen hatte gingen wir in die flur und flochten uns kränze von kornblumen· und die leute zeigten uns wie man aus umgestülpten mohnrosen kleine prinzessinnen macht. Dort hörten wir einmal wie die schnitter ein lied vom Wote sangen und konnten uns unser grauen und unsre verwunderung nicht erklären. Erst später fiel uns der grund ein: dass ein seit jahrtausenden enthronter Gott noch in erinnerung sein sollte während ein heutiger schon in vergessenheit geriet. Mitte august begleiteten wir die auf einem gerüst getragene bildsäule des Stadt-Heiligen von der kirche zur bergkapelle. Er war in einen dunkelpurpurnen samtmantel gekleidet und um seine schultern hingen die ersten reifenden trauben. Wir hatten pilgerkutten angelegt mit aufgenähten muscheln und führten in der hand flasche und stab. In langer reihe kamen dann die vielen sonntage nach Pfingsten die wenig abwechslung brachten im kindlichen jahre und blasser im gedächtnis blieben — bis zum Advent. Dazwischen war der Dreifaltigkeitstag an dem die nachtwandrer und hellseher geboren werden· die zeit der weinlese und Allerheiligen· das lezte fest vor dem einbruch des nebels und der kälte. Während der Kunfttage gingen wir mit lampen zur frühmette· wo der psalm wiederholt wurde ›Tauet himmel den Gerechten‹.. und lange wochen waren erfüllt von den erwartungen der nahen Weihnacht.

* * *

JAKOB UND WILHELM GRIMM

Hans im Glück

Hans hatte sieben Jahre bei seinem Herrn gedient, da sprach er zu ihm: »Herr, meine Zeit ist herum, nun wollte ich gerne wieder heim zu meiner Mutter, gebt mir meinen Lohn.« Der Herr antwortete: »Du hast mir treu und ehrlich gedient; wie der Dienst war, so soll der Lohn sein«, und gab

ihm ein Stück Gold, das so groß als Hansens Kopf war. Hans zog sein Tüchlein aus der Tasche, wickelte den Klumpen hinein, setzte ihn auf die Schulter und machte sich auf den Weg nach Haus. Wie er so dahinging und immer ein Bein vor das andere setzte, kam ihm ein Reiter in die Augen, der frisch und fröhlich auf einem muntern Pferd vorbeitrabte. »Ach«, sprach Hans ganz laut, »was ist das Reiten ein schönes Ding! Da sitzt einer wie auf einem Stuhl, stößt sich an keinen Stein, spart die Schuh und kommt fort, er weiß nicht wie.« Der Reiter, der das gehört hatte, hielt an und rief: »Ei, Hans, warum läufst du auch zu Fuß?« — »Ich muß ja wohl«, antwortete er, »da habe ich einen Klumpen heimzutragen: es ist zwar Gold, aber ich kann den Kopf dabei nicht grad halten, auch drückt mir's auf die Schulter.« — »Weißt du was«, sagte der Reiter, »wir wollen tauschen: ich gebe dir mein Pferd, und du gibst mir deinen Klumpen.« — »Von Herzen gern«, sprach Hans, »aber ich sage Euch, Ihr müßt Euch damit schleppen.« Der Reiter stieg ab, nahm das Gold und half dem Hans hinauf, gab ihm die Zügel fest in die Hände und sprach: »Wenn's nun recht geschwind soll gehen, so mußt du mit der Zunge schnalzen und hopp hopp rufen.«
Hans war seelenfroh, als er auf dem Pferde saß und so frank und frei dahinritt. Über ein Weilchen fiel's ihm ein, es sollte noch schneller gehen, und fing an, mit der Zunge zu schnalzen und hopp hopp zu rufen. Das Pferd setzte sich in scharfen Trab, und ehe sich's Hans versah, war er abgeworfen und lag in einem Graben, der die Äcker von der Landstraße trennte. Das Pferd wäre auch durchgegangen, wenn es nicht ein Bauer aufgehalten hätte, der des Weges kam und eine Kuh vor sich her trieb. Hans suchte seine Glieder zusammen und machte sich wieder auf die Beine. Er war aber verdrießlich und sprach zu dem Bauer: »Es ist ein schlechter Spaß, das Reiten, zumal wenn man auf so eine Mähre gerät wie diese, die stößt und einen herabwirft, daß man den Hals brechen kann; ich setze mich nun und nimmermehr wieder auf. Da lob ich mir Eure Kuh, da kann einer mit Gemächlichkeit hinterhergehen und hat obendrein seine Milch, Butter und Käse jeden Tag gewiß. Was gäb ich darum, wenn ich so eine Kuh hätte!« — »Nun«, sprach der Bauer, »geschieht Euch so ein großer Gefallen, so will ich Euch wohl die Kuh für das Pferd vertauschen.« Hans willigte mit tausend Freuden ein: der Bauer schwang sich aufs Pferd und ritt eilig davon.
Hans trieb seine Kuh ruhig vor sich her und bedachte den glücklichen Handel. »Hab ich nur ein Stück Brot, und daran wird mir's doch nicht fehlen, so kann ich, so oft mir's beliebt, Butter und Käse dazu essen; hab ich Durst, so melke ich meine Kuh und trinke Milch. Herz, was verlangst du mehr?« Als er zu einem Wirtshaus kam, machte er Halt, aß in der großen Freude alles, was er bei sich hatte, sein Mittags- und Abendbrot, rein auf und ließ sich für seine letzten paar Heller ein halbes Glas Bier einschenken. Dann

trieb er seine Kuh weiter, immer nach dem Dorfe seiner Mutter zu. Die Hitze ward drückender, je näher der Mittag kam, und Hans befand sich in einer Heide, die wohl noch eine Stunde dauerte. Da ward es ihm ganz heiß, so daß ihm vor Durst die Zunge am Gaumen klebte. Dem Ding ist zu helfen, dachte Hans, jetzt will ich meine Kuh melken und mich an der Milch laben. Er band sie an einen dürren Baum, und da er keinen Eimer hatte, so stellte er seine Ledermütze unter, aber wie er sich auch bemühte, es kam kein Tropfen Milch zum Vorschein. Und weil er sich ungeschickt dabei anstellte, so gab ihm das ungeduldige Tier endlich mit einem der Hinterfüße einen solchen Schlag vor den Kopf, daß er zu Boden taumelte und eine Zeitlang sich gar nicht besinnen konnte, wo er war. Glücklicherweise kam gerade ein Metzger des Weges, der auf einem Schubkarren ein junges Schwein liegen hatte. »Was sind das für Streiche!« rief er und half dem guten Hans auf. Hans erzählte, was vorgefallen war. Der Metzger reichte ihm seine Flasche und sprach: »Da trinkt einmal und erholt Euch. Die Kuh will wohl keine Milch geben, das ist ein altes Tier, das höchstens noch zum Ziehen taugt oder zum Schlachten.« — »Ei, ei«, sprach Hans und strich sich die Haare über den Kopf, »wer hätte das gedacht! Es ist freilich gut, wenn man so ein Tier ins Haus abschlachten kann, was gibt's für Fleisch! Aber ich mache mir aus dem Kuhfleisch nicht viel, es ist mir nicht saftig genug. Ja, wer so ein junges Schwein hätte! Das schmeckt anders, dabei noch die Würste.« — »Hört, Hans«, sprach da der Metzger, »Euch zuliebe will ich tauschen und will Euch das Schwein für die Kuh lassen.« — »Gott lohn Euch Eure Freundschaft«, sprach Hans, übergab ihm die Kuh, ließ sich das Schweinchen vom Karren losmachen und den Strick, woran es gebunden war, in die Hand geben.

Hans zog weiter und überdachte, wie ihm doch alles nach Wunsch ginge; begegnete ihm je eine Verdrießlichkeit, so würde sie doch gleich wieder gutgemacht. Es gesellte sich danach ein Bursch zu ihm, der trug eine schöne weiße Gans unter dem Arm. Sie boten einander die Zeit, und Hans fing an, von seinem Glück zu erzählen und wie er immer so vorteilhaft getauscht hätte. Der Bursch erzählte ihm, daß er die Gans zu einem Kindtaufschmaus brächte. »Hebt einmal«, fuhr er fort und packte sie bei den Flügeln, »wie schwer sie ist; sie ist aber auch acht Wochen lang genudelt worden. Wer in den Braten beißt, muß sich das Fett von beiden Seiten abwischen.« — »Ja«, sprach Hans und wog sie mit der einen Hand, »die hat ihr Gewicht, aber mein Schwein ist auch keine Sau.« Indessen sah sich der Bursch nach allen Seiten ganz bedenklich um, schüttelte auch wohl mit dem Kopf. »Hört«, fing er darauf an, »mit Eurem Schweine mag's nicht ganz richtig sein. In dem Dorf, durch das ich gekommen bin, ist eben dem Schulzen eins aus dem Stall gestohlen worden. Ich fürchte, ich fürchte, Ihr habt's da in der Hand. Sie haben Leute ausgeschickt, und es wäre ein schlimmer Handel, wenn sie Euch mit dem Schwein erwischten: das geringste ist, daß Ihr ins finstere Loch gesteckt werdet.« Dem guten Hans ward bang. »Ach Gott«, sprach er, »helft mir aus der Not, Ihr wißt hierherum besseren Bescheid, nehmt mein Schwein da und laßt mir Eure Gans.« — »Ich muß schon etwas aufs Spiel setzen«, antwortete der Bursche, »aber ich will doch nicht Schuld sein, daß Ihr ins Unglück geratet.« Er nahm also das Seil in die Hand und trieb das Schwein schnell auf einem Seitenweg fort: der gute Hans aber ging, seiner Sorgen entledigt, mit der Gans unter dem Arme der Heimat zu. »Wenn ich's recht überlege«, sprach er mit sich selbst, »habe ich noch Vorteil bei dem Tausch: erstlich den guten Braten, hernach die Menge von Fett, die heraustråufeln wird, das gibt Gänsefettbrot auf ein Vierteljahr: und endlich die schönen weißen Federn, die laß ich mir in mein Kopfkissen stopfen, und darauf will ich wohl ungewiegt einschlafen. Was wird meine Mutter eine Freude haben!«

Als er durch das letzte Dorf gekommen war, stand da ein Scherenschleifer mit seinem Karren, sein Rad schnurrte, und er sang dazu:

»Ich schleife die Schere und drehe geschwind
Und hänge mein Mäntelchen nach dem Wind.«

Hans blieb stehen und sah ihm zu; endlich redete er ihn an und sprach: »Euch geht's wohl, weil Ihr so lustig bei Eurem Schleifen seid.« — »Ja«, antwortete der Scherenschleifer, »das Handwerk hat einen güldenen Boden. Ein rechter Schleifer ist ein Mann, der, sooft er in die Tasche greift, auch Geld darin findet. Aber wo habt Ihr die schöne Gans gekauft?« — »Die hab ich nicht gekauft, sondern für mein Schwein eingetauscht.« — »Und das Schwein?« — »Das hab ich für eine Kuh gekriegt.« — »Und die Kuh?« — »Die hab ich für ein Pferd bekommen.« — »Und das Pferd?« — »Dafür hab ich einen Klumpen Gold, so groß als mein Kopf, gegeben« — »Und das Gold?« — »Ei, das war mein Lohn für sieben Jahre Dienst.« — »Ihr habt Euch jederzeit zu helfen gewußt«, sprach der Schleifer, »könnt Ihr's nun dahin bringen, daß Ihr das Geld in der Tasche springen hört, wenn Ihr aufsteht, so habt Ihr Euer Glück gemacht.« — »Wie soll ich das anfangen?« sprach Hans. »Ihr müßt ein Schleifer werden wie ich; dazu gehört eigentlich nichts als ein Wetzstein, das andere findet sich schon von selbst. Da hab ich einen, der ist zwar ein wenig schadhaft, dafür sollt Ihr mir aber auch weiter nichts als Eure Gans geben; wollt Ihr das?« — »Wie könnt Ihr noch fragen«, antwortete Hans, »ich werde ja zum glücklichsten Menschen auf Erden; habe ich Geld, sooft ich in die Tasche greife, was brauche ich da länger zu sorgen?« reichte ihm die Gans hin und nahm den Wetzstein in Empfang. »Nun«, sprach der Schleifer und hob einen gewöhnlichen schwe-

ren Feldstein, der neben ihm lag, auf, »da habt Ihr noch einen tüchtigen Stein dazu, auf dem sich's gut schlagen läßt und Ihr Eure alten Nägel geradeklopfen könnt. Nehmt ihn und hebt ihn ordentlich auf.«
Hans lud den Stein auf und ging mit vergnügtem Herzen weiter; seine Augen leuchteten vor Freude. »Ich muß in einer Glückshaut geboren sein«, rief er aus, »alles, was ich wünsche, trifft mir ein wie einem Sonntagskind.« Indessen, weil er seit Tagesanbruch auf den Beinen gewesen war, begann er müde zu werden; auch plagte ihn der Hunger, da er allen Vorrat auf einmal in der Freude über die erhandelte Kuh aufgezehrt hatte. Er konnte endlich nur mit Mühe weitergehen und mußte jeden Augenblick haltmachen; dabei drückten ihn die Steine ganz erbärmlich. Da konnte er sich des Gedankens nicht erwehren, wie gut es wäre, wenn er sie gerade jetzt nicht zu tragen brauchte. Wie eine Schnecke kam er zu einem Feldbrunnen geschlichen, wollte da ruhen und sich mit einem frischen Trunk laben: damit er aber die Steine im Niedersitzen nicht beschädigte, legte er sie bedächtig neben sich auf den Rand des Brunnens. Darauf setzte er sich nieder und wollte sich zum Trinken bücken; da versah er's, stieß ein klein wenig an, und beide Steine plumpten hinab. Hans, als er sie mit seinen Augen in die Tiefe hatte versinken sehen, sprang vor Freuden auf, kniete dann nieder und dankte Gott mit Tränen in den Augen, daß er ihm auch diese Gnade noch erwiesen und ihn auf eine so gute Art und ohne daß er sich einen Vorwurf zu machen brauchte, von den schweren Steinen befreit hätte, die ihm allein noch hinderlich gewesen wären. »So glücklich wie ich«, rief er aus, »gibt es keinen Menschen unter der Sonne.« Mit leichtem Herzen und frei von aller Last sprang er nun fort, bis er daheim bei seiner Mutter war.

JOSEPH VON EICHENDORFF

Aus dem Leben eines Taugenichts

Das Rad an meines Vaters Mühle brauste und rauschte schon wieder recht lustig, der Schnee tröpfelte emsig vom Dache, die Sperlinge zwitscherten und tummelten sich dazwischen; ich saß auf der Türschwelle und wischte mir den Schlaf aus den Augen; mir war so recht wohl in dem warmen Sonnenscheine. Da trat der Vater aus dem Hause; er hatte schon seit Tagesanbruch in der Mühle rumort und die Schlafmütze schief auf dem Kopfe, der sagte zu mir: »Du Taugenichts! da sonnst du dich schon wieder und dehnst und reckst dir die Knochen müde und läßt mich alle Arbeit allein tun. Ich kann dich hier nicht länger füttern. Der Frühling ist vor der Tür, geh auch einmal hinaus in die Welt und erwirb dir selber dein Brot.« — »Nun«, sagte ich, »wenn ich ein Taugenichts bin, so ist's gut, so will ich in die Welt gehn und mein Glück machen.« Und eigentlich war mir das recht lieb, denn es war mir kurz vorher selber eingefallen, auf Reisen zu gehn, da ich die Goldammer, welche im Herbst und Winter immer betrübt an unserm Fenster sang: »Bauer, miet' mich, Bauer, miet' mich!« nun in der schönen Frühlingszeit wieder ganz stolz und lustig vom Baume rufen hörte: »Bauer, behalt deinen Dienst!« — Ich ging also in das Haus hinein und holte meine Geige, die ich recht artig spielte, von der Wand, mein Vater gab mir noch einige Groschen Geld mit auf den Weg, und so schlenderte ich durch das lange Dorf hinaus. Ich hatte recht meine heimliche Freude, als ich da alle meine alten Bekannten und Kameraden rechts und links, wie gestern und vorgestern und immerdar, zur Arbeit hinausziehen, graben und pflügen sah, während ich so in die freie Welt hinausstrich. Ich rief den armen Leuten nach allen Seiten recht stolz und zufrieden Adjes zu, aber es kümmerte sich eben keiner sehr darum. Mir war es wie ein ewiger Sonntag im Gemüte. Und als ich endlich ins freie Feld hinauskam, da nahm ich meine liebe Geige vor und spielte und sang, auf der Landstraße fortgehend:

»Wem Gott will rechte Gunst erweisen,
Den schickt er in die weite Welt,
Dem will er seine Wunder weisen
In Berg und Wald und Strom und Feld.

Die Trägen, die zu Hause liegen,
Erquicket nicht das Morgenrot,
Sie wissen nur vom Kinderwiegen
Von Sorgen, Last und Not um Brot.

Die Bächlein von den Bergen springen,
Die Lerchen schwirren hoch vor Lust,
Was sollt' ich nicht mit ihnen singen
Aus voller Kehl' und frischer Brust?

Den lieben Gott laß ich nur walten;
Der Bächlein, Lerchen, Wald und Feld
Und Erd' und Himmel will erhalten,
Hat auch meine Sach' aufs best' bestellt!«

Indem, wie ich mich so umsehe, kömmt ein köstlicher Reisewagen ganz nahe an mich heran, der mochte wohl schon einige Zeit hinter mir drein gefahren sein, ohne daß ich es merkte, weil mein Herz so voller Klang war, denn es ging ganz langsam, und zwei vornehme Damen steckten die Köpfe aus dem Wagen und hörten mir zu. Die eine war besonders schön und jünger als die andere, aber eigentlich gefielen sie mir alle beide. Als ich nun aufhörte zu singen, ließ die ältere still halten und redete mich holdselig an: »Ei, lustiger Gesell, Er weiß ja recht hübsche Lieder zu singen.« Ich nicht zu faul dagegen: »Euer Gnaden aufzuwarten, wüßt' ich noch viel schönere.« Darauf fragte sie mich wieder: »Wohin wandert Er denn schon so am frühen Morgen?« Da schämte ich mich, daß ich das selber nicht wußte, und sagte dreist: »Nach Wien«; nun sprachen beide miteinander in einer fremden Sprache, die ich nicht verstand. Die jüngere schüttelte einigemal mit dem Kopfe, die andere lachte aber in einem fort und rief mir endlich zu: »Spring Er nur hinten mit auf, wir fahren auch nach Wien.« Wer war froher als ich! Ich machte eine Reverenz und war mit einem Sprunge hinter dem Wagen, der Kutscher knallte, und wir flogen über die glänzende Straße fort, daß mir der Wind am Hute pfiff.

Hinter mir gingen nun Dorf, Gärten und Kirchtürme unter, vor mir neue Dörfer, Schlösser und Berge auf; unter mir Saaten, Büsche und Wiesen bunt vorüberfliegend, über mir unzählige Lerchen in der klaren blauen Luft — ich schämte mich, laut zu schreien, aber innerlichst jauchzte ich und strampelte und tanzte auf dem Wagentritt herum, daß ich bald meine Geige verloren hätte, die ich unterm Arme hielt. Wie aber dann die Sonne immer höher stieg, rings am Horizont schwere weiße Mittagswolken aufstiegen, und alles in der Luft und auf der weiten Fläche so leer und schwül und still wurde über den leise wogenden Kornfeldern, da fiel mir erst wieder mein Dorf ein und mein Vater und unsere Mühle, wie es da so heimlich kühl war an dem schattigen Weiher, und daß nun alles so weit, weit hinter mir lag. Mir war dabei so kurios zumute, als müßt' ich wieder umkehren; ich steckte meine Geige zwischen Rock und Weste, setzte mich voller Gedanken auf den Wagentritt hin und schlief ein.

Als ich die Augen aufschlug, stand der Wagen still unter hohen Lindenbäumen, hinter denen eine breite Treppe zwischen Säulen in ein prächtiges Schloß führte. Seitwärts durch die Bäume sah ich die Türme von Wien. Die Damen waren, wie es schien, längt ausgestiegen, die Pferde abgespannt. Ich erschrak sehr, da ich auf einmal so allein saß, und sprang geschwind in das Schloß hinein . . .

THOMAS MANN

Über Eichendorffs »Taugenichts«

Es hat doch wohl keinen Sinn, daß ich die Fabel rekapituliere? Sie anspruchslos zu nennen, wäre schon zu viel gesagt. Sie ist die reine ironische Spielerei, und der Verfasser selbst macht sich darüber lustig, indem er gegen den Schluß jemanden sagen läßt: »Also zum Schluß, wie sich's von selbst versteht und einem wohlerzogenen Romane gebührt: Entdeckung, Reue, Versöhnung, wir sind alle wieder lustig beisammen, und übermorgen ist Hochzeit!« Aber der Roman ist nichts weniger als wohlerzogen, er entbehrt jedes soliden Schwergewichts, jedes psychologischen Ehrgeizes, jedes sozialkritischen Willens und jeder intellektuellen Zucht; er ist nichts als Traum, Musik, Gehenlassen, ziehender Posthornklang, Fernweh, Heimweh, Leuchtkugelfall auf nächtlichen Park, törichte Seligkeit, so daß einem die Ohren klingen und der Kopf summt vor poetischer Verzauberung und Verwirrung. Aber er ist auch Volkstanz im Sonntagsputz und wandernde Leierkasten, ein deutschromantisch gesehenes Künstler-Italien, fröhliche Schiffahrt einen schönen Fluß hinab, während die Abendsonne Wälder und Täler vergoldet und die Ufer von Waldhornklängen widerhallen, Sang vazierender Studenten, welche »die Hüt' im Morgenstrahl schwenken«, Gesundheit, Frische, Einfalt, Frauendienst, Humor, Drolligkeit, innige Lebenslust und eine stete Bereitschaft zum Liede, zum reinsten, erquickendsten, wunderschönsten Gesange ... Ja, die Weisen, die da erklingen, die überall eingestreut sind, als sei es nicht weiter viel damit, — es sind nicht solche, die man nur eben in Kauf nimmt, es sind Kleinode der deutschen Lyrik, hochberühmt, unserm Ohr und Herzen alt und lieb vertraut; hier aber stehen sie an ihrem eigentlichen Platze, noch ganz ohne Ruhmespatina, noch nicht eingegangen in den Liederschatz der Jugend und des Volkes, frisch, erstmalig und nagelneu: Dinge wie »Wohin ich geh und schaue«, oder jenes »Wer in die Fremde will wandern« mit dem Endruf »Grüß dich, Deutschland, aus Herzensgrund!«, oder »Die treuen Berg' stehn auf der Wacht«, und dann die Zauberstrophe, die eine als wandernder Maler verkleidete Frau zur Zither auf dem Balkon in die warme Sommernacht singt; die, wie jedes der Lieder auf noch prosaischem Wege musikalisch vorbereitet wird — »Weit von den Weinbergen herüber hörte man noch zuweilen einen Winzer singen, dazwischen blitzte es manchmal von ferne, und die ganze Gegend zitterte und säuselte im Mondschein« —, und die nun freilich nicht mehr volkstümlich ist, sondern ein non plus ultra, eine betörende Essenz der Romantik. —

Schweigt der Menschen laute Lust:
Rauscht die Erde wie in Träumen
Wunderbar mit allen Bäumen,
Was dem Herzen kaum bewußt,
Alte Zeiten, linde Trauer,
Und es schweifen leise Schauer
Wetterleuchtend durch die Brust.

Der Taugenichts nun also, um persönlich auf ihn zu kommen, ist ein Müllersjunge, der seinen Schimpfnamen daher hat, daß er daheim zu nichts taugt, als sich in der Sonne zu rekeln und die Geige zu spielen, und den sein Vater darum ärgerlich auf die Wanderschaft schickt, damit er sich draußen sein Brot erwerbe. »Nun«, sagt der Junge, »wenn ich ein Taugenichts bin, so ist's gut, so will ich in die Welt gehen und mein Glück machen.« Und während rechts und links seine Bekannten und Kameraden, »wie gestern und vorgestern und immerdar«, zur Arbeit hinausziehen, graben und pflügen, streicht er, »ewigen Sonntag« im Gemüte, mit seiner Geige durchs Dorf in die freie Welt hinaus und lenkt mit dem nagelneuen Liede »Wem Gott will rechte Gunst erweisen« begreiflicherweise die Aufmerksamkeit zweier Damen auf sich, die ihn in einem »köstlichen Reisewagen« auf der Landstraße überholen. Sie nehmen ihn auf dem Trittbrette mit nach Wien, das er ins Blaue hinein als sein Wanderziel genannt hat; und damit beginnt der verträumte Reigen seiner deutsch-italienischen Abenteuer, die Geschichte seiner Liebe zur viel schönen gnädgen Frau, diese willenlose Geschichte, die sich in einer Opernintrige verwirrt, um sich in kindliches Wohlgefallen aufzulösen, und in welcher der Charakter dessen, der sie erlebt und erzählt, sich so treuherzig-unverantwortlich offenbart.
Der Charakter des Taugenichts ist folgender. Seine Bedürfnisse schwanken zwischen völligstem Müßiggang, so daß ihm vor Faulheit die Knochen knakken, und einem vag-erwartungsvollen Vagabundentriebe ins Weite, der ihm die Landstraßen als Brücken — über das schimmernde Land sich fern über Berge und Täler hinausschwingende Brücken zeigt. Er ist nicht allein selber nutzlos, sondern er wünscht auch die Welt nutzlos zu sehen, und als er ein Gärtchen zu bewirtschaften hat, wirft er Kartoffeln und anderes Gemüse, das er darin findet, hinaus und bebaut es zum Befremden der Leute ganz mit erlesenen Blumen, mit denen er allerdings seine hohe Frau beschenken will und die also wohl einen Zweck haben, aber nur einen unpraktischempfindsamen. Er ist von der Familie der jüngsten Söhne und dummen Hänse des Märchens, von denen niemand etwas erwartet und die dann doch die Aufgabe lösen und die Prinzessin zur Frau bekommen. Das heißt, er ist ein Gotteskind, dem es der Herr im Schlafe gibt, und er weiß das

auch; denn als er in die Welt zieht, wiederholt er nicht seines Vaters Wort vom Broterwerb, sondern erklärt leichthin, er gehe, sein Glück zu machen. Auch ist er so hübsch von Gesicht, daß in Italien, wo er, ohne es zu wissen, infolge der Intrige eine Zeitlang für ein verkleidetes Mädchen gilt, ein schwärmerischer Student sich recht hoffnungslos in ihn verliebt und daß überhaupt alle Herzen sich freundlich zu ihm neigen. Trotzdem aber und obgleich er die schöne Wandererde, das frische Krähen der Hähne über die leise wogenden Kronfelder hin, die schweifenden Lerchen zwischen den Morgenstreifen hoch am Himmel, den ernsten Mittag, die flüsternde Nacht aus dankbarer Seele liebt und innig belauscht, ist er in der Welt doch nicht zu Hause, hat in der Regel nicht teil an dem Glücke derer, die sich in ihr zu Hause fühlen. »Alles ist so fröhlich«, denkt er, während er wie öfters über der Welt in einer Baumkrone sitzt; »um dich kümmert sich kein Mensch. Und so geht es mir überall und immer. Jeder hat sein Plätzchen auf der Erde ausgesteckt, hat seinen warmen Ofen, seine Tasse Kaffee, seine Frau, sein Glas Wein zu Abend und ist so recht zufrieden. Mir ist's nirgends recht. Es ist, als wäre ich überall eben zu spät gekommen, als hätte die ganze Welt gar nicht auf mich gerechnet.« Er vergleicht sich mit einem zusammengerollten Igel, mit einer Nachteule, die in Ruinen hockt, mit einer Rohrdommel im Schilfe eines einsamen Weihers. Und er nimmt dann seine Geige von der Wand und spricht zu ihr: »Komm nur her, du getreues Instrument! Unser Reich ist nicht von dieser Welt!« Er ist ein Künstler und ein Genie, — was nicht seine eigene Behauptung noch die des Dichters ist, aber durch seine Lieder zur schönsten Evidenz erwiesen wird. Gleichwohl hat sein Wesen nicht den geringsten Einschlag von Exzentrizität, Problematik, Dämonie, Krankhaftigkeit. Nichts ist bezeichnender für ihn, als sein »Grausen« vor den wildschönen und überspannten Reden des Malers in dem römischen Garten, eines Bohémiens von dekorativem Gebaren, der mit grotesker Lustigkeit von Genie und Ewigkeit, von »Zucken, Weintrinken und Hungerleiden« rodomontiert und dabei mit seinen verwirrten Haaren vom Tanzen und Trinken im Mondschein ganz leichenblaß anzusehen ist. Der Taugenichts schleicht sich davon. Obgleich Landstreicher, Musikant und Verliebter, versteht er sich nur schlecht auf die Bohéme, — denn die Bohéme ist eine äußerst literarische und naturferne Form der Romantik, und er ist vollkommen unliterarisch. Er ist Volk, seine Melancholie ist die des Volksliedes und seine Lebensfreude desselben Geistes. Er ist gesund, wenn auch keinesweg derb, und kann die Verrücktheiten nicht ausstehen. Er »befiehlt sich Gottes Führung, zieht seine Violine hervor und spielt alle seine liebsten Stücke durch, daß es recht fröhlich in dem einsamen Walde erklang«. Sein Romantizismus also ist weder hysterisch, noch phthisisch, noch wollüstig, noch katholisch, noch phantastisch, noch intellektuell. Dieser Romantizismus ist ganz unentartet und unentgleist, er ist human, und sein Grundton ist melancholisch-humoristisch. Wo dieser Ton drollig wird, erinnert er auffallend an den eines sehr hohen germanischen Humoristen der Gegenwart, der ebenfalls Volk und inniger Landstreicher ist: an den Knut Hamsuns. »Parlez-vous français? sagte ich endlich in meiner Angst zu ihm. Er schüttelte mit dem Kopfe, und das war mir sehr lieb, denn ich konnte ja auch nicht französisch.« — Der Taugenichts verleugnet den Humoristen auch nicht in der Liebe. Auch seine Liebe ist nicht »leichenblaß«, auch sie ist human, das heißt melancholisch, innig und humoristisch. Er würde sich niemals, wie der welsche Student tut, der ihn für ein Mädchen hält, jemanden mit Iddio und cuore und amore und furore zu Füßen stürzen. Als »alles, alles gut« ist und er seine hohe Frau haben kann, da sie gottlob nur eine Portiersnichte ist, da ist er »so recht seelenvergnügt« und langt eine Handvoll Knackmandeln aus der Tasche, die er noch aus Italien mitgebracht hat. »Sie nahm auch davon, und wir knackten nun und sahen zufrieden in die stille Gegend hinein.« Das ist so freiwillig humoristisch, daß keine unfreiwillige Komik aufkommen kann, und man erinnert sich, daß auch die Märchenhänse sich nicht exaltierter aufführen, wenn sie die Prinzessin bekommen. Der Taugenichts ist in geschlechtlichen Dingen unschuldig bis zur Tölpelhaftigkeit und geht aus recht heiklen Lebenslagen, in die er dank der Intrige gerät, unberührt und ahnungslos hervor. Daß seine Reinheit nicht albern wirkt, ist eine starke poetische Leistung. Es ist die Reinheit des Volksliedes und des Märchens und also gesund und nicht exzentrisch. Er hat die Naivität und Freimenschlichkeit gemeinsam mit Gestalten wie dem Wagnerschen Waldknaben, dem Helden der Dschungelbücher und Kaspar Hauser. Aber er hat weder Siegfrieds Muskelhypertrophie, noch Parsifals Heiligkeit, noch Mowglis Halbtierheit, noch Hausers seelische Kellerfarbe. Das alles wären Exzentrizitäten; der Taugenichts aber ist human-gemäßigt. Er ist Mensch, und er ist es so sehr, daß er überhaupt nichts außerdem sein will und kann: eben deshalb ist er der Taugenichts. Denn man ist selbstverständlich ein Taugenichts, wenn man nichts weiter prästiert, als eben ein Mensch zu sein. Auch ist sein Menschentum wenig differenziert, es hat etwas Abstraktes, es ist bestimmt eigentlich nur im nationalen Sinne, — dies allerdings sehr stark; es ist überzeugend und exemplarisch deutsch, und obgleich sein Format so bescheiden ist, möchte man ausrufen: wahrhaftig, der deutsche Mensch!

ERNST SCHNABEL

Ich, Jasons Onkel und andere Personen oder: Vom Umgang mit einer verschwundenen Zeit

Es sind keine richtigen Geschichten. Manche sind so kurz, daß sie schon deshalb den Namen Geschichte nicht verdienen. Es geschieht auch nichts Rechtes darin. Hören Sie sich nur die erste an:
Ich war mit meinem Vater unterwegs auf den Feldern vor dem Dorfe, und es war Winter und Abend, bitter kalt. Die Nacht war glasklar, und niedrig über dem Horizonte stand ein riesiges Sternbild. Ich war damals sieben Jahre und kannte die Sterne nicht, aber sie sahen auch weniger wie Sterne aus als wie vier glänzende Messingnägel, mit denen man ein großes Stück blauen Tuchs an den Himmel genagelt hätte. Der Rest war wie kleine Münze in den Schoß des Tuches geworfen.
Mein Vater hat das Tuch und die Nägel wohl nicht gesehen. Er blieb mit einem Male stehen, zeigte hinauf und sagte:
Das ist Orion. Ein großer Jäger. —
Er hob seinen Spazierstock — und in diesem Augenblick flog das blaue Stück Tuch weg, und die Münzen waren keine Münzen mehr, und statt ihrer zeichnete die Spazierstockspitze meines Vaters den großen Jäger in die Nacht, die schimmernden Schultern Bellatrix und Beteigeuze, den goldenen Gürtel, das Jagdmesser daran, und die weitausgestreckten Arme des Riesen schleuderten mit der einen Hand Castor und Pollux, mit der anderen den roten Aldebaran und das Plejadengeflimmer in die bittere Kälte.
An diesem Abend im Schnee geschah es zum ersten Male, daß ich den Namen Orion hörte, aus dem Munde meines Vaters, darum erzähle ich Ihnen die Geschichte, die keine rechte Geschichte ist. Ich habe den Orion tausendmal wiedergesehen seitdem, doch nie wieder sind die Münzen und das genagelte Tuch erschienen. Der Spazierstock meines Vaters hat eine unauslöschliche Zeichnung in meinem Himmel hinterlassen. Und um es vorwegzunehmen: Orion war nur der erste von diesen großen, wunderbar dunkeltönenden Namen, die mir, wurden sie nur genannt, jeder die Welt ein Stück verändert haben. Ich habe sie bald, einen nach dem anderen, erfahren. Ich mußte sie sogar auswendig lernen, und ich weiß sie noch alle. Sie sind mir nicht wichtig geworden in irgendeinem praktischen Sinne. Das Einmaleins, das ich ungefähr zur selben Zeit lernte, war nützlicher, wenn man es so betrachtet. Aber in einer bestimmten, nicht leicht zu erklärenden Beziehung habe ich auch mit diesen großen Namen mein Leben lang rechnen können.
Das Auswendiglernen übrigens vollzog sich auf recht seltsame Weise. Es fand in unserem Gymnasium statt, in Sexta. Im »Geschichtsunterricht«. Un-

ser Rektor erteilte ihn, ein alter Herr mit einem Klemmer auf der Nase. Dieser Klemmer war nicht von der kaiserlichen Reserve-Offiziers-Klemmer-Art, die unsere anderen Lehrer trugen, obgleich wir schon eine Republik hatten, nicht von der Sorte derer, meine ich, die sich mit federnden Krallen rechts und links in den Nasenrücken bohrten, so daß sie viertelstündlich abgenommen und die Augenwinkel gerieben werden mußten, weil der fatale Schmerz das erträgliche Maß überschritten hatte. Nein, der Klemmer unseres Rektors war von anderer Konstruktion: sein ganzer Bügel federte milde. Er zwängte die Nase nicht ein, er ritt auf ihr. Da aber die Milde in dieser merkwürdigen Welt festen Sitz nicht garantiert, war an diesem Klemmer eine Sicherheitsleine befestigt. Sie lief zum obersten Westenknopf und bewahrte das Zweiglas, rutschte es einmal, vor allzu tiefem Fall. Ich habe unseren Rektor nie anders gesehen als mit dieser schwarzen Kordel quer im Munde, und so stand er eben vor uns, der Sexta, und sprach:
Zeus-Jupiter war der oberste Vater der Götter. — Alle!
Und die Klasse wiederholte im Chor:
Zeus-Jupiter war der oberste Vater der Götter.
Das Herr-und-Gemeinde-Geschrei klappte vortrefflich. Im Schlafe wußten wir, wie es um Zeus bestellt war. Diese Sicherheit im Wissenschaftlichen kräftigte unsere Stimmen. Damit wir aber bei unserem Spektakel nicht allzusehr durcheinander gerieten, klopfte der alte Herr mit dem Klassenbuche auf der Kathederkante den Takt. Es waren unvergeßliche Sätze, auf die er uns drillte. Etwa:
Pallas Athene-Minerva entsprang dem Haupt ihres Vaters.
Oder:
Der blinde Dichter Homer besang die Helden von Troja ...
Diese klassischen Übungen, denen wir uns mit Leidenschaft hingaben, daß die Korridore widerhallten, brachte unserer Klasse den Namen »Die Galeere« ein, und in der Tat hatte ja das rhythmische Geschrei aus dreißig Sextanerkehlen einiges von der besinnungslosen Anstrengung an sich, mit der venezianische Ruderknechte unter der Knute des Vormanns die Galeeren-Riemen geschwungen haben mögen. Und wie sie seinerzeit selbst im Schlafe noch mit leeren Händen vor sich hin gerudert haben sollen, so kann auch ich nicht den Namen Pallas Athene aussprechen, ohne ferne noch immer das klatschende Klassenbuch meines alten Lehrers zu hören.
Merkwürdigerweise nannte sich diese exerziermäßige Einführung in olympische Verhältnisse »Geschichtsunterricht«. Es fehlte gewiß nicht an Geschichten. Man weiß, welche bewegten Schicksale sich die alten Götter gegenseitig und ihren sterblichen Lieblingen bereiteten, den Heroen, dieser schimmernden Mannschaft von Königssöhnen, Kraftmenschen, segelnden Abenteurern und zigeunernden Jägern vom Schlage des großen Orion. Aber selbst

6 Max Beckmann
Selbstbildnis mit Fisch, 8. August 1949

tausend Geschichten machen doch noch keine Geschichte! Immerhin, das Verfahren führte dazu, daß für mich und meine Kommilitonen das Verhältnis von mythischer Dichtung und Wahrheit nie ein Problem gewesen ist, bis heute nicht. Für uns ist Hektor vor Ilion gestorben, so gewißlich wie Theseus, das Wollknäuel der Ariadne in der Hand, das Labyrinth bezwungen hat. Der Siebenjährige Krieg hat sich mit ihnen an realer Glaubwürdigkeit nie messen können. Und wenn in der Zeitung wieder einmal steht, neue Funde der Archäologen ließen eine bisher höchst unglaubliche Mythe nunmehr höchst glaublich erscheinen, so können wir nur lachen. Für uns ist Poesie und Wahrheit immer dasselbe gewesen.

Mit diesen Sprechchören waren aber die pädagogischen Mittel des Rektors noch nicht erschöpft. Sein Clou war der »Zettelkasten«, eine alte Zigarrenkiste voller Papierschnitzel, auf denen klassische Namen notiert waren. Diesen Kasten öffnete er mitunter, griff blindlings hinein, zog ein Stichwort und begann zu fragen. Zu fragen etwa:

Was wurde an den Strand der Insel Seriphos gespült?

Den Primus fragte er immer zuerst, der hinten am Fenster saß, und von dem es mit der Klasse buchstäblich bergab ging bis zum Klassenletzten in der vordersten Bank. Was also wurde an den Strand von Seriphos gespült?

Der Primus stand auf und sagte:

Ein Faß!

Worauf er sich wieder setzen durfte, denn es war in der Tat ein Faß gewesen. — Der Rektor fragte weiter:

Wer saß darin?

Der Klassenzweite erhob sich und antwortete, ging wiederum alles gut:

Danae saß darin.

Ging es aber nicht gut und wußte er nichts vom Inhalt des berühmten Gefäßes, er nicht und der Nächste und Übernächste auch nicht, so mußten sie stehen bleiben, bis sich dann irgendwo in der Klassenmitte einer besser unterrichtet zeigte, und nun begann der große Umzug. Der mit der richtigen Antwort durfte sich an die Stelle des ersten Ignoranten setzen, während die Phalanx der Nichtwisser um einen Platz »rutschte«. — Diese große Bewegung dauerte oft die ganze Stunde hindurch, und wenn es klingelte, sah man die Sexta in einer neuen, von den flüchtigsten Verdiensten bestimmten Sitzordnung. Mir, der ich für gewöhnlich in der unteren Klassenhälfte zu Hause war, ist es auf diese Weise einmal gelungen, ein einziges Mal, den Platz des Primus zu erobern. Ich hatte als einziger gewußt, daß Pelias Jasons Onkel gewesen war. Es war ein großer, freilich kurzer Triumph. Der Alte sagte: Brav, brav! zu mir, als ich mit meiner Büchertasche auf dem Hochsitz einzog. Doch schon am nächsten Tage sagte er, die schwarze Klemmerschnur im Munde:

In einer besseren Klasse wärest du nie zu solchen Ehren gekommen ...
Bald ... bin ich zur See gegangen. Meine Familie mißbilligte diesen Schritt nicht, sie übersah ihn einfach. Meine Tanten zuckten die Achseln, und nur Onkel Julius schrieb mir. Er schrieb, er sehe in mir den Alkibiades unserer Familie, das schwarze Schaf mit der winzigen Chance. Er schickte mir kein Geld, doch hin und wieder Bücher, denn er war ein feingebildeter Mann. Es waren Reclam-Hefte, und er bemerkte dazu, er habe zum Wohlfeilen gegriffen, denn ihm sei nicht bekannt, wie die See mit Büchern verfahre.
Eines Morgens, ich war noch Schiffsjunge auf einem Segelschiff, und um Mitternacht war im letzten Augenblick vor dem Auslaufen noch Post an Bord gekommen — um vier Uhr morgens also stahl ich mich von der stillen Morgenwache und ging in die Kombüse. Der Koch war schon im Gange. Er kochte Salzfleisch ab und nebenbei einen Kaffee für die Wache. Er war ein friedlicher Mann und sagte, nein, er habe nichts zu tun für mich, aber es sei auch nichts dagegen einzuwenden, daß ich bei ihm bleibe, um meine Post zu lesen.
Was das Salzfleisch betrifft: Man kocht es, gründlich sogar, doch eigentlich nicht, um es gar zu bekommen. Salzfleisch ist immer gar. Gar gefressen von der scharfen Lauge, gar gealtert während vieler Wartejahre in der Tonne. Eigentlich kocht man es nur, um die Lauge und die Jahre wieder herauszukriegen. Während es kocht, riecht es nicht gut. Es riecht auch sonst nicht angenehm, aber beim Kochen, schwappend und blubbernd in all dem verjährten Fett, entwickelt es einen regelrechten Gestank. Dies nur nebenbei, und um Ihnen klarzumachen, in welche Umgebung Onkel Julius' neues Päckchen geraten war. Es enthielt wieder zwei Heftchen, und Onkel Julius schrieb dazu, die Wahl sei ihm nicht leichtgefallen, denn bei allem Grübeln vermöchte er sich doch gar nicht in meine Lage zu versetzen. Was möge einem jungen Seemann zuträglich sein? Er habe mir darum zwei große Werke geschickt, zwei Säulen der Welt, wenn man wolle, und von denen er für seine Person nicht zu entscheiden wage, ob sie nicht überhaupt *die* Säulen der Welt darstellten. Kurz, das eine Heft enthielt die Odyssee, das andere Platons Symposion.
Da Salzfleisch nun aber, um überhaupt bekömmlich zu werden, lange kochen muß, womöglich tagelang, hatte unser Koch viel Dienst und wenig zu tun dabei. Man kann nicht immer nur sinnieren, auch auf einem Segelschiff nicht, obwohl es dazu einlädt. So hatte sich der Koch das Lesen angewöhnt. Nun stand er aber wie viele Menschen auf dem Standpunkt, Bücher seien eine Sache, die man um keinen Preis kaufen dürfe. Bücher bekommt man geschenkt. Man findet sie. Man leiht sie sich, man stiehlt auch mal eins — mit einem Wort: man kommt dazu. Die Reisebibliothek in seiner Koje war denn auch von der zusammengeliehenen, zusammengestohlenen, zusammen-

gefundenen Art, und die »Kreuzersonate« stand neben dem »Zinker« auf dem Brett. Jetzt kamen noch Homer und Platon hinzu. Bei diesem Besitzwechsel war keinerlei Gewalt im Spiele, es ging alles mit rechten Dingen zu, denn daß der Schiffskoch vor dem Schiffsjungen rangiert, gehört zu den rechten Dingen. Um jedoch bei der Wahrheit zu bleiben: er hat mir später beide Bücher einmal geliehen. Da war allerdings schon viel Salzfleischgeruch an ihnen, und die rosa Einbanddeckel waren durchsichtig geworden vom Fett. Platon vertrug das nicht sehr gut, es stand ihm nicht, und ich muß sagen, ich habe das Symposion nicht bis zum Ende gelesen. Homer aber war groß im Nehmen. Der Einband zerriß, die Seiten gingen ihm einzeln aus. So schieden sich die Interpolationen vom Urtext, und das machte ihm gar nichts aus.

Damals, vermute ich, habe ich mich entschieden, für Homer und gegen Platon. Man rufe nicht: Was für eine Entscheidung! Es war eine Wahl der Liebe. Die Antike war eine runde Epoche mit Aufgang und Untergang. Bei Homer sagt alles noch Guten Tag! Bei Platon kommt etwas Neues ins Spiel, aber Griechenland rüstet sich zum Abschied. Natürlich muß man, wenn es einem überhaupt mit irgend etwas ernst ist in der Welt, Anfang *und* Ende betrachten. Es gibt in der Zeit keine Ewigkeit. Aber in der Liebe darf man schon wählerisch sein.

Und man darf in der Liebe auch zurückkehren, für kurze Weile, auch in eine verschwundene Zeit.

Solange ich zur See fuhr, habe ich mir gewünscht, einmal nach Griechenland zu kommen. Es ist mir damals nicht geglückt. Nur einmal, auf einer Reise von Messina zum Suezkanal kam uns Kreta in Sicht, ein zarter, hoher Schatten am Rande eines taubengrauen Morgenhimmels. Ich dachte lange: Es ist gut. Man soll von einem Schatten nicht mehr sehen wollen als den Schatten. — Inzwischen aber habe ich erlebt, daß man von Griechenland doch mehr sehen darf, ohne etwas zu verlieren. Ich war vor einigen Jahren in Griechenland, und es war anders, als ich gedacht hatte, aber ich habe keine Zeit gehabt, diese Veränderungen meiner Vorstellung zu bedauern. Alles ging unglaublich schnell und mit einer so unwiderstehlich heiteren Kraft vor sich, daß ich mich bald betrog, indem ich mir sagte: es ist alles genauso, wie du dir dachtest. Mit offenen Augen bin ich auf meinen eigenen Betrug an mir selbst hereingefallen. Griechenland hat eine so unglaubliche, zauberhafte Überzeugungskraft! Da steht man über dem Theater des Dionysos und sagt sich: Es lebt ja alles noch! Und gleich darauf lacht man über sich, weil die große Musik von Athen — weil einem einfällt, daß dieser wunderbare Sphärengesang in der Luft, diese silbern-schwebenden Fanfaren aus unzähligen Clairons, die durch die Säulenkämme brechen und in den Tempelhöfen widerhallen wie Signale aus der Ewigkeit — weil einem einfällt, daß diese ganze große Hörnerpracht — nicht älter ist als der Marshall-Plan und das Geschwader der athenischen Taxis, welche die Neue Welt der Alten hilfreich schenkte. Amerikanische Autohupen beherrschen Athen mit schmetterndem Sphärengesang, punktum. Die Antike ist tot. Aber die ewige Lawine der Zeiten und des Todes ist das Wunder der Welt. Die Stufen der Propyläen sind im Altertum blank getreten worden. In eine dieser blanken Stufen ritzte ein fränkischer Ritter einen Adler ein. Die Franken verschwanden. Nach ihnen kratzte sich eine türkische Haremsdame ein Schachbrettmuster gegen die Langeweile in dieselbe Stufe. Die Türken gingen auch, und jetzt ist unsere Zeit. Auch sie wird keine Ewigkeit alt werden.

Die Zeiten vollenden sich und sterben daran, aber die Menschen bleiben. Ich glaube nicht, daß auch sie sich vollenden. Wahrscheinlich bleiben sie, wie sie sind. Halten Sie mich nicht für einen Defaitisten. Ich wollte damit nur sagen, daß ich vermute, wenigstens Odysseus lebe noch. Ich sah ihn — in der Uniform eines griechischen Fregattenkapitäns — im »Oinopantopoleion Ton Nesi«.

Oinopoleion heißt Schänke, Weinschänke. Das »panto«, das im besagten Falle in die Euphonie eingeschmuggelt war, sollte, denke ich mir, einen gewissen Steigerungsgrad ausdrücken. Und »Ton Nesi« heißt etwa »Zur Insel«, denn das Etablissement, das ich meine, liegt wie ein Landgütchen auf einer winzigen Felsenklippe in der Bucht von Phaleron, einen Katzensprung vom Ufer entfernt und über einen schmalen Damm zu erreichen. Dort traf ich Odysseus. Den alten Odysseus, lange nach der Heimkehr. Er saß im Schatten einer Hecke zu Tisch mit einer Schar junger Leute, die ihm sprachlos am Munde hingen. Odysseus erzählte. Er hatte sich seine Montur aufgeknöpft, die Ärmelstreifen auf den Tisch gestützt, die Mütze in den Nacken geschoben, und indem er erzählte, den Blick auf die Insel Ägina geheftet, die ferne über der Bucht schwebt, bedienten ihn seine Hände. Die eine goß Rezina ins Glas und führte das Glas zum Munde, die andere gabelte erfahren die besten Stücke aus der Salatschüssel, in der Oliven und Lattich mit Knoblauch und Öl angerichtet waren. Man sage jetzt nichts gegen den Knoblauch, nicht in dieser Minute. Es ist ein Vorurteil, denn man riecht ihn gar nicht, wenn man selbst davon gegessen hat. Und was wäre Knoblauch auch für ein Einwand gegen einen Mann, in dem sich gerade jetzt die besten Ingredizien des Lebens mischten? Ein wenig Abenteuer und Phantasie, Harzwein, Traum und Witz, das Vergnügen am Staunen der Schnösel und die eigene Verwunderung über die unaufhaltsame Lebenszeit kamen zusammen. — Odysseus, sagte ich, das war er . . . .

Ich bin am Ende mit meinen Geschichten, und ich danke Ihnen, daß Sie mir zuhörten. Ich nehme es ernst mit dem Dank, denn schon Archytas aus Tarent sagte:

Könnte jemand in den Himmel steigen und von dort aus das Weltall und die Schönheit der Gestirne schauen, so würde das alles doch ohne Reiz für ihn sein, hätte er niemanden, dem er davon erzählen könnte.

Ein Jüngling wäre mittelmäßig, der das bürgerliche Leben sehr zeitig lieb hätte.

JEAN PAUL

JOHANN WOLFGANG GOETHE

LEIDEN DES JUNGEN WERTHERS

Am 18. August.

Mußte denn das so sein, daß das, was des Menschen Glückseligkeit macht, wieder die Quelle seines Elends würde?
Das volle warme Gefühl meines Herzens an der lebendigen Natur, das mich mit so vieler Wonne überströmte, das rings umher die Welt mir zu einem Paradiese schuf, wird mir jetzt zu einem unerträglichen Peiniger, zu einem quälenden Geist, der mich auf allen Wegen verfolgt. Wenn ich sonst vom Felsen über den Fluß bis zu jenen Hügeln das fruchtbare Tal überschaute, und alles um mich her keimen und quellen sah; wenn ich jene Berge, vom Fuße bis auf zum Gipfel, mit hohen dichten Bäumen bekleidet, jene Täler in ihren mannigfaltigen Krümmungen von den lieblichsten Wäldern beschattet sah, und der sanfte Fluß zwischen den lispelnden Rohren dahin gleitete und die lieben Wolken abspiegelte, die der sanfte Abendwind am Himmel herüber wiegte; wenn ich dann die Vögel um mich den Wald beleben hörte, und die Millionen Mückenschwärme im letzten roten Strahle der Sonne mutig tanzten, und ihr letzter zuckender Blick den summenden Käfer aus seinem Grase befreite, und das Schwirren und Weben um mich her mich auf den Boden aufmerksam machte, und das Moos, das meinem harten Felsen seine Nahrung abzwingt, und das Geniste, das den dürren Sandhügel hinunter wächst, mir das innere glühende, heilige Leben der Natur eröffnete: wie faßt' ich das alles in mein warmes Herz, fühlte mich in der überfließenden Fülle wie vergöttert, und die herrlichen Gestalten der unendlichen Welt bewegten sich allbelebend in meiner Seele. Ungeheure Berge umgaben mich, Abgründe lagen vor mir, und Wetterbäche stürzten herunter, die Flüsse

strömten unter mir, und Wald und Gebirg erklang; und ich sah sie wirken und schaffen in einander in den Tiefen der Erde, alle die unergründlichen Kräfte; und nun über der Erde und unter dem Himmel wimmeln die Geschlechter der mannigfaltigen Geschöpfe. Alles, alles bevölkert mit tausendfachen Gestalten; und die Menschen dann sich in Häuslein zusammen sichern, und sich annisten, und herrschen in ihrem Sinne über die weite Welt! Armer Tor! der du alles so gering achtest, weil du so klein bist. — Vom unzugänglichen Gebirge über die Einöde, die kein Fuß betrat, bis ans Ende des unbekannten Ozeans, weht der Geist des Ewigschaffenden, und freut sich jedes Staubes, der ihn vernimmt und lebt. — Ach damals, wie oft hab' ich mich mit Fittichen eines Kranichs, der über mich hinflog, zu dem Ufer des ungemessenen Meeres gesehnt, aus dem schäumenden Becher des Unendlichen jene schwellende Lebenswonne zu trinken, und nur einen Augenblick, in der eingeschränkten Kraft meines Busens, einen Tropfen der Seligkeit des Wesens zu fühlen, das alles in sich und durch sich hervorbringt.
Bruder, nur die Erinnerung jener Stunden macht mir wohl. Selbst diese Anstrengung, jene unsäglichen Gefühle zurückzurufen, wieder auszusprechen, hebt meine Seele über sich selbst, und läßt mich dann das Bange des Zustands doppelt empfinden, der mich jetzt umgibt.
Es hat sich vor meiner Seele wie ein Vorhang weggezogen. Und der Schauplatz des unendlichen Lebens verwandelt sich vor mir in den Abgrund des ewig offnen Grabes. Kannst du sagen: *Das ist!* da alles vorüber geht? da alles mit der Wetterschnelle vorüber rollt, so selten die ganze Kraft seines Daseins ausdauert, ach! in den Strom fortgerissen, untergetaucht und an Felsen zerschmettert wird? Da ist kein Augenblick, der nicht dich verzehrte und die Deinigen um dich her, kein Augenblick, da du nicht ein Zerstörer bist, sein mußt; der harmloseste Spaziergang kostet tausend armen Würmchen das Leben, es zerrüttet *ein* Fußtritt die mühseligen Gebäude der Ameisen, und stampft eine kleine Welt in ein schmähliches Grab. Ha! nicht die große seltene Not der Welt, diese Fluten, die eure Dörfer wegspülen, diese Erdbeben, die eure Städte verschlingen, rühren mich; mir untergräbt das Herz die verzehrende Kraft, die in dem All der Natur verborgen liegt; die nichts gebildet hat, das nicht seinen Nachbar, nicht sich selbst zerstörte. Und so taumle ich beängstigt! Himmel und Erde und ihre webenden Kräfte um mich her! Ich sehe nichts, als ein ewig verschlingendes, ewig wiederkäuendes Ungeheuer.

FRIEDRICH SCHILLER

MARQUIS POSA VOR PHILIPP II.

Marquis. Ich höre, Sire, wie klein,
Wie niedrig Sie von Menschenwürde denken,
Selbst in des freien Mannes Sprache nur
Den Kunstgriff eines Schmeichlers sehen, und
mir deucht, ich weiß, wer Sie dazu berechtigt.
Die Menschen zwangen Sie dazu; S i e haben
Freiwillig ihres Adels sich begeben,
Freiwillig sich auf diese niedre Stufe
Herabgestellt. Erschrocken fliehen sie
Vor dem Gespenste ihrer innern Größe,
Gefallen sich in ihrer Armut, schmücken
Mit feiger Weisheit ihre Ketten aus,
Und Tugend nennt man, sie mit Anstand tragen.
So überkamen Sie die Welt. So ward
Sie Ihrem großen Vater überliefert.
Wie könnten Sie in dieser traurigen
Verstümmlung — Menschen ehren?
König. Etwas Wahres
Find ich in diesen Worten.
Marquis. Aber schade!
Da Sie den Menschen aus des Schöpfers Hand
In Ihrer Hände Werk verwandelten
Und dieser neugegoßnen Kreatur
Zum Gott sich gaben — da versahen Sie's
In etwas nur: Sie blieben selbst noch Mensch —
Mensch aus des Schöpfers Hand. S i e fuhren fort,
als Sterblicher zu leiden, zu begehren;
S i e brauchen Mitgefühl — und einem Gott
Kann man nur opfern — zittern — zu ihm beten; . . .
Bereuenswerter Tausch! Unselige
Verdrehung der Natur. — Da Sie den Menschen
Zu Ihrem Saitenspiel herunterstürzten,
Wer teilt mit Ihnen Harmonie?
König. (Bei Gott,
Er greift in meine Seele!)
Marquis. — Aber Ihnen
Bedeutet dieses Opfer nichts. Dafür

Sind Sie auch einzig — Ihre eigne Gattung —
Um diesen Preis sind Sie ein Gott — Und schrecklich,
Wenn das nicht wäre — wenn für diesen Preis,
Für das zertretne Glück von Millionen,
Sie nichts gewonnen hätten! — wenn die Freiheit,
Die Sie vernichteten, das einzge wäre,
Das Ihre Wünsche reifen kann? — Ich bitte,
Mich zu entlassen, Sire. Mein Gegenstand
Reißt mich dahin. Mein Herz ist voll — zu stark der Reiz —
Zu mächtig, vor dem einzigen zu stehen,
Dem ich es öffnen möchte.

[Der Graf von Lerma tritt herein und spricht einige Worte leise mit dem König. Dieser gibt ihm einen Wink, sich zu entfernen und bleibt in seiner vorigen Stellung sitzen.]

König [zum Marquis, nachdem Lerma weggegangen.]
Reden Sie
Ganz aus.

Marquis [nach einigem Stillschweigen.]
Der edelmütige Löwe
Läßt ein Insekt in seinen Mähnen spielen.
Ich fühle, Sire — den ganzen Wert. — Ich bin
Von Dankbarkeit —

König. Sie haben mir noch mehr
Zu sagen — weiter —

Marquis. Ihro Majestät,
Jüngst kam ich an von Flandern und Brabant —
So viele reiche, blühende Provinzen!
Ein kräftiges, ein großes Volk — und auch
Ein gutes Volk — und Vater dieses Volkes,
Das, dacht ich, das muß göttlich sein! — Da stieß
Ich auf verbrannte menschliche Gebeine —

[Hier schweigt er still; seine Augen ruhen auf dem König, der es versucht, diesen Blick zu erwidern, aber betroffen und verwirrt zur Erde sieht.]

Sie haben recht. Sie müssen. Daß Sie können,
Was Sie zu müssen eingesehn, hat mich
Mit schauernder Bewunderung durchdrungen . . .
O schade, daß, in seinem Blut gewälzt,
Das Opfer wenig dazu taugt, dem Geist
Des Opferers ein Loblied anzustimmen!

Daß Menschen nur — nicht Wesen höhrer Art —
Die Weltgeschichte schreiben! — Sanftere
Jahrhunderte verdrängen Philipps Zeiten;
Die bringen mildre Weisheit; Bürgerglück
Wird dann versöhnt mit Fürstengröße wandeln,
Der karge Staat mit seinen Kindern geizen,
Und die Notwendigkeit wird menschlich sein.

König. Wann, glauben Sie wohl, würden diese sanften
Jahrhunderte erscheinen, hätt ich vor
Dem Fluch des jetzigen gezittert? Sehen Sie
In meinem Spanien sich um. Hier blüht
Des Bürgers Glück in nie bewölktem Frieden;
Und diese Ruhe gönn ich den Flamändern.

Marquis [schnell.]
Die Ruhe eines Kirchhofs! Und Sie hoffen
Zu endigen, was Sie begannen? hoffen,
Der Christenheit gezeitigte Verwandlung,
Den allgemeinen Frühling aufzuhalten,
Der die Gestalt der Welt verjüngt? Sie wollen
Allein in ganz Europa — sich dem Rade
Des Weltverhängnisses, das unaufhaltsam
In vollem Laufe rollt, entgegenwerfen?
Mit Menschenarm in seine Speichen fallen?
Sie werden nicht! Schon flohen Tausende
Aus Ihren Ländern froh und arm. Der Bürger,
Den Sie verloren für den Glauben, war
Ihr edelster. Mit offnen Mutterarmen
Empfängt die Fliehenden Elisabeth,
Und furchtbar blüht durch Künste unsres Landes
Britannien. Verlassen von dem Fleiß
Der neuen Christen, liegt Grenada öde,
Und jauchzend sieht Europa seinen Feind
An selbstgeschlagnen Wunden sich verbluten.

[Der König ist bewegt; der Marquis bemerkt es
und tritt einige Schritte näher.]

Sie wollen pflanzen für die Ewigkeit
Und säen Tod? Ein so erzwungnes Werk
Wird seines Schöpfers Geist nicht überdauern.
Dem Undank haben Sie gebaut — umsonst
Den harten Kampf mit der Natur gerungen,

Umsonst ein großes, königliches Leben
Zerstörenden Entwürfen hingeopfert.
Der Mensch ist mehr, als Sie von ihm gehalten.
Des langen Schlummers Bande wird er brechen
Und wiederfordern sein geheiligt Recht.
Zu einem Nero und Busiris wirft
Er Ihren Namen, und — das schmerzt mich, denn
Sie waren gut.

König. Wer hat Euch dessen so
Gewiß gemacht?

Marquis. [mit Feuer] Ja, beim Allmächtigen!
Ja — ja — ich wiederhol es. Geben Sie,
Was Sie uns nahmen, wieder. Lassen Sie,
Großmütig wie der Starke, Menschenglück
Aus Ihrem Füllhorn strömen — Geister reifen
In Ihrem Weltgebäude! Geben Sie,
Was Sie uns nahmen wieder. Werden Sie
Von Millionen Königen ein König.

[Er nähert sich ihm kühn, indem er feste
und feurige Blicke auf ihn richtet.]

O könnte die Beredsamkeit von allen
Den Tausenden, die dieser großen Stunde
Teilhaftig sind, auf meinen Lippen schweben,
Den Strahl, den ich in diesen Augen merke,
Zur Flamme zu erheben! — Geben Sie
Die unnatürliche Vergöttrung auf,
Die uns vernichtet. Werden Sie uns Muster
Des Ewigen und Wahren. Niemals — niemals
Besaß ein Sterblicher so viel, so göttlich
Es zu gebrauchen. Alle Könige
Europens huldigen dem spanschen Namen.
Gehn Sie Europens Königen voran.
Ein Federzug von dieser Hand, und neu
Erschaffen wird die Erde. Geben Sie
Gedankenfreiheit — [Sich ihm zu Füßen werfend.]

König [überrascht, das Gesicht weggewandt und dann wieder
auf den Marquis geheftet.]

Sonderbarer Schwärmer!
Doch — stehn Sie auf — ich —

Marquis. Sehen Sie sich um
In seiner herrlichen Natur. Auf Freiheit
Ist sie gegründet — und wie reich ist sie
Durch Freiheit! Er, der große Schöpfer, wirft
In einen Tropfen Tau den Wurm und läßt
Noch in den toten Räumen der Verwesung
Die Willkür sich ergetzen — I h r e Schöpfung,
Wie eng und arm! Das Rauschen eines Blattes
Erschreckt den Herrn der Christenheit — S i e müssen
Vor jeder Tugend zittern. E r — der Freiheit
Entzückende Erscheinung nicht zu stören —
E r läßt des Übels grauenvolles Heer
In seinem Weltall lieber toben — ihn,
Den Künstler, wird man nicht gewahr, bescheiden
Verhüllt er sich in ewige Gesetze;
D i e sieht der Freigeist, doch nicht i h n. „Wozu
Ein Gott?" sagt er; „die Welt ist sich genug."
Und keines Christen Andacht hat ihn mehr
Als dieses Freigeists Lästerung gepriesen.
König. Und wollen Sie es unternehmen, dies
Erhabne Muster in der Sterblichkeit —
In meinen Staaten nachzubilden?
Marquis. Sie,
Sie können es. Wer anders? Weihen Sie
Dem Glück der Völker die Regentenkraft,
Die — ach so lang — des Thrones Größe nur
Gewuchert hatte — stellen Sie der Menschheit
Verlornen Adel wieder her. Der Bürger
Sei wiederum, was er zuvor gewesen,
Der Krone Zweck — ihn binde keine Pflicht,
Als seiner Brüder gleich ehrwürdge Rechte . . .
Wenn nun der Mensch, sich selbst zurückgegeben,
Zu seines Werts Gefühl erwacht — der Freiheit
Erhabne, stolze Tugenden gedeihen —
Dann, Sire, wenn Sie zum glücklichsten der Welt
Ihr eignes Königreich gemacht — dann reift
Ihr großer Plan — dann müssen Sie — dann ist
Es Ihre Pflicht, die Welt zu unterwerfen.
König [nach einem großen Stillschweigen.]
Ich habe Sie vollenden lassen. — Anders,
Begreif ich wohl, als sonst in Menschenköpfen

Malt sich in diesem Kopf die Welt — auch will
Ich fremdem Maßstab Sie nicht unterwerfen.
Ich bin der erste, dem Ihr Euer Innerstes
Enthüllt. Ich glaub es, weil ichs weiß — um dieser
Enthaltung willen, solche Meinungen,
Mit solchem Feuer doch umfaßt, verschwiegen
Zu haben bis auf diesen Tag — um dieser
Bescheidnen Klugheit willen, junger Mann,
Will ich vergessen, daß ich sie erfahren
Und wie ich sie erfahren. Stehn Sie auf.
Ich will den Jüngling, der sich übereilte,
Als Greis und nicht als König widerlegen.
Ich will es, weil ichs will —

[Nachdem er ihn eine Zeitlang betrachtet hat.]

Gift also selbst
Find ich, kann in gutartigen Naturen
Zu etwas Besserm sich veredeln — Fliehen
Sie meine Inquisition — es sollte
Mir leid tun —

RICARDA HUCH

Willi Graf

Aus dem weichen, ernsten Knabengesicht, das das Bild zeigt, blicken die Augen sinnend ins Weite. Er ist ehrlich gegen sich und streng in den Forderungen, die er an sich stellt. Er hat geglaubt und gezweifelt und gegrübelt und wieder geglaubt, und eins steht ihm fest, daß es schwer ist zu leben.
Willi Graf ist am 2. Januar 1918 in dem Dorfe Kuchenheim bei Euskirchen, wo sein Vater eine Molkerei verwaltete, geboren. Vier Jahre später, 1922, übersiedelte sein Vater nach Saarbrücken, um in eine Aktiengesellschaft für Weingroßhandel und Saalvermietung einzutreten. Er war ein rechtlicher Mann und verlangte, wenn es nötig war mit Strenge, ein ebensolches Verhalten von den Kindern, die Mutter sorgte liebevoll für gelegentlich den Alltag erhellende Freuden. Die Familie lebte in guten Verhältnissen, wenn auch gerechnet und gespart wurde. Die Beobachtung der kirchlichen Bräuche, das Miterleben des sinnvoll sich entfaltenden Kirchenjahres war den Kindern

katholischer Eltern selbstverständlich. So blieb das Gewohnte für Willi Graf doch nicht leer; er dachte darüber nach und versuchte, es mit dem Verstande sich zu eigen zu machen. Er wollte nicht nur Christ heißen, sondern Christ sein.

Auf dem humanistischen Gymnasium, in das er mit zehn Jahren eintrat, wurden Religion, Deutsch und Griechisch seine Lieblingsfächer. Der Mittelpunkt seines geistigen Lebens war die Religion, mit ihr verknüpfte er Dichtung, bildende Kunst und Musik: Die griechische Dichtung zog ihn an, weil in ihr nächst der Bibel die gewaltigste religiöse Vision ausgedrückt ist, und ebenso suchte er die Religion in der deutschen Philosophie und Dichtung. Erst später erstreckte sich sein Interesse auf Geschichte; Politik, die Beziehungen und Verwicklungen des öffentlichen Lebens, blieb ihm gleichgültig. Das Technische, das so viel Anziehungskraft für die Jungen hat, beschäftigte ihn nur nebenbei. Seinen Beruf wählte er nicht aus den Wissensgebieten, die ihn auf der Schule am meisten beschäftigt hatten: er entschloß sich, Medizin zu studieren. Allerdings hängt die Medizin, insofern sie eine helfende und heilende Kunst ist, mit der Religion zusammen. Willis Mutter nahm zuweilen, wenn sie Arme und Kranke besuchte, ihre Kinder mit, damit sie einen Einblick in die entbehrungsreiche Lage so vieler ihrer Mitmenschen bekämen. Vielleicht legte sie damit in ihrem jungen Sohn den Keim zu dem Wunsche, als Arzt den Leidenden helfen zu können.

Während der Schulzeit waren die Wanderungen, die er in den Ferien machen durfte, das, was ihn am meisten beglückte. Die wechselnden Bilder, die an ihm vorüberzogen, die neuen Eindrücke, die er aufnahm, beschwichtigten sein ruheloses Herz. Er litt schon früh unter einer ihm selbst unerklärlichen inneren Unruhe. War es die Unruhe des Herzens, die nur in Gott Ruhe findet? Sein Verlangen nach einem Freunde, dem gegenüber er sich aussprechen könnte, wurde nie ganz befriedigt, wenn es ihm auch an Kameraden nicht fehlte.

Nachdem Willi Graf im Jahre 1937 in Freiburg das Abitur bestanden und dann den Arbeitsdienst durchgemacht hatte, begann er das Studium an der Universität Bonn. Wie es damals üblich war, genoß er die glückliche Freiheit, das erste Semester an der reich besetzten Tafel der Wissenschaft zu verschwenden, zumal die Vorlesungen, die für sein Fach zunächst in Betracht kamen, seine Zeit nicht ausfüllten. Er hörte Philosophie und Theologie, las viel, hörte viel Musik und durchwanderte die Umgebung. Es war eine sorglose Zeit, noch hatte der nationalsozialistische Despotismus mit seinem eisernen Netz nicht jede Bewegung des deutschen Volkskörpers festgenagelt. Bald aber bekam er den wachsenden Druck zu spüren: als Mitglied einer katholischen Jugendvereinigung wurde er verhaftet und nach einigen Wochen infolge einer Amnestie entlassen. Seiner religiösen Einstellung entsprechend war er von Anfang an ein entschiedener Gegner des Systems; lagen doch alle Frevel, die begangen wurden, in der Gottesfeindschaft beschlossen und folgten aus ihr.

Im Jahre 1939 wurde der Student als Infanterist eingezogen, als Sanitäter ausgebildet und auf mehreren Kriegsschauplätzen in seinem Berufe verwendet. Das Erlebnis des Krieges wirkte auf sein Gemüt wie ein betäubender Schlag: Auf Blut, Wunden und schweres Sterben mußte er gefaßt sein, aber brutale Behandlung und planmäßige Ausrottung schuldloser Menschen, wie sie von der Partei, Männern des eigenen Volkes, skrupellos, triumphierend begangen wurden, das war eine die Begriffe verwirrende, die Sinne empörende Erfahrung, eine gefährliche Erschütterung der Seele. So waren die Menschen, und solches ließ Gott zu! Gott selbst hatte das Fundament gelegt, auf dem die Menschen, die er zu seinem Ebenbilde schuf, Ordnungen ewiger Gültigkeit aufbauten: Familie, Gemeinde, Staat. War es nicht immer leicht, sich in diese Ordnungen zu fügen, so mußte es doch gehen, wenn man guten Willens war und den göttlichen Willen begriff und anerkannte. Nun aber bebten und klafften diese heiligen Ordnungen. Das christliche Abendland, das auserwählte Land Gottes, triefte von unschuldigem Blut. »Ich wünschte, ich hätte nicht sehen müssen, was ich alles in dieser Zeit mit ansehen mußte«, schrieb er seiner Schwester.

Für das gläubige Kind war es leicht gewesen, ein guter Christ zu sein: er ging zur Messe, er betete seine Gebete, er ging zur Beichte und war eingegliedert in die gesegnete Gemeinde. Nun war er mitten in einem Schwall von Untaten, Qualen und Ängsten, die ihn fordernd bedrängten. Wie sollte sich ein Christ hier verhalten? »Grade das Christwerden ist vielleicht das allerschwerste, denn wir sind es nie und können es höchstens im Tode ein wenig sein«, schrieb er. Es ist schwer zu leben, es ist das allerschwerste, als Christ zu leben — das war die Erkenntnis, die seine jungen Jahre ihm gebracht hatten, und diese tragische Erkenntnis lag wie ein schwerer Druck auf ihm.

»Ich behaupte«, schrieb er seiner Schwester, »daß dies gar nicht das eigentliche Christentum ist, was wir all die Jahre zu sehen bekamen und was uns zur Nachahmung empfohlen wurde! In Wirklichkeit ist Christentum ein viel schwereres und ungewisseres Leben, das voller Anstrengung ist und immer wieder neue Überwindung kostet, um es zu vollziehen. Der Glaube ist keine solche einfache Sache, wie es uns erschien, in ihm geht nicht alles so glatt auf, wie man es wohl gemeint hat und sich vielleicht auch wünschte, um möglichst wenig Unruhe zu verspüren.«

An der russischen Front tat es ihm weh, wenn die Bewohner ihre Dörfer räumen mußten. War er zu weich, daß es ihm so schwer wurde, das anzusehen? Eine Katze und Blumen blieben zurück, um die kümmerte er sich.

Abends, wenn der Mond durch die Birkenstämme schien, hörte er zuweilen von russischen Frauen, die im Lager arbeiteten, ihre Lieder singen zur Gitarre und Balalaika. Diese Lieder berührten sein Herz, und er begann durch die Musik Rußland zu lieben. Den schwermütigen Stimmungen gab er sich indessen nicht hin, dazu nahm er das Leben zu ernst. Er wußte, daß alles Leben sinnvoll ist: auch sein Leben sollte einen Sinn haben. Er bemühte sich, immer etwas Nützliches oder Erhebendes zu tun, um dem auflösenden Einfluß der häufigen Untätigkeit zu widerstehen. Seiner um fünf Jahre jüngeren Schwester versuchte er in ihren Schwierigkeiten brieflich beizustehen und riet ihr, gute Bücher zu lesen, aber nicht wahllos und ziellos, sondern sie solle sich etwas Bestimmtes vornehmen und Auszüge daraus machen, damit es ihr zum dauernden Besitz werde. »Du kannst mit den Griechen und ihren Forschungen anfangen, Du kannst germanische Mythologie studieren oder zu den Indern und ihren Weisheitsbüchern gehen, auch China mit seinem Glauben und seinen Erkenntnissen wäre eine Möglichkeit. Das Nächstliegende ist aber doch die Welt, die unsere Kultur und unser Leben geformt hat.« Mit feiner Empfindung erklärt er ihr, wie der junge Mensch, wenn er in die Welt hinausgetreten ist, sich wohl dem Elternhause entfremden kann, wie aber trotzdem das Elternhaus, wo er die meiste Liebe empfangen hat, ein unersetzlich teures Gut bleibt. »Es ist eben da, was es sonst an keinem Orte gibt.« Überhaupt, meint er, solle man nicht verzagen, solange man Menschen habe, mit denen man übereinstimme. Alles Äußere der jeweiligen Lage sei nur Kulisse, die Region, in der man sich Mühe gebe zu leben, gehe darüber hinaus.

Wie alle Medizinstudierenden durfte Willi Graf zeitweise sein Studium fortsetzen und kam so nach München. Dort machte er im Sommer 1942 die Bekanntschaft der Geschwister Scholl und ihrer Freunde: Sie verstanden sich sofort in ihren Gesinnungen, und an dem Plane, der in ihrem Kreise schon bestand, nahm er bereitwillig teil. Er hatte oft darüber nachgedacht, wie man den Nationalsozialismus, den er als schlecht und für Deutschland als entwürdigend erkannt hatte, bekämpfen könne; nun öffnete sich ein Weg dazu: Seine Aufgabe bestand darin, die Flugblätter nach Saarbrücken und an andere Orte zu bringen, in die Postkästen zu werfen und womöglich auch Teilnehmer an der Verschwörung zu werben. Indessen, wenn ihm auch die zweckvolle Tätigkeit und die freundschaftliche Gemeinsamkeit wohltat, überkam ihn doch zuweilen das Gefühl des Alleinseins und die quälende Unruhe, woran er von jeher gelitten hatte. Immer wieder diese Unruhe, die er sich nicht erklären konnte. Der Versuch des Schollschen Freundeskreises, den Nationalsozialismus durch Flugblätter zu erschüttern und die studentische Jugend zum Widerstande aufzurufen, der ihnen selbstverständlich geworden war, blieb ihm etwas Neues; er fühlte sich noch nicht ganz sicher darin. Er verkehrte mit einigen Studenten der Theologie; mit ihnen arbeitete er eine Liturgie aus und besprach mit ihnen religiöse Fragen. Das lag ihm doch am nächsten. Am 14. Januar 1943 schrieb er in sein Tagebuch im Hinblick auf den geheimen Plan, an dem er Mitarbeiter war: »Ob das der richtige Weg ist? Manchmal glaube ich es sicher, manchmal zweifle ich daran. Trotzdem nehme ich es auf mich, wenn es auch noch so beschwerlich ist.«

Am Abend des 18. Februar wurde er zusammen mit seiner Schwester Anneliese verhaftet. In den quälenden Verhören leugnete er eine Beteiligung an der Aktion, konnte es aber bei der Menge der Beweise nicht lange durchführen. Am 19. April wurde er zusammen mit Alexander Schmorell und Professor Huber zum Tode verurteilt, aber erst am 12. Oktober wurde das Urteil vollzogen. Es konnte kaum anders sein, als daß die Hinauszögerung der Hinrichtung in der Familie und in ihm selbst die Hoffnung auf Begnadigung erweckte; wenn eine solche sich in ihm regte, so bemühte er sich doch, sie zu unterdrücken und sich auf den Tod vorzubereiten. Immer wieder betete er um ein starkes Herz, um das ihm Verhängte gefaßt zu ertragen. Was ihn zunächst am meisten bedrückte, war das Schicksal der Familie. Seine Eltern wurden zwei Monate lang, seine Schwester vier Monate lang in Haft gehalten. Daß seine verheiratete Schwester gerade damals ein Söhnchen bekam, war ihm zu Trost; es schien ihm, als sei das Kind den Seinigen als Ersatz für ihn gegeben. Seine Gedanken beschäftigten sich viel, wie auch früher, mit dem Sinn des Lebens. Wenn alles Geschehen einen Sinn habe, meinte er, sei auch sein Tod nicht zufällig, nicht bedeutungslos, sondern werde Früchte tragen. Schwer muß auf ihm, der sich immer nach der Aussprache mit Freunden sehnte, die lange Einsamkeit gelastet haben; er ertrug sie in der bescheidenen, unpathetischen Art, die ihm eigentümlich war. Sie gewann ihm die Sympathie und Bewunderung der Gefangenenwärter. Ob er sich erinnerte, daß er früher einmal geschrieben hatte, Christ könne der Mensch höchstens im Tode werden? Vielleicht hatte er Augenblicke, wo er sich der Vollendung, die der Tod bringt, entgegenreifen fühlte.

Wir mögen hoffen, daß das Herz, das so voll Unruhe war, schon während der Gefangenschaft die Ruhe gefunden hat.

* * *

7 Wilhelm Leibl
Bildnis Frau Gedon, 1868-1869

HUGO VON HOFMANNSTHAL

Andreas — Die glücklichste Stunde seines Lebens

Der Wagen rollte bergab, vor ihm war die Sonne und das erleuchtete weite Land, hinter ihm das enge Tal mit dem einsamen Gehöft, das schon im Schatten lag. Seine Augen sahen nach vorn, aber mit einem leeren kurzen Blick, die Augen des Herzens schauten mit aller Kraft nach rückwärts. Die Stimme des Fuhrmanns reißt ihn aus sich, der mit der Peitsche nach oben zeigte, wo in der reinen Abendluft ein Adler kreiste. Nun wurde Andreas erst gewahr, was vor seinen Augen lag. Die Straße hatte sich aus dem Bergtal herausgewunden und jäh nach links hingewandt: hier war ein mächtiges Tal aufgetan, tief unten wand sich ein Fluß, kein Bach mehr, dahin, darüber aber jenseits der mächtigste Stock des Gebirges, hinter dem, noch hoch oben, die Sonne unterging. Ungeheure Schatten fielen ins Flußtal hinab, ganze Wälder in schwärzlichem Blau starrten an dem zerrissenen Fuß des Berges, verdunkelte Wasserfälle schossen in den Schluchten hernieder, oben war alles frei, kahl, kühn emporsteigend, jähe Halden, Felswände, zuoberst der beschneite Gipfel, unsagbar leuchtend und rein.
Andreas war zumut wie noch nie in der Natur. Ihm war, als wäre dies mit einem Schlag aus ihm selber hervorgestiegen: diese Macht, dies Empordrängen, diese Reinheit zuoberst. Der herrliche Vogel schwebte oben allein noch im Licht, mit ausgebreiteten Fittichen zog er langsame Kreise, der sah alles von dort, wo er schwebte, sah noch ins Finazzertal hinein, und der Hof, das Dorf, die Gräber von Romanas Geschwistern waren seinem durchdringenden Blick nahe wie diese Bergschluchten, in deren bläuliche Schatten er hinabäugte, nach einem jungen Reh oder einer verlaufenen Ziege. Andreas umfing den Vogel, ja er schwang sich auf zu ihm mit einem beseligten Gefühl. Nicht in das Tier hinein zwang es ihn diesmal, nur des Tieres höchste Gewalt und Gabe fühlte er auch in seine Seele fließen. Jede Verdunklung, jede Stockung wich von ihm. Er ahnte, daß ein Blick von hoch genug alle Getrennten vereinigt und daß die Einsamkeit nur eine Täuschung ist. Er hatte Romana überall — er konnte sie in sich nehmen, wo er wollte. Jener Berg, der vor ihm aufstieg und dem Himmel entgegenpfeilerte, war ihm ein Bruder und mehr als ein Bruder. Wie jener in gewaltigen Räumen das zarte Reh hegte, mit Schattenkühle es deckte, mit bläulichem Dunkel es vor dem Verfolger barg, so lebte in ihm Romana. Sie war ein lebendes Wesen, ein Mittelpunkt und um sie ein Paradies, nicht unwirklicher, als dort jenseits des Tales sich entgegentürmte. Er sah in sich hinein und sah Romana niederknien und beten: sie bog ihre Knie wie das Reh, wenn es sich zur Ruhe bettet, die zarten Ständer kreuzt, und die Gebärde war ihm unsagbar. Kreise lösten

sich ab. Er betete mit ihr, und wie er hinübersah, war er gewahr, daß der Berg nichts anderes war als sein Gebet. Eine unsagbare Sicherheit fiel ihn an: es war der glücklichste Augenblick seines Lebens.

CLEMENS BRENTANO

Brautgesang

Komm heraus, komm heraus, o du schöne, schöne Braut
Deine guten Tage sind nun alle, alle aus,
Dein Schleierlein weht so feucht und tränenschwer,
O, wie weinet die schöne Braut so sehr!
Mußt die Mägdlein lassen stehn,
Mußt nun zu den Frauen gehn.

Lege an, lege an heut auf kurze, kurze Zeit
Deine Seidenröslein, dein reiches Brustgeschmeid,
Dein Schleierlein weht so feucht und tränenschwer,
O, wie weinet die schöne Braut so sehr!
Mußt die Zöpflein schließen ein
Unterm goldnen Häubelein.

Lache nicht, lache nicht, deine Gold- und Perlenschuh
Werden dich schon drücken, sind eng genug dazu,
Dein Schleierlein weht so feucht und tränenschwer,
Wenn die andern tanzen gehn,
Mußt du bei der Wiege stehn.
O, wie weinet die schöne Braut so sehr!

JOHANN WOLFGANG GOETHE

Melpomene

Hermann und Dorothea

Also gingen die zwei entgegen der sinkenden Sonne,
Die in Wolken sich tief, gewitterdrohend, verhüllte,
Aus dem Schleier, bald hier, bald dort, mit glühenden Blicken
Strahlend über das Feld, die ahnungsvolle Beleuchtung.
Möge das drohende Wetter, so sagte Hermann, nicht etwa
Schloßen bringen und heftigen Guß! denn schön ist die Ernte.
Und sie freuten sich beide des hohen, wankenden Kornes,
Das die Durchschreitenden fast, die hohen Gestalten, erreichte.
Und es sagte darauf das Mädchen zum leitenden Freunde:
Guter, dem ich zunächst ein freundlich Schicksal verdanke,
Dach und Fach, wenn im Freien so manchem Vertriebnen der Sturm dräut!
Saget mir jetzt vor allem und lehret die Eltern mich kennen,
Denen ich künftig zu dienen von ganzer Seele geneigt bin.
Denn kennt jemand den Herrn, so kann er ihm leichter genug tun,
Wenn er die Dinge bedenkt, die jenem die wichtigsten scheinen,
Und auf die er den Sinn, den festbestimmten, gesetzt hat.
Darum saget mir doch: wie gewinn' ich Vater und Mutter?

Und es versetzte dagegen der gute, verständige Jüngling:
O wie geb' ich dir Recht, du kluges, treffliches Mädchen,
Daß du zuvörderst dich nach dem Sinn der Eltern befragest!
Denn so strebt' ich bisher vergebens, dem Vater zu dienen,
Wenn ich der Wirtschaft mich, als wie der meinigen, annahm,
Früh den Acker und spät und so besorgend den Weinberg.
Meine Mutter befriedigt' ich wohl, sie wußt' es zu schätzen;
Und so wirst du ihr auch das trefflichste Mädchen erscheinen,
Wenn du das Haus besorgst, als wenn du das deine bedächtest.
Aber dem Vater nicht so: denn dieser liebet den Schein auch.
Gutes Mädchen, halte mich nicht für kalt und gefühllos,
Wenn ich den Vater dir sogleich, der Fremden, enthülle.
Ja, ich schwör' es, das erste Mal ist's, daß frei mir ein solches
Wort die Zunge verläßt, die nicht zu schwatzen gewohnt ist!
Aber du lockst mir hervor aus der Brust ein jedes Vertrauen.
Einige Zierde verlangt der gute Vater im Leben,
Wünschet äußere Zeichen der Liebe, sowie der Verehrung,

Und er würde vielleicht vom schlechteren Diener befriedigt,
Der dies wüßte zu nutzen, und würde dem besseren gram sein.
Freudig sagte sie drauf, zugleich die schnellren Schritte
Durch den dunkelnden Pfad verdoppelnd mit leichter Bewegung:
Beide zusammen hoff' ich fürwahr zufrieden zu stellen,
Denn der Mutter Sinn ist wie mein eigenes Wesen,
Und der äußeren Zierde bin ich von Jugend nicht fremde.
Unsere Nachbarn, die Franken, in ihren früheren Zeiten
Hielten auf Höflichkeit viel: sie war dem Edlen und Bürger
Wie den Bauern gemein, und jeder empfahl sie den Seinen.
Und so brachten bei uns auf deutscher Seite gewöhnlich
Auch die Kinder des Morgens mit Händeküssen und Knicksdien
Segenswünsche den Eltern und hielten sittlich den Tag aus.
Alles, was ich gelernt und was ich von jung auf gewohnt bin,
Was von Herzen mir geht — ich will es dem Alten erzeigen.
Aber wer sagt mir nunmehr: wie soll ich dir selber begegnen,
Dir, dem einzigen Sohn und künftig meinem Gebieter?

Also sprach sie, und eben gelangten sie unter den Birnbaum.
Herrlich glänzte der Mond, der volle, vom Himmel herunter;
Nacht war's, völlig bedeckt das letzte Schimmern der Sonne.
Und so lagen vor ihnen in Massen gegeneinander
Lichter, hell wie der Tag, und Schatten dunkeler Nächte.
Und es hörte die Frage, die freundliche, gern in dem Schatten
Hermann des herrlichen Baums, am Orte, der ihm so lieb war,
Der noch heute die Tränen um seine Vertriebne gesehen.
Und indem sie sich nieder ein wenig zu ruhen gesetzet,
Sagte der liebende Jüngling, die Hand des Mädchens ergreifend:
Laß dein Herz dir es sagen, und folg' ihm frei nur in allem!
Aber er wagte kein weiteres Wort, so sehr auch die Stunde
Günstig war: er fürchtete, nur ein Nein zu ereilen.
Ach! und er fühlte den Ring am Finger, das schmerzliche Zeichen.
Also saßen sie still und schweigend nebeneinander;
Aber das Mädchen begann und sagte: Wie find' ich des Mondes
Herrlichen Schein so süß! er ist der Klarheit des Tags gleich.
Seh' ich doch dort in der Stadt die Häuser deutlich und Höfe,
An dem Giebel ein Fenster: mich deucht, ich zähle die Scheiben.
Was du siehst, versetzte darauf der gehaltene Jüngling,
Das ist unsere Wohnung, in die ich nieder dich führe,
Und dies Fenster dort ist meines Zimmers im Dache,
Das vielleicht das deine nun wird: wir verändern im Hause.

Diese Felder sind unser, sie reifen zur morgenden Ernte.
Hier im Schatten wollen wir ruhn und des Mahles genießen.
Aber laß uns nunmehr hinab durch Weinberg und Garten
Steigen! denn sieh, es rückt das schwere Gewitter herüber,
Wetterleuchtend und bald verschlingend den lieblichen Vollmond.
Und so standen sie auf und wandelten nieder, das Feld hin,
Durch das mächtige Korn, der nächtlichen Klarheit sich freuend!
Und sie waren zum Weinberg gelangt und traten ins Dunkel.

Und so leitet' er sie die vielen Platten hinunter,
Die, unbehauen gelegt, als Stufen dienten im Laubgang.
Langsam schritt sie hinab, auf seinen Schultern die Hände;
Und mit schwankenden Lichtern, durchs Laub, überblickte der Mond sie,
Eh' er, von Wetterwolken umhüllt, im Dunkeln das Paar ließ.
Sorglich stützte der Starke das Mädchen, das über ihn herhing;
Aber sie, unkundig des Steigs und der roheren Stufen,
Fehlte tretend: es knackte der Fuß, sie drohte zu fallen.
Eilig streckte gewandt der sinnige Jüngling den Arm aus,
Hielt empor die Geliebte; sie sank ihm leis auf die Schulter,
Brust war gesenkt an Brust und Wang' an Wange. So stand er,
Starr wie ein Marmorbild, vom ernsten Willen gebändigt,
Drückte nicht fester sie an, er stemmte sich gegen die Schwere.
Und so fühlt' er die herrlichste Last, die Wärme des Herzens
Und den Balsam des Atems, an seinen Lippen verhauchet,
Trug mit Mannesgefühl die Heldengröße des Weibes.

Doch sie verhehlte den Schmerz und sagte die scherzenden Worte:
Das bedeutet Verdruß, so sagen bedenkliche Leute,
Wenn beim Eintritt ins Haus nicht fern von der Schwelle der Fuß knackt.
Hätt' ich mir doch, fürwahr, ein besseres Zeichen gewünschet!
Laß uns ein wenig verweilen, damit dich die Eltern nicht tadeln
Wegen der hinkenden Magd, und ein schlechter Wirt du erscheinest.

JOHANN WOLFGANG GOETHE

Alles geben die Götter, die unendlichen,
Ihren Lieblingen ganz,
Alle Freuden, die unendlichen,
Alle Schmerzen, die unendlichen, ganz.

Warum gabst du uns die tiefen Blicke,
Unsre Zukunft ahndungsvoll zu schaun,
Unsrer Liebe, unserm Erdenglücke
Wähnend selig nimmer hinzutraun?
Warum gabst du uns, Schicksal, die Gefühle,
Uns einander in das Herz zu sehn,
Um durch all die seltenen Gewühle
Unser wahr Verhältnis auszuspähn?

Ach, so viele tausend Menschen kennen,
Dumpf sich treibend, kaum ihr eigen Herz,
Schweben zwecklos hin und her und rennen
Hoffnungslos in unversehnem Schmerz;
Jauchzen wieder, wenn der schnellen Freuden
Unerwart'te Morgenröte tagt.
Nur uns armen Liebevollen beiden
Ist das wechselseitge Glück versagt,
Uns zu lieben, ohn uns zu verstehen,
In dem andern sehn, was er nie war,
Immer frisch auf Traumglück auszugehen
Und zu schwanken auch in Traumgefahr.

Glücklich, den ein leerer Traum beschäftigt!
Glücklich, dem die Ahndung eitel wär!
Jede Gegenwart und jeder Blick bekräftigt
Traum und Ahndung leider uns noch mehr.
Sag, was will das Schicksal uns bereiten?
Sag, wie band es uns so rein genau?
Ach, du warst in abgelebten Zeiten
Meine Schwester oder meine Frau.

Kanntest jeden Zug in meinem Wesen,
Spähtest, wie die reinste Nerve klingt,
Konntest mich mit Einem Blicke lesen,
Den so schwer ein sterblich Aug durchdringt;
Tropftest Mäßigung dem heißen Blute,
Richtetest den wilden irren Lauf,
Und in deinen Engelsarmen ruhte
Die zerstörte Brust sich wieder auf;
Hieltest zauberleicht ihn angebunden

Und vergaukeltest ihm manchen Tag.
Welche Seligkeit glich jenen Wonnestunden,
Da er dankbar dir zu Füßen lag,
Fühlt' sein Herz an deinem Herzen schwellen,
Fühlte sich in deinem Auge gut,
Alle seine Sinnen sich erhellen
Und beruhigen sein brausend Blut!

Und von allem dem schwebt ein Erinnern
Nur noch um das ungewisse Herz,
Fühlt die alte Wahrheit ewig gleich im Innern,
Und der neue Zustand wird ihm Schmerz.
Und wir scheinen uns nur halb beseelet,
Dämmernd ist um uns der hellste Tag.
Glücklich, daß das Schicksal, das uns quälet,
Uns doch nicht verändern mag!

FRIEDRICH HÖLDERLIN

Menons Klagen um Diotima

1

Täglich geh ich heraus, und such ein anderes immer,
Habe längst sie gefragt, alle die Pfade des Lands;
Droben die kühlenden Höhn, die Schatten alle besuch ich
Und die Quellen; hinauf irret der Geist und hinab,
Ruh erbittend; so flieht das getroffene Wild in die Wälder,
Wo es um Mittag sonst sicher im Dunkel geruht;
Aber nimmer erquickt sein grünes Lager das Herz ihm,
Jammernd und schlummerlos treibt es der Stachel umher.
Nicht die Wärme des Lichts und nicht die Kühle der Nacht hilft,
Und in Wogen des Stroms taucht es die Wunden umsonst.
Und wie ihm vergebens die Erd ihr fröhliches Heilkraut
Reicht, und das gärende Blut keiner der Zephire stillt,
So, ihr Lieben! auch mir, so will es scheinen, und niemand
Kann von der Stirne mir nehmen den traurigen Traum?

2

Ja! es frommet auch nicht, ihr Todesgötter! wenn einmal
 Ihr ihn haltet und fest habt den bezwungenen Mann,
Wenn ihr Bösen hinab in die schaurige Nacht ihn genommen,
 Dann zu suchen, zu flehn, oder zu zürnen mit euch,
Oder geduldig auch wohl im furchtsamen Banne zu wohnen,
 Und mit Lächeln von euch hören das nüchterne Lied.
Soll es sein, so vergiß dein Heil, und schlummere klanglos!
 Aber doch quillt ein Laut hoffend im Busen dir auf,
Immer kannst du noch nicht, o meine Seele! noch kannst du's
 Nicht gewonnen, und träumst mitten im eisernen Schlaf!
Festzeit hab ich nicht, doch möcht ich die Locke bekränzen;
 Bin ich allein denn nicht? aber ein Freundliches muß
Fernher nahe mir sein, und lächeln muß ich und staunen,
 Wie so selig noch auch mitten im Leide mir ist.

3

Licht der Liebe! scheinest du denn auch Toten, du goldnes!
 Bilder aus hellerer Zeit, leuchtet ihr mir in die Nacht?
Liebliche Gärten, seid, ihr abendrötlichen Berge,
 Seid willkommen, und ihr, schweigende Pfade des Hains!
Zeugen himmlischen Glücks, und ihr, hochschauende Sterne,
 Die mir damals oft segnende Blicke gegönnt!
Euch, ihr Liebenden auch, ihr schönen Kinder des Maitags,
 Stille Rosen, und euch, Lilien, nenn ich noch oft!
Wohl gehn Frühlinge fort, ein Jahr verdränget das andre,
 Wechselnd und streitend, so tost droben vorüber die Zeit
Über sterblichem Haupt, doch nicht vor seligen Augen,
 Und den Liebenden ist anderes Leben geschenkt.
Denn sie alle, die Tag' und Jahre der Sterne, sie waren,
 Diotima! um uns innig und ewig vereint.

4

Aber wir, zufrieden gesellt, wie die liebenden Schwäne,
 Wenn sie ruhen am See, oder, auf Wellen gewiegt,
Niedersehn in die Wasser, wo silberne Wolken sich spiegeln,
 Und ätherisches Blau unter den Schiffenden wallt,
So auf Erden wandelten wir. Und drohte der Nord auch,

Er, der Liebenden Feind, klagenbereitend, und fiel
Von den Ästen das Laub, und flog im Winde der Regen,
Ruhig lächelten wir, fühlten den eigenen Gott
Unter trautem Gespräch, in *einem* Seelengesange,
Ganz im Frieden mit uns kindlich und freudig allein.
Aber das Haus ist öde mir nun, und sie haben mein Auge
Mir genommen, auch mich hab ich verloren mit ihr.
Darum irr ich umher, und wohl, wie die Schatten, so muß ich
Leben, und sinnlos dünkt lange das übrige mir.

5

Feiern möchte ich; aber wofür? und singen mit andern,
Aber so einsam fehlt jedes Göttliche mir.
Dies ists, dies mein Gebrechen, ich weiß, es lähmet ein Fluch mir
Darum die Sehnen, und wirft, wo ich beginne, mich hin,
Daß ich fühllos sitze den Tag und stumm, wie die Kinder,
Nur vom Auge mir kalt öfters die Träne noch schleicht,
Und die Pflanze des Felds, und der Vögel Singen mich trüb macht,
Weil mit Freuden auch sie Boten des Himmlischen sind,
Aber mir in schauernder Brust die beseelende Sonne,
Kühl und fruchtlos mir dämmert, wie Strahlen der Nacht,
Ach! und nichtig und leer, wie Gefängniswände, der Himmel,
Eine beugende Last, über dem Haupte mir hängt!

6

Sonst mir anders bekannt! o Jugend! und bringen Gebete
Dich nicht wieder, dich nie? führet kein Pfad mich zurück?
Soll es werden auch mir, wie den Götterlosen, die vormals
Glänzenden Auges doch auch saßen an seligem Tisch,
Aber übersättiget bald, die schwärmenden Gäste,
Nun verstummet, und nun, unter der Lüfte Gesang,
Unter blühender Erd entschlafen sind, bis dereinst sie
Eines Wunders Gewalt, sie, die Versunkenen, zwingt,
Wiederzukehren und neu auf grünendem Boden zu wandeln. —
Heiliger Othem durchströmt göttlich die lichte Gestalt,
Wenn das Fest sich beseelt, und Fluten der Liebe sich regen,
Und vom Himmel getränkt, rauscht der lebendige Strom,
Wenn es drunten ertönt, und ihre Schätze die Nacht zollt,
Und aus Bächen herauf glänzt das begrabene Gold.

7

Aber o du, die schon am Scheidewege mir damals,
Da ich versank vor dir, tröstend ein Schöneres wies,
Du, die, Großes zu sehn und froher die Götter zu singen,
Schweigend, wie sie, mich einst stille begeisternd gelehrt,
Götterkind! erscheinest du mir, und grüßest, wie einst, mich,
Redest wieder, wie einst, höhere Dinge mir zu?
Siehe! weinen vor dir und klagen muß ich, wenn schon noch,
Denkend edlerer Zeit, dessen die Seele sich schämt.
Denn so lange, so lang auf matten Pfaden der Erde
Hab ich, deiner gewohnt, dich in der Irre gesucht,
Freudiger Schutzgeist! aber umsonst, und Jahre zerrannen,
Seit wir ahnend um uns glänzen die Abende sahn.

8

Dich nur, dich erhält dein Licht, o Heldin! im Lichte,
Und dein Dulden erhält liebend, o Gütige, dich;
Und nicht einmal bist du allein, Gespielen genug sind,
Wo du blühest und ruhst unter den Rosen des Jahrs;
Und der Vater, er selbst, durch sanftumatmende Musen
Sendet die zärtlichen Wiegengesänge dir zu.
Ja! noch ist sie es ganz! noch schwebt vom Haupte zur Sohle,
Stillherwandelnd, wie sonst, mir die Athenerin vor.
Und wie, freundlicher Geist! von heitersinnender Stirne
Segnend und sicher dein Strahl unter die Sterblichen fällt,
So bezeugest du mirs, und sagst mirs, daß ich es andern
Wiedersage, denn auch andere glauben es nicht,
Daß unsterblicher doch, denn Sorg und Zürnen, die Freude
Und ein goldener Tag täglich am Ende noch ist.

9

So will ich, ihr Himmlischen! denn auch danken, und endlich
Atmet aus leichter Brust wieder des Sängers Gebet.
Und wie, wenn ich mit ihr, auf sonniger Höhe mit ihr stand,
Spricht belebend ein Gott innen vom Tempel mich an.
Leben will ich denn auch! schon grünts! wie von heiliger Leier
Ruft es von silbernen Bergen Apollons voran!
Komm! es war wie ein Traum! die blutenden Fittiche sind ja

Schon genesen, verjüngt leben die Hoffnungen all!
Großes zu finden, ist viel, ist viel noch übrig, und wer so
Liebte, gehet, er muß, gehet zu Göttern die Bahn.
Und geleitet ihr uns, ihr Weihestunden! ihr ernsten,
Jugendlichen! o bleibt, heilige Ahnungen, ihr,
Fromme Bitten! und ihr, Begeisterungen, und all ihr
Guten Genien, die gerne bei Liebenden sind;
Bleibt so lange mit uns, bis wir auf gemeinsamem Boden,
Dort, wo die Seligen all niederzukehren bereit,
Dort, wo die Adler sind, die Gestirne, die Boten des Vaters,
Dort, wo die Musen, woher Helden und Liebende sind,
Dort uns, oder auch hier, auf tauender Insel begegnen,
Wo die Unsrigen erst, blühend in Gärten gesellt,
Wo die Gesänge wahr, und länger die Frühlinge schön sind,
Und von neuem ein Jahr unserer Seele beginnt!

GOTTHARD JEDLICKA

Wilhelm Leibl: Bildnis Frau Gedon

1868 — 1869

Das Bildnis der Frau Gedon, das der fünfundzwanzigjährige Wilhelm Leibl gemalt hat, gehört zu den Meisterwerken der europäischen Malerei des neunzehnten Jahrhunderts und darüber hinaus zu den schönsten weiblichen Bildnissen überhaupt. Es stellt die junge Frau des Münchner Bildhauers Lorenz Gedon dar, die damals als eine der anmutigsten Frauen von München bewundert wurde. Daß sie es war, scheint auch uns Nachgeborenen, die wir uns vor allem auf dieses Zeugnis verlassen müssen, glaubwürdig zu sein. Auch wir erliegen dem Zauber dieses holden Frauentums, in dem sich mädchenhafte Anmut und vornehme, frauliche Haltung mischen. Leibl hat die junge Gattin seines Freundes mit einer makellosen Altmeisterlichkeit dargestellt, wie sie in dieser selbstverständlichen Reife in der deutschen Malerei nach ihm nie mehr vorgekommen und wie sie auch ihm später nie mehr so gelungen ist. Er hat die vollendetste Malerei des schönen Handwerks der Vergangenheit sich zu eigen gemacht, wie neben ihm in Frankreich Manet es getan hat, um die Schönheit dieser jungen Frau seiner Gegenwart erfassen und darstellen zu können; er hat die ganze Kunst zu ihrer

Verherrlichung aufgerufen — in diesem Bild scheinen Rubens und Rembrandt und Franz Hals zu gleichen Teilen vertreten zu sein.
Frau Gedon steht aufrecht und sogar ein wenig zurückgebeugt vor einem bräunlich-dunklen Hintergrund neben einem roten Stuhl, dessen Farbe an das beseelteste Rot von Rembrandt erinnert. Von ihrem rechten Arm hängt an einem mausgrauen Seidenschleier ihr Staatshut in Chinesenform nieder, mit der Agraffe, die aus einem präparierten Totenkopfschmetterling besteht. Ein Teil des graugelben Rohseidenkleides ist über den Hüften heraufgenommen. So schaut sie auf den Betrachter. Ihr Ausdruck ist von einer gesammelten Innigkeit. Das feine Gesicht mit der gelblichen Haut ist von einem vollendeten Oval: viel weniger gemalt als mit den Farben gestreichelt, es lebt in seinem leisesten Strich. Über seiner farbig durchgebildeten Form ist es zugleich unauffällig mit Licht und Schatten modelliert, die nun aber nicht auf der Haut des Gesichtes liegen, sondern sich aus deren Farben heraus geheimnisvoll ergeben. Die einzelnen Formen des Gesichtes sind vollkommen aufeinander bezogen; die Augen, die unter flockig-braunblonden Brauen nachdenklich blicken, sind dunkelbraun und haben einen samtigen Glanz, der von innen her genährt wird; die schmalen Lider und die Augenhöhlen (mit einer innigen Entschiedenheit geformt) sind von einem feuchten Schimmer überspielt, und an einer Stelle, gegen die inneren Augenwinkel hin, glaubt man sogar das feine bläuliche Geäder zu sehen. Und wie sehr ist dieses Gesicht auch durch die Schatten belebt, die darauf liegen! Die blassen und genauen Nasenflügel, die die Zartheit dieses Wesens verraten, werfen einen kaum merklichen Schatten auf die Haut zwischen Nase und Mund; die Oberlippe, deren Rand sehr fein gezogen ist (mit einem raschen Wechsel von milder und intensiver Führung des Pinsels) und die trotz der Bestimmtheit ihrer Kurve unfaßbar in die Haut der Umgebung übergeht, überschattet die sanfte und doch gespannte Wölbung der Unterlippe, und diese wiederum wirft einen andern sachten Schatten auf die feine Mulde zwischen Unterlippe und Kinn. Und all diese Schatten, aus denen die vornehme Bildung des Gesichtes ersteht, sind untereinander verschieden und trotz ihrem bestimmten Auftrag so leicht, daß sie unter dem Blick, der darauf ruht, wie ein dünner Nebel zergehen.
Die schöne junge Frau ist reich geschmückt. Aber dieser Schmuck fällt kaum an ihr auf, weil sie ihn so selbstverständlich trägt, wie er immer getragen sein muß, wenn er nicht aus sich heraus, sondern an einem Menschen leben soll: wodurch er allein wirklich zu leben vermag. Um den Hals hat sie eine goldene Halskette gelegt, an die ein Medaillon angeschlossen ist, und auch an ihren zarten Ohrläppchen ist Schmuck befestigt, wie Schmuck um die schmalen Gelenke ihrer Arme gelegt und an ihre Finger geschoben ist. Aber stärker und inniger als dieser Schmuck wirkt ein anderer: In das kastanien-

braune Haar, das über der hohen Stirne zurückgenommen ist, schlingt sich ein breites, leuchtend rotes Band, das nach oben hin in einer kleineren roten Schleife noch einmal auftaucht — und in dem das Rot des Lehnstuhls abschließend aufgenommen wird. Diesen einfachen Schmuck trägt sie wie eine königliche Krone. Frau Gedon hat die blassen und feinen Hände mit den schmalen und langen Fingern, die rosig überhauchte Knöchel haben, über den Hüften zusammengelegt. Der Ausdruck des Gesichtes scheint in ihnen für den, der mit ihrem geheimen Leben vertraut wird, in zwei Kräfte auseinandergelegt, die aus dem gleichen Urgrund stammen, nun kaum merklich gegeneinander auftreten und sich gerade dadurch ergänzen: in eine solche der vegetativen Ruhe, in eine andere der leisen Aktivität, die die Beseelung in der Ruhe der andern Hand erst deutlich macht — wie das Licht die Farben in der Erscheinung. Die Finger der linken Hand sind geschlossen aneinandergeschoben und kaum in ihren Knöcheln gebogen. Diese Hand ruht, und man spürt, wie die Fingerbeeren sanft auf dem Armgelenk der andern Hand aufliegen. Die rechte Hand hingegen tupft mit drei sachte, aber entschieden gebogenen Fingern an das gelbseidene Kleid. Und was man nur leise ahnt, wenn man das Gesicht dieser jungen und stillen Frau und ihre müde und angestrengte Haltung betrachtet, erkennt man in seiner Bedeutung und damit in seiner Schönheit, wenn man das Spiel dieser Hände wirklich erlebt. Solche Hände findet man (und dessen wird man mit einer feinen Erschütterung inne) auf mittelalterlichen Bildern dort, wo Mariä Heimsuchung dargestellt wird. Das Zusammenspiel dieser Hände weist auf ein Symbol ewigen Werdens: diese Hände sind nicht mehr bloß für sich selber da, ihre Innigkeit führt über sie hinaus; sie weisen auf ein Wunder hin, das sie zugleich beschützen — so, wie sie liegen, hüten sie ein anderes Leben, das langsam und still in dieser vollkommenen Hülle heranreift. Und ist nun nicht der Ausdruck des Gesichtes, so fragen wir, auch so gemischt, wie es die Haltung der Hände andeutet? Und erkennt man nicht erst jetzt, da man um dieses Geheimnis weiß, die ganze Fülle darin? Im Ausdruck des Gesichtes, der zugleich ruhig und bewegt ist, wie alle wirkliche Beseeltheit, mischt sich das vegetative Wachsen mit einer sorgenden Besinnlichkeit, die der Beitrag der Seele an dieses Wachstum ist und die sich nur wenig über den vegetativen Zustand erhebt, nur gerade so viel, daß er als ein Glück empfunden zu werden vermag. Aber auch eine junge Frau, die das kommende Muttertum als Würde ahnend vorausnimmt, bleibt ein Mensch, in dem viel anderes lebt, das dadurch nicht aufgehoben, sondern gesteigert wird. Ein kindhaftes Wesen verbindet sich darin mit einer reifenden Fraulichkeit, die vegetative Gelassenheit mit einer weiblichen Neugier, eine feine Pose, die die hindernde Schwere des Körpers zu korrigieren versucht, indem sie ihren Charme ein wenig nach außen hin steigert, mit einem echten Ernst und

mit dem Gefühl einer tiefen Verantwortung. — Und darüber hinaus ist dieses Bild auch Ausdruck einer bürgerlich gesicherten Mondanität, wie sie wahrscheinlich nur im glücklichen München jener Jahre möglich gewesen ist, wo persönliche Grazie und individuelles Verdienst so leicht die Grenze zwischen Volk und Hof, zwischen Adel und Bürgertum zu überbrücken vermochten.
Dieses vollendete Bildnis hat eine Geschichte, auf die ich mit ein paar Worten hinweisen möchte, weil Frau Mina Gedon sie selber einmal erzählt hat und weil daraus die Gestalt des jungen Malers deutlich ersteht. Eines Tages erschien der fünfundzwanzigjährige Leibl, »eine kräftige, gedrungene Athletengestalt«, in der Wohnung des jungen Ehepaares Gedon, die sich in der Schwanthalerstraße befand und die sehr wohnlich eingerichtet war. Er hatte Leinwand und einen Malkasten bei sich, setzte sich hin, malte einige Stunden lang eine Studie nach der Stube, ging weg — und kam nach vierzehn Tagen mit der Absicht wieder, nun nicht mehr die Stube, sondern die junge, schöne Frau zu malen. Sie hatte noch nie in ihrem Leben Modell gestanden, wurde bei der ersten Sitzung nach einer kurzen Zeit sehr blaß und kam hierauf in einen so besorgniserregenden Zustand, daß der Maler seine Arbeit abbrechen mußte. Am folgenden Tag erschien sie mit ihrem Gatten. Lorenz Gedon, der um seine junge Frau besorgt war, bat den Maler einige Male, die Arbeit zu unterbrechen, damit sie sich ausruhen und ein wenig stärken könne. Aber Leibl machte bei jeder Bemerkung dieser Art ein so unglückliches Gesicht, daß Frau Gedon, die seine Arbeitsbesessenheit bereits fürchten mochte, ihrem Mann widersprach und jede Unterbrechung ablehnte, bis sie plötzlich einen schwarzen Nebel vor ihren Augen sah, in ihren Ohren ein Sausen hörte, hierauf das Bewußtsein verlor und sich, als sie nach einer Weile wieder zum Bewußtsein kam, in den Armen ihres Mannes fand, der sie im letzten Augenblick aufgefangen und damit vor einem Sturz bewahrt hatte, der von verhängnisvollen Folgen hätte sein können — und zugleich auch schon das erschreckte und ärgerliche Gesicht des jungen Leibl sah und seine tiefe Stimme hörte, aus der sie seinen ganzen Groll herausspürte: »Teufel, Teufel!« Ihr Mann erklärte ihm daraufhin den Grund ihres Unwohlseins, sagte ihm, daß sie ein Kind unter dem Herzen trage. Leibl, der das Betragen der Frau als Zimperlichkeit gedeutet hatte, wurde verlegen, stammelte eine Entschuldigung, bemerkte, er wäre eben so schön im Zuge gewesen, kurz: alles deutete darauf, daß er doch nur an seine Arbeit dachte. Die folgenden Sitzungen, bei denen ihr Mann und später ein Freund zugegen waren,verliefen etwas ruhiger. Wenn Leibl Frau Gedon in ihrer Wohnung oder in der Gesellschaft begegnete, so war er voll Ehrerbietung und fast hilflos, so sah er in ihr das zauberhafte Wesen. Wenn er sie aber malte, so war sie für ihn nur das irdische Modell seiner künstlerischen Vision,

so war er (und ich setze hier das Wort hin, das Frau Gedon selber für ihn gebraucht hat): Tyrann. Und die geringste Störung während der Arbeit, die auf dieses Modell zurückging, riß ihn zu brutalen Bemerkungen und Vorwürfen hin. Nach der Sitzung war er verstimmt, grollte sich und der Leinwand — und am nächsten Tage übermalte er meistens alles, was er am Tage vorher gemalt hatte, und auch die Schuld daran mochte er hin und wieder der Frau zuschieben, die doch die ganze Kraft, die ihr blieb, an diese eine Aufgabe wandte. Drei Monate lang arbeitete er ununterbrochen an diesem Bild. In seinem Innern sah er es immer schöner vor sich, aber er war nach dieser Zeit genau so unzufrieden mit seiner Leistung wie zu Beginn der Arbeit. Und nun griff endlich der Mann der Frau Gedon ein. Er war von dem Bild begeistert, fand, daß es wundervoll gemalt sei, und die vielen Bedenken Leibls nannte er Grübeleien. Er hatte recht. Durch dieses Bild, an dem er zum Meister reifte, wurde schon der fünfundzwanzigjährige Leibl über Deutschland hinaus auch in Frankreich berühmt.

JOHANN PETER HEBEL

Unverhofftes Wiedersehen

In Falun in Schweden küßte vor guten fünfzig Jahren und mehr ein junger Bergmann seine junge hübsche Braut und sagte zu ihr: »Auf Sankt Luciä wird unsere Liebe von des Priesters Hand gesegnet. Dann sind wir Mann und Weib und bauen uns ein eigenes Nestlein« — »Und Friede und Liebe soll darin wohnen,« sagte die schöne Braut mit holdem Lächeln, »denn du bist mein Einziges und Alles, und ohne dich möchte ich lieber im Grab sein als an einem andern Ort.« Als sie aber vor St. Luciä der Pfarrer zum zweitenmal in der Kirche ausgerufen hatte: »So nun jemand Hindernis wüßte anzuzeigen, warum diese Personen nicht möchten ehelich zusammenkommen«, — da meldete sich der Tod. Denn als der Jüngling den andern Morgen in seiner schwarzen Bergmannskleidung an ihrem Haus vorbeiging, der Bergmann hat sein Totenkleid immer an, da klopfte er zwar noch einmal an ihrem Fenster und sagte ihr guten Morgen, aber keinen guten Abend mehr. Er kam nimmer aus dem Bergwerk zurück, und sie saumte vergeblich selbigen Morgen ein schwarzes Halstuch mit rotem Rand für ihn zum Hochzeitstag, sondern als er nimmer kam, legte sie es weg und weinte um ihn und vergaß ihn nie. Unterdessen wurde die Stadt Lissabon in Portugal durch ein Erdbeben zerstört, und der siebenjährige Krieg ging vorüber, und Kaiser Franz der Erste starb, und der Jesuitenorden wurde aufgehoben und Polen geteilt, und die Kaiserin Maria Theresia starb, und der Struensee wurde hingerichtet, Amerika wurde frei, und die vereinigte französische und spanische Macht konnte Gibraltar nicht erobern. Die Türken schlossen den General Stein in der Veteraner Höhle in Ungarn ein, und der Kaiser Joseph starb auch. Der König Gustav von Schweden eroberte russisch Finnland, und die französische Revolution und der lange Krieg fing an, und der Kaiser Leopold der Zweite ging auch ins Grab. Napoleon eroberte Preußen, und die Engländer bombardierten Kopenhagen, und die Ackerleute säeten und schnitten. Der Müller mahlte, und die Schmiede hämmerten, und die Bergleute gruben nach den Metalladern in ihrer unterirdischen Werkstatt. Als aber die Bergleute in Falun im Jahr 1809 etwas vor oder nach Johannis zwischen zwei Schachten eine Öffnung durchgraben wollten, gute dreihundert Ellen tief unter dem Boden, gruben sie aus dem Schutt und Vitriolwasser den Leichnam eines Jünglings heraus, der ganz mit Eisenvitriol durchdrungen, sonst aber unverwest und unverändert war, also daß man seine Gesichtszüge und sein Alter noch völlig erkennen konnte, als wenn er erst vor einer Stunde gestorben oder ein wenig eingeschlafen wäre an der Arbeit. Als man ihn aber zu Tag ausgefördert hatte, Vater und Mutter, Gefreunde und Bekannte waren schon lange tot, kein Mensch wollte den schlafenden Jüngling kennen oder etwas von seinem Unglück wissen, bis die ehemalige Verlobte des Bergmanns kam, der eines Tages auf die Schicht gegangen war und nimmer zurückkehrte. Grau und zusammengeschrumpft kam sie an einer Krücke an den Platz und erkannte ihren Bräutigam; und mehr mit freudigem Entzücken als mit Schmerz sank sie auf die geliebte Leiche nieder, und erst als sie sich von einer langen heftigen Bewegung des Gemüts erholt hatte, »es ist mein Verlobter,« sagte sie endlich, »um den ich fünfzig Jahre lang getrauert hatte, und den mich Gott noch einmal sehen läßt vor meinem Ende. Acht Tage vor der Hochzeit ist er unter die Erde gegangen und nimmer heraufgekommen.« Da wurden die Gemüter aller Umstehenden von Wehmut und Tränen ergriffen, als sie sahen die ehemalige Braut jetzt in der Gestalt des hingewelkten kraftlosen Alters und den Bräutigam noch in seiner jugendlichen Schöne, und wie in ihrer Brust nach fünfzig Jahren die Flamme der jugendlichen Liebe noch einmal erwachte; aber er öffnete den Mund nimmer zum Lächeln oder die Augen zum Wiedererkennen; und wie sie ihn endlich von den Bergleuten in ihr Stüblein tragen ließ, als die einzige, die ihm angehöre und ein Recht an ihn habe, bis sein Grab gerüstet sei auf dem Kirchhof. Den andern Tag, als das Grab gerüstet war auf dem Friedhof und ihn die Bergleute holten, schloß sie ein Kästlein auf, legte sie ihm das schwarzseidene Halstuch mit roten Streifen um und begleitete ihn

8 Oskar Schlemmer
Szene am Geländer, 1932

alsdann in ihrem Sonntagsgewand, als wenn es ihr Hochzeitstag und nicht der Tag seiner Beerdigung wäre. Denn als man ihn auf dem Kirchhof ins Grab legte, sagte sie: »Schlafe nun wohl, noch einen Tag oder zehn im kühlen Hochzeitsbett, und lass dir die Zeit nicht lange werden. Ich habe nur noch wenig zu tun und komme bald, und bald wird's wieder Tag. Was die Erde einmal wiedergegeben hat, wird sie zum zweiten Mal auch nicht behalten,« sagte sie, als sie fortging und noch einmal umschaute.

MARIE LUISE KASCHNITZ

Am Strande

Heute sah ich wieder dich am Strand
Schaum der Wellen dir zu Füßen trieb
Mit dem Finger grubst du in den Sand
Zeichen ein, von denen keines blieb.

Ganz versunken warst du in dein Spiel
Mit der ewigen Vergänglichkeit
Welle kam und Stern und Kreis zerfiel
Welle ging und du warst neu bereit.

Lachend hast du dich zu mir gewandt
Ahntest nicht den Schmerz, den ich erfuhr:
Denn die schönste Welle zog zum Strand
Und sie löschte deiner Füße Spur.

PAUL CELAN

Landschaft

Ihr hohen Pappeln — Menschen dieser Erde!
Ihr schwarzen Teiche Glücks — ihr spiegelt sie zu Tode!
Ich sah dich, Schwester, stehn in diesem Glanze.

PAUL CELAN

So bist du denn geworden
wie ich dich nie gekannt:
dein Herz schlägt allerorten
in einem Brunnenland,

wo kein Mund trinkt und keine
Gestalt die Schatten säumt,
wo Wasser quillt zum Scheine
und Schein wie Wasser schäumt.

Du steigst in alle Brunnen,
du schwebst durch jeden Schein.
Du hast ein Spiel ersonnen,
das will vergessen sein.

WILHELM LEHMANN

Der Holunder

So grundgeheim wie jedem offen,
Wird er im Unbewohnten nicht getroffen.
Mit der betrübten Schar der Menschen teilt er seine Zeit,
Aus ihrem Kummer saugt er Heiterkeit.
Abwässer tränken ihn, ihn nähren Exkremente,
Als wenn er am Verworfenen entbrennte.
Auf schwanken Tisch setzt er sein Duftgericht in hellen Tellern;
Wer braucht den Schatz, den niemand sucht, zu kellern?
Durch seine Glieder zieht ein weißes Mark,
Nicht schwerer als die Luft, doch stark
Wie leichter Sinn, der niemals trumpft.
Verlierst du ihn, die Erde schrumpft!
Mann ist der Holder, Frau zugleich,
Aus harter Wurzel springt er weich.
Zu seinen Füßen ruhte Käthchen von Heilbronn,
Er weiß es noch. Er träumt davon.

WILHELM LEHMANN

In Solothurn

Vor hundert Jahren suchte ich die schöne Magelone.
Sie liebte mich, ich war ihr gut genug.
Vor hundert Jahren, als mein Fuß mich schwebend trug.

Ich bin in Solothurn. Frag ich, ob sie hier wohne?
Die weiße Kathedrale fleht den Sommerhimmel an.
Auf hoher Treppe sitze ich, ein junggeglühter Mann.
Die alten Brunnenheiligen stehn schlank;
Die Wasser rauschen, Eichendorff zum Dank.

Hôtel de la Couronne. Mit goldnen Gittern schweifen die Balkone.
Ein Auto hielt. War sie's, die in den Sitz sich schwang?
Adieu! Dein Reiseschal des Windes Fang.

Die Brunnen rauschen. Ihre Stimme spricht
Uns hundert Jahre wieder ins Gedicht:
Mich, Peter von Provence, dich, Magelone.

ELISABETH LANGGÄSSER

Die Rose

Begreift ihr nun? Mein Ursprung ist der Hauch.
Ein Hauch ist nichts. Und ist der Name auch.

Er fühlt es tief. Mein Ende ist der Duft.
Sehr sanft entläßt ihn meines Namens Gruft.

Die Gruft ist leer. O neu gehauchtes Glück:
Die Welt strömt ein. Ich atme sie zurück.

GOTTFRIED BENN

Anemone

Erschütterer —: Anemone,
die Erde ist kalt, ist Nichts,
da murmelt deine Krone
ein Wort des Glaubens, des Lichts.

Der Erde ohne Güte,
der nur die Macht gerät,
ward deine leise Blüte
so schweigend hingesät.

Erschütterer —: Anemone,
du trägst den Glauben, das Licht,
den einst der Sommer als Krone
aus großen Blüten flicht.

Wo ein Kind ist, da schonen die Menschen gern die Eltern. Das sagt die Natur allen Völkern.

JEAN PAUL

O schafft die Tränen der Kinder ab! Das lange Regnen in die Blüten ist so schädlich!
Einen traurigen Mann ertrag ich, aber kein trauriges Kind.

JEAN PAUL

ERNST PENZOLDT

Warum es keinen Krieg geben kann

Chinesisches Märchen

Als der Krieg zwischen den beiden benachbarten Völkern unvermeidlich war, schickten die feindlichen Feldherrn Späher aus, um zu erkunden, wo man am leichtesten in das Nachbarland einfallen könnte. Und die Kundschafter kehrten zurück und berichteten ungefähr mit den gleichen Worten ihren Vorgesetzten: es gäbe nur eine Stelle an der Grenze, um in das andere Land einzubrechen. »Dort aber«, sagten sie, »wohnt ein braver kleiner Bauer in einem kleinen Haus mit seiner anmutigen Frau. Sie haben einander lieb, und es heißt, sie seien die glücklichsten Menschen auf der Welt. Sie haben ein Kind. Wenn wir nun über das kleine Grundstück in Feindesland einmarschieren, dann würden wir das Glück zerstören. Also kann es keinen Krieg geben.« Das sahen die Feldherrn denn auch wohl oder übel ein, und der Krieg unterblieb, wie jeder Mensch begreifen wird.

ALFRED DÖBLIN

Am Dom zu Naumburg

Da begann sie von der Mutter zu erzählen, die am Dom von Naumburg stand:
Ich fuhr auch nach Deutschland, um dich zu suchen ...
Und wieder steht eine alte Frau an einer Kirche. (Aber dies ist nicht der Montmartre.) Es ist ein geschlagenes Land, eine kleine Stadt. Der Dom von Naumburg in Deutschland. Sie hat lange gestanden, nun setzt sie sich auf eine Bank an der Straße und sitzt, das Tuch über den Kopf gezogen. Auf dem Platz vor ihr und durch die Alleen ziehen Menschen. Warum sitzt sie hier? Sie hat sich mit keinem verabredet.
Noch immer fluten Menschen vorbei. Sie marschieren in großen Kolonnen, manche in kleinen losen Trupps, Soldaten und Zivilisten.
Polnische Arbeiter, russische Arbeiter kehren heim, sie ziehen ab, sie ziehen durch die Stadt. Männer in fremder Uniform, französische Kriegsgefangene, sie ziehen heim, sie ziehen ab.
Und wer kommt wieder in dieses Land? In dieses Land wie in jedes andere Land? Man hat sie hier nach Polen und Rußland geführt, in Sumpf und Eis und Schnee sind sie erschossen, erfroren. Man hat sie in die Schiffe, in die U-Boote gesetzt. Sind sie gefangen, sind sie ertrunken? Man hat sie nach Italien und Afrika geführt, in die Hitze, in die Wüste, sind sie im Sand liegengeblieben, verdurstet, vertrocknet? Die Welt ist bitter, lange dauert der Krieg.
Die Frau sitzt auf der Bank, das Tuch über dem Kopf. Der Krieg dauerte lange, wir haben ihn verloren. Darum ziehen die Fremden ab. Sie lassen uns allein. Und was wird nun werden?

Es stehen schon fremde Soldaten in der Stadt. Die Leute sagen: sie befehlen hier. Es gibt kein Deutschland mehr, wir haben verloren.
Sollen sie nur befehlen: wir haben schon alles hingegeben, was kann man denn mit uns noch machen?
Es kommen welche und setzen sich zu der Frau. Sie sagt:
»Ich hatte drei Söhne. Einer kam blind aus dem ersten Krieg zurück; er ist schon tot. Die beiden anderen sind draußen im Kampf gefallen. Wohl ihnen, daß sie nicht zurückkehren.«
»Man wird die Helden nicht vergessen.«
»Warum hat man sie in solche Kriege geführt? Wer hat das ausgedacht? Können Sie mir eine Antwort geben? Alles muß doch einen Sinn haben. Was man den Jungen gesagt hat, haben sie geglaubt. Sie haben nur Sieg, nur Sieg geschrien, und sogar aus dem Feld haben sie so geschrieben. Und nun?«
»Was nun?«
»Sollten etwa meine Jungen über den Krieg nachdenken? Haben sie ihn angerichtet? Hat sie einer gefragt? Sie hatten zu parieren und durften nur ja und amen sagen. Herr, Sie wollen mich trösten und können sich selber nicht trösten. Sagen Sie mir, Herr, wer hat den Krieg gemacht?«
»Um Himmels willen, was fragen Sie? Das Vaterland rief. Wir folgten unserem Führer«!
»Dem Kaiser im ersten Krieg und verloren, dem Führer im zweiten Krieg und verloren. Mein blinder, toter Junge wurde nicht gefragt und die beiden anderen auch nicht. Aber liegenbleiben durften sie.«
»Das Vaterland.«
»Bin ich auch. Jawohl, das Vaterland bin ich auch. Meine Jungen sind auch das Vaterland.«
»Wo kommen wir da hin? Sie wissen nicht, was Sie reden. Wenn es noch die Partei gäbe, so würde man Sie . . .«
»Aufhängen — ich weiß. Kleine Leute haben den Mund zu halten. Das Vaterland sind nur die großen Leute. Und jetzt, Herr, sollen wir euch die Häuser aufbauen, damit ihr euch wieder an den Tisch setzt und über uns beschließt.«
Sie saß. Sie blickte hinter den Menschen her, die mit Karren und Sack und Pack vorbeizogen, und dachte voll Haß:
Recht geschieht euch. Ihr merkt noch nicht mal heute was. Ihr Rindvieh. Ihr gehört in den Krieg, daß man euch schlachtet . .

OSKAR LOERKE

Die Abschiedshand nach Todesschrecken

Was ich erfuhr, das habt ihr nicht erfahren.
Ich barst, der Angstschweiß hing mir in den Haaren.
Da tat ich, was die Ahnung ernst verwehrt:
Ich habe mich, ihr Lieben, umgekehrt.
Ich sah auf euch zurück in großer Trauer,
Denn alle schient ihr mir wie meine Kinder,
Ihr licht noch Wachsenden, jedoch nicht minder
Ihr andern, Schwielenharten, die ihr grauer
Als ich seid. —

Plötzlich kam das Händereichen:
Ihr unter Waage, Stier und allen Zeichen
des Zodiaks Heimischen, lebt wohl, ihr alle.
Am Himmelsrad und seinem Stieg und Falle!

Ihr überseht die Hand, nicht frech und nicht verschüchtert;
Nicht trunken war die Hand, nun ist sie nicht ernüchtert,
Sie sinkt, und unter Wünschen vielen, vielen,
Kehrt einer immer wieder: Mögt ihr, Kinder, spielen!

GÜNTER EICH

Der dritte Traum

Von einer Stunde X, deren es bekanntlich sehr verschiedene geben kann, träumte am 27. April 1950 der Automechaniker Lewis Stone in Freetown, Queensland, Australien. Es darf beruhigend vermerkt werden, daß Stone sich derzeit der besten Gesundheit erfreut und seinen Traum längst vergessen hat.

Singen und Gelächter von Männer-, Frauen- und Kinderstimmen. Als der Lärm einmal nachläßt, hört man die sich nähernde Nachbarin.

Nachbarin Hallo! He! Ihr!

Es wird still

Vater	Was gibts, Nachbarin?
Nachbarin	*nahe:* Ihr lacht!
Mutter	Warum sollen wir nicht lachen?
Vater	Wir sind glücklich.
Nachbarin	Wie könnt ihr das?
Vater	Wir haben fünf Kinder und das tägliche Brot. Habt Ihr Sorgen, Nachbarin?
Nachbarin	Wißt ihr nicht, daß der Feind kommt?
Vater	Der Feind?
Nachbarin	Man hat ihn auf der Straße von Sidney her gesehen.
Mutter	Es muß nicht sein, daß er hierher kommt.
Nachbarin	Wohin führt die Straße sonst?
Mutter	Es muß nicht sein, daß er in unser Haus kommt.
Nachbarin	Nein, vielleicht kommt er in meines, — und deswegen macht mich euer Lachen zornig. *Sich entfernend.* Lebt wohl und verschließt eure Türen. Gute Nacht!
Vater	Das Tor ist verschlossen.
Mutter	Schau hinaus: alle Lampen verlöscht.
Vater	Wir wollen unsere auch auslöschen.
Mutter	Ja.
Vater	So ist es besser.
Mutter	Wo bist du, Bob, wo bist du, Elsie?
Bob	Hier.
Elsie	Hier.
Vater	Vielleicht ist es nicht wahr. Wir hätten fragen sollen, wer ihn gesehen hat. Der Feind, — wer erkennt ihn schon!
Bob	Ist jetzt Krieg, Mama?
Mutter	Es ist immer Krieg.
Vater	Wir werden die Fenster aufmachen, aber die Vorhänge zuziehn. *Sie tun es.*
Vater	Wenn wir jetzt den Vorhang ein wenig beiseite tun, können wir hinausschauen.
Mutter	Es ist finster draußen, nichts zu sehen.
Vater	Es ist Neumond.
Mutter	Und alles ist ganz still.
Elsie	Es ist nicht still, Mama. Ich höre etwas.
Vater	Was hörst du?
Elsie	Ich weiß nicht, was es ist, aber ich höre etwas.

Man hört entfernt ein tappendes Geräusch, als nähere sich ein unförmiges Wesen.

Mutter Was ist das?
Vater Schritte.
Mutter So geht doch niemand.
Vater Still!

Die tappenden Schritte kommen näher.

Elsie Es sind Schritte, Mama.
Bob Es kommt hierher.

Die Schritte kommen dröhnend nahe und halten an. Das Folgende flüsternd gesprochen.

Mutter Jetzt hält er an.
Vater Ganz nahe an unserm Haus.
Mutter Es kann auch woanders sein. Der Schall täuscht. Sieh hinaus!
Vater Ich sehe nichts.

Pause.

Nein, ich sehe nichts, aber es ist wie ein grüner Schein in altem Holz, wie der Schein nachts auf der Uhr.
Mutter Still!
Bob Es bewegt sich.

Man hört drei nachdrückliche Schläge an das Hoftor.

Vater Es klopft bei uns.
Mutter Nein, nicht bei uns.
Vater Bei uns.
Mutter *aufschluchzend:* Nein.
Vater Still! Nicht weinen! Er darf uns nicht hören.
Mutter Wir tun, als schliefen wir.

Drei Schläge wie vorher.

Bob Will er zu uns, Mama?
Mutter Ja, er will ins Haus.
Bob Vielleicht denkt er, es ist niemand da, und er geht woanders hin.
Mutter Er geht nirgendwo anders hin als zu uns. Er hat uns ausgewählt.
Elsie Warum gerade uns?
Mutter Ach Kind, — vielleicht weil wir glücklich waren.
Elsie Mag er das nicht?
Vater Sprecht nicht so laut!

Mutter — Was werden wir tun?

Die Schläge wie vorher.

Vater — Wir gehen durch den Hinterausgang hinaus. Schnell!
Mutter — Wir müssen etwas mitnehmen, Kleidung. Essen.
Vater — Nichts! Du weißt, daß wir nichts mitnehmen dürfen. Er merkt es.

Das Tor wird mit dumpfen Schlägen eingeschlagen.

Vater — Er schlägt das Tor ein. Schnell! Fort!
Mutter — Kommt, Kinder!
Vater — Hier hindurch!
Mutter — Seid ihr da? Bob, Elsie, Cathy, Fred!
Kinder — Hier, hier!

Die Stimmen entfernen sich währenddessen.
Nachdem das Tor eingefallen ist, nähern sich die mächtig stapfenden Schritte und halten an. — Stille.
Das Folgende im Freien.

Bob — Wohin gehen wir, Mama?
Mutter — Ich weiß es nicht.
Vater — Die Nachbarin wird uns aufmachen. *Er ruft flüsternd:* Hallo, Nachbarin!
Nachbarin — Kommt nur herein. Ich dachte mir schon, daß ihr kommt.

Während des Folgenden geht das Geräusch in einen geschlossenen Raum über, — die Flüchtlinge treten ins Haus.

Nachbarin — Aber ich habe nicht soviel Betten. Ihr müßt auf dem Boden schlafen.
Vater — Das macht nichts.
Mutter — Kann man von euch aus sehen, was er drüben tut?
Nachbarin — Er hat alle Lichter angezündet und scheint etwas zu suchen.
Vater — Wir haben nichts mitgenommen.
Nachbarin — Natürlich nicht.
Elsie — *leise:* Du, Bob!
Bob — *ebenso:* Was?
Elsie — Ich habe was mitgenommen. Meine Puppe.
Bob — Sei still, sag nichts.
Mutter — Daß er gerade uns gewählt hat!
Nachbarin — Das sind die Auszeichnungen, nach denen man nicht verlangt.
Vater — Ob wohl jemand schläft heute?

Nachbarin Niemand.

Vater Oder alle, bei denen er nicht geklopft hat.

Mutter Es wird schon langsam hell.

Nachbarin Morgen wird alles seinen gewohnten Gang gehen.

Vater Außer bei uns.

Nachbarin Habt ihr wirklich nichts mitgenommen?

Mutter Nichts. Es war ja auch dunkel, wir hätten nichts finden können.

Nachbarin Er sucht immer noch.

Mutter Wie sieht er aus?

Nachbarin Ein kleiner Mann, gar nichts Besonderes

Mutter Sein Gesicht?

Nachbarin Ich habe es noch nicht gesehn.

Vater Laßt mich auch hinüberschauen.

Nachbarin Er kommt ans Fenster. Er sieht hinaus.

Vater Ich sehe sein Gesicht. Er hat Augen, als wäre er blind.

Nachbarin Er sieht hier herüber. Geht vom Fenster weg.

Vater Ich sehe, daß er blind ist, und dennoch machen mich seine Augen fürchten.

Nachbarin Er schaut immer hier herüber. Er hat mich gesehen. Vielleicht muß ich ihn begrüßen? *Sie ruft hinaus:* Guten Morgen, Herr Nachbar.

Stille.

Nachbarin Er antwortet nicht. Es fröstelt mich. Er schaut unverwandt herüber.

Vater Er ist blind.

Mutter Herr Nachbar habt Ihr gesagt.

Vater Ihr habt Euch schnell umgestellt.

Nachbarin Er schaut unverwandt herüber.

Vater Ihr habt uns schon abgeschrieben, nicht wahr?

Nachbarin *ruft:* Ich begrüße Euch, Herr Nachbar.

Stille.

Vater Er antwortet nicht. Vielleicht ist er auch taub und stumm.

Nachbarin Er schaut unverwandt hierher. Ihr müßt fort.

Mutter Fort? Warum?

Vater Wohin?

Nachbarin Ihr müßt fort. Er will nicht, daß Ihr hier seid.

Mutter Seid nicht hartherzig, Nachbarin. Seht, das Kleine ist eben eingeschlafen.

Nachbarin Fort, schnell fort!

Vater — Kommt, wir gehen in ein anderes Haus.
Mutter — Kommt, Kinder!

Ihre Stimmen entfernen sich.

Vater — Bob, Elsie, Cathy, Fred!
Kinder — Hier. Ich bin müde. Hier.
Nachbarin — *allein:* Jetzt sieht er nicht mehr herüber. Oh, ich weiß genau, daß er nicht blind ist. Er sieht besser als wir alle.

Pause.

Das Folgende im Freien

Vater — Kommt, wir läuten hier. Der Bürgermeister war immer unser Freund. Er muß uns eine andere Wohnung geben.

Klingel.

Ein Fenster wird geöffnet.

Bürgermeister — Was wollt ihr?
Vater — Ihr wißt es, Bürgermeister. Wir mußten unser Haus verlassen.
Bürgermeister — Geht weiter, ihr gehört nicht mehr zu uns.
Vater — Aber —
Bürgermeister — Nichts aber. Ihr habt kein Haus mehr in Freetown. Und ihr seid Diebe.
Mutter — Diebe?
Bürgermeister — Trägt Elsie nicht ihre Puppe auf dem Arm?
Mutter — Die Puppe? Mein Gott, Elsie, hast du die Puppe mitgenommen? Warum hast du das getan?
Elsie — Weil ich sie lieb habe.
Vater — Wir müssen sie zurückbringen.
Bürgermeister — Zu spät. Ihr habt euch ins Unrecht gesetzt, und wir sind alle froh, daß ihr das getan habt. Ich bin euer Freund, ich rate euch, geht fort, ehe ihr verhaftet werdet. Kein Wort mehr!

Er schlägt das Fenster zu.

Vater — Kommt, wir müssen weiter.
Elsie — Darf ich die Puppe mitnehmen?
Mutter — Nimm sie mit, mein Kind.
Vater — Das dürfen wir nicht.
Mutter — Weil sie sie lieb hat.
Vater — Nun gut, weil sie sie lieb hat.
Mutter — Wohin?
Vater — Vielleicht nimmt uns ein anderer auf.

Mutter	Niemand nimmt uns auf.
Vater	Hallo, Nachbar!
Stimme	Zum Teufel, ich bin nicht dein Nachbar. Schert euch fort, landfremdes Gesindel!
Vater	Sind wir nicht alle hier geboren?
Stimme	Fort, fort: Denkt ihr, wir wollen uns euretwegen die Finger verbrennen?
Vater	Kommt!
Mutter	Wir brauchen niemanden mehr zu fragen. Sie stehen alle hinter den Gardinen und sehen uns nach. Niemand ruft uns herein. Alle sind froh, wenn wir gehen.
Vater	Sie haben alle Angst. Man darf es ihnen nicht übelnehmen.
Mutter	Nein, sie sind alle so armselig wie wir.
Vater	Wir haben unsere Kinder.
Mutter	Und Elsie ihre Puppe.
Elsie	Ja, meine Puppe.
Vater	Jetzt hören die Häuser auf. Gott sei Dank, wir kommen ins Freie. Es ist ganz hell.
Mutter	Und wohin gehen wir?
Vater	Ja, wohin?

— —

Wacht auf, denn eure Träume sind schlecht!
Bleibt wach, weil das Entsetzliche näher kommt.
Auch zu dir kommt es, der weit entfernt wohnt von den Stätten, wo Blut vergossen wird,
auch zu dir und deinem Nachmittagsschlaf,
worin du ungern gestört wirst.
Wenn es heute nicht kommt, kommt es morgen,
aber sei gewiß.

»Oh angenehmer Schlaf
auf den Kissen mit roten Blumen,
einem Weihnachtsgeschenk von Anita, woran sie drei Wochen gestickt hat,
oh angenehmer Schlaf,
wenn der Braten fett war und das Gemüse zart.
Man denkt im Einschlummern an die Wochenschau von gestern abend:
Osterlämmer, erwachende Natur, Eröffnung der Spielbank in Baden-Baden,
Cambridge siegte gegen Oxford mit zweieinhalb Längen, —
das genügt, das Gehirn zu beschäftigen.

Oh dieses weiche Kissen, Daunen aus erster Wahl!
Auf ihm vergißt man das Ärgerliche der Welt, jene Nachricht zum Beispiel:
Die wegen Abtreibung Angeklagte sagte zu ihrer Verteidigung:
Die Frau, Mutter von sieben Kindern, kam zu mir mit einem Säugling,
für den sie keine Windeln hatte, und der
in Zeitungspapier gewickelt war.
Nun, das sind Angelegenheiten des Gerichtes, nicht unsre.
Man kann dagegen nichts tun, wenn einer etwas härter liegt als der andere,
und was kommen mag, unsere Enkel mögen es ausfechten.«

»Ah, du schläfst schon? Wache gut auf, mein Freund!
Schon läuft der Strom in den Umzäunungen, und die Posten sind
aufgestellt.«

Nein, schlaft nicht, während die Ordner der Welt geschäftig sind!
Seid mißtrauisch gegen ihre Macht, die sie vorgeben für euch
erwerben zu müssen!
Wacht darüber, daß Eure Herzen nicht leer sind, wenn mit der Leere
eurer Herzen gerechnet wird!
Tut das Unnütze, singt die Lieder, die man aus eurem Mund nicht erwartet!
Seid unbequem, seid Sand, nicht das Öl im Getriebe der Welt!

* * *

ALBERT SCHWEITZER

Über die Jugendlichkeit des Mannes

Die Ideen, die das Wesen und das Leben eines Menschen bestimmen, sind in ihm auf geheimnisvolle Weise gegeben. Wenn er aus der Kindheit heraustritt, fangen sie an, in ihm zu knospen. Wenn er von der Jugendbegeisterung für das Wahre und Gute ergriffen wird, blühen sie und setzen Frucht an. In der Entwicklung, die wir nachher durchmachen, handelt es sich eigentlich nur darum, wieviel von dem, was unser Lebensbaum in seinem Frühling an Frucht ansetzte, an ihm bleibt.

Die Überzeugung, daß wir im Leben darum zu ringen haben, so denkend und so empfindend zu bleiben, wie wir es in unserer Jugend waren, hat mich wie ein treuer Begleiter auf meinem Wege begleitet. Instinktiv habe ich mich

dagegen gewehrt, das zu werden, was man gewöhnlich unter einem »reifen Menschen« versteht.
Der Ausdruck »reif« auf den Menschen angewandt, war mir und ist mir noch immer etwas Unheimliches. Ich höre dabei die Worte Verarmung, Verkümmerung, Abstumpfung als Dissonanzen miterklingen. Was wir gewöhnlich als Reife an einem Menschen zu sehen bekommen, ist eine resignierte Vernünftigkeit. Einer erwirbt sie sich nach dem Vorbilde anderer, indem er Stück um Stück die Gedanken und Überzeugungen preisgibt, die ihm in seiner Jugend teuer waren. Er glaubte an den Sieg der Wahrheit; jetzt nicht mehr. Er glaubte an die Menschen; jetzt nicht mehr. Er glaubte an das Gute; jetzt nicht mehr. Er eiferte für Gerechtigkeit; jetzt nicht mehr. Er vertraute in die Macht der Gütigkeit und der Friedfertigkeit; jetzt nicht mehr. Er konnte sich begeistern; jetzt nicht mehr. Um besser durch die Fährnisse und Stürme des Lebens zu schiffen, hat er sein Boot erleichtert. Er warf Güter aus, die er für entbehrlich hielt. Aber es war der Mundvorrat, dessen er sich entledigte. Nun schifft er leichter dahin, aber als verschmachtender Mensch.
In meiner Jugend habe ich Unterhaltungen von Erwachsenen mitangehört, aus denen mir eine das Herz beklemmende Wehmut entgegenwehte. Sie schauten auf den Idealismus und die Begeisterungsfähigkeit ihrer Jugend als auf etwas Kostbares zurück, das man sich hätte festhalten sollen. Zugleich aber betrachten sie es als eine Art Naturgesetz, daß man das nicht könne.
Da bekam ich Angst, auch einmal so wehmütig auf mich selber zurückschauen zu müssen. Ich beschloß, mich diesem tragischen Vernünftigwerden nicht zu unterwerfen. Was ich mir in fast knabenhaftem Trotze gelobte, habe ich durchzuführen versucht.
Zu gern gefallen sich die Erwachsenen in dem traurigen Amt, die Jugend darauf vorzubereiten, daß sie einmal das meiste von dem, was ihr jetzt das Herz und den Sinn erhebt, als Illusion ansehen wird. Die tiefere Lebenserfahrung aber redet anders zu der Unerfahrenheit. Sie beschwört die Jugend, die Gedanken, die sie begeistern, durch das ganze Leben hindurch festzuhalten. Im Jugendidealismus erschaut der Mensch die Wahrheit. In ihm besitzt er einen Reichtum, den er gegen nichts eintauschen soll.
Wir alle müssen darauf vorbereitet sein, daß das Leben uns den Glauben an das Gute und Wahre und die Begeisterung dafür nehmen will. Aber wir brauchen sie ihm nicht preiszugeben. Daß die Ideale, wenn sie sich mit der Wirklichkeit auseinandersetzen, gewöhnlich von den Tatsachen erdrückt werden, bedeutet nicht, daß sie von vornherein vor den Tatsachen zu kapitulieren haben, sondern nur, daß unsere Ideale nicht stark genug sind. Nicht stark genug sind sie, weil sie nicht rein und stark und stetig genug in uns sind.
Die Macht des Ideals ist unberechenbar. Einem Wassertropfen sieht man keine Macht an. Wenn er aber in den Felsspalt gelangt und dort Eis wird, sprengt

er den Fels; als Dampf treibt er den Kolben der mächtigen Maschine. Es ist dann etwas mit ihm vorgegangen, das die Macht, die in ihm ist, wirksam werden ließ.

So auch mit dem Ideal. Ideale sind Gedanken. Solange sie nur gedachte Gedanken sind, bleibt die Macht, die in ihnen ist, unwirksam, auch wenn sie mit größter Begeisterung und festester Überzeugung gedacht werden. Wirksam wird ihre Macht erst, wenn mit ihnen dies vorgeht, daß das Wesen eines geläuterten Menschen sich mit ihnen verbindet. Die Reife, zu der wir uns zu entwickeln haben, ist die, daß wir an uns arbeiten müssen, immer schlichter, immer wahrhaftiger, immer lauterer, immer friedfertiger, immer sanftmütiger, immer gütiger, immer mitleidiger zu werden. In keine andere Ernüchterung als in diese haben wir uns zu ergeben. In ihr härtet sich das weiche Eisen des Jugendidealismus zum Stahl des unverlierbaren Lebensidealismus. Das große Wissen ist, mit den Enttäuschungen fertig zu werden. Alle Tatsachen sind Wirkung von geistiger Kraft; die erfolgreichen von Kraft, die stark genug ist, die erfolglosen von Kraft, die nicht stark genug ist. Mein Verhalten der Liebe richtet nichts aus. Das ist, weil noch zu wenig Liebe in mir ist. Ich bin ohnmächtig gegen die Unwahrhaftigkeit und die Lüge, die um mich herum ihr Wesen haben. Das hat zum Grunde, daß ich selber noch nicht wahrhaftig genug bin. Ich muß zusehen, wie Mißgunst und Böswilligkeit weiter ihr trauriges Spiel treiben. Das heißt, daß ich selber Kleinlichkeit und Neid noch nicht ganz abgelegt habe. Meine Friedfertigkeit wird mißverstanden und gehöhnt. Das bedeutet, daß noch nicht genug Friedfertigkeit in mir ist.
Das große Geheimnis ist, als unverbrauchter Mensch durchs Leben zu gehen. Solches vermag, wer nicht mit den Menschen und Tatsachen rechnet, sondern in allen Erlebnissen auf sich selbst zurückgeworfen wird und den letzten Grund der Dinge in sich sucht ...
Wenn die Menschen das würden, was sie mit vierzehn Jahren sind, wie ganz anders wäre die Welt!
Als einer, der versucht in seinem Denken und Empfinden jugendlich zu bleiben, habe ich mit den Tatsachen und der Erfahrung um den Glauben an das Gute und Wahre gerungen. In dieser Zeit, wo Gewalttätigkeit in Lüge gekleidet so unheimlich wie noch nie auf dem Throne der Welt sitzt, bleibe ich dennoch überzeugt, daß Wahrheit, Liebe, Friedfertigkeit, Sanftmut und Gütigkeit die Gewalt sind, die über aller Gewalt ist. Ihnen wird die Welt gehören, wenn nur genug Menschen die Gedanken der Liebe, der Wahrheit, der Friedfertigkeit und der Sanftmut rein und stark und stetig genug denken und leben.
Alle gewöhnliche Gewalt beschränkt sich selber. Denn sie erzeugt Gegenge-

walt, die ihr früher oder später ebenbürtig oder überlegen wird. Die Gütigkeit aber wirkt einfach und stetig. Sie erzeugt keine Spannungen, die sie beeinträchtigen. Bestehende Spannungen entspannt sie, Mißtrauen und Mißverständnisse bringt sie zur Verflüchtigung, sie verstärkt sich selber, indem sie Gütigkeit hervorruft. Darum ist sie die zweckmäßigste und intensivste Kraft. Was ein Mensch an Gütigkeit in die Welt hinausgibt, arbeitet an den Herzen und an dem Denken der Menschen.

STEFAN ZWEIG

Unvergessliches Erlebnis

Ein Tag bei Albert Schweitzer

Ein vollkommener Tag ist selten. So hat, der ihn erlebt und gerade heute erleben darf, die Pflicht, besonders dankbar zu sein und dieser Dankbarkeit das Wort zu lassen.

Schon der Morgen gab ein großes Geschenk. Seit Jahr und Tag stand man wieder einmal vor dem Straßburger Münster, dieser vielleicht schwerelosesten Kathedrale der europäischen Erde. Daß frühwinterlicher Nebel den Himmel dunkelte und dem Horizont einen stumpfen Ton gab, vermochte die Wirkung nicht zu mindern; im Gegenteil, wie von innen glühend in seinem einzigartigen Rosagestein stieg mit seinen Hunderten gemeißelten Gestalten dieses quaderne Spitzenwerk empor, selig leicht und doch unverrückbar, jeden aufhebend in sein beschwingtes Empor. Wie außen in die Höhe beglückt emporgeschwungen, spürt man innen, abermals erstaunt, die Weite im klar gestalteten Raum, den Orgel und Gesang sonntäglich durchfluten: auch hier Vollendung, geschaffen von dem verschollenen Genius Erwin von Steinbach, dessen Ruhm der junge Goethe mit ebenso quadernen Worten in die Unvergänglichkeit gehämmert.

Und weiter noch vormittag und mittag zur andern deutschen Herrlichkeit der elsässischen Erde, hinüber nach Colmar, um wieder einmal, wissender und doch ebenso empfänglich wie vor zwei Jahrzehnten, den Isenheimer Altar des Matthias Grünewald zu bewundern. Großartiger Gegensatz bei gleicher Vollendung: dort die strenge Linie architektonisch gebunden, zu Stein gefrorene Musik, zu Kristall gewordene, himmelaufdeutende Frömmigkeit, und hier in diesen flammenden Farben die übermächtige Inbrunst der Ekstase, das fanatisch gewordene Kolorit, die apokalyptische Vision von Untergang und Auferstehung. Dort die Ruhe im Glauben, die langsame, beharrliche, demütige Bemühung zur letzten Erfüllung, hier der wilde Ansprung, der rasende Gottesrausch, der heilige Raptus, die bildgewordene Ekstase. Man mag auch hundertmal, tausendmal vor den trefflichsten Nachbildungen sich bemüht haben, dem einzigen Geheimnis dieser leuchtenden dämonischen Tafeln nahezukommen: nur hier, dieser erschütternden Realität gegenüber fühlt man sich völlig gebannt und weiß, man hat leibhaftig eines der bildnerischen Wunder unserer irdischen Welt gesehen.

Zwei völlig verschiedene und beide fehllose Vollendungen menschlicher Schöpferkraft hat man erlebt und noch steht die matte Novembersonne erst im Zenith; noch ist der Tag voll, noch das Gefühl offen und bereit und vielleicht gesteigerter sogar, menschlich magischen Eindruck in sich aufzunehmen. Noch ist Zeit, noch ist der Wille lusthaft gewillt, sich starkem Eindruck aufzuschließen, und so, vom Gefühlten erfüllt und dennoch nicht gesättigt, fährt man hinüber in ein kleines elsässisches Städtchen, nach Günsbach, um dort im Pfarrhaus Albert Schweitzer zu besuchen. Die Gelegenheit darf nicht versäumt werden, diesen merkwürdigen und wunderbaren Mann, der wieder einmal zu kurzer Frist sein Werk in Afrika verlassen hat und in seinem Heimatdorfe gleichzeitig ausruht und sich zu neuer Hingabe rüstet, zu besuchen, denn menschliche Vollendung ist nicht minder selten als die künstlerische.

Albert Schweitzer, dieser Name hat für viele Menschen heute schon einen starken Klang, aber fast für jeden unter diesen einen verschiedenen besonderen Sinn. Unzählige lieben und verehren ihn, die meisten aber von völlig verschiedenen Gesichtsfeldern her, denn dieser Mann ist eine einzige und einmalige, eine unwiederholbar gebundene Vielfalt. Manche wissen von ihm nur, daß er vor einigen Jahren den Goethe-Preis erhielt, die protestantische Geistlichkeit bewundert in ihm einen ihrer hervorragendsten Theologen, den Verfasser der »Mystik des Apostels Paulus«, die Musiker respektieren in ihm den Schöpfer des größten und gründlichsten Werkes über Johann Sebastian Bach, die Orgelbauer rühmen ihn als den Mann, der wie keiner sämtliche Orgeln Europas kennt und über ihre Technik das Tiefste und Aufschlußreichste geschrieben hat, die Musikalischen ehren ihn als den (mit Günther Ramin) vielleicht größten Orgelvirtuosen der gegenwärtigen Welt, und wo immer er ein Konzert ankündigt, sind Tage vorher alle Plätze verkauft. Aber um seiner höchsten Tat willen, um jenes Spitals, das er aus rein menschlicher Aufopferung, einzig um eine europäische Schuld zu sühnen, im Urwald von Afrika, ganz allein, ohne irgendeine staatliche Hilfe gegründet und geschaffen, um dieser einzigartigen und beispielgebenden Selbstpreisgabe willen liebt und bewundert ihn jeder, der um das Menschliche weiß, alle jene, denen Idealismus nur dann groß erscheint, wenn er über das geredete und geschriebene Wort hinausgeht und durch Selbstaufopferung zur Tat wird. Diesen tief bescheidenen Mann ehren die Besten der Erde heute als ein moralisches Vorbild, und eine immer wachsende Gemeinde schart sich still (und ohne jedes Programm) um seine Gestalt. Wie stark sein Einfluß geworden ist, bezeugt in den letzten Jahren schon rein äußerlich die Verbreitung der Bücher, die sein Leben schildern und deren einfachstes, schlichtestes er selbst geschrieben hat: »Aus meinem Leben und Denken«.

Dieses Leben nun ist in der Tat wahrhaft würdig, einmal Gegenstand einer heroischen Biographie zu werden; heroisch freilich nicht im alten Sinn des Militärischen, sondern in dem neuen, den wir als einzig gültigen anerkennen, des moralischen Heldentums, der völligen und dabei undogmatischen Aufopferung der Person an die Idee, jenes Heldentums, das in Menschen wie Gandhi und Romain Rolland ebenso wie in Albert Schweitzer die ruhmreichsten Formen unseres Zeitalters angenommen hat. Zwischen zwei Ländern geboren, zwischen Deutschland und Frankreich, beiden so sehr verbunden, daß ein Teil seiner Werke französisch, der andere deutsch geschrieben ist, wächst der Pfarrerssohn in seinem Heimatort Günsbach auf, erhält 1899 ein Predigeramt in St. Nikolai in Straßburg, mit allen den kleintäglichen Tätigkeiten wie Konfirmandenunterricht und Kirchenpredigt, habilitiert sich zwei Jahre später mit einer Vorlesung über die »Logoslehre im Johannes-Evangelium« an der theologischen Universität Straßburg. Aber gleichzeitig studiert er in den Ferienmonaten bei dem greisen Meister Widor, der noch Wagner, César Franck und Bizet freundschaftlich gekannt. Schweitzers unermüdliche Arbeit teilt sich fortab zwischen Musik und Theologie, beiderseits schöpferische Frucht tragend, hier in einer »Geschichte der Leben- Jesu-Forschung«, dort in jener monumentalen Biographie Johann Sebastian Bachs, die bis heute noch unübertroffen geblieben ist. Meister der Orgel, reist er von Stadt zu Stadt, um alle nur erreichbaren auszuproben und das halb verschollene Geheimnis der alten Orgelbaumeister neu zu entdecken. Auch auf diesem Gebiet werden seine Werke Autorität. Doppelgeleisig und klar könnte nun dieses Leben weiter verlaufen, aber in seinem dreißigsten Jahr faßt Albert Schweitzer plötzlich jenen unvermuteten Entschluß, der in der tiefreligiösen Natur seines Wesens voll begründet ist: Europa zu verlassen, wo er sich nicht genug nutzbringend fühlt, und in Äquatorialafrika ein Spital für die Ärmsten der Armen, für die Verlassensten der Verlassenen, für die unter der Schlafkrankheit und anderen Tropengebresten zu Tausenden hinsiechenden Neger, aus eigener Kraft zu begründen.

Wahnsinn, sagen seine Freunde, sagen seine Verwandten. Warum in Afrika? Ist nicht in Europa Elend genug, dem abzuhelfen wäre? Aber die innerliche Antwort Albert Schweitzers ist: weil die Arbeit in Afrika die schwierigste ist. Weil sich dort hinab niemand wagt, außer den Geldverdienern, Abenteurern und Karrieremachern, weil gerade dort im Urwald, in der täglichen Lebensgefahr der aus reinen, ethischen Motiven wirkende Mensch nötiger ist als irgendwo. Und dann — mystischer Gedanke — dieser eine Mensch will für seine Person jenes ungeheure, unsagbare Unrecht sühnen, das wir Europäer, wir, die angeblich so kulturelle weiße Rasse, an dem schwarzen Erdteil seit Hunderten Jahren begangen haben. Würde einmal eine wahrhafte Geschichte geschrieben werden, was die Europäer an Afrika verbrochen, wie sie erst durch Sklavenraub, dann durch Branntwein, Syphilis, Raffgier die ahnungslosen schwarzen Kinder dieses Erdteils gemartert, ausgeplündert und dezimiert haben (noch heute ist, wie André Gides Kongobuch beweist, vieles nicht besser geworden), dann würde eine solche historische Aufstellung eines der größten Schandbücher unserer Rasse werden und unser frech getragenes Kulturbewußtsein für Jahrzehnte zur Bescheidenheit dämpfen. Einen winzigen Teil dieser ungeheuren Schuld will nun dieser eine religiöse Mensch mit dem Einsatz seiner Person bezahlen durch die Gründung eines Missionsspitals im Urwald — endlich einer, der nicht in die Tropen geht um des Gewinns, um der Neugier willen, sondern aus reinem humanen Hilfsdienst an diesen Unglücklichen der Unglücklichen. Aber wie kann er ein Spital gründen, er, der von Medizin nichts weiß? Eine solche Kleinigkeit kann eine eherne Energie wie jene Albert Schweitzers nicht erschrecken. Mit dreißig Jahren Professor der Theologie, einer der meisterlichsten Orgelspieler Europas, hochgeehrt als Musikologe, setzt er sich ruhig zu den Achtzehnjährigen in Paris noch einmal auf die Schulbank, in den Seziersaal, und beginnt trotz schweren Geldsorgen Medizin zu studieren. 1911, sechsunddreißigjährig, besteht er das medizinische Staatsexamen. Dann noch ein Jahr klinischer Dienst und die Doktorarbeit, und der beinahe Vierzigjährige tritt die Reise in den anderen Erdteil an.

Nur das Wichtigste fehlt noch: das Geld für ein so weitreichendes Unternehmen, denn unter keinen Umständen will Albert Schweitzer von der französischen Regierung Unterstützung nehmen. Er weiß: Unterstützung bedeutet Abhängigkeit von Beamten, Kontrolle, kleinliche Einmengerei, Überschaltung eines rein human Gedachten ins Politische. So opfert er das Honorar seiner Bücher, gibt eine Reihe von Konzerten zugunsten seiner Sache, und Gesinnungsfreunde steuern bei. Im Sommer 1913 langt er endlich in Lambarene am Ogovefluß an und beginnt, sein Spital zu bauen. Zwei Jahre beabsichtigt er zunächst dort zu bleiben, aber zwangsweise werden es viereinhalb, denn dazwischen fällt für die ganze europäische Menschheit der Krieg, und dieser warmherzige Samariter, der selbstlos in den französischen Kolonien einer humanen Idee dienen wollte, wird plötzlich gewalttätig daran erinnert, daß er seinem Paß nach immerhin Elsässer, also damals Deutscher, sei, und vom 5. August 1914 an hat er sich auf seiner Mission als Gefangener zu betrachten. Anfangs erlaubt man ihm noch die Ausübung seiner ärztlichen Tätigkeit, schließlich aber wird die Kriegsbürokratie unerbittlich in ihrem heiligen Wahnsinnsrecht: Schweitzer wird aus dem afrikanischen Missionsgebiet, wo er auf wunderbarste Weise tätig ist, mitten aus dem Urwald nach Europa gebracht und für ein ganzes Jahr in den Pyrenäen untätig hinter Stacheldraht gesetzt. Als er heimkehrt, findet er die väterliche Landschaft von Günsbach verheert und zerstört, die Berge entwaldet und das menschliche Elend, zu dessen Bekämpfung er sein Leben eingesetzt hat, vertausendfacht.

Sein ganzes Werk scheint also vergebens getan. An einen Wiederaufbau des afrikanischen Spitals ist zunächst nicht zu denken, noch sind Schulden zu bezahlen, noch ist die Welt versperrt, und diese Jahre nützt Schweitzer zu seinen Werken »Verfall und Wiederaufbau der Kultur« und »Kultur und Ethik« sowie zur Vollendung der großen Bach-Ausgabe. Aber die Entschlossenheit dieses Mannes ist unzerstörbar. Er gibt Konzert auf Konzert, schließlich hat er nach fünf Jahren wieder Geld beisammen. 1924 reist er abermals nach Lambarene, wo er alles, was er aufgebaut hat, verfallen findet. Der Dschungel hat die Gebäude gefressen, alles muß neu und in größeren Dimensionen an anderer Stelle errichtet werden. Aber diesmal kommt ihm schon Ruhm und Ruf seines Werkes zustatten. Denn jede starke ethische Energie sendet Emanationen aus, und wie der Magnet totes Eisen magnetisch macht, so wohnt aufopfernden Naturen die Kraft inne, andere sonst gleichgültige Menschen zur Aufopferung zu erziehen. Immer sind in der Menschheit Unzählige bereit, einer Idee zu dienen, ein ungeheurer Idealismus wartet unausgelöst in jeder Jugend, sich einer Aufgabe völlig hinzugeben (und wird von den politischen Parteien meist in eigennütziger Weise mißbraucht). Manchmal aber, in sehr seltenen Glücksfällen, strömt er reich und frei einer humanen Idee zu, so in diesem Falle: eine ganze Schar Helfer bietet sich Schweitzer an, die, von seiner Idee überzeugt, unter ihm, neben ihm wirken will, und gefestigter als je steht der alte Bau. 1927, 1928 ist wieder ein Pausejahr, das Schweitzer in Europa verbringt, um durch Konzerte und ihren Ertrag den materiellen Bestand seines Spitals zu sichern, und so teilt er sein Leben zwischen der einen und der anderen Welt in Arbeit und Arbeit, die aber beide konzentrisch auf die Entwicklung des Werkes und seiner Persönlichkeit zielen.

Den Glücksfall, diesem außerordentlichen Mann, der jetzt knapp vor einer neuen Reise nach Afrika bei uns in Europa weilt, wieder zu begegnen, glaubte ich nicht versäumen zu dürfen; die Welt ist so arm an wirklich überzeugenden und beispielgebenden Gestalten, daß da eine kleine Reise wahrhaftig nicht als Preis gelten darf. Ich hatte Schweitzer jahrelang nicht gesehen, und briefliche Bindung ersetzt nur sehr unzulänglich die lebendige Gegenwart. So

freute ich mich zutiefst wieder seines warmen, klaren und herzlichen Blikkes. Ein wenig Grau hat sich auf sein Haar gestreut, aber prachtvoll imponierend wirkt noch immer das plastisch gehauene alemannische Gesicht, dem nicht nur der buschige Schnurrbart, sondern auch die geistige Struktur der überwölbten Stirn eine starke Ähnlichkeit mit den Bildern Nietzsches gibt. Führertum eines Menschen verleiht immer unwillkürlich von innen her etwas Autoritatives, aber das Selbstbewußtsein Albert Schweitzers hat nichts von Rechthaberei, sondern ist nur die von innen nach außen gewendete Sicherheit eines Menschen, der sich am rechten Weg weiß, und die Kraft, die von ihm ausstrahlt, wirkt niemals aggressiv, denn sein ganzes Denken und Leben beruht ja in der höchsten Lebensbejahung oder, besser gesagt, der Bejahung des Lebens in allen seinen geistigen und irdischen Formen, also in verstehender Konzilianz und Toleranz. Albert Schweitzers Gläubigkeit und sogar Kirchengläubigkeit entbehrt jedes Fanatismus, und das erste, was dieser wunderbare Mensch, dieser einstige protestantische Priester und Theologe uns mitten im Gespräch bewundernd rühmte, waren religiöse Texte chinesischer Philosophen, in denen er eine der höchsten Manifestationen irdischer Ethik bewundert.
Es wurde ein reicher Nachmittag; man durchblätterte Photographien von Lambarene, man hörte von den hier sich erholenden Pflegerinnen und Helferinnen der Mission viele erschütternde und gleichzeitig wieder viele erhebende Einzelheiten von der unsäglichen Sisyphusarbeit, die dort geleistet wird, um das immer wieder neu anströmende Menschenelend nur für kurze Frist zu dämmen und zu lindern. Und zwischendurch, in dem mit Briefen und Manuskripten überstreuten Zimmer dieses unermüdlichen Menschen freut man sich immer wieder eines Blickes auf das männlich schöne Antlitz, in dem Sicherheit und Ruhe sich zu einer seltenen Einheit verbinden. Hier wirkt, so spürt man, das Zentrum einer Kraft, die, für uns unsichtbar, sich in einem anderen Erdteil in Wohlfahrt und moralische Schöpfung umsetzt und gleichzeitig in vielen anderen Tausenden ähnliche Kräfte steigert und erregt, und während er ruht und plaudert, ist er zugleich Führer einer unsichtbaren Armee, der Mittelpunkt eines magischen Kreises, der ohne jede äußere Gewalt und ohne Verwendung von Gewalt doch mehr Gewalt und Leistung ausgelöst hat als Dutzende politischer Führer, Professoren und Autoritätsmenschen. Und wieder erkennt man: beispielgebende Kraft hat mehr Macht im Wirklichen als alle Dogmen und Worte.
Und dann hinaus in das kleine Tal, durch das sonntäglich stille Dorf. Längst sind die Narben verheilt, die der Krieg geschlagen. Drüben in den Hängen der Vogesen und auf der anderen, der deutschen Seite, wo die Kanonen mit dumpfem Schlag Stunde für Stunde ihre gasgiftigen Geschosse ausgespien, liegt ein stillfriedliches Abendlicht. Sorglos kann man auf der Straße gehen,

die vor vierzehn Jahren noch in unterirdische, mit Stroh überdeckte Tunnels verwandelt war. Der Weg führt langsam zur kleinen Kirche, denn obwohl ich nicht wagte, ihn darum zu bitten, der große Musiker hatte unseren heimlichen Wunsch geahnt, ihn auf seiner neuen, nach seinen eigenen Angaben gefertigten Orgel wieder einmal spielen zu hören.
Die kleine Kirche von Günsbach, die er jetzt aufschließt, ist eine besondere unter den hunderttausend Kirchen, die auf europäischer Erde stehen. Nicht, daß sie eigentlich schön wäre oder im kunsthistorischen Sinn bedeutsam: ihre Eigenart ist geistig-geistlicher Natur, denn sie gehört zu den im ganzen vierzig oder fünfzig Kirchengebäuden, wie man sie nur im Elsaß und in einigen Orten der Schweiz findet, welche zugleich für katholischen und protestantischen Gottesdienst eingerichtet sind. Der Chor, durch ein kleines Holzgitter abgeschlossen, wird nur für den katholischen Gottesdienst geöffnet, der zu anderer Stunde stattfindet als der protestantische. Ein scheinbar Unmögliches ist also hier vollbracht, auf einer Erde, wo deutsche und französische Sprache locker ineinandergleiten — daß auch die katholische und protestantische Lehre ohne Gehässigkeit in einem gleichsam neutralen Gotteshause miteinander verbunden sein können, und Albert Schweitzer erzählt, daß schon von seiner Jugend her diese Möglichkeit einer friedlichen Bindung einen vorbildlichen Einfluß auf seine Lebensanschauung gewonnen hat.
Es ist schon dunkel im völlig leeren Kircheninnern, als wir eintreten, und wir machen kein Licht. Nur über der Klaviatur der Orgel wird eine einzige kleine Birne aufgedreht. Sie leuchtet nur Schweitzers Hände an, die jetzt über die Tasten zu gehen beginnen, und das niedergebeugte sinnende Gesicht erhält von den Reflexen ungewissen magischen Widerschein. Und nun spielt Albert Schweitzer uns allein in der leeren nachtschwarzen Kirche seinen geliebten Johann Sebastian Bach: unvergleichliches Erlebnis! Ich habe ihn, diesen Meister, der alle Virtuosen beschämt, schon früher mit tausend anderen zugleich in München in einem Orgelkonzert spielen gehört; es geschah vielleicht im technischen Sinne nicht minder vollendet. Aber doch, nie habe ich die metaphysische Gewalt Johann Sebastian Bachs so stark empfunden wie hier in einer protestantischen Kirche, erweckt durch einen wahrhaft religiösen Menschen und von ihm mit der äußersten Hingabe gestaltet. Wie träumend und doch zugleich mit wissender Präzision gehen die Finger über die weißen Tasten im Dunkel, und gleichzeitig hebt sich wie eine menschliche, übermenschliche Stimme aus dem bewegten riesigen Brustkorb des Orgelholzes der gestaltete Klang. Großartig ordnungshaft und inmitten äußersten Überschwanges fühlt man die Vollkommenheit der Fuge so unabänderbar beständig wie vormittags das Straßburger Münster in seinem Stein, so ekstatisch und leuchtkräftig wie die Tafel des Matthias Grünewald, deren Far-

ben einem noch warm unter den Lidern brennen. Schweitzer spielt uns die Adventkantate, einen Choral, und dann in freier Phantasie; leise und geheimnisvoll füllt sich das schwarze Gehäuse der Kirche mit großer Musik und zugleich die eigene innere Brust.
Eine Stunde solch beschwingter Erhebung und wieder hinaus auf die schon verdunkelten Wege, die jetzt gesteigert hell erscheinen, und wieder langes gutes Gespräch beim Abendbrot, von innen erwärmt durch das Gefühl wahrhaft menschlicher Gegenwart und die andere, die unsichtbare, der Kunst, die uns alles Irdische, politisch Widrige auf die herrischste und herrlichste Art wegzunehmen weiß. Dann wieder zurück nach Colmar und im Zuge neuerdings hin durch die Nacht, dankbar erregt und gleichsam ausgeweitet. Man hat an einem Tage eines der vollendetsten Wunder deutscher Architektur, das Straßburger Münster, hat das Meisterwerk deutscher Malerei, den Isenheimer Altar, und schließlich noch die unsichtbare Kathedrale der Musik Johann Sebastian Bachs erlebt, aufgebaut von einem der musikalischesten Meister der Gegenwart — an einem solchen vollkommenen Tag fühlt man schon wieder Gläubigkeit für die widrigste Zeit. Aber der Zug rollt und rollt weiter über die elsässische Erde, und plötzlich schreckt man auf, denn die Stationen, die draußen ausgerufen werden, wecken bedrückende Erinnerung: Schlettstadt, Mülhausen, Thann, an alle diese Namen erinnert man sich noch aus den Heeresberichten: da zehntausend Tote, da fünfzehntausend, und dort in den Vogesen, die silbern durch den Nebel geistern, hunderttausend oder hundertfünfzigtausend, gefallen unter Bajonetten, unter Kugeln, vergast, vergiftet im Bruderkrieg, im brudermörderischen Haß. Und man verzagt wieder und versteht nicht, wie ebendieselbe Menschheit, welche die unfaßbarsten und unbegreiflichsten Meisterwerke im Geistigen hervorbringt, seit tausend und tausend Jahren nicht das einfachste Geheimnis zu meistern lernt: zwischen Menschen und Menschen, welche solche unvergängliche Güter gemeinsam haben, den Geist der Verständigung lebendig zu bewahren.

HANS CAROSSA

Pater Rupert Mayer

Es mochte früh fünf Uhr sein; der Morgenstern war wie ein kleiner Mond und blieb über blaßrosa Streifen lange glänzend. Vor uns aber dehnte sich weithin ein sanftes Nebelmorgengrau, aus dem sich immer wieder dunkle Gipfel erhoben, bis wir näher kamen; dann waren keine Berge da, sondern bloß dichte Gruppen hoher Ulmen, Pappeln und Akazien. Ein Wegweiser zeigte an, daß wir uns keine neunzig Kilometer von Paris befanden. Wir eilten eben an der Ortschaft Amy vorüber, als uns auf schwarzem Pferd ein Reiter begegnete. — »Der Herr Divisionspfarrer ist wieder früh auf dem Weg«, sagte mein Führer. Es war der erste Geistliche, den ich im Felde traf. Seine Uniform hatte ein graueres Grau als unser mehr grünliches, die Aufschläge aber beinahe das nämliche Violett wie die schönen Kardendisteln, die gerade jetzt auf dem Felde um Amy blühten, nur etwas dunkler. Was aber sein Gesicht betraf, so wäre es nicht nur hier in der einförmigen Landschaft, sondern auch in jeder Versammlung vieler Menschen durch seine Entschiedenheit aufgefallen. Es war im Frühlicht gelblichbleich, schmal, scharf, die grauen Augen tiefliegend, nicht ohne Spuren von Müdigkeit, die ganze Erscheinung aber so voll Zucht und Würde, so belebt von einem guten Willen, dazu so heiter und biegsam, daß körperliche Abspannungen da wohl nicht so leicht aufkommen konnten. Der Geistliche hielt seinen Rappen an, fragte, ob ich der neue Bataillonsarzt wäre, beugte sich zum Händedruck nieder, wünschte mir Glück und ritt weiter. Daß er mit kräftig treuherziger Stimme ein veredeltes Schwäbisch redete, so daß ich abermals an meine Augsburger Freunde gemahnt wurde, empfand ich als eine besondere Aufmerksamkeit.

Es gibt Physiognomien, die verraten, daß ihr Träger einmal vor einer Kreuzung mehrerer Wege gestanden hat, und je nachdem er einen weiterging, formte sich der ganze Mensch der Erde oder dem Lichte zu. Hier nun hatte sich eine Verbindung von Priester- und Soldatentum ergeben, die mir in so geistig-natürlicher Form durchaus neu war. Man fühlte einen Menschen, dem es nicht mehr schwer sein konnte, auch die härtesten Gelöbnisse zu halten. Auch wenn mein Begleiter es nicht erwähnt hätte, daß dieser Pater Rupert Mayer dem Orden der Gesellschaft Jesu angehöre, wäre mir Ignatius von Loyola in den Sinn gekommen. Auch dieser war ja Offizier gewesen, und erst, nachdem ihm in der Zitadelle von Pamplona eine Kugel das Bein zerschmettert hatte, Mönch geworden. Dem Infanteristen ging das Herz weit auf, als er Näheres von dem geistlichen Herrn berichtete. Dieser sei ziemlich leidend, gehe aber in kein Lazarett, schone sich überhaupt in keiner Weise, nehme jede Mühe gern auf sich, und man müsse sich nur wundern, daß er noch lebe. In den Kämpfen an der Somme habe er sich mehr als die Mannschaft selber der Gefahr ausgesetzt, auch beim Einschlagen schwerster Geschosse auf Deckung verzichtet und wie ein unverwundbarer überall die Sterbenden aufgesucht und getröstet.

Mir gingen diese Lobesworte in der folgenden Zeit stetig durch den Sinn, vor allem in den Wochen des Mißbefindens, das mich nun, eine Folge veränderter Lebensweise, grausam heimsuchte. Bald sah es wirklich danach aus, als wäre ich dem Dienst nicht gewachsen. Der Magen wurde krank, jede Nahrung zum Ekel, eine Art Ruhr nahm die Kräfte, und all dieses war doppelt schlimm, weil ich gleichzeitig einen sehr gewaltsamen Reitunterricht mitmachte. Nach den ersten Biwaks auf rumänischen Bergen stellten sich als Zutaten kräftige Hexenschüsse in verschiedenen Muskelgruppen ein, eine Häufung, die selten beobachtet wird und es wert war, daß man eine kleine Abhandlung über sie schrieb. Täglich nahte die Versuchung, beim Divisionsarzt Lazarettbehandlung zu beantragen; sooft es aber damit Ernst wurde, nahm ich lieber gleich eine kleine Handvoll Aspirin- und Opiumtabletten auf einmal, als daß ich mich der Schmach überlieferte; denn ein kranker Arzt ist ohne Zweifel die traurigste Figur, die es im Felde gibt. Aber die Gifte nahmen immer nur einige Stunden lang den Schmerz und belästigten dafür den Magen. Auf die Dauer war es ohne Zweifel wirksamer, mit aller Kraft an den ernsten stillen Priester zu denken, der nach allem, was man von ihm hörte, weit Ärgeres erduldet hatte, ohne seine Leistung nur um einen Grad herabzusetzen. An sein Vorbild klammerte sich meine Verzweiflung; ich zwang es gewissermaßen, mir Kräfte aus dem Unsichtbaren zuzuwenden, und so überstand ich immer wieder den Tag oder die Nacht. Manchmal trafen wir uns, schliefen wohl auch einmal im gleichen Zelt oder saßen an der Mittagstafel des Regimentsstabes gegenüber, kamen jedoch im Gespräch über allgemeine freundliche Worte nicht hinaus. Mich machte seine Gegenwart immer ein wenig befangen; vielleicht war mir zumute wie einem Dieb, der sich, unschuldig lächelnd, mit dem Manne unterhält, den er heimlich immerzu bestiehlt; und als er einmal mein angegriffenes Aussehen besprach, das vermutlich immer noch besser war als sein eigenes, da versicherte ich ihm, das bedeute nichts, merkte aber, daß ich dabei rot wurde. Übrigens ging es mir mit ihm wie mit manchem außerordentlichen Menschen: seine magnetische Heilkraft wirkte aus der Ferne mächtiger als in unmittelbarer Nähe, und im Grunde gleichen wir ja alle mehr oder minder dem Johanniskäfer, der, in der Hand gehalten, ein dunkles Insekt ist, und nur beim freien Dahinfliegen ein schönes Licht. Oft, wenn ich mich mit Soldaten unterhielt, streifte mich sein Geist, und ich mußte mir sagen, daß in dem Truppenkörper, dem wir angehörten, ohne ihn gar manches weniger erfreulich gewesen wäre.

Gegen meine Störungen bewährten sich nach und nach auch einige einfache Mittel, welche die Feldapotheke lieferte, besonders der altbekannte Auszug, der mit Weingeist und Äther aus brauner Chinarinde bereitet wird, und so ließen sich die körperlichen Krisen ohne Liegekur und Urlaub langsam überwinden; ja mit der Zeit wurde ich gesünder als ich je gewesen.

Pater Mayer hatte niemals meine ärztlichen Dienste in Anspruch genommen; als es aber wirklich einmal geschah, da war es eine dunkle Stunde für die ganze Division. Am vorletzten Tage des Jahres 1916 sollte den Russen der Gipfel des Berges Vadas entrissen werden, wo sie dicht über unseren Köpfen in festen Stellungen saßen. Zwei Stunden lang hatten unsere Geschütze den Sturm vorbereitet, und immer stärker wurde die feindliche Gegenwirkung, als mein Diener verstörten Blickes meldete, der Herr Divisionspfarrer liege mit schwer verwundetem Bein im Sulta-Tal; er lebe zwar noch, sehe aber schon aus wie ein Toter. Seltsamerweise war das erste, was mir bei dieser Botschaft einfiel, das zerschmetterte Bein des heiligen Ignatius von Loyola. Ich eilte mit meinem Assistenzarzt Dr. Rouge, einem Landsmann aus dem Bayrischen Walde, den Fuß des Vadas entlang. Witterung und Landschaft haben sich mir für immer eingeprägt. Bei warmem Föhnwind war die Luft unter grau verschlossenem Himmel übermäßig durchsichtig; ein gefrorener Wasserfall am westlichen Hang, einer zweimal gebrochenen Treppe gleichend, hatte an seinen perlmuttrig schimmernden Rändern zu tauen begonnen; zwischen ganz entfärbten, wie aus weißem Papier geschnittenen Farnwedeln standen noch, Blumen ähnlich, kleine violette Schwämme. Am Eingang in das leere Tal kam uns ein Mann mit Stahlhelm entgegen; er deutete auf eine der grauen Schäferhütten, die sich in jenen Waldgebirgen überall finden; dorthin habe man den Verwundeten gebracht. Das moosbewachsene Blockhäuschen stand nah dem fichtenreichen Gehänge, in dessen felsigen Winkeln und Einschnitten die deutschen Minenwerfer und Kanonen versteckt waren. Darauf zulaufend, sahen wir links und rechts Einschläge russischer Granaten; es waren aber nur kleine Kaliber, und die meisten blieben, ohne zu zerspringen, im Boden stecken. Vier Krankenträger der Sanitätskompagnie langten mit einer Bahre fast gleichzeitig mit uns von der entgegengesetzten Seite her bei der Hütte an. Ein schöner schottischer Schäferhund, mit rotem Kreuz am Halsband, der seit einiger Zeit den Pater auf seinen Gängen in die Stellung zu begleiten pflegte, sprang vor der verschlossenen Türe ratlos hin und her, immer wieder von Geschossen zurückgescheucht. Drinnen gab es keinen Bretterboden; der Priester lag in einer Blutlache auf bloßer Erde, den Mantel über sich gebreitet, Gesicht und Hände leichenblaß, aber wundersam ins Knabenhafte verjüngt. Das Lächeln, womit er uns grüßte, war deutlich und gegenwärtig, kam keineswegs aus dem Nichts herüber und gab uns erst den rechten Mut zur Hilfe. Doktor Rouge legte nach gestillter Blutung einen meisterlichen Verband um den heillos zerfetzten Unterschenkel; er tat es mit all der andächtigen Hingabe, die ich stets an ihm bewundern mußte, und schien unsere unheimliche Lage gar nicht zu beachten. Daß der Gegner die windige Hütte einer Beschießung würdigen wolle, war nicht anzunehmen; doch suchte er vermutlich ein sehr nahes Ziel und hatte keinen Grund, sie dabei zu schonen. Jedenfalls konnte ich mir nicht verhehlen, daß jetzt auch schwere Granaten kamen, daß einige

sehr niedrig über uns hinsausten, daß der Boden von immer näheren und stärkeren Einschlägen bebte und schwankte, daß oben ein Sprengstück durch die Balkenwand schlug und einmal draußen der Hund aufheulte.
Durch zwei kleine Luken ging der Blick zu einem dem Feinde ziemlich verborgenen Pfad hinüber, der auf halber Höhe des Hanges nach dem Dorf Sostelek führte. Teils war er durch natürliche Bewaldung, teils durch eingesetzte Bäumchen maskiert, und seit wir die Stellung am Vadas hielten, hatte sich der ganze Verkehr dort abgespielt. Von einer völligen Deckung war freilich die Rede nicht. Ich sah Meldegänger herankommen; ihnen entgegen, sehr langsam, tastete sich ein Soldat, von einem andern geführt. Mit einer Hand hielt er sich die weißverbundenen Augen zu, als weine er in ein Taschentuch hinein; was ihm aber zwischen den Fingern hervorquoll, waren keine Tränen, sondern Blut. Während ich durch Einspritzungen das matt pochende Herz des Geistlichen zu stärken suchte, war ich mir darüber im klaren, daß jede nächste Sekunde dem Blockhäuschen und seinen Insassen ein Ende machen konnte. Im Gehör war auf einmal ein bängliches Gesinge wie in der Kindheit bei Gewittern, wenn man glaubte, der Blitz habe es ganz persönlich auf einen abgesehen, und etwas im Innern sträubte sich, einen Tod anzuerkennen, gegen den es nicht einmal den Versuch einer Abwehr gab. Einer jähen Vernichtung, die von außen droht, würden wir wahrscheinlich in jeder Stunde unseres Lebens anders gegenüberstehen; denn wir sind bewegliche, bald erhellte, bald verdunkelte Wesen, und die Kugel von morgen träfe nicht den nämlichen wie die Kugel von heute. Meiner bemächtigte sich in jenen kritischen Minuten nach anfänglicher Niedergeschlagenheit jene wundersam schicksalgläubige, an Trunkenheit grenzende Stimmung, in welcher sich alle irdischen Sorgen und Befürchtungen als das Nichts enthüllen, das sie in Wahrheit sind. Erlebnisbilder kamen, gute und schlimme; aber das Erlittene hatte jede Bedeutung verloren, und auch das anderen Zugefügte war nicht mehr, was es gewesen; es zu bereuen war unmöglich, und am Ende blieb nur ein seliges Vertrauen, daß die selbstreinigenden Kräfte des Lebensflusses es in heilsame Verbindungen überführen würden. Der Krieg selbst wurde für Augenblicke sonderbar unwirklich, eine Art vulkanischer Insel, wo sich Schattenkrieger traumhaft bekämpften; in einiger Entfernung aber erstreckten sich die festen grünen Gestade des Daseins, vom Alltag bewohnt. Mein Münchener Arbeitszimmer mit dem weißen Kachelofen: ich unterschied genau das goldene Gräsermuster auf dunkelblauer Tapete, sah den kleinen Sohn bei seiner Mutter sitzen, die Weihnachtsferien genießend, vertieft in die Basteleien, die seit kurzem stets darauf hinausliefen, daß aus Zigarrenschachteln ein kleiner Warenautomat entstand, in dem man oben ein Geldstück einwerfen konnte, worauf sich unten etwas herausziehen ließ, was freilich nur selten dem Wert der eingeworfe-

nen Münze entsprach. Diese Vergegenwärtigung entschiedener handwerklicher Fähigkeiten hatte jetzt etwas Beruhigendes; eine Gewähr lag darin, daß das Kind sich wohl später irgendwie durch die Welt schlagen werde. Als ich wieder einmal durch die Luken der Hütte spähte, sah ich dicht am felsigen Hügelrand einen Aufblitz, dem Rauch und Knall folgten; dort also standen unsere Minenwerfer, denen das russische Feuer galt. Glatt und rötlich fahl war die Gesteinsmauer; sie erinnerte mich an eine gewaltige Granitbank, die einst am Donauufer beliebtes Ziel unserer Spaziergänge gewesen war; beide zeigten wenig Verwitterung, wie alle Felsformen, an denen das Wasser leicht ablaufen kann. Einem grüblerischen Vetter, dem ich vor einem Jahre beim Vorbeiwandern Goethes Abhandlung über den Granit gerühmt hatte, war meine Begeisterung über die herrliche kleine Schrift wohl übertrieben vorgekommen; er dämpfte mich, indem er sie für veraltet erklärte und nebenher behauptete, daß dieser massive Granitstock, falls man ihn nicht eines Tages mittels Dynamit zersprengte, wahrscheinlich noch bestehen werde zu einer Zeit, wo weder von Cäsar noch von Bonaparte noch von Goethe auch nur die Namen erhalten sein würden. Diese Vermengung so verschiedener Bereiche war mir sinnlos erschienen; ich hatte nichts darauf gesagt, mich aber ein paar Tage später um so herzlicher erbaut an den ganz anderen Gedanken und Gefühlen, die der äonenalte Stein in dem unbefangenen Söhnchen zu erwecken vermochte. Der Versuch war wohl kühn, einem Neunjährigen den Aufbau der Erde schildern, ihm angesichts des Granites davon sprechen zu wollen, daß dieser einstmals glühend flüssige Masse gewesen, nach und nach aber erkaltet und endlich erstarrt sei wie geschmolzenes Blei oder Siegellack. Welchen Eindruck dies auf den Knaben gemacht, war nicht sofort ersichtlich; doch als er hörte, dies alles habe sich lange vor der Erschaffung des Menschen zugetragen, da sah er mit großen Augen den Felsen an, und schließlich versuchte er, mit seinen kleinen Händen ein Stück herunterzubrechen, und war traurig, daß dies nicht gelang. Wir nahmen aber das nächstemal einen Hammer mit, und unbeschreiblich war das Entzücken des Kleinen, als nun von der bräunlichen Wand ein starker Splitter absprang und wunderschön blaue, feinkörnige Bruchflächen ans Licht kamen. Er deckte die Hände darüber, tat sie wieder weg, wollte sich immer aufs neue des Anblicks versichern und steckte schließlich den Scherben in die Tasche, holte ihn aber bald wieder hervor. — »Da hab ich also nun etwas, das ist so alt wie die ganze Welt, und das Blaue ist immer im Dunkeln gewesen; ich bin der aller-aller-erste Mensch, der es sieht!« Kein Entdecker eines neuen Erdteils konnte von seiner Tat mit echterer Genugtuung sprechen, und indem ich mir dies vergegenwärtigte, vergaß ich vollkommen, daß es eine Stunde gibt, in der uns das ganze große Leben wie eine Erscheinung entschwindet. Plötzlich fiel mir auf, daß es um die Hütte ganz ruhig war; die

russischen Geschütze schienen andere Teile des Tals zu bestreuen, und mittlerweile hatten wir auch unseren Verwundeten so gut versorgt, wie es auf diesem armseligen Verbandplatz möglich war.
Der Pater begann zu sprechen, aber so leise, daß man das Ohr über seinen Mund halten mußte, um ihn zu verstehen. Was er vorbrachte, war weder Wunsch noch Klage; er entschuldigte sich nur wegen seines ewigen Ächzens und Stöhnens, von dem wir übrigens nichts bemerkt hatten. Die fast lautlose Stimme verriet keinen Schmerz, keine Angst; eher schien ein heimlicher Jubel dahinter zu schwingen, und man hätte sich geschämt, ihn zu bemitleiden. Der Mann, der da in seinem Blute lag, behielt ja mitten im jammervollsten Zustand noch den Ausdruck einer ungemeinen Überlegenheit über sich selber. In seinem Dasein, dies fühlte man, war etwas Planmäßiges, auch das gegenwärtige Unheil sicherlich seit langem als Möglichkeit in Rechnung gezogen, und gewiß nicht auf der Seite der Verluste. Der Unterschied zwischen einem Menschen, der noch mit wildem Drang im Leben haftet, und dem Entsagenden, der seine Triebe ins Geistige hinüberwandelt, war mir nie deutlicher gewesen. Wenn unsereiner dahinging, so blieb immer etwas nicht ganz Geklärtes, nicht ganz Aufgearbeitetes zurück; dieser aber verschwebte wie eine Sonate von Bach, aus dem Dunklen hervorgerufen, in einfach lichten Linien durchgeführt und vollkommen gelöst.

PETER BAMM

Roboter der Nächstenliebe

Im Laufe der Zeit vermochten meine Mitarbeiter selbst die armseligste russische Steppenkate in einen brauchbaren Operationsraum zu verwandeln. Man kam sich dabei oft recht kümmerlich vor gegenüber der Geschicklichkeit und der Gabe der Improvisation, über die der einfache Mann verfügt. Eine große Schwierigkeit war immer die Verdunkelung. Zwar wurde die russische Luftwaffe erst gegen Ende des Krieges wirklich gefährlich; aber die Russen ließen fast jede Nacht über der Landschaft einen alten, müden Vogel kreisen, der von Zeit zu Zeit irgendwo eine kleine Bombe abwarf. Die Männer nannten diesen Nachtflieger »die Nähmaschine«. Wir bedienten uns gegen die Nähmaschine der List einer Geräuschkulisse. Der Benzinbrenner für die Sterilisation und der Motor, mit dem wir später die Beleuchtung für den Operationsraum in Gang hielten, waren laut genug, das Geräusch des Flugzeugs zu übertönen.

Die Verdunkelung beim Verlassen und Betreten des Raumes, dessen Tür ja meist ins Freie ging, wurde durch eine aus Pferdedecken konstruierte Lichtschleuse erreicht, die natürlich groß genug für zwei Krankenträger mit Trage sein mußte.
Da wir immer bei künstlichem Licht arbeiteten, habe ich in der Erinnerung den Eindruck, wir hätten immer nachts gearbeitet. Zuweilen trat man aus der dicken, mit dem Geruch von Schweiß, Blut, Äther und Benzin gesättigten Atmosphäre der Operationshöhle einen Augenblick ins Freie, um Luft zu schöpfen. Es war dann immer sehr verblüffend, wenn die Sonne schien.
Gewöhnlich, wenn eine Operation beendet war und die geschickten Hände meiner Gehilfen den Verband anlegten, hockte der Chirurg auf einer kleinen Kiste, den Rücken an die Wand gelehnt, um das lahme Kreuz ein wenig zu entlasten. Er rauchte eine Zigarette. Die Zigarette wurde der Asepsis wegen in einer sterilen Kocherklemme gehalten. Neben ihm stand ein Sanitäter und gab ihm Kaffee zu trinken wie einem Kinde. Um sich nicht jedesmal von neuem die Hände waschen zu müssen, durfte der Chirurg den Trinkbecher nicht anfassen.
Dann wurde der Verwundete auf eine Trage gelegt. Das ist ein großes Kunststück. Der Patient soll dabei keine Schmerzen haben. Es machten das zwei erfahrene Krankenträger, die in genau gleichem Rhythmus sich bewegen mußten. Wir hatten bei der Gruppe den Feldwebel Maier. Er hatte irgendwo im Westen Berlins ein gutgehendes Geschäft betrieben und bisher nichts davon geahnt, daß er ein großartiges Talent für die Medizin besaß. Er war ein Meister des Verbandes. Insbesondere verstand er sich auf den Gipsverband. Er war ein großer, kräftiger Mann von unerschütterlichem Gleichmut und ein hervorragender Fußballspieler. Dazu war er von einer wahrhaft rührenden Anhänglichkeit. Als er einmal, vom Urlaub kommend, in eine Marschkolonne eingefangen worden und dabei zu einem anderen Truppenteil geraten war, desertierte er einfach, um zu uns zurückzukehren. Dabei war er schlau genug, in dem Durcheinander der fremden Schreibstube seine eigenen Papiere zu klauen und mitzunehmen. Der Name Maier stellte sich dabei als ein großer Vorteil heraus.
Feldwebel Maier stand wie ein Fels — stundenlang, tagelang. Ich habe ihn niemals müde gesehen. Er war so kräftig, daß er einen Verwundeten allein vom Tisch auf die Trage legen konnte. Ich sehe ihn noch vor mir, wie er das machte, energisch, schnell, kräftig und mit einer eigentümlichen, fast graziösen Zartheit. Wir nannten ihn den Roboter der Nächstenliebe.
Dann packte Gefreiter Kubanke — das gehörte zu seinen festen Aufgaben — den Stahlhelm, die Gasmaske und den Brotbeutel des Verwundeten auf die Trage. Die Männer machten, wenn der Patient einigermaßen bei sich war, gewöhnlich noch einen Witz: »Grüß' deine Braut schön von uns! Und

schreib mal 'ne Postkarte, wenn du in Berlin bist!« Wenn der Patient auf seiner Trage hinausgeschafft wurde — vielleicht gerettet und auf jeden Fall versorgt —, warf der Chirurg noch einen Blick auf ihn. Selten, daß er ihn wiedersah!

Nach einer Weile wurde der nächste Verwundete hereingebracht. Das ging Stunden um Stunden, Tage um Tage, Jahre um Jahre. Es war ein Fließband des Schicksals, auf dem der Ausschuß der Schlacht in die Reparaturwerkstätte für Menschen hineingeschleust wurde. Natürlich hatten wir kein Mitleid. Nicht nur, daß wir uns das gar nicht hätten leisten können — da wären wir bald erschöpft und für unsere Arbeit nicht mehr zu gebrauchen gewesen! Mitleid ist das natürliche Gefühl des Laien, der nichts weiter hat als das. Für uns war jeder Verwundete eine Aufgabe. Jedoch lag die Anstrengung dabei nicht in der körperlichen Leistung. Zwar ist Operieren eine Tätigkeit, die keineswegs nur Geschicklichkeit, sondern auch beträchtliche Körperkräfte erfordert; aber die eigentliche Anstrengung lag darin, daß jeder einzelne Verwundete den Anspruch darauf hatte, daß die Aufgabe, die er darstellte, auf die beste Weise gelöst werde. Der Hundertste hatte diesen Anspruch so gut wie der erste. Jeder war ein Mensch. Dieser Aufgabe waren wir zuweilen nicht mehr gewachsen.

Von dem Leben dieser Männer wußten wir nichts. Sie danach zu fragen, hatten wir keine Zeit. Immer lagen einige draußen und warteten darauf, auf den Operationstisch zu kommen. Immer auch konnte ein neuer Transport mit bedrohlichen Fällen eintreffen, die man nicht warten lassen durfte. Hatte dieser Mann eine Frau, die um ihn bangte? War er ein Künstler, der der Welt noch etwas zu geben hatte? War er ein Schurke, um den es — hätten wir sagen dürfen, um den es nicht schade war? Ein jeder war ein Mensch, und ihm mußte geholfen werden. Wir hatten keine Zeit, mitleidig zu sein. Immer noch hockt der Chirurg auf seiner Kiste. Der Verwundete muß erst, soweit es für die Behandlung notwendig ist, seiner Kleidung entledigt werden.

Das wurde, wenn es zu seiner Schonung erforderlich war, mit der großen Kleiderschere gemacht. Stiefel wurden aufgeschnitten. Im späteren Verlauf des Krieges kam einmal der Befehl, daß das Aufschneiden der Stiefel nach Möglichkeit zu vermeiden sei. Daß den Verwundeten mehr Schmerzen zuzufügen seien, wurde nicht ausdrücklich mitangeordnet. Schließlich wurde auch noch befohlen, daß die Toten ohne Stiefel zu begraben seien. Denkmäler für gefallene Soldaten sind niemals zu kostspielig. Die Würde des Todes auf dem Schlachtfeld war in diesem Kriege nicht einmal ein Paar Stiefel wert.

Auch das Entkleiden des Verwundeten machte Feldwebel Maier in seiner schnellen, energischen und männlich liebevollen Art. Dazu hatte er eine un-

nachahmliche Manier, witzig-grobe Bemerkungen zu machen, die dem Verwundeten, eben ihrer Grobheit wegen, das beruhigende Gefühl vermittelten, daß es so schlimm um ihn nicht stehen könne.
Wie tapfer waren die Verwundeten! Wie selten, daß einer einen unterdrückten Schmerzenslaut von sich gab! Vielleicht ist es ja auch tröstlich, von lauter kräftigen, geschickten helfenden Männerhänden umgeben zu sein. Hier konnte der Mensch, erlöst aus der schrecklichen Einöde des Schlachtfeldes und befreit von seiner Angst, verloren zu gehen, die alte zerschlissene Fahne der Hoffnung erneut am Maste seines Wracks hissen.
Der Operationsgehilfe ordnet die frisch ausgekochten Instrumente. Der Narkotiseur legt seine Narkosemaske zurecht. Der Internist des Hauptverbandplatzes sieht sich den Verwundeten daraufhin an, ob etwa eine Bluttransfusion erforderlich ist. Der Chirurg erhebt sich. Der Operationsgehilfe spannt ihm die innen gepuderten Gummihandschuhe auf. Mit einer drehenden Bewegung fährt er hinein, erst in den rechten, dann in den linken. Dann zieht er beide Handschuhe straff. Das alles sieht der Verwundete. Wie mag ihm zumute sein? Diese Kerle in ihren Gummischürzen sehen wie die Fleischer aus. Auch weiß der Verwundete immer noch nicht, wer von ihnen der Chirurg ist, der Mann der sein Leben »in der Hand hat«.
Dann sieht sich der Chirurg den Verwundeten an.
»Wie alt sind Sie?«
»Wann sind Sie verwundet worden?«
»Wo sind Sie verwundet worden?«
Man kann nicht viele Redensarten machen. Dazu ist keine Zeit. Man kann ein paar freundliche Worte sagen. Aber im Grunde muß man sich darauf verlassen, ungefähr so auszusehen, wie jemand, der Vertrauen verdient.
Der Verband wird abgenommen. Die Wunde wird inspiziert.
Zuweilen ist die Diagnose leicht. Einschuß und Ausschuß lassen sich an der Art der Wundränder feststellen. Zwar gehen die Projektile selten geradlinig durch den Körper. Am ehesten ist das noch bei nahen und demzufolge sehr rasanten Infanteriegeschossen der Fall. Aber auch das ist nicht sicher. Zuweilen machen die Projektile unglaubliche Wege im Körper. Ich erinnere mich eines Mannes, der einen einwandfreien, glatten Infanterieschuß in der Mitte der Stirn und den Ausschuß tief am Hinterkopf hatte. Eigentlich mußte der Mann tot sein. Gleichwohl war nichts passiert. Der Schuß war unter der Kopfhaut über dem Schädelknochen entlang gelaufen — physikalisch ein Witz von einer nicht auszurechnenden Unwahrscheinlichkeit. Die Feststellung dieses physikalischen Witzes ergab denn auch ein großes Gelächter, in das der Verwundete zu meiner Erleichterung einstimmte. Wenn man Ausschuß und Einschuß hat, kann man sich ungefähr ausrechnen, welche Organe betroffen sein können.

Schwieriger schon ist der Steckschuß. Man versucht, aus der Richtung des Einschußkanals einen Schluß zu ziehen, wohin das Geschoß gegangen sein könnte. Aber wie tief geht es hinein? Das Sondieren der Wunde mit einer Metallsonde war aus einem mir noch heute unbekannten Grunde verpönt. Trotzdem habe ich mich dieser Methode oft bedient. Wenn es gelang, mit der Sonde in der Tiefe das Metallstück zu treffen, ging jedesmal ein Lächeln wegen dieses glücklichen chirurgischen Augenblicks durch die ganze Operationsmannschaft. Das freilich gelingt nur selten, viel seltener, als man meinen sollte. Immerhin, solange das alles sich an den Extremitäten, den Gliedmaßen, abspielte, war es einfach. Man legte die Wunde frei. Auch dann fand man das Projektil nicht immer, aber die Wunde konnte wenigstens sachgemäß versorgt werden. Die Männer der Operationsgruppe, die die Untersuchung stets mit schweigender Aufmerksamkeit verfolgten, wurden im Laufe der Zeit großartige Diagnostiker.

Häufig freilich genügte ein einziger Blick auf ein zertrümmertes Glied, und die Anzeige zur Amputation war klar gegeben.

Wirklich schwierig war die Beurteilung der Grenzfälle. Ein Grenzfall lag vor, wenn es sich um große Wunden an den Extremitäten handelte. Erhalten oder amputieren? Das war die Frage, die der Chirurg dann entscheiden mußte. Am schwierigsten waren die Verwundungen der Bauchgegend, der Brustwand, des Rückens und des Halses. Hier war Sondieren fehl am Platze. Hier mußte der ganze große diagnostische Apparat angesetzt werden.

Das »Stellen einer Diagnose« ist ein höchst eigentümlicher Vorgang. Zunächst registriert der Chirurg alle Symptome, die offen zutage liegen — Einschuß, Ausschuß, Gesichtsausdruck, Schmerzempfindlichkeit, Bauchdeckenspannung, Atmungsstörungen und so weiter. Dabei gelangt er zu einer Vermutungsdiagnose. Nun sucht er die Symptome, die außerdem noch vorhanden sein müssen, wenn seine Vermutungsdiagnose richtig ist. Aus diesem Mosaik der Symptome setzt er die Diagnose zusammen. Dabei muß er den ganzen Horizont der Möglichkeiten gegenwärtig haben, und eine davon muß er wählen. Die Aufmerksamkeit, deren es hier bedarf, muß konzentriert sein, und zugleich muß sie durch das ganze Gebiet des chirurgischen Wissens schweifen wie ein Radargerät, das einen Flieger in der Stratosphäre sucht. Dies alles im Zustande körperlicher Ermüdung zwanzigmal in einer Nacht zu leisten, das ist die eigentliche Anstrengung der Chirurgie des Krieges. Vor nichts kann der Chirurg sich drücken. Sofort muß er handeln. Minuten später legt er mit dem Skalpell seinen eigenen Fehler bloß. Dieser Fehler kann das Leben eines tapferen Mannes kosten, der nicht einmal die Wahl hatte, sich dem Arzt seines Vertrauens anheimzugeben.

Glanz und Elend der Diagnose!

Wie dankbar habe ich in diesen elenden Lehmkaten, verloren in den weiten

Steppen Rußlands, der strengen Zucht meines alten Meisters gedacht, bei dem ich das Handwerk der Chirurgie erlernt habe. Er hatte uns gelehrt, unerbittlich zu sein. Er hatte uns aber auch gelehrt, daß der Chirurg den Mut haben müsse, den gordischen Knoten zu durchhauen — daß er den Mut zu seinen Fehlern haben müsse.
»Narkose, bitte anfangen!«

HEINRICH BÖLL

Der Bergarbeiter

Der junge Mann, der eben in der Waschkaue unter der heißen Brause den dichten schwarzen Staub abwäscht, langsam seine Haut, sein Gesicht, seine Hände wiedererkennt, der seinen Zivilanzug von der Decke herunterläßt, den Arbeitsanzug hochzieht, dann das Zechentor verläßt, zündet sich, sobald er die Grenze des Rauchverbots überschritten hat, zuerst eine Zigarette an: die erste heftig begehrte, auf die er siebeneinhalb Stunden lang verzichten mußte; er ist achtundzwanzig Jahre alt, verheiratet, Hauer, hat zwei Kinder — und Schulden; seine Kaffeeflasche ist leer, die Brote sind aufgegessen, und um diese Zeit, zwischen zwei Zahltagen, hat er wenig Geld in der Tasche; er bekommt sein Geld in Dekaden wie ein Söldner; sein Heimweg ist endlos und wenig freundlich; er wohnt weit draußen in einer Siedlung, die vor achtzig Jahren in der Nähe einer Schachtanlage gebaut wurde, die nicht mehr betrieben wird. Durch graue Straßen, in denen nicht einmal die Reklameschilder bunt zu sein scheinen, quält sich die Straßenbahn unter Rohrleitungen hindurch, an Kokereien vorüber, durch den gelblichen Dunst eines Hüttenwerkes, an einem Geländestück vorbei, das mit halbfertigen Betongebilden, verrosteten Stahlgerüsten bedeckt ist; eine Ziege, die einmal weiß gewesen sein muß, reibt dort ihr graues Fell am Fundament eines Gebäudes, dessen Richtfest man nie feiern, das man aber auch nie abreißen wird: ein Denkmal der Sinnlosigkeit. Wieder kommt eine Eisenbahnschranke, wieder stockt die Straßenbahn: der Mensch hat nie Vorfahrt, Kohle und Stahl bestimmen sein Tempo, haben auch noch Einfluß auf die Dauer seines Feierabends. Die Straßenbahn ist so liebenswürdig und so unglaubwürdig, wie es vor zwanzig Jahren die Postkutsche gewesen wäre; im Lokalverkehr ist die Eisenbahn noch liebenswürdiger, noch unglaubhafter: Zeit ist offenbar nicht Geld, wenn sie Feierabend ist. Die Mechanisierung schreitet voran, Fortschritt wird proklamiert, aber die Fortbewegung der Menschen wird à la

1890 betrieben; wahrscheinlich waren die Pferdebahnen damals schneller als heute die Straßenbahn, weil sie fast souverän die Straße beherrschten.
Der junge Mann in der Straßenbahn ist geduldig, weil er müde ist und an seine Schulden denkt. Raten sind überfällig, weil er schon am letzten Zahltag weniger ausgezahlt bekam, als er sich zehn Tage vorher errechnet hatte; sein Gedinge ist schlechter, als er erwartet hatte: mehr Zeit als vorgesehen geht für die Abstützarbeit drauf; schwierigere Bedingungen; das bedeutet weniger Geld. Vor acht Jahren noch war er Student in Ostberlin; abends ging er durch die Straßen und warf, wenn er sich unbeobachtet glaubte, Handzettel, auf denen *Freiheit* stand, in die Briefkästen anderer Leute; aber er war nicht unbeobachtet, wurde verhaftet, und man fragte ihn: »Freiheit? Haben die Leute denn hier keine Freiheit?« Und der junge Mann sagte: »Nein.« Dieses winzige Wort brachte ihm vier Jahre Zwangsarbeit ein, vier Jahre Bergwerk in Workuta; als er entlassen wurde, ließ er das Mädchen kommen, das vier Jahre auf ihn gewartet hatte, flog nach Westdeutschland und versuchte weiterzustudieren. Aber hier stellte sich heraus, daß sein Abitur nicht galt; er paukte Russisch, Englisch, Geographie und ein bißchen Latein, fuhr zu einer Begabtenprüfung zweihundert Kilometer weit, mußte Fahrt und Übernachtung selber bezahlen — seine Frau verdiente das Geld durch Hausarbeit —, bestand die mündliche Prüfung, wurde zur schriftlichen zwei Wochen später bestellt, fuhr wieder zweihundert Kilometer, mußte wieder Fahrt und ein Hotelzimmer bezahlen — und fiel durch. Inzwischen war er sechsundzwanzig Jahre alt, verheiratet, hatte ein Kind und entsann sich, daß er in Workuta wenigstens etwas gelernt hatte: Bergarbeit. Er fuhr nach Essen-Heisingen, ließ sich einschleusen, bekam für seine Frau, sein Kind und sich ein kleines Zimmer in einer Siedlung aus dem Jahre 1870; ein Jahr später hatte er zwei Kinder, zwei Zimmer in einer Siedlung aus dem Jahre 1880. Er war zufrieden. Er mochte die Leute hier; sie hatten ein sicheres, ein ausgesprochenes Gefühl für das, was auf den Handzetteln stand, die er vor acht Jahren in anderer Leute Briefkasten geworfen hatte, ein Gefühl für *Freiheit*. Auch seine Frau fing an, sich wohlzufühlen; die Leute waren einfach, herzlich und hilfsbereit; Geburtstage, Taufen wurden gemeinsam gefeiert: es gab Schnaps, Bier, belegte Brote und Kartoffelsalat. Die junge Frau pflanzte im Garten (23—24 Quadratruten) Gemüse, Kartoffeln und Blumen, sie kaufte sich eine Waschmaschine, und bald fiel ihr auf, daß in den Wohnungen ihrer Freunde, die sie manchmal sonntags besuchten, in der neuen Siedlung draußen, daß dort die Zimmerdecken um fünfzig Zentimeter niedriger, die Fenster um einige Quadratmeter kleiner waren als in ihrer Wohnung; sie sagte nichts darüber, sie pflegte ihre Kinder, brachte die Älteste morgens in den Kindergarten, kochte, kaufte ein, pflanzte im Garten Gemüse, Kartoffeln, Blumen, liebte ihren Mann, ging sonntags zur Kirche; die Kirche, in die sie

ging, war im Jahr 1956 erbaut: von architektonischer Kühnheit: Raum, Licht, Farbe, großartige Fenster, ein Luftschiff, in dem sie sich weit über die Wolken gehoben fühlte; die Kirche war schön, die junge Frau liebte die Kirche — vielleicht war sie die einzige, die diesen Bau wirklich liebte; was diese Kirche für sie war, konnte sie niemandem sagen, nicht einmal ihrem Mann, der nicht in die Kirche ging. Nach dem Gottesdienst ging die junge Frau durch düstere, leere Straßen in ihr Haus aus dem Jahre 1880 zurück; ihr Mann hatte die Älteste schon angezogen, gab eben dem Jüngsten die Flasche.
Manchmal ging ihr Mann trinken; er betrank sich, unten in der Kneipe an der Ecke, warf Groschen in Musikautomaten, Groschen in Spielautomaten, erzählte an der Theke von der Zeit, in der er Handzettel mit dem Wort *Freiheit* in anderer Leute Briefkasten geworfen hatte. Die junge Frau hatte Angst; die Trinkereien ihres Mannes geschahen unregelmäßig, plötzlich; manchmal trank er zwei Monate lang nur hin und wieder ein Glas Bier, einen Schnaps, vernünftig, sachlich: ein Mann, der Durst hat, eine trockene Kehle, Kohlenstaub, Gesteinsstaub und siebeneinhalb Stunden Schweiß. Dann aber betrank er sich zweimal im Monat, trank wieder zwei Monate lang sozusagen nichts, und wieder trank er. Die junge Frau schwieg und litt; sie tat, als ob sie schliefe, wenn er nach Hause kam, machte ihm morgens starken Kaffee, besonders gute Brote — bis eines Abends die Nachbarin mit ihrer sechzehnjährigen Tochter kam. Die Nachbarin war eine dicke, herzliche, derbe Frau; erstaunt, aber widerstandslos ließ die junge Frau ihre beiden Kinder in der Obhut des Nachbarmädchens, ließ sich von der Nachbarin in die Kneipe führen: Musikautomaten lärmten, Spielautomaten drehten sich, ihr Mann stand mit dem Mann der Nachbarin an der Theke; die Nachbarin packte die beiden Männer resolut am Ellenbogen und führte sie zu einem Tisch. Sie tranken zu vieren; die junge Frau trank Likör: er war süß, scharf, schmeckte ihr nicht; sie trank Bier: es war bitter und kalt, schmeckte ihr nicht; sie trank einen Korn: er war klar, scharf, schmeckte ihr; sie trank noch einen; sie blickte ihren Mann an und lachte: sie hatte ihn seit Jahren nicht mehr so gesehen; er sah sehr jung aus, so wie er manchmal ausgesehen hatte, bevor er nach Workuta geschickt worden war. Die junge Frau trank noch einen, den letzten; sie kicherte schon. An diesem Abend kam ihr Mann früher nach Haus als sonst und viel weniger betrunken. Die junge Frau brachte der Nachbarin einen Blumenstrauß und eine besonders schöne Gurke aus ihrem Garten.
Der junge Mann in der Straßenbahn sieht endlich Grün: Weiden, unter alten Bäumen versteckt ein Bauernhof, ein altes Feldkreuz:
»Errichtet von den Eheleuten Wilhelm und Katharina Rotthauwe zu Ehre Unseres Herrn und Seiner Heiligen Mutter.« Einen Kilometer lang Grün; Felder, Wiesen, Felder, dann wieder wirres Rohrwerk, staubgraue Straße, die dunkelbraune Siedlung aus dem Jahre 1880; er ist zu Hause. Er ist müde

und denkt über seine Schulden nach: Möbel, Kleider, die Waschmaschine — und ein schlechtes Gedinge. Er küßt seine Frau, die Kinder, ißt hungrig, trinkt eine Flasche Bier, hört Radio. Es ist Sommer, in den Gärten wird gearbeitet; die Sonne würde scheinen, wenn man sie ließe, aber heute, wie immer an sonnigen Tagen, schwebt sie nur wie mattes Gold hinter der Dunstglocke, seltene Farbtöne werden herausgefiltert: silbriges Schwarz — dunkles Braun — mattes Gold; Ersatz für die weißen Wolken bilden die weißen Rauchfahnen einer Kokerei; der Mann sitzt in der Küchentür, raucht, hört Radio, trinkt Bier, liest lustlos in der Zeitung, beobachtet seine Frau, die hinten im Garten arbeitet, hebt plötzlich den Kopf und blickt aufmerksam seiner kleinen Tochter zu, der Dreijährigen, die schon zweimal mit ihrem kleinen Eimer voll Wasser und einem Lappen in der Hand an ihm vorbei in die Küche gegangen ist, nun zum drittenmal mit ihrem Eimer und ihrem Lappen sich an ihm vorbeidrückt.

»Was machst du denn da?« »Ich hole Wasser, frisches Wasser.« »Wozu?« »Ich wasche die Blätter.« »Welche Blätter?« »Von den Kartoffeln.« »Warum?« »Weil sie schmutzig sind — sie sollen grün sein, grün.« »Blätter braucht man nicht zu waschen.« »Doch — sie müssen grün sein, grün.«

Kopfschüttelnd sieht der Mann seiner kleinen Tochter nach und beobachtet, wie sie mit ihrem Lappen die einzelnen Blätter der Kartoffelpflanzen abwischt; das Wasser in dem kleinen Eimer färbt sich dunkel; es ist warm, fünf Uhr nachmittags, der junge Mann gähnt.

Der Fremde, der neben dem Bergmann in der Straßenbahn saß, wußte nicht zu sagen, in welchem Orte er gerade war: ob in Katernberg oder Bottrop, in Gladbeck oder Rotthausen, in Schalke, Horst, Herne, Hassel oder Wattenscheid; diese jungen Städte gleichen einander wie Säuglinge in der Kinderstation, sie gleichen einander nur scheinbar, denn so sicher wie Säuglinge eine haben, haben sie eine eigene Physiognomie. Für den Einheimischen sind die Zechentore, Zechentürme Wegweiser; wenn er *Carolinenglück, Fröhliche Morgensonne, Consolidation* oder *Bismarck* liest, findet er sich wieder zurecht. *Wolfbank, Hugo, Shamrock, Nordstern und Mont Cenis,* sie sind Orientierungspunkte wie andernorts Kirchentürme, Rathäuser, Häuserfronten, Brunnen und Plätze; doch dem Fremden sagen Namen wie *Carolinenglück, Bismarck, Fröhliche Morgensonne* nichts — sie sind wie die Leukoplastschildchen, die man den Kindern in der Krippe aufklebt, auf daß die Schwester sie unterscheiden kann. Die Fahrt führt wie durch eine riesige Großstadt, deren Bevölkerungszahl der von Paris, deren Bodenfläche der Londons gleicht; die Städte oder Dörfer sind nur Vorstädte einer City, die es noch nicht gibt und vielleicht nie geben wird; die Bevölkerung ist großstädtisch, doch nicht überall städtisch; in vielem erinnert sie an die nüchterne Herzlichkeit der Berliner: die Menschen sind schlagfertig, hilfsbereit, Bewohner eines W, SW, N, dessen Berlin es noch nicht gibt. So zirkuliert der Verkehr nicht um ein Zentrum, bewegt sich nicht auf ein Zentrum zu: verschiedene Zentren von gleicher magnetischer Kraft ziehen ihn an, lenken ihn gleichzeitig ab: Dortmund und Essen, Bochum, Gelsenkirchen, Duisburg und Mülheim.

Nicht allein das Angeborene, sondern auch das Erworbene ist der Mensch.

GOETHE

... Gewiß bleibt für die Erziehung der Charakter das wahre Elementarfeuer; hab' ihn nur der Erzieher, so wird dasselbe, wenn nicht anzünden, doch wärmen und Kräfte treiben. Das jetzige Jahrhundert — eine vulkanische Insel, welche glüht, treibt, zittert und erschüttert — sollte endlich vom politischen Kolosse, der jetzo auf den Ufern zweier Jahrhunderte steht, aus den Siegen über seine hin und her treibenden Walfischfahrer, den Inhalt und Gehalt eines Charakters gelernt und ersehen haben; denn ein Charakter ist ein Fels, an welchem gestrandete Schiffer landen und anstürmend scheitern. Keine glückliche Völkerzukunft war überhaupt von jeher anders aufzubauen als von Händen, die aus Zeig- und Schreibfingern sich geistig zu Fäusten ballten. Dies spricht jetzo schon die steinalte Geschichte, sagt aber als eine geschwätzige Frau und Sibylle Jahr für Jahr immer mehr, und sie weiß gar nicht aufzuhören.

JEAN PAUL

HERMAN NOHL

Georg Kerschensteiner

Es war mir eine besondere Ehre und Freude, gerade von München aus den 100. Geburtstag Georg Kerschensteiners feiern zu dürfen, denn hier ist er geboren und ist er gestorben, seine Wiege stand in der Thalstraße, sein schönes Haus später in der Möhlstraße. Hier hat er seine große Leistung als Schulrat der Stadt vollbracht, hier hat er als alter Mann an der Universität gelesen, und größte Anerbieten von Leipzig und Berlin haben ihn nicht verlocken können, den heimatlichen Boden zu verlassen. An keinem andern Ort Deutschlands wäre auch dieser fröhliche, starke Mann mit seiner feurigen Unbekümmertheit so gradlinig aufgewachsen. Sein künstlerisches Wesen fand in dem München um 1900 das richtige Element.

Wir haben zwei sehr lebendige Biographien von ihm, die eine von seiner Frau, die andere von seiner Enkelin. Man sieht da, aus welcher harten Not er gekommen ist. Aber er hatte eine wunderbare Mutter, die mit ihrem kleinen Handel die Familie ernährte und mit ihrer Liebe trug. Hier hat Georg Kerschensteiner den erzieherischen Wert der Familie erfahren, hat die Fürsorge für andere gelernt, und Pestalozzis Wohnstubenerziehung war auch die seine. Wenn er später unterrichtete, dachte er, der leicht ungeduldig wurde, an die freundliche Liebe seiner Mutter. Es blieb ihm aus diesem Urerlebnis seiner Jugend auch als Stadtschulrat immer bewußt, daß die erste und vornehmste Erziehung (im guten wie im schlechten Sinne) die Millionen Familien des Volkes sind, daß das Familienleben mit seiner gemeinsamen Schaffensfreude von Eltern und Kindern der Grundpfeiler aller staatsbürgerlichen und moralischen Entwicklung ist. Diese harte und doch so liebreiche Jugend mit allen ihren Erlebnissen, Wundern und Gefahren, war der immer gegenwärtige Untergrund aller seiner späteren Arbeit.
Dazu kam seine künstlerische Begabung. Er war eine sportliche Natur, die noch im hohen Alter auf die geliebten Berge stieg. Sein Temperament offenbarte sich schon früh. Als er Schulrat geworden war, zeigte man ihm seinen Zensurbogen aus der Schule, da stand: ein intelligenter, doch sehr übermütiger Knabe. Er sang gern mit schöner Stimme, spielte mit Leidenschaft Klavier und zeichnete sein Leben lang mit Lust, wie es Goethe getan hatte. Und es blieb immer seine Gewohnheit, große oder schwere Erlebnisse oder übermütigen Scherz in Versen auszudrücken.
Wie ist dieser Mann nun zu seiner Leistung gekommen? Er hat es später selbst manchmal wie ein Märchen angesehn. Es war ein Zufall, daß er Lehrer wurde, zunächst Volksschullehrer — dem Knaben schien das damals nur der schnellste Weg zur Selbständigkeit zu sein. Und ein Zufall war es auch, der ihn zum Stadtschulrat von München machte. Aber dazwischen liegt ein ganz persönlicher tapferer Entschluß. In seiner zweiten Lehrerstelle kam es wie eine Krise über ihn, daß er plötzlich sein Amt aufgab, um sich unter unsäglichen Mühen eine freiere Geistigkeit zu erwerben. Die erlebte Seminarbildung mit ihrer bloßen Gedächtniserziehung, dem Auswendiglernen aus sekundären Büchern und ihrem dünnen Intellektualismus wurde seine zweite große und sein Leben bestimmende, nun aber feindliche Erfahrung. Ihn erfaßte, wie er sagte, ein Hunger nach Erkenntnis, wie er ihn nie vorher gekannt hatte. Er bereitete sich auf das Gymnasium vor, machte die Reifeprüfung und studierte Mathematik. Die Mathematik und die Naturwissenschaften blieben ihm seitdem der eigentliche Typus wahrer Wissenschaft. Er war mit Begeisterung und auch mit Erfolg Mathematiker, blieb aber der Schule treu und wurde ein höchst lebendiger Gymnasiallehrer, der leider auch die Ohrfeigen nicht gespart hat. Seine Enkelin beginnt ihre Biographie mit

den Worten: »Er hat viele Ohrfeigen bekommen und viele ausgeteilt«. Trotzdem wurde er von seinen Schülern geliebt. In den 12 Jahren seiner Gymnasiallehrerzeit hat er über 100 Schülerwanderungen mit ihnen gemacht — das war damals etwas ganz Neues — schwamm, turnte, und lief Schlittschuhe mit ihnen, leitete sie zu Beobachtungen an, zum Sammeln und Entdecken, ließ sie praktische Erfahrungen im Experiment machen und führte nicht bloß die Selbstregierung in seiner Klasse ein, sondern auch schon den Gruppenunterricht, wo ein Schüler jeweils eine Anzahl Kameraden führte.
Er war 41 Jahre alt — damals Lehrer in München — als ihn der Ruf zum Schulrat der Stadt traf. Selten ist ein Mensch so ganz durch seine Aufgabe groß geworden. »Glück haben muß man«, notierte er selbst für die Ansprache an seinem 70. Geburtstag. »Das Schicksal hatte mich auf den Platz gestellt, der meiner Individualität vollkommen entsprach, und zwar durch reinen Zufall.« Aber dieser Zufall holte eben nun alle Begabung und die ganze Breite seiner Menschlichkeit aus ihm heraus. Und die Zeit kam ihm entgegen!
Es war jene große Zeit Deutschlands vor dem ersten Krieg, die wir jetzt erst würdigen können, wo die ganze produktive Energie unseres Volkes auf dem Marsche war und wie eine neue Jugend über es kam. Mit der wirtschaftlichen und technischen Expansion jener Jahre kam auch ein großartiger Schwung in alle geistigen Bezirke. Die Kunst und das Kunstgewerbe blühten wunderbar auf, nicht zuletzt hier in München, die sozialen Gefühle entfalteten sich mächtig in den Menschen aller Schichten, die Jugend brach zu ihrer Bewegung auf, und auch in der Pädagogik wurden neue Möglichkeiten sichtbar, man braucht nur an die Kunsterziehungstage oder an Hermann Lietz und seine Landerziehungsheime zu denken. Die tiefstgreifende Wendung war aber, daß jetzt die Arbeit der neue Kulturträger wurde, der bisher das Buch gewesen war. So hat es Kerschensteiner selbst formuliert. War sie bisher als Mühe und wie ein Fluch erschienen, so wurde sie jetzt die eigentliche Lebenserfüllung, die einheitlich das ganze Volk von unten bis oben ergriff. Kerschensteiner fand damals die pädagogische Formel für diese Zeit, und das machte ihn zum Führer. Er bejahte mit aller Offenheit das Recht des Erwerbssinns, der Berge versetzt, wie er sagte, und den Machtwillen der Berufsinteressen, und wollte die wirtschaftlichen und technischen Kräfte des Volks erhöhen, zugleich aber sollte der wildgewordene Individualismus gebändigt werden durch die Entwicklung der sozialen Instinkte. Er hatte ein neues Vertrauen zur Jugend, das dem neuen Selbstbewußtsein der Jugend entgegenkam und genau die Tugenden von ihr verlangte, die sie dann selbst in der bekannten Meißnerformel aussprach: Mut, Wahrhaftigkeit und Selbstverantwortung. Er sah in dem leeren Intellektualismus seinen eigentlichen Feind und forderte den Charakter. Und er fand in der Arbeit, in der gemeinsamen Schaffensfreude das Grundelement der ganzen Erziehung. In dem

Begriff der Arbeitsschule sammelten sich alle Züge seiner Pädagogik, und damit gab er seiner Zeit das Stichwort, nicht bloß in Deutschland, sondern man kann sagen in der ganzen Welt.

Daß er zu solcher Wirkung gelangte, dazu verhalf noch etwas ganz Persönliches: die einfache Klarheit seines Denkens und seiner Sprache. In seinen Vorträgen und Büchern redete nicht ein blasser Theoretiker in einem für weitere Kreise unverständlichen Deutsch, sondern ein heller gesunder Menschenverstand, der Feuer und Humor hatte. Er hat später manchmal geklagt, daß ihm die philosophische Grundlage fehle, aber es war gewiß nur ein Glück, daß er nicht durch die Geisteswissenschaften hindurchgegangen war und sich so gewissermaßen seine Unschuld bewahrt hatte. So konnte ihn jeder verstehn und er sprach jedem aus dem Herzen. Die freie Luft seines Denkens weht einen heute noch an, vor allem in den Vorträgen, die in dem Buch »Grundfragen der Schulorganisation« zusammengefaßt sind.

Die Schulorganisation war denn auch seine eigentliche Leistung. Als er sein Amt übernahm, lag das Aktenstück der Lehrplanfrage für die 8. Klasse der Volksschule auf seinem Tisch. Das war gerade die Stelle, an der er mit seinen Gedanken einsetzen konnte. Damals war der Besuch der 8. Klasse noch freiwillig, und er sah, daß dieses Jahr sinnlos für die Kinder war, wenn es nur die Fortsetzung des alten Lernbetriebs sein sollte, ohne das aufwachende Interesse der Kinder zu fesseln, und so begann er hier mit der Hereinnahme der praktischen Arbeit in den Lehrplan. »Das Wesen des Menschen in diesem Alter«, sagte er, »ist Arbeit, Schaffen, Bewegung, Probieren, Erfahren, Erleben, um ohne Unterlaß im Medium der Wirklichkeit zu lernen.« »Die Triebe und Lebenshoffnungen von mindestens 90 Prozent aller Volksschüler liegen nicht auf dem Felde der Bucharbeit unserer Schulen. Nicht nur die ganze Umgebung, in der ihr Leben sich entwickelt, nicht nur die Zukunft, in die sie hineinwachsen, auch die natürlichen Anlagen und Neigungen der allermeisten Kinder sind auf praktische Arbeit gerichtet.« Diese praktische Arbeit aber muß Gemeinschaftsarbeit sein, Gruppenarbeit, damit der Egoismus des persönlichen Schaffens sich zu einem Gemeinsamen gestaltet. Er war überzeugt, daß solche Kooperation alle sozialen Kräfte im Kinde entwickeln könne, es an Unterordnung, Verantwortung und Hilfsbereitschaft gewöhne und so alle Eigenschaften in ihm bilde, die es zu einem guten Staatsbürger mache.

So sah er ein Ideal der Schule, wo »der Arbeitsraum die Zentralwerkstätte des Schülers ist, aus der er gern in die Lernräume der Schule hinübersteuert, um mit neuen, selbstverlangten Schätzen befrachtet immer wieder in die Arbeitsräume zurückzukehren«. Für das allgemeine Schulwesen ist er damit nicht wirklich durchgedrungen — der Krieg kam und die Revolution — aber im einzelnen hat sein Gedanke doch die Schulstube und den Unterricht überall verändert. Ich brauche das nicht zu schildern. Das Selbstprobieren und Selbsterarbeiten ist als Grundforderung allgemein anerkannt, so wenig ihr auch oft entsprochen wird, und die Gruppenarbeit ist gerade in den letzten Jahren wieder von Amerika her sehr modern geworden, die doch seine eigenste Erfindung war.

Auf einem Gebiet ist Kerschensteiner aber die energische Wendung vom Buch zur Arbeit wirklich gelungen: in der Fortbildungsschule. Gerade als er mit seiner Arbeit in schwerem Kampf stand, erzählte ihm jemand auf der Straße, wieder zufällig, von dem Preisausschreiben der Erfurter Akademie: »Wie ist unsere männliche Jugend von der Entlassung aus der Volksschule bis zum Eintritt in den Heeresdienst für die bürgerliche Gesellschaft zu erziehen?« Das war eigentlich ein Thema wie aus dem 18. Jahrhundert, aber es war sein Thema. Das war es, was ihn seit Jahr und Tag herumtrieb. Wie elektrisiert ging er an die Beantwortung. Das wunderbare Zusammentreffen erschütterte ihn fast, und während des Schreibens kamen ihm Tränen des Glücks und der Dankbarkeit, daß es ihm gegeben war, innerlich Geschautes in Worten zu gestalten und seiner Zeit zuzurufen. Unter achtundsiebzig Bewerbern erhielt er den Preis.

Seine Antwort war die Umbildung der alten Fortbildungsschule zur Berufsschule. Das war ein genialer Griff, der von unverwelklicher Bedeutung geblieben ist. Er legte dem Stadtrat Münchens einen Organisationsplan von gewaltigem Ausmaß vor und gewann seine Zustimmung. Die neue Berufsschule wird nach Gewerben gegliedert und der Unterricht auf den Beruf konzentriert. In endlosen Aussprachen mußte das Interesse der Meister dafür gewonnen werden. Werkstätten wurden eingerichtet, in denen er durch Meister und Gehilfen unterrichten ließ. Der neue Berufsschullehrer mußte geschaffen werden. Die allergrößte Angelegenheit eines Volkes, sagte er, ist die Erziehung seines Nachwuchses. Es sind drei Grundgedanken, die er in immer neuen Wendungen den Menschen einzuhämmern sucht. Das stärkste Gefühl ist immer das, womit der Mensch seine praktischen Zwecke umfaßt. Das ist der eine. Der andere: der theoretische Unterricht soll aus der lebendigen Erfahrung der Werkstatt seine Probleme und sein Interesse bekommen. Und der dritte Grundgedanke war die Einstellung des ganzen Unterrichts in den Dienst der staatsbürgerlichen Erziehung, die Gewöhnung an freiwillige Unterordnung und Kooperation bei gemeinschaftlicher Arbeit.

Die Münchner Organisation wurde bald das Vorbild für alle deutschen Städte und wirkte auch weit in die Welt hinaus. Wie immer, wenn ein solcher neuer Gedanke sich verwirklichen will, melden sich die Gegner. Auch Kerschensteiner hat schwer kämpfen müssen, aber er wußte sich zu wehren mit Klugheit, Zorn und Humor. Sein Groll gegen die Klugschwätzer, die im pädagogischen Bereich besonders zahlreich sind, hat sich einmal in einem

berühmt gewordenen Satz Luft gemacht, als er als Vorsitzender des pädagogischen Kongresses in Weimar die Tagung mit den Worten schloß: »Unsere Einsicht ist beschränkt, unsere Dummheit grenzenlos.«
Er hatte 1919 nach der Revolution sein Amt als Stadtschulrat niedergelegt und war zur Universität übergegangen. Mit erstaunlicher Energie arbeitete er sich nun in die Theorie hinein und versuchte, was ihm in der lebendigen Praxis gewachsen war, begrifflich zu formulieren und zu begründen. 1926 erschien seine große »Theorie der Bildung«. Im Innersten wußte er aber, daß da seine Aufgabe nicht lag. An seinen Freund Spranger schreibt er einmal: »Vielleicht ist es eine recht törichte Liebe von mir. Gäbe mir heute einer die Mittel und die Macht, den Plan eines technischen Gymnasiums, so wie er mir im Kopf spukt, durchzuführen, dann würde ich meinen spät geborenen Eros in einem schönen Tempel kaltstellen, ihm zwar viele Kerzen anzünden, aber draußen vor dem Tempel fröhlich auf freiem Felde arbeiten.« So hatte ähnlich der alte Pestalozzi aus der Theorie wieder zur praktischen Arbeit gedrängt.
Als Georg Kerschensteiner 1932 starb, hatte die Pädagogik Deutschlands ihre stärkste moralische Kraft verloren. Es gab niemanden mehr, der so selbstverständlich über den Parteien stand und von allen in gleicher Weise verehrt wurde, auch niemanden, der im Ausland so wirksam war. Wahrscheinlich ist er für lange Zeit der letzte deutsche Pädagoge von wahrhaft internationaler Bedeutung gewesen.

GEORG PICHT

Aus dem Tagebuch eines Schulleiters

Vor einiger Zeit las ich mit einer Klasse eine Ode des Horaz, die nur verstanden werden konnte, wenn man wußte, daß die hellenische Philosophie nach dem Ziel des menschlichen Lebens gefragt hat. Ich erzählte das Nötigste und fragte dann, was wohl den Griechen als das Ziel des Lebens gegolten habe. Aber obwohl ich mit meinen Fragen von vielen Seiten einen Weg zu bahnen suchte, gelang es mir nicht, diese Kinder eines verworfenen Jahrhunderts entdecken zu lassen, daß das Ziel des Lebens für die Griechen die Eudaimonia, das Glück, gewesen ist. Da sie nicht selbst darauf kamen, mußte ich es ihnen sagen; aber sie waren befremdet und nahmen daran Anstoß, daß dem Menschen ein so äußerliches und von seinem Willen so wenig abhängiges Ziel gesetzt sein sollte. Es bedurfte einer eingehenden Beschäftigung mit der Bedeutung des Wortes $\varepsilon\dot{\upsilon}\delta\alpha\iota\mu o\nu\acute{\iota}\alpha$, um ihnen zu zeigen, welche Eitelkeit sich in der Vorstellung verbirgt, der Mensch könne sich das Ziel seines Daseins aus eigenem Willen setzen, und wie wir uns in diese Eitelkeit verstricken, wenn wir die Innerlichkeit des Ichs, das sich im Spiegel sieht, gegen die Äußerlichkeit der Welt ausspielen.

Mit dem Erziehungsziel steht es wie mit dem Ziel des Lebens. Wir wenden um eines einzigen Jungen oder Mädchens willen oft Monat um Monat und Jahr um Jahr unsägliche Mühen auf und dringen nicht weiter. Und dann kommt unverhofft eine glückhafte Stunde, in der sich die tief verborgenen Fesseln des Wachstums lösen und plötzlich, unerwartet, unbekannt und doch zugleich vertraut der neue Mensch uns gegenübersteht, nach dem wir suchten. Wenn wir dann stillstehen dürften, so könnten wir sagen: das Werk ist gelungen. Aber auch dieser Augenblick ist nur ein Durchgang, und schon wird die nächste Kehre des Weges sichtbar, an der sich eben erschienene Gestalt wieder verhüllt. Wir können den Raum gestalten, in dem sich das Wachstum entfaltet, wir können Hemmnisse wegräumen, die es stören, wir können Begegnungen und Erfahrungen herbeiführen, die ihm Nahrung geben, wir können Forderungen stellen, die es steigern. Aber das eigentliche Geschehnis, um das es geht, liegt nicht in unserer Hand und entzieht sich unserer Planung.

Wenn wir Erziehung als methodische Herstellung von Exemplaren eines idealen Typs verstehen, erziehen wir falsch.

Sehe ich zu, wie wir bei unserem Geschäft wirklich vorgehen, so zeigt sich, daß die Ziele, auf die wir im Bemühen um den einzelnen Schüler hinarbeiten, stets abgegrenzte Ausschnitte seiner Entwicklung und Bildung betreffen. Es ist sinnvoll, sich das Ziel zu setzen, daß ein Schüler die lateinischen Verben beherrscht, daß er seine mathematische Aufgabe lösen kann, daß er schwimmen lernt, daß er sich höflich zu benehmen weiß. Diese Ziele können von Lehrern und Schülern gemeinsam ins Auge gefaßt und auf dem rechten Wege auch erreicht werden. Aber die Lebensordnung, in der sich die verschiedenen Kenntnisse, Fertigkeiten und Einstellungen zu einem Ganzen zusammenschließen, erscheint im wirklichen Vorgehen der Erziehung nicht, wie immer wieder vorgegeben wird, als ideales Menschenbild, das nachzuahmen wäre; sie begegnet nie als Lebensordnung eines einzelnen, sondern ist stets die vorgegebene Ordnung einer Gemeinschaft. Man lernt nicht Griechisch, weil der Idealmensch Griechisch können muß, sondern weil man durch das Erlernen dieser Sprache zum Glied einer Kulturgemeinschaft wird. Ja, sogar die moralische Erziehung wird stets verfehlt, wenn man den Weg über das sich isolierende Gewissen des einzelnen einschlägt. Auch hier findet der Erzieher erst dann einen tragfähigen Boden, wenn er die Ethik nimmt als das, was sie in Wahrheit ist: als Sitte, als $\nu\acute{o}\mu o\varsigma$, als Band der

Gemeinschaft. Was uns der Idealismus in verkehrter Projektion als ideales Menschenbild erscheinen läßt, das ist in Wahrheit das Gefüge der Gemeinschaft, als deren Glied der Mensch sich erst zu seinem Wesen findet. Es gibt Wächter der Polis, aber eine Idee des Menschen gibt es nicht.
Wenn es kein Idealbild des Menschen gibt, so gibt es doch Maßstäbe, nach denen eine menschliche Gemeinschaft gefügt sein sollte. Mein tiefstes Bemühen als Erzieher gilt nicht der Bildung des einzelnen, sondern der Suche nach den inneren Maßen des Raumes einer Erziehungsgemeinschaft. Aber die Ausmessung eines solchen Raumes kann nicht auf einem idealen Reißbrett konstruiert und dann der wirklichen Gemeinschaft aufgenötigt werden. Denn das Fundament des hier zu errichtenden Gebäudes ist die gelebte Sitte, die nur aus freiwilliger Zustimmung erwachsen kann. Als tragfähig erweist sich nur, was unausdrücklich auftritt und als selbstverständlich gilt. Vieles kann einer Gemeinschaft selbstverständlich werden, was weit jenseits der Reichweite des einzelnen zu liegen scheint. Die Erziehung innerhalb einer Gemeinschaft bewegt sich in einem unerschöpflichen Spielraum. Und doch sind diesem Spielraum enge Grenzen gezogen. Denn die Erziehung muß die Menschen stets so nehmen, wie sie wirklich sind. Sie treibt ins Leere, wenn sie den Kairos des Hier und Jetzt verfehlt. Und nur von hier läßt sich das Wesen der Erziehung recht bestimmen. Sie ist die Entdeckung der geschichtlichen Möglichkeiten des Hier und Jetzt.

Einer der untrüglichsten Maßstäbe für den Rang eines Menschen ist sein Sinn für das Schweigen. Es gibt Menschen, deren Rede man anhört, daß sie aus einem Raum des tiefen Schweigens kommt; sie strahlen eine gesammelte Ruhe aus, die alles vorlaute und äußerliche Wesen zum Verstummen bringt, und die auf eine unbegreifliche Weise zu bewirken vermag, daß in ihrem Umkreis Menschen und Dinge wie von selbst in die rechte Ordnung rücken. Das Schweigen, dem wir in diesen Menschen begegnen und das der Ursprung aller menschlichen Würde und Hoheit ist, muß denen unzugänglich bleiben, die das Schweigen nur als Verschlossenheit und als Verhinderung des Redens kennen. Hier wird nichts verborgen, was ebensogut auch ausgesprochen werden könnte, hier gibt es keine Verstecke, in denen sich etwas aufstöbern ließe, was ans Licht gehört. Aber alles Große, alles Heilige steht im Bereich dieses unaussagbaren Schweigens, und niemand wird sich in Wahrheit zum Menschen bilden, der nicht in diesem Raum sich gefunden hat.
Die Gründer der alten Klosterschulen wußten, daß die Erziehung aus dem Schweigen stammt. Wo das »favete linguis« nicht erklingt, mit dem der Dichter der Römeroden anhebt, da ist das erzieherische Wort in den Wind gesprochen. An nichts wird die Profanität unserer Welt so deutlich wie daran,

daß sie das Schweigen nicht ertragen kann und deshalb auch von der Verbindlichkeit des Wortes nichts mehr weiß. Man müßte die Menschen wieder das Schweigen lehren, und ich bin oft in Versuchung, an unserer Schule Lebensformen einzuführen, die einzig diesem Zweck dienen sollen. Aber wir würden durch solche Maßnahmen die Aufgabe verraten, die wir uns gestellt haben. Diese Schule steht nicht im Schutz eines sakralen Bezirkes, sondern hat ihren Standort mitten in der Welt. In dieser Welt soll sie erziehen für diese Welt. Zum Ausschluß des Profanen fehlt ihr die Möglichkeit und fehlt ihr auch die Vollmacht; wo kein Heiligtum steht, darf das »favete linguis« nicht ausgesprochen werden. Unser Auftrag ist die Erziehung in der Schutzlosigkeit der Profanität, und wir dürfen nur solche Wege einschlagen, die dem profanen Menschen gangbar und verständlich sind.
Nun besteht gerade im profanen Bereich ein besonderer Hang zur Nachahmung der sakralen Formen. Man hat entdeckt, was der Mensch verloren hat, seit er den Zugang in die Stille geheiligter Räume nicht mehr findet, und liefert nun Ersatz in jeder Fom. Sanatorien werden nach dem Vorbild von Klöstern eingerichtet, und die Meditationsübung tritt neben die Atemgymnastik und die Hungerkur. Auch in der Erziehung finden solche Imitationen großen Anklang, und ich begegne oft der Forderung, wir sollten an unserer Schule Gebräuche einführen, die aus dem Lebensraum der Kultgemeinschaft stammen. Niemals werde ich mich zu einem solchen Mißbrauch entschließen können. Die Profanität ist eine ehrliche Not, die Imitation sakraler Formen ist eine Blasphemie.
Aber das Schweigen, das schlichte Schweigen. Es gibt Menschen, die es mit der Geräuschlosigkeit verwechseln und mir raten, nach klösterlichem Vorbild Schweigestunden einzuführen. Sie wissen nicht, daß die unausgefüllte Geräuschlosigkeit sich zum wirklichen Schweigen verhält wie das Nichts zum Sein. Das Schweigen kann nicht eingeführt werden; es entsteht, es tritt ein, es breitet sich aus, es ergreift uns. Und es ergreift uns nur, wenn wir betroffen sind. Auch im profanen Tag gibt es die Augenblicke, die uns erbeben lassen und zum Schweigen bringen. Meist sind es nicht die feierlichen Stunden; mitten im Alltag, unerwartet, unbemerkt, trifft uns ein Wort, ein Gegenstand, eine Gebärde, und öffnet uns, sei es auch nur für die Dauer eines Herzschlages, jenen Bereich, in dem der Mensch in Wahrheit seine Heimat hat. Was wir die Bildung des Menschen nennen — in diesen Augenblicken ereignet es sich. Es ereignet sich mitten in der profanen Welt und läßt uns erfahren, was sie in Wahrheit ist. Sie ist nicht, wie immer wieder gesagt wird, die gottlose Welt. Sie ist auch nicht die heilige Natur der Pantheisten. Sie ist die Entsprechung zum sakralen Raum: nicht das Haus des sich offenbarenden Gottes, wohl aber die nicht weniger geheiligte Wohnstätte Gottes in der Verborgenheit.

Erziehung in der Profanität ist Erziehung in der Verborgenheit. Sie soll die Pfade des Alltags nicht verlassen und soll die Sprache sprechen, die man täglich spricht. Aber sie soll jene verschwiegene Bereitschaft offenhalten, die uns die unmerkliche Heiligkeit des profanen Raumes erfahren läßt. Das tiefe Schweigen ist auch im Getriebe und Gerede gegenwärtig. Wenn wir in dieser Welt für diese Welt erziehen, so werden wir sorgen müssen, daß es nicht zugebaut und nicht vergessen wird. Erziehung ist Pflege des Schweigens in der Alltäglichkeit. Sie muß sogar ihr eigenes Wesen verschweigen. Der Weg der Erziehung führt durch das nicht ausgesprochene Wort zum verborgenen Werk.

Jetzt haben die Kinder in dem Alter, in welchem sie ehedem die Masern hatten, Symphonien. Ich glaube nicht, daß sie davonkommen werden.

KARL KRAUS

JOHANN WOLFGANG GOETHE

LEHRBRIEF

Die Kunst ist lang, das Leben kurz, das Urteil schwierig, die Gelegenheit flüchtig. Handeln ist leicht, Denken schwer; nach dem Gedachten handeln unbequem. Aller Anfang ist heiter, die Schwelle ist der Platz der Erwartung. Der Knabe staunt, der Eindruck bestimmt ihn, er lernt spielend, der Ernst überrascht ihn. Die Nachahmung ist uns angeboren, das Nachzuahmende wird nicht leicht erkannt. Selten wird das Treffliche gefunden, seltener geschätzt. Die Höhe reizt uns, nicht die Stufen; den Gipfel im Auge, wandeln wir gerne auf der Ebene. Nur ein Teil der Kunst kann gelehrt werden, der Künstler braucht sie ganz. Wer sie halb kennt, ist immer irre und redet viel; wer sie ganz besitzt, mag nur tun und redet selten oder spät. Jene haben keine Geheimnisse und keine Kraft, ihre Lehre ist wie gebackenes Brot schmackhaft und sättigend für einen Tag; aber Mehl kann man nicht säen, und die Saatfrüchte sollen nicht vermahlen werden. Die Worte sind gut, sie sind aber nicht das Beste. Das Beste wird nicht deutlich durch Worte. Der Geist, aus dem wir handeln, ist das Höchste. Die Handlung wird nur vom Geiste begriffen und wieder dargestellt. Niemand weiß, was er tut, wenn er recht handelt, aber des Unrechten sind wir uns immer bewußt. Wer bloß mit Zeichen wirkt, ist ein Pedant, ein Heuchler oder ein Pfuscher. Es sind ihrer viel, und es wird ihnen wohl zusammen. Ihr Geschwätz hält den Schüler zurück, und ihre beharrliche Mittelmäßigkeit ängstigt die Besten. Des echten Künstlers Lehre schließt den Sinn auf, denn wo die Worte fehlen, spricht die Tat. Der echte Schüler lernt aus dem Bekannten das Unbekannte entwickeln, und nähert sich dem Meister.

FRIEDRICH HÖLDERLIN

Sokrates und Alcibiades

»Warum huldigest du, heiliger Sokrates,
Diesem Jünglinge stets? kennest du Größers nicht?
Warum siehet mit Liebe,
Wie auf Götter, dein Aug auf ihn?«

Wer das Tiefste gedacht, liebt das Lebendigste,
Hohe Tugend versteht, wer in die Welt geblickt,
Und es neigen die Weisen
Oft am Ende zu Schönem sich.

ALOIS DEMPF

Die übersehene philosophische Existenz

Vom Philosophen steht nur fest, daß er eine traurige Existenz hat. Da er eigentlich auf dem Monde lebt, ist er auf dieser Welt ein Fremdling im Elend; da er sich die Kindersprache gründlich abgewöhnen muß, versteht ihn niemand, und so lebt er unbekannt und unbeachtet möglichst unauffällig dahin. Soviel Klugheit dieser Welt besitzt er nämlich doch, sich nicht allzu oft lächerlich zu machen mit seinen andern Ansichten und zu wissen, wie sehr seine Sprache verschieden ist von der der Dichter und Tüchtigen.
Tüchtig für einen Beruf ist er nicht, und das ist wiederum peinlich für seine Existenz in der Welt. Er schlägt sich gerade so durch. Da er kein reiner Geist ist, muß er wirklich zuerst leben, bevor er philosophieren kann. Er muß also an einen reellen Beruf denken, und muß sich im System der menschlichen Bedürfnisse etwas aussuchen, was er nebenbei auch noch leisten kann. Nun gäbe es freilich ein gewichtiges Bedürfnis, das er allein befriedigen

könnte, nämlich die Menschen von den normalen Krankheiten ihres Geistes zu heilen. Aber da sie diese Krankheit nicht schmerzlich spüren, wird die Existenz dieses Arztes übersehen und besteht keine Nachfrage nach seiner Kunst. So muß er einen Nebenberuf ergreifen, um von einem Nebenverdienst recht und schlecht leben zu können.
Die Nachfrage nach der Heilung von Leibeskrankheiten nährt meistens ihren Mann. Also sind viele Philosophen Leibärzte geworden, am liebsten gleich geheime Leibärzte von Königen und Fürsten, angefangen von dem Vater des Aristoteles, der Leibarzt des Königs von Makedonien war, über Avicenna und Averroes, die Leibärzte arabischer Fürsten, bis zu Scotus Eriugena und Michael Scotus, dem Leibarzt Kaiser Friedrichs II., des Vaters der abendländischen Aufklärung, und bis zu Faust und Paracelsus, die wirkliche gemeine Leibärzte sein mußten.
Wie es schon so geht, beeinflußt der Beruf den Geist des Menschen, sogar der Nebenberuf den Geist des Philosophen, und so haben denn unsere Leibarztphilosophen vom Leibe aus philosophiert, schließlich bloß noch den Leib gesehen und jene Leibphilosophie entwickelt, die sich nur noch um die Geheimnisse der Menschennatur und der Natur überhaupt kümmert, Naturalismus heißt und den andern Philosophen soviel Ärger und Schande bereitet.
Auch seelische Schmerzen spürt der Mensch, ja sie können die unerträglichsten werden, und darum ist der Beruf des Seelsorgers auch manchmal in der Welt der angesehenste. Priester sein aber ist kein bloßer Nebenberuf, und so sind also viele Philosophen im Hauptberuf Priester gewesen und nur im Nebenberuf Philosophen, Augustinus, Anselmus, Bernhardus, Albertus und Thomas, Meister Eckhart und Nikolaus, der Kardinal; diese Theologen sind, obwohl für sie die Philosophie bloß Nebenberuf war, die besten Philosophen gewesen, ja heilige, selige oder mindestens ehrwürdige Philosophen, und darüber ist dann doch wieder die philosophische Existenz zu kurz gekommen oder übersehen worden, und man zählt ihre Leistungen wohl noch zur Philosophie, aber nicht sie selber unter die Philosophen. So kommt es, daß wir Philosophen von diesen heiligen Standesgenossen auch wieder nicht die rechte Ehre haben, ihre Ehre ist zu hoch für uns, und leicht kann man sagen, sie gerade hätten gezeigt, daß die Philosophie ganz überflüssig ist, da ihr Inhalt ja bei ihnen am allerbesten aufgehoben ist.
So schrumpft unser Stand immer mehr zusammen, und womöglich bleibt nur noch die Philosophie ohne Philosophen übrig. Manchmal aber gibt es doch eine Nachfrage nach Geist, nur leider nicht gerade heute; ein reicher Mann hält sich außer dem Leibarzt und Hauskaplan auch noch einen Hofmeister, wenigstens für seine Kinder. Wirklich haben viele Philosophen diese Berufsmöglichkeit ausgekundschaftet und sind Hofmeister gewesen, Hobbes

und Leibniz, Herder und Kant, Fichte und Hegel, bis endlich sich der Staat aller Kinder angenommen hat und ihnen nun Lehrer und Professoren auf eigene Kosten hält, damit seine Bürger gut rechnen und wirtschaften lernen, und damit war scheinbar allen Philosophen geholfen.
Aus der Hofmeisterschaft und Lehrerschaft aber, der geistlichen und weltlichen, haben wir Philosophen eine üble Standesuntugend mitgebracht, die Pedanterie und Systemmacherei. Denn wenn man jungen Leuten, die noch nicht aus eigenem Geiste leben können oder gar sich einbilden, sie könnten es, den fehlenden Geist beibringen soll, muß man den eigenen Geist in Paragraphen einteilen und Richtlinien auf den Weg mitgeben, auf dem jeder zu sich selbst kommen soll. Wie leicht wird aber dann wiederum der lebendige Philosoph hinter dem Schema und System übersehen.
Glücklicherweise gibt es wenigstens einen Stand, der keinen Beruf zu haben braucht, die reichen Bürgersöhne. Einige wenige und weniger Begabte unter ihnen werden Dichter, was ja auch kein Beruf ist, einige noch wenigere, aber Begabtere werden Philosophen, und einige ganz wenige und ganz Gescheite privatisieren gleich. Wir zählen nur zwei solcher Glücklichen auf, Platon und Kierkegaard. Sie sind zugleich die Dichter unseres Standes, denn sie haben Zeit, so schön zu schreiben, wie man nur unbelästigt von Nebenberufen schreiben kann, sie haben Zeit, sogar Mythen eigener Prägung zu dichten und vor allem einen langen, lebenslangen Plan auszudenken, wie man das, was man als Philosoph zu sagen hat, am allerbesten und wirksamsten sagt. Sie sind denn auch der höchste Stolz unseres Standes, unsere Aristokraten. Aber werden uns nicht die philosophiefeindlichen Theologen Platon, den großen Pfaffen, und Kierkegaard, den Feind aller Philosophie, abstreiten?
So sind wir also eine recht gemischte Gesellschaft, Leibärzte und Heilige, Hofmeister und Professoren, ganz zu schweigen von den einzelnen Nebenberufen, die wir sonst noch ausfindig gemacht haben.
Doch nun zur pedantischen Absicht unseres Scherzes, nämlich zur soziologischen Lehre, daß selbst der Philosoph von seiner Berufsstellung geistig beeinflußt ist und daß sich von da her schon zum guten Teil die Unterschiede der Philosophien erklären lassen. Was Wunder, wenn ein Leibarzt schließlich zugesteht, obwohl er gezwungen ist, eine Doppelexistenz zu führen, der Mensch bestehe bloß aus Leib, und die Seele sei gar nicht Geistseele, nur die Leibnatur, und wenn die Seelsorger schließlich glauben, die Menschen bestünden nur aus Seele, weil es sich nicht lohnt, die kurze Zeit ihrer Leibverbundenheit mitzuzählen. So sind wir also in Naturalisten und Spiritualisten gespalten, und nur ganz wenige Besonnene bleiben übrig, die Leib und Seele des Menschen miteinander besorgen, und mit Recht die Seele mehr als den Leib, und die wissen, daß wir Geist werden sollen und ewig bleiben!
Die Soziologie der äußeren zeitlichen Existenz der Philosophen erklärt wirk-

lich zum guten Teil, warum die Philosophie in Sekten gespalten ist, und wir haben doch nur erst das Alleräußerlichste gezeigt und noch nicht die zeitliche Existenz in der Wissenschaft und im Zeitgeist, die leider bejaht oder abgelehnt, mit zur überzeitlichen Existenz der Philosophen gehört. So traurig sieht also unsere Existenz in den Augen der Welt aus. Besonders jetzt, nachdem wir selber zugegeben haben, daß wir eine gemischte Gesellschaft sind, ein Häuflein von streitenden Geistern, das sich selbst nicht einigen kann. Nun sind uns also die Menschen endlich losgeworden, die lästigen Mahner, weil wir es selber verraten haben, daß wir nicht die einzige Wahrheit haben, ja daß es kein System der Philosophie und Ethik geben könne. Jetzt darf endlich jeder nach seiner Fasson irren, denn nach unserer neuesten Entdeckung, meinen sie, daß jeder Irrtum auch noch seinen Stil habe. Daß die verschiedenen Weltanschauungen, wenn sie nicht gar zu sehr zusammengeflickt sind wie das Kleid des häßlichsten Menschen bei Nietzsche, doch in drei oder vier Typen geordnet werden können, daran glaubt niemand mehr. Das hält man für ein Rückzugsgefecht von der Wahrheit verkündenden Philosophie auf die Irrtümer ordnende Weltanschauungslehre. Wird doch sicher bald der Streit unter uns beginnen, ob es solche Typen gibt, welche und wieviele es sind, und dann werden wir, meint man, wieder nicht zu einem festen Ergebnis kommen, außer zu dem, daß es kein festes Ergebnis gibt.

Einstweilen leben wir also ganz für uns auf dem Monde weiter, die Welt kümmert sich vorläufig mit Recht nicht um uns, bis wir wieder feste Ergebnisse haben werden. Wir aber schwelgen in der Erinnerung an unsere großen Zeiten. Einst, ja mehrmals waren wir eine Weltmacht. Ob die erste, zweite oder dritte, war nie recht klar, aber immerhin hat auch die Welt einmal im *saeculum philosophicum* dankbar anerkannt, die Philosophie hätte ihr mit der angewandten kartesianischen Wissenschaft, der Technik, das hoffnungsvollste Geschenk ihres kommenden ewigen Fortschritts gemacht. Die Philosophen selber träumten damals neu den Traum Platons, sie könnten die Despotie aufklären und damit die Menschheit von — der Kirche befreien. Sie haben damit freilich nur den Beweis geliefert, daß sie gerade den ersten Beruf der Philosophie nicht begriffen hatten, die geistige Freiheit zu sichern, weil sie sich gegen die falsche Weltmacht wandten.

Was war denn der Traum Platons? Erzieher der Menschheit durch die Erziehung der entscheidenden Köpfe zu werden. Das war wirklich ein wichtiger Beruf, freilich ein sehr gefährlicher, der den Philosophen eher in die Sklaverei und in den Kerker als zu Einfluß bringt, aber dennoch hat ihn Aristoteles schon so geschickt ausgeübt, daß die Philosophie im Alexanderzug die halbe Welt eroberte und wenigstens die Weltmachtstellung — der Wissenschaft begründet wurde.

Aber war nicht auch dieser Traum Platons ein bloßer Nebenberuf der Philosophie? Mußte sie nicht schon fertig sein, als sie diesen Beruf ergriff? Kierkegaard hat es geglaubt und darum Sokrates als den Begründer und Vollender der Philosophie gefeiert. Vor dem Berufe liegt die geistige Existenz, die Selbsterkenntnis, und erst wenn man sein Selbst erkannt hat, ein sich selber durchsichtiger geistiger Mensch geworden ist, kann man den andern helfen, dies auch zu werden. Mit dem Auge des Hellsehers, des Ingeniums, hat Kierkegaard hier das einzig Entscheidende gesehen und Sätze, nein Nebensätze nur, von unerhörter Kraft ausgesprochen und nach Hunderten von falschen und schiefen Definitionen die richtige Definition des Philosophen gegeben: Philosoph sein heißt, vor Gott sich selber verstehen. Wenn man sich selber verstehen soll, muß man ja schon die Wahrheit in sich haben. Nach Platon hat man sie in der Erinnerung, aus der Präexistenz der Seele schon vor diesem Leben. Aber Kierkegaard ist viel zu ernst und ehrlich, um sich auf solche historische Nebensachen einzulassen. Er gibt gleich selbstverständlich die christliche Lehre: »sofern nun der Lernende Dasein hat, ist er ja geschaffen, und insofern muß ihm Gott die Bedingung für das Verständnis der Wahrheit gegeben haben; denn sonst war er zuvor nur Tier, und jener Lehrer, der ihm die Wahrheit samt der Bedingung gab, machte ihn erst zum Menschen« (VI, 13). Braucht man nach diesen Sätzen noch eine Lehre vom Menschen? . . .

KARL JASPERS

Vom Studium der Philosophie

Aus der Philosophie sind die Wissenschaften entsprungen. Auch wo diese durch praktische Aufgaben, in Werkstätten, in der Wirtschaft, mit den Fragen der Künstler oder der Staatsmänner in Gang gebracht wurden, haben Gedanken der philosophischen Überlieferung eine entscheidende Bedeutung gehabt. Und in der Philosophie finden die Wissenschaften am Ende immer wieder ihren Sinn, wenn sie nicht in der Zerstreutheit an bloß äußere Aufgaben verfallen, nicht in der Endlosigkeit des bloß Richtigen ihren Sinn verlieren sollen. Daher scheint es die selbstverständliche und unerläßliche Aufgabe des Universitätsunterrichts, alle Studierenden in der Philosophie ein Heimatrecht gewinnen zu lassen.

Dem widerspricht der tatsächliche Zustand. Philosophie gilt zumeist als überflüssig, ist eine private Liebhaberei, ist geeignet für dekorative Zwecke. Woher kommt dieser Rückgang der Geltung der Philosophie?

Der Hauptgrund liegt wohl im Geist des Zeitalters, der seit anderthalb Jahrhunderten sich an die praktischen Aufgaben der wissenschaftlichen Spezialerkenntnisse, der Technik, der Wirtschaft und der Macht preisgegeben hat, während daneben in mannigfachen Gestalten eine Philosophie sich noch tradierte, die das Gewicht dieser Aufgaben oft verkannte oder ignorierte.
Seit Jahrzehnten ist dagegen die Forderung nach »Synthese« laut geworden, ist eine Erneuerung der Philosophie ersehnt, verkündet, behauptet worden. Man kann nicht sagen, daß ein durchschlagender Erfolg da wäre.
An den Universitäten ist der Verfall der Philosophie durch die Isolierung bedingt, in der die Philosophie zwar traditionsgemäß gepflegt wird, aber gleichsam in einer Inzucht aus der Wirklichkeit des Zeitalters herausgenommen ist. Fast alle Lehrer der Philosophie haben ihr Leben gemäß dem Typus geführt: Nach dem Erwerb der Hochschulreife Studium der Philosophie, philosophischer Doktor, Habilitation für Philosophie und Berufung auf einen Lehrstuhl. Das ist gewiß ein möglicher Weg, aber als einziger Weg läßt er die Philosophie gleichsam vertrocknen. Die Philosophen, statt aus dem Leben, aus der Wirklichkeit und aus Wissenschaften zur Blüte des Philosophierens zu gelangen, die genährt wird von dem Boden, aus dem sie gewachsen ist, geben sich oft nur ab mit den vergangenen Philosophien und mit schönen Büchern über alle möglichen Dinge wie mit einem Herbarium ausgezeichneter Pflanzen, mit denen sie nun operieren, ohne in ihnen aus dem eigenen Blute etwas zu neuem Leben zu erwecken. Man lernt Philosophie, man lernt virtuose intellektuelle Bewegungen, aber man philosophiert nicht in heiligem Ernste, dem es um die Wahrheit geht, aus der und mit der wir leben wollen.
Verhängnisvoll auch scheint es, daß Philosophie in den Wissenschaften selber immer mehr erloschen ist zugunsten spezialistischer Technik des Forschens. Das wird nicht gutgemacht durch gelegentliche philosophische Redewendungen, die ohne Beziehung zu dem tatsächlichen Forschungs- und Lehrbetrieb für besondere Augenblicke, für Einleitungen und Schlußworte noch geeignet scheinen.
Dieses Bild von Philosophie und Wissenschaft heute ist schwarz gemalt und übertrieben, denn es gibt viele Ausnahmen. Aber im ganzen liegt wohl Wahrheit darin. Wenn es so ist, dann fragt man: Was läßt sich tun, um die Jugend mit der Substanz des eigentlichen Philosophierens mehr, als es heute geschieht, in Fühlung zu bringen?
Ein großes und wahres gegenwärtiges Philosophieren, mit dem wir identisch werden könnten, das uns den Sinn erhellte und das Leben durchstrahlte, und das uns in Gemeinschaft der Wahrheit brächte, kann man nicht planen. Wann und wo der Geist weht im Gang der Geschichte, das steht in keines Menschen Hand.

Aber man kann etwas tun, daß er die Bedingungen vorfinde, wenn er, und sei es in schwachen Funken, in jungen Menschen aufglimmt. Unter diesen Bedingungen ist immer noch die Kenntnis der Philosophiegeschichte die Hauptsache. Aber nicht das Wissen von Lehrstücken, die in Büchern über Geschichte der Philosophie zu lernen sind, sondern die Berührung mit den Gehalten in den Texten selbst. Daß die Texte der großen Philosophen (der fremdsprachigen in Übersetzungen) nicht in wohlfeilen Ausgaben mit den notwendigen sachlichen und historischen Kommentaren zugänglich, daß viele überhaupt nicht zu erhalten sind, das ist ein böser Mangel für die Aneignung der philosophischen Überlieferung seitens der Jugend.

An den Schulen sollte wie an den Universitäten immer Philosophieunterricht stattfinden. Aber weder Schüler noch Studenten dürfen zu dessen Nutzung unter Zwang gestellt werden. Die Persönlichkeit des philosophischen Lehrers und das Interesse der Jugend müssen sich finden in einem freien Raum. Wo gezwungen wird, ist die Philosophie zu Ende.

Einem philosophischen Zeitalter würde in allen Wissenschaften die Gegenwärtigkeit des Philosophierens selbstverständlich sein. Denn Philosophie hat eine ihrer konkreten Erscheinungen in den Wissenschaften, beseelt sie, gibt ihnen Sinn und Schwung, ohne ausdrücklich als Philosophie zum Thema werden zu müssen. In unserem Zeitalter ist nun weder auf die Philosophie in den Wissenschaften noch auf geradezu vorgetragene Philosophie als solche Verlaß. Alles liegt an den Menschen, die sie vertreten. Diesen aber muß im Rahmen der Lehrfächer die Möglichkeit des Wirkens bewahrt werden auf die Gefahr hin, daß mancher versagt.

An den Universitäten sind daher philosophische Lehrstühle, Seminare und Bibliotheken nicht zu entbehren. Um Chancen für das Ursprüngliche und Neue zu erhalten, sollen mehrere Philosophen an der gleichen Universität wirken, damit der Student nicht auf die Worte eines Lehrers eingeübt wird, sondern vergleichen, ergänzen, korrigieren lernt. Fichtes Forderung, nur ein einziger Philosoph solle an einer Universität lehren, entspringt dem Denken, das sich im Besitz der Wahrheit glaubt, statt auf dem Wege gemeinsamen Suchens zu bleiben, das Diskussion, Infragestellung, Mannigfaltigkeit verlangt. Bei Berufungen sollte man Ausschau halten nicht nur unter den Privatdozenten, die ausdrücklich Philosophie lehren, sondern fragen, ob geistig bedeutende Persönlichkeiten aus den Wissenschaften erwachsen sind, die in der Reife ihres Lebens zur philosophischen Lehre bereit sind.

Das Studium der Philosophie muß für die Studenten frei bleiben. Von niemandem darf es verlangt werden. Jeder Beruf zwar bedarf der Philosophie, aber diese Notwendigkeit wird nicht gefördert, sondern gestört, wenn man Studenten Pflichtvorlesungen auferlegt oder sie in Verbindung mit gewissen Fächern statutengemäß eine Prüfung in Philosophie ablegen läßt. Philosophie, die nicht von sich aus anzieht, und Studenten, die blind für alles Philosophieren sind, beide sind nicht viel wert.

Auch an den höheren Schulen hat die Philosophie einen natürlichen Platz. Man sollte den oberen Klassen Philosophie bieten, wie es vielerorts, aber nicht überall geschieht. Wie das geschehen könne, ist keine einfach zu beantwortende Sache. Man kann sagen, im griechischen Unterricht kommen Texte Platons vor, im lateinischen Cicero, im deutschen Lessing, Schiller. Die Kinder nehmen durch solche Lektüre Philosophie auf, auch wenn der Lehrer kein Wort dazu sagen würde. Das ist richtig, aber wirksamer und wesentlicher muß das Bewußtsein des Philosophierens werden, wenn solche Texte planmäßig unter philosophischen Gesichtspunkten ausgewählt und interpretiert werden. Einfache philosophische Grundgedanken wirken, als ob durch sie, wenn man sie zum erstenmal hört, gleichsam der Star gestochen würde. Es wird plötzlich licht. Ein großes Versäumnis scheint es zu sein, dies den Kindern vorzuenthalten.

Keineswegs kann der Sinn des philosophischen Schulunterrichts den Sinn einer Propädeutik für das spätere Universitätsstudium der Philosophie haben. Dem Kinde sollen, wo das Philosophieren dunkel und spontan in ihm fühlbar wird, Gedanken dargeboten werden, durch die es einen Weg findet. Die Welt des Geistes öffnet sich ihm. Unendliches wird im ersten Lichte kund. Auch im Kinde ist das Ursprüngliche des Philosophierens da, ist das Wesentliche gegenwärtig. Nicht Vorbereitung auf ein Späteres, das noch verschlossen bleibt, sondern selbständige erste Erfüllung muß dieser Schulunterricht bringen.

Um solchen Unterricht auf das jeweils bestmögliche Niveau zu bringen, muß die Philosophie für die Prüfung zur Ausübung des Lehramts als vollwertiges Nebenfach zählen. Nur dann gewinnen Liebhaber der Philosophie die Zeit, sich in ihren Studentenjahren gründlich mit ihr abzugeben.

Die Schwierigkeit liegt bei dieser Freigabe der Philosophie als eines Wahlfaches für die Lehrerprüfung darin, daß es die eine anerkannte Philosophie nicht gibt. Bei der Übertragung des Philosophieunterrichts an höheren Schulen wird die Persönlichkeit des Lehrers und sein philosophisches Grundverhalten eine Rolle spielen. Ein atheistischer oder ein logistischer oder positivistischer Unterricht der Philosophie auf der höheren Schule wäre wohl zu widerraten. Das Kind soll noch nicht in alle äußersten Möglichkeiten eingeführt werden. Die Grenzlinie der philosophischen Themen, die geeignet sind für die Schule, ist eine Sache hoher Verantwortung. Absichtliches Verschweigen wäre so ungemäß wie absichtliches Heranbringen an jede mögliche Position. Das Genie im Kinde, das mit wachsendem Alter so oft verloren geht, führt zu hellsichtigen Fragen, auf die der Philosophielehrer Rede und Antwort stehen muß. Aber er braucht nicht die Grenzen von vornherein in sein Programm aufzunehmen. Überhaupt könnte dieser Schulunterricht nicht eigentlich systematisch und gar nicht abschließend sein. Er wird am besten sich an bedeutende Texte halten, die in den Händen der Schüler sind. Die Interpretation ergibt die Einübung im Philosophieren.

Der Geist der Meditation, die Fähigkeit durchdringender Selbstprüfung, die unbefangene Denkungsart, die Offenheit für alle gehaltvollen Möglichkeiten, — all das kann nicht direkt gelehrt werden, aber im Verstehen großen Philosophierens erweckt und erzogen werden. Das geschieht auf unberechenbare Weise. Menschen muß dafür der Raum gegeben werden. Daß sie ihn erfüllen, liegt je am Einzelnen.

Diese herausgegriffenen Bemerkungen zu einem außerordentlichen Problem unseres Zeitalters müssen in ihrer Kürze unangemessen bleiben.

Die hier auftretenden Fragen werden durch keine Einrichtung gelöst, sondern jeweils durch das innere Leben des einzelnen Studenten oder Lehrers. Das Wesen der abendländischen Universität fordert, daß jeder an ihr seinen geistigen Weg auf eigene Verantwortung suchen und finden soll. Dabei orientiert er sich wohl am Rat der Lehrer, an den dargebotenen Lehrmöglichkeiten, aber er wählt, was ihm als Wahrheit fruchtbar wird.

Die Universität steht um so höher, je mehr Studenten sich nicht allein am Gängelbande der Studienordnungen führen lassen, sondern ihrem Genius folgen, der ihnen Weisung gibt auf ihrem Wege. Damit er spreche, bedarf es des Ernstes und der Reinheit des Lebens überhaupt.

Wir aber, Studenten und Lehrer, schmähen und vergöttern einander nicht, sondern werfen uns die Bälle zu, uns ermunternd und ermutigend. Wir Alten lehren aus Erfahrung und Können, die Jungen müssen aus sich selbst Einsicht gewinnen, sich selbst vertrauen dürfen. Die Alten aber lernen noch und bauen fort bis zum Ende, von dem Kant sagte, man müsse abtreten, wenn man gerade so weit sei, um mit dem Philosophieren recht anfangen zu können. Die Jungen aber werden, indem sie dasselbe Schicksal ergreifen, es unter anderen Voraussetzungen mit neuen Chancen tun.

FRIEDRICH SCHILLER

Der Brotgelehrte und der philosophische Kopf

Anders ist der Studierplan, den sich der Brotgelehrte, anders derjenige, den der philosophische Kopf sich vorzeichnet. Jener, dem es bei seinem Fleiß einzig und allein darum zu tun ist, die Bedingungen zu erfüllen, unter denen er zu seinem Amte fähig und der Vorteile desselben teilhaftig werden

kann, der nur darum die Kräfte seines Geistes in Bewegung setzt, um dadurch seinen sinnlichen Zustand zu verbessern und eine kleinliche Ruhmsucht zu befriedigen — ein solcher wird beim Eintritt in seine akademische Laufbahn keine wichtigere Angelegenheit haben, als die Wissenschaften, die er Brotstudien nennt, von allen übrigen, die den Geist nur als Geist vergnügen, auf das sorgfältigste abzusondern. Alle Zeit, die er diesen letzteren widmete, würde er seinem künftigen Berufe zu entziehen glauben und sich diesen Raub nie vergeben. Seinen ganzen Fleiß wird er nach den Forderungen einrichten, die von dem künftigen Herrn seines Schicksals an ihn gemacht werden, und alles getan zu haben glauben, wenn er sich fähig gemacht hat, diese Instanz zu fürchten. Hat er seinen Kursus durchlaufen und das Ziel seiner Wünsche erreicht, so entläßt er seine Führerinnen — denn wozu noch weiter sie bemühen? Seine größte Angelegenheit ist jetzt, die zusammengehäuften Gedächtnisschätze zur Schau zu tragen und ja zu verhüten, daß sie in ihrem Wert nicht sinken. Jede Erweiterung seiner Brotwissenschaft beunruhigt ihn, weil sie ihm neue Arbeit zusendet oder die vergangene unnütz macht; jede wichtige Neuerung schreckt ihn auf, denn sie zerbricht die alte Schulform, die er sich so mühsam zu eigen machte, sie setzt ihn in Gefahr, die ganze Arbeit seines vorigen Lebens zu verlieren.
Wer hat über die Reformatoren mehr geschrieen als der Haufe der Brotgelehrten? Wer hält den Fortgang nützlicher Revolutionen im Reich des Wissens mehr auf als eben diese? Jedes Licht, das durch ein glückliches Genie, in welcher Wissenschaft es sei, angezündet wird, macht ihre Dürftigkeit sichtbar; sie fechten mit Erbitterung, mit Heimtücke, mit Verzweiflung, weil sie bei dem Schulsystem, das sie verteidigen, zugleich für ihr ganzes Dasein fechten. Darum kein unversöhnlicherer Feind, kein neidischerer Amtsgehilfe, kein bereitwilligerer Ketzermacher als der Brotgelehrte. Je weniger seine Kenntnisse *durch sich selbst* ihn belohnen, desto größere Vergeltung heischt er von außen; durch das Verdienst der Handarbeiter und das Verdienst der Geister hat er nur *einen* Maßstab, *die Mühe.* Darum hört man niemand über Undank mehr klagen als den Brotgelehrten; nicht bei seinen Gedankenschätzen sucht er seinen Lohn — seinen Lohn erwartet er von fremder Anerkennung, von Ehrenstellen, von Versorgung. Schlägt ihm dies fehl, wer ist unglücklicher als der Brotgelehrte? Er hat umsonst gelebt, gewacht, gearbeitet; er hat umsonst nach Wahrheit geforscht, wenn sich Wahrheit für ihn nicht in Gold, in Zeitungslob, in Fürstengunst verwandelt.
Beklagenswerter Mensch, der mit dem edelsten aller Werkzeuge, mit Wissenschaft und Kunst, nichts Höheres will und ausrichtet als der Tagelöhner mit dem schlechtesten! der im Reiche der vollkommensten Freiheit eine Sklavenseele mit sich herum trägt! — Noch beklagenswerter aber ist der junge Mann von Genie, dessen natürlich schöner Gang durch schädliche Lehren und

Muster auf diesen traurigen Abweg verlenkt wird, der sich überreden ließ, für seinen künftigen Beruf mit dieser kümmerlichen Genauigkeit zu sammeln. Bald wird seine Berufswissenschaft als ein Stückwerk ihn anekeln; Wünsche werden in ihm aufwachsen, die sie nicht zu befriedigen vermag, sein Genie wird sich gegen seine Bestimmung auflehnen. Als Bruchstück erscheint jetzt alles, was er tut, er sieht keinen Zweck seines Wirkens, und doch kann er Zwecklosigkeit nicht ertragen. Das Mühselige, das Geringfügige in seinen Berufsgeschäften drückt ihn zu Boden, weil er ihm den frohen Mut nicht entgegensetzen kann, der nur die helle Einsicht, nur die geahnte Vollendung begleitet. Er fühlt sich abgeschnitten, herausgerissen aus dem Zusammenhang der Dinge, weil er unterlassen hat, seine Tätigkeit an das große Ganze der Welt anzuschließen . . .

Wie ganz anders verhält sich der philosophische Kopf! — Ebenso sorgfältig, als der Brotgelehrte seine Wissenschaft von allen übrigen absondert, bestrebt sich jener, ihr Gebiet zu erweitern und ihren Bund mit den übrigen wieder herzustellen — *herzustellen* sage ich, denn nur der abstrahierende Verstand hat jene Grenzen gemacht, hat jene Wissenschaften voneinander geschieden. Wo der Brotgelehrte trennt, vereinigt der philosophische Geist. Frühe hat er sich überzeugt, daß im Gebiete des Verstandes, wie in der Sinnenwelt, alles ineinandergreife, und sein reger Trieb nach Übereinstimmung kann sich mit Bruchstücken nicht begnügen. Alle seine Bestrebungen sind auf Vollendung seines Wissens gerichtet; seine edle Ungeduld kann nicht ruhen, bis alle seine Begriffe zu einem harmonischen Ganzen sich geordnet haben, bis er im Mittelpunkt seiner Kunst, seiner Wissenschaft steht und von hier aus ihr Gebiet mit befriedigtem Blick überschauet. Neue Entdeckungen im Kreise seiner Tätigkeit, die den Brotgelehrten niederschlagen, entzücken den philosophischen Geist. Vielleicht füllen sie eine Lücke, die das werdende Ganze seiner Begriffe noch verunstaltet hatte, oder setzten den letzten noch fehlenden Stein an sein Ideengebäude, der es vollendet. Sollten sie es aber auch zertrümmern, sollte eine neue Gedankenreihe, eine neue Naturerscheinung, ein neu entdecktes Gesetz in der Körperwelt den ganzen Bau seiner Wissenschaft umstürzen: so hat er *die Wahrheit immer mehr geliebt als sein System*, und gerne wird er die alte mangelhafte Form mit einer neuern und schönern vertauschen. Ja, wenn kein Streich von außen sein Ideengebäude erschüttert, so ist er selbst, von einem ewig wirksamen Trieb nach Verbesserung gezwungen, er selbst ist der erste, der es unbefriedigt auseinanderlegt, um es vollkommener wiederherzustellen. Durch immer neue und immer schönere Gedankenformen schreitet der philosophische Geist zu höherer Vortrefflichkeit fort, wenn der Brotgelehrte in ewigem Geistesstillstand das unfruchtbare Einerlei seiner Schulbegriffe hütet.

Kein gerechterer Beurteiler fremden Verdiensts als der philosophische Kopf.

Scharfsichtig und erfinderisch genug, um jede Tätigkeit zu nutzen, ist er auch billig genug, den Urheber auch der kleinsten zu ehren. *Für ihn* arbeiten alle Köpfe — alle Köpfe arbeiten *gegen* den Brotgelehrten. Jener weiß alles, was um ihn geschieht und gedacht wird, in sein Eigentum zu verwandeln — zwischen denkenden Köpfen gilt eine innige Gemeinschaft aller Güter des Geistes; was einer im Reiche der Wahrheit erwirbt, hat er allen erworben. — Der Brotgelehrte verzäunt sich gegen alle seine Nachbarn, denen er neidisch Licht und Sonne mißgönnt, und bewacht mit Sorge die baufällige Schranke, die ihn nur schwach gegen die siegende Vernunft verteidigt. Zu allem, was der Brotgelehrte unternimmt, muß er Reiz und Aufmunterung von außen her borgen: der philosophische Geist findet in seinem Gegenstand, in seinem Fleiße selbst Reiz und Belohnung. Wie viel begeisterter kann er sein Werk angreifen, wie viel lebendiger wird sein Eifer, wie viel ausdauernder sein Mut und seine Tätigkeit sein, da bei ihm die Arbeit sich durch die Arbeit verjüngt. Das Kleine selbst gewinnt Größe unter seiner schöpferischen Hand, da er dabei immer das Große im Auge hat, dem es dienet, wenn der Brotgelehrte in dem Großen selbst nur das Kleine sieht. Nicht *was* er treibt, sondern *wie* er das, was er treibt, behandelt, unterscheidet den philosophischen Geist. Wo er auch stehe und wirke, er steht immer im Mittelpunkt des Ganzen; und so weit ihn auch das Objekt seines Wirkens von seinen übrigen Brüdern entferne, er ist ihnen verwandt und *nahe* durch einen harmonisch wirkenden Verstand; er begegnet ihnen, wo alle helle Köpfe einander finden.

FRIEDRICH SCHILLER

Worte des Wahns

Drei Worte hört man, bedeutungsschwer,
Im Munde der Guten und Besten,
Sie schallen vergeblich, ihr Klang ist leer,
Sie können nicht helfen und trösten.
Verscherzt ist dem Menschen des Lebens Frucht,
Solang er die Schatten zu haschen sucht.

Solang er glaubt an die goldene Zeit,
Wo das Rechte, das Gute wird siegen —
Das Rechte, das Gute führt ewig Streit,
Nie wird der Feind ihm erliegen;
Und erstickst du ihn nicht in den Lüften frei,
Stets wächst ihm die Kraft auf der Erde neu.

Solang er glaubt, daß das buhlende Glück
Sich dem Edeln vereinigen werde —
Dem Schlechten folgt es mit Liebesblick,
Nicht dem Guten gehöret die Erde.
Er ist ein Fremdling, er wandert aus
Und suchet ein unvergänglich Haus.

Solang er glaubt, daß dem irdschen Verstand
Die Wahrheit je wird erscheinen —
Ihren Schleier hebt keine sterbliche Hand,
Wir können nur raten und meinen.
Du kerkerst den Geist in ein tönend Wort,
Doch der freie wandelt im Sturme fort.

Drum, edle Seele, entreiß dich dem Wahn,
Und den himmlischen Glauben bewahre!
Was kein Ohr vernahm, was die Augen nicht sahn,
Es ist dennoch, das Schöne, das Wahre!
Es ist nicht draußen, da sucht es der Tor,
Es ist in dir, du bringst es ewig hervor.

FRIEDRICH SCHILLER

Die Worte des Glaubens

Drei Worte nenn ich euch, inhaltschwer,
Sie gehen von Munde zu Munde,
Doch stammen sie nicht von außen her,
Das Herz nur gibt davon Kunde;
Dem Menschen ist aller Wert geraubt,
Wenn er nicht mehr an die drei Worte glaubt.

Der Mensch ist frei geschaffen, ist frei,
Und würd er in Ketten geboren,
Laßt euch nicht irren des Pöbels Geschrei,
Nicht den Mißbrauch rasender Toren;
Vor dem Sklaven, wenn er die Kette bricht,
Vor dem freien Menschen erzittert nicht.

Und die Tugend, sie ist kein leerer Schall,
Der Mensch kann sie üben im Leben,
Und sollt er auch straucheln überall,
Er kann nach der göttlichen streben;
Und was kein Verstand der Verständigen sieht,
Das übet in Einfalt ein kindlich Gemüt.

Und ein Gott ist, ein heiliger Wille lebt,
Wie auch der menschliche wanke,
Hoch über der Zeit und dem Raume webt
Lebendig der höchste Gedanke;
Und ob alles in ewigem Wechsel kreist,
Es beharret im Wechsel ein ruhiger Geist.

Die drei Worte bewahret euch, inhaltschwer,
Sie pflanzet von Munde zu Munde,
Und stammen sie gleich nicht von außen her,
Euer Innres gibt davon Kunde;
Dem Menschen ist nimmer sein Wert geraubt,
Solang er noch an die drei Worte glaubt.

JOHANN WOLFGANG GOETHE

Grenzen der Menschheit

Wenn der uralte
Heilige Vater
Mit gelassener Hand
Aus rollenden Wolken
Segnende Blitze
Über die Erde sät,
Küß' ich den letzten
Saum seines Kleides,
Kindliche Schauer
Treu in der Brust.

Denn mit Göttern
Soll sich nicht messen
Irgend ein Mensch.

Hebt er sich aufwärts
Und berührt
Mit dem Scheitel die Sterne,
Nirgends haften dann
Die unsichern Sohlen,
Und mit ihm spielen
Wolken und Winde.

Steht er mit festen,
Markigen Knochen
Auf der wohlgegründeten,
Dauernden Erde,
Reicht er nicht auf,
Nur mit der Eiche
Oder der Rebe
Sich zu vergleichen.

Was unterscheidet
Götter von Menschen?
Daß viele Wellen
Ein ewiger Strom:
Vor jenen wandeln,
Uns hebt die Welle,
Verschlingt die Welle,
Und wir versinken.

Ein kleiner Ring
Begrenzt unser Leben,
Und viele Geschlechter
Reihen sich dauernd
An ihres Daseins
Unendliche Kette.

JOHANN WOLFGANG GOETHE

Harfenspieler

Wer nie sein Brot mit Tränen aß,
Wer nie die kummervollen Nächte
Auf seinem Bette weinend saß,
Der kennt euch nicht, ihr himmlischen Mächte.

Ihr führt ins Leben uns hinein,
Ihr laßt den Armen schuldig werden,
Dann überlaßt ihr ihn der Pein:
Denn alle Schuld rächt sich auf Erden.

JOHANN WOLFGANG GOETHE

Urworte. Orphisch

Daimon, Dämon

Wie an dem Tag, der dich der Welt verliehen,
Die Sonne stand zum Gruße der Planeten,
Bist alsobald und fort und fort gediehen
Nach dem Gesetz, wonach du angetreten.
So mußt du sein, dir kannst du nicht entfliehen,
So sagten schon Sibyllen, so Propheten,
Und keine Zeit und keine Macht zerstückelt
Geprägte Form, die lebend sich entwickelt.

Tyche, das Zufällige

Die strenge Grenze doch umgeht gefällig
Ein Wandelndes, das mit und um uns wandelt.
Nicht einsam bleibst du, bildest dich gesellig
Und handelst wohl, so wie ein andrer handelt.
Im Leben ist's bald hin- bald wiederfällig,
Es ist ein Tand und wird so durchgetandelt.
Schon hat sich still der Jahre Kreis geründet:
Die Lampe harrt der Flamme, die entzündet.

Eros, Liebe

Die bleibt nicht aus! — Er stürzt vom Himmel nieder,
Wohin er sich aus alter Öde schwang.
Er schwebt heran auf luftigem Gefieder
Um Stirn und Brust den Frühlingstag entlang.
Scheint jetzt zu fliehn, vom Fliehen kehrt er wieder:
Da wird ein Wohl im Weh, so süß und bang.
Gar manches Herz verschwebt im Allgemeinen,
Doch widmet sich das Edelste dem Einen.

Ananke, Nötigung

Da ist's denn wieder, wie die Sterne wollten:
Bedingung und Gesetz und aller Wille
Ist nur ein Wollen, weil wir eben sollten,
Und vor dem Willen schweigt die Willkür stille.
Das Liebste wird vom Herzen weggescholten,
Dem harten Muß bequemt sich Will' und Grille.
So sind wir scheinfrei denn, nach manchen Jahren
Nur enger dran, als wir am Anfang waren.

Elpis, Hoffnung

Doch solcher Grenze, solcher ehrnen Mauer
Höchst widerwärt'ge Pforte wird entriegelt,
Sie stehe nur mit alter Felsendauer!
Ein Wesen regt sich leicht und ungezügelt:
Aus Wolkendecke, Nebel, Regenschauer
Erhebt sie uns, mit ihr, durch sie beflügelt.
Ihr kennt sie wohl, sie schwärmt durch alle Zonen.
Ein Flügelschlag — und hinter uns Äonen!

HEINRICH VON KLEIST

ÜBER DAS MARIONETTENTHEATER

Als ich den Winter 1801 in M... zubrachte, traf ich daselbst eines Abends, in einem öffentlichen Garten, den Herrn C. an, der seit kurzem, in dieser Stadt, als erster Tänzer der Oper, angestellt war und bei dem Publiko außerordentliches Glück machte.
Ich sagte ihm, daß ich erstaunt gewesen wäre, ihn schon mehreremal in einem Marionettentheater zu finden, das auf dem Markte zusammengezimmert worden war und den Pöbel, durch kleine dramatische Burlesken, mit Gesang und Tanz durchwebt, belustigte.
Er versicherte mir, daß ihm die Pantomimik dieser Puppen viel Vergnügen machte, und ließ nicht undeutlich merken, daß ein Tänzer, der sich ausbilden wolle, mancherlei von ihnen lernen könne.
Da diese Äußerung mir, durch die Art, wie er sie vorbrachte, mehr als ein bloßer Einfall schien, so ließ ich mich bei ihm nieder, um ihn über die

Gründe, auf die er eine so sonderbare Behauptung stützen könne, näher zu vernehmen.
Er fragte mich, ob ich nicht, in der Tat, einige Bewegungen der Puppen, besonders der kleineren, im Tanz sehr graziös gefunden hatte.
Diesen Umstand konnt ich nicht leugnen. Eine Gruppe von vier Bauern, die nach einem raschen Takt die Ronde tanzte, hätte von Teniers nicht hübscher gemalt werden können.
Ich erkundigte mich nach dem Mechanismus dieser Figuren, und wie es möglich wäre, die einzelnen Glieder derselben und ihre Punkte, ohne Myriaden von Fäden an den Fingern zu haben, so zu regieren, als es der Rhythmus der Bewegungen oder der Tanz erfordere?
Er antwortete, daß ich mir nicht vorstellen müsse, als ob jedes Glied einzeln, während der verschiedenen Momente des Tanzes, von dem Maschinisten gestellt und gezogen würde.
Jede Bewegung, sagte er, hätte einen Schwerpunkt; es wäre genug, diesen, in dem Innern der Figur, zu regieren; die Glieder, welche nichts als Pendel wären, folgten, ohne irgendein Zutun, auf eine mechanische Weise von selbst.
Er setzte hinzu, daß diese Bewegung sehr einfach wäre; daß jedesmal, wenn der Schwerpunkt in einer *graden Linie* bewegt wird, die Glieder schon *Kurven* beschrieben; und daß oft, auf eine bloß zufällige Weise erschüttert, das Ganze schon in eine Art von rhythmische Bewegung käme, die dem Tanz ähnlich wäre.
Diese Bemerkung schien mir zuerst einiges Licht über das Vergnügen zu werfen, das er in dem Theater der Marionetten zu finden vorgegeben hatte. Inzwischen ahndete ich bei weitem die Folgerungen noch nicht, die er späterhin daraus ziehen würde.
Ich fragte ihn, ob er glaubte, daß der Maschinist, der diese Puppen regierte, selbst ein Tänzer sein oder wenigstens einen Begriff vom Schönen im Tanz haben müsse?
Er erwiderte, daß, wenn ein Geschäft, von seiner mechanischen Seite, leicht sei, daraus noch nicht folge, daß es ganz ohne Empfindung betrieben werden könne.
Die Linie, die der Schwerpunkt zu beschreiben hat, wäre zwar sehr einfach und, wie er glaube, in den meisten Fällen gerad. In Fällen, wo sie krumm sei, scheine das Gesetz ihrer Krümmung wenigstens von der ersten oder höchstens zweiten Ordnung; und auch in diesem letzten Fall nur elliptisch, welche Form der Bewegung den Spitzen des menschlichen Körpers (wegen der Gelenke) überhaupt die natürliche sei, und also dem Maschinisten keine große Kunst koste, zu verzeichnen.
Dagegen wäre diese Linie wieder, von einer andern Seite, etwas sehr Geheimnisvolles. Denn sie wäre nichts anders, als der *Weg der Seele des Tän-*

zers und er zweifle, daß sie anders gefunden werden könne, als dadurch, daß sich der Maschinist in den Schwerpunkt der Marionette versetzt, d. h. mit andern Worten, *tanzt.*

Ich erwiderte, daß man mir das Geschäft desselben als etwas ziemlich Geistloses vorgestellt hätte: etwa was das Drehen einer Kurbel sei, die eine Leier spielt.

»Keineswegs«, antwortete er. »Vielmehr verhalten sich die Bewegungen seiner Finger zur Bewegung der daran befestigten Puppen ziemlich künstlich, etwa wie Zahlen zu ihren Logarithmen oder die Asymptote zur Hyperbel.«

Inzwischen glaube er, daß auch dieser letzte Bruch von Geist, von dem er gesprochen, aus den Marionetten entfernt werden, daß ihr Tanz gänzlich ins Reich mechanischer Kräfte hinübergespielt und vermittelst einer Kurbel, so wie ich es mir gedacht, hervorgebracht werden könne.

Ich äußerte meine Verwunderung zu sehen, welcher Aufmerksamkeit er diese, für den Haufen erfundene, Spielart einer schönen Kunst würdige. Nicht bloß, daß er sie einer höheren Entwicklung für fähig halte: er scheine sich sogar selbst damit zu beschäftigen.

Er lächelte und sagte, er getraue sich zu behaupten, daß, wenn ihm ein Mechanikus, nach den Forderungen, die er an ihn zu machen dächte, eine Marionette bauen wollte, er vermittelst derselben einen Tanz darstellen würde, den weder er, noch irgendein anderer geschickter Tänzer seiner Zeit, Vestris selbst nicht ausgenommen, zu erreichen imstande wäre.

»Haben Sie«, fragte er, da ich den Blick schweigend zur Erde schlug, »haben Sie von jenen mechanischen Beinen gehört, welche englische Künstler für Unglückliche verfertigen, die ihre Schenkel verloren haben?«

Ich sagte, nein; dergleichen wäre mir nie vor Augen gekommen.

»Es tut mir leid«, erwiderte er; »denn wenn ich Ihnen sage, daß diese Unglücklichen damit tanzen, so fürchte ich fast, Sie werden es mir nicht glauben. — Was sag ich, tanzen? Der Kreis ihrer Bewegungen ist zwar beschränkt; doch diejenigen, die ihnen zu Gebote stehen, vollziehen sich mit einer Ruhe, Leichtigkeit und Anmut, die jedes denkende Gemüt in Erstaunen setzen.«

Ich äußerte, scherzend, daß er ja, auf diese Weise, seinen Mann gefunden habe. Denn derjenige Künstler, der einen so merkwürdigen Schenkel zu bauen imstande sei, würde ihm unzweifelhaft auch eine ganze Marionette, seinen Forderungen gemäß, zusammensetzen können.

»Wie«, fragte ich, da er seinerseits ein wenig betreten zur Seite sah, »wie sind denn diese Forderungen, die Sie an die Kunstfertigkeit desselben zu machen gedenken, bestellt?«

»Nichts«, antwortete er, »was sich nicht auch schon hier fände: Ebenmaß,

Beweglichkeit, Leichtigkeit — nur alles in einem höheren Grade; und besonders eine naturgemäßere Anordnung der Schwerpunkte.«
»Und der Vorteil, den diese Puppe vor lebendigen Tänzern voraus haben würde?«
»Der Vorteil? Zuvörderst ein negativer, mein vortrefflicher Freund, nämlich dieser, daß sie sich niemals *zierte.* — Denn Ziererei erscheint, wie Sie wissen, wenn sich die Seele (vis motrix) in irgendeinem andern Punkte befindet, als in dem Schwerpunkt der Bewegung. Da der Maschinist nun schlechthin, vermittelst des Drahtes oder Fadens, keinen andern Punkt in seiner Gewalt hat, als diesen: so sind alle übrigen Glieder, was sie sein sollen, tot, reine Pendel, und folgen dem bloßen Gesetz der Schwere; eine vortreffliche Eigenschaft, die man vergebens bei dem größesten Teil unsrer Tänzer sucht.
Sehen Sie nur die P . . . an«, fuhr er fort, »wenn sie die Daphne spielt und sich, verfolgt vom Apoll, nach ihm umsieht; die Seele sitzt ihr in den Wirbeln des Kreuzes; sie beugt sich, als ob sie brechen wollte, wie eine Najade aus der Schule Bernins. Sehen Sie den jungen F . . . an, wenn er, als Paris, unter den drei Göttinnen steht und der Venus den Apfel überreicht: die Seele sitzt ihm gar (es ist ein Schrecken, es zu sehen) im Ellenbogen.
Solche Mißgriffe«, setzte er abbrechend hinzu, »sind unvermeidlich, seitdem wir von dem Baum der Erkenntnis gegessen haben. Doch das Paradies ist verriegelt und der Cherub hinter uns; wir müssen die Reise um die Welt machen und sehen, ob es vielleicht von hinten irgendwo wieder offen ist.«
Ich lachte. — Allerdings, dachte ich, kann der Geist nicht irren, da, wo keiner vorhanden ist. Doch ich bemerkte, daß er noch mehr auf dem Herzen hatte, und bat ihn, fortzufahren.
»Zudem«, sprach er, »haben diese Puppen den Vorteil, daß sie *antigrav* sind. Von der Trägheit der Materie, dieser dem Tanze entgegenstrebendsten aller Eigenschaften, wissen sie nichts: weil die Kraft, die sie in die Lüfte erhebt, größer ist, als jene, die sie an die Erde fesselt. Was würde unsre gute G . . . darum geben, wenn sie sechzig Pfund leichter wäre oder ein Gewicht von dieser Größe ihr, bei ihren Entrechats und Pirouetten, zu Hilfe käme? Die Puppen brauchen den Boden nur, wie die Elfen, um ihn zu *streifen,* und den Schwung der Glieder, durch die augenblickliche Hemmung, neu zu beleben; wir brauchen ihn, um darauf zu *ruhen* und uns von der Anstrengung des Tanzes zu erholen: ein Moment, der offenbar selber kein Tanz ist und mit dem sich weiter nichts anfangen läßt, als ihn möglichst verschwinden zu machen.«
Ich sagte, daß, so geschickt er auch die Sache seiner Paradoxe führe, er mich doch nimmermehr glauben machen würde, daß in einem mechanischen Gliedermann mehr Anmut enthalten sein könne, als in dem Bau des menschlichen Körpers.

Er versetzte, daß es dem Menschen schlechthin unmöglich wäre, den Gliedermann darin auch nur zu erreichen. Nur ein Gott könne sich, auf diesem Felde, mit der Materie messen; und hier sei der Punkt, wo die beiden Enden der ringförmigen Welt ineinandergriffen.

Ich erstaunte immer mehr und wußte nicht, was ich zu so sonderbaren Behauptungen sagen sollte.

Es scheine, versetzte er, indem er eine Prise Tabak nahm, daß ich das dritte Kapitel vom ersten Buch Moses nicht mit Aufmerksamkeit gelesen; und wer diese erste Periode aller menschlichen Bildung nicht kennt, mit dem könne man nicht füglich über die folgenden, um wieviel weniger über die letzte sprechen.

Ich sagte, daß ich gar wohl wüßte, welche Unordnungen, in der natürlichen Grazie des Menschen, das Bewußtsein anrichtet. Ein junger Mann von meiner Bekanntschaft hätte, durch eine bloße Bemerkung, gleichsam vor meinen Augen, seine Unschuld verloren und das Paradies derselben, trotz aller ersinnlichen Bemühungen, nachher niemals wiedergefunden. — Doch, welche Folgerungen, setzte ich hinzu, können Sie daraus ziehen?

Er fragte mich, welch einen Vorfall ich meine?

Ich badete mich, erzählte ich, vor etwa drei Jahren, mit einem jungen Mann, über dessen Bildung damals eine wunderbare Anmut verbreitet war. Er mochte ohngefähr in seinem sechzehnten Jahre stehn, und nur ganz von fern ließen sich, von der Gunst der Frauen herbeigerufen, die ersten Spuren von Eitelkeit erblicken. Es traf sich, daß wir grade kurz zuvor in Paris den Jüngling gesehen hatten, der sich einen Splitter aus dem Fuße zieht; der Abguß der Statue ist bekannt und befindet sich in den meisten deutschen Sammlungen. Ein Blick, den er in dem Augenblick, da er den Fuß auf den Schemel setzte, um ihn abzutrocknen, in einen großen Spiegel warf, erinnerte ihn daran; er lächelte und sagte mir, welch eine Entdeckung er gemacht habe. In der Tat hatte ich, in eben diesem Augenblick, dieselbe gemacht; doch sei es, um die Sicherheit der Grazie, die ihm beiwohnte, zu prüfen, sei es, um seiner Eitelkeit ein wenig heilsam zu begegnen: ich lachte und erwiderte — er sähe wohl Geister! Er errötete und hob den Fuß zum zweiten Mal, um es mir zu zeigen; doch der Versuch, wie sich leicht hätte voraussehen lassen, mißglückte. Er hob verwirrt den Fuß zum dritten und vierten, er hob ihn wohl noch zehnmal: umsonst! er war außerstand, dieselbe Bewegung wieder hervorzubringen — was sag ich? die Bewegungen, die er machte, hatten ein so komisches Element, daß ich Mühe hatte, das Gelächter zurückzuhalten. —

Von diesem Tage, gleichsam von diesem Augenblick an, ging eine unbegreifliche Veränderung mit dem jungen Menschen vor. Er fing an, tagelang vor dem Spiegel zu stehen; und immer ein Reiz nach dem anderen verließ ihn. Eine unsichtbare und unbegreifliche Gewalt schien sich, wie ein eisernes Netz, um das freie Spiel seiner Gebärden zu legen, und als ein Jahr verflossen war, war keine Spur mehr von der Lieblichkeit in ihm zu entdecken, die die Augen der Menschen sonst, die ihn umringten, ergötzt hatte. Noch jetzt lebt jemand, der ein Zeuge jenes sonderbaren und unglücklichen Vorfalls war und ihn, Wort für Wort, wie ich ihn erzählt, bestätigen könnte. —

»Bei dieser Gelegenheit«, sagte Herr C... freundlich, »muß ich Ihnen eine andere Geschichte erzählen, von der Sie leicht begreifen werden, wie sie hierher gehört.

Ich befand mich, auf meiner Reise nach Rußland, auf einem Landgut des Herrn von G..., eines livländischen Edelmannes, dessen Söhne sich eben damals stark im Fechten übten. Besonders der ältere, der eben von der Universität zurückgekommen war, machte den Virtuosen und bot mir, da ich eines Morgens auf seinem Zimmer war, ein Rapier an. Wir fochten; doch es traf sich, daß ich ihm überlegen war; Leidenschaft kam dazu, ihn zu verwirren; fast jeder Stoß, den ich führte, traf, und sein Rapier flog zuletzt in den Winkel. Halb scherzend, halb empfindlich, sagte er, indem er das Rapier aufhob, daß er seinen Meister gefunden habe: doch alles auf der Welt finde den seinen, und fortan wolle er mich zu dem meinigen führen. Die Brüder lachten laut auf und riefen: ‚Fort, fort! In den Holzstall herab!' und damit nahmen sie mich bei der Hand und führten mich zu einem Bären, den Herr von G..., ihr Vater, auf dem Hofe auferziehen ließ.

Der Bär stand, als ich erstaunt vor ihn trat, auf den Hinterfüßen, mit dem Rücken an einem Pfahl gelehnt, an welchem er angeschlossen war, die rechte Tatze schlagfertig erhoben, und sah mir ins Auge: das war seine Fechterpositur. Ich wußte nicht, ob ich träumte, da ich mich einem solchen Gegner gegenüber sah; doch: ‚Stoßen Sie! stoßen Sie!' sagte Herr von G..., und versuchen Sie, ob Sie ihm eins beibringen können!' Ich fiel, da ich mich ein wenig von meinem Erstaunen erholt hatte, mit dem Rapier auf ihn aus; der Bär machte eine ganz kurze Bewegung mit der Tatze und parierte den Stoß. Ich versuchte, ihn durch Finten zu verführen; der Bär rührte sich nicht. Ich fiel wieder, mit einer augenblicklichen Gewandtheit, auf ihn aus, eines Menschen Brust würde ich ohnfehlbar getroffen haben: der Bär machte eine ganz kurze Bewegung mit der Tatze und parierte den Stoß. Jetzt war ich fast in dem Fall des jungen Herrn von G... Der Ernst des Bären kam hinzu, mir die Fassung zu rauben, Stöße und Finten wechselten sich, mir triefte der Schweiß: umsonst! Nicht bloß, daß der Bär, wie der erste Fechter der Welt, alle meine Stöße parierte; auf Finten (was ihm kein Fechter der Welt nachmacht) ging er gar nicht einmal ein: Aug in Auge, als ob er meine Seele darin lesen könnte, stand er, die Tatze schlagfertig erhoben, und wenn meine Stöße nicht ernsthaft gemeint waren, so rührte er sich nicht.

Glauben Sie diese Geschichte?«

»Vollkommen!« rief ich, mit freudigem Beifall; »jedwedem Fremden, so wahrscheinlich ist sie: um wieviel mehr Ihnen!«
»Nun, mein vortrefflicher Freund«, sagte Herr C . . ., »so sind Sie im Besitz von allem, was nötig ist, um mich zu begreifen. Wir sehen, daß in dem Maße, als, in der organischen Welt, die Reflexion dunkler und schwächer wird, die Grazie darin immer strahlender und herrschender hervortritt. — Doch so, wie sich der Durchschnitt zweier Linien, auf der einen Seite eines Punkts, nach dem Durchgang durch das Unendliche, plötzlich wieder auf der andern Seite einfindet, oder das Bild des Hohlspiegels, nachdem es sich in das Unendliche entfernt hat, plötzlich wieder dicht vor uns tritt: so findet sich auch, wenn die Erkenntnis gleichsam durch ein Unendliches gegangen ist, die Grazie wieder ein; so daß sie, zu gleicher Zeit, in demjenigen menschlichen Körperbau am reinsten erscheint, der entweder gar keins oder ein unendliches Bewußtsein hat, d. h. in dem Gliedermann oder in dem Gott.«
»Mithin«, sagte ich ein wenig zerstreut, »müßten wir wieder von dem Baum der Erkenntnis essen, um in den Stand der Unschuld zurückzufallen?«
»Allerdings«, antwortete er; »das ist das letzte Kapitel von der Geschichte der Welt.« —

Eine Uhr, die ihrem Besitzer immer um viertel zuruft: Du . . ., um halb: Du bist . . ., um dreiviertel: Du bist ein . . ., und wenn es voll schlägt: Du bist ein Mensch.

GEORG CHRISTOPH LICHTENBERG

Sind wir nicht auch ein Weltgebäude und eines, das wir besser kennen, wenigstens besser kennen sollten, als das Firmament?

GEORG CHRISTOPH LICHTENBERG

Ein Mensch soll nicht in das Wesen des andern eindringen wollen. Andere zu analysieren — es sei denn, um geistig verwirrten Menschen wieder zurechtzuhelfen — ist ein unvornehmes Beginnen. Es gibt nicht nur eine leibliche, sondern auch eine geistige Schamhaftigkeit, die wir zu achten haben.

ALBERT SCHWEITZER

OSKAR LOERKE

Besuch

Bisweilen kommt der Knabe mich besuchen,
Der einst mit meinem Namen hieß.
Er kommt und schweigt; nur seine Brauen fluchen,
Weil ich so viel aus ihm verderben ließ.

Von Grame glühend, gleicht er keinem Schemen,
Doch mir welkt gramverwandelt die Gestalt.
Ein Dritter aus uns, minder jung und alt
Als wir, ist da, uns bei der Hand zu nehmen.

Das Leben wie das Jahr hat seine Mitte,
Den schönen Monat haben wir versäumt.
Das Leben wie der Tag hat seine Mitte,
Da haben wir von früh bis spät geträumt.
Das Leben wie der Nu hat seine Mitte,
Davon zu kosten, haben wir versäumt.
Vergeßt es nun, vergeßt, und seine Mitte
Hat euch das Leben wieder eingeräumt.

NICOLAI HARTMANN

Der liebende Blick

Es ist ein Irrtum, daß die sogenannte Menschenkenntnis des Lebenserfahrenen ohne weiteres den Zugang zur Persönlichkeit habe. Was der Menschenkenner erfaßt, sind stets nur einzelne hervorstechende Eigenschaften, Fähigkeiten oder Schwächen. Diese aber verführen zur typisierenden Auffassungsweise. Alles Typenhafte nun ist gerade das Gegenteil von Individualität. Der Menschenkenner registriert die Personen nach gewissen immer wieder begegnenden Grundzügen; über diese hinaus in sie einzudringen hat er keinen Anlaß. Gerade darauf beruht seine Treffsicherheit; in der unbegrenzten Differenziertheit des eigentlich Persönlichen könnte er mit solcher Vereinfachung sich niemals zurechtfinden. Sein schnell fertiges Urteil ist um den Preis der Persönlichkeit erkauft. Diese kann er bei seiner lebenspraktischen Einstellung gar nicht sehen.

Die Persönlichkeit erfaßt nur der persönlich interessierte, verweilende, sich liebevoll in sie vertiefende Blick. Zu solchem Verweilen und solcher Vertiefung bedarf es der Zeit, der Hingabe, des Einsatzes, ja nicht selten auch des Wagnisses — lauter Dinge, die wir im Drang des Lebens nur selten einmal aufbringen. Daher der hohe Wert, den es für die Persönlichkeit hat, wenn sie sich einmal wirklich von einem hingebend verweilenden Blick getroffen, sich verstanden und gewürdigt fühlt. Für sie ist es die Sinnerfüllung, die sie selbst sich nicht geben kann: das Bewußtsein dessen, was sie ist — im Spiegel der fremden Perönlichkeit.

Ethisch gesehen, hat dieses Verhältnis aber noch eine andere Seite. Sichtbar nämlich wird dem liebenden Blick nicht nur die empirische Persönlichkeit als das, was sie durch ihr Leben und ihre Schicksale geworden ist, der empirische »Charakter« mit seinen Schwächen und seinem vielfachen Verfehlen des eigenen Wesens. Hinter alledem wird ihm die ideale Persönlichkeit greifbar, der Mensch, wie er in seiner besonderen Eigenart sein sollte. Denn vieles kann den wirklichen Menschen von seinem eigensten Wesen, seinem individuellen Wert, ablenken. Ein Menschenleben kann seinen intelligiblen Charakter verfehlen oder erfüllen, und in der gewordenen empirischen Persönlichkeit ist stets beides oft so verhängnisvoll gemischt, daß das Eigentliche in ihr unter dem Uneigentlichen her kaum mehr erkennbar ist. Der liebende Blick aber kann hindurchstoßen bis auf das Wesen und den Menschen in dessen Lichte sehen.

Daß es einen solchen individuellen Wert im Hintergrunde der Persönlichkeit gibt, ist das größte Wunder im Wesen der Persönlichkeit. Es macht recht eigentlich erst das individuelle Ethos der Persönlichkeit aus. Worin inhaltlich ein Wert besteht, der nicht gemeinsam, sondern nur einem einzelnen Individuum eigen ist, läßt sich schwer sagen. Aber daß er besteht, und zwar unabhängig vom Grade seiner Verwirklichung in der realen Person, läßt sich nicht bestreiten. Denn gerade in der Fühlung mit ihm besteht die persönliche Liebe, die dem Menschen gilt. Der Liebende eben sieht nicht, was vor Augen ist — da ist er manchmal wohl blind —, sondern was dahinter steht, auch wenn es sich nicht zur Wirklichkeit hat durchringen können. In diesem Sinne ist er der allein Sehende.

Ein direktes Erstreben des individuellen Persönlichkeitswertes ist nicht möglich; das würde einen bewußten Kultus der eigenen Person ergeben, und es ist wohlbekannt, wie leicht ein solcher in eitles Selbstbewußtsein umschlägt und so zur gröblichen Selbstverfehlung wird. Wohl aber gibt es ein Hingelenktwerden der Person auf ihn durch den liebenden Blick einer anderen Person. Diese sieht den idealen Persönlichkeitswert als den des anderen, und darum ohne die Gefahr der Verfälschung. Sie braucht ihn auch dem Geliebten nicht bewußt zu machen, sie lenkt ihn einfach durch die Kraft ihrer Liebe

auf ihn hin. Denn diese geheimnisvolle Macht hat die persönliche Liebe, daß sie ihren Gegenstand zu dem wandelt, was sie in ihm liebt.
Es unterliegt keinem Zweifel und ist nie bestritten worden, daß in dem Widerspiel von Lieben und Geliebtsein eine einzigartige Sinngebung des Menschenlebens liegt. Aber man hat es sich selten einmal klargemacht, worin sie besteht. Am Ethos der Persönlichkeit wird die Sinngebung verständlich. Denn in ihm liegt der komplementäre Wert zum sittlichen Wert persönlicher Liebe. Schon Platon wußte, daß alle Liebe auf einen Wert gerichtet ist, den sie selbst nicht hat. In der persönlichen Liebe aber ist dieser Wert das ideale Wesen der Persönlichkeit. Und indem sie den Menschen durch ihre bewegende Kraft auf dieses sein Wesen hinlenkt, bringt sie ihn mittelbar zur Selbstverwirklichung der Persönlichkeit.

MECHTHILDE LICHNOWSKY

Herzensgüte und Genialität

Ein Berufener müßte über die Verbindung Herzensgüte und Genialität schreiben, das heißt, von dem nicht seltenen Zusammentreffen beider in einem Individuum, wobei unter Herzensgüte nicht billiger Ausdruck des Gefühls zu verstehen ist und, zweitens, die Frage entschieden werden muß, ob Herzensgüte die Schicht darstellt, auf welcher Genialität wächst, oder umgekehrt. Ich möchte glauben, daß Herzensgüte Genialität erfordert, damit sie im besten Sinne schöpferisch werde. Die Herzensgüte, die ich meine, ist sozusagen immer auf dem Sprung; sie versetzt sich automatisch, aber treffsicher in die Lage anderer, wenn sich die Gelegenheit bietet, um entsprechend durch Wort und Tat zu handeln; und wie erfinderisch muß sie sein.
Nicht jedem Genie war sie eigen; aber nur dem Genie ist sie in der sublimierten Form so geläufig wie selbstverständlich. Durch das Vorhandensein dieser Tugend der Empfindung wird das Genie anbetungswürdig, mehr als das mit ihr nicht verbundene übergewöhnliche Maß an schöpferischer Kraft des Könnens eines Genies; Herzensgüte der Kreatur Mensch und Tier gegenüber ist schöpferisch, wie der Geist, der ihr innewohnt. Und eben die Verbindung Genie und Güte ist anbetungswürdig. Güte ohne Genialität ist ein Motor, der nur allzu leicht auf Irrwege führt und Fehlleistungen verursacht, wie jeder billige Impuls.
Merkwürdig ist es, daß die sogenannte nächste Umgebung, nennen wir sie Familie, Kreise in welchen sich der Geniale bewegt, selten die Herzensgüte

als solche zur Kenntnis nimmt, und wenn, dann wird sie falsch benannt; Worte wie Eitelkeit, Gefallsucht, ja Schwäche, werden ausgesprochen, und es scheint wirklich die Regel zu sein, eine diabolische Regel, nach welcher die Götter immer wieder den Genialen, den Höherstehenden, zu läutern belieben, auf daß er doch vielleicht endlich zu straucheln beginne, während andere, von den Göttern ignoriert, ungeläutert mit all ihren Schlacken spazierengehen dürfen.

Die Mischung Genie und Güte pflegt sich in der Form und in der Bewegungsart der Hände auszudrücken und in der Sprechstimme: mit der Güte tönt in ruhiger Artikulation, inklusive Stimmlage und Stimmführung, angeborene Genialität und jene persönlich erworbene Weisheit, die den Kenner beglückt. Und das hindert natürlich nicht, daß der von den Göttern unentwegt geläuterte Märtyrer einesteils weise und gut, anderenteils zu allem fähig ist, was die Lust am Lustigsein erfinden mag.

JOSEF HOFMILLER

Siebengestirn

»Was ihm jedoch am meisten auffiel, war eine besondere kleine Büchersammlung, die auf einem Regal über dem Tische nah zur Hand und von der Besitzerin selbst gesammelt und hochgehalten war; denn in jedem Bande stand auf dem Titelblatte ihr Name und das Datum des Erwerbes geschrieben. Diese Bände enthielten durchweg die eigenen Lebensbeschreibungen oder Briefsammlungen vielerfahrener oder ausgezeichneter Leute. Obgleich die Bücherreihe nur ging, soweit das Gestelle nach der Länge des Tisches reichte, umfaßte sie doch viele Jahrhunderte, überall kein anderes als das eigene Wort der zur Ruhe gegangenen Lebensmeister oder Leidensschüler enthaltend. Von den Blättern des heiligen Augustinus bis zu Rousseau und Goethe fehlte keine der wesentlichen Bekenntnisfibeln, und neben dem wilden und prahlerischen Benvenuto Cellini duckte sich das fromme Jugendbüchlein Jung-Stillings. Arm in Arm rauschten und knisterten die Frau von Sévigné und der jüngere Plinius einher, hinterdrein wanderten die armen Schweizerburschen Thomas Platter und Ulrich Bräker, der arme Mann im Toggenburg, der eiserne Götz schritt klirrend vorüber, mit stillem Geisterschritt kam Dante, sein Buch vom neuen Leben in der Hand.«

Es ist die seltsame Arbeitsstube des Fräuleins Luzie in Gottfried Kellers »Sinngedicht«, in der sich Herr Reinhard umschaut, neugierig anfangs, dann, wie er die Bücher entdeckt, überrascht, ja befremdet. Denn das Fräulein beweist nicht nur einen ungewöhnlichen Geschmack, sie ist offenbar selbst ein ungewöhnliches Menschenwesen. Aus diesen Lieblingsbüchern kennen wir sie, ehe sie den Mund auftut, und wissen im vorhinein: sie ist Herrn Reinhard im bevorstehenden novellistischen Schachspiel als Partnerin zum mindesten ebenbürtig.

Für jeden, der gern liest, gibt es keine entscheidendere Frage als die, ob er den Übergang findet von der Belletristik zur Literatur. Nicht, daß es nur einen einzigen gäbe, aber der über die Autobiographie ist der natürlichste. Wenn einer erst einmal so weit ist, daß ihm erlebte Lebensläufe besser gefallen als erfundene, kommt er von selber weiter. Auch in den wirklich lesenswürdigen Romanen der Weltliteratur gibt nicht die Erfindung den Ausschlag, sondern das Erlebnis: je mehr sie Selbstbekenntnis sind, um so bleibender ist ihr Wert. (Das, nebenbei, war der Grundirrtum Flauberts: daß er sich selbst ausschalten wollte. Stendhal steckt im Julien Sorel, — aber wo steckt Flaubert? In seinen Briefen. Darum ist der ganze französische Naturalismus so rasch veraltet. Und darum wird man die Anna Karenina und den Niels Lyhne länger lesen als die Frau Bovary und die Salambo.) Nur die Ich-Form rettet den Schelm Gil Blas in die Unsterblichkeit. Für den Lebenden gibt es nichts Merkwürdigeres, nichts Sinnbildlicheres als Leben. Keine literarische Form spricht so gebieterisch »Das bist du«, wie die des Selbstbekenntnisses. Ob dies Selbstbekenntnis in die bürgerliche Genügsamkeit der Autobiographie gekleidet ist oder zur künsterlischen Höhe des autobiographischen Romans gesteigert, macht wenig aus, beweist vor allem wenig für einen größeren oder geringeren Gehalt an der einzigen Wahrheit, auf die es ankommt: der innern. Jede künstlerische Gestaltung des eigenen Wesens ist Dichtung und Wahrheit zugleich. Das unterscheidet die getreueste Autobiographie vom reinen Memoirenwerk. Zwischen Autobiographie und autobiographischen Roman einen scharfen Strich zu ziehen ist unmöglich. Im Grund ist jede Dichtung ein Stück Autobiographie, jede Autobiographie ein Stück Dichtung. Die Form ist unter anderm eine Frage der seelischen Schamhaftigkeit. Gewiß kleidet man seine Erlebnisse in Romanform, um äußerlich nicht so aufrichtig sein zu müssen. Aber ebenso gewiß kleidet man sie in Romanform, um innerlich wahrer sein zu können.

Hätte das Fräulein Luzie nicht den Herrn Reinhard geheiratet, so hätte sie als gescheites Blaustrümpfchen sicher noch ungleich mehr der besagten Schriftgattung zusammengeheimst, ihm schließlich gar mit einem zierlichen Knicks eine ironische Abhandlung über ihre Lieblinge vorgelegt. Die Anzahl lesenswerter eigener Lebensläufe, nicht nur der Weltliteratur, sondern unserer deutschen allein, ist nämlich so verwirrend groß, daß man schier den Wald nicht sieht vor lauter Bäumen. Der Bildungsucher aber kann den

Kreis der Werke auf jedem Gebiet anfangs nicht eng genug stecken. Er muß seinen festen Punkt und ruhenden Pol haben, von dem er ausgeht, zu dem er immer wieder zurückkehrt, von dem aus, um den herum sich alles wie von selbst anordnet, mühelos und organisch unvergeßbar. Für uns Deutsche ist dieser ruhende Pol ein für allemal gegeben in der großartigsten Selbstbiographie aller Zeiten und Völker, *Goethes »Dichtung und Wahrheit«. Um* diesen leuchtendsten Stern stehen sechs andere von unterschiedlicher Größe und Helligkeit, drei auf der einen Seite, drei auf der andern; und zwar gehören die drei jeweils auch innerlich zusammen. Sie bilden das klassische Siebengestirn der deutschen Autobiographie. Ich weiß, es ist kaum etwas so schwer auf eine Formel zu bringen, als was »klassisch« sei. Sainte-Beuve hat ein paar Seiten über diesen Begriff geschrieben, die selber klassisch geworden sind. »Klassisch«, sagt er an einer Stelle, »das bedeutet Zusammenhang und Bestand, Einfügen in eine große Überlieferung und Weitergeben dieser Überlieferung, Fortleben durch Einordnung in ein Ganzes.« Unerläßliche Vorbedingung ist eine bestimmte Höhe und Eigenart des Sprachlichen: das Sprachliche ist nie zufällige Form, es ist stets gemäßer Ausdruck. In diesem Sinne sind die sieben Selbstbiographien, auf die ich zu sprechen komme, klassisch; klassisch für uns Deutsche. Manches, das vor ihnen geschrieben worden ist, hat den Reiz des Kuriosen, wie man im siebzehnten Jahrhundert sagt. Manches Gleichzeitige und Spätere den des Interessanten, um ein Modewort des neunzehnten zu gebrauchen. Manches wird auch klassisch geworden sein in hundert Jahren. Diese sieben aber schließen sich jetzt schon deutlich zusammen zu einem der strahlendsten Sternbilder unserer Literatur.

In der berühmten Stelle vom Schatz der deutschen Prosa nennt Nietzsche unter den paar Werken, die verdienen, immer wieder gelesen zu werden, *Jung-Stillings* Lebensgeschichte. »Henrich Stillings Jugend« ist im Jahre 1777 ohne Vorwissen des Verfassers zum erstenmal veröffentlicht worden, von keinem Geringeren als Goethe, ohne den sie wahrscheinlich auch nicht wäre geschrieben worden. In »Dichtung und Wahrheit« beschreibt er, wie er ihn 1770 in Straßburg beim Mittagtisch der Jungfern Lauth kennen lernt und liebgewinnt: »Besonders erzählte er seine Lebensgeschichte auf das anmutigste und wußte dem Zuhörer alle Zustände deutlich und lebendig zu vergegenwärtigen. Ich trieb ihn, solche aufzuschreiben, und er versprach's ... Denn der Lebensgang dieses Mannes war sehr einfach gewesen und doch gedrängt an Begebenheiten und mannigfaltiger Tätigkeit ... In seiner Jugend, auf dem Wege, Kohlenbrenner zu werden, ergriff er das Schneiderhandwerk, und nachdem er sich nebenher von höheren Dingen selbst belehrt, so trieb ihn sein lehrlustiger Sinn zu einer Schulmeisterstelle. Dieser Versuch mißlang, und er kehrte zum Handwerk zurück, von dem er jedoch zu wiederholten Malen, weil jedermann für ihn leicht Zutrauen und Neigung faßte, abgerufen ward, um abermals eine Stelle als Hauslehrer zu übernehmen.« Wie er's dann doch zu etwas bringt — er wird Arzt, hat große Erfolge als Starstecher, wird Professor und stirbt als Geheimer Hofrat —, schildert Stilling selbst. Aber nicht diese ebnere Hälfte seines Lebenswegs ist so einzig anziehend, sondern seine wunderschöne, arme Jugend. Er ist einer, der sich ganz von unten in die Höhe arbeitet, aber was ihn dabei lenkt, ist nicht die Tatkraft des Kämpfers, sondern jene kindliche Frommheit, die wie Anzengrubers Steinklopferhans sagt: »Es kann dir nix gschehn!« Im großen Zusammenhang der Weltliteratur hat Stilling einen besonderen Vorzug: seine Jugendjahre sind *vor* Rousseaus »Bekenntnissen« geschrieben und von dessen schielender Selbstbespiegelung unbeeinflußt. Das verleiht ihnen eine epische Ruhe und Helligkeit, die wirkt wie ein klarer Wiesenbach, der das Bild einer friedlichen Landschaft, Bäume, Hügel, Himmel, Menschen, farbenfrisch zurückstrahlt. Der gottzutrauliche Erzähler ist ein herzlicher, lauterer Gesell, dem man gut sein muß, und alle Dinge, die er berichtet, heimeln uns an wie ein reinliches Stüblein, in das die Morgensonne scheint.

Nicht nur die Gunst des Zeitpunkts, auch die Gnade eines glücklichen Wesenskerns bewahren Stilling vor der selbstquälerischen, seelenspürenden Neugier Rousseaus, die das Buch seines Nachfolgers Karl Philipp *Moritz* so ungemein lehrreich macht. Auch ihn hat Goethe gut gekannt, hat ihn sogar in Rom gepflegt. Im Jahr, wo Goethe nach Italien reist, vier Jahre nach dem posthumen Erscheinen der ersten Bücher der Confessions kommt der Anfang des *Anton Reiser* heraus (1785). *Moritz* steht in mehrfacher Beziehung zwischen Stilling und Goethe. Seine Schicksale sind freudloser als die Stillings: er hat eine finstere Kindheit, soll schon mit zwölf Jahren Hutmacher werden, kommt aber, da seine Begabung erkannt wird, aufs Gymnasium, wird Schauspieler, studiert Theologie, möchte Bauer werden, geht zur Brüdergemeinde, wird Lehrer bei Basedow, Professor in Potsdam und Berlin, Redakteur der »Vossischen Zeitung« und stirbt als Hofrat wie Stilling; dazwischen Reisen in England und Italien. Man könnte ihn einen durch wahlloses Lesen aus dem Gleichgewicht gebrachten Wilhelm Meister nennen. Im Guten und Schlimmen ist er moderner als Stilling; schon ein ausgesprochenes Literatendasein: ein scharfer Kopf, ein schonungsloser Beobachter, eine durchaus problematische Natur. Kein Dichter, aber ein Seelenkenner. Kein Wohlgeratener; reich an Gaben, reicher an Hemmungen; ein Grübler, Sebstpeiniger. Als Mensch nicht so anziehend wie Stilling, aber interessanter. Goethe schreibt aus Rom an Frau von Stein über ihn: »Moritz, der an seinem Armbruch noch im Bette liegt, erzählte mir, wenn ich bei ihm war, Stücke aus seinem Leben, und ich erstaunte über die Ähnlichkeit mit dem meinigen. Er ist wie ein jüngerer Bruder von mir, von derselben Art, nur da vom Schicksal verwahrlost und beschädigt, wo ich begünstigt und vorgezogen bin.« Der Grundmangel des Anton Reiser ist zugleich sein Hauptreiz: daß ihn ein Neunundzwanzigjähriger geschrieben hat. Wenn ein Schriftsteller seine Jugendgeschichte gewaltsam abstößt in einem Alter, wo er noch mit ihr verwachsen ist, ist alles frischer, aber auch alle Wunden bluten. Moritz-Reiser ist so sehr ein vor unseren Augen Werdender, daß er wie ein Vorläufer Senancours Obermann erscheint, von Benjamin Constants Adolphe, von Stendhals Julien Sorel. Es stehen erstaunliche Dinge in diesem kristallklar geschriebenen Buche, Selbstbeobachtungen von einer Genauigkeit, festgehalten mit einer Schärfe, wie man sie nicht bei einem Deutschen des achtzehnten Jahrhunderts sucht, sondern eher bei einem Franzosen, Russen, Skandinavier des zwanzigsten. Deshalb gehört der »Anton Reiser« zu den Werken, mit denen sich auseinanderzusetzen jede neue Generation das Bedürfnis fühlt. Goethe, Schiller, Hebbel, Schopenhauer, Heine haben ihn gleich hoch geschätzt. Erst der »Grüne Heinrich« ist wieder eine ähnlich reiche Fundgrube für Kunde der Kindesseele.

Der dritte Stern scheint nicht groß, aber er blitzt so hell, daß, wer ihn einmal entdeckt hat, ihn immer wieder sucht. Der *Arme Mann im Toggenburg* ist zugleich Titel und Verfassername eines der eigenartigsten Bücher. Ulrich Bräker hieß er eigentlich. Aufgewachsen wie ein Baum im Wald, wo sich Füchse und Hasen gute Nacht sagen, ist er als Kind Geißbub, wird Bedienter eines preußischen Werbeoffiziers, kommt in den Siebenjährigen Krieg wie der Pontius ins Credo, brennt mitten in der Schlacht bei Lowositz durch, läuft zurück in die Heimat, wo er ein Weib nimmt, Baumwolle webt und zeitlebens ein armer Teufel bleibt. Eifriger Leser wie Anton Reiser, ausgesprochener Autodidakt wie Moritz und Stilling, mit einem wahrhaften Bildungshunger, bringt es fertig, so unliterarisch wie möglich zu schreiben. Seine Lebensgeschichte ist nicht nur stofflich, sondern vor allem sprachlich eins der urwüchsigsten Werke unserer Literatur; seine Kindheit in Wald und Berg erinnert an Grimmelshausen. Andrerseits schlägt er, soviel ich sehe, als erster jenen ureigenen Ton der Schweizer Erzähler an, der gegenüber dem papierblassen Hochdeutsch der meisten Schriftsteller so erquickt, wie ihn etwa Huggenberger, Federer, Lienert haben, und selbst sie nur in ihren besten Sachen. Noch einer ist da, an den er erinnert, den er aber ebensowenig gekannt hat wie den Dichter des Simplizissimus: sein Schweizer Landsmann Thomas Platter, der Humanist, der auch, genau wie er, die Freuden und Leiden eines Geißhirten durchkostet hat. So ist dies kleine Buch das verbindende Glied einer doppelten Ahnenreihe: es gehört zu den Klassikern der Schweizer Prosa und zu denen der deutschen Autobiographie.

Der Schritt von Stilling-Moritz-Bräker zu »Dichtung und Wahrheit« scheint ungeheuer, auf den ersten Blick unbegreiflich, und doch ist Goethe nur deshalb so groß geworden, weil in ihm auch etwas vom Besten dieser dreie steckt. Was ihn zu Moritz und Stilling zog, war geheime Wesensverwandtschaft. Er ist derselbe lautere, schicksalsfromme Mensch wie Stilling, noch in Rom ist eins seiner Lieblingswörter »Demut«. Er ist der nämliche Bohrer und Selbstschürfer wie Moritz, nur daß sein Selbst ein unendlich reicheres Bergwerk war mit unendlich mehr Schächten und Stollen. Und er ist bis ins Sprachliche hinein das unbändige Naturkind wie Bräker: nichts steht dem armen Mann im Toggenburg sprachlich so nah wie der junge Goethe. Erst wenn man »Dichtung und Wahrheit« liest, wird einem klar, wie Goethe das Eigentümliche aller großen Individuen, mit denen er in Berührung kommt, sozusagen magnetisch in sich hinüberlockt und in ein Neues, Höheres umschmilzt: Herder, Merck, Stilling, die Klettenberg. Wie der Jüngling des germanischen Märchens erhält er die Kraft aller Männer, mit denen er gerungen, aller Stammeskönige, unter deren Methalle er eine Nacht verweilt hat. Leben und sich bilden ist bei ihm eins. Das macht aus »Dichtung und Wahrheit« ein sanft, aber unwiderstehlich verwandelndes Buch: was wir miterleben, ist das Bildungserlebnis eines unvergleichlichen Arbeiters an sich selbst, eines unersättlichen Lerners. In diesem Zusammenhang gehört unbedingt auch Goethes »Italienische Reise«, unbedingt vor allem auch ihre Urgestalt, das Tagebuch aus Italien.

Wilhelm von Kügelgens »Jugenderinnerungen eines alten Mannes« längst eines der Lieblingsbücher unseres Volks, stehen von den sieben vielleicht der Memoirenliteratur am nächsten und bieten am wenigsten das, was die Franzosen le roman philosophique de la vie nennen, die innere Biographie, das schmerzliche Werden. Dafür entschädigt die kaleidoskopische Buntheit der Erlebnisse und Gestalten, und die weltmännische Liebenswürdigkeit des Erzählers. Wie das Leben des anhalt-bernburgischen Kammerherrn Kügelgen den Gegenpol der drei vorgoethischen Autobiographien darstellt, ist er auch als Charakter der Gegensatz alles Problematischen. Es gibt nicht viele Bücher in deutscher Sprache, die so von innen heraus harmonisch sind. Die Anmut der Darstellung läßt die Krisen, die auch diesem Liebling der Götter schwerlich erspart blieben, nur ahnen. Das Gemälde seines Lebens ist mit altmeisterlicher Sorgfalt lasiert: nichts Grelles ist stehengeblieben, kein harter Übergang stört. Jene innere Ausgeglichenheit, um die selbst Goethe sein ganzes Leben lang ringt, scheint Kügelgen von einer allzu gütigen Fee bereits in die Wiege gelegt. Es ist eine durchaus natürliche Entwicklung, die ihn mit fünfzig Jahren ruhig den Pinsel weglegen läßt, um Kammerherr im täglichen persönlichen Dienste seines herzoglichen Freundes zu werden. Den zehn Jahren seines Hoflebens verdanken die »Jugenderinnerungen« die reife Abgeklärtheit des Vortrags, jene zugleich witzige und gemütvolle Art zu erzählen, die am besten in der Luft deutscher Duodezhöfe gedieh. Kügelgen

9 Philipp Otto Runge
Die Eltern des Künstlers mit den Enkeln, 1806

hat uns den Ton der um so vieles feineren und gebildeteren Geselligkeit der ersten Hälfte des 19. Jahrhunderts gerettet: das macht diese köstlichen Denkwürdigkeiten zugleich zum Denkmal einer versunkenen Kultur. Dem Leser, der von Stilling, Moritz, gar von Goethe herkommt, entgeht nicht, daß die frühe Harmonie Kügelgens um den Preis einer Entwicklung in die Tiefe erkauft ist. Wieviel es ihn gekostet hat, dem Künstlerberufe zu entsagen, verrät der gesprächige alte Herr mit keiner Silbe. Der griechische Spruch vor »Dichtung und Wahrheit«, der Mensch müsse sich's sauer werden lassen, um Bildung zu gewinnen, wird ergänzt durch jenen anderen, wonach einer nur werden kann, was schon in ihm steckt. Aber der Anblick des pflanzenhaft friedlichen Entfaltens einer glücklichen Natur erweckt Sehnsucht nach dem Vollkommenen, gleich dem eines schöngewachsenen Baums. Deshalb spricht auch dies sonntägliche Buch eines Sonntagskindes aufmerksamen Ohren mit leiser Stimme vernehmlich sein erziehendes Wort.

Kügelgens »Jugenderinnerungen« haben *Ludwig Richter* angeregt zu seinen »Lebenserinnerungen eines deutschen Malers«. Die zwei Bücher stehen sich so nah, wie die beiden Freunde im Leben: sie sagen auch du zueinander. Es ist mehr als ein hübscher Zufall, daß die klassischen Selbstbiographien nach Goethe alle drei von Männern geschrieben wurden, die die Palette weglegten, um ihren eigentlichen Beruf zu finden: Kügelgen als Freund eines deutschen Fürsten, Ludwig Richter als Zeichner des deutschen Hauses, Gottfried Keller als Dichter seines Volks. Alle drei müssen sie, gleich Goethe in Italien, dem Malertraum entsagen, um zu ihrem Selbst zu reifen. Keiner wäre ohne dies Opfer, als Maler das geworden, was er sich und uns geworden ist. Auch Ludwig Richters stilles Leben gipfelt, wie das Goethes, im italienischen Aufenthalt; und auch für ihn bedeutet der endgültige Verzicht auf Italien endgültigen Gewinn. Seine Erinnerungen sind gleich denen Kügelgens von zauberhafter Anmut: Gestalten und Begebenheiten, Menschen und Landschaften stehen im reinsten Licht, dank der wunderbaren Klarheit des Auges, das sie sieht, und der Seele, die sie festhält. Zu fragen, wem von den beiden der Preis gebühre, ist müßig. Wir können, um mit Goethe zu sprechen, bloß froh sein, daß wir »zwei solche Kerle haben«. Ein ehrwürdig Stück deutschen Wesens ist in diesen stillen Blättern beschlossen, das alte, unverwüstbare Deutschland lebt darin, so treu, daß uns die Gegenwart fratzen- und gespensterhaft unwirklich daneben vorkommt. Es ist dieselbe holde Welt wie in des Knaben Wunderhorn und den Märchen der Brüder Grimm, den alten Bilderbogen von Schwind und Pocci, die Welt des Freischützen und Lortzings, Eichendorffs und Mörikes, ein altväterlich kleinbürgerliches Gewimmel mit sehnsüchtig südlichem Himmel in blauer Ferne, und rings herum deutscher Wald mit Reh und Hasen und den sieben Zwergen.

Wenn Richter manchmal anmutet wie ein in zarten Holzschnitt übersetzter Stilling, so scheint der »Grüne Heinrich« ein glücklicherer, südwärts verschlagener Anton Reiser. Er ist der letzte deutsche autobiographische Roman großen Stils. Wer *Gottfried Keller* kennt, weiß, daß seine Selbstbekenntnisse damit nicht abgeschlossen sind: sie gehen weiter im Pankraz dem Schmoller und der Frau Regel Amrain, im Landvogt von Greifensee und Martin Salander, und auch das Sinngedicht ist nur ein hineingeheimnistes Kapitel dieser »großen Konfession«. Im »Grünen Heinrich« aber ist Kleinwelt halbbäuerlichen Bürgertums wie im Jung-Stilling und Kleinwelt eines erwachenden Herzens wie im Anton Reiser. Er ist naturnah wie der Arme Mann im Toggenburg; und seine Käuze und Figuren, unvergeßbar wie Kügelgens Gestalten, schreiten durch die alten Städte und Frühlingslandschaften Ludwig Richters.

Die Menschen soll keiner belachen als einer, der sie recht herzlich liebt.

JEAN PAUL

HERMANN HESSE

Über das Alter

Das Greisenalter ist eine Stufe unsres Lebens und hat wie alle andern Lebensstufen ein eigenes Gesicht, eine eigene Atmosphäre und Temperatur, eigene Freuden und Nöte. Wir Alten mit den weißen Haaren haben gleich allen unsern jüngeren Menschenbrüdern unsre Aufgabe, die unsrem Dasein den Sinn gibt, und auch ein Todkranker und Sterbender, den in seinem Bett kaum noch ein Anruf aus der diesseitigen Welt zu erreichen vermag, hat seine Aufgabe, hat Wichtiges und Notwendiges zu erfüllen. Altsein ist eine ebenso schöne und heilige Aufgabe wie Jungsein, Sterbenlernen und Sterben ist eine ebenso wertvolle Funktion wie jede andre — vorausgesetzt, daß sie mit Ehrfurcht vor dem Sinn und der Heiligkeit alles Lebens vollzogen wird. Ein Alter, der das Altsein, die weißen Haare und die Todesnähe nur haßt und fürchtet, ist kein würdiger Vertreter seiner Lebensstufe, so wenig wie ein junger und kräftiger Mensch, der seinen Beruf und seine tägliche Arbeit haßt und sich ihnen zu entziehen sucht.

Kurz gesagt: um als Alter seinen Sinn zu erfüllen und seiner Aufgabe gerecht zu werden, muß man mit dem Alter und allem, was es mit sich bringt, einverstanden sein, man muß Ja dazu sagen. Ohne dieses Ja, ohne die Hingabe an das, was die Natur von uns fordert, geht uns der Wert und Sinn unsrer Tage — wir mögen alt oder jung sein — verloren, und wir betrügen das Leben.

Jeder weiß, daß das Greisenalter Beschwerden bringt und daß an seinem Ende der Tod steht. Man muß Jahr um Jahr Opfer bringen und Verzichte leisten. Man muß seinen Sinnen und Kräften mißtrauen lernen. Der Weg, der vor kurzem noch ein kleines Spaziergängchen war, wird lang und mühsam, und eines Tages können wir ihn nicht mehr gehen. Auf die Speise, die wir zeitlebens so gern gegessen haben, müssen wir verzichten. Die körperlichen Freuden und Genüsse werden seltener und müssen immer teurer bezahlt werden. Und dann alle die Gebrechen und Krankheiten, das Schwachwerden der Sinne, das Erlahmen der Organe, die vielen Schmerzen, zumal in den oft so langen und bangen Nächten — all das ist nicht wegzuleugnen, es ist bittere Wirklichkeit. Aber ärmlich und traurig wäre es, sich einzig diesem Prozeß des Verfalls hinzugeben und nicht zu sehen, daß auch das Greisenalter sein Gutes, seine Vorzüge, seine Trostquellen und Freuden hat. Wenn zwei alte Leute einander treffen, sollten sie nicht bloß von der verfluchten Gicht, von den steifen Gliedern und der Atemnot beim Treppensteigen sprechen, sie sollten nicht bloß ihre Leiden und Ärgernisse austauschen, sondern auch ihre heiteren und tröstlichen Erlebnisse und Erfahrungen. Und deren gibt es viele.

Wenn ich an diese positive und schöne Seite im Leben der Alten erinnere und daran, daß wir Weißhaarigen auch Quellen der Kraft, der Geduld, der Freude kennen, die im Leben der Jungen keine Rolle spielen, dann steht es mir nicht zu, von den Tröstungen der Religion und Kirche zu sprechen. Dies ist Sache des Priesters. Wohl aber kann ich einige von den Gaben, die das Alter uns schenkt, dankbar mit Namen nennen. Die mir teuerste dieser Gaben ist der Schatz an Bildern, die man nach einem langen Leben im Gedächtnis trägt und denen man sich mit dem Schwinden der Aktivität mit ganz anderer Teilnahme zuwendet als jemals zuvor. Menschengestalten und Menschengesichter, die seit sechzig und siebzig Jahren nicht mehr auf der Erde sind, leben in uns weiter, gehören uns, leisten uns Gesellschaft, blicken uns aus lebenden Augen an. Häuser, Gärten, Städte, die inzwischen verschwunden oder völlig verändert sind, sehen wir unversehrt wie einst, und ferne Gebirge und Meeresküsten, die wir vor Jahrzehnten auf Reisen gesehen, finden wir frisch und farbig in unsrem Bilderbuche wieder. Das Schauen, das Betrachten, die Kontemplation wird immer mehr zu einer Gewohnheit und Übung, und unmerklich durchdringt die Stimmung und Haltung des Betrachtenden unser ganzes Verhalten. Von Wünschen, Träumen, Begierden, Leidenschaften gejagt sind wir, wie die Mehrzahl der Menschen, durch die Jahre und Jahrzehnte unsres Lebens gestürmt, ungeduldig, gespannt, erwartungsvoll, von Erfüllungen oder Enttäuschungen heftig erregt — und heute, im großen Bilderbuch unsres eigenen Lebens behutsam blätternd, wundern wir uns darüber, wie schön und gut es sein kann, jener Jagd und Hetze entronnen und in die vita contemplativa gelangt zu sein. Hier, in diesem Garten der Greise, blühen manche Blumen, an deren Pflege wir früher kaum gedacht haben. Da blüht die Blume der Geduld, ein edles Kraut, wir werden gelassener, nachsichtiger, und je geringer unser Verlangen nach Eingriff und Tat wird, desto größer wird unsre Fähigkeit, dem Leben der Natur und dem Leben der Mitmenschen zuzuschauen und zuzuhören, es ohne Kritik und mit immer neuem Erstaunen über seine Mannigfaltigkeit an uns vorüberziehen zu lassen, manchmal mit Teilnahme und stillem Bedauern, manchmal mit Lachen, mit heller Freude, mit Humor.

Neulich stand ich in meinem Garten, hatte ein Feuer brennen und speiste es mit Laub und dürren Zweigen. Da kam eine alte Frau, wohl gegen achtzig Jahre alt, an der Weißdornhecke vorbei, blieb stehen und sah mir zu. Ich grüßte, da lachte sie und sagte: »Sie haben ganz recht mit Ihrem Feuerchen. Man muß sich in unsrem Alter so allmählich mit der Hölle anfreunden.« Damit war die Tonart eines Gesprächs angeschlagen, in dem wir einander allerlei Leiden und Entbehrungen klagten, aber immer im Ton des Spaßes. Und am Ende unsrer Unterhaltung gestanden wir uns ein, daß wir trotz alledem ja eigentlich noch gar nicht so furchtbar alt seien und kaum als richtige Greise gelten könnten, solang in unsrem Dorf noch unsre Älteste, die Hundertjährige, lebe.

Wenn die ganz jungen Leute mit der Überlegenheit ihrer Kraft und ihrer Ahnungslosigkeit hinter uns her lachen und unsern beschwerlichen Gang, unsre paar weißen Haare und unsre sehnigen Hälse komisch finden, dann erinnern wir uns daran, wie wir einst, im Besitz der gleichen Kraft und Ahnungslosigkeit, ebenfalls gelächelt haben, und kommen uns nicht unterlegen und besiegt vor, sondern freuen uns darüber, daß wir dieser Lebensstufe entwachsen und ein klein wenig klüger und duldsamer geworden sind.

OTTO VON BISMARCK

Zwei Briefe

Friedrichsruh 18. 5. 95

Lieber Oscar

wir sind beide so alt geworden, daß wir lange wohl nicht mehr leben werden. Können wir uns nicht noch einmal sehn und sprechen, ehe wir abgehn? Es ist 66 oder 67 Jahre her, daß wir auf dem Gymnasium den ersten Tropfen Bier zusammen aus der Flasche tranken; es war auf der Treppe neben der Ober-Tertia. Wollen wir nicht den letzten trinken, ehe es zu spät wird? Wir sind beide alt, matt und verdrießlich, aber ich habe doch das Verlangen, Deine Stimme noch einmal zu hören, ehe ich —. Du steigst doch in die Bahn, wenn Du Berlin verläßt, warum nicht in die Hamburger statt der Stettiner?

Dein

v. Bismarck

Friedrichsruh 16. Juni 1895

Lieber Oscar

Vor einigen Wochen schrieb ich an Dich die Anlage (Brief vom 18. 5. 95), schickte sie aber nicht ab, weil ich erfuhr, daß Du Berlin schon verlassen hattest, und die Zumutung einer Fahrt hierher also keine so leichte mehr war; außerdem entstand ein Tintenfleck, den ich nicht vertreten mochte. Heut an Deinem Geburtstage wollte ich wieder an Dich schreiben, und dabei fand ich in meinem jetzt selten benutzten Schreibtische die Anlage und beschloß, sie Dir nachträglich zu schicken als Beweis, daß ich nicht bloß am Geburtstage an Dich denke. Lies sie in Erinnerung an alte Zeiten und nimm meinen herzlichen Glückwunsch zum neuen Lebensjahre auch schriftlich entgegen. Das Glück in unserm Alter besteht in erster Linie in Gesundheit, und die meine bröckelt rapide ab mit zunehmenden Störungen des Schlafes und des Behagens. Dein treuer Schwager

v. B.

GERD GAISER

DER FORSTMEISTER

Als der Krieg ausging, war ich bei dem alten Forstmeister Speeth in Stellung, sofern man das eine Stellung nennen will, denn ich hatte ja sonst keinen Ort mehr und mußte froh sein unterzukommen. Das Waldhaus steckte damals bis unter das Dach voll von Menschen, lauter Frauen und Kindern; zuletzt noch, als auf Irrnwies drunten Feuer lag, kam ein Schub an, der Zuflucht suchte; wir wußten kaum mehr, wo sie alle hinlegen.

Dann bewegte sich eine Weile nichts. Wenn der Wind von dorther stand, hörte man hinter dem Wald ein paarmal das Geschieße, und schließlich brachte jemand mit, Irrnwies habe dreimal den Besitzer gewechselt, jetzt aber sei alles still bis auf die Brände, die noch rauchten, und bis auf die Gewalttaten an den Weibern und bis auf die Züge von eigenen Gefangenen, die durchmarschierten.

Bis dahin hatten wir im Wald oben keinen fremden Soldaten zu Gesicht bekommen; dann aber, an einem Vormittag — es war ja April damals, aber heiß und trocken, der Wald noch kahl, nur die Vogelkirschen blühten schon — gab es einen Lärm von Kettenfahrzeugen draußen, und man konnte durch den Stangenwald die Bedienungen abspringen sehen, und dann riß es hart an der Schwelle beim Gartentor. Im Haus fuhr es durcheinander, es bebte und duckte sich und war ein Flüstern und Flennen, ein Gezappel mit Kindern, aber wir hatten keine Zeit zu beratschlagen. Der Alte von seinem Stuhl aus rief mich und sagte zu mir, als käme ein Besuch wie gewöhnlich: Machen Sie auf, Anna.

Ich tat, was er sagte; wie ich aber hinaus auf den Weg lief, kamen sie mir schon entgegen, ein ganzer Schwarm und lauter dunkle Gesichter; und ich machte kehrt, um wieder gegen das Haus zu laufen, bis mich ein Offizier anrief, laut, ich solle stehen bleiben. Er sagte zu mir, indem er vollends herankam — ein jüngerer Mensch, weißhäutig, ein bißchen schlaksig und übernächtig —, er sagte also in einem kurzen Ton, seine Leute wollten hier absitzen und beabsichtigten zu essen. Essen hätten sie bei sich, aber wir sollten Getränk besorgen. Ob es einen Hausherrn gebe? Gut. Er bitte also.

Damit fuhr ich hinein zu dem Alten, annehmend, dicht hinter mir würden sie einfallen und das Haus füllen, und ein Geschrei würde es setzen, aber dann merkte ich, daß sie alle draußen blieben in dem Laubengang und unter dem Vordach; offenbar hatten sie den Befehl, nicht einzutreten.

Zu trinken gab es nicht viel mehr im Haus, denn Wein hatten wir gar keinen mehr, und den Schnaps hatte der alte Herr, sobald die Schießerei verstummt war, ausgießen heißen. Aber es lag noch ein Rest da von dem Birnmost, den

der Alte aus eigenem Obst zog und früher seinen Besuchern vorsetzte, aber nicht jedem. Ich sagte Bescheid, und der Forstmeister sah durchs Fenster und gab Befehl, wir sollten das Faß neigen, und zwei von den Frauen, die er nannte, sollten mir an die Hand gehen, und wir sollten ordentliche Gläser herausnehmen und sollten herumgehen und anbieten.
So hielten wir es und hatten keine Zeit zur Angst mehr und stiegen also herum zwischen den fremden Gestalten, die jetzt unter dem Vordach auf den Steinstaffeln und auf den Bänken und Borden in unserem Laubengang es sich bequem machten und anfingen, die Taschen auf ihren Knien auszupacken; wir stiegen zwischen ihnen hindurch mit unseren Servierbrettern, wie wir angewiesen waren, und boten an und nahmen ab und gossen nach, wie die Gläser leer wurden. Es ging nicht besonders laut zu, nur ein mäßiges Gewirr von Stimmen, aber es waren so viele und so dicht und alles ganz anders und wir nicht mehr bei uns und nichts mehr unser. Sie aßen in großen Bissen, ihre Kehlen bewegten sich, man sah das Weiße in ihren Augen, wenn sie tranken und die Köpfe zurücklegten.
Da stoße ich auf einmal, wie das alles im Gang ist und ich eben von draußen komme und nach der Küche rennen will, auf den alten Herrn, den Forstmeister. Er kommt, auf seinen Stock gestützt, aus seinem Zimmer und ist eben im Begriff, durch die Tür hinauszutreten. Sogleich setze ich mein Tablett weg und will zu ihm hin und ihn halten. Er war damals ja fast neunzig und verließ für gewöhnlich das Haus nicht mehr. Ich sage zu ihm: Um Gottes willen, was wollen Sie denn draußen, Herr Forstmeister? Lassen Sie sich führen, kommen Sie auf Ihr Zimmer zurück — es geht doch gut, es ist alles in Ordnung, flüstere ich ihm zu.
Er aber gibt keine Antwort, sondern blickt geradeaus in das Helle, wo man die vielen Köpfe sich bewegen sieht und die zwei Frauen mit ihren Servierbrettern, und er frägt dagegen: Sie haben die Schelle gezogen und sie haben um diesen Platz gebeten, sagen Sie, und sie haben auch um das Getränk gebeten?
Ja, ja sage ich, so ist es, Herr Forstmeister, und dränge ihn und sage: Gehen Sie doch jetzt, bitte, hinein.
Wenn das so ist, sagt er aber weiter und kehrt sich nicht an mich, so sind es Gäste. Und wenn es meine Gäste sind, so bin ich der Hausherr. Ich muß mich also meinen Gästen zeigen.
Und dann stand er draußen, und dann merkten wir, wie die fremden Soldaten einer nach dem andern aufmerksam wurden und wie da und dort einer den andern anstieß; und da stand der Forstmeister also auf seiner Schwelle und blieb dort stehen, so daß ihn alle sehen konnten, die Hände auf seinem Stockgriff beisammen, und man sah wieder, daß er ein sehr großgewachsener Mann war. Sie drehten alle die Köpfe zu ihm hin und wurden

noch ein wenig leiser, ich weiß nicht, was ihnen dabei in den Sinn kam, und ich weiß auch nicht, ob der Alte die Belegschaft musterte oder wohin sein Blick ging, seine Gläser spiegelten, und die Sonne gab einen Schein herunter auf sein Gesicht durch das Laubendach, und die Zweige bewegten sich und legten ein feines Schattengitter.
Dort blieb er stehen, bis sie alle gegessen und auch getrunken hatten und der Offizier, der selber nicht aß, sondern bloß rauchte, und zur Seite niedergehockt war, ein Zeichen gab. Der Offizier stülpte seinen Helm wieder auf und grüßte den Alten, und der Alte grüßte auch mit dem Kopf, und er stand noch dort, wie sie wieder aufsaßen und davonfuhren. Ich sehe das noch, ich sehe die Gläser noch da herumstehen, überall abgesetzt auf den Bänken und auf den Steinborden, und ein paar Bienen kamen schon an und machten sich an die Gläser, alles noch unser und nicht mehr von uns; und ich sehe den alten Mann noch dastehen, es war sieben Wochen vor seinem Tod, und warum er da herausgekommen ist und sich hinstellte, das weiß ich nicht recht, habe auch seine Worte nicht ganz verstanden. Aber wir verstanden ja manches nicht mehr von dem Mann, was für ihn sich von selbst verstand, das war es, ein sehr merkwürdiger Mann, ich habe solch einen Mann nie mehr kennen gelernt.

JOHANN WOLFGANG GOETHE

An Auguste Gräfin Bernstorff
geb. Gräfin zu Stolberg-Stolberg

Weimar, 17. April 1823

Von der frühsten, im Herzen wohlgekannten, mit Augen nie gesehenen, teuren Freundin endlich wieder einmal Schriftzüge des traulichsten Andenkens zu erhalten, war mir höchst erfreulich-rührend; und doch zaudere ich unentschlossen, was zu erwidern sein möchte. Lassen Sie mich im Allgemeinen bleiben, da von besondern Zuständen uns wechselseitig nichts bekannt ist.
Lange leben heißt gar vieles überleben, geliebte, gehaßte, gleichgültige Menschen, Königreiche, Hauptstädte, ja Wälder und Bäume, die wir jugendlich gesäet und gepflanzt. Wir überleben uns selbst und erkennen durchaus noch dankbar, wenn uns auch nur einige Gaben des Leibes und Geistes übrig bleiben. Alles dieses Vorübergehende lassen wir uns gefallen; bleibt uns

nur das Ewige jeden Augenblick gegenwärtig, so leiden wir nicht an der vergänglichen Zeit.
Redlich habe ich es mein Lebelang mit mir und andern gemeint und bei allem irdischen Treiben immer aufs Höchste hingeblickt; Sie und die Ihrigen haben es auch getan. Wirken wir also immerfort, so lang es Tag für uns ist, für andere wird auch eine Sonne scheinen, sie werden sich an ihr hervortun und uns indessen ein helleres Licht erleuchten.
Und so bleiben wir wegen der Zukunft unbekümmert! In unseres Vaters Reiche sind viel Provinzen, und da er uns hierzulande ein so fröhliches Ansiedeln bereitete, so wird drüben gewiß auch für beide gesorgt sein; vielleicht gelingt alsdann, was uns bis jetzt abging, uns angesichtlich kennenzulernen und uns desto gründlicher zu lieben. Gedenken Sie mein in beruhigter Treue.
Vorstehendes war bald nach der Ankunft Ihres lieben Briefes geschrieben, allein ich wagte nicht es wegzuschicken, denn mit einer ähnlichen Äußerung hatte ich schon früher Ihren edlen wackern Bruder wider Wissen und Willen verletzt. Nun aber, da ich von einer tödlichen Krankheit ins Leben wieder zurückkehre, soll das Blatt dennoch zu Ihnen, unmittelbar zu melden: daß der Allwaltende mir noch gönnt, das schöne Licht seiner Sonne zu schauen; möge der Tag Ihnen gleichfalls freundlich erscheinen und Sie meiner im guten und lieben gedenken, wie ich nicht aufhöre, mich jener Zeiten zu erinnern, wo das noch vereint wirkte, was nachher sich trennte.
Möge sich in den Armen des alliebenden Vaters alles wieder zusammen finden.

wahrhaft anhänglich
Goethe

FRIEDRICH SCHILLER

Nänie

Auch das Schöne muß sterben, das Menschen und Götter bezwinget,
Nicht die eherne Brust rührt es des stygischen Zeus.
Einmal nur erweichte die Liebe den Schattenbeherrscher,
Und an der Schwelle noch, streng rief er zurück sein Geschenk.
Nicht stillt die Aphrodite dem schönen Knaben die Wunde,
Die in den zierlichen Leib grausam der Eber geritzt.
Nicht errettet den göttlichen Held die unsterbliche Mutter,
Wenn er, am skäischen Tor fallend, sein Schicksal erfüllt.

Aber sie steigt aus dem Meer mit allen Töchtern des Nereus,
Und die Klage hebt an um den verherrlichten Sohn.
Siehe da weinen die Götter, es weinen die Göttinnen alle,
Daß das Schöne vergeht, daß das Vollkommene stirbt.
Auch ein Klaglied zu sein im Mund der Geliebten, ist herrlich.
Denn das Gemeine geht klanglos zum Orkus hinab.

HANS CAROSSA

Was einer ist, was einer war,
Beim Scheiden wird es offenbar.
Wir hören's nicht, wenn Gottes Weise summt;
Wir schaudern erst, wenn sie verstummt.

MARIE LUISE KASCHNITZ

Distelstern

Die Grabstätten der Fremden im Ausland haben etwas Bewegendes, der Marschall Turennes in Achern, die Humboldt-Kinder bei der Cestius-Pyramide, Platen in Syrakus, dazu all die Unbekannten, die Russen in Baden-Baden, die schwindsüchtigen jungen Engländer an der Cote d'Azur — achtzehn, dreiundzwanzig, fünfundzwanzig Jahre alt, und immer sieht man sie im Hotelzimmer sterben, mit ein paar Worten auf den Lippen, die ihnen ungeheuer wichtig sind und die niemand versteht. Erstaunlich ist auf solchen Friedhöfen auch die ruhige Fortdauer zahlloser, offensichtlich jedermann gleichgültiger Gräber und das geheimnisvolle Ausgelöschtwerden anderer, geliebter, die noch gesucht werden, aber vergeblich, wie kann das zugehn, der Stein war doch gesetzt, das Grab bezahlt. So sah ich heute auf dem Testaccio ein paar Fremde, die, Blumen in den Händen, erregt umherirrten, bergauf und bergab, im tiefen Schatten der Pinienkronen, wo durch den schwarzen Efeu die jungen wilden Katzen fauchend sprangen. Hier müßte es doch sein, die siebente Reihe über dem Brünnchen, man sollte von dort aus eine klagende Frau aus Marmor sehen. Die klagende Frau war da, sie schlang ihre zuckerweißen Arme um eine Urne, aber in ihrer Nähe fanden die Fremden nur unbekannte Gräber, und nicht einmal neue, die Steine schon verwittert und von Moos überdeckt. Wahrscheinlich gibt es Tote, die sich der Nachfrage entziehen, ganze Familien, deren Spuren nach einem geheimnisvollen Gesetz vertilgt werden sollen, so glühend auch der einzelne von ihnen gelebt haben mag. Im Auftrag meiner Freundin J. suchte ich einmal auf dem kleinen Friedhof St. Gian bei Celerina das Grab ihres während des Krieges dort beerdigten Bruders, im Nebel ging ich ein paar Mal alle Reihen ab, bog die regenschweren Stauden beiseite, las zwischen den ladinischen Namen ein paar deutsche, aber diesen nicht. Dafür entdeckte ich auf einer namenlosen Grabstätte dann die blaue Distel, eine riesige Staude, mit breiten grünsaftigen Lappenblättern auf der Schlammerde, dann stengelauf stufenweise zackigeren und trockeneren, die allmählich etwas Blau annahmen, schließlich harten blaugezähnten, die in einen leuchtenden Stern übergingen, und diese sichtbare Verwandlung aus dem erdhaft Feuchten ins metallisch Strahlende wurde mir zu einem Sinnbild aller unauffindbaren Toten der Welt.

JOHANN PETER HEBEL

Kannitverstan

Der Mensch hat wohl täglich Gelegenheit, in Emmendigen und Gundelfingen so gut als in Amsterdam, Betrachtungen über den Unbestand aller irdischen Dinge anzustellen, wenn er will, und zufrieden zu werden mit seinem Schicksal, wenn auch nicht viel gebratene Tauben für ihn in der Luft herumfliegen. Aber auf dem seltsamsten Umweg kam ein deutscher Handwerksbursche in Amsterdam durch den Irrtum zur Wahrheit und ihrer Erkenntnis. Denn als er in diese große und reiche Handelsstadt voll prächtiger Häuser, wogender Schiffe und geschäftiger Menschen gekommen war, fiel ihm sogleich ein großes und schönes Haus in die Augen, wie er auf seiner ganzen Wanderschaft von Tuttlingen bis nach Amsterdam noch keines erlebt hatte. Lange betrachtete er mit Verwunderung dies kostbare Gebäude, die sechs Kamine auf dem Dach, die schönen Gesimse und die hohen Fenster, größer als an des Vaters Haus daheim die Tür. Endlich konnte er sich nicht entbrechen, einen Vorübergehenden anzureden. »Guter Freund«, redete er ihn an, »könnt Ihr mir nicht sagen, wie der Herr heißt, dem dieses wunderschöne Haus gehört mit den Fenstern voll Tulipanen, Sternenblumen und Levkojen?« — Der Mann aber, der vermutlich etwas Wichtigeres zu tun hatte und zum Unglück gerade so viel von der deutschen Sprache verstand als der Fragende von der holländischen, nämlich nichts, sagte kurz und schnauzig: »Kannitverstan!« und schnurrte vorüber. Dies war ein holländisches Wort, oder drei, wenn man's recht betrachtet, und heißt auf deutsch so viel als: Ich kann Euch nicht verstehen. Aber der gute Fremdling glaubte, es sei der Name des Mannes, nach dem er gefragt hatte. Das muß ein grundreicher Mann sein, der Herr Kannitverstan, dachte er und ging weiter. Gaß aus, Gaß ein kam er endlich an den Meerbusen, der da heißt: Het Ey, oder auf deutsch: das Ypsilon. Da stand nun Schiff an Schiff und Mastbaum an Mastbaum, und er wußte anfänglich nicht, wie er es mit seinen zwei einzigen Augen durchfechten werde, alle diese Merkwürdigkeiten genug zu sehen und zu betrachten, bis endlich ein großes Schiff seine Aufmerksamkeit an sich zog, das vor kurzem aus Ostindien angelangt war und jetzt eben ausgeladen wurde. Schon standen ganze Reihen von Kisten und Ballen auf- und nebeneinander am Lande. Noch immer wurden mehrere herausgewälzt, und Fässer voll Zucker und Kaffee, voll Reis und Pfeffer, und salveni Mausdreck darunter. Als er aber lange zugesehen hatte, fragte er endlich einen, der eben eine Kiste auf der Achsel heraustrug, wie der glückliche Mann heiße, dem das Meer all diese Waren an das Land bringe. »Kannitverstan!« war die Antwort. Da dachte er: ‚Haha, schauts da heraus? Kein Wunder, wem das Meer solche Reichtümer an das Land schwemmt, der hat gut solche Häuser in die Welt stellen und solcherlei Tulipanen vor die Fenster in vergoldeten Scherben.' Jetzt ging er wieder zurück und stellte eine recht traurige Betrachtung bei sich selbst an, was er für ein armer Mensch sei unter so viel reichen Leuten in der Welt. Aber als er eben dachte: ‚Wenn ichs doch nur auch einmal so gut bekäme, wie dieser Herr Kannitverstan es hat', kam er um eine Ecke und erblickte einen großen Leichenzug. Vier schwarz vermummte Pferde zogen einen ebenfalls schwarz überzogenen Leichenwagen langsam und traurig, als ob sie wüßten, daß sie einen Toten in seine Ruhe führten. Ein langer Zug von Freunden und Bekannten des Verstorbenen folgte nach, Paar und Paar, verhüllt in schwarze Mäntel und stumm. In der Ferne läutete ein einsames Glöcklein. Jetzt ergriff unsern Fremdling ein wehmütiges Gefühl, das an keinem guten Menschen vorübergeht, wenn er eine Leiche sieht und er blieb mit dem Hute in den Händen andächtig stehen, bis alles vorüber war. Doch machte er sich an den Letzten vom Zug, der eben in der Stille ausrechnete, was er an seiner Baumwolle gewinnen könnte, wenn der Zentner um zehn Gulden aufschlüge, ergriff ihn sachte am Mantel und bat ihn treuherzig um Exküse. »Das muß wohl auch ein guter Freund von Euch gewesen sein,« sagte er, »dem das Glöcklein läutet, daß Ihr so betrübt und nachdenklich mitgeht?« »Kannitverstan!« war die Antwort. Da fielen unserm guten Tuttlinger ein paar große Tränen aus den Augen, und es ward ihm auf einmal schwer und wieder leicht ums Herz. »Armer Kannitverstan!« rief er aus, »was hast du nun von allem deinem Reichtum? Was ich einst von meiner Armut auch bekomme: ein Totenkleid und ein Leintuch, und von allen deinen schönen Blumen vielleicht einen Rosmarin auf die kalte Brust, oder eine Raute.« Mit diesen Gedanken begleitete er die Leiche, als wenn er dazu gehörte, bis ans Grab, sah den vermeinten Herrn Kannitverstan hinabsenken in seine Ruhestätte und ward von der holländischen Leichenpredigt, von der er kein Wort verstand, mehr gerührt als von mancher deutschen, auf die er nicht achtgab. Endlich ging er leichten Herzens mit den andern wieder fort, verzehrte in einer Herberge, wo man deutsch verstand, mit gutem Appetit ein Stück Limburger Käse, und wenn es ihm wieder einmal schwer fallen wollte, daß so viele Leute in der Welt so reich seien und er so arm, so dachte er nur an den Herrn Kannitverstan in Amsterdam, an sein großes Haus, an sein reiches Schiff und an sein enges Grab.

JAKOB UND WILHELM GRIMM

Das Hirtenbüblein

Es war einmal ein Hirtenbüblein, das war wegen seiner weisen Antworten, die es auf alle Fragen gab, weit und breit berühmt. Der König des Landes hörte auch davon, glaubte es nicht und ließ das Bübchen kommen. Da sprach er zu ihm: »Kannst du mir auf drei Fragen, die ich dir vorlegen will, Antwort geben, so will ich dich ansehen wie mein eigen Kind, und du sollst bei mir in meinem königlichen Schloß wohnen.« Sprach das Büblein: »Wie lauten die drei Fragen?« Der König sagte: »Die erste lautet, wieviel Tropfen Wasser sind in dem Weltmeer?« Das Hirtenbüblein antwortete: »Herr König, laßt alle Flüsse auf der Erde verstopfen, damit kein Tröpflein mehr daraus ins Meer läuft, das ich nicht erst gezählt habe, so will ich Euch sagen, wieviel Tropfen im Meer sind.« Sprach der König: »Die andere Frage lautet, wieviel Sterne stehen am Himmel?« Das Hirtenbüblein sagte: »Gebt mir einen großen Bogen weiß Papier«, und dann machte es mit der Feder so viel feine Punkte darauf, daß sie kaum zu sehen und fast gar nicht zu zählen waren und einem die Augen vergingen, wenn man darauf blickte. Darauf sprach es: »So viele Sterne stehen am Himmel, als hier Punkte auf dem Papier, zählt sie nur.« Aber niemand war dazu imstand. Sprach der König: »Die dritte Frage lautet, wieviel Sekunden hat die Ewigkeit?« Da sagte das Hirtenbüblein: »In Hinterpommern liegt der Demantberg, der hat eine Stunde in die Höhe, eine Stunde in die Breite und eine Stunde in die Tiefe; dahin kommt alle hundert Jahre ein Vöglein und wetzt sein Schnäblein daran, und wenn der ganze Berg abgewetzt ist, dann ist die erste Sekunde von der Ewigkeit vorbei.« Sprach der König: »Du hast die drei Fragen aufgelöst wie ein Weiser und sollst fortan bei mir in meinem königlichen Schlosse wohnen, und ich will dich ansehen wie mein eigenes Kind.«

HANS CAROSSA

Hüte dein altes Geheimnis, o Welt, vor den menschlichen Augen!
Töten würdest du den, dem du zu früh dich verrietst.
Manchmal aber gedenke des Bunds! Gib einem der Unsern
Ein dem unendlichen Sinn ebenbürtiges Herz!

Der alte Mann, wie sehr ernste Völker, besucht lieber das Lustspiel als das Trauerspiel.

JEAN PAUL

JOSEPH ROTH

Grock

Grock ist in Berlin. Grock, der große Clown.
Zuerst betritt ein bebrillter Herr im Smoking die Bühne. Es ist ein Geiger, ein Virtuose, ein Normalvirtuose, ein zivilisierter Mensch, nichts ist außergewöhnlich an ihm. Wie er die Geige unter das Kinn rückt, den Bogen mit einem zierlichen und überlieferten Schwung hebt und zu spielen beginnt, das ist vorbildlich mittelmäßig, unauffällig und selbstverständlich.
Da hebt sich leise die rechte Wandkulisse, und sehr vorsichtig, beschämt, neugierig und mit der bescheidenen Frechheit derjenigen, die hier nichts zu suchen haben, tritt ein sehr auffälliges Lebewesen auf die Bühne im grauen Schlußrock, der überlang über die weiten grauen Hosen fällt, einen grauen runden Steifhut auf dem Kopf. Die großen Glotzaugen, die ihrer Form nach

sehr dumm sein müßten, aber ganz widernatürlich verschmitzt sind, tasten sorgfältig die Atmosphäre ab. Ein langes, sehr weiches und braves Kinn hängt traurig hernieder, resigniert und enttäuscht, tausendmal, zehntausendmal, und immer noch ein bißchen gläubig. Kein Zweifel: dieses merkwürdige Lebewesen ist Grock.

Grock trägt einen großen Reisekoffer in der Hand. Es ist das Etui einer winzigen Geige. Der brave Herr im Smoking ist maßlos verwundert. Grock fühlt sich schon heimisch. Nein! Wie schön ist das hier! Welch ein netter Herr! Grock wird etwas spielen. Er setzt sich bequem auf die Stuhllehne, die großen, weichen, gelben Schuhe auf dem Sitz, und spielt sehr brav, sehr rührend und »mit Gefühl« auf der winzigen Geige richtige, erwachsene Töne.

Dann soll er den Herrn auf dem Klavier begleiten. Grock geht hinaus, um Toilette zu machen. Er kommt zurück, im schwarzen, engen Frack, mit jämmerlich gekrümmten, gewellten Beinen in strenge anliegenden, unerbittlichen Hosen, die sich getreu den Formen der Beine anpassen. Und nun beginnt der Kampf gegen das Leben, der harte aufreibende Kampf gegen den Widerstand aller Dinge auf Erden, die Bosheit und Ungeschicklichkeit der Sachen, die groteske Unlogik der gewöhnlichen Zustände. Das Klavier steht zu weit vom Stuhl entfernt: man muß es näherrücken. Die Decke des Flügels ist offen: legt man den Zylinder hin, so rutscht er zu Boden. Die Tasten trifft man nicht richtig: denn man trägt weiße, dicke Handschuhe. Also muß man sie ablegen. Wie sollte ein vernünftiger Mensch selbst darauf kommen? Der grundgescheite Herr in der tadellosen Gewöhnlichkeit muß einen erst darauf aufmerksam machen.

Grock legt die Handschuhe ab und rollt sie zusammen. Jetzt sehen sie aus wie ein Ei. Ein Ei! Seht her! In der Erinnerung Grocks taucht ein unerhört amüsantes Bild auf: ein Mann, der mit Eiern jongliert. Ein *Jongleur.* Jonglieren ist im Augenblick wichtiger als Klavierspielen. So zwingend ist ein weißes Handschuhpaar, das wie ein Ei aussieht, daß Grock jonglieren muß. Es dauert längere Zeit. Dann erinnert ihn der Herr an das Klavier.

Grock hat eine wunderbare, runde, fast zylinderförmige Ziehharmonika. Sie kann wie eine Orgel klingen. Dann ist sie natürlich ein sehr würdevoller, ja ein religiöser Gegenstand. Aber wenn man sie in Händen hält, spielt sie von selbst. Ihr entfahren wider Willen einzelne hohe, komische Töne. Grock fürchtet sich vor diesen Tönen, die selbständig, lebendig aus dem Instrument springen, übermütige Tierchen, die ihre lange Gefangenschaft nicht aushalten. Grock springt davon. Die Ziehharmonika hat er noch. Da fliegt, da spritzt ein Tönchen hervor. Grock wendet sich. Es ist ein erschütternder Kampf zwischen dem Willen eines Menschen, seinen Fingern und dem widerspenstigen Instrument.

Einige Male erreicht dieser Kampf seine Höhepunkte: wenn Grock die *Manschetten* hoch über dem Ellenbogen sucht, dort, wo der Mensch gewöhnlich geimpft wird; wenn Grock die Geige in die rechte Hand nimmt, den Bogen in die Linke und nicht spielen kann; wenn Grock den Bogen in die Luft wirft und ihn nicht auffangen kann. Dann geht er hinter die spanische Wand und übt. Kommt hervor, wirft den Bogen in die Luft und erwischt ihn. Eine Minute verstreicht. Da fällt Grock ein, daß er ja das schwierige Kunststück schon getroffen hat, und er läßt ein Jubeln hören, das halb ein Grunzen ist und halb ein Jauchzer. Es ist die große Freude eines lieben, lieben Trottels.

Für den Applaus bedankt er sich, er kommt vor den Vorhang, verneigt sich und findet nicht mehr den Ausgang. Grock ist vom rollenden Hinterland abgeschlossen, preisgegeben der Menschheit im Parkett, die ihn jetzt noch beklatscht — aber, wie lange noch, wie lange noch?! Bald fängt sie an, über seine Unbeholfenheit zu lachen, wie sie über seine absichtlichen Späße lachen kann, diese Bestie Menschheit. Keiner rührt sich, niemand hilft, niemand zeigt den Ausweg, der Vorhang hat unzählige Falten, ja, er besteht aus lauter Falten, und eine muß doch der Ausgang sein?! Eine fatale Situation! Nur nicht zeigen, daß man verlegen ist! Immer wieder eine schöne, lächelnde, liebenswürdige Verbeugung! Die Leute sollen nur glauben, daß es aus Dankbarkeit geschieht, aus herzlicher Dankbarkeit. Und während sie noch klatschen, rasch den Vorhang hochgehoben und unten durchgeschlüpft! Gerettet!

Noch einmal erscheint Grock, aber das ist ein anderer Grock, ohne Glatze, mit dem traurigen Gesicht voll adeliger Häßlichkeit, ein Aristokrat in einer Welt von Grobgeformten, ein Mann von edler Treue und tausendmal verraten, ein ehrlich, ja demütig Strebender und immer Zurückgeworfener, einer, der geboren ist für die Verzweiflung und sich zwingt zu edler Gläubigkeit, ein Tolpatsch, ein Held, ein Erhabener in den Niederungen, ein tausendmal Besiegter, aber ewig ein Sieger.

10 Meister Bertram, Erschaffung der Tiere
Grabower Altar, 1379

WOLFDIETRICH SCHNURRE

Der Brötchenclou

Anfangs ging es noch; aber als Vater dann auch wieder arbeitslos wurde, da war es aus. Es gab Zank; Frieda sagte, Vater wäre zu unbegabt, um Arbeit zu finden.

Vater sagte: »Ach bitte, sag das noch mal.«

»Du bist zu unbegabt, um Arbeit zu finden«, sagte Frieda.

»Ich hoffe«, sagte Vater, »du bist dir über die Konsequenzen dieser Feststellung klar.«

Dann nahm er mich bei der Hand, und wir gingen spazieren.

Zum Glück kam damals gerade ein Rummel in unsere Gegend. Er war nicht sehr groß, aber es gab eine Menge auf ihm zu sehen. Mit dem Glücksrad und solchem Kram hatten wir nicht viel im Sinn. Aber was uns sehr interessierte, das waren die Schaubuden.

In einer trat eine weißgeschminkte Dame auf; wenn man der eine Glühbirne in den Mund steckte, dann leuchtete sie. Ein Herr sagte einmal während einer Vorstellung, das wäre Schwindel. Darauf stand Vater auf und sagte, er sollte sich schämen.

Nachher kam die weißgeschminkte Dame zu uns und fragte Vater, ob er Lust hätte, bei sämtlichen Vorstellungen anwesend zu sein und etwaigen Störenfrieden dasselbe zu sagen wie eben; sie bot Vater eine Mark für den Abend.

Wie Vater mir nachher sagte, hatte er Bedenken. Es wäre ein Unterschied, sagte er, ob man sich spontan oder auf Bezahlung empörte. Aber dann sagte er doch zu, denn ein Teller Erbsensuppe bei Aschinger kostete nur fünfzig Pfennige.

Die weißgeschminkte Dame war jedoch nicht die einzige Attraktion, sie war bloß die Chefin. Zugnummer war Emil, der Fakir aus Belutschistan. Er stand barfuß auf einem Nagelbrett, er spuckte Feuer und hypnotisierte. Der Clou seines Auftritts war die Brötchenwette: Emil versprach demjenigen zehn Mark, der, wie er, innerhalb von fünf Minuten, ohne was dazu zu trinken, sechs trockene Brötchen vom Vortag verzehrte.

Erst dachten wir, Emil wäre verrückt. Aber dann stellte sich heraus, es war eine Leistung, und zwar eine einmalige. Denn so groß auch der Andrang jedesmal war, niemand kam über drei Brötchen; und an denen würgten die meisten schon sehr herum, daß wir immer fast von den Stühlen fielen vor Lachen.

Auch Emil mußte sich sehr anstrengen. Das heißt, es kann auch sein, er verstellte sich nur, denn er war wirklich ein Künstler. Und nicht nur das;

auch ein Geschäftsmann: alle mußten für das erste Brötchen zehn Pfennige, und für jedes weitere das Doppelte vom vorher verzehrten bezahlen.
Hätte Vater damals nicht gerade Geburtstag gehabt, ich hätte bestimmt nicht daran gedacht, hier auch mal mein Heil zu versuchen. Doch ich wollte Vater zum Geburtstag eine Ananas kaufen. Die Schwierigkeit war jetzt bloß, regelmäßig Geld für die Trainingsbrötchen zu kriegen.
Ich versuchte es, indem ich vor EPA auf Fahrräder aufpaßte. Das ging ganz gut. Ich bekam zwar oft Streit mit denen, die schon früher auf diese Idee gekommen waren; aber abends hatte ich doch immer so meine fünfzehn, zwanzig Pfennige zusammen.
Ich hatte zwei Wochen Zeit. Ich trainierte zweimal täglich, einmal morgens, einmal abends. Zum Glück hatte ich immer sehr großen Hunger, so daß ich bald schon auf vier Brötchen in sechs Minuten kam. Dann sagte ich Vater, ich hätte Bauchweh und ließ abends die Erbsen weg, und da schaffte ich sechs Brötchen in sieben Minuten.
Dann kam ich auf die Idee, vorher Maiblätter zu lutschen. Das waren große, grüne, saure Bonbons, sie verhalfen einem zu unglaublich viel Spucke. Jedenfalls schaffte ich die sechs Brötchen jetzt in sechs Minuten und dreißig Sekunden; und drei Tage später hatte ich Emils Rekord sogar noch um zwei Zehntelsekunden unterboten.
Ich war sehr froh; doch ich behielt es erst noch für mich; es sollte ja eine Überraschung werden. Doch da ich, um besser in Form zu sein, abends immer die Suppe stehen ließ, bekam ich dunkle Ringe um die Augen und ganz löchrige Backen und ausgerechnet, als nur noch zwei Tage Zeit war, sagte Vater, er sähe sich das nun nicht mehr länger mit an: und wenn ich hundertmal Bauchweh hätte, ich müßte die Suppe jetzt essen.
Ich sträubte mich; ich sagte, ich ginge kaputt, wenn ich sie äße.
Aber Vater bestand darauf, und was das Schlimmste war, er hatte einen Kochtopf mitgebracht, in den ließ er sich seine Suppe jetzt einfüllen, und am nächsten Morgen redete er mir so lange zu, bis ich mir ganz schlecht vorkam und sie auslöffelte.
Es war furchtbar; ich war so satt wie noch nie. Ich ging sofort raus und steckte den Finger in den Hals, und am Abend war ich dann auch Gott sei Dank wieder ebenso hungrig wie immer.
Es war Sonnabend und ein guter Geschäftstag. Als Vater die Menge im Zelt überblickte, nickte er anerkennend; er sagte, das wäre genau der richtige Tag, die Chefin um eine Geburtstagsgratifikation anzugehen.
Geh du man an, dachte ich. Ich stellte mir schon Vaters Gesicht vor, wenn Emil mir die zehn Mark in die Hand drückte. Sicher würde es auch allerhand Beifall geben. Ich überlegte, ob ich mich dann verbeugen sollte; lieber nicht, das sah immer so anbiedernd aus.

Ich lutschte andauernd Maiblätter; ich glaube, ich habe noch nie so viel Spucke gehabt wie an dem Abend. Das Publikum war wunderbar; es ging sogar bei Clorullupp, dem Fischmenschen mit, und der war bestimmt so das Langweiligste, was man sich nur vorstellen kann.

Dann kam Emil. Er trat auf das Nagelbrett, er spuckte Feuer und hypnotisierte einen Hilfspolizisten; das Publikum raste.

Und dann folgte, von einem dumpfen Trommelwirbel begleitet, der Brötchenclou.

Emil war nicht sehr gut in Form; man sah, diesmal strengte es ihn tatsächlich an. Aber dann hatte er es doch wieder geschafft, und in den losprasselnden Beifall rein sagte er, so, und wer ihm das jetzt nachmachte, der bekäme an der Kasse zehn deutsche Reichsmark ausbezahlt.

Es waren sehr viele Leute, die daraufhin nach vorn gingen. Ich ließ sie erst alle ran und sich blamieren; dann schob ich mir ein Maiblatt unter die Zunge und ging auch nach vorn.

Ich spürte deutlich den Blick von Vater im Nacken, ich drehte mich aber nicht um; ich wußte, sah ich Vater erst an, war es aus. Doch auch die Zuschauer schienen unruhig zu sein, sie glaubten wohl, ich wäre zu klein, um die Brötchen zu schaffen.

Glaubt, was ihr wollt, dachte ich; wundern könnt ihr euch immer noch.

Und dann war ich dran.

»Ach nee«, sagte Emil, als er mich sah und kniff ein bißchen die Augen zusammen. Dann rief er laut: »Na, und der junge Herr —: auch mal sein Glück versuchen?«

»Ja«, sagte ich.

Ich griff in die Brötchentüte. Ich sagte, er sollte die Stoppuhr einstellen; Emil stellte sie ein.

»Los« sagte er; und im selben Moment fing hinter dem Vorhang Clorullupp an, die Trommel zu rühren.

Ich hielt die Luft an und biß in ein Brötchen. Doch kaum hatte ich den ersten Bissen im Mund, da glaubte ich, ich müßte mich übergeben, so satt war ich auf einmal. Rasch biß ich noch mal was ab; doch es war wie verhext, ich bekam den Bissen nicht runter, der Brötchenbrocken lag mir wie ein Holzwollknäuel auf der Zunge. Obendrein rutschte mir auch noch das Maiblatt in die Luftröhre, ich verschluckte mich und bekam einen Hustenanfall.

Erst dachte ich, mein Husten machte den Krach; aber dann merkte ich, den Krach machten die Leute: sie schrien vor Lachen.

Ich bekam eine wahnsinnige Wut; ich schrie, ich hätte Emils Rekord neulich sogar unterboten; aber jetzt lachten sie nur noch mehr. Ich heulte; ich schrie, an allem wäre bloß diese verdammte Erbsensuppe schuld, wenn ich die nicht hätte essen müssen, dann hätten sie jetzt aber mal staunen können.

Sie wollten sich totlachen darauf; sie schlugen sich auf die Schenkel, sie klatschten und schrien wie die Wahnsinnigen.
Plötzlich erhob sich jemand im Zuschauerraum und kam langsam nach vorn. Ich fuhr mir über die Augen, und da war es Vater.
Er war sehr bleich; er kam auf das Podium und hob die Hand. »Einen Moment bitte«, sagte er laut.
Gleich war das ganze Zelt still, und alle sahen zu ihm auf.
Vater räusperte sich. »Es stimmt, was dieser Junge hier sagt«, rief er dann; »ich war selbst mit dabei!«
Er hatte seinen Satz noch nicht mal zuende, da ging das Gelächter schon wieder los, jetzt aber noch viel lauter als vorher; denn jetzt lachten sie nicht nur über mich, jetzt lachten sie auch über Vater; ich hätte ihr sonst was antun können, der Bande.
Vater versuchte noch ein paarmal, sich Gehör zu verschaffen; doch der Krach war jedesmal so groß, daß kein Wort durchdrang. Da legte er mir die Hand auf den Kopf, und als das Gelächter mal einen Augenblick nachließ, schrie er: »Sie sollten sich schämen!«
Doch nun wurde das Geschrei und Gejohle wieder so laut, daß man das Gefühl hatte, das Zelt stürzte ein. Ich sah Vater an; er schluckte; die Hand auf meinem Kopf zitterte etwas.
»Komm«, sagte er heiser.
Er bezahlte Emil das Brötchen, dann gingen wir raus.
Es regnete. Die Wege zwischen den Buden waren leer; nur vor dem Glücksrad standen ein paar Leute, denn da war ein Dach drüber.
Ich wollte was sagen, aber mir fiel nichts ein . . .

WERNER BERGENGRUEN

»A PROPOS PFERDE . . .«

Der Frühling begann, in den kahlen Wäldern blühten die wilden Kirschbäume, und im Café Verbano hatten sie schon die großen Fensterscheiben hinaufgeschoben. Der Himmel war blau, draußen lag die Vormittagssonne. Der Rittmeister und ich saßen beim Apéritif. Er hatte die Blechschachtel vor sich auf den Tisch gelegt und stopfte Zigaretten für uns beide.
Flanierend oder geschäftig kamen Menschen vorbei, Einheimische und Fremde, begeistert klingelnde Radfahrer, Männer mit Baskenmützen und Einkaufsnetzen, dazwischen ein Priester, elegante Frauen in Hosen, die

künstlich so hergerichtet waren, als seien sie von alten Fischern abgelegt worden. Alle Augenblicke schoß, flitzte, donnerte etwas Motorisiertes vorüber, etwas Herrschaftliches, Wohlhabendes, Sportliches, etwas Rumpelnd-Bescheidenes oder Lastbares, auf vier oder zwei Rädern. Wir sahen dem zu und gestanden uns gegenseitig unbeschämt ein, daß wir keinerlei motorische Fahrzeuge zu lenken wußten und auch nicht den Wunsch hatten, jemals etwas von dieser Art zu besitzen.

»Hierüber hat schon Balzac das Einleuchtende gesagt«, bemerkte der Rittmeister. »Irgendwo heißt es bei ihm: il ne faut ni gazettes ni maitresses ni maisons de campagne, parce qu'il y a toujours des imbéciles qui en ont pour nous.«

Wir kamen überein, daß es uns beiden, wenn Not am Mann war, noch nie an liebenswürdigen Imbéciles gefehlt hatte, die einen vom Motor bewegten Wagen auch pour nous besaßen. Dann rühmten wir es, daß man immer noch nach Pferdekräften rechnet und nicht nach einer abstrakten, das heißt: ausgedachten Maßeinheit; und dies, obwohl doch Pferdekräfte etwas individuell Bedingtes und Schwankendes sind und sogar Kinder und Automechaniker wissen, daß ein Belgier oder Oldenburger andere Kräfte hat als ein Steppenpferd.

»Man gibt damit zu«, sagte der Rittmeister, »daß das Pferd das Eigentliche und der Motor die Imitation ist. Und wie jede Imitation muß er natürlich übertreiben.«

»Auf diese Weise hat die Technik dem von ihr Überwundenen auf lange Zeit hin ein Denkmal gesetzt«, antwortete ich.

»Lang ist nicht ewig. Man soll sich nichts vormachen. Sehen Sie, im zweiten Weltkriege, der ja nicht mehr mein Krieg war, hat es in Deutschland motorisierte Rittmeister gegeben, etwa Rittmeister der Panzerwaffe. Nun, warum nicht? Natürlich waren das keine Rittmeister, die hießen bloß so. Wissen Sie, das ist, als wenn ich plötzlich anfinge, meine Morgenschuhe mit Stiefel anzureden. Nichts gegen meine Morgenschuhe, ohne sie wäre ich verloren, und sie verlangen nicht einmal, geputzt zu werden. Aber sie müssen mir zugeben, daß das keine Stiefel sind.«

»Ich? Ich gebe Ihnen ja noch ganz andere Dinge zu. Ich weiß, daß das Pferd jahrtausendelang alles höhere und reichere Leben getragen und aller Gesittung den Weg freigehalten hat. Was ist es heute? Eine zum Aussterben verurteilte Tiergattung wie Kolkrabe, Biber, Steinadler, Wildkatze, Luchs. Natürlich, man wird es noch eine Weile hegen wie eine schöne altmodische Kostbarkeit, wie ein Spielzeug oder eine Reliquie, und wird es künstlich am Dasein erhalten. Aber es bleibt dabei, daß es stirbt. Und mit ihm wird auch unter den Menschen vieles an Gesinnungen und Empfindungen absterben.«

»Und unsereiner stirbt ihm nach«, sagte der Rittmeister. »Uns wird man in

keinen Naturschutzpark setzen, Naturschutzparks sind ja auch naturwidrig. Es wird dann allmählich ganz andere Leute geben. Nun, in Gottes Namen, die Welt steht nicht still.
Aber — was werde ich Ihnen sagen? — damit ist es ja nicht abgetan. Die Pferde kommen wieder, und die Reiter auch. Allerdings niemandem zur Lust. Pferde und Reiter sollen am Ende der irdischen Dinge stehen. Erinnern Sie sich an die vier apokalyptischen Reiter, einer sitzt auf dem weißen Gaul, einer auf dem feuerroten, einer auf dem schwarzen, einer auf dem fahlen. Und das sind nicht die letzten. Es kommt dann noch einmal die Stunde der Reiter und Pferde, eine furchtbare Stunde. Blättern Sie in der Offenbarung Johannis ein wenig weiter, da fallen, auf den Schall der sechsten Posaune, Reitermassen über die Erde her, zweihundert Millionen an der Zahl. Ich weiß nicht, was für Männer das sein werden, die auf den löwenköpfigen, schlangenschwänzigen, Feuer- und Schwefeldämpfe speienden Pferden sitzen werden; es heißt nur, die Reiter würden flammenfarbene, blutrote und schwefelgelbe Kürasse tragen. Keine sympathische Truppe, scheint mir. Ich für mein Teil, ich habe nun einmal bei den Dragonern gestanden, bei den apokalyptischen Reitern hätte ich nicht stehen mögen, das wäre nichts für mich. Nun, wie Gott will. Vielleicht hat es damit ja auch noch Zeit. Einstweilen halten wir uns an die Pferdekräfte.« Er trank mir zu.
»Habe ich Ihnen eigentlich schon die Geschichte von den Pferdekräften erzählt?« fuhr er fort. »Die Geschichte von Ali Baba und den vierzig Pferdekräften? Nein? Dann muß ich es nachholen. Das ist eine Geschichte, bei der es um wirkliche Pferdekräfte geht. Ich habe sie nicht selbst miterlebt, sie hat sich vielleicht vierzig oder fünfzig Jahre vor meiner Geburt zugetragen. Aber ich hätte doch fast Lust, meine Hand für ihre Wahrheit ins Feuer zu legen. Ich habe sie von einem Bruder meiner Großmutter, der eigentlich ein nüchterner Mensch war. Als er sie mir erzählte, war ich noch in dem Alter, wo man alles wissen möchte. Aber er sagte, eine Erklärung habe er nicht. Ich habe auch keine. Übrigens sind Erklärungen meistens langweilig. Es ist die rätselhafteste aller Geschichten. Besser sage ich wohl: die rätselhafteste, die ich kenne. Für einen, der mit solchen Dingen Bescheid weiß, ist sie am Ende gar nicht so rätselhaft. Sie wissen doch, wie das Märchen vom Swinegel anfängt: ‚Die Geschichte ist lügenhaft zu erzählen, aber wahr muß sie doch sein, sonst könnte man sie ja nicht erzählen.‘ Glauben Sie nicht, daß damit etwas überaus Bemerkenswertes ausgedrückt ist? Jede Geschichte muß eine Wahrheit haben, es braucht ja nicht gleich die Wahrheit des Eisenbahnkursbuchs oder der Logarithmentafel zu sein; dann schon eher die des Börsenberichts oder des Nekrologs. Anders wäre sie nicht nur nicht erzählenswert, sondern vermutlich auch gar nicht erzählbar. Vollkommen unwahre Geschichten lassen sich überhaupt nicht erzählen ...«

Es kam an diesem Vormittag nicht dazu, daß die Geschichte von den Pferdekräften erzählt wurde. Denn der Rittmeister fing wieder an, von Motoren, Pferdekräften und Pferden zu philosophieren. Er wurde verschmitzt und pfiffig, was ihm so gut zu Gesicht stand, und schließlich sagte er:
»Sie sind doch ein alter Lateiner. Wissen Sie, daß der Rang der Reiterei sich schon aus der kirchlichen Liturgie beweisen läßt? Es heißt doch in jeder Messe: ›vere dignum et justum est, aequum et salutare‹ — zu deutsch: ›Im Frühling ist es würdig und gerecht, auch ein Pferd zu grüßen.‹ Eine bemerkenswerte Übersetzung, finden Sie nicht auch? Der Wahrheit die Ehre, ich verdanke diesen Spaß natürlich nicht meinen fünf Gymnasialklassen, sondern meinem Pfarrer von Arcegno. Aber nicht kleinlich sein! Wir sollten uns gewöhnen, nicht nur im Frühling, wo man ja ohnehin angenehm aufgelegt ist und gern ein übriges tut, sondern zu allen Jahreszeiten jedes Pferd zu grüßen, das uns begegnet, und mag es der maukigste Milchkarrengaul zwischen Wladiwostok und Gibraltar sein. Und nicht ›auch‹, sondern vor allen anderen Geschöpfen! Wie lange wird man denn das noch können?«
»Frühling haben wir ja«, sagte ich etwas hinterhältig.
»Nur das Pferd fehlt noch«, antwortete der Rittmeister.
»Passen Sie auf, Rittmeister. Jetzt mache ich Ihnen einen Vorschlag. Wir knobeln. Wer verliert, muß das nächste hier auf der Straße vorüberkommende Pferd grüßen.«
»Das ist eine verständige Proposition«, erklärte der Rittmeister. »Also d'accord!«
Wir knobelten, und ich gewann.
»Gut«, sagte er ruhig und zündete sich die erloschene Zigarette wieder an. »Da hilft nichts«, fügte er hinzu. »Und wenn der Kaiser von China mir dabei zusieht, von diesem ganzen Marktflecken gar nicht zu reden, — ich werde grüßen.«
Ich hörte etwas rumpeln.
»Achtung!« rief ich. »Da kommt ein Wagen.«
Der Rittmeister erhob sich, der Wagen war mit zwei Kühen bespannt, der Rittmeister setzte sich wieder.
Eine Weile kam nichts als Radfahrer, Motozyklisten, Limousinen.
Ich trat auf die Straße hinaus und ging ein paar Schritte, gerade so viele, daß ich sehen konnte, was sich jenseits der Biegung näherte.
Es näherte sich ein zweirädriger Karren, mit Strauchholz beladen. Neben ihm ging ein schmutziger, halbwüchsiger Bursche und führte das Pferd, das des Autoverkehrs wegen mitunter unruhig wurde. Es war ein jammernswürdiges Geschöpf mit verwahrlostem Fell, scharfen Rippen und trübselig hängendem Kopf, ein Auswurf und Abschaum der Pferdheit.
»Fertigmachen!« rief ich zurückkehrend. »An die Pferde!«

Der Rittmeister stand auf. An einem Haken hing ein sehr kostbarer Hut. Der Eigentümer war für einen Augenblick hinausgegangen. Außer uns beiden war niemand im Raum als die Serviertochter, ein schönes, dunkelhaariges Mädchen aus dem Wallis. Der Rittmeister nahm den Hut und setzte ihn auf, obwohl er nicht passen wollte, sondern lächerlich hin und herrutschte. Er schritt zur Tür, hielt aber, ehe er sie erreicht hatte, plötzlich an, als habe er etwas vergessen. Dann machte er Toilette, indem er die Krawatte zurechtrückte und sich den Schnurrbart strich. Erst hiernach ging er mit seinen langen, immer noch elastischen Reiterbeinen auf die Straße hinaus. Gerade jetzt kam das Fuhrwerk am Verbano vorüber.
Der Rittmeister blieb stehen und nahm mit großem Ernst den Hut ab; er beeilte sich keineswegs. Zugleich machte er eine Verbeugung und schlug die Hacken seiner ungeputzten Schuhe gegeneinander, daß man Sporen klirren zu hören meinte. Damit jedoch hatte er sich noch keine Genüge getan. Statt sich wieder aufzurichten, verbeugte er sich noch tiefer — und wahrhaftig, jetzt war es keine gewöhnliche Verbeugung mehr: unmerklich war er in jene Verneigung übergegangen, mit welcher in der griechischen Kirche der Gläubige seine Andacht und Ehrfurcht bezeigt; fast bildeten Ober- und Unterkörper einen rechten Winkel. Dann richtete er sich langsam wieder auf.
Der Bursche nahm seine Zigarette aus dem Munde und glotzte. »Eh, il capitano«, sagte er mit einem dümmlichen Grinsen.
Den Hut in der Hand, blieb der Rittmeister draußen stehen, bis das klägliche Fuhrwerk vorüber war.
Hinter dem Karren kam langsam, aber mit offensichtlicher Ungeduld ein Viersitzer neuesten Modells, unnötigerweise hupend. Die Insassen schienen verdrossen darüber, daß sie angesichts des Verkehrs aus der Gegenrichtung das bäuerliche Gefährt nicht überholen konnten. Am Steuer saß ein junger Herr mit einem kanariengelben Foulard. Außer diesem Fahrer enthielt der Wagen drei sorgfältig sonnenverbrannte, elegant, jedoch ferienhaft locker gekleidete Damen; mindestens eine von ihnen mag eine Psychotherapeutin gewesen sein, zum wenigsten in Amateursweise. Alle starrten sie den Rittmeister an wie ein Meerwunder. Keine gewahrte, daß sie Zeugin eines sakralen Vorganges war, keine, daß hier Abschied genommen wurde von Jahrtausenden menschlicher Geschichte, keine, daß hier zugleich Gott in seiner Kreatur geehrt wurde.
Der Rittmeister kehrte ohne Eile in das Schankzimmer zurück und hängte den Hut an den Haken. Der Hut schaukelte noch ein wenig, als sein Herr wiederkam; indessen bemerkte dieser es nicht.
Die Serviertochter, die doch am Rittmeister manche Wunderlichkeit gewohnt war, hatte diesen verdutzenden Vorgängen zugesehen, halb bestürzt, halb unterhalten. Jetzt sagte sie mit einem hübschen, ein wenig verlegenen Lachen:

»Aber Herr Rittmeister, was machen Sie denn schon wieder . . .«
»Ach Kind«, antwortete er väterlich. »Das war etwas Wichtiges. Bringe mir noch einen Campari.«

Das Tier werde auf jede Weise dem Kind nahegebracht... Leibniz setzte das Tierchen, das er lange angesehen, ungetötet auf sein Blatt zurück, dies sei Gebot für das Kind.

JEAN PAUL

JOHANN WOLFGANG GOETHE

Metamorphose der Tiere

Wagt ihr, also bereitet, die letzte Stufe zu steigen
Dieses Gipfels, so reicht mir die Hand und öffnet den freien
Blick ins weite Feld der Natur. Sie spendet die reichen
Lebensgaben umher, die Göttin; aber empfindet
Keine Sorge wie sterbliche Fraun um ihrer Gebornen
Sichere Nahrung; ihr ziemet es nicht: denn zwiefach bestimmte
Sie das höchste Gesetz, beschränkte jegliches Leben,
Gab ihm gemeßnes Bedürfnis, und ungemessene Gaben,
Leicht zu finden, streute sie aus, und ruhig begünstigt
Sie das muntre Bemühn der vielfach bedürftigen Kinder;
Unerzogen schwärmen sie fort nach ihrer Bestimmung.

Zweck sein selbst ist jegliches Tier, vollkommen entspringt es
Aus dem Schoß der Natur und zeugt vollkommene Kinder.
Alle Glieder bilden sich aus nach ewgen Gesetzen,
Und die seltenste Form bewahrt im geheimen das Urbild.
So ist jeglicher Mund geschickt, die Speise zu fassen,
Welche dem Körper gebührt; es sei nun schwächlich und zahnlos
Oder mächtig der Kiefer gezähnt, in jeglichem Falle
Fördert ein schicklich Organ den übrigen Gliedern die Nahrung.
Auch bewegt sich jeglicher Fuß, der lange, der kurze,
Ganz harmonisch zum Sinne des Tiers und seinem Bedürfnis.

So ist jedem der Kinder die volle, reine Gesundheit
Von der Mutter bestimmt: denn alle lebendigen Glieder
Widersprechen sich nie und wirken alle zum Leben.

Also bestimmt die Gestalt die Lebensweise des Tieres,
Und die Weise, zu leben, sie wirkt auf alle Gestalten
Mächtig zurück. So zeigt sich fest die geordnete Bildung,
Welche zum Wechsel sich neigt durch äußerlich wirkende Wesen.
Doch im Innern befindet die Kraft der edlern Geschöpfe
Sich im heiligen Kreise lebendiger Bildung beschlossen.
Diese Grenze erweitert kein Gott, es ehrt die Natur sie:
Denn nur also beschränkt war je das Vollkommene möglich.

Doch im Inneren scheint ein Geist gewaltig zu ringen,
Wie er durchbräche den Kreis, Willkür zu schaffen den Formen
Wie dem Wollen; doch was er beginnt, beginnt er vergebens.
Denn zwar drängt er sich vor zu diesen Gliedern, zu jenen,
Stattet mächtig sie aus, jedoch schon darben dagegen
Andere Glieder, die Last des Übergewichtes vernichtet
Alle Schöne der Form und alle reine Bewegung.
Siehst du also dem einen Geschöpf besonderen Vorzug
Irgend gegönnt, so frage nur gleich: wo leidet es etwa
Mangel anderswo? und suche mit forschendem Geiste;
Finden wirst du sogleich zu aller Bildung den Schlüssel.
Denn so hat kein Tier, dem sämtliche Zähne den obern
Kiefer umsäumen, ein Horn auf seiner Stirne getragen,
Und daher ist den Löwen gehörnt der ewigen Mutter
Ganz unmöglich zu bilden, und böte sie alle Gewalt auf;
Denn sie hat nicht Masse genug, die Reihen der Zähne
Völlig zu pflanzen und auch Geweih und Hörner zu treiben.

Dieser schöne Begriff von Macht und Schranken, von Willkür
Und Gesetz, von Freiheit und Maß, von beweglicher Ordnung,
Vorzug und Mangel erfreue dich hoch; die heilige Muse
Bringt harmonisch ihn dir, mit sanftem Zwange belehrend.
Keinen höhern Begriff erringt der sittliche Denker,
Keinen der tätige Mann, der dichtende Künstler; der Herrscher,
Der verdient, es zu sein, erfreut nur durch ihn sich der Krone.
Freue dich, höchstes Geschöpf der Natur, du fühlest dich fähig,
Ihr den höchsten Gedanken, zu dem sie schaffend sich aufschwang
Nachzudenken. Hier stehe nun still und wende die Blicke
Rückwärts, prüfe, vergleiche, und nimm vom Munde der Muse,
Daß du schauest, nicht schwärmst, die liebliche, volle Gewißheit.

JOHANN WOLFGANG GOETHE

GESANG DER GEISTER ÜBER DEN WASSERN

Des Menschen Seele
Gleicht dem Wasser:
Vom Himmel kommt es,
Zum Himmel steigt es,
Und wieder nieder
Zur Erde muß es,
Ewig wechselnd.

Strömt von der hohen,
Steilen Felswand
Der reine Strahl,
Dann stäubt er lieblich
In Wolkenwellen
Zum glatten Fels,
Und leicht empfangen
Wallt er verschleiernd,
Leisrauschend
Zur Tiefe nieder.

Ragen Klippen
Dem Sturz entgegen,
Schäumt er unmutig
Stufenweise
Zum Abgrund.

Im flachen Bette
Schleicht er das Wiesental hin,
Und in dem glatten See
Weiden ihr Antlitz
Alle Gestirne.

Wind ist der Welle
Lieblicher Buhler;
Wind wischt von Grund aus
Schäumende Wogen.

Seele des Menschen,
Wie gleichst du dem Wasser!
Schicksal des Menschen,
Wie gleichst du dem Wind!

JOHANN WOLFGANG GOETHE

Selige Sehnsucht

Sagt es niemand, nur den Weisen,
Weil die Menge gleich verhöhnet:
Das Lebendige will ich preisen,
Das nach Flammentod sich sehnet.

In der Liebesnächte Kühlung,
Die dich zeugte, wo du zeugtest,
Überfällt dich fremde Fühlung,
Wenn die stille Kerze leuchtet.

Nicht mehr bleibest du umfangen
In der Finsternis Beschattung,
Und dich reißet neu Verlangen
Auf zu höherer Begattung.

Keine Ferne macht dich schwierig,
Kommst geflogen und gebannt,
Und zuletzt, des Lichts begierig,
Bist du Schmetterling verbrannt.

Und so lang du das nicht hast,
Dieses: Stirb und Werde!
Bist du nur ein trüber Gast
Auf der dunklen Erde.

DRITTER TEIL

VERZWEIFLUNG UND HOFFNUNG

Wenn Er mich auch tötet, ich werde auf Ihn hoffen.

BUCH HIOB

FRANZ KAFKA

Das Stadtwappen

Anfangs war beim babylonischen Turmbau alles in leidlicher Ordnung; ja, die Ordnung war vielleicht zu groß, man dachte zu sehr an Wegweiser, Dolmetscher, Arbeiterunterkünfte und Verbindungswege, so als habe man Jahrhunderte freier Arbeitsmöglichkeit vor sich. Die damals herrschende Meinung ging sogar dahin, man könne gar nicht langsam genug bauen; man mußte diese Meinung gar nicht sehr übertreiben und konnte überhaupt davor zurückschrecken, die Fundamente zu legen. Man argumentierte nämlich so: Das Wesentliche des ganzen Unternehmens ist der Gedanke, einen bis in den Himmel reichenden Turm zu bauen. Neben diesem Gedanken ist alles andere nebensächlich. Der Gedanke, einmal in seiner Größe gefaßt, kann nicht mehr verschwinden; solange es Menschen gibt, wird auch der starke Wunsch da sein, den Turm zu Ende zu bauen. In dieser Hinsicht aber muß man wegen der Zukunft keine Sorgen haben, im Gegenteil, das Wissen der Menschheit steigert sich, die Baukunst hat Fortschritte gemacht und wird weitere Fortschritte machen, eine Arbeit, zu der wir ein Jahr brauchen, wird in hundert Jahren vielleicht in einem halben Jahr geleistet werden und überdies besser, haltbarer. Warum also schon heute sich an die Grenze der Kräfte abmühen? Das hätte nur dann Sinn, wenn man hoffen könnte, den Turm in der Zeit einer Generation aufzubauen. Das aber war auf keine Weise zu erwarten. Eher ließ sich denken, daß die nächste Generation mit ihrem vervollkommneten Wissen die Arbeit der vorigen Generation schlecht finden und das Gebaute niederreißen werde, um von neuem anzufangen. Solche Gedanken lähmten die Kräfte, und mehr als um den Turmbau kümmerte man sich um den Bau der Arbeiterstadt. Jede Landsmannschaft wollte das schönste Quartier haben, dadurch ergaben sich Streitigkeiten, die sich zu blutigen Kämpfen steigerten. Diese Kämpfe hörten nicht mehr auf; den Führern waren sie ein neues Argument dafür, daß der Turm auch mangels der nötigen Konzentration sehr langsam oder lieber erst nach allgemeinem Friedensschluß gebaut werden sollte. Doch verbrachte man die Zeit nicht nur mit Kämpfen, in den Pausen verschönerte man die Stadt, wodurch man allerdings neuen Neid und neue Kämpfe hervorrief. So verging die Zeit der ersten Generation, aber keine der folgenden war anders, nur die Kunstfertigkeit steigerte sich immerfort und damit die Kampfsucht. Dazu kam, daß schon die zweite oder dritte Generation die Sinnlosigkeit des Himmelsturmbaus erkannte, doch war man schon viel zu sehr miteinander verbunden, um die Stadt zu verlassen.

Alles was in dieser Stadt an Sagen und Liedern entstanden ist, ist erfüllt von der Sehnsucht nach einem prophezeiten Tag, an welchem die Stadt von einer Riesenfaust in fünf kurz aufeinanderfolgenden Schlägen zerschmettert werden wird. Deshalb hat auch die Stadt die Faust im Wappen.

HEINRICH VON KLEIST

Robert Guiskard

Zehnter Auftritt

Guiskard tritt auf. Die Herzogin, Helena, Robert, Gefolge hinter ihm.
Die Vorigen.

Das Volk [jubelnd.]
Triumph! Er ists! Der Guiskard ists! Leb hoch!
[Einige Mützen fliegen in die Höhe.]

Der Greis [noch während des Jubelgeschreis.]
O Guiskard! Wir begrüßen dich, o Fürst!
Als stiegst du uns von Himmelshöhen nieder!
Denn in den Sternen glaubten wir dich schon — —!

Guiskard [mit erhobener Hand.]
Wo ist der Prinz, mein Neffe?
[Allgemeines Stillschweigen.]
Tritt hinter mich.
[Der Prinz, der sich unter das Volk gemischt hatte, steigt auf den Hügel und stellt sich hinter Guiskard, während dieser ihn unverwandt mit den Augen verfolgt.]

Hier bleibst du stehn, und lautlos. — Du verstehst mich?
— Ich sprech nachher ein eignes Wort mit dir.
[Er wendet sich zum Greise.]
Du führst, Armin, das Wort für diese Schar?

Der Greis. Ich führs, mein Feldherr!

Guiskard [zum Ausschuß.] Seht, als ich das hörte,
Hats lebhaft mich im Zelt bestürzt, ihr Leute!
Denn nicht die schlechtsten Männer seh ich vor mir,
Und nicht von einem Dritten mag ichs hören,
Was euch so dringend mir vors Antlitz führt. —

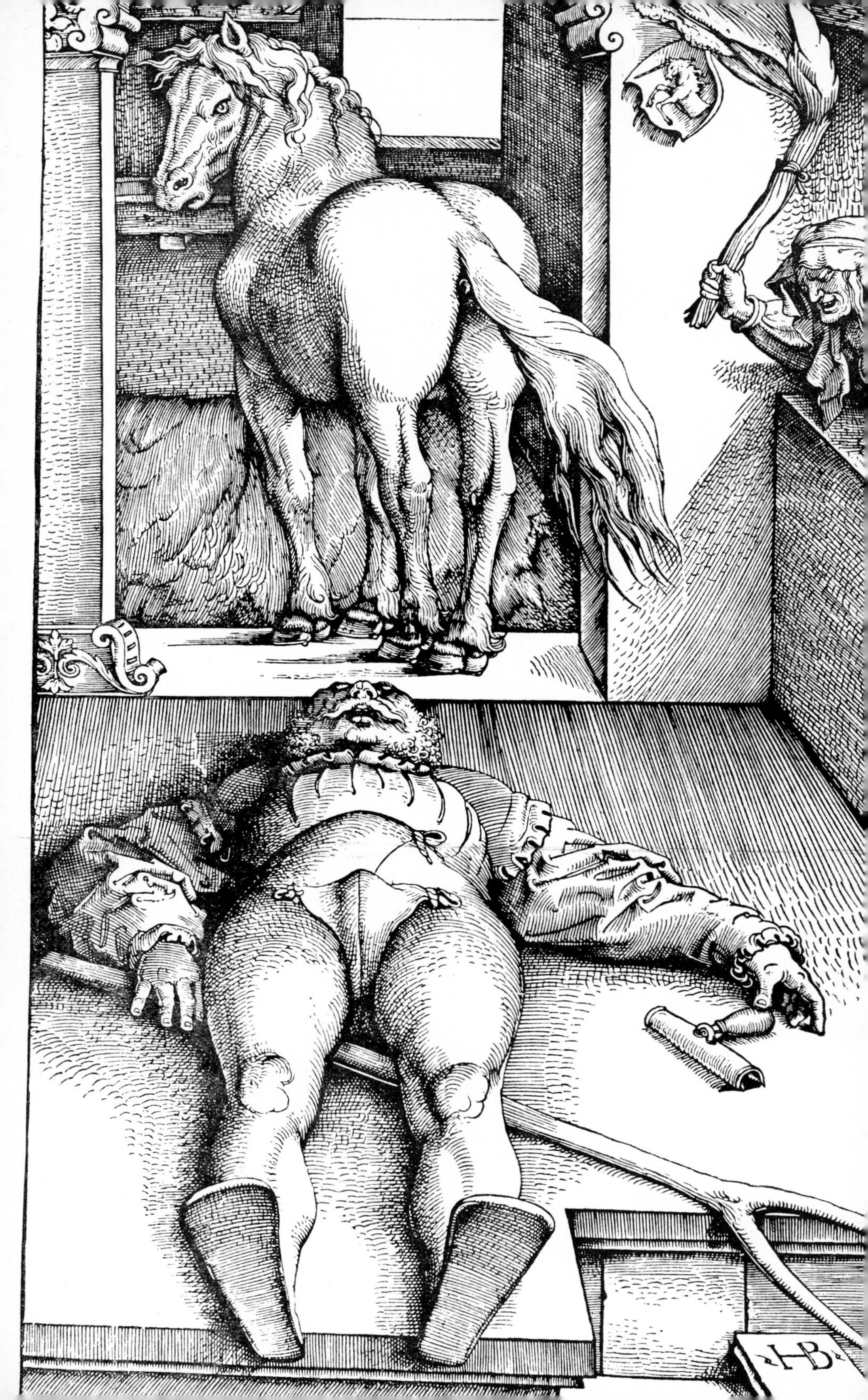
HB

11 Hans Baldung Grien
Der behexte Stallknecht, 1544

Tu's schnell, du alter Knabe tu mirs kund!
Ists eine neue Not? Ist es ein Wunsch?
Und womit helf ich? Oder tröst ich? Sprich!

Der Greis. Ein Wunsch, mein hoher Herzog, führt uns her. —
Jedoch nicht ihm gehört, wie du wohl wähnst,
Der Ungestüm, mit dem wir dein begehrt,
Und sehr beschämen würd uns deine Milde,
Wenn du das glauben könntest von der Schar.
Der Jubel, als du aus dem Zelte tratst,
Von ganz was anderm, glaub es, rührt er her:
Nicht von der Lust bloß, selbst dich zu erblicken;
Ach, von dem Wahn, du Angebeteter!
Wir würden nie dein Antlitz wiedersehn;
Von nichts Geringerm, als dem rasenden
Gerücht, daß ichs nur ganz dir anvertraue,
Du, Guiskard, seist vom Pesthauch angeweht —!

Guiskard [lachend.]
Vom Pesthauch angeweht! Ihr seid wohl toll, ihr!
Ob ich wie einer ausseh, der die Pest hat?
Der ich in Lebensfüll hier vor euch stehe?
Der seiner Glieder jegliches beherrscht?
Des reine Stimme aus der freien Brust,
Gleich dem Geläut der Glocken, euch umhallt?
Das läßt der Angesteckte bleiben, das!
Ihr wollt mich, traun! mich Blühenden, doch nicht
Hinschleppen zu den Faulenden aufs Feld?
Ei, was zum Henker, nein! Ich wehre mich —
Im Lager hier kriegt ihr mich nicht ins Grab:
In Stambul halt ich still, und eher nicht!

Der Greis. O du geliebter Fürst! Dein heitres Wort
Gibt uns ein aufgegebnes Leben wieder!
Wenn keine Gruft doch wäre, die dich deckte!
Wärst du unsterblich doch, o Herr! unsterblich,
Unsterblich, wie es deine Taten sind!

Guiskard. Zwar trifft sichs seltsam just, an diesem Tage,
Daß ich so l e b h a f t mich nicht fühl, als sonst:
Doch nicht unpäßlich möcht ich nennen das,
Viel wen'ger pestkrank! Denn was weiter ists,
Als nur ein Mißbehagen, nach der Qual
Der letzten Tage, um mein armes Heer.

Der Greis. So sagst du —?

Guiskard [ihn unterbrechend.] 's ist der Red nicht wert, sag ich!
Hier diesem alten Scheitel, wißt ihr selbst,
Hat seiner Haare keins noch weh getan!
Mein Leib ward jeder Krankheit mächtig noch.
Und wärs die Pest auch, so versichr ich euch:
An diesen Knochen nagt sie selbst sich krank!

Der Greis. Wenn du doch, mindestens von heute an,
Die Kranken u n s r e r Sorge lassen wolltest!
Nicht einer ist, o Guiskard, unter ihnen,
Der hilflos nicht, verworfen lieber läge,
Jedwedem Übel sterbend ausgesetzt,
Als daß er Hilf von dir, du einziger,
Du Ewig-Unersetzlicher, empfinge,
In immer reger Furcht, den gräßlichsten
Der Tode dir zum Lohne hinzugeben.

Guiskard. Ich habs, ihr Leut, euch schon so oft gesagt,
Seit wann denn gilt mein Guiskardswort nicht mehr?
Kein Leichtsinn ists, wenn ich Berührung nicht
Der Kranken scheue, und kein Ohngefähr,
Wenns ungestraft geschieht. Es hat damit
Sein eigenes Bewenden — kurz, zum Schluß:
Furcht meinetwegen spart! —
Zur Sache jetzt!
Was bringst du mir? sag an! Sei kurz und bündig;
Geschäfte rufen mich ins Zelt zurück.

Der Greis [nach einer kurzen Pause.]
Du weißts, o Herr! Du fühlst es so, wie wir —
Ach, auf wem ruht die Not so schwer, als dir?
In dem entscheidenden Moment, da schon — —

[Guiskard sieht sich um, der Greis stockt.]

Die Herzogin [leise.] Willst du —?
Robert. Begehrst du —?
Abälard. Fehlt dir —?
Die Herzogin. Gott im Himmel!
Abälard. Was ist?
Robert. Was hast du?
Die Herzogin. Guiskard! Sprich ein Wort!

[Die Kaiserin zieht eine große Heerpauke herbei und schiebt sie hinter ihn.]

Guiskard [indem er sich sanft niederläßt, halblaut.]
Mein liebes Kind! —
Was also gibts, Armin?
Bring deine Sache vor, und laß es frei
Hinströmen, bange Worte lieb ich nicht!

[Der Greis sieht gedankenvoll vor sich nieder.]

Eine Stimme [aus dem Volk.] Nun, was auch säumt er?
Eine andere. Alter, Du! So sprich.
Der Greis [gesammelt.]
Du weißts, o Herr — und wem ists so bekannt?
Und auf wem ruht des Schicksals Hand so schwer?
Auf deinem Fluge rasch, die Brust voll Flammen,
Ins Bett der Braut, der du die Arme schon
Entgegenstreckst zu dem Vermählungsfest,
Tritt, o du Bräutigam der Siegesgöttin,
Die Seuche grauenvoll dir in den Weg —!
Zwar bist du, wie du sagst, noch unberührt;
Jedoch dein Volk ist, deiner Lenden Mark,
Vergiftet, keiner Taten fähig mehr,
Und täglich, wie vor Sturmwind Tannen, sinken
Die Häupter deiner Treuen in den Staub.
Der Hingestreckt' ists auferstehungslos,
Und wo er hinsank, sank er in sein Grab.
Er sträubt, und wieder, mit unsäglicher
Anstrengung sich empor: es ist umsonst!
Die giftgeätzten Knochen brechen ihm,
Und wieder nieder sinkt er in sein Grab.
Ja, in des Sinns entsetzlicher Verwirrung,
Die ihn zuletzt befällt, sieht man ihn scheußlich
Die Zähne gegen Gott und Menschen fletschen,
Dem Freund, dem Bruder, Vater, Mutter, Kindern,
Der Braut selbst, die ihm naht, entgegenwütend.
Die Herzogin [indem sie an der Tochter Brust niedersinkt.]
O Himmel!
Helena. Meine vielgeliebte Mutter!
Guiskard [sich langsam umsehend.]
Was fehlt ihr?
Helena [zögernd.] Es scheint —
Guiskard. Bringt sie ins Zelt!

[Helena führt die Herzogin ab.]

Der Greis. Und weil du denn die kurzen Worte liebst:
O führ uns fort aus diesem Jammertal!
Du Retter in der Not, der du so manchem
Schon halfst, versage deinem ganzen Heere
Den einzgen Trank nicht, der ihm Heilung bringt,
Versag uns nicht Italiens Himmelslüfte,
Führ uns zurück, zurück, ins Vaterland!

* * *

HEINRICH HEINE

Zerfall

Und die Stadt selbst, wie war sie verändert. Und der Jungfernstieg! Der Schnee lag auf den Dächern, und es schien, als hätten sogar die Häuser gealtert und weiße Haare bekommen. Die Linden des Jungfernstiegs waren nur tote Bäume mit dürren Ästen, die sich gespenstisch im kalten Winde bewegten. Der Himmel war schneidend blau und dunkelte hastig. Es war Sonntag, fünf Uhr, die allgemeine Fütterungsstunde, und die Wagen rollten, Herren und Damen stiegen aus mit einem gefrorenen Lächeln auf den hungrigen Lippen — Entsetzlich! in diesem Augenblick durchschauerte mich die schreckliche Bemerkung, daß ein unergründlicher Blödsinn auf allen diesen Gesichtern lag, und daß alle Menschen, die eben vorbeigingen, in einem wunderbaren Wahnwitz befangen schienen. Ich hatte sie schon vor zwölf Jahren um dieselbe Stunde mit denselben Mienen, wie die Puppen einer Rathausuhr, in derselben Bewegung gesehen, und sie hatten seitdem ununterbrochen in derselben Weise gerechnet, die Börse besucht, sich einander eingeladen, die Kinnbacken bewegt, ihre Trinkgelder bezahlt, und wieder gerechnet: zweimal zwei ist vier — Entsetzlich! rief ich, wenn einem von diesen Leuten, während er auf dem Comptoirbock säße, plötzlich einfiele, daß zweimal zwei eigentlich fünf sei, und daß er also sein ganzes Leben in einem schauderhaften Irrtum vergeudet habe! Auf einmal aber ergriff mich selbst ein närrischer Wahnsinn, und als ich die vorüberwandelnden Menschen genauer betrachtete, kam es mir vor, als seien sie selber nichts anderes als Zahlen, als arabische Ziffern; und da ging eine krummfüßige Zwei neben einer fatalen Drei, ihrer schwangeren und vollbusigen Frau Gemahlin; dahinter ging Herr Vier auf Krücken; einherwatschelnd kam eine fatale Fünf, rundbäuchig mit kleinem Köpfchen; dann kam eine wohlbekannte kleine Sechse und eine noch wohlbekanntere böse Sieben — doch als ich die unglückliche Acht, wie sie vorüberschwankte, ganz genau betrachtete, erkannte ich den Assekuradeur, der sonst wie ein Pfingstochs geputzt ging, jetzt aber wie die magerste von Pharaos mageren Kühen aussah — blasse hohle Wangen wie ein leerer Suppenteller, kaltrote Nase wie eine Winterrose, abgeschabter schwarzer Rock, der einen kümmerlich weißen Widerschein gab, ein Hut, worin Saturn mit der Sense einige Luftschlösser geschnitten, doch die Stiefel noch immer spiegelblank gewichst — und er schien nicht mehr daran zu denken, Heloisa und Minka als Frühstück und Abendbrot zu verzehren, er schien sich vielmehr nach einem Mittagessen von gewöhnlichem Rindfleisch zu sehnen. Unter den vorüberrollenden Nullen erkannte ich noch manchen alten Bekannten. Diese und die andern Zahlenmenschen rollten vorüber, hastig und hungrig, während unfern längs den Häusern des Jungfernstiegs noch grauenhafter drollig ein Leichenzug sich hinbewegte. Ein trübsinniger Mummenschanz! hinter dem Trauerwagen, einherstelzend auf ihren dünnen schwarzseidenen Beinchen, gleich Marionetten des Todes, gingen die wohlbekannten Ratsdiener, privilegierte Leidtragende in parodiert altburgundischem Kostüm; kurze schwarze Mäntel und schwarze Pluderhosen, weiße Perücken und weiße Halsberge, wozwischen die roten bezahlten Gesichter gar possenhaft hervorgucken, kurze Stahldegen an den Hüften, unterm Arm ein grüner Regenschirm.

Aber noch unheimlicher und verwirrender als diese Bilder, die sich wie ein chinesisches Schattenspiel schweigend vorbeibewegten, waren die Töne, die von einer andern Seite in mein Ohr drangen. Es waren heisere, schnarrende, metallose Töne, ein unsinniges Kreischen, ein ängstliches Plätschern und verzweifelndes Schlürfen, ein Keuchen und Schollern, ein Stöhnen und Ächzen, ein unbeschreibbar eiskalter Schmerzlaut. Das Bassin der Alster war zugefroren, nur nahe am Ufer war ein großes breites Viereck in der Eisdecke ausgehauen, und die entsetzlichen Töne, die ich eben vernommen, kamen aus den Kehlen der armen weißen Geschöpfe, die darin herumschwammen in entsetzlicher Todesangst schrieen, und ach! es waren dieselben Schwäne, die einst so weich und heiter meine Seele bewegten. Ach! die schönen weißen Schwäne, man hatte ihnen die Flügel gebrochen, damit sie im Herbst nicht auswandern konnten nach dem warmen Süden, und jetzt hielt der Norden sie festgebannt in seinen dunkeln Eisgruben — und der Markeur des Pavillons meinte, sie befänden sich wohl darin, und die Kälte sei ihnen gesund. Das ist aber nicht wahr, es ist einem nicht wohl, wenn man ohnmächtig in einem kalten Pfuhl eingekerkert ist, fast eingefroren, und einem die Flügel gebrochen sind, und man nicht fortfliegen kann nach dem schönen Süden, wo die schönen Blumen, wo die goldenen Sonnenlichter, wo die blauen

Bergseen — Ach! auch mir erging es einst nicht viel besser, und ich verstand die Qual dieser armen Schwäne; und als es gar immer dunkler wurde, und die Sterne oben hell hervortraten, dieselben Sterne, die einst in schönen Sommernächten so liebeheiß mit den Schwänen gebuhlt, jetzt aber so winterkalt, so frostig klar und fast verhöhnend auf sie herabblickten — wohl begriff ich jetzt, daß die Sterne keine liebende, mitfühlende Wesen sind, sondern nur glänzende Täuschungen der Nacht, ewige Trugbilder in einem erträumten Himmel, goldene Lügen im dunkelblauen Nichts — —

Nur um den Einsamen schleichen Gespenster.

JEAN PAUL

CARL PHILIPP MORITZ

Verfremdete Welt

Wenn er auf den Straßen, die an den Wall grenzten, in den Häusern Licht angesteckt sah und sich nun dachte, daß in jeder erleuchteten Stube, deren in einem Hause oft so viele waren, eine Familie oder sonst eine Gesellschaft von Menschen oder ein einzelner Mensch lebte, und daß eine solche Stube also in dem Augenblick die Schicksale und das Leben und die Gedanken eines solchen Menschen, oder einer solchen Gesellschaft von Menschen in sich faßte, und daß er auch nun nach dem vollendeten Spaziergange in eine solche Stube wieder zurückkehren würde, wo er gleichsam hingebannt und wo der eigentliche Fleck seines Daseins wäre, so brachte dies bei ihm zuerst eine sonderbare demütigende Empfindung hervor, als sei nun sein Schicksal, unter diesem unendlichen verwirrten Haufen sich einander durchkreuzender menschlicher Schicksale gleichsam verloren und werde dadurch klein und unbedeutend gemacht. — Dann erhoben aber auch eben diese Lichter in den einzelnen Stuben in den Häusern am Walle zuweilen seinen Geist wieder, wenn er einen Überblick des Ganzen daraus schöpfte und sich aus seiner eigenen kleinen einengenden Sphäre, wodurch er sich unter allen diesen im Leben unbemerkten und unausgezeichneten Bewohnern der Erde mitverlor, herausdachte und sich ein besonderes ausgezeichnetes Schicksal prophezeite, wovon die süße Vorstellung, indem er dann mit schnellen Schritten vorwärts ging, ihn aufs neue mit Hoffnung und Mut belebte.
Eine Reihe erleuchteter Wohnzimmer in einem fremden ihm unbekannten Hause, wo er sich eine Anzahl Familien dachte, von deren Leben und

Schicksalen er ebensowenig als sie von den seinigen wußte, hat nachher beständig sonderbare Empfindungen in ihm erweckt — die Eingeschränktheit des einzelnen Menschen ward ihm anschaulich.
Er fühlte die Wahrheit: man ist unter so vielen Tausenden, die sind und gewesen sind, nur einer.
Sich in das ganze Sein und Wesen eines anderen hineindenken zu können, war oft sein Wunsch — wenn er so auf der Straße zuweilen dicht neben einem ganz fremden Menschen herging — so wurde ihm der Gedanke der Fremdheit dieses Menschen, der gänzlichen Unbewußtheit des einen von dem Namen und Schicksale des andern so lebhaft, daß er sich, so dicht es der Wohlstand erlaubte, an einen solchen Menschen andrängte, um auf einen Augenblick in seine Atmosphäre zu kommen und zu versuchen, ob er die Scheidewand nicht durchdringen könnte, welche die Erinnerungen und Gedanken dieses fremden Menschen von den seinigen trennte. —
Noch eine Empfindung aus den Jahren seiner Kindheit ist vielleicht nicht unschicklich, hier herangezogen zu werden — er dachte sich damals zuweilen, wenn er andere Eltern als die seinigen hätte und die seinigen ihn nun nichts angingen, sondern ihm ganz gleichgültig wären. — — Über den Gedanken vergoß er oft kindische Tränen — seine Eltern mochten sein, wie sie wollten, so waren sie ihm doch die liebsten — und er hätte sie nicht gegen die vornehmsten und gütigsten vertauscht. — Aber zugleich kam ihm auch schon damals das sonderbare Gefühl von dem Verlieren unter der Menge, und daß es noch so unzählig viele Eltern mit Kindern außer den seinigen gab, worunter sich diese wieder verloren — —
Sooft er sich nachher in einem Gedränge von Menschen befunden hat, ist eben dies Gefühl der Kleinheit, Einzelnheit und fast dem Nichts gleichen Unbedeutsamkeit in ihm erwacht — — Wieviel ist des mir gleichen Stoffes hier! welch eine Menge von dieser Menschenmasse, aus welcher Staaten und Kriegsheere, so wie aus Baumstämmen Häuser und Türme gebaut werden! . . .
. . . Alle die Gedanken von so viel tausend Menschen, die vorher durch die Scheidewand des Körpers bei einem jeden voneinander abgesondert waren und nur durch die Bewegung einiger Teile dieser Scheidewand einander wieder mitgeteilt wurden, schienen ihm nach dem Tode der Menschen in eins zusammenzufließen — da war nichts mehr, das sie absonderte und voneinander trennte — er dachte sich den übriggebliebenen und in der Luft herumfliegenden Verstand eines Menschen, der bald in seiner Vorstellungskraft zerflatterte. —
Und dann schien ihm aus der ungeheuren Menschenmasse wieder eine so ungeheure unförmliche Seelenmasse zu entstehen — wo er immer nicht einsah, warum gerade so viel und nicht mehr und nicht weniger da wären, und weil

die Zahl ins Unendliche fortzugehen schien, das Einzelne endlich fast so unbedeutend wie nichts wurde.
Diese Unbedeutsamkeit, dies Verlieren unter der Menge war es vorzüglich was ihm oft sein Dasein lästig machte.
Nun ging er einmal eines Abends traurig und mißmutig auf der Straße umher — es war schon in der Dämmerung, aber doch nicht so dunkel, daß er nicht von einigen Leuten hätte gesehen werden können, deren Anblick ihm unerträglich war, weil er ihnen ein Gegenstand des Spottes und der Verachtung zu sein glaubte. —
Es war eine naßkalte Luft und regnete und schneite durcheinander — seine ganze Kleidung war durchnetzt — plötzlich entstand in ihm das Gefühl, daß er sich selbst nicht entfliehen konnte.
Und mit diesem Gedanken war es, als ob ein Berg auf ihm lag — er strebte sich mit Gewalt darunter emporzuarbeiten, aber es war, als ob die Last seines Daseins ihn darnieder drückte.
Daß er einen Tag wie alle Tage mit sich aufstehen, mit sich schlafen gehen — bei jedem Schritte sein verhaßtes Selbst mit sich fortschleppen mußte. —
Sein Selbstbewußtsein mit dem Gefühl von Verächtlichkeit und Weggeworfenheit wurde ihm ebenso lästig wie sein Körper mit dem Gefühl von Nässe und Kälte; und er hätte diesen in dem Augenblick ebenso willig und gerne wie seine durchnetzten Kleider abgelegt — hätte ihm damals ein gewünschter Tod aus irgendeinem Winkel entgegengelächelt. —
Daß er nun unabänderlich er selbst sein mußte, und kein anderer sein konnte; daß er in sich selbst eingeengt und eingebannt war — das brachte ihn nach und nach zu einem Grade der Verzweiflung, der ihn an das Ufer des Flusses führte, welcher durch einen Teil der Stadt ging, wo dasselbe mit keinem Geländer versehen war. —
Hier stand er zwischen dem schrecklichsten Lebensüberdruß und der instinktmäßigen unerklärlichen Begierde fortzuatmen, kämpfend, eine halbe Stunde lang, bis er endlich ermattet, auf einem umgehauenen Baumstamm niedersank, der nicht weit vom Ufer lag. Hier ließ er sich noch eine Weile gleichsam der Natur zum Trotz vom Regen durchnetzen, bis das Gefühl einer fieberhaften Kälte, und das Klappern seiner Zähne ihn wieder zu sich selbst brachte und ihm zufälligerweise einfiel, daß er den Abend bei seinem Wirt, dem Fleischer, frische Wurst zu essen bekommen würde. — Diese ganz sinnlichen und tierischen Vorstellungen frischten die Lebenslust in ihm aufs neue wieder an — er vergaß sich ganz als Mensch, und kehrte in seinen Gesinnungen und Empfindungen als Tier wieder heim.
Als Tier wünschte er fortzuleben; als Mensch war ihm jeder Augenblick der Fortdauer seines Daseins unerträglich gewesen.

RAINER MARIA RILKE

NACHMITTAGSTUNDE

Und nun will ich die Geschichte aufschreiben, so wie Maman sie erzählte, wenn ich darum bat.

Es war mitten im Sommer, am Donnerstag nach Ingeborgs Beisetzung. Von dem Platze auf der Terrasse, wo der Tee genommen wurde, konnte man den Giebel des Erbbegräbnisses sehen zwischen den riesigen Ulmen hin. Es war so gedeckt worden, als ob nie eine Person mehr an diesem Tisch gesessen hätte, und wir saßen auch alle recht ausgebreitet herum. Und jeder hatte etwas mitgebracht, ein Buch oder einen Arbeitskorb, so daß wir sogar ein wenig beengt waren. Abelone (Mamans jüngste Schwester) verteilte den Tee, und alle waren beschäftigt, etwas herumzureichen, nur dein Großvater sah von seinem Sessel aus nach dem Hause hin. Es war die Stunde, da man die Post erwartete, und es fügte sich meistens so, daß Ingeborg sie brachte, die mit den Anordnungen für das Essen länger drin zurückgehalten war. In den Wochen ihrer Krankheit hatten wir nun reichlich Zeit gehabt, uns ihres Kommens zu entwöhnen; denn wir wußten ja, daß sie nicht kommen könne. Aber an diesem Nachmittag, Malte, da sie wirklich nicht mehr kommen konnte —: da kam sie. Vielleicht war es unsere Schuld; vielleicht haben wir sie gerufen. Denn ich erinnere mich, daß ich auf einmal dasaß und angestrengt war, mich zu besinnen, was denn eigentlich nun anders sei. Es war mir plötzlich nicht möglich zu sagen, *was;* ich hatte es völlig vergessen. Ich blickte auf und sah alle andern dem Hause zugewendet, nicht etwa auf eine besondere, auffällige Weise, sondern so recht ruhig und alltäglich in ihrer Erwartung. Und da war ich daran — (mir wird ganz kalt, Malte, wenn ich es denke) aber, Gott behüt mich, ich war daran zu sagen: »Wo bleibt nur—« Da schoß schon Cavalier, wie er immer tat, unter dem Tisch hervor und lief ihr entgegen. Ich hab es gesehen, Malte, ich hab es gesehen. Er lief ihr entgegen, obwohl sie nicht kam; für ihn kam sie. Wir begriffen, daß er ihr entgegenlief. Zweimal sah er sich nach uns um, als ob er fragte. Dann raste er auf sie zu, wie immer, Malte, genau wie immer, und erreichte sie; denn er begann rund herum zu springen, Malte, um etwas, was nicht da war, und dann hinauf an ihr, um sie zu lecken, gerade hinauf. Wir hörten ihn winseln vor Freude, und wie er so in die Höhe schnellte, mehrmals rasch hintereinander, hätte man wirklich meinen können, er verdecke sie uns mit seinen Sprüngen. Aber da heulte es auf einmal, und er drehte sich von seinem eigenen Schwunge in der Luft um und stürzte zurück, merkwürdig ungeschickt, und lag ganz eigentümlich flach da und rührte sich nicht. Von der anderen Seite trat der Diener aus dem Hause mit den Briefen. Er zögerte eine Weile; offenbar war es nicht ganz leicht, auf unsere Gesichter zuzugehen. Und dein Vater winkte ihm auch schon, zu bleiben. Dein Vater, Malte, liebte keine Tiere; aber nun ging er doch hin, langsam, wie mir schien, und bückte sich über den Hund. Er sagte etwas zu dem Diener, irgend etwas Kurzes, Einsilbiges. Ich sah, wie der Diener hinzusprang, um Cavalier aufzuheben. Aber da nahm dein Vater selbst das Tier und ging damit, als wüßte er genau wohin, ins Haus hinein.

FRANZ KAFKA

Der Jäger Gracchus

Zwei Knaben saßen auf der Quaimauer und spielten Würfel. Ein Mann las eine Zeitung auf den Stufen eines Denkmals im Schatten des säbelschwingenden Helden. Ein Mädchen am Brunnen füllte Wasser in ihre Bütte. Ein Obstverkäufer lag neben seiner Ware und blickte auf den See hinaus. In der Tiefe einer Kneipe sah man durch die leeren Tür- und Fensterlöcher zwei Männer beim Wein. Der Wirt saß vorn an einem Tisch und schlummerte. Eine Barke schwebte leise, als werde sie über dem Wasser getragen, in den kleinen Hafen. Ein Mann in blauem Kittel stieg ans Land und zog die Seile durch die Ringe. Zwei andere Männer in dunklen Röcken mit Silberknöpfen trugen hinter dem Bootsmann eine Bahre, auf der unter einem großen blumengemusterten, gefransten Seidentuch offenbar ein Mensch lag.

Auf dem Quai kümmerte sich niemand um die Ankömmlinge, selbst als sie die Bahre niederstellten, um auf den Bootsführer zu warten, der noch an den Seilen arbeitete, trat niemand heran, niemand richtete eine Frage an sie, niemand sah sie genauer an.

Der Führer wurde noch ein wenig aufgehalten durch eine Frau, die, ein Kind an der Brust, mit aufgelösten Haaren sich jetzt auf Deck zeigte. Dann kam er, wies auf ein gelbliches, zweistöckiges Haus, das sich links nahe beim Wasser geradlinig erhob, die Träger nahmen die Last auf und trugen sie durch das niedrige, aber von schlanken Säulen gebildete Tor. Ein kleiner Junge öffnete ein Fenster, bemerkte noch gerade, wie der Trupp im Haus verschwand, und schloß wieder eilig das Fenster. Auch das Tor wurde nun geschlossen, es war aus schwarzem Eichenholz sorgfältig gefügt. Ein Taubenschwarm, der bisher den Glockenturm umflogen hatte, ließ sich jetzt vor dem Hause nieder. Als werde im Hause ihre Nahrung aufbewahrt, sammelten sich die Tauben vor dem Tor. Eine flog bis zum ersten Stock auf und pickte an die Fensterscheibe. Es waren hellfarbige wohlgepflegte, lebhafte Tiere. In großem Schwung

warf ihnen die Frau aus der Barke Körner hin, die sammelten sie auf und flogen dann zu der Frau hinüber.
Ein Mann im Zylinderhut mit Trauerband kam eines der schmalen, stark abfallenden Gäßchen, die zum Hafen führten, herab. Er blickte aufmerksam umher, alles bekümmerte ihn, der Anblick von Unrat in einem Winkel ließ ihn das Gesicht verzerren. Auf den Stufen des Denkmals lagen Obstschalen, er schob sie im Vorbeigehen mit seinem Stock hinunter. An der Stubentür klopfte er an, gleichzeitig nahm er den Zylinderhut in seine schwarzbehandschuhte Rechte. Gleich wurde geöffnet, wohl fünfzig kleine Knaben bildeten ein Spalier im langen Flurgang und verbeugten sich.
Der Bootsführer kam die Treppe herab, begrüßte den Herrn, führte ihn hinauf, im ersten Stockwerk umging er mit ihm den von leicht gebauten, zierlichen Loggien umgebenen Hof und beide traten, während die Knaben in respektvoller Entfernung nachdrängten, in einen kühlen großen Raum an der Hinterseite des Hauses, dem gegenüber kein Haus mehr, sondern nur eine kahle, grauschwarze Felsenwand zu sehen war. Die Träger waren damit beschäftigt, zu Häupten der Bahre einige lange Kerzen aufzustellen und anzuzünden, aber Licht entstand dadurch nicht, es wurden förmlich nur die früher ruhenden Schatten aufgescheucht und flackerten über die Wände. Von der Bahre war das Tuch zurückgeschlagen. Es lag dort ein Mann mit wild durcheinandergewachsenem Haar und Bart, gebräunter Haut, etwa einem Jäger gleichend. Er lag bewegungslos, scheinbar atemlos mit geschlossenen Augen da, trotzdem deutete nur die Umgebung an, daß es vielleicht ein Toter war.
Der Herr trat zur Bahre, legte eine Hand dem Daliegenden auf die Stirn, kniete dann nieder und betete. Der Bootsführer winkte den Trägern, das Zimmer zu verlassen, sie gingen hinaus, vertrieben die Knaben, die sich draußen angesammelt hatten, und schlossen die Tür. Dem Herrn schien aber auch diese Stille noch nicht zu genügen, er sah den Bootsführer an, dieser verschwand und ging durch eine Seitentür ins Nebenzimmer. Sofort schlug der Mann auf der Bahre die Augen auf, wandte schmerzlich lächelnd das Gesicht dem Herrn zu und sagte: »Wer bist du?« — Der Herr erhob sich ohne weiteres Staunen aus seiner knieenden Stellung und antwortete: »Der Bürgermeister von Riva.«
Der Mann auf der Bahre nickte, zeigte mit schwach ausgestrecktem Arm auf einen Sessel und sagte, nachdem der Bürgermeister seiner Einladung gefolgt war: »Ich wußte es ja, Herr Bürgermeister, aber im ersten Augenblick habe ich immer alles vergessen, alles geht mir in der Runde und es ist besser, ich frage, auch wenn ich alles weiß. Auch Sie wissen wahrscheinlich, daß ich der Jäger Gracchus bin.«
»Gewiß«, sagte der Bürgermeister. »Sie wurden mir heute in der Nacht an-

gekündigt. Wir schliefen längst. Da rief gegen Mitternacht meine Frau: ‚Salvatore', — so heiße ich — ‚sieh die Taube am Fenster!' Es war wirklich eine Taube, aber groß wie ein Hahn. Sie flog zu meinem Ohr und sagte: ‚Morgen kommt der tote Jäger Gracchus, empfange ihn im Namen der Stadt.' «

Der Jäger nickte und zog die Zungenspitze zwischen den Lippen durch: »Ja, die Tauben fliegen vor mir her. Glauben Sie aber, Herr Bürgermeister, daß ich in Riva bleiben soll?«

»Das kann ich noch nicht sagen«, antwortete der Bürgermeister. »Sind Sie tot?«

»Ja«, sagte der Jäger, »wie Sie sehen. Vor vielen Jahren, es müssen aber ungemein viel Jahre sein, stürzte ich im Schwarzwald — das ist in Deutschland — von einem Felsen, als ich eine Gemse verfolgte. Seitdem bin ich tot.«

»Aber Sie leben doch auch«, sagte der Bürgermeister.

»Gewissermaßen«, sagte der Jäger, »gewissermaßen lebe ich auch. Mein Todeskahn verfehlte die Fahrt, eine falsche Drehung des Steuers, ein Augenblick der Unaufmerksamkeit des Führers, eine Ablenkung durch meine wunderschöne Heimat, ich weiß nicht, was es war, nur das weiß ich, daß ich auf der Erde blieb und daß mein Kahn seither die irdischen Gewässer befährt. So reise ich, der nur in seinen Bergen leben wollte, nach meinem Tode durch alle Länder der Erde.«

»Und Sie haben keinen Teil am Jenseits?« fragte der Bürgermeister mit gerunzelter Stirne.

»Ich bin«, antwortete der Jäger, »immer auf der großen Treppe, die hinaufführt. Auf dieser unendlich weiten Freitreppe treibe ich mich herum, bald oben, bald unten, bald rechts, bald links, immer in Bewegung. Aus dem Jäger ist ein Schmetterling geworden. Lachen Sie nicht.« »Ich lache nicht«, verwahrte sich der Bürgermeister.

»Sehr einsichtig«, sagte der Jäger. »Immer bin ich in Bewegung. Nehme ich aber den größten Aufschwung und leuchtet mir schon oben das Tor, erwache ich auf meinem alten, in irgendeinem irdischen Gewässer öde steckenden Kahn. Der Grundfehler meines einstmaligen Sterbens umgrinst mich in meiner Kajüte. Julia, die Frau des Bootsführers, klopft und bringt mir zu meiner Bahre das Morgengetränk des Landes, dessen Küste wir gerade befahren. Ich liege auf einer Holzpritsche, habe — es ist kein Vergnügen, mich zu betrachten — ein schmutziges Totenhemd an, Haar und Bart, grau und schwarz, geht unentwirrbar durcheinander, meine Beine sind mit einem großen, seidenen, blumengemusterten, langgefransten Frauentuch bedeckt. Zu meinen Häupten steht eine Kirchenkerze und leuchtet mir. An der Wand mir gegenüber ist ein kleines Bild, ein Buschmann offenbar, der mit einem Speer nach mir zielt und hinter einem großartig bemalten Schild sich möglichst

deckt. Man begegnet auf Schiffen manchen dummen Darstellungen, diese ist aber eine der dümmsten. Sonst ist mein Holzkäfig ganz leer. Durch eine Luke der Seitenwand kommt die warme Luft der südlichen Nacht und ich höre das Wasser an die alte Barke schlagen.
Hier liege ich seit damals, als ich, noch lebendiger Jäger Gracchus, zu Hause im Schwarzwald eine Gemse verfolgte und abstürzte. Alles ging der Ordnung nach. Ich verfolgte, stürzte ab, verblutete in einer Schlucht, war tot und diese Barke sollte mich ins Jenseits tragen. Ich erinnere mich noch, wie fröhlich ich mich hier auf der Pritsche ausstreckte zum erstenmal. Niemals haben die Berge solchen Gesang von mir gehört wie diese vier damals noch dämmerigen Wände.
Ich hatte gern gelebt und war gern gestorben, glücklich warf ich, ehe ich den Bord betrat, das Lumpenpack der Büchse, der Tasche, des Jagdgewehrs vor mir hinunter, das ich immer stolz getragen hatte, und in das Totenhemd schlüpfte ich wie ein Mädchen ins Hochzeitskleid. Hier lag ich und wartete. Dann geschah das Unglück.«
»Ein schlimmes Schicksal«, sagte der Bürgermeister mit abwehrend erhobener Hand. »Und Sie tragen gar keine Schuld daran?«
»Keine«, sagte der Jäger, »ich war Jäger, ist das etwa eine Schuld? Aufgestellt war ich als Jäger im Schwarzwald, wo es damals noch Wölfe gab. Ich lauerte auf, schoß, traf, zog das Fell ab, ist das eine Schuld? Meine Arbeit wurde gesegnet. ‚Der große Jäger vom Schwarzwald' hieß ich. Ist das eine Schuld?«
»Ich bin nicht berufen, das zu entscheiden«, sagte der Bürgermeister, »doch scheint auch mir keine Schuld darin zu liegen. Aber wer trägt denn die Schuld?«
»Der Bootsmann«, sagte der Jäger. »Niemand wird lesen, was ich hier schreibe, niemand wird kommen, mir zu helfen; wäre als Aufgabe gesetzt mir zu helfen, so blieben alle Türen aller Häuser geschlossen, alle Fenster geschlossen, alle liegen in den Betten, die Decken über den Kopf geschlagen, eine nächtliche Herberge die ganze Erde. Das hat guten Sinn, denn niemand weiß von mir, und wüßte er von mir, so wüßte er meinen Aufenthalt nicht, und wüßte er meinen Aufenthalt, so wüßte er mich dort nicht festzuhalten, so wüßte er nicht, wie mir zu helfen. Der Gedanke, mir helfen zu wollen, ist eine Krankheit und muß im Bett geheilt werden.
Das weiß ich und schreie also nicht, um Hilfe herbeizurufen, selbst wenn ich in Augenblicken — unbeherrscht wie ich bin, zum Beispiel gerade jetzt — sehr stark daran denke. Aber es genügt wohl zum Austreiben solcher Gedanken, wenn ich umherblicke und mir vergegenwärtige, wo ich bin und — das darf ich wohl behaupten — seit Jahrhunderten wohne.«
»Außerordentlich«, sagte der Bürgermeister, »außerordentlich. — Und nun gedenken Sie bei uns in Riva zu bleiben?«

»Ich gedenke nicht«, sagte der Jäger lächelnd und legte, um den Spott gutzumachen, die Hand auf das Knie des Bürgermeisters. »Ich bin hier, mehr weiß ich nicht, mehr kann ich nicht tun. Mein Kahn ist ohne Steuer, er fährt mit dem Wind, der in den untersten Regionen des Todes bläst.«

ERNST JÜNGER

Das Entsetzen

Es gibt eine Art von dünnem und großflächigem Blech, mittels dessen man an kleinen Theatern den Donner vorzutäuschen pflegt. Sehr viele solcher Bleche, noch dünner und klangfähiger, denke ich mir in regelmäßigen Abständen übereinander angebracht, gleich Blättern eines Buches, die jedoch nicht gepreßt liegen, sondern durch eine sperrige Vorrichtung voneinander entfernt gehalten sind.

Auf das oberste Blatt dieses gewaltigen Stoßes hebe ich dich empor, und sowie das Gewicht deines Körpers es berührt, reißt es krachend entzwei. Du stürzt, und stürzt auf das zweite Blatt, das ebenfalls und mit heftigerem Knalle zerbirst. Der Sturz trifft auf das dritte, vierte und fünfte Blatt und so fort, und die Steigerung des Falles läßt die Schläge in einer Beschleunigung aufeinander folgen, die einem an Tempo und Heftigkeit anwachsenden Trommelwirbel gleicht. Immer noch rasender werden Fall und Wirbel, in einen mächtig rollenden Donner sich verwandelnd, der endlich die Grenzen des Bewußtseins sprengt.

So pflegt das Entsetzen den Menschen zu vergewaltigen — das Entsetzen, das etwas ganz anderes ist als das Grauen, die Angst oder die Furcht. Eher ist es schon dem Grausen verwandt, das das Gesicht der Gorgo mit gesträubtem Haar und zum Schrei geöffnetem Munde erkennt, während das Grauen das Unheimliche mehr ahnt als sieht, aber gerade deshalb von ihm mit mächtigerem Griffe gefesselt wird. Die Furcht ist noch von der Grenze entfernt und darf mit der Hoffnung Zwiesprache halten, und der Schreck — ja, der Schreck ist das, was empfunden wird, wenn das oberste Blatt zerreißt. Und dann, im tödlichen Sturze, steigern sich die grellen Paukenschläge und roten Glühlichter, nicht mehr als Warnungen, sondern als schreckliche Bestätigungen, bis zum Entsetzlichen.

Ahnst du, was vorgeht in jenem Raume, den wir vielleicht eines Tages durchstürzen werden, und der sich zwischen der Erkenntnis des Unterganges und dem Untergang erstreckt?

ANNE FRANK

ANGST

Ernst Schnabel berichtet:

Herr Frank sagte mir, in der ersten Zeit hätten sie viel Angst gehabt, daß die Polizei sie eines Tages finden könne. Aber wie Monat um Monat verging, das erste Jahr, das zweite dann, und wie die Nachrichten kamen von der Invasion an der Kanalküste und vom Vormarsch der alliierten Truppen in Frankreich, sei ihnen fast leicht und gerade hoffnungsvoll ums Herz gewesen. Dagegen fürchteten sie oft, daß im Hinterhaus ein Brand ausbrechen und sie auf die Straße hinaustreiben könnte.
Das Haus war alt, es war sehr viel Holz darin verbaut. Eine kleine Unvorsichtigkeit, ein Streichholz hätte genügt... Sie hatten darum auch immer ein kleines Fluchtgepäck gepackt. Jeder hielt einen Rucksack für diesen Fall bereit. Er selber wollte außer dem Rucksack noch die Aktentasche mitnehmen, in der Annes Hefte und Tagebücher steckten. Das hatte er ihr versprochen. Es fielen ja Bomben in Holland, auch in Amsterdam, und Nacht für Nacht zogen die Fliegergeschwader über ihr Dach hin, da gab es Gefahren genug, und sie hatten keinen Keller, und das Haus dröhnte und bebte von den Salven der Flakbatterien.
Er sagte mir, diese Nächte hätten Anne mehr Kraft gekostet, als sie eigentlich besessen habe. Sie sei vor Angst manchmal außer sich gewesen, und habe sich erst wieder beruhigt, wenn er sie zu sich ins Bett nahm.
Unter Annes Geschichten findet sich eine, die in dieser Not geschrieben ist:

Angst

Es war eine schreckliche Zeit, die ich damals durchmachte. Rings um uns her wütete der Krieg, und niemand wußte, ob er in der nächsten Stunde noch leben würde. Meine Eltern, Brüder und Schwestern und ich wohnten in der Stadt, aber wir erwarteten, daß wir evakuiert würden oder fliehen müßten. Die Tage waren voll Kanonendonner und Schießerei, die Nächte voll geheimnisvoller Funken und Getöse, das aus der Tiefe zu kommen schien.
Ich kann es nicht beschreiben. Ich erinnere mich an den Tumult dieser Tage auch nicht mehr ganz genau. Ich weiß nur noch, daß ich den ganzen Tag nichts anderes tat, als Angst zu haben. Meine Eltern suchten mich auf jede Weise zu beruhigen, aber nichts half. Mir war angst innen und außen. Ich aß nicht, schlief schlecht und zitterte nur. Eine Woche lang ging es so, bis eine Nacht kam, an die ich mich erinnere, als wäre sie gestern gewesen.
Um halb neun Uhr abends, als gerade das Schießen etwas nachgelassen hatte, lag ich ganz und gar angezogen auf dem Sofa, um etwas zu schlafen. Da wurden wir auf einmal alle aufgeschreckt durch zwei gräßliche Explosionen. Wie von Nadeln gestochen sprangen wir auf, alle zugleich, und liefen in den Kor-

ridor hinaus. Sogar Mutter, die sonst immer so ruhig war, sah ganz blaß aus. Das Knallen wiederholte sich in regelmäßigen Abständen, und mit einem Male hörten wir ein entsetzliches Krachen, Klirren und Schreien, und ich lief weg, so schnell ich konnte. Mit meinem Rucksack auf dem Rücken und dick angekleidet, rannte ich fort, fort aus diesem schrecklich brennenden Wirrwarr. Ringsum und an allen Ecken heulten und schrieen die Menschen, die Straße war taghell von brennenden Häusern, und alle Gegenstände sahen beängstigend glühend und rot aus.

Ich dachte nicht an meine Eltern, meine Brüder und Schwestern, ich dachte nur an mich, und daß ich fort mußte, immer nur fort. Ich fühlte keine Müdigkeit, meine Angst war stärker. Ich merkte nicht, daß ich meinen Rucksack verlor, ich rannte nur weiter. Ich kann nicht mehr sagen, wie lange ich so lief, immer das Bild der brennenden Häuser, der schreienden Menschen und verzerrten Gesichter vor Augen. Angst war alles, was ich hatte.

Mit einem Male begriff ich, daß es stiller geworden war ringsumher. Ich sah mich um, als erwachte ich aus einem Traume, und ich sah niemanden mehr und nichts. Kein Feuer, keine Bomben, keine Menschen.

Ich stand still. Ich befand mich auf einer Wiese. Über meinem Kopf flammten die Sterne und schien der Mond, das Wetter war herrlich, die Nacht kühl, aber nicht kalt. Keinen Laut hörte ich mehr, erschöpft setzte ich mich auf die Erde, breitete die Decke aus, die ich noch auf meinem Arm trug, und legte meinen Kopf darauf.

Ich sah zum Himmel hinauf, und mit einem Male merkte ich, daß ich überhaupt keine Angst mehr hatte, gar nicht mehr, ich war ganz ruhig. Wie verrückt, daß ich überhaupt nicht an meine Familie dachte und auch keine Sehnsucht nach ihnen hatte! Ich wollte nichts als Ruhe, und es dauerte nicht lange, da war ich mitten im Gras unter freiem Himmel eingeschlafen.

Als ich aufwachte, ging gerade die Sonne auf. Ich wußte sofort, wo ich war, denn ich sah in hellem Licht in der Ferne die Häuser, die ich kannte und die am Rande unserer Stadt stehen.

Ich rieb mir die Augen und sah mich noch einmal um. Niemand war in der Nähe. Nur die Pferdeblumen und die Kleeblätter im Gras leisteten mir Gesellschaft. Ich legte mich noch einmal auf meine Decke und überlegte, was ich nun tun sollte. Aber meine Gedanken irrten immer wieder zu dem wunderlichen Gefühl zurück, das ich in der Nacht gehabt hatte, als ich allein im Gras saß und keine Angst hatte.

Später fand ich meine Eltern wieder, und wir wohnten zusammen in einer anderen Stadt.

Nun, wo der Krieg schon lange vorbei ist, weiß ich, wie es gekommen ist, daß unter dem weiten Himmel meine Angst verschwunden war. Damals, allein in der Natur, begriff ich — daß Angst nichts hilft und nichts nützt.

12 Paul Klee
Ach, aber ach!, 1937

Wem gerade so bange ist wie mir damals, der tut am besten, sich die Natur anzuschauen und zu sehen, daß Gott viel näher bei uns ist, als die meisten Menschen ahnen.
Seit dieser Zeit habe ich, wie viele Bomben auch noch in meiner Nähe gefallen sind, nie wieder richtige Angst gehabt.

Diese Geschichte ist genau ein Jahr vor Annes Tod geschrieben. Ich glaube herausgefunden zu haben, daß nicht die Altstadt gemeint ist, nicht die Gegend der Grachten, aus der dieses „Ich", diese andere Anne hier flieht, obwohl sie nun schon fast zwei Jahre in der Prinsengracht wohnte. Sie sah sich in ihrem Angsttraum Merwedeplein wieder, und sie floh ihren Schulweg zur Montessori-Schule hin und dann an der Schule vorbei bis zum Ende der Niersstraat, wo die Häuser plötzlich zu Ende sind und die große, krautige Wiese beginnt, die zu den Deichen führt und in den Buitenveldertse Polder hinein.
Wer im Hinterhaus kannte diese Geschichte?
Herr Frank sagte mir, Anne habe ab und zu aus ihrem Tagebuch vorgelesen, eine Seite oder zwei, auch einige von ihren Geschichten, aber diese nicht. Es wäre auch nicht gut gewesen, wenn zuviel davon gesprochen worden wäre in Annes Gegenwart, denn das Schreiben sei etwas, was man mit sich allein abmachen müsse.

* * *

KARL KRAUS

Letzte Verse aus der »Fackel« Oktober 1933

Man frage nicht, was all die Zeit ich machte.
Ich bleibe stumm;
und sage nicht, warum.
Und Stille gibt es, da die Erde krachte.
Kein Wort, das traf;
man spricht nur aus dem Schlaf.
Und träumt von einer Sonne, welche lachte.
Es geht vorbei;
nachher war's einerlei.
Das Wort entschlief, als jene Welt erwachte.

OSKAR LOERKE

Lügner

Wenn Millionen außer Einem lügen —
Ich weiß, nichts macht aus diesem Einen keinen.
Wenn das Geschwürgift ausgeschwärt ist, fügen
Sich Millionen Lügner doch dem Einen.

Noch nie war eine Zeit wie unsre klein,
Da meinen sie, es lasse Gott sich spotten.
Nein er gewährt nur — mischt er sich nicht ein —
Dem eklen Pack, sich selber auszurotten.

Wer ein Erpresser ist, wird mich berauben,
Der Mörder wird mir nicht das Leben schenken,
Und mich erschüttert nur, daß viele glauben,
Sie hätten je ein Recht zu denken, wie sie denken.

ERNST REUTER

Brief an Thomas Mann

Ankara (Türkei) Bahçeli Evler
Üçüncü Inis 14
den 17. März 1943

Sehr verehrter Herr Thomas Mann!

Es wird Ihnen eine geläufige Erscheinung sein, daß Ihnen Unbekannte sich an Sie wenden. Aber die Zeitverhältnisse dürften einen solchen Schritt auch ohne allzu eingehende Begründung rechtfertigen. Ich darf mich Ihnen gegenüber daher kurz damit legitimieren, daß ich nach jahrelanger Tätigkeit als Leiter des Berliner Verkehrswesens (Gründung der B. V. G.), bis 1933 Oberbürgermeister der Stadt Magdeburg und im letzten Jahre vor der Hitlerischen Machtergreifung auch Reichstagabgeordneter im Wahlkreis Magdeburg für die S. P. D. war, der ich übrigens seit 1912 angehöre. Ich hatte zweimal die Ehre, im Konzentrationslager zu sein. Das erste Mal von Juni 1933 bis Januar 1934, das zweite Mal von Juni 1934 bis September 1934. Nur durch Vermittlung englischer Quäker-Freunde, die damals noch einen gewissen Einfluß ausüben konnten, kam es zur zweiten Entlassung. Eine dritte Verhaftung wäre sicher bald erfolgt, da meine eindeutige und unwiderrufliche Ablehnung der Nazibarbarei der Gestapo viel zu sehr bekannt war und außerdem alle Versuche, das Vertrauen der Bevölkerung in mich durch Verleumdungen und ähnliche Mittel zu untergraben, fehlgeschlagen waren. Ich habe ursprünglich den Wunsch gehabt, nicht zu emigrieren. Das Gefühl der Verpflichtung band mich in dem Ort meiner früheren Tätigkeit an die vielen Menschen, die mir jahrelang ein großes Vertrauen erwiesen hatten. Aber ich war schließlich doch gezwungen, Deutschland zu verlassen. Ein drittes Konzentrationslager würde ich auch nicht überlebt haben.

Nach einer verhältnismäßig sehr kurzen Zwischenzeit habe ich im Frühjahr 1935 von London aus eine neue Tätigkeit als Berater des Türkischen Wirtschaftsministeriums gefunden und arbeite jetzt seit 1938 als Professor für Kommunalwissenschaft an der Hochschule für Politik in Ankara, der Ausbildungshochschule der hiesigen höheren Regierungsbeamten. Ich habe in den Jahren meines Aufenhalts hier mich zwar gemäß meiner vertraglichen Verpflichtung gegenüber der Regierung jeder politischen öffentlichen Tätigkeit enthalten müssen, aber über meine Stellung niemals irgend jemand gegenüber den geringsten Zweifel gelassen und keinerlei Beziehung zu den amtlichen Stellen (außer der obligaten Paßerneuerung) unterhalten. Daß ich immer noch einen deutschen Paß besitze, ist, wie man mir sagt, das »Verdienst« unseres Herrn Papen, der offensichtlich Wert darauf legt, sich auf solche und andere billige Weise moralische »Alibis« zu verschaffen.

Wir alle, die wir in der »Verbannung« zu leben gezwungen sind, empfinden es immer mehr als *einen unerträglichen Zustand,* daß wir hier tatenlos einer Entwicklung zusehen müssen, die unser Land in ein Schicksal hineinzutreiben droht, wie es schlimmer nicht gedacht werden kann. Wir haben zwar alle seit der sogenannten »Machtergreifung« durch die nationalsozialistische Verbrecherbande gewußt, daß die unvermeidliche Folge dieses Abenteuers, in das uns der Herr von Papen hineingeritten hat, der Revanchekrieg und danach eine katastrophale Niederlage Deutschlands sein müsse. Wir mußten leider erleben, daß das Ausland sich dieser so klaren Konsequenz der Dinge gegenüber blind zeigte, sie nicht wahr haben wollte, und zum Teil auch durch sein Verhalten an den Ereignissen mitschuldig wurde. Zum Teil wollen dieselben Kreise jetzt dem deutschen Volke die Alleinverantwortung für alles aufbürden, was auch sie durch Trägheit des Herzens, durch sozialreaktionäre Tendenzen und durch manche aktive Ermunterung mitverschuldet haben. Wir haben uns alle im einzelnen, im Tempo und in den Besonderheiten des Ganges der Ereignisse geirrt. In der großen Linie aber sind die Dinge so gelaufen wie sie laufen mußten. An dem Ausgang wird wohl keiner mehr noch den geringsten Zweifel haben.

Ich glaube: dies ist der Moment, in dem wir alle, die früher hier und dort,

jeder an seinem Platze und in seiner Art, auf unser Volk Einfluß gehabt haben, versuchen müssen, uns von neuem Gehör zu verschaffen. Jede neue Nachricht, die wir aus Deutschland erhalten, bestätigt uns, daß dort alle denkenden Menschen anfangen, jede Hoffnung auf einen guten Ausgang zu verlieren. Jeder weiß um das kommende Ende und fühlt es mit Schrecken nahen. Die Menschen werden von einer Art dumpfer fatalistischer Verzweiflung erfaßt. Sie wissen, daß das Ende nur der Zusammenbruch sein kann. Aber das wird ein Zusammenbruch sein, der alles in Schatten stellen wird, was wir in unserer nationalen Geschichte bisher erlebt haben. Niemand kann sich vorstellen, wie er vor sich gehen wird und wie nach diesem Zusammenbruch ein Wiederaufbau erfolgen könnte. Die jahrelange Isolierung aller Deutschen, auch derjenigen, die im Inneren genau so denken wie wir, die scheinbar vollständige Vernichtung (wenigstens nach außen hin) aller andersdenkenden Kräfte haben dazu geführt, daß der Phantasie der allermeisten jede Vorstellung darüber fehlt, wie nach dem Sturze der verhaßten Peiniger eine neue, bessere Welt aufgebaut werden könnte. Jede Stimme, die aus Deutschland zu uns gelangt, zeugt davon, daß diese Frage: *Was soll werden?* in aller Sinne ist, auch wenn nicht die Nazis auf ihre Art eine negative Antwort immer wieder dem Volke einzuhämmern versuchten.
Auf diese Frage muß eine Antwort gegeben werden, wenn der Absprung dem deutschen Volke und auch denen, die technisch ihn vielleicht in gegebener Zeit herbeiführen könnten, ermöglicht werden soll. Auf diese Frage müssen zwei Kräftefaktoren antworten: das uns scheinbar feindliche Ausland und wir Deutschen selber, mindestens wir Deutschen, die wir im Ausland uns zusammenschließen und sprechen können.
Wir haben keine Vollmacht, für das Ausland zu sprechen. Wir verkennen auch nicht die ungeheuren Schwierigkeiten, die der Wiedereingliederung Deutschlands in ein Konzert friedlicher und gemeinsam arbeitender Mächte entgegenstehen, aber wir hoffen zuversichtlich, daß die Stimmen der Vernunft stark genug sein werden, um einem von der Nazipest gereinigten Deutschland wieder den Platz im Kreise der Völker zu geben, auf den es immer Anspruch haben wird. Die Lehren der Vergangenheit sind zu eindringlich, als daß sie übergangen werden könnten. Wichtiger ist für uns die Frage, *was wir selber zu tun haben und was wir tun können.*
Darauf kann es nur eine Antwort geben. Wir müssen alle erkennen, daß die Heilung der Wunden, die Wiederaufrichtung unseres Landes, unseres Rechts- und Erziehungssystems, unserer Wirtschaft, die Wiederentwicklung unserer einst so blühenden Selbstverwaltung, unserer Universitäten, der Wiederaufbau aller wahren Manifestationen deutscher Kultur nur möglich sein wird, wenn alle diejenigen, die sich Sauberkeit und Anständigkeit erhalten haben, die sich von der Nazipest fernhielten und die niemals an dem

guten Kern unseres Volkes gezweifelt haben, heute, schon jetzt, gemeinsam erklären, daß sie bereit sind, sich zu gemeinsamer Arbeit zusammenzuschließen. Wir wissen gut genug, daß es auch in Deutschland unendlich viele Menschen gibt, die diese Vorbedingung erfüllen, unendlich viel mehr, als hinter dem Nebel der Nazipropaganda dem Fernerstehenden wahrscheinlich zu sein scheint. Wir wissen, daß sie alle nur auf den Tag warten, an dem sie als Deutsche wieder frei atmen können. Die Zäsur, die diesmal durch Deutschland gehen wird, wird gewiß größer und vor allem härter sein müssen als je zuvor. Der gesamte leitende Verwaltungsapparat, die gesamte Rechtssprechung, das Erziehungswesen, die Spitzen der wirtschaftlichen Leitung müssen neu gebildet werden. Den Luxus überflüssiger Rechthaberei und Denkens in alten Schablonen werden wir uns nicht leisten können. *Wir müssen alle bereit sein,* ganz gleich, wie die Dinge im einzelnen laufen werden, an einem solchen Neubau mit allen unseren Kräften mitzuarbeiten. Wir *müssen diese unsere Bereitwilligkeit jetzt schon erklären.* Wir müssen sie *laut und vernehmlich* erklären, und wir müssen sie *gemeinsam* erklären, da sie nur dadurch auf die in Deutschland, die es angeht, Eindruck machen wird. Wir wissen, daß unendlich viele in Deutschland darauf warten, unsere gemeinsame Stimme zu hören. Nur das kann ihnen den so lang entbehrten Rückhalt geben, kann sie glauben machen, daß die Geschichte nicht zu Ende ist, wenn die Pforten der Hölle sich für ihre Peiniger aufgetan haben werden, daß vielmehr ein neues und besseres Kapitel unserer nationalen Geschichte dann erst beginnen wird, ein Kapitel, in dem die durch den harten Druck der geschichtlichen Erfahrung zusammengeschweißten Kräfte aller anständigen Deutschen sich zu gemeinsamer Arbeit zusammenfinden. Ein solches gemeinsames Auftreten aller im Ausland lebenden Deutschen wird seine Wirkung nicht verfehlen. *Es kann auch vom Regime nicht verschwiegen werden.* Es ist auch wichtiger als irgend welche farblosen Programme. Über das Programm wird man sich, wenn die Stunde kommt, unter vernünftigen Menschen verhältnismäßig schnell einigen. Es wird in stärkstem Maße durch die Not der Stunde diktiert werden. Die Zusammenarbeit mit allen anderen Völkern wird gebieterisch notwendig werden. Es wird weder ein einfaches Zurück zu den früheren Zuständen, eine einfache und bequeme Reaktion geben, wie sie vielleicht doch noch manchen in Verkennung der unwiderruflich gewordenen Veränderungen vorschweben mag, und es wird auch nicht einfach etwa eine sinnlose Zerstörung alles vorhandenen möglich sein. Auch in der Friedenswirtschaft, deren Erreichung erst in Jahren möglich sein wird, werden wir einen stärkeren Einfluß des Staates und der Gesamtheit, einen starken sozialistischen Einschlag nicht vermeiden können. Auch die sogenannten konservativen Kräfte unseres Volkes sind sich darüber wohl nicht mehr im unklaren, und wenn ja, dann würden sie bald durch die Berührung mit der übrigen Welt eines Besseren belehrt werden. Aber alle Menschen in Deutschland wollen wissen, daß sie weder auf russische Weise noch nach irgend einem andern Zwangsrezept gesotten werden sollen, daß Deutschland sich vielmehr nach seinen eigenen Bedürfnissen entwickeln kann. Es muß nur endgültig darauf verzichten, dem verhängnisvollen Traum einer Weltbeherrschung und einer angeblichen Überlegenheit über andere nachjagen zu wollen. Es wird darum auch das offizielle Geschichtsbild seiner letzten Vergangenheit, nicht nur der Hitlerschen Periode neu überprüfen müssen. Sonst aber besteht ihr Satz zu Recht: »Deutschland braucht die Welt, und die Welt braucht Deutschland.« In diesem Rahmen müssen wir die Elementarbegriffe eines Rechtsstaates wiederherstellen und jedem einzelnen wieder Mut und Hoffnung zu neuem Leben erwecken. Im Grunde fühlt, wie wir wissen, heute schon jeder in Deutschland, was ihm und uns allen not tut, und darum kann es nicht schwer sein, um ein solches Wiederaufbau- und Wiedergutmachungsprogramm (denn auch das muß geschehen) alle Einsichtigen zu sammeln. In der immer wieder zu uns gelangenden Frage: »Was soll werden« schwingt — oft unbewußt — auch meistens die Frage mit: »Wer soll das leisten?« Geben wir Deutschen im Ausland, die man noch kennt und auf die man auch noch hören wird, auf diese Frage die Antwort: Wir wollen zusammen mit Euch daran arbeiten. Wir, die wir früher Euer Vertrauen genossen haben, denen man im Ausland vertraut, weil man uns als gute Deutsche kennt, wollen mit Euch zusammen an die neue Aufgabe gehen!«

Sie, Thomas Mann, können einen solchen Appell an alle Deutschen in der Welt richten, die sich noch frei äußern können. Die Zeit ist reif für einen solchen Aufruf, der heute noch seine Wirkung tun kann. Ihre Stimme dringt durch den Äther überall hin, es ist die Stimme des geistigen, freien, menschlichen Deutschlands.

Es kann nicht anders sein, als daß ein solcher Appell, eine solche Sammlung des besseren Deutschlands, wenn sie auf einer breiten Front, getragen von dem einheitlichen Willen vorurteilsloser und aufrichtiger deutscher Patrioten, erfolgt, ihre *Wirkung* in *Deutschland* haben muß. Einmal muß und wird unsere Stimme, wenn wir sie durch gemeinsames Zusammenstehen verstärken, zu den Herzen aller derer in Deutschland dringen, die ihre Liebe zu Deutschland, dem alten wahren Deutschland des Geistes und der Freiheit noch nicht verloren haben.

Ich enthalte mich jedes Vorschlags einer Formulierung, denn in wessen Händen sollte diese Aufgabe besser aufgehoben sein als in den Ihrigen! Wir haben Ihre Worte nicht vergessen, mit denen Sie an den Dekan der Bonner Philosophischen Fakultät schon vor Jahren Deutschlands Schicksal beschworen haben.

Meine Bitte, unsere Bitte an Sie, Thomas Mann, ist die: versuchen Sie es, alle Deutschen, deren Stimme in Deutschland beachtet werden wird, unter einem gemeinsamen Appell an das deutsche Volk zu sammeln. Sie haben dazu auch die technischen Möglichkeiten, die uns hier fehlen. Ihre Stimme wird gehört werden, und wenn wir uns alle in gemeinsamem Aufruf mit Ihnen vereinen, werden unsere, vereinzelt zu schwachen Stimmen, verdoppelt und vertausendfacht die Kraft gewinnen, die notwendig ist, um die Eisschollen in Bewegung zu bringen, deren reißender Strom die verhaßte Barbarei mit sich fortreißen wird.

Dieser Brief ist gewiß zunächst nur ein persönlicher Brief. Aber wie Sie sicher wissen werden, leben in der Türkei, einem wegen seiner Neutralität und relativen Deutschlandnähe nicht unwichtigen Lande, zahllose Deutsche, deren Namen einen guten Klang haben, die genau so denken wie ich, und die sich einem solchen Aufruf an Deutschland auch mit ihrem Namen zur Verfügung stellen werden. Was in Amerika, in England und anderen Ländern lebt, ist für Sie leicht zu erreichen. Uns fehlen dazu die unmittelbaren technischen Möglichkeiten.

Es wird für mich und viele meiner Freunde ein glücklicher Tag sein, wenn wir von Ihnen hören dürfen, daß diese Stimme zu Ihnen gelangte und daß Sie auf diese oder andere Weise den hier entwickelten Gedankengängen geneigt sind.

In aufrichtiger Verehrung bin ich

Ihr Ihnen sehr ergebener

Ernst Reuter

Es liegt dem deutschen Charakter der Bürgerkrieg nicht. Nie haben sie einen gehabt. Auch der Dreißigjährige war ein Krieg zwischen Fürsten, kein Bürgerkrieg. Man mag das Glück nennen. Wären die Deutschen so gewesen wie die Spanier, dann hätte es 1919 und wieder 1932 an Zündstoff für einen echten Bürgerkrieg nicht gefehlt. Aber auch den Kommunisten lag das nicht. Sie versprachen wohl ihre Revolution, machten sich aber nie eine genauere Vorstellung davon, wie sie die eigentlich anfangen würden, und verließen sich auf Recht und Gesetz und eben die Verfassung, welche sie umzustürzen gedacht. Als man sie angriff, riefen sie nach der Polizei, weil es gegen Recht und Verfassung verstieße. Hitler konnte so seinen Bürgerkrieg nicht bloß mit Hilfe des Staates führen, er konnte ihn auch völlig einseitig führen. Der Krieg begann mit der bedingungslosen Übergabe der Gegner, die nicht begriffen, was ihnen geschah. Der Brand des Reichstagsgebäudes sollte das »Fanal« zum Kampf sein, aber die Nazis hatten es selber fingieren müssen, weil die Gegner nichts taten. Darum hat die Diktatur von den Anfängen bis 1939 nur wenige Tausend Menschenleben gekostet, Hinrichtungen, Morde, Selbstmorde; im offenen Kampf fiel keiner. Wenn das, verglichen mit einem echten ehrlichen Bürgerkrieg, seine Vorzüge hatte, so lag auch wieder etwas ungewöhnlich Widerliches in diesem schwelgenden, unbarmherzig ausgenutzten, aber kampflosen Siege eines Teiles der Nation über den anderen.

GOLO MANN

GOLO MANN

Widerstand

Es war jetzt [1943/44] nicht mehr die Propaganda, waren nicht mehr die schönen Tricks und Erfüllungen, die wirkten; die gab es jetzt nicht mehr. Seltener und seltener ließ der Tyrann seine Stimme ertönen, ein-, zweimal im Jahr noch, und wenn er es tat, so erging er sich in Drohungen, nicht mehr in Schmeicheleien. Keine Volksabstimmung mehr, keine »Wahlen zum Reichstag«, keine Befragung: »Billigst Du, deutscher Mann, und Du, deutsche Frau, die Politik Deiner Reichsregierung?« Die Zeiten waren vorbei. Jetzt mußte der Bürger billigen, was seine »Reichsregierung« tat. Jetzt brachte Mißbilligung den Tod und schien offener Widerstand wie das Anrennen der Kreatur gegen übermächtige Elementargewalt. Trotzdem gab es Widerstand, das Höchste, was die deutsche Geschichte erreicht hat, wenn die Kriegsdiktatur der H. und Himmler das Tiefste ist. Die Münchener Studenten, die im Februar 1943 in Flugblättern die Wahrheit über die Tyrannei aussprachen und zur Sabotage in den Rüstungsbetrieben aufforderten, waren keine Politiker. Es waren junge, lebensfrohe Christen; aus der katholischen Jugendbewegung kommend, zeitweise sogar vom fröhlichen Gemeinschaftsgeist beherrscht, den die Nazibewegung der Jugend lieferte, dann, nach und nach, ihren wahren Charakter erkennend. Sie fochten gegen das Riesenfeuer mit bloßen Händen, mit ihrem Glauben, ihrem armseligen Vervielfältigungsapparat, gegen die Allgewalt des Staates. Gut konnte das nicht ausgehen, und ihre Zeit war kurz. Hätte es aber im deutschen Widerstand nur sie gegeben, die Geschwister Scholl und ihre Freunde, so hätten sie alleine genügt, um etwas von der Ehre des Menschen zu retten, welcher die deutsche Sprache spricht. Es gab viel mehr; Pfarrer, Professoren, Ge-

werkschaftler, Bürgermeister, Gutsbesitzer, Bürokraten. Es gab sie in den christlichen Kirchen, in der unterdrückten, aber heimlich fortlebenden Sozialdemokratie, im Bürgertum, im Adel. Wir meinen jetzt nicht die Verneiner und Hasser, die nur im engsten Kreise wirkten, auch nicht die großen Prediger, die Bischöfe, die es wagen konnten, falsche Götzen anzuklagen, ohne doch eigentlich Politik zu machen. Widerstand, das ist politisches Tun, der Versuch, den Staat umzustürzen, der so stark, so furchtbar, so ruchlos war, daß er von innen nicht umgestürzt werden konnte. Hier gab es verschiedene Kreise, sozialistische und konservative, geistig vorbereitende und zur Tat drängende. In den Mittelpunkt müßte der Erzähler in jedem Fall die Militäropposition stellen, weil ohne sie die Zivilisten, die Julius Leber und Wilhelm Leuschner, die Carl Goerdeler und Ulrich von Hassell, an keinen Staatsstreich hätten denken können. Seit 1934 war der Tyrann nur noch durch militärische Gewalt zu beseitigen. Nicht mit dem Ziel einer Militärdiktatur. Die Generäle wollten eine Diktatur stürzen, keine errichten. Aber ohne ihr Mitwirken ging es nicht. Zivilisten konnten Ideen liefern, politische Pläne, Kontakte mit den Massen. Schießen mußten die Soldaten.
Nun war freilich ihr Beruf im Krieg, Krieg zu machen, nicht aber Politik zu treiben, viel weniger, die eigene Regierung zu stürzen. Diese Kunst hatten deutsche Generäle nie gelernt, nie ausgeübt; es lag nicht in ihrer Tradition. Noch schwieriger war: H.s Krieg zu führen, für Ausrüstung und Schutz der Truppe zu sorgen und doch gleichzeitig den Krieg selber zu verwünschen und auf die Beseitigung dessen zu sinnen, der ihn angefangen hatte. Aktive Offiziere in höchster Stellung, wie der Stabschef des Heeres, Franz Halder, sind an diesem Widerspruch gescheitert. Sie gingen weit in ihrer Opposition, grübelten, planten, besprachen sich heimlich; aber dann doch nicht bis zur Tat, die allein geschichtlich wirken konnte. Wer glaubt, er hätte in ähnlicher Lage Besseres geleistet, soll ihnen das zum Vorwurf machen. Andere fühlten keinen Widerspruch, keine Skrupel. Ein hoher Offizier der Abwehr hat den Opfern zukünftiger deutscher Invasionen, den Norwegern, den Holländern, jedesmal von den Angriffsterminen, insoweit sie ihm bekannt waren, Mitteilung gemacht. Das diktierte ihm sein Gewissen, sein Haß, und auch hier erscheinen nachträgliche Fragen, ob das nun noch erlaubt gewesen sei oder nicht, als müßig. Unter der Diktatur des Verbrechers gab es keine Regel, an die man sich halten konnte.
Im August 1939 unternahm die Militäropposition nichts Ernsthaftes. Teils, weil sie noch gelähmt war durch die Enttäuschung von »München«; teils wohl auch, weil der Krieg gegen Polen der deutschen Armee so genehm war, wie nur irgendein Krieg ihr sein konnte. Aber bald nach dem Polenfeldzug, als H. die Vorbereitung einer Offensive im Westen befahl, fing das heimliche Opponieren und Planen wieder an. Im Mittelpunkt stand der verabschiedete

Generalstabschef Ludwig Beck. Von ihm gingen die Fäden zu Halder, selbst zu dem schwachen Oberbefehlshaber des Heeres, Brauchitsch, zu den Leitern der Abwehr, Admiral Canaris, General Oster, zu hervorragenden Zivilisten wie dem ehemaligen Bürgermeister von Leipzig, Carl Goerdeler. Es sind damals in Rom, durch Vermittlung des Papstes, Kontakte zwischen der deutschen Opposition und London gepflogen worden, und es hat auch in diesem Augenblick die englische Regierung Verständnis für die Bemühungen der Gegner H.s gezeigt: wenn es ihnen gelänge, den Diktator zu stürzen, bevor die Offensive im Westen begänne, dann könnte man wohl zu einem alle vernünftigen deutschen Forderungen erfüllenden Frieden kommen. Es gelang nicht. Es wurde nicht ernsthaft versucht, das Zeichen zum Losschlagen nicht gegeben. Und man muß sagen, daß die allgemeine Stimmung in Deutschland damals so war, daß es nicht gegeben werden konnte. Gar zu glatt, gar zu triumphal war der Überfall auf Polen vor sich gegangen; die Leute fühlten sich nicht schlecht während des »falschen Krieges«. Schließlich, nach häufigen Verschiebungen, kam es zur Offensive im Westen. Wieder verlief sie so überwältigend, waren die deutschen Verluste so gering, erwiesen sich die Warnungen der Generäle, die ein zweites 1916, ein blutiges Steckenbleiben vor der Maginot-Linie befürchtet hatten, als so falsch und H.s Beurteilungen als so richtig, daß nun auf lange Zeit von aktiver Opposition keine Rede sein konnte. Das war das Unglück des deutschen Widerstandes. Solange H. siegte, gab es keine psychologische Möglichkeit, loszuschlagen. Als auf die letzten Siege sofort die ersten unheilverkündenden Niederlagen folgten, hatten die Alliierten ihr Interesse an einem Kompromißfrieden, an Verhandlungen mit ihnen unbekannten und zweifelhaften sogenannten »Militaristen« längst verloren; jetzt glaubten sie die Sache auf *ihre* Weise beenden zu können. So ist die Geschichte der deutschen Verschwörung gegen H. eine Kette von Enttäuschungen; die Verschwörer wurden ratlos durch seine friedlichen Triumphe, ratlos durch seine Siege, ratlos durch seine Niederlagen. Nie spielte ihnen der Lauf der Ereignisse eine echte, hoffnungsvolle Initiative zu. Daß der Geist des deutschen Widerstandes auch auf der Höhe der Waffensiege nicht erlahmte, drücken Worte Carl Goerdelers aus, die er ein paar Wochen nach der Eroberung Frankreichs schrieb:

»An einen schöpferischen Aufbau freier Völker unter deutscher Führung denkt ein System nicht, das in Deutschland von finanziellem Wahnsinn, von wirtschaftlichem Zwang, von politischem Terror, von Rechtlosigkeit und Unmoral lebt.« Unter einem solchen System sei der Zusammenbruch gewiß, er komme nun früher oder später. »Kein Volk lebt allein auf der Welt; Gott hat auch andere Völker geschaffen und sich entwickeln lassen ...« »Ewige Unterdrückung anderer widerspricht offenbar ebenso den Geboten Gottes wie der vernünftigen ... Erkenntnis, daß nur freie Menschen höchste Leistungen vollbringen und daß nur deren gegenseitiger Austausch dauernd Leben erhält und verbessert.« Zur Möglichkeit und dringendsten Notwendigkeit wurde der deutsche Widerstand wieder während des russischen Krieges, zumal seit der erste schlimme Winter die üble Vorbereitung des Ganzen, die dreiste Unterschätzung des Gegners, die Unmenschlichkeit der Ziele an den Tag gebracht hatte. Die Überzeugung, daß der Tyrann fort müßte, war den Verschwörern längst vertraut. Nun gab es auch der Nation gegenüber die Chance einer Rechtfertigung: »den Irreführer« konnte man, wenn sich die Männer dazu fanden, gefangennehmen und vor Gericht stellen, konnte ihn notfalls ermorden; den siegreichen »Führer« nicht, das hätte der größere Teil der Nation nicht verstanden. Seit 1942 riß die Zahl der Komplotte, der nicht ausgereiften und der sehr wohlausgereiften, technisch bis zum letzten vorbereiteten, aber an dämonischen Zufällen gescheiterten, nicht mehr ab.

In dem Maß, in dem die Opposition sich verbreiterte, in dem ihre Aktivität drängender, deutlicher, nervöser wurde, wuchs auch die Gefahr, die ihr drohte. Es ließ sich das, was so viele Menschen dachten und planten, nicht verbergen. Eine Verhaftungswelle folgte der anderen. Zentralfiguren der Verschwörung warteten schon in Gefängnissen und Lagern auf ihren Prozeß, lange bevor die letzte, offenste Tat gewagt wurde.

Es war nun sehr spät dazu, zu spät, wie einige der Beteiligten glaubten. Oder doch nur in dem Sinn nicht zu spät, daß es galt, die Ehre zu retten, auch wenn praktisch nichts mehr dabei zu gewinnen war. Wie Oberst Tresckow von der Ostfront dem Grafen Stauffenberg in Berlin sagen ließ: »Das Attentat muß erfolgen, coute que coute. Sollte es nicht gelingen, so muß trotzdem in Berlin gehandelt werden. Denn es kommt nicht mehr auf den praktischen Zweck an, sondern darauf, daß die deutsche Widerstandsbewegung vor der Welt und vor der Geschichte den entscheidenden Wurf gewagt hat. Alles andere ist daneben gleichgültig.« Was 1938 und 1939 und selbst noch 1942 eine tief eingreifende Tat hätte sein sollen, konnte jetzt nur noch ein Zeichen der Ehre sein ...

Am 6. Juni, nach technischen Vorbereitungen ohnegleichen, begann die Landung der Alliierten in Nordfrankreich. Ihre Überlegenheit, zuerst in der Luft dann auf der Erde, erwies sich als so überwältigend, daß das Halten der deutschen Front nur eine Sache von Wochen sein konnte. General Rommel, Befehlshaber einer Heeresgruppe in Frankreich, wußte das im voraus und war entschlossen, den Krieg im Westen zu beenden, im Einverständnis mit H. oder gegen ihn. Rommel war kein Politiker; die rein-militärisch argumentierenden »Ultimaten«, die er an den Tyrannen in Berchtesgaden ergehen ließ, zeigten es. Aber der starke, einfache, von Truppe und Volk verehrte Soldat, der auch bei den Alliierten ein enormes Prestige genoß, wäre wohl am ehesten der Mann gewesen, »das fürchterliche Doppelgewicht des Krieges und Bürgerkrieges« auf sich zu nehmen (ein Ausdruck Ernst Jüngers). Ob er mit seinem Angebot, die deutschen Truppen bis zu den alten Reichsgrenzen zurückzuführen, wofür der Bombenkrieg aufhören sollte, bei den Alliierten Verständnis gefunden hätte, ist eine andere Frage. Es kam zu keiner Probe. Mitte Juli wurde der General schwer verwundet; als er, zu seinem Unglück, wieder zu sich kam, war schon alles entschieden ... Am 17. Juni begannen die Russen einen Großangriff gegen die Mitte der deutschen Front, durchbrachen sie und strömten nun unaufhaltsam der deutschen Grenze zu. H., in Berchtesgaden, sprach vom bevorstehenden Zusammenbruch Englands, vom »totsicheren Endsieg«; »die Ausführungen verloren sich in Hirngespinsten«. Ungleich wahrscheinlicher war damals das Ende des Krieges durch die Besetzung ganz Deutschlands im frühen Herbst.

Am 20. Juli stellte bei der täglichen »Lagebesprechung« im Hauptquartier in Ostpreußen Oberst Stauffenberg eine Bombe mit Zeitzünder unter den Tisch, an dem H. mit seinen Beratern stand. Stauffenberg verließ die Baracke unter einem Vorwand, sah die Explosion, sah die Wirkung, glaubte den Tyrannen unfehlbar tot, flog nach Berlin zurück und brachte den Verschwörern die erwartete Nachricht. Darauf wurden die längst vorbereiteten Schritte getan. General Witzleben erklärte sich zum Oberbefehlshaber der Wehrmacht, gab Befehle zur Verhaftung der Partei- und SS-Führer nach Wien, Paris und Prag, ließ das Regierungsviertel durch das Berliner »Wach-Bataillon« abriegeln. Aber H. war nicht tot. Mehrere seiner Mitarbeiter waren von der Explosion zerrissen worden, er nicht; er war nur leicht verwundet. Auch war es nicht gelungen, das Nachrichtenzentrum seines Hauptquartiers dem Plane entsprechend zu zerstören. Es folgte ein Wettkampf zwischen Berlin und Ostpreußen, zwischen den von H.s Kreaturen und den von Witzleben gezeichneten Befehlen, wobei die alte Autorität in wenigen Stunden den Sieg davontrug. So stark war auch jetzt noch, in diesen Tagen der von allen Seiten hereinbrechenden militärischen Katastrophen, der Zusammenhalt des Staates, so stark noch der Zauber des bleichen, an allen Gliedern zitternden, und nach Rache und Zerschmetterung aller Verräter gierenden Tyrannen. Sein Regime hätte ihn damals keinen Tag überdauert. Da er aber lebte, beeilten sich alle, die es noch konnten, und mancher, dem es nichts mehr half, die Rebellion zu verleugnen und sich gegen sie zu kehren; Truppen und Offiziere in Berlin und nahe Berlin, Befehlshaber in den besetzten Gebieten, Befehlshaber an den Fronten. Aushielt die Schar der echten Verschwörer; aber ihnen blieb nur der Tod. Die Glücklicheren gaben ihn sich selber. Über die andern brach H.s Mordgericht herein.

So wie die Parteiherrschaft auf einer Auswahl der Schlechten beruhte, so beruhte der Widerstand auf einer echten Elite aus allen Klassen, Traditionskreisen und Landschaften. Der gute Genius der Nation hatte sich in der Verneinung, im Kampf gegen das Ungeheuer zusammengerafft. Nun, da seine Tat mißlungen war, stand er da in rettungsloser Offenheit, ein Opfer der Volksgericht-Präsidenten, der Schinder und Würger. Ein gleiches Schicksal traf die Sozialisten, Gewerkschaftler, demokratischen Politiker, Leber, Leuschner, Haubach, Reichwein, Bolz, Letterhaus; die Verwalter und Juristen Goerdeler, Planck, Harnack, Dohnanyi; die Theologen und Schriftsteller, Delp, Bonhoeffer, Haushofer; den Adel, die Süddeutschen Stauffenberg, Guttenberg, Redwitz, Drechsel, wie die Nord- und Ostdeutschen, Witzleben, Dohna, York, Moltke, Schwerin, Kleist, Lynar, Schulenburg. Wenn der ostelbische Adel, oder doch ein Teil von ihm, in der Zeit vor der Machtergreifung eine schwere Schuld auf sich lud, dann machte er sie gut durch das Opfer des 20. Juli; und der deutsche Adel in seiner Gesamtheit hat in dieser äußersten Krise in Ehren mitgewirkt. Dem Tyrann war das recht; nun konnte er gegen die ihm längst verhaßte »Aristokratenbande« wüten, übrigens das Ganze als ein Unternehmen von Reaktionären ausgeben und so vor dem Volk diskreditieren. Aber die Namen der Opfer redeten eine zu deutliche Sprache. Aristokraten waren sie alle, Aristoi, die Besten; an Klasse und Stand gebunden waren sie nicht.

KURT HUBER

Schlusswort vor dem »Volksgerichtshof«

Als deutscher Staatsbürger, als deutscher Hochschullehrer und als politischer Mensch erachte ich es als Recht nicht nur, sondern als sittliche Pflicht, an der Gestaltung der deutschen Geschichte mitzuarbeiten, offenkundige Schäden aufzudecken und zu bekämpfen ... Was ich bezweckte, war die Weckung der studentischen Kreise nicht durch eine Organisation, sondern durch das schlichte Wort, nicht zu irgendeinem Akt der Gewalt, sondern zur sittlichen Einsicht in bestehende schwere Schäden des politischen Lebens. Rückkehr zu klaren sittlichen Grundsätzen, zum Rechtsstaat, zu gegenseitigem Vertrauen von Mensch zu Mensch, das ist nicht illegal, sondern umgekehrt die Wiederherstellung der Legalität. Ich habe mich im Sinne von Kants kategorischem Imperativ gefragt, was geschähe, wenn diese subjektive Maxime meines Handelns ein allgemeines Gesetz würde. Darauf kann es nur eine Antwort geben: Dann würde Ordnung, Sicherheit, Vertrauen in unser Staats-

wesen zurückkehren. Jeder sittlich Verantwortliche würde mit uns seine Stimme erheben gegen die drohende Herrschaft der bloßen Macht über das Recht, der bloßen Willkür über den Willen des sittlich Guten. Die Forderung der freien Selbstbestimmung auch des kleinsten Volksteils ist in ganz Europa vergewaltigt, nicht minder die Forderung der Wahrung der rassischen und völkischen Eigenart. Die grundlegende Forderung wahrer Volksgemeinschaft ist durch die systematische Untergrabung des Vertrauens von Mensch zu Mensch zunichte gemacht. Es gibt kein furchtbareres Urteil über eine Volksgemeinschaft als das Eingeständnis, das wir alle machen müssen, daß keiner sich vor seinem Nachbarn, der Vater nicht mehr vor seinen Söhnen sicher fühlt.
Das war es, was ich wollte, mußte.
Es gibt für alle äußere Legalität eine letzte Grenze, wo sie unwahrhaftig und unsittlich wird. Dann nämlich, wenn sie zum Deckmantel einer Feigheit wird, die sich nicht getraut, gegen offenkundige Rechtsverletzung aufzutreten. Ein Staat, der jegliche freie Meinungsäußerung unterbindet und jede sittlich berechtigte Kritik, jeden Verbesserungsvorschlag als »Vorbereitung zum Hochverrat« unter die furchtbarsten Strafen stellt, bricht ein ungeschriebenes Recht, das »im gesunden Volksempfinden« noch immer lebendig war und lebendig bleiben muß.
Ich habe das eine Ziel erreicht, diese Warnung und Mahnung nicht in einem privaten, kleinen Diskutierklub, sondern an verantwortlicher, an höchster richterlicher Stelle vorzubringen. Ich setze für diese Mahnung, für diese beschwörende Bitte zur Rückkehr, mein Leben ein. Ich fordere die Freiheit für unser deutsches Volk zurück. Wir wollen nicht an Sklavenketten unser kurzes Leben dahinfristen, und wären es goldene Ketten eines materiellen Überflusses.
Sie haben mir den Rang und die Rechte des Professors und den ‚summa cum laude' erarbeiteten Doktorhut genommen und mich dem niedrigsten Verbrecher gleichgestellt. Die innere Würde des Hochschullehrers, des offenen, mutigen Bekenners seiner Welt- und Staatsanschauung, kann mir kein Hochverratsverfahren rauben. Mein Handeln und Wollen wird der eherne Gang der Geschichte rechtfertigen; darauf vertraue ich felsenfest. Ich hoffe zu Gott, daß die geistigen Kräfte, die es rechtfertigen, rechtzeitig aus meinem eigenen Volke sich entbinden mögen. Ich habe gehandelt, wie ich aus einer inneren Stimme heraus handeln mußte. Ich nehme die Folgen auf mich nach dem schönen Wort Johann Gottlieb Fichtes:

> Und handeln sollst du so,
> Als hinge von dir und deinem Tun allein
> Das Schicksal ab der deutschen Dinge,
> Und die Verantwortung wär' dein.

ALFRED DELP

BRIEF AN SEIN PATENKIND

23. Januar 1945

Lieber Alfred Sebastian,

als große Freude und Ermunterung erhielt ich heute die Nachricht von Deiner Geburt. Ich habe Dir gleich mit meinen gebundenen Händen einen kräftigen Segen geschickt, und da ich nicht weiß, ob ich Dich im Leben je sehen werde, will ich Dir diesen Brief schreiben, von dem ich aber auch nicht weiß, ob er je zu Dir kommen wird.

Du hast Dir für den Anfang Deines Lebens eine harte Zeit ausgesucht. Aber das macht nichts. Ein guter Kerl wird mit allem fertig. Du hast gute Eltern, die werden Dich schon lehren, wie man die Dinge anpackt und meistert.

Und Du hast Dir zwei gute Namen geben lassen. *Alfred,* das war ein König, der für sein Volk viel betete, viel arbeitete und viele harte Kämpfe gewann, die Menschen haben ihn nicht immer verstanden und ihn oft arg bekämpft. Später haben sie erkannt, was er für sein Volk getan hat und haben ihn den Großen geheißen. Das Volk Gottes aber nannte ihn den Heiligen. Vor Gott und vor den Menschen hat er sich bewährt. *Sebastian,* das war ein tapferer Offizier des Kaisers und des Herrgotts, da aber der Kaiser von Gott nichts wissen wollte, machte er aus seiner Torheit spitze Pfeile des Hasses und des Mißtrauens und ließ damit seinen Offizier zusammenschießen. Sebastian kam noch einmal zu sich, mit zerschundenem Körper und ungebrochenem Geist. Er hielt dem Kaiser seine Torheit vor, der ihn für seinen Freimut erschlagen ließ. Das aber kannst Du ja überall lesen, und Deine Eltern werden es Dir längst erzählt haben, liebes kleines Patenkind. Ich will Dich nur daran erinnern, daß in Deinem Namen eine hohe Pflicht liegt, man trägt seinen Namen würdig und ehrenhaft, mutig und zäh und standhaft mußt Du werden, wenn Deine Namen Wahrheit werden sollen in Deinem Leben.

Ja, mein Lieber, ich möchte Deinem Namen auch noch eine Last, ein Erbe zufügen. Du trägst ja auch meinen Namen. Und ich möchte, daß Du das verstehst, was ich gewollt habe, wenn wir uns nicht richtig kennen lernen sollten in diesem Leben; das war der Sinn, den ich meinem Leben setzte, besser, der ihm gesetzt wurde: die Rühmung und Anbetung Gottes vermehren; helfen, daß die Menschen nach Gottes Ordnung und in Gottes Freiheit leben und Menschen sein können. Ich wollte helfen und will helfen einen Ausweg zu finden aus der großen Not, in die wir Menschen geraten sind, und in der wir das Recht verloren, Menschen zu sein. Nur der An-

betende, der Liebende, der nach Gottes Ordnung Lebende ist Mensch und ist frei und lebensfähig. Damit habe ich Dir etwas gesagt, was ich Dir an Einsicht und Aufgabe und Auftrag wünsche.
Lieber Alfred Sebastian, es ist viel, was ein Mensch in seinem Leben leisten muß. Fleisch und Blut allein schaffen es nicht. Wenn ich jetzt in München wäre, würde ich Dich in diesen Tagen taufen, das heißt: ich würde Dich teilhaft machen der göttlichen Würde, zu der wir berufen sind. Die Liebe Gottes, einmal in uns, adelt und wandelt uns. Wir sind von da an mehr als Menschen, die Kraft Gottes steht uns zur Verfügung, Gott selbst lebt unser Leben mit, das soll so bleiben und immer mehr werden, Kind. Daran hängt es auch, ob ein Mensch einen endgültigen Wert hat oder nicht. Und er wird ein wertvoller Mensch werden.
Ich lebe hier auf einem sehr hohen Berg, lieber Sebastian. Was man so leben nennt, das ist weit unten, in verschwommener und verworrener Schwärze. Hier oben treffen sich die menschliche und göttliche Einsamkeit zu ernster Zwiesprache. Man muß helle Augen haben, sonst hält man das Licht hier nicht aus. Man muß gute Lungen haben, sonst bekommt man keinen Atem mehr. Man muß schwindelfrei sein, der einsamen schmalen Höhe fähig, sonst stürzt man ab und wird ein Opfer der Kleinheit und Tücke. Das sind meine Wünsche für Dein Leben, Alfred Sebastian: helle Augen, gute Lungen und die Fähigkeit, die freie Höhe zu gewinnen und auszuhalten. Das wünsche ich nicht nur Deinem Körper und Deinen äußeren Entwicklungen und Schicksalen, das wünsche ich vielmehr Deinem innersten Selbst, daß Du Dein Leben mit Gott lebst als Mensch in der Anbetung, in der Liebe, im freien Dienst.

Es segne und führe Dich der allmächtige Gott, der Vater, der Sohn und der Heilige Geist.

Dein Patenonkel Alfred Delp

Das habe ich mit gefesselten Händen geschrieben; diese gefesselten Hände vermach' ich Dir nicht, aber die Freiheit, die die Fesseln trägt und in ihnen sich selbst treu bleibt, die sei Dir schöner und zarter und geborgener geschenkt.

GERTRUD VON LE FORT

Unser Weg durch die Nacht

Aus einer Rede an die Schweizer Freunde

... Es gibt Erfahrungen der göttlichen Liebe, die uns nur in der äußersten Verlassenheit, ja am Rande der Verzweiflung geschenkt werden. Ich glaube mit vielen meiner deutschen Brüder und Schwestern, daß wir in diesen furchtbaren Jahren als Menschen wie als Christen Erkenntnisse gewonnen haben, die wir für einen Gewinn halten müssen. Wenn ich diesen Gewinn in einem kurzen Wort ausdrücken soll, so würde ich sagen: Wir haben alle Werte einmal unter den letzten Aspekten der Vergänglichkeit und des Gerichtes erblickt — ein unermeßlicher Gewinn, freilich bezahlt durch zunächst erschütternd schmerzliche Wandlungen unsres bisherigen Weltbildes.

Ich will versuchen, Ihnen von diesen Erfahrungen zu sprechen. Dabei müssen Sie sich freilich vor Augen halten, daß mein Bild kein allgemein gültiges sein kann, d. h. ich muß Sie bitten, mit dem irreführenden Massenbegriff »die Deutschen«, oder »der deutsche Mensch« aufzuräumen. Ein Volk — jedes Volk — ist eine Vielfalt von Einzelwesen und bleibt eine solche selbst in den Tagen der sogenannten »Gleichschaltung«. Die Gegensätze in Deutschland waren sehr groß. Es kann leicht sein, daß Sie von anderer Seite ein Bild empfangen, das dem meinen widerspricht, und daß doch beide Bilder durchaus wahr sind. Denn es liegt im Wesen chaotischer Zeiten, daß die mittleren Erscheinungsformen aufgelöst und weggespült werden, so daß nur die äußersten stehen bleiben. Sie konnten damals in Deutschland neben dem Furchtbarsten das Rührendste, neben dem Gemeinsten das Edelste, neben dem Gottlosesten das Ehrfürchtigste antreffen. In denselben Tagen, in denen bei uns die Synagogen brannten, konnte das Wort geprägt werden von den »Ehrentagen der Münchner Hausmeister« — diese stellten damals den Juden, als ihnen der Einkauf aller Lebensmittel untersagt war, stillschweigend das Notwendige vor die Türe. Während zahlreiche Deutsche sich dem Rassenhaß hemmungslos hingaben, fanden sich auch zahlreiche Deutsche, die es sich zur Aufgabe machten, jeden mit dem Judenstern gezeichneten Mitbürger, der ihnen begegnete, auf das freundlichste zu grüßen. Ich selbst erlebte damals in dem Kurort Oberstdorf, wie man einem verstorbenen christlichen Juden ein Grab an der Seite seiner Gattin erkämpfte und nicht zugab, daß er, wie befohlen worden war, irgendwo verscharrt wurde. Es waren Deutsche, welche die Konzentrationslager errichteten, es waren aber auch Deutsche, welche eine sehr große Zahl der Opfer stellten. Es waren Deutsche, welche russische Gefangene verhungern ließen, es waren aber auch Deutsche, die sich nachts auf Händen und Füßen kriechend an die Gefangenenlager heranschlichen und unter Lebensgefahr den Unglücklichen etwas von der eigenen kargen Nahrung über den Stacheldraht zuwarfen. Und so könnte man die Beispiele der Gegensätze endlos reihen. Ich spreche hier also nicht von dem Weg der Deutschen schlechthin, sondern ich spreche von diesem Weg, soweit ich und meine nächsten Freunde ihn zu übersehen vermochten.

Die erste überraschende Wandlung, die sich uns vollzog, betraf die Erkenntnis der außerordentlichen Brüchigkeit alles dessen, was wir als Kultur, Zivilisation und menschliche Gesittung bezeichnen. Denn geordnete Zustände geben nicht die Maßstäbe ab für die letzten Möglichkeiten, die im Untergrund der Dinge schlummern. Und doch warnt Christus gerade vor der Sicherheit geordneter Zustände. Ich denke an die hellsichtigen Worte jenes Evangeliums, wo der Teufel in das Haus zurückkehrt, aus dem er lange ausgezogen war, und wie es nachher mit diesem Hause ärger wird als zuvor. Auch die Kirche hat uns über die tiefe Gefährdung alles Menschlichen niemals im Zweifel gelassen. Wir hörten ihre Stimme wohl, wir glaubten ihr selbstverständlich, aber im Grunde konnten wir uns doch nicht vorstellen, daß auch in unsern Tagen noch anarchische Ausbrüche hemmungsloser Bosheit und Grausamkeit, antichristliche Verfolgungen großen Stils möglich seien. Wir waren kindlich genug zu glauben, dies sei längst vergangenen Jahrhunderten vorbehalten gewesen. Denn der Begriff der eigentlichen Macht des Bösen ist dem heutigen Menschen weithin verlorengegangen. Man redet von Unrecht und Verbrechen, daß aber hinter diesen klaren, irdischen Begriffen ein abgründiges metaphysisches Geheimnis steht, jenes, welches die Kirche das mysterium iniquitatis nennt, das Mysterium einer ganz realen, riesengroßen, außermenschlichen Macht, das ist den wenigsten klar, auch den wenigsten Christen — die außerchristliche moderne Welt will überhaupt nichts mehr davon wissen: die Vorstellung von der Macht des Teufels ist ihr ebenso entfallen wie die von der Macht Gottes. Man ist der Meinung, daß der Mensch dem Bösen mit einigermaßen gutem Willen, mit Einsicht und Charakterstärke gewachsen sein müsse. Dies ist nun aber nicht der Fall. Was wir in Deutschland erlebten, war die erschütternde Tatsache, daß bei einer großen Anzahl von Menschen unter gewissen Belastungsproben weder die Einsicht, noch die Charakterstärke, noch das sogenannte gute Herz standhalten; daß eine geschickte Propaganda ihren Geist verwirrt, und ein bestimmtes Maß von natürlichem Grauen sie einschüchtert und zum Verrat oder doch zum Augenschließen bereit macht, und dies nicht nur bei fragwürdigen Charakteren, sondern auch bei sonst gutartigen, rechtschaffenen Menschen — ja gerade dies war das bestürzend Unerwartete, das wir erlebten . . .

. . . Wir reichten uns damals zu gegenseitigem Trost Blätter und Zettel von Hand zu Hand mit wesentlichen Aussprüchen oder Gedichten, die irgendwie unsere Lage trafen. Darunter befand sich auch ein Ausspruch Goethes aus »Dichtung und Wahrheit«. Goethe schildert dort das Wesen des Dämonischen genau so, wie wir es erlebten, und schließt mit dem Gedanken, daß der Mensch es von sich aus nicht zu überwinden vermöchte. Damit ist der springende Punkt getroffen. Den Drachen der Apokalypse wirft nicht der Mensch, sondern der Engel Gottes in den Abgrund. Dem nicht mehr Menschlichen ist nur das Übermenschliche gewachsen. In der Erkenntnis dieser Wahrheit liegt der eigentliche Schlüssel zum Verständnis jener Tage.

Auch die Einzelschicksale legten dafür Zeugnis ab. Es waren durchaus nicht immer die stärksten, die klügsten, die charaktervollsten Menschen, an denen die Verführung abglitt. Aber es waren auch nicht immer die, welche uns bisher als fromm erschienen waren. Wie sich uns das Bild des Menschen wandelte, so wandelte sich uns auch der Begriff der Frömmigkeit: jede nur formal geübte erwies sich als hinfällig. Ich habe viele erliegen und viele wunderbar aufrecht gesehen, von denen es niemand erwartete. In beiden Fällen entschied die lebendige oder nicht lebendige Verbindung mit der göttlichen Welt, mit dem Engel, der den Abgrund meistert, mit dem Heiland der Welt, dessen Kraft in den Schwachen mächtig ist.

Damit habe ich den Tiefpunkt meines Erinnerungsweges überwunden. Gerade die Ungeheuerlichkeit der Nacht, das Erlebnis der furchtbaren Verführbarkeit des Menschen stellte zuletzt die Voraussetzung dar für eine ganz neue Erfahrung des Lichts. Wollen Sie dies, bitte, durchaus wörtlich verstehen. Sie wissen, daß man damals in Deutschland das Christentum ausschalten wollte — wir fanden uns also tatsächlich wieder in jene Jahrhunderte zurückversetzt, die der Erscheinung Christi vorangingen. Werden Sie mir glauben, daß wir von dieser Finsternis her damals Advente und Weihnachtsfeste erlebten, in denen wir eigentlich erst recht verstanden, was Christus der Welt an Gnade, Liebe und Barmherzigkeit gebracht hat? Wir waren innerlich in einer nie zuvor gekannten Tiefe bereit, das Weihnachtswunder in uns aufzunehmen. Es wird mir lebenslang unvergeßlich bleiben, wie sich während der Christmette in der dichtgedrängten, tief verdunkelten Kirche kein Mensch zur Flucht erhob, als plötzlich das Gellen der Sirene Voralarm gab, dem jeden Augenblick Vollalarm folgen konnte. Alle waren entschlossen, sich durch die äußerste Nähe der Gefahr nicht die Feier der Heiligen Nacht rauben zu lassen.

Das Verlangen nach Christus war so groß, daß es auch Menschen ergriff, die ihm bisher ferngestanden hatten. Ich habe in jenen Tagen mehrmals von Nichtchristen erschütternde Bekenntnisse dieser Art gehört. Wir sahen Menschen an den Fronleichnamsprozessionen teilnehmen, die in gar keinem Sinn mehr zur Kirche gehörten. »Es befriedigt mich, in dieser verruchten Zeit an irgendeiner Stelle meine Ehrfurcht vor einer höheren Welt zu beweisen«, sagte mir einmal einer dieser seltsamen Teilnehmer. — Unsere Kirchen waren stets voll und übervoll. Während der Fliegerangriffe wurden die Christen in den Kellern von solchen Fernstehenden immer wieder angefleht, laut zu beten. Die katholische Kirche hatte damals ihre Priester ermächtigt, angesichts der Todesgefahr die Generalabsolution und den Segen allen getauften Christen zu spenden — sie wurden von vielen Nichtkatholiken begehrt und empfangen. Man ist manchmal geneigt, solche Erscheinungen mit dem skeptischen Wort: »Nun ja, das sind Ausdrücke der Angst — Not lehrt beten«, abzutun. Ich möchte hier lieber an die schöne Erklärung Brémonds denken, daß die Gefahr die Tore zu den tieferen und wesenhaften Gründen der Seele aufreißt ...

... Je näher man selbst den grauenhaften Geschehnissen stand, um so mehr verstand man schließlich auch von ihren Versuchungen. Ich denke hier natürlich nicht an die Handlanger und Vollstrecker der Verbrechen, sondern an jene vielen Schwachen, die durch ihr Schweigen und ihr Sich-Ducken jene Verbrechen mit ermöglichten, ohne doch an ihnen teilzunehmen, geschweige sie gutzuheißen. Auf die Gefahr hin, daß Sie mich mißverstehen, möchte ich Ihnen sagen, daß ich diese Schwachen bis zu einem gewissen Grad verstehe. Denn das neue Verhältnis zum Menschen bedeutet ja auch ein neues Verhältnis zum eigenen Selbst. Es stehen mir da z. B. jene Dichter vor Augen, denen man das bekannte Lobgedicht auf Hitler zu schreiben zumutete. Manche schrieben es und werden jetzt verachtet. Diejenigen, die es nicht geschrieben haben, denken milder, denn sie wissen, welche Todesangst die Absage gekostet hat. Ich bin der Überzeugung, daß wir im Grunde alle nur so durchgekommen sind, wie in meiner Novelle »Die Letzte am Schafott« die kleine, furchtsame Blanche, von der es heißt: »Sie erwarteten den Triumph einer Heldin zu sehen, und sie erlebten das Wunder in der Schwachen«. Auch starke Männer sind nicht anders durchgekommen, und wenn sie ehrlich sind, geben sie dies auch zu. Vor der Folter hört der Heroismus auf, und es bleibt nur die geschenkte Kraft jenseits der unsren. Wir, die den letzten, furchtbaren Möglichkeiten des Menschen gegenübergestanden haben, erlauben uns keine Beschönigungsversuche menschlicher Schwachheit mehr, aber auch keine vernichtenden Verurteilungen dieser Schwachheit.

Und nun komme ich zu meinem letzten Anliegen. Unser neues, tief skeptisches Verhältnis zum Menschen bedeutet natürlich auch ein solches zum eigenen Volk. Unsre Illusionen über dieses Volk, unser Stolz auf dieses Volk sind, was seine zeitgenössische Ercheinung betrifft, gefallen — unsre Liebe zu ihm nicht. Sie ist vielmehr tiefer und mächtiger denn je. Es muß weithin Liebe dessen sein, der mit den Zöllnern und Sündern an einem Tisch saß und nach seinen eigenen Worten gekommen ist, um gerade das Verlorene zu suchen. In die Reihe der großen Gewinne, die uns die letzte Vergangenheit brachte, rechne ich auch das Verständnis dafür, was eigentlich christliche Liebe bedeutet. Die meisten Christen — ich schließe mich da selbst voll ein — wenden ihre Liebe nur den wohlgeratenen, den hochstehenden und erfreulichen Gestalten zu. Das ist gut und recht als natürliche Liebe des edlen Menschen zum edlen Menschen, aber die eigentliche christliche Liebe ist das noch nicht. Christliche Liebe, das heißt: die ganze Fragwürdigkeit und Abgründigkeit des Menschen kennen und ihn dennoch lieben ...

* * *

MARTIN BUBER

Bericht von zwei Gesprächen

Ich will von zwei Gesprächen erzählen. Einem, das scheinbar so zu Ende kam, wie nur irgendein Gespräch zu Ende kommen kann, und das doch in Wahrheit unausgetragen blieb; und einem, das scheinbar abgebrochen wurde, und das doch eine Vollendung gefunden hat, wie sie Gesprächen nur selten zuteil wird.

Beidemal war es ein Kampf um Gott, um den Begriff, um den Namen, aber in sehr verschiedener Weise. —

An drei aufeinanderfolgenden Abenden sprach ich in der Volkshochschule einer mitteldeutschen Industriestadt über den Gegenstand »Religion als Wirklichkeit«. Was ich damit meinte, war eine einfache Feststellung: daß »Glaube« nicht ein Gefühl in der Seele des Menschen ist, sondern sein Eintritt in die Wirklichkeit, in die *ganze* Wirklichkeit, ohne Abstrich und Verkürzung. Diese Feststellung ist einfach; aber sie widerspricht der Denkgewohnheit. Und so bedurfte es, um sie deutlich zu machen, dreier Abende, und zwar nicht bloß dreier Vorträge, sondern auch noch dreier Aussprachen, die auf sie folgten. Bei diesen Aussprachen fiel mir etwas auf und war mir beschwerlich. Einen großen Teil der Hörerschaft machten ersichtlich Arbeiter aus; aber keiner von ihnen ergriff das Wort. Die Redenden, die Fragen, Zweifel, Bedenken vorbrachten, waren zumeist Studenten (denn die Stadt hat eine berühmte alte Universität), doch auch allerlei andere Kreise waren vertreten; nur die Arbeiter schwiegen. Erst am Schluß des dritten Abends klärte sich der mir schon schmerzlich gewordene Umstand auf. Ein junger Arbeiter trat auf mich zu und sagte: »Wissen Sie, wir mögen da so mitten drin nicht reden; aber wenn Sie sich morgen mit uns zusammensetzen wollen, könnten wir das Ganze mal miteinander besprechen«. Selbstverständlich stimmte ich zu.

Der nächste Tag war ein Sonntag. Nach dem Mittagessen kam ich an den vereinbarten Ort, und nun redeten wir miteinander wohl bis an den Abend. Unter den Arbeitern war einer, ein nicht mehr junger Mann, den ich immer wieder ansehen mußte, weil er zuhörte wie einer, der wirklich hören will. Das ist nämlich selten geworden, und am ehesten noch unter Arbeitern zu finden, denen es ja nicht um die redende Person zu tun ist, wie dem bürgerlichen Publikum so oft, sondern um das, was sie zu sagen hat. Zu dem Mann gehörte ein kurioses Gesicht. Auf einem altflämischen Altarbild, das die Anbetung der Hirten darstellt, hat einer von ihnen solch ein Gesicht; der streckt die Arme der Krippe entgegen. Der Mann mir gegenüber sah nicht so aus, als ob er zu dergleichen Lust hätte, auch sein Gesicht war nicht aufgeschlossen wie das auf dem Bild; aber anzumerken war ihm, daß er hörte und bedachte, beides auf eine ebenso langsame wie nachdrückliche Weise. Schließlich tat auch er die Lippen auf. »Ich habe«, erklärte er langsam und nachdrücklich, eine Wendung wiederholend, die der Astronom Laplace, der Mitschöpfer der Kant-Laplaceschen Weltentstehungstheorie, im Gespräch mit Napoleon gebraucht haben soll, »die Erfahrung gemacht, daß ich diese Hypothese ›Gott‹ nicht brauche, um mich in der Welt auszukennen.« Er sprach das Wort »Hypothese« so aus, als hätte er die Vorlesungen des bedeutenden Naturforschers besucht, der in dieser Industrie- und Universitätsstadt gelehrt hatte und kurz vorher, fünfundachtzigjährig, gestorben war; der mochte, wenn er nicht Zoologie, sondern Weltanschauung trieb, in ähnlichem Tonfall reden, wiewohl er die Bezeichnung »Gott« für seine Idee von der Natur nicht verschmähte.

Der knappe Spruch des Mannes traf mich; ich fühlte mich tiefer als von den andern angefordert, herausgefordert. Bisher hatten wir zwar sehr ernst, aber auf eine etwas lockere Weise verhandelt; nun war alles auf einmal streng und hart geworden. Von woher sollte ich dem Mann antworten, damit ihm geantwortet war? Ich überlegte eine Weile in dieser streng gewordenen Luft. Es ergab sich mir, daß ich von seiner naturwissenschaftlichen Weltanschauung aus die Sicherheit erschüttern mußte, mit der er an eine »Welt« dachte, in der man »sich auskennt«. Was war das für eine Welt? Was wir Welt zu nennen pflegen, die Welt, in der es Zinnoberrot und Grasgrün, C-Dur und h-moll, Apfel- und Wermutgeschmack gibt, die »Sinnenwelt« — war sie etwas andres als das Ergebnis des Zusammentreffens unsrer eigentümlich beschaffenen Sinne mit jenen unvorstellbaren Vorgängen, um deren Wesensbestimmung die Physik sich je und je vergeblich bemüht? Das Rot, das wir sahen, war weder dort, in den »Dingen«, noch hier, in den »Seelen« — aus dem Aneinandergeraten beider schlug es jeweils auf und leuchtete so lange, als eben ein rotempfindendes Auge und eine roterzeugende »Schwingung« sich einander gegenüber befanden. Wo blieb die Welt und ihre Sicherheit? Die unbekannten »Objekte« dort, die scheinbar so bekannten und doch unerfaßlichen »Subjekte« hier, und beider so wirkliche und doch so hinschwindende Begegnung, die »Erscheinungen« — waren das nicht schon drei Welten, die gar nicht mehr von einer einzigen zu umgreifen waren? Was war der »Ort, in dem wir uns diese voneinander so abgehobnen Welten miteinander zu denken vermochten, was war das Sein, das dieser so fragwürdig gewordenen »Welt« ihren Halt gab?

Als ich zu Ende war, waltete in dem nun dämmernden Raum ein hartes Schweigen. Dann hob der Mann mit dem Hirtengesicht die schweren Lider, die die Zeit über gesenkt geblieben waren, zu mir und sagte langsam und nachdrücklich: »Sie haben recht.«

Bestürzt saß ich ihm gegenüber. Was hatte ich getan? Ich hatte den Mann an die Schwelle des Gemachs geführt, in dem das majestätische Gebild thront, das der große Physiker, der große Gläubige Pascal den Gott der Philosophen nennt. Hatte ich das gewollt? War der, zu dem ich ihn hinführen wollte, nicht der andere, der, den Pascal den Gott Abrahams, Isaaks und Jakobs nennt, der, zu dem man du sagen kann?

Es dämmerte, es war spät. Am nächsten Morgen mußte ich abreisen. Ich konnte nicht, wie ich nun hätte eigentlich tun müssen, dableiben, in die Fabrik eintreten, wo der Mann arbeitete, sein Kamerad werden, mit ihm leben, sein lebensmäßiges Vertrauen gewinnen, ihm helfen, gemeinsam mit mir den Weg der Kreatur zu gehen, die die Schöpfung *annimmt.* Ich konnte nur noch seinen Blick erwidern. —

Einige Zeit danach war ich bei einem edlen alten Denker zu Gast. Ich hatte ihn einst bei einer Tagung kennengelernt, bei der er einen Vortrag über die Volksschule und ich einen über die Volkshochschule hielt; das brachte uns zusammen; denn wir waren einig darin, daß man das Wort »Volk« beidemal im gleichen umfassenden Sinn zu verstehen habe. Damals hatte es mich freudig überrascht, wie der Mann mit den stahlgrauen Locken uns zu Beginn seiner Rede ersuchte, alles zu vergessen, was wir von seinen Büchern her über seine Philosophie zu wissen glaubten: in den letzten Jahren — und das waren Kriegsjahre gewesen — sei ihm die Wirklichkeit so nahgerückt, daß er alles habe neu besehen und dann eben auch neu bedenken müssen. Altsein ist ja ein herrliches Ding, wenn man nicht verlernt hat, was *anfangen* heißt; dieser alte Mann hatte es vielleicht gar im Alter gründlich erlernt; er tat gar nicht jung, er war wirklich so alt, wie er war, aber auf eine junge, anfangskundige Weise.

Er lebte in einer andern, westlicher gelegenen Universitätsstadt. Als mich die dortige Theologenschaft einlud, zu ihr über Prophetie zu sprechen, wohnte

ich bei dem alten Mann. Es war ein guter Geist in seinem Haus: der Geist, der ins Leben will und dem Leben nicht vorschreibt, wo es ihn einlassen soll.
An einem Morgen stand ich früh auf, um Korrektur zu lesen. Am Abend vorher hatte ich Bürstenabzüge der Vorrede eines Buches von mir bekommen, und da diese Vorrede ein Bekenntnis war, wollte ich sie recht sorgfältig noch einmal lesen, ehe sie gedruckt wurde. Nun nahm ich sie in das Arbeitszimmer hinunter, das mir für den Fall, daß ich es brauchen würde, angeboten war. Hier aber saß schon der alte Mann an seinem Schreibtisch. Unmittelbar an den Gruß knüpfte er die Frage, was ich da in der Hand hätte, und als ich es ihm sagte, fragte er weiter, ob ich ihm nicht vorlesen wolle. Ich tat es gern. Er hörte freundlich, aber offenbar erstaunt, ja mit wachsendem Befremden zu. Als ich zu Ende war, sagte er zögernd, dann, von dem gewichtigen Anliegen hingerissen, immer leidenschaftlicher: »Wie bringen Sie das fertig, so Mal um Mal ›Gott‹ zu sagen? Wie können Sie erwarten, daß Ihre Leser das Wort in der Bedeutung aufnehmen, in der Sie es aufgenommen wissen wollen? Was Sie damit meinen, ist doch über alles menschliche Greifen und Begreifen erhoben, eben dieses Erhobensein meinen Sie; aber indem Sie es aussprechen, werfen Sie es dem menschlichen Zugriff hin. Welches Wort der Menschensprache ist so mißbraucht, so befleckt, so geschändet worden wie dieses! All das schuldlose Blut, das um es vergossen wurde, hat ihm seinen Glanz geraubt. All die Ungerechtigkeit, die zu decken es herhalten mußte, hat ihm sein Gepräge verwischt. Wenn ich das Höchste ›Gott‹ nennen höre, kommt mir das zuweilen wie eine Lästerung vor.«
Die kindlich klaren Augen flammten. Die Stimme selber flammte. Dann saßen wir eine Weile schweigend einander gegenüber. Die Stube lag in der fließenden Helle des Frühmorgens. Mir war es, als zöge aus dem Licht eine Kraft in mich ein. Was ich nun entgegnete, kann ich heute nicht wiedergeben, nur noch andeuten.
„Ja«, sagte ich, »es ist das beladenste aller Menschenworte. Keines ist so besudelt, so zerfetzt worden. Gerade deshalb darf ich darauf nicht verzichten. Die Geschlechter der Menschen haben die Last ihres geängstigten Lebens auf dieses Wort gewälzt und es zu Boden gedrückt; es liegt im Staub und trägt ihrer aller Last. Die Geschlechter der Menschen mit ihren Religionsparteiungen haben das Wort zerrissen; sie haben dafür getötet und sind dafür gestorben; es trägt ihrer aller Fingerspur und ihrer aller Blut. Wo fände ich ein Wort, das ihm gliche, um das Höchste zu bezeichnen! Nähme ich den reinsten, funkelndsten Begriff aus der innersten Schatzkammer der Philosophen, ich könnte darin doch nur ein unverbindliches Gedankenbild einfangen, nicht aber die Gegenwart dessen, den ich meine, dessen, den die Geschlechter der Menschen mit ihrem ungeheuren Leben und Sterben verehrt

und erniedrigt haben. Ihn meine ich ja, ihn, den die höllengepeinigten, himmelstürmenden Geschlechter der Menschen meinen. Gewiß, sie zeichnen Fratzen und schreiben ›Gott‹ darunter; sie morden einander und sagen ›in Gottes Namen‹. Aber wenn aller Wahn und Trug zerfällt, wenn sie ihm gegenüberstehn im einsamsten Dunkel und nicht mehr ›Er, er‹ sagen, sondern ›Du, Du‹ seufzen, ›Du‹ schreien, sie alle das Eine, und wenn sie dann hinzufügen ›Gott‹, ist es nicht der wirkliche Gott, den sie alle anrufen, der Eine Lebendige, der Gott der Menschenkinder?! Ist nicht er es, der sie *hört?* Der sie — erhört? Und ist nicht eben dadurch das Wort ›Gott‹, das Wort des Anrufs, das zum *Namen* gewordene Wort, in allen Menschensprachen geweiht für alle Zeiten? Wir müssen die achten, die es verpönen, weil sie sich gegen das Unrecht und den Unfug auflehnen, die sich so gern auf die Ermächtigung durch ›Gott‹ berufen; aber wir dürfen es nicht preisgeben. Wie gut läßt es sich verstehen, daß manche vorschlagen, eine Zeit über von den ›letzten Dingen‹ zu schweigen, damit die mißbrauchten Worte erlöst werden! Aber so sind sie nicht zu erlösen. Wir können das Wort ›Gott‹ nicht reinwaschen, und wir können es nicht ganzmachen; aber wir können es, befleckt und zerfetzt wie es ist, vom Boden erheben und aufrichten über einer Stunde großer Sorge.«
Es war sehr hell geworden in der Stube. Das Licht floß nicht mehr, es war da. Der alte Mann stand auf, kam auf mich zu, legte mir die Hand auf die Schulter und sprach: »Wir wollen uns du sagen.« Das Gespräch war vollendet. Denn wo zwei wahrhaft beisammen sind, sind sie es im Namen Gottes.

Das Land, wo die Kirchen schön und die Häuser verfallen sind, ist so gut verloren als das, wo die Kirchen verfallen und die Häuser Schlösser werden.

GEORG CHRISTOPH LICHTENBERG

HANS ERICH NOSSACK

DIE KIRCHENGLOCKEN

Um meine Situation, die sonst kaum zu verstehen ist, zu illustrieren, will ich einen an sich belanglosen Zwischenfall bei meiner Ankunft in Hamburg schildern. Das alles trug sich Anfang 1949 zu, also wenige Monate, nachdem die hier noch lebenden sich entschlossen hatten, mit Hungern aufzuhören.

Der Dampfer näherte sich langsam dem Kai. Unten sah ich meine Schwiegereltern stehen, und auch mein Schwiegervater schien mich endlich entdeckt zu haben. Er grüßte mit seinem schwarzen Homburg zur Reling hinauf, und die Dame neben ihm, eine kleine füllige Dame in einem Persianermantel, winkte mit ihrem Taschentuch. Ich antwortete mit ähnlichen Gesten und lächelte vorsichtshalber, obwohl das wegen der Entfernung eigentlich noch nicht nötig gewesen wäre.

So früh am Morgen standen nicht viele Leute am Kai, außerdem handelte es sich bei dem Schiff um einen alten Frachtdampfer. Es hatte offenbar in der Nacht vorher geregnet, denn überall zwischen dem sehr schadhaften Pflaster glitzerten Pfützen. Auch die Rampe des Kais war stark beschädigt; stellenweise war das Mauerwerk ins Hafenbecken gestürzt. Die Sicht nach der Stadt war durch einen einzelnen Kaischuppen und dahinter durch die imposante Ruine eines Lagerhauses verdeckt. Der Schuppen machte einen recht provisorischen Eindruck, rote Ziegel, Fachwerk und Schiebetüren aus rostigem Eisenblech. Rechts davon schien ein Abladeplatz für Schrott zu sein; man sah einen umgekippten Schienenkran, einen alten Kessel mit Dom und Mannloch und anderes Gerümpel, notdürftig mit Stacheldraht eingezäunt. Zum Teil war das alles bereits mit Gesträuch bewachsen.

Mitten durch den Lärm, den ein anlegender Dampfer verursachte, vernahm ich plötzlich die dröhnenden Schläge einer Turmuhr. Wo ist denn hier eine Kirche? fragte ich mich überrascht. Als ich in die Richtung der Töne blickte, sah ich, daß links von dem Schuppen neben einem nicht mehr gebrauchten Geleise unzählige grüne Kirchenglocken im Gras aufgereiht standen, große und kleine. Es sah wie eine Pflanzung aus oder, besser gesagt, wie ein fremdartiger Begräbnisplatz; gleich als ob irgendwelche Leute die Sitte angenommen hätten, ihre Toten unter Glocken beizusetzen, Erwachsene unter großen Glocken, Kinder unter kleineren. Und unter den ganz großen Glocken lag vermutlich ein berühmter Mann oder eine ganze Familie. Zwischen den Glocken aber bewegten sich zwei Arbeiter in blauen Anzügen und schlugen mit einem Eisenstab dagegen, aus Spielerei oder um den Klang auszuprobieren.

Ich fragte mich im Ernst, ob ich träumte, so seltsam berührte mich das Bild und der Vorgang. Man hatte mir nach Brasilien berichtet, oder ich hatte es in den Zeitungen gelesen, daß der größte Teil von Hamburg zerstört sei; darauf war ich gefaßt. Doch was sollten diese Glocken, die man wie zu meiner Begrüßung zum Tönen brachte? Und da unten am Kai standen meine Schwiegereltern genauso, wie sie dagestanden haben würden, wenn die Stadt nicht zerstört wäre. Auch das nämlich irritierte mich, obgleich ich jetzt nicht mehr anzugeben wüßte, was für ein Benehmen ich denn von ihnen erwartet hatte.

Ich glaube beinahe, daß es mir in dem Augenblick mit peinlicher Deutlichkeit zum Bewußtsein kam, daß ich mir über die Beweggründe meiner Rückkehr nach Europa überhaupt nicht im klaren war, und da es nicht zu meinen Gewohnheiten gehört, mich treiben zu lassen, haßte ich mich wegen meiner unüberlegten Reise. Aber es war zu spät, und ich mußte versuchen, mich so zu betragen, wie man es aller Voraussicht nach von mir erwartete, was nicht ganz einfach für mich war. Ich kehrte nach ungefähr zehn Jahren, die ich noch dazu fast ausschließlich in unzivilisierten Landstrichen zugebracht hatte, in eine Vergangenheit zurück, die ich aus freien Stücken verlassen und die sich ohne mein Zutun in der Zwischenzeit selber vernichtet hatte, ja, und die man anscheinend wieder aufbauen wollte. Das erklärt vielleicht meine Unsicherheit, die ich auf dem Dampfer empfand; ich hatte das Gefühl, mich einem Erdteil zu nähern, der, außer in der Erinnerung, gar nicht mehr da sein konnte. Und dazu die seltsamen Glockentöne.

Wenige Stunden später war das alles bereits anders. Inzwischen hatte ich die Polizeiakten über den Fall ›Susanne‹ gelesen, die wohlgeordnet in dem kleinen Geldschrank lagen, in dem mein Schwiegervater seine privaten Dokumente aufzubewahren pflegte. Susanne ist meine Frau, die während meiner Abwesenheit ums Leben gekommen war. Erst durch diese Akten lernte ich das Motiv meiner Rückkehr kennen.

Das Fallreep war unterdessen hinabgelassen, und die Besucher kamen herauf. Der Schwiegervater stützte seine Frau leicht unter dem Ellbogen, damit sie auf ihren hohen Absätzen nicht umkippte. Oben auf der Plattform ließ er sie vorangehen. Ich trat auf sie zu und ließ mich von ihr umarmen. »Mein armer Stefan«, sagte sie, und ich spürte sogar ihre Träne auf meiner Backe. Auch ich legte meine Arme um sie, wie es sich gehörte. Ihr Pelz roch nach teurem Parfüm.

Als ich freigegeben wurde, kam der Schwiegervater auf mich zu und reichte mir gleich beide Hände hin. »Willkommen daheim!« rief er so laut und würdig, daß der brasilianische Schiffsoffizier, der lässig am Fallreep gestanden hatte, sich erschrocken zusammenriß. Es war die Stimme eines Generaldirektors.

Nachdem auch dies Händeschütteln überstanden war, ließ der Schwiegervater den Blick auf ein farbloses Wesen weiblichen Geschlechts frei, neben dem ein Junge von neun oder zehn Jahren die Szene mit den aufmerksamen Augen eines kleinen Tieres betrachtete.

Mein Gott, durchfuhr es mich, nur jetzt keinen Fehler machen! Wie heißt der Junge doch gleich? Irgendein kurzer Name, Kurt oder Fritz. Nein, das stimmt nicht. Aber man hat es mir doch geschrieben. Wie konnte ich es nur vergessen? Liegt es an diesen komischen Kirchenglocken?

Aber ich hatte Glück. »Nun, Gert, willst du deinen Vater nicht begrüßen?«

sagte die farblose Person. Aha, Gert also! Da der Junge schon zu groß war, um ihn liebevoll hochzuheben, beugte ich mich nieder und gab ihm eine Art Kuß auf die Stirn. Dabei klopfte ich ihm auf die Schulter und sagte: »Es freut mich, daß wir uns endlich kennenlernen, Don Geraldo.« Und zu meiner Schwiegermutter, die uns gerührt zugesehen hatte, meinte ich, als ich mich wieder aufrichtete: »Wie er Susanne ähnlich sieht.«
»Ja, nicht wahr«, antwortete sie, »alle behaupten das. — Und das ist Frau Wiesener, die sich Gerts all die Jahre angenommen hat«, stellte sie mich der Frau vor. Ich gab also auch Frau Wiesener die Hand. Ich scheine mich so benommen zu haben, dachte ich, wie man es von mir erwartet.
»Erkennst du deinen Papa nach dem Bild, das in deinem Zimmer steht?« fragte Frau Wiesener den Jungen, der wohlerzogen mit dem Kopf nickte.
»Es wird hier Interessanteres für ihn zu sehen geben«, lenkte ich ab. »Wie wäre es«, wandte ich mich an die Schwiegereltern, »wenn wir einen Begrüßungsschluck in der Bar zu uns nähmen? Sie haben da auch gute Zigarren, Bella Cubana und dergleichen. Unterdessen kann Don Geraldo sich ein wenig auf Deck umsehen, das wird ihm mehr Spaß machen.«
Als wir zu Dritt in der Bar saßen und der Steward die Getränke gebracht hatte, war meine erste Frage — doch ich stellte sie wohl mehr, um eine Verlegenheitspause zu überbrücken —:
„Was sollen die Glocken?«
»Welche Glocken?«
»Die da draußen am Kai.«
»Ach so«, meinte der Schwiegervater. »Das ist noch ein Nachbleibsel vom Krieg. Man hat sie damals überall von den Kirchen heruntergeholt, bei uns und in andern Ländern. Wir brauchten das Metall, weißt du. Die da draußen sind nicht mehr zur Verwertung gekommen, und jetzt will man sie den Gemeinden zurückgeben. Aber das alles ist nicht so einfach festzustellen, die Menschen und die Akten sind umgekommen. Es kann noch lange dauern.«
»Ihr baut also die Kirchen wieder auf?« fragte ich.
„Ja, selbstverständlich. Außerdem sind ja bei weitem nicht alle Kirchen kaputt gegangen. Es ist ein gutes Gegengewicht, weißt du, gegen den Nihilismus.«
»Ja, ich verstehe«, sagte ich, obwohl ich es nicht verstand. Ich mußte bei dem Wort an Leute denken, die Bomben auf Großfürsten und Polizeipräfekten werfen. »Nihilismus? Wieso?« fragte ich.
»Man nennt es so«, erklärte mein Schwiegervater. »Die Folgen des Krieges und des Durcheinanders, weißt du. Die Gesetzlosigkeit. Eine Zeitlang war alles erlaubt, jeder mußte sehen, wie er durchkam. Das ist schwer aus den jungen Leuten wieder rauszukriegen. Sie brauchen einen Halt, du wirst das schon selbst sehen.«

Nach alter Gewohnheit blickte ich auf die kleinen Punkte des Schlipses, den mein Schwiegervater trug. Hatte er diese Schlipse über die Katastrophe hinweggerettet? Oder gab es sie tatsächlich schon wieder zu kaufen? »Zu Anfang wird mir vieles fremd sein, nehme ich an«, sagte ich. »Drüben war aus den Zeitungen nur wenig über Deutschland zu erfahren.«
»Wir tun, was wir können. Amelie ist auch in der Mission tätig.«
»Frau Wiesener ist ein Flüchtling aus dem Osten«, erzählte die Schwiegermutter. »Wir haben sie damals gleich bei uns aufgenommen. Sie hat ihre ganze Familie verloren; ihr Mann ist vor ihren Augen umgebracht worden. Du machst dir keinen Begriff, wie innig sie an Gert hängt.«
»Ja, ihr habt hier ein schweres Schicksal gehabt«, sagte ich zu den beiden, die mir gepflegt und wohlgenährt gegenübersaßen.
»Nun, nun«, wehrte der Schwiegervater ab. »Man soll nicht ewig rückwärts schauen, dabei kommt nichts heraus. Wir werden schon wieder Ordnung schaffen und alles aufbauen. Natürlich braucht so etwas seine Zeit. Und wie steht es mit dir? Hast du schon irgendwelche Pläne?«
»Aber, Heinz!« rief seine Frau. »Müssen wir denn gleich in der ersten Minute von Plänen reden?«
»Bestimmte Pläne habe ich allerdings nicht«, sagte ich zu meiner Schwiegermutter. »Ich werde mich wohl erst einmal ein wenig umsehen müssen.«
»Recht so, ja«, pflichtete mein Schwiegervater mir bei. »Laß dir nur Zeit, Junge. Du hast es verdient.« . . .

JEAN PAUL

Rede des toten Christus vom Weltgebäude herab, dass kein Gott sei

Ich lag einmal an einem Sommerabend vor der Sonne auf einem Berge und entschlief. Da träumte mir, ich erwachte auf dem Gottesacker. Die abrollenden Räder der Turmuhr, die elf schlug, hatten mich erweckt. Ich suchte im ausgeleerten Nachthimmel die Sonne, weil ich glaubte, eine Sonnenfinsternis verhülle sie mit dem Mond. Alle Gräber waren aufgetan, und die eisernen Türen des Gebeinhauses gingen unter unsichtbaren Händen auf und zu. An den Mauern flogen Schatten, die niemand warf, und andere Schatten gingen aufrecht in der bloßen Luft. In den offenen Särgen schlief nichts mehr als die Kinder. Am Himmel hing in großen Falten bloß ein grauer schwüler Nebel, den ein Riesenschatten wie ein Netz immer näher, enger und heißer hereinzog. Über mir hörte ich den fernen Fall der Lawinen, unter mir den ersten Tritt eines unermeßlichen Erdbebens. Die Kirche schwankte auf und nieder von zwei unaufhörlichen Mißtönen, die in ihr miteinander kämpften und vergeblich zu einem Wohllaut zusammenfließen wollten. Zuweilen hüpfte an ihren Fenstern ein grauer Schimmer hinan, und unter dem Schimmer lief das Blei und Eisen zerschmolzen nieder. Das Netz des Nebels und die schwankende Erde rückten mich in den Tempel, vor dessen Tore in zwei Gifthecken zwei Basilisken funkelnd brüteten. Ich ging durch unbekannte Schatten, denen alte Jahrhunderte aufgedrückt waren. — Alle Schatten standen um den Altar, und allen zitterte und schlug statt des Herzens die Brust. Nur ein Toter, der erst in die Kirche begraben worden, lag noch auf seinem Kissen ohne eine zitternde Brust, und auf seinem lächelnden Angesicht stand ein glücklicher Traum. Aber da ein Lebendiger hineintrat, erwachte er und lächelte nicht mehr, er schlug mühsam ziehend das schwere Augenlid auf, aber innen lag kein Auge, und in der schlagenden Brust war statt des Herzens eine Wunde. Er hob die Hände empor und faltete sie zu einem Gebete; aber die Arme verlängerten sich und löseten sich ab, und die Hände fielen gefaltet hinweg. Oben am Kirchengewölbe stand das Zifferblatt der *Ewigkeit,* auf dem keine Zahl erschien und das sein eigner Zeiger war; nur ein schwarzer Finger zeigte darauf, und die Toten wollten die *Zeit* darauf sehen. Jetzo sank eine hohe edle Gestalt mit einem unvergänglichen Schmerz aus der Höhe auf den Altar hernieder, und alle Toten riefen: »Christus! ist kein Gott?«

Er antwortete: »Es ist keiner«.

Der ganze Schatten jedes Toten erbebte, nicht bloß die Brust allein, und einer um den andern wurde durch das Zittern zertrennt.

Christus fuhr fort: »Ich ging durch die Welten, ich stieg in die Sonnen und flog mit den Milchstraßen durch die Wüsten des Himmels; aber es ist kein Gott. Ich stieg herab, so weit das Sein seine Schatten wirft, und schauete in den Abgrund und rief: Vater, wo bist du? Aber ich hörte nur den ewigen Sturm, den niemand regiert, und der schimmernde Regenbogen aus Westen stand ohne eine Sonne, die ihn schuf, über dem Abgrunde und tropfte hinunter. Und als ich aufblickte zur unermeßlichen Welt nach dem göttlichen *Auge,* starrte sie mich mit einer leeren, bodenlosen *Augenhöhle* an; und die Ewigkeit lag auf dem Chaos und zernagte es und wiederkäuete sich. — Schreitet fort, Mißtöne, zerschreiet die Schatten; denn Er ist nicht!«

Die entfärbten Schatten zerflatterten, wie weißer Dunst, den der Frost gestaltet, im warmen Hauche zerrinnt; und alles wurde leer. Da kamen, schrecklich für das Herz, die gestorbenen Kinder, die im Gottesacker erwacht waren, in den Tempel und warfen sich vor die hohe Gestalt am Altare und sagten: »Jesus! haben wir keinen Vater?« — Und er antwortete mit strömenden Tränen: »Wir sind alle Waisen, ich und ihr, wir sind ohne Vater!«

Da kreischten die Mißtöne heftiger — die zitternden Tempelmauern rückten auseinander — und der Tempel und die Kinder sanken unter — und die ganze Erde und die Sonne sanken nach — und das ganze Weltgebäude sank mit seiner Unermeßlichkeit vor uns vorbei — und oben am Gipfel der unermeßlichen Natur stand Christus und schauete in das mit tausend Sonnen durchbrochene Weltgebäude herab, gleichsam in das in die ewige Nacht gewühlte Bergwerk, in dem die Sonnen wie Grubenlichter und die Milchstraßen wie Silberadern gehen. Und als Christus das reibende Gedränge der Welten, den Fackeltanz der himmlischen Irrlichter und die Korallenbänke schlagender Herzen sah, und als er sah, wie eine Weltkugel um die andere ihre glimmenden Seelen auf das Totenmeer ausschüttete, wie eine Wasserkugel schwimmende Lichter auf die Wellen streuet: so hob er, groß wie der höchste Endliche, die Augen empor gegen das Nichts und gegen die leere Unermeßlichkeit und sagte: „Starres, stummes Nichts! Kalte, ewige Notwendigkeit! Wahnsinniger Zufall! Kennt ihr das unter euch? Wann zerschlagt ihr das Gebäude und mich? — Zufall, weißt du selber, wenn du mit Orkanen durch das Sternen-Schneegestöber schreitest und eine Sonne um die andere auswehest und wenn der funkelnde Tau der Gestirne ausblinkt, indem du vorübergehest? — Wie ist jeder so allein in der weiten Leichengruft des All! Ich bin nur neben mir — O Vater! o Vater! wo ist deine unendliche Brust, daß ich an ihr ruhe? — Ach, wenn jedes Ich sein eigener Vater und Schöpfer ist, warum kann es nicht auch sein eigner Würgengel sein? ... Ist das neben mir noch ein Mensch? Du Armer! Euer kleines Leben ist der Seufzer der Natur oder nur sein Echo — ein Hohlspiegel wirft seine Strahlen in die Staubwolken aus Totenasche auf eure Erde hinab, und dann entsteht ihr bewölkten, wankenden Bilder. — Schaue hinunter in den Abgrund, über welchen Aschenwolken ziehen — Nebel voll Welten steigen aus dem Totenmeer, die Zukunft ist ein steigender Nebel, und die Gegenwart ist der fallende. Erkennst du deine Erde?«

Hier schauete Christus hinab, und sein Auge wurde voll Tränen, und er sagte: »Ach, ich war sonst auf ihr: da war ich noch glücklich, da hatt ich noch meinen unendlichen Vater und blickte noch froh von den Bergen in den unermeßlichen Himmel und drückte die durchstochene Brust an sein linderndes Bild und sagte noch im herben Tode: »Vater, ziehe deinen Sohn aus der blutenden Hülle und heb ihn an dein Herz« ... Ach, ihr überglücklichen Erdenbewohner, ihr glaubt *Ihn* noch. Vielleicht gehet jetzt euere Sonne unter, und ihr fallet unter Blüten, Glanz und Tränen auf die Knie und hebet die seligen Hände empor und rufet unter tausend Freudentränen zum aufgeschlossenen Himmel hinauf: Auch mich kennst du, Unendlicher, und alle

meine Wunden, und nach dem Tode empfängst du mich und schließest sie alle ... Ihr Unglücklichen, nach dem Tode werden sie nicht geschlossen. Wenn der Jammervolle sich mit wundem Rücken in die Erde legt, um einem schönern Morgen voll Wahrheit, voll Tugend und Freude entgegenzuschlummern: so erwacht er im stürmischen Chaos, in der ewigen Mitternacht — und es kommt kein Morgen und keine heilende Hand und kein unendlicher Vater! — Sterblicher neben mir, wenn du noch lebest, so bete Ihn an: sonst hast du Ihn auf ewig verloren.«
Und als ich niederfiel und ins leuchtende Weltgebäude blickte: sah ich die emporgehobenen Ringe der Riesenschlange der Ewigkeit, die sich um das Welten-All gelagert hatte — und die Ringe fielen nieder, und sie umfaßte das All doppelt — dann wand sie sich tausendfach um die Natur — und quetschte die Welten aneinander — und drückte zermalmend den unendlichen Tempel zu einer Gottesackerkirche zusammen — und alles wurde eng, düster, bang — und ein unermeßlich ausgedehnter Glockenhammer sollte die letzte Stunde der Zeit schlagen und das Weltgebäude zersplittern ... als ich erwachte.
Meine Seele weinte vor Freude, daß sie wieder Gott anbeten konnte — und die Freude und das Weinen und der Glaube an ihn waren das Gebet. Und als ich aufstand, glimmte die Sonne tief hinter den vollen purpurnen Kornähren und warf friedlich den Widerschein ihres Abendrotes dem kleinen Monde zu, der ohne eine Aurora im Morgen aufstieg; und zwischen dem Himmel und der Erde streckte eine frohe vergängliche Welt ihre kurzen Flügel aus und lebte, wie ich, vor dem unendlichen Vater; und von der ganzen Natur um mich flossen friedliche Töne aus, wie von fernen Abendglocken.

VICTOR AUBURTIN

Der Prophet Sacharja

Immer wenn der Untergrundbahnzug hinter dem Leipziger Platz aus dem Tunnel herauskommt, drehe ich mich auf meinem Sitz um und betrachte durch das Fenster die Landschaft. Diese Landschaft mit den vielen Eisenbahnwagen und Schienen ist eine der schönsten, die ich kenne; sie ist besonders schön in den gedämpften Farben des Winters, die ja immer geschmackvoller sind als die Farben des Sommers.
Da ist alles weiße und silberne Dampfwolken, und wo ein Riß in den Wolken ist, sieht man fern eine Eisenbahnbrücke, die nicht auf Pfeilern ruht,

sondern in der Luft schwebt. Unten aber zieht durch den Nebel eine Prozession kleiner Lichtchen, und diese Prozession ist nichts anderes als der Potsdamer Vorortzug, der bereits die ersten Lampen des Nachmittags angezündet hat.

Als ich mich nun gestern wieder auf meinem Sitzplatz in der Bahn umdrehte, um hinauszusehen, da fiel mein Blick auf ein junges blondes Fräulein, das neben mir saß und in einem Buch las.

Es paßt sich nicht, einem blonden, lesenden Fräulein in ihr Buch zu sehen, aber ich tat es doch, und so konnte ich bemerken, daß das Buch, in dem die Dame las, die Bibel war, eine kleine, sehr enggedruckte Ausgabe der Bibel. Und zwar las das Fräulein gerade den Propheten Sacharja.

Ein blondes Fräulein, das zwischen den Stationen Gleisdreieck und Nollendorfplatz in dem Propheten Sacharja liest, das ist offenbar nicht die erste beste; sie ist anders als wir Dutzendmenschen, die für nichts Interesse haben als für Gerichtsberichte und Sportmeldungen.

So regte ich mich an dem blonden Fräulein heftig auf, und als sie zufällig an derselben Station ausstieg wie ich, bin ich ihr klopfenden Herzens nachgegangen. Doch dauerte das nicht lange, da sie schon an der nächsten Ecke in einer Konditorei verschwand, mit dem Propheten Sacharja unter dem Arm.

Wie ist dieses Leben doch geheimnisvoll, wie reich an Abgründen und Verstecken, von denen wir Eiligen nichts wissen!

Dann aber bin ich nach Hause geeilt, habe die Bibel vom Schrank genommen, mich aufs Sofa gelegt und den Propheten Sacharja gelesen von Anfang bis zu Ende. Von der Stadt Tyrus, die Gold hatte wie Sand und Silber wie Kot auf der Straße und die der Herr doch vernichtete; und von der Pracht der Philister.

Offenbar lagen damals schon ähnliche Verhältnisse vor wie heute.

* * *

ALFRED ANDERSCH

Judith

Sie saß auf dem Bett eines Fremdenzimmers im »Wappen von Wismar« und kramte in ihrer Handtasche. Der Koffer stand neben der Türe, so, wie der Hausknecht ihn hingestellt hatte, und Judith hatte den Regenmantel nicht ausgezogen, denn sie wollte gleich wieder ausgehen. Sie suchte nur die Zahn-

pasta und die Seife aus der Handtasche, um sie auf das Glasbord über dem Waschbecken zu legen. Dann sah sie zum Fenster hinaus: ein Hohlziegeldach unter einem nördlichen, hellen, vollständig leeren Herbsthimmel, — Judith schauerte zusammen: das alles ging sie nichts an. Ich hätte mir doch ein Zimmer nach vorne raus geben lassen sollen, dachte sie, da hätte ich wenigstens den Hafen gesehen, nachsehen können, ob ausländische Schiffe da sind, die mich mitnehmen können. Wenn ich nur etwas mehr von Schiffen verstehen würde, dachte sie, ich fürchte, ich kann keinen dänischen oder schwedischen Dampfer von einem deutschen unterscheiden.
Sie hatte übrigens überhaupt keinen Dampfer im Hafen liegen sehen, vorhin, ehe sie das »Wappen von Wismar« betreten hatte, nachdem sie mit dem Mittagszug aus Lübeck gekommen war. Nur ein paar Fischkutter und einen alten, rostigen Schoner, der anscheinend seit Jahren nicht mehr benutzt wurde.
Zum ersten Mal kamen ihr Bedenken, ob Mamas Rat, es von Rerik aus zu versuchen, richtig gewesen war. Travemünde, Kiel, Flensburg, Rostock — das wird alles überwacht, hatte Mama gesagt, du mußt es in Rerik versuchen, das ist ein toter kleiner Platz, an den denkt niemand. Nur die kleinen schwedischen Holzsteamer laden da aus. Du mußt ihnen einfach Geld anbieten, viel Geld, dann nehmen sie dich ohne weiteres mit. — Mama hatte immer ein kleines, sentimentales Faible für Rerik gehabt, seitdem sie die Stadt zwanzig Jahre zuvor mit Papa gesehen hatte, auf der Rückreise von einem glücklichen Sommer in Rügen, aber ein glücklicher Tag in Rerik war sicher ganz anders als ein Tag auf der Flucht in Rerik, unter einem leeren Spätherbsthimmel.
Du mußt dich entschließen, Kind, hatte Mama erst gestern gesagt. Judith blickte auf das Waschbecken und den Koffer und dachte wieder an den Parterresalon ihres Hauses am Leinpfad, an das letzte Frühstück mit Mama, an den Blick in den Garten, in dem die spätesten Georginen vor dem dunklen, olivseidenen Kanal leuchteten, und wie sie die Tasse klirrend niedergesetzt und gerufen hatte, daß sie Mama nie, nie, nie allein lassen würde.
Willst du warten, bis sie dich abholen, hatte Mama gefragt, willst du mir das antun?
Und soll ich fortgehen und wissen, daß du abgeholt wirst, und mir vorstellen, was sie mit dir machen? Ach, mich werden sie schon in Ruhe lassen, hatte Mama gesagt, ohne den Blick auf ihre gelähmten Beine zu senken. Ich würde ihnen zu viel Umstände machen. Und nach dem Krieg sehen wir uns dann wieder.
Vielleicht werden sie auch mich gar nicht holen, hatte Judith erwidert. Vielleicht wird alles gar nicht so schlimm, wie du denkst, Mama!
Sie werden ihren Krieg machen, Kind, glaub mir! Er ist ganz nah, ich kann

ihn schon fühlen. Und sie werden uns alle sterben lassen in diesem Krieg. Ich gehe unter keinen Umständen fort von dir, Mama, hatte Judith geantwortet. Es ist mein letztes Wort. Und plötzlich hatten sie sich umschlungen und heftig geweint. Dann war Judith in die Küche gegangen, um das Frühstücksgeschirr abzuspülen.

Als sie in den Salon zurückkam, war Mama tot. Sie war über dem Tisch zusammengesunken, und in der rechten Hand hielt sie noch die Tasse, aus der sie das Gift getrunken hatte. Judith hatte die Reste der geleerten Kapsel in der Tasse gesehen und gewußt, daß nichts mehr zu machen war.

Sie war auf ihr Zimmer gegangen und hatte den Koffer gepackt und dann war sie zu Direktor Heise in die Bank gefahren und hatte sich das Geld aus Papas Erbe geben lassen und Heise Bescheid gesagt. Er würde Mama bestatten lassen und dafür sorgen, daß die Fahndung nach Judith so spät wie möglich in Gang kam. Sie hatte ihm nicht gesagt, daß sie nach Rerik gehen würde. Heise hatte verschiedene ausgezeichnete Fluchtwege vorgeschlagen, aber Judith hatte dazu nur eigensinnig den Kopf geschüttelt. Mama war gestorben, damit sie, Judith, nach Rerik gehen könne. Es war ein Testament, und sie hatte es zu vollstrecken.

Sie hatte sich Rerik ganz anders vorgestellt. Klein und bewegt und freundlich. Aber es war klein und leer, leer und tot unter seinen riesigen roten Türmen. Erst als Judith aus dem Bahnhof trat und die Türme erblickte, hatte sie sich daran erinnert, daß Mama von diesen Türmen entzückt gewesen war. Das sind keine Türme, hatte sie immer gesagt, das sind Ungeheuer, wunderbare rote Ungeheuer, die man streicheln kann. Unter dem kalten Himmel aber kamen sie Judith wie böse Ungeheuer vor. Auf jeden Fall waren es Türme, die sich um Mamas armen Gifttod nicht kümmerten, das fühlte Judith. Auch nicht um ihre Flucht. Von diesen Türmen war nichts zu erwarten. Sie war schnell unter ihnen vorbeigegangen, durch die Stadt hindurch, zum Hafen. Dort konnte sie ein Stück von der offenen See erblicken. Die See war blau, ultramarinblau und eisig. Und es lag kein Dampfer, kein noch so kleiner Dampfer im Hafen.

Dann war sie in das »Wappen von Wismar« gegangen, weil es sauber aussah und mit heller Ölfarbe gestrichen war. Der Wirt, ein Block mit einem weißen, fetten Gesicht, schien erfreut über den unerwarteten Gast: Na, Fräulein, was machen Sie denn noch so spät im Jahr in Rerik? Judith hatte etwas von den Kirchen gemurmelt; sie wolle sich die Kirchen ansehen. Er nickte und schob ihr das Gästebuch hin. Sie trug sich ein: Judith Leffing. Das klang ganz gewöhnlich hanseatisch. Der Wirt hatte keinen Paß verlangt. Rerik schien wirklich ein toter Platz zu sein.

Judith hörte auf, in ihrer Handtasche zu kramen und dachte an ihren Namen. Judith Levin. Es war ein stolzer Name, ein Name, der abgeholt wer-

den würde, ein Name, der sich verbergen mußte. Es war furchtbar, Judith Levin zu sein in einer toten Stadt, die unter einem kalten Himmel von roten Ungeheuern bewohnt wurde.
Zuletzt suchte Judith eine Fotografie ihrer Mutter hervor und legte sie auf das Kopfkissen. Sie zwang sich, nicht zu weinen ...
Sie setzte sich an einen Tisch in der zu dieser Stunde leeren Gaststube und bestellte Tee und ein Wurstbrot. Dann blickte sie zum Fenster hinaus, auf den leeren Hafen. An der Kaimauer sah sie einen Geistlichen stehen, der sich mit einem Fischer unterhielt. Mit dem Fischer des einzigen Kutters, auf dem sich Leben regte.
Der Wirt brachte den Tee und das belegte Brot. Judith zog den Baedeker aus ihrer Handtasche und tat so, als ob sie darin läse, während sie begann, das Brot zu essen. Übrigens war das eine ihrer Lieblingsgewohnheiten — beim Essen lesen. Zuhause hatte Mama immer ein wenig geschimpft, wenn sie Judith fand: auf dem Bauch liegend, in ein Buch vertieft, die eine Hand den Kopf stützend, in der anderen ein Marmeladebrot. Heute konnte sie nicht lesen. Sie blickte nur auf die Seiten.
Die Kirchen schließen um fünf, sagte der Wirt.
So früh schon? fragte Judith.
Um halb sechs ist es jetzt ja schon dunkel, erwiderte der Wirt.
Ach ja, richtig, sagte Judith. Vielleicht werde ich sie mir erst morgen ansehen. Ich bin ziemlich müde. Ich werde nur noch ein bißchen am Hafen herumlaufen.
Eine, die es mal nicht eilig hat, dachte der Wirt. Solche Mädchen hatten es meistens eilig, zu den Kirchen zu kommen. Die hier schien nicht so eifrig zu sein. Mal eine Ausnahme. Eine hübsche und ziemlich junge Ausnahme übrigens.
Nichts zu sehen heute im Hafen, Fräulein, sagte er.
Ja, warum ist der Hafen eigentlich so leer, fragte Judith. Nicht mal Fischerboote sind da.
Sie sind alle draußen. Wir haben jetzt Dorschsaison. Heute nacht werden die ersten zurückkommen. Morgen mittag können Sie bei mir prima frischen Dorsch essen. Judith spürte seinen Blick. Ein scheußlicher Kerl, dachte sie, so fett und weiß. Ein fetter Dorsch.
Herrlich, sagte sie. Ich esse Seefisch gern. Sie dachte: morgen mittag bin ich weg, wenn es von hier kein Schiff ins Ausland gibt.
Kommen manchmal auch größere Schiffe nach Rerik? fragte sie. Sie versuchte, ihre Stimme so gleichgültig wie möglich zu machen.
Nur noch selten, sagte der Wirt. Nur noch gelegentlich so kleine Pötte. Es wird nichts getan für Rerik, begann er zu räsonieren. Die Fahrrinne müßte ausgebaggert werden. Und die Verladeanlagen sind nur noch Klüter-

kram. Ja, Rostock! Und Stettin! da tun sie alles für. Von den großen Skandinaviern kommt keiner mehr nach Rerik.
Er wurde so wütend, daß er Judith vergaß und mit großem Krach begann, leere Bierkästen auf die Straße zu tragen. Die innere Türe zur Gaststube war eine Schwingtüre, die knarrend vor und zurück schwang, während er die Kästen hinauswuchtete. Ein Chinese, dachte Judith, ein großer, weißer, fetter Chinese. Nur nicht so leise wie ein Chinese.
Sie sah wieder zum Fenster hinaus. Der Geistliche, der mit dem Fischer gesprochen hatte, kam jetzt über den Platz. Er ging an einem Stock. Judith sah, daß er Schmerzen haben mußte, denn in seiner Haltung war etwas Angestrengtes, so, als müsse er sich beherrschen, um sich nicht völlig über seinen Stock zu krümmen.
Der Wirt kam wieder herein. Er sagte: Sie müssen mir noch Ihren Paß geben. Die Polizei will jetzt immer die Pässe sehen, wenn sie abends das Gästebuch kontrolliert. Judiths Finger schlossen sich um ihre Handtasche.
Ich hab' ihn oben in meinem Koffer, sagte sie. Ich bring' ihn nachher herunter.
Vergessen Sie es nicht! sagte der Wirt. Holen Sie ihn lieber gleich!
Aus, dachte Judith. Es hat nicht geklappt. Ich kann den Paß nicht zeigen, sonst bin ich geliefert. Der Chinese läßt nicht mit sich reden. Jetzt muß ich hinaufgehen und dann muß ich runterkommen und sagen, ich müsse gleich wieder abreisen. Ich muß sagen, ich fühlte mich plötzlich krank oder irgend so etwas Dummes. Er wird es mir niemals abnehmen. Und wenn dann nicht gleich ein Zug geht, komme ich vielleicht gar nicht mehr aus Rerik heraus.
In ihre Panik hinein hörte sie den Wirt sagen: Sie sehen so ausländisch aus, Fräulein. So was wie Sie kommt selten nach Rerik.
Hatte er schon etwas gemerkt? Auf einmal fühlte Judith, daß sie in der Gaststube eingesperrt war. Rerik war eine Falle. Eine Falle für Seltenes. Ach Mama, dachte sie. Mama war immer zu romantisch gewesen. Sie war auf eine von Mamas romantischen Ideen hereingefallen, als sie nach Rerik gereist war.
Meine Mutter war halb italienisch, sagte sie. Beinahe hätte sie gelacht. Vielleicht ein bißchen hysterisch, aber jedenfalls gelacht. Mama war eine liebe kleine und sehr hamburgische Dame gewesen.
Ach so, deswegen, sagte der Wirt. Sein Lampiongesicht blühte wieder hinter der Theke. Bringen Sie mir nur Ihren Paß, sagte er mit einer Stimme, die so weiß war wie sein Gesicht, sonst muß ich heute nacht klopfen und Sie aus dem Bett holen!
Judith war sehr jung, aber sie begriff plötzlich, für welchen Preis sie es vergessen durfte, dem Wirt ihren Paß zu geben. Abscheulich, dachte sie. Mit

einem scheuen Seitenblick streifte sie das Gesicht des Wirts. Es war weiß und fett, aber nicht nur fett, sondern auch felsig. Ein weißer Block, mit einer Gelatine von Fett überzogen. Sie mußte Zeit gewinnen. In diesem Augenblick sah sie den Dampfer.
Ein Schiff, rief sie.
Der Wirt kam näher und sah zum Fenster hinaus. Ein Schwede, sagte er gleichgültig.
Ich will hinausgehen und mir ansehen, wie er anlegt, sagte Judith aufgeregt.
Haben Sie noch nie ein Schiff ankommen sehen? fragte der Wirt. Sie kommen doch aus Hamburg!
Ach, in den kleinen Häfen ist das viel schöner, widersprach Judith. Es gelang ihr, soviel Begeisterung in ihre Stimme zu legen, daß der Wirt nur den Kopf schüttelte. Die kindliche Tour, dachte Judith, ich muß die kindliche Tour schieben.
Sie fühlte seinen falschen Vaterblick, als sie hinausging. Im Knarren der Schwingtüre schüttelte sie sich.
Die Luft draußen war kalt und klar. Sie sah den Dampfer aus Schweden, der am Eingang des Hafenbeckens angelangt war und von der Spitze der Mole aus zu einem großen Bogen ansetzte, einen müden, kleinen, grauen Dampfer, mit roten Mennigflecken beschmiert, tief im Wasser liegend und keuchend unter seiner Holzlast. Sogar das Deck war mit Stämmen beladen, hellen Bündeln von Bäumen, die gelb in der kalten Sonne leuchteten. Die blaue Flagge mit dem gelben Kreuz hing schlapp am Heck ...

ELSE LASKER-SCHÜLER

Die Verscheuchte

Es ist der Tag im Nebel völlig eingehüllt,
Entseelt begegnen alle Welten sich —
Kaum hingezeichnet wie auf einem Schattenbild.

Wie lange war kein Herz zu meinem mild ...
Die Welt erkaltete, der Mensch verblich.
— Komm bete mit mir — denn Gott tröstet mich.

Wo weilt der Odem, der aus meinem Leben wich?
Ich streife heimatlos zusammen mit dem Wild
Durch bleiche Zeiten träumend — ja, ich liebte dich ...

Wo soll ich hin, wenn kalt der Nordsturm brüllt?
— Die scheuen Tiere aus der Landschaft wagen sich
Und ich vor deine Tür, ein Bündel Wegerich.

Bald haben Tränen alle Himmel weggespült,
An deren Kelchen Dichter ihren Durst gestillt —
Auch du und ich.

ELSE LASKER-SCHÜLER

Ich weiss

Ich weiß, daß ich bald sterben muß.
Es leuchten doch alle Bäume
Nach langersehntem Julikuß —

Fahl werden meine Träume —
Nie dichtete ich einen trüberen Schluß
In den Büchern meiner Reime.

Eine Blume brichst du mir zum Gruß —
Ich liebte sie schon im Keime.
Doch ich weiß, daß ich bald sterben muß.

Mein Odem schwebt über Gottes Fluß —
Ich setze leise meinen Fuß
Auf den Pfad zum ewigen Heime.

NELLY SACHS

Jäger
mein Sternbild
zielt
in heimlichen Blutpunkt: Unruhe . . .
und der Schritt asyllos fliegt —

Aber der Wind ist kein Haus
leckt nur wie Tiere
die Wunden am Leib —

Wie nur soll man die Zeit
aus den goldenen Fäden der Sonne ziehen?
Aufwickeln
für den Kokon des Seidenschmetterlings
Nacht?

O Dunkelheit
breite aus deine Gesandtschaft
für einen Wimpernschlag:

Ruhe auf der Flucht.

*

So weit ins Freie gebettet
im Schlaf.
Landsflüchtig
mit dem schweren Gepäck der Liebe.

Eine Schmetterlingszone der Träume
wie einen Sonnenschirm
der Wahrheit vorgehalten.

Nacht
Nacht
Schlafgewand Leib
streckt seine Leere
während der Raum davonwächst
vom Staub ohne Gesang.

Meer
mit weissagenden Gischtzungen
rollt
über das Todeslaken
bis Sonne wieder sät
den Strahlenschmerz der Sekunde.

ELISABETH LANGGÄSSER

Frühling 1946

Holde Anemone,
bist du wieder da
und erscheinst mit heller Krone
Mir Geschundenem zum Lohne
wie Nausikaa?

Windbewegtes Bücken,
Woge, Schaum und Licht!
Ach, welch sphärisches Entzücken
nahm dem staubgebeugten Rücken
endlich sein Gewicht?

Aus dem Reich der Kröte
steige ich empor,
unterm Lid noch Plutons Röte
und des Totenführers Flöte
gräßlich noch im Ohr.

Sah in Gorgos Auge
eisenharten Glanz,
ausgesprühte Lügenlauge
hört' ich flüstern, daß sie tauge
mich zu töten ganz.

Anemone! Küssen
laß mich dein Gesicht:
Ungespiegelt von den Flüssen
Styx und Lethe, ohne Wissen
um das Nein und Nicht.

Ohne zu verführen,
lebst und bist du da,
still mein Herz zu rühren,
ohne es zu schüren —
Kind Nausikaa!

PAUL CELAN

Todesfuge

Schwarze Milch der Frühe wir trinken sie abends
wir trinken sie mittags und morgens wir trinken sie nachts
wir trinken und trinken
wir schaufeln ein Grab in den Lüften da liegt man nicht eng
Ein Mann wohnt im Haus der spielt mit den Schlangen der schreibt
der schreibt wenn es dunkelt nach Deutschland dein goldenes Haar
Margarete
er schreibt es und tritt vor das Haus und es blitzen die Sterne er pfeift
seine Rüden herbei

Er pfeift seine Juden hervor läßt schaufeln ein Grab in der Erde
er befiehlt uns spielt auf nun zum Tanz

Schwarze Milch der Frühe wir trinken dich nachts
wir trinken dich morgens und mittags wir trinken dich abends
wir trinken und trinken
Ein Mann wohnt im Haus und spielt mit den Schlangen der schreibt
der schreibt wenn es dunkelt nach Deutschland dein goldenes Haar
Margarete
Dein aschenes Haar Sulamith wir schaufeln ein Grab in den Lüften da liegt
man nicht eng

Er ruft stecht tiefer ins Erdreich ihr einen ihr andern singet und spielt
er greift nach dem Eisen im Gurt er schwingts seine Augen sind blau
stecht tiefer die Spaten ihr einen ihr andern spielt weiter zum Tanz auf

Schwarze Milch der Frühe wir trinken dich nachts
wir trinken dich mittags und morgens wir trinken dich abends
wir trinken und trinken
ein Mann wohnt im Haus dein goldenes Haar Margarete
dein aschenes Haar Sulamith er spielt mit den Schlangen

Er ruft spielt süßer den Tod der Tod ist ein Meister aus Deutschland
er ruft streicht dunkler die Geigen dann steigt ihr als Rauch in die Luft
Dann habt ihr ein Grab in den Wolken da liegt man nicht eng

Schwarze Milch der Frühe wir trinken dich nachts
wir trinken dich mittags der Tod ist ein Meister aus Deutschland
wir trinken dich abends und morgens wir trinken und trinken
der Tod ist ein Meister aus Deutschland sein Auge ist blau
er trifft dich mit bleierner Kugel er trifft dich genau

ein Mann wohnt im Haus dein goldenes Haar Margarete
er hetzt seine Rüden auf uns er schenkt uns ein Grab in der Luft
er spielt mit den Schlangen und träumet der Tod ist ein Meister aus
Deutschland

dein goldenes Haar Margarete
dein aschenes Haar Sulamith

THEODOR HEUSS

Ein Mahnmal

Als ich gefragt wurde, ob ich heute, hier, aus diesem Anlaß ein Wort zu sagen bereit sei, habe ich ohne lange Überlegung mit Ja geantwortet. Denn ein Nein der Ablehnung, der Ausrede, wäre mir als eine Feigheit erschienen, und wir Deutschen wollen, sollen und müssen, will mir scheinen, tapfer zu sein lernen gegenüber der Wahrheit, zumal auf einem Boden, der von Exzessen menschlicher Feigheit gedüngt und verwüstet wurde. Denn die bare Gewalttätigkeit, die sich mit Karabiner, Pistole und Rute verziert, ist in einem letzten Winkel immer feige, wenn sie, gut gesättigt, drohend und mitleidlos, zwischen schutzloser Armut, Krankheit und Hunger herumstolziert.

Wer hier als Deutscher spricht, muß sich die innere Freiheit zutrauen, die volle Grausamkeit der Verbrechen, die hier von Deutschen begangen wurden, zu erkennen. Wer sie beschönigen oder bagatellisieren wollte oder gar mit der Berufung auf den irregegangenen Gebrauch der sogenannten »Staatsraison« begründen wollte, der würde nur frech sein.

Aber nun will ich etwas sagen, das manchen von Ihnen hier erstaunen wird, das Sie mir aber, wie ich denke, glauben werden, und das mancher, der es am Rundfunk hört, nicht glauben wird: Ich habe das Wort Belsen zum erstenmal im Frühjahr 1945 aus der BBC gehört, und ich weiß, daß es vielen in diesem Lande ähnlich gegangen ist. Wir wußten — oder doch ich wußte — Dachau, Buchenwald bei Weimar, Oranienburg, Ortsnamen bisher heiterer Erinnerungen, über die jetzt eine schmutzige braune Farbe geschmiert war. Dort waren Freunde, dort waren Verwandte gewesen, hatten davon erzählt. Dann lernte man frühe das Wort Theresienstadt, das am Anfang sozusagen zur Besichtigung durch Neutrale präpariert war, und Ravensbrück. An einem bösen Tage hörte ich den Namen Mauthausen, wo sie meinen alten Freund Otto Hirsch »liquidiert« hatten, den edlen und bedeutenden Leiter der Reichsvertretung deutscher Juden. Ich hörte das Wort aus dem Munde seiner Gattin, die ich zu stützen und zu beraten suchte. Belsen fehlte in diesem meinem Katalog des Schreckens und der Scham, auch Auschwitz.

Diese Bemerkung soll keine Krücke sein für diejenigen, die gern erzählen: Wir haben von alledem nichts gewußt. Wir haben von den Dingen gewußt. Wir wußten auch aus den Schreiben evangelischer und katholischer Bischöfe, die ihren geheimnisreichen Weg zu den Menschen fanden, von der systematischen Ermordung der Insassen deutscher Heilanstalten. Dieser Staat, der menschliches Gefühl eine lächerliche und kostenverursachende Sentimentalität hieß, wollte auch hier tabula rasa, »reinen Tisch« machen, und der reine Tisch trug Blutflecken, Aschenreste — was kümmerte das? Unsere Phantasie, die aus der bürgerlichen und christlichen Tradition sich nährte, umfaßte nicht die Quantität dieser kalten und leidvollen Vernichtung.

Dieses Belsen und dieses Mal sind stellvertretend für ein Geschichtsschicksal. Es gilt den Söhnen und Töchtern fremder Nationen, es gilt den deutschen und ausländischen Juden, es gilt auch dem deutschen Volk und nicht bloß den Deutschen, die auch in diesem Boden verscharrt wurden.

Ich weiß, manche meinen: War dieses Mal notwendig? Wäre es nicht besser gewesen, wenn Ackerfurchen hier liefen, und die Gnade der sich ewig verjüngenden Fruchtbarkeit der Erde verzeihe das Geschehene? Nach Jahrhunderten mag sich eine vage Legende vom unheimlichen Geschehen an diesen Ort heften. Gut, darüber mag man meditieren; und Argumente fehlen nicht, Argumente der Sorge, daß dieser Obelisk ein Stachel sein könne, der Wunden, die der Zeiten Lauf heilen solle, das Ziel der Genesung zu erreichen nicht gestatte.

Wir wollen davon in allem Freimut sprechen. Die Völker, die hier die Glieder ihres Volkes in Massengräbern wissen, gedenken ihrer, zumal die durch Hitler zu einem volkhaften Eigenbewußtsein schier gezwungenen Juden. Sie werden nie, sie können nie vergessen, was ihnen angetan wurde; die Deutschen dürfen nie vergessen, was von Menschen ihrer Volkszugehörigkeit in diesen schamreichen Jahren geschah.

Nun höre ich den Einwand: Und die anderen? Weißt du nichts von den Internierungslagern 1945/46 und ihren Rohheiten, ihrem Unrecht? Weißt du nichts von den Opfern in fremdem Gewahrsam, von dem Leid der formalistisch-grausamen Justiz, der heute noch deutsche Menschen unterworfen sind? Weißt du nichts von dem Fortbestehen der Lagermißhandlung, des Lagersterbens in der Sowjetzone, Waldheim, Torgau, Bautzen? Nur die Embleme haben sich dort gewandelt.

Ich weiß davon und habe nie gezögert, davon zu sprechen. Aber Unrecht und Brutalität der anderen zu nennen, um sich darauf zu berufen, das ist das Verfahren der moralisch Anspruchslosen, die es in allen Völkern gibt, bei den Amerikanern so gut wie bei den Deutschen oder den Franzosen und so fort. Es ist kein Volk besser als das andere, es gibt in jedem solche und solche. Amerika ist nicht »God's own country«, und der harmlose Emanuel Geibel hat einigen subalternen Unfug verursacht mit dem Wort, daß am deutschen Wesen noch einmal die Welt genesen werde.

Und waren die Juden das »auserwählte Volk«, wenn sie nicht gerade auch zu Leid und Qual auserwählt wären? Mir scheint, der Tugendtarif, mit dem die Völker sich selber ausstaffieren, ist eine verderbliche und banale Angelegenheit. Er gefährdet das klare, anständige Vaterlandsgefühl, das jeden, der bewußt in seiner Geschichte steht, tragen wird, das dem, der die großen Dinge sieht, Stolz und Sicherheit geben mag, ihn darum aber nicht in die Dumpfheit einer pharisäerhaften Selbstgewißheit verführen darf. Gewalttätigkeit und Unrecht sind keine Dinge, die man für eine wechselseitige Kompensation gebrauchen soll und darf. Denn sie tragen die böse Gefahr in sich, im seelischen Bewußtsein zu kumulieren; ihr Gewicht wird zur schlimmsten Last im Einzelschicksal, ärger noch, im Volks- und Völkerschicksal. Alle Völker haben ihre Rachebarden, oder, wenn sie ermüdet sind, ihre Zweckpublizisten in Reserve.

Es liegen hier die Angehörigen mancher Völker. Die Inschriften sind vielsprachig, sie sind ein Dokument der tragischen Verzerrung des europäischen Schicksals. Es liegen hier auch viele deutsche Opfer des Terrors, und wie viele am Rande anderer Lager? Aber es hat einen tiefen Sinn, daß Nachum Goldmann hier für alle sprach. Denn hier, in diesem Belsen, sollten gerade die Juden, die noch irgendwo greifbar waren, vollends verhungern oder Opfer der Seuchen werden. Goldmann hat von dem schmerzvollen Weg des jüdischen Volkes und seiner den Geschichtskatastrophen trotzenden Kraft gesprochen. Sicher ist das, was zwischen 1933 und 1945 geschah, das Furchtbarste, was die Juden der Geschichte gewordenen Diaspora erfuhren. Dabei war etwas Neues geschehen. Goldmann sprach davon. Judenverfolgungen kennt die Vergangenheit in mancherlei Art. Sie waren ehedem teils Kinder des religiösen Fanatismus, teils sozialökonomische Konkurrenzgefühle. Von religiösem Fanatismus konnte nach 1933 nicht die Rede sein. Denn den Verächtern der Heiligen Schriften des Alten und Neuen Bundes, den Feinden aller religiösen Bindungen, war jedes metaphysische Problem denkbar fremd. Und das Sozialökonomische reicht nicht aus, wenn es nicht bloß an Raubmord denkt.

Aber das war es nicht allein. Im Grunde drehte es sich um etwas anderes. Der Durchbruch des biologischen Naturalismus der Halbbildung führte zur Pedanterie des Mordens als schier automatischem Vorgang, ohne das bescheidene Bedürfnis nach einem bescheidenen quasi-moralischen Maß. Dies

gerade ist die tiefste Verderbnis dieser Zeit. Und dies ist unsere Scham, daß sich solches im Raume der Volksgeschichte vollzog, aus der Lessing und Kant, Goethe und Schiller in das Weltbewußtsein traten. Diese Scham nimmt uns niemand, niemand ab.
Mein Freund Albert Schweitzer hat seine kultur-ethische Lehre unter die Formel gestellt: »Ehrfurcht vor dem Leben.« Sie ist wohl richtig, so grausam paradox die Erinnerung an dieses Wort an einem Orte klingen mag, wo es zehntausendfach verhöhnt wurde. Aber bedarf sie nicht einer Ergänzung: »Ehrfurcht vor dem Tode«?
Ich will eine kleine Geschichte erzählen, die manchen Juden und manchen Nichtjuden mißfallen mag. Von beiden Seiten werden sie sagen: Das gehört doch nicht hierher! Im ersten Weltkrieg sind 12 000 junge Menschen jüdischen Glaubens für die Sache ihres deutschen Vaterlandes gefallen. Im Ehrenmal meiner Heimatstadt waren auch sie in ehernen Lettern mit den Namen aller anderen Gefallenen eingetragen. Kamerad neben Kamerad, »als wär's ein Stück von mir«. Der nationalsozialistische Kreisleiter ließ die Namen der jüdischen Toten herauskratzen und den Raum der Lücken mit irgendwelchen Schlachtennamen ausfüllen. Ich spreche davon nicht, weil Jugendfreunde von mir dabei ausgewischt wurden. Das war mein schlimmstes Erkennen und Erschrecken, daß die Ehrfurcht vor dem Tode, dem einfachen Kriegstode, untergegangen war, während man schon an neue Kriege dachte.
Das Sterben im Kriege, am Kriege hat dann die furchtbarsten Formen gewählt. Auch hier an diesem Ort Belsen hat der Krieg dann mit Hunger und Seuchen als kostenlosen Gehilfen zur Seite gewütet. Ein zynischer Bursche, ein wüster Gesell mochte sagen: In der Hauptsache waren es ja bloß Juden, Polen, Russen, Franzosen, Belgier, Norweger, Griechen und so fort. Bloß? Es waren Menschen wie du und ich, sie hatten ihre Eltern, ihre Kinder, ihre Männer, ihre Frauen! Die Bilder der Überlebenden sind die schreckhaftesten Dokumente.
Der Krieg war für dieses Stück Land hier im April 1945 vorbei. Aber es wurde als Folge von Hunger und Seuchen weiter gestorben. Britische Ärzte haben dabei ihr Leben verloren. Aber ich bin in den letzten Tagen von hervorragender jüdischer Seite gebeten worden, gerade in dieser Stunde auch ein Wort von diesem Nachher zu sagen, von der Rettungsleistung an den zum Sterben bestimmten Menschen, die durch deutsche Ärzte, durch deutsche Pfleger und Schwestern im Frühjahr und Frühsommer 1945 vollbracht wurde. Ich wußte von diesen Dingen nichts. Aber ich ließ mir erzählen, wie damals vor solchem Elend Hilfswille bis zur Selbstaufopferung wuchs, ärztliches Pflichtgefühl, Scham, vor solcher Aufgabe nicht zu versagen, christliche, schwesterliche Hingabe an den Gefährdeten, der eben im-

mer »der Nächste« ist. Ich bin dankbar dafür, daß mir dies gesagt und diese Bitte ausgesprochen wurde. Denn es liegt in dieser Bewährung des unmittelbar Rechten und Guten doch ein Trost.
In den Worten des englichen Land Commissioner ist Rousseau berufen worden. Rousseau beginnt eines seiner Bücher mit der apodiktischen Erklärung: »Der Mensch ist gut.« Ach, wir haben gelernt, daß die Welt komplizierter ist als die Thesen moralisierender Literaten. Aber wir wissen auch dies: der Mensch, die Menschheit ist eine abstrakte Annahme, eine statistische Feststellung, oft nur eine unverbindliche Phrase; aber die Menschlichkeit ist ein individuelles Sich-Verhalten, ein ganz einfaches Sich-Bewähren gegenüber dem anderen, welcher Religion, welcher Rasse, welchen Standes, welchen Berufes er auch sei. Das mag ein Trost sein.
Da steht der Obelisk, da steht die Wand mit den vielsprachigen Inschriften. Sie sind Stein, kalter Stein. Saxa loquuntur, Steine können sprechen. Es kommt auf den einzelnen, es kommt auf dich an, daß du ihre Sprache, daß du diese ihre besondere Sprache verstehst, um deinetwillen, um unser aller willen!

ROMANO GUARDINI

Verantwortung

Aus einer Universitätsrede

Wenn die Universität einen geistigen Sinn hat, dann jenen, die Stätte zu sein, wo nach der Wahrheit gefragt wird. Nach der reinen Wahrheit; nicht um eines Zweckes, sondern um ihrer selbst willen; deswegen, weil sie Wahrheit ist.
Dieser Geist muß seinen Ernst besonders dann bewähren, wenn es sich um Dinge handelt, welche die Instinkte der Selbstbehauptung wecken — ob das nun individuelle, oder solche der Gruppen und Aktionen sind. Dann muß er sich von diesen Instinkten frei machen für die reine Frage nach dem, was ist. In dieser Probe zeigt es sich, ob einer wirklich zur Universität gehört oder aber nur Berechtigungen holen will.
So bitte ich Sie, die Frage, die ich Ihnen vorzulegen habe, in diesem Geiste durchzudenken — und nehmen Sie die Tatsache, daß Veranlassung zu dieser Bitte besteht, als ein Moment, welches in das Phänomen, das uns beschäftigen soll, mit hineingehört.
Welchen Charakter die Gegenüberstellung »Antisemitismus — Philosemitis-

mus« auch haben mag — hier müssen wir aus ihr vollkommen heraustreten.

Wie wir hier die Frage stellen wollen, hält sie sich über solchen Gegensätzen auf der Ebene des wesenhaft Menschlichen. Sie will wissen:

Was bedeutet jener Tatbestand, um den es geht, für den Menschen — also auch für uns?

Was bedeutet jener Tatbestand, um den es geht, für den Menschen — also Entscheidungen, in denen wir stehen? Diese Frage muß in dem gleichen Geiste gestellt und beantwortet werden, der unsere Arbeit in den Vorlesungen, in den Seminaren, in den Instituten bestimmt. —

Worin besteht der Tatbestand, um den es sich hier handelt?

Darin, daß eine große Anzahl von Menschen, die keine Schuld auf sich geladen hatten, um Ehre, Eigentum und Leben gebracht worden sind.

Ein Teil von ihnen gehörte außerdeutschen Staaten an: Polen, Frankreich, Holland und so weiter. Was diesen geschah, ging, vom menschlichen Maßstab ganz abgesehen, gegen das elementarste Völkerrecht.

Andere waren Bürger des deutschen Staates, standen also zu ihm im Verhältnis von Recht und Pflicht. Sie wurden durch eben diesen Staat entehrt, beraubt, mißhandelt, getötet.

Die Zahl war sehr groß. Ich will keine Ziffern diskutieren; ernsthafte Statistiken sprechen von fünf bis sechs Millionen. Auf jeden Fall war sie so groß, daß der Vorgang im unmittelbarsten Sinne das Ganze, die »res publica«, ergriff.

Man könnte erwidern, in diesen Dingen spiele die Zahl überhaupt keine Rolle. Geschehe dergleichen auch nur einem einzigen Menschen, dann geschehe im Wesen das nämliche, als wenn es sich um Millionen handle. Das wäre richtig; trotzdem begründet die große Zahl einen Unterschied. Durch sie wurde offenkundig, daß es um Staat und Volk als solche ging; um die Weise, wie der Staat sich selbst und wie er sein Verhältnis zum Volk verstand.

Dazu kommt aber etwas anderes, und das geht über alles nur Quantitative hinaus ins Wesenhafte.

Die angeführten Handlungen sind nicht im Affekt oder in der Bedrängnis großer Gefahr geschehen. Sie sind vielmehr aus einer Theorie hervorgegangen, die genau durchdacht und zum Programm erhoben war. Und sie sind in systematischer Weise vollzogen worden; durch eine nach allen Seiten hin ausgebaute Apparatur der Aufspürung, Ergreifung und Vernichtung jener Menschen, auf die es abgesehen war.

Ich hoffe, meine Damen und Herren, niemand von Ihnen wird antworten, wie es in politischen Versammlungen oder in Kinos oder auf der Straße geschehen ist: das alles sei Propaganda. Wer so antwortete, stünde nicht mehr im geistigen Raum der Universität, sondern in jenem der Agitationsversammlung. Diese Dinge sind geschehen, und jeder, der wissen will, weiß es heute.

Damit ist nichts darüber gesagt, wie weit der Einzelne damals um sie gewußt hat; wie weit sie der Allgemeinheit bekannt waren; wie weit jeweils die Zustimmung, die Mithilfe und daher die Verantwortung ging. Davon sprechen wir hier nicht. Zweifellos haben viele davon nichts oder nur Unbestimmtes gewußt — wenigstens so lange, als noch irgendeine Möglichkeit der Einflußnahme bestand. Ebenso zweifellos haben viele die Vorgänge verurteilt und getan, was in ihrer Macht lag, um den Betroffenen zu helfen. Darum handelt es sich aber hier nicht. Hier handelt es sich nur um die Tatsache, daß im Rechtsbereich des deutschen Staates, im Lebensbereich des deutschen Volkes jene Dinge geschehen sind.

Was bedeutet diese Tatsache?

Die Universität — ich muß auf sie zurückkommen, weil sie in das Problem, wie es uns gestellt ist, hineingehört — ist der Ort, wo die Angelegenheiten der Menschheit überhaupt und des eigenen Volkes im besonderen zu Bewußtsein gelangen. Wo das, was im großen Sinne »Tradition« heißt, nämlich der Zusammenhang des menschlichen Ringens und Schaffens, der geschichtlichen Schicksale und Entscheidungen verstanden, und die Verantwortung, die daraus kommt, aufgenommen wird. Wie erscheint das Geschehene, wenn wir es vor das Urteil dieser Tradition stellen?

Lassen wir uns einmal nahe kommen, was Namen wie folgende bedeuten — und ich nenne sie aufs Geratewohl: Planck und Helmholtz; Mommsen und die Brüder Grimm; Goethe und Hölderlin; Mozart und J. S. Bach; Leibniz und Pascal; Raffael und Erwin von Steinbach; Gottfried von Straßburg und Dante; Augustinus und Platon, Aischylos, Heraklit und Homer — und ergänze jeder selbst die Reihe durch die Namen Solcher, die ihm durch Erkenntnis oder Kunst, durch schöpferische Tat und vornehmes Sein verehrungswürdig erscheinen. Was würden diese Menschen sagen, wenn wir das Geschehene vor sie brächten? Wie würden unter ihren Augen wir selbst es empfinden?

Denn die Geister, von denen die Geschichte der Forschung, der Kunst, des Rechts, der Weisheit und der religiösen Erfahrung berichtet, sind ja nicht dafür da, daß über sie Bücher geschrieben und mit dem Wissen von ihnen Examina gemacht werden! Sie haben Normen deutlich gemacht, nach denen beurteilt werden soll, was recht und was unrecht ist. Sie haben Rangordnungen herausgehoben, in denen sich erweist, ob etwas edel oder gemein ist. Sie lehren uns die geistigen Gesetze erkennen, nach deren unerbittlicher Gültigkeit geschichtliches Handeln im letzten fruchtbar wird oder zerstört. Was würden diese Menschen sagen, wenn wir ihnen berichteten, was da geschehen ist? Ich glaube, sie würden uns mit fassungslosem Entsetzen ansehen. Und unter ihrem Blick würden wir uns fragen: Wo war damals das Gewissen? Wo war die Ehre? Ja, wo war — wenn wir unter dem Wort mehr verstehen als bloßes Begriffswerk — wo war da die Vernunft?

Diese Persönlichkeiten würden sich fragen: »Was war das, was da geschah? Wo kam es her? Wie konnte es geschehen? Was für Menschen waren das, durch die es geschehen ist?«

Und sie würden auf die Frage vielleicht so antworten: Hier ist etwas aus den dunklen Untergründen des Menschen heraufgekommen: der Barbar, das Tier. Hier hat sich gezeigt, wie wenig die Aufgabe, an welcher wir gearbeitet haben, vollendet ist; wie furchtbar die Mächte des Chaos und der Zerstörung immer noch sind.

Vielleicht wären sie sogar in ihrem Glauben an die Lösbarkeit dieser Aufgabe erschüttert worden. Ein Dante etwa oder ein Heraklit oder sonst einer von den Großen des tragischen Geistes hätte vielleicht gesagt: Ein Menschengeschlecht, aus welchem nach Jahrtausenden des Ringens um Gesittung und Adel Derartiges kommen konnte, ist heillos, und das Reden von Kultur hat keinen Sinn.

Man könnte sich aber auch denken, daß manche von ihnen noch anders geantwortet hätten. Ein Pascal zum Beispiel, der bereits geahnt hat, wohin die Rationalisierung der Neuzeit führen könne; ein Goethe, dem es vor der Herrschaft des Technischen gegraut hat; ein Jacob Burckhardt, der die Hoffnung aufgegeben hat, der modernen Menschheit könne überhaupt noch eine des Menschen würdige Zukunft offenstehen — sie wären wach genug gewesen, um zu empfinden, daß hier etwas anderes geschehen ist, als wenn ein primitiver Volksstamm sich im Vernichtungsrausch austobt oder als die Hunnen Europa verwüsteten. Ihnen würde deutlich geworden sein, daß sich hier die Instinkte der Tiefe unmittelbar mit Ratio und Technik verbunden haben und damit etwas heraufgekommen ist, das es bis dahin noch nicht gegeben hat: die Einheit von Unmenschlichkeit und Maschine . . .

* * *

THEODOR HAECKER

Tragik und christlicher Glaube

Durch das Christentum ist alle Tragik verändert worden, ist alle Tragik zurückgenommen worden in die Zeit und die Vergänglichkeit. Sie ist nicht aufgehoben, aber sie hat, wie alles, eine andere Bedeutung bekommen, oder vielmehr, sie hat ihre wahre Bedeutung bekommen. Über dem eng bezirkten Raum irdischer und olympischer Lebensfreude wohnt die Angst, das ewige Rätsel, nicht das Geheimnis, durch welches Wort schon das Licht der Offenbarung hindurchscheint, das nur Hülle der Fülle und Verheißung ist und sich selber schenkend offenbart, während das Rätsel selber ein Nichts ist in der Antwort und ein Grauen in der Frage. Darum ist auch das schwermütigste Wort, das jemals im Herzen eines Menschen aufkam und das sein Mund nicht behütet hat, von einem Griechen gesprochen worden und von einem Griechen uns überliefert worden: Ich liebe die Kinder; *deshalb* will ich keine haben. Man verstehe es recht. Dieses Wort könnte auch ein jüdischer Prophet oder Hiob sagen, oder es könnte heute wahrlich ein edler Mensch es sagen; aber das Motiv dazu läge immer nur in einer Stimmung und in der Zeit, — im nächsten Augenblick schon könnte es anders sein. Bei jenem Griechen aber kann es nicht im nächsten Augenblick anders sein; bei ihm liegt das Motiv im Ewigen, das ihm gegeben ist. Ein alter Prophet und Hiob und ein edler Mensch in diesen grauenvollen Tagen der *ehrlosen* Menschenschlächterei hätten es zum Himmel geschrien, der Grieche aber sagte es in sich hinein, er mußte es wieder essen; da war kein Ohr, das es hätte hören können, und kein Herz, das es hätte bewegen können. Er hatte zu Ende gedacht, während alle die, welche ihn nicht verstanden, noch nicht aufgewacht waren und noch träumten. Der edle Grieche, der zu Ende dachte, mußte verzweifeln und in die Krankheit zum Tode fallen, die Jahrtausende später Hölderlin verschlang, und die voll unnennbar süßer Klage sein kann. Denn wie um noch einmal dem Sehenden zu zeigen, wie verzweifelt alle unerlöste griechische Schönheit ist, hat sich das Leben Hölderlins in gesangerfüllter Nacht verloren. Wo in aller Welt der Sprache ist unsagbarere Schönheit offenbart als in einer Strophe Hölderlins, und oft in einem einzigen Verswort: taglang, wo der Laut lang wie der Tag, lang wie das Leid ist?! Nur viele Worte der Vulgata sind noch schöner. Und wäre im Christentum die wahre Schönheit nicht auch bewahrt, wäre sie nicht auch die Gabe des einigen Gottes, so wäre mancher Abfall leichter zu entschuldigen; aber so ist es nicht! Das tragische Schicksal erfüllte sich an Hölderlin unerbittlich, tragischer noch durch den Mangel an Resonanz einer anders gewordenen Welt; er selbst mußte noch im gottverhängten Wahnsinn sich selber die dunklen delphischen Strophen singen, da er ja allein war und Vieles in Einem: der tragische Held und der tragische Dichter, welche Last von Leid auf eine einzige Menschenseele; denn Oedipus war nicht der klagende Dichter und Sophokles nicht der leidende Held; jener aber war beides und dazu noch Chor und Volk: das dumpfe Mitgefühl für sein durchsichtig ausgedrücktes Leid, der Grundbaß seiner Melodie. Solchen Preis zu zahlen für solche Größe ist groß, aber doch nur menschlich groß; hier ist keine neue Ordnung, sondern es ist die Grenze des menschlichen und endlichen Geistes erreicht. Der Unterschied zwischen einem Genie und einem gewöhnlichen Menschen ist hier im Grund kein anderer als der zwischen Gras und einer edlen seltenen Blume, und vor der neuen Ordnung sind beide wie Gras, das in den Ofen geworfen wird. Es hilft uns nichts vor der Erkenntnis, daß Hölderlins Leben hier in der Verzweiflung endete — für die Ewigkeit haben wir ja den Trost, den Kierkegaard über Sokrates hatte: »Er ist inzwischen sicher Christ geworden« — und den Mut, dieses zu sagen, müssen wir aufbringen, wiewohl es nicht leicht ist, wenigstens, ihn beständig zu haben. Denn die geistige Jugend dieser Tage, soweit sie nicht einfach nichts oder frech ist ... diese geistige Jugend ist reichlich schwermütig; sie kaut als tägliches Brot nur das Elend der Welt und kennt keine andere Lust mehr, als die der Verachtung und des Ekels. Und wenn sie erst vierzig Jahre alt geworden sind, werden sie klagend ihrer Knabentage gedenken und die Freude ihres Lebens in der Erinnerung haben statt in der Hoffnung. Sie sind hochmütig und ziehen deshalb im Grunde die tragische Verzweiflung der Seligkeit vor; sie bewundern mehr den Selbstmord eines Genies als dessen Entschluß, auf nicht andere Weise selig zu werden als die Fischer von Galiläa, als Bauern und Dienstboten. Dieser Hochmut macht aber feig im Urteil und ängstlich vor dem der Welt und der Journale; er verhindert die sehr wichtige Erkenntnis, daß die Katastrophe so vieler von Natur Hochbegabter in den letzten hundert Jahren nicht mehr tragisch im reinen Sinn — das ist einfach nicht wahr — sondern als Verzweiflung, als Schuld, als Entfernung von Gott zu verstehen ist. Wer über die ruhmreichen Geisteskämpfe des ersten Christentums gegen die Gnostiker etwas Bescheid weiß und den unendlichen Erkenntnis- und Wahrheitsgehalt der eigentlichen Glaubensdogmen, an denen Luther noch sich erquickte, der gewinnt auch einen Überblick über die Irrungen der Leidenschaften und die Irrtümer der Gedanken der letzten hundert Jahre, wie weder Genialität noch eine bloße philosophisch-ästhetische Bildung ihn je geben können. Er sieht auch ein, daß jene Kämpfe durch einen einfältigen und realen Glauben und nicht durch Genialität und philosophische Begabung, über welche die Gnostiker in mindestens ebenso hohem, wenn nicht in höherem Maße verfügten, entschieden worden sind. Jene Jugend zieht, trotz aller modischen Religionsgespräche im entscheidenden Fall immer die ästhetischen Kategorien den religiösen weit vor, sowohl für ihr Privatleben als auch öffentlich und literarisch, um nicht banal zu sein. Sie haben indes Unrecht, auch für die Kunst, die schließlich doch nur *Dauer* hat, wenn sie Gott dient, nicht wenn sie sich selber zu Gott macht. Wenn einer zu Bach bewundernd gesagt hätte: Deine Kunst ist so gewaltig und grenzenlos und allumfassend, daß sie auch noch das Religiöse nur als eine Provinz in sich hat und beherrscht, und wenn er dies nicht bloß rein formal, wie man ja auch von der reinen Logik sagen kann, daß ihre Gesetze noch die Sprüche Christi beherrschen, sondern material und hierarchisch wertend, wie man es eben heute versteht, verstände, so hätte Bach den gescheiten Schwätzer vielleicht groß angeschaut und gar nicht verstanden. Doch ist das unwahrscheinlich, weil er ein gottesfürchtiger Mann war, und der weiß in diesen Dingen Bescheid, mag er auch noch so einfältig sein, besser als das klügste Genie, das seine Begabung nicht zu Gott hinführt. Also hätte er es ganz einfach für das, was es ist, erklärt, eine Gotteslästerung oder ein Geschwätz. Denn er wußte, und in diesem Wissen sind sich schließlich der Fidschi-Insulaner und der geistigste Christ einig, daß das Religiöse unbedingt jene Ordnung ist, der man nur dienen kann, in der man immer Knecht ist, der man nur opfern kann, die selber aber man niemand und niemals opfern darf.

DIETRICH BONHOEFFER

Der theoretische Ethiker und die Wirklichkeit

Nur selten mag eine Generation jeder theoretischen und programmatischen Ethik so uninteressiert gegenübergestanden haben wie die unsere. Die akademische Frage eines ethischen Systems erscheint als die überflüssigste aller Fragen. Das hat seinen Grund nicht etwa in einer ethischen Indifferenz unserer Zeit, sondern gerade umgekehrt in einer bisher in der abendländischen Geschichte nie dagewesenen Bedrängnis durch die Fülle der Wirklichkeit konkreter ethischer Fragen. In einer Zeit, in der die Festigkeit der bestehenden Lebensordnungen höchstens die kleinen, meist nicht aufgedeckten Sünden menschlicher Schwäche zuließ und der Verbrecher als der Unnormale den entsetzten oder mitleidigen Blicken der Gesellschaft entzogen wurde, konnte das Ethische als theoretisches Problem interessant sein.
Heute gibt es wieder Bösewichter und Heilige, und zwar in aller Öffentlichkeit. Aus dem Grau in Grau des Regentages ist die schwarze Wolke

und der helle Blitz des Gewitters geworden. Die Konturen sind überscharf. Die Wirklichkeit enthüllt sich. Die Gestalten Shakespeares gehen um. Der Bösewicht und der Heilige aber haben wenig oder nichts mit ethischen Programmen zu tun, sie steigen aus Urgründen empor, sie reißen mit ihrem Erscheinen den höllischen und den göttlichen Abgrund auf, aus dem sie kommen, und lassen uns in nie geahnte Geheimnisse kurze Blicke tun. Schlimmer als die böse Tat ist das Böse-Sein. Schlimmer ist es, wenn ein Lügner die Wahrheit sagt, als wenn ein Liebhaber der Wahrheit lügt; schlimmer wenn ein Menschenhasser Bruderliebe übt, als wenn ein Liebhaber der Menschen einmal vom Haß überwältigt wird. Besser als die Wahrheit im Munde des Lügners ist noch die Lüge, besser als die Tat der Bruderliebe des Menschenfeindes ist der Haß. Es ist also nicht die eine Sünde wie die andere. Sie haben verschiedenes Gewicht. Es gibt schwere und leichtere Sünden. Der Abfall wiegt unendlich viel schwerer als der Fall. Die glänzendsten Tugenden des Abgefallenen sind nachtschwarz gegen die dunkelsten Schwächen der Treuen.

Daß das Böse in der Gestalt des Lichtes, der Wohltat, der Treue, der Erneuerung, daß es in der Gestalt des geschichtlich Notwendigen, des sozial Gerechten erscheint, ist für den schlicht Erkennenden eine klare Bestätigung seiner abgründigen Bosheit. Den ethischen Theoretiker dagegen macht es blind. Mit seinen vorgefaßten Begriffen vermag er das Wirkliche nicht aufzunehmen, geschweige, daß er dem ernstlich begegnen könnte, dessen Wesen und Kraft er gar nicht erkennt. Der einem ethischen Programm Verschriebene muß seine Energien sinnlos verpuffen, und selbst sein Martyrium wird für seine Sache kein Quell der Kraft noch für die Bösen eine Bedrohung sein. Aber merkwürdig genug, nicht nur der ethische Theoretiker und Programmatiker verfehlt seinen Gegner, sondern auch der Böse selbst vermag seinen Nebenbuhler kaum zu erkennen. Gegenseitig gehen sie einander in die Falle. Nicht Gerissenheit, Bescheidwissen über die Schliche, sondern allein schlichtes Stehen in der Wahrheit Gottes und ein im Blick auf sie einfältig und klug gewordenes Auge erfährt und erkennt die ethische Wirklichkeit.

Erschütternd ist das Versagen der Vernünftigen, die weder den Abgrund des Bösen noch den Abgrund des Heiligen zu sehen vermögen, die in bester Absicht mit etwas Vernunft das aus den Fugen gehende Gebälk wieder zusammenbringen zu können glauben. In ihrem mangelnden Sehvermögen wollen sie beiden Seiten Recht widerfahren lassen und werden so zwischen den aufeinanderprallenden Gewalten zerrieben, ohne das Geringste ausgerichtet zu haben. Bitter enttäuscht über die Unvernünftigkeit der Welt sehen sie sich zur Unfruchtbarkeit verurteilt, treten resigniert zur Seite oder verfallen haltlos den Stärkeren.

Erschütternder noch ist das Scheitern alles ethischen Fanatismus. Mit der Reinheit seines Wollens und seines Prinzips glaubt der Fanatiker der Macht des Bösen entgegentreten zu können. Aber weil es zum Wesen des Fanatismus gehört, daß er das Ganze des Bösen aus den Augen verliert und wie der Stier auf das rote Tuch statt auf dessen Träger zustößt, muß er schließlich ermüden und unterliegen. Der Fanatiker verfehlt sein Ziel. Ob sein Fanatismus auch den hohen Gütern der Wahrheit oder der Gerechtigkeit dient, so verfängt er sich früher oder später im Unwesentlichen, Kleinen und geht dem klügeren Gegner ins Netz.
Einsam erwehrt sich der Mann des Gewissens der Übermacht der Entscheidung fordernden Zwangslagen. Aber das Ausmaß der Konflikte, in denen er zu wählen hat — durch nichts beraten und getragen als durch sein eigenstes Gewissen —, zerreißt ihn. Die unzähligen ehrbaren und verführerischen Verkleidungen und Masken, in denen das Böse sich ihm nähert, machen sein Gewissen ängstlich und unsicher, bis er sich schließlich damit begnügt, statt eines guten Gewissens ein salviertes Gewissen zu haben, bis er also sein eigenes Gewissen belügt, um nicht zu verzweifeln; denn daß ein böses Gewissen heilsamer und stärker sein kann als ein betrogenes Gewissen, das vermag der Mann, dessen einziger Halt sein Gewissen ist, nie zu fassen.
Aus der verwirrenden Fülle der möglichen Entscheidungen scheint der sichere Weg der Pflicht herauszuführen. Hier wird das Befohlene als das Gewisseste ergriffen, die Verantwortung für den Befehl trägt der Befehlsgeber, nicht der Ausführende. In der Begrenzung auf das Pflichtgemäße aber kommt es niemals zu dem Wagnis der freien, auf eigenste Verantwortung hin geschehenden Tat, die allein das Böse im Zentrum zu treffen und zu überwinden vermag. Der Mann der Pflicht wird schließlich auch dem Teufel gegenüber noch seine Pflicht erfüllen müssen.
Wer es aber unternimmt, in eigenster Freiheit in der Welt seinen Mann zu stehen, wer die notwendige Tat höher schätzt als die Unbeflecktheit seines eigenen Gewissens und Rufes, wer dem fruchtbaren Kompromiß ein unfruchtbares Prinzip oder auch dem fruchtbaren Radikalismus eine unfruchtbare Weisheit des Mittelmaßes zu opfern bereit ist, der hüte sich, daß ihn nicht gerade seine vermeintliche Freiheit schließlich zu Fall bringe. Er wird leicht in das Schlimme willigen, um das Schlimmere zu verhüten, wohl wissend, daß es schlimm ist, und er wird dabei nicht mehr zu erkennen vermögen, daß gerade das Schlimmere, das er vermeiden will, das Bessere sein kann. Hier liegt ein Urstoff des Tragischen.
Auf der Flucht vor der öffentlichen Auseinandersetzung erreicht dieser und jener die Freistatt einer privaten Tugendhaftigkeit. Er stiehlt nicht, er mordet nicht, er bricht nicht die Ehe, er tut nach seinen Kräften Gutes. Aber in seinem freiwilligen Verzicht auf Öffentlichkeit weiß er die erlaubten Gren-

zen, die ihn vor dem Konflikt bewahren, genau einzuhalten. So muß er sein Auge und Ohr verschließen vor dem Unrecht um ihn herum. Nur auf Kosten eines Selbstbetruges kann er seine private Untadelhaftigkeit vor der Befleckung durch verantwortliches Handeln in der Welt erhalten. Bei allem, was er tut, wird ihn das, was er unterläßt, nicht zur Ruhe kommen lassen. Er wird entweder an dieser Unruhe zugrunde gehen oder zum heuchlerischsten aller Pharisäer werden.

Wer dürfte solches Versagen und Scheitern schmähen wollen? Wer wüßte sich nicht hier oder dort mit getroffen? Die Vernunft, der ethische Fanatismus, das Gewissen, die Pflicht, die freie Verantwortung, die stille Tugend sind Güter und Haltungen hohen Menschentums. Es sind die Besten, die so mit allem, was sie können und sind, untergehen. Die unvergängliche Gestalt des Don Quijote, des Ritters von der traurigen Gestalt, der ein Rasierbecken für einen Helm und einen elenden Klepper für ein Streitroß nimmt, der für die erwählte Gebieterin seines Herzens, die gar nicht existiert, in unablässigen Kampf zieht, wird gegenwärtig. So sieht das abenteuerliche Unternehmen einer alten gegen eine neue Welt, einer vergangenen gegen die Übermacht des Gewöhnlichen aus. Auch der tiefe Bruch, der zwischen den zwei Teilen der großen Erzählung liegt, ist insofern charakteristisch, als sich der Erzähler im zweiten Teil, der erst nach vielen Jahren dem ersten folgte, gegen seinen Helden auf die Seite der lachenden, gemeinen Welt schlägt. Zu billig ist es, die Waffen zu schmähen, die wir von unseren Vätern erbten, mit denen sie große Dinge vollbrachten, die aber dem gegenwärtigen Kampf nicht mehr genügen können. Nur der Gemeine kann die Schicksale des Don Quijote ohne Teilnahme und Rührung lesen.

Dennoch gilt es, die rostigen mit den blanken Waffen zu vertauschen. Nur wer hier Einfalt und Klugheit mit einander zu verbinden vermag, kann bestehen. Aber was ist Einfalt? was ist Klugheit? Wie wird aus beiden eins? Einfältig ist, wer in der Verkehrung, Verwirrung und Verdrehung aller Begriffe allein die schlichte Wahrheit Gottes im Auge behält, wer nicht ein *ἀνήϱ δίψυχος* , ein Mann zweier Seelen (Jak. 1,8) ist, sondern der Mann des ungeteilten Herzens. Weil er Gott kennt und hat, darum hängt er an den Geboten, an dem Gericht und an der Barmherzigkeit, die täglich neu aus Gottes Mund gehen. Nicht gefesselt durch Prinzipien, sondern gebunden durch die Liebe zu Gott ist er frei geworden von den Problemen und Konflikten der ethischen Entscheidung. Sie bedrängen ihn nicht mehr. Er gehört ganz allein Gott und Gottes Willen. Weil der Einfältige nicht neben Gott auch auf die Welt schielt, darum ist er imstande, frei und unbefangen auf die Wirklichkeit der Welt zu schauen. So wird die Einfalt zur Klugheit. Klug ist, wer die Wirklichkeit sieht, wie sie ist, wer auf den Grund der Dinge sieht. Klug ist darum allein, wer die Wirklichkeit in Gott sieht.

Erkenntnis der Wirklichkeit ist nicht dasselbe wie Kenntnis der äußeren Vorgänge, sondern das Erschauen des Wesens der Dinge. Nicht der Bestinformierte ist der Klügste. Gerade er steht in Gefahr, über dem Vielerlei das Wesentliche zu erkennen. Andererseits vermittelt oftmals die Kenntnis einer scheinbar geringfügigen Einzelheit den Blick in die Tiefe der Dinge. So wird der Kluge sich das bestmögliche Wissen um die Vorgänge zu verschaffen suchen, ohne doch davon abhängig zu werden. In dem Tatsächlichen das Bezeichnende zu erkennen ist Klugheit. Der Kluge kennt die begrenzte Empfänglichkeit der Wirklichkeit für Prinzipien; denn er weiß, daß die Wirklichkeit nicht auf Prinzipien aufgebaut ist, sondern in dem lebendigen, schaffenden Gott ruht. So weiß er auch, daß der Wirklichkeit nicht mit den reinsten Prinzipien, aber auch nicht mit dem besten Wollen zu helfen ist, sondern nur mit dem lebendigen Gott. Prinzipien sind nur Werkzeuge in der Hand Gottes, die bald als untauglich weggeworfen werden. Der befreite Blick auf Gott und auf die Wirklichkeit, wie sie in Gott allein Bestand hat, vereinigt Einfalt und Klugheit. Es gibt keine rechte Einfalt ohne Klugheit und keine Klugheit ohne Einfalt.

Das kann sehr theoretisch klingen und ist es auch, solange nicht deutlich wird, wo diese Haltung ihren Grund in der Wirklichkeit hat und also wirklich werden kann. »Seid klug wie die Schlangen und ohne Falsch wie die Tauben« ist ein Wort Jesu (Math. 10,16) und wird daher wie jedes seiner Worte nur durch ihn selbst ausgelegt. Mit ungeteiltem Blick auf Gott und auf die Wirklichkeitswelt zu schauen vermag kein Mensch, solange Gott und die Welt zerrissen sind. Es bleibt bei aller Bemühung doch ein Schielen von einem zum andern. Weil es aber einen Ort gibt, an dem Gott und die Weltwirklichkeit mit einander versöhnt sind, an dem Gott und der Mensch eins geworden sind, darum und darum allein ist es möglich, Gott und die Welt mit demselben Blick ins Auge zu fassen. Dieser Ort liegt nicht irgendwo jenseits der Wirklichkeit im Reiche der Ideen, sondern er liegt mitten in der Geschichte als göttliches Wunder, er liegt in Jesus Christus, dem Weltversöhner. Als Ideal ist die Einheit von Einfalt und Klugheit ebenso zum Scheitern verurteilt wie alle anderen Versuche, vor der Wirklichkeit zu bestehen, es ist ein unmögliches, höchst widerspruchsvolles Ideal. Gegründet aber in der Wirklichkeit der mit Gott versöhnten Welt in Jesus Christus gewinnt das Gebot Jesu Sinn und Wirklichkeit. Wer Jesus Christus ansieht, sieht in der Tat Gott und die Welt in einem, er kann fortan Gott nicht mehr sehen ohne die Welt und die Welt nicht mehr ohne Gott.

HANNS LILJE

Kirche und Politik

In Deutschland gibt es zwei Haltungen, die für uns besonders bedrohlich sind: die Resignation auf der einen Seite und die ihr verwandte Gedankenlosigkeit auf der anderen Seite. Kein Volk kann die Bürde seines geschichtlichen Auftrages auf sich nehmen, solange es in Resignation oder Gedankenlosigkeit verharrt.

Die Christenheit hat die Aufgabe, an der Überwindung dieser beiden lähmenden Erscheinungen mitzuarbeiten. Diese Pflicht würde auch dann auf ihr liegen, wenn sie gar keinen unmittelbaren politischen Einsatz zu vollziehen hätte. Denn wo Resignation und Gedankenlosigkeit auftreten, kann sie ihren Auftrag, das Evangelium zu verkündigen, nicht ausrichten. Wo aber das wirkliche Evangelium, das heißt der lebendige und gegenwärtige Christus verkündigt wird, müssen die Willenslosigkeit und die Gedankenlosigkeit auf allen Lebensgebieten weichen. Schon aus diesem Grunde hat die Christenheit, ob sie will oder nicht, mit dem politischen Leben der Völker zu tun. Auf diese Weise tut sie einen Dienst, den nur sie tun kann und der nicht mit dem Beitrag anderer politischer Mächte gleichgesetzt werden kann.

I.

Damit sind wir schon mitten in der Sachfrage, und zwar an dem entscheidenden Punkt, der vorweg geklärt sein muß. Hat die Kirche überhaupt ein Recht, sich zu Fragen der Politik zu äußern? Um der Klarheit willen stellen wir die andere elementare Frage voran: Von welcher Kirche reden wir?

Hier soll nicht von besonderen klerikalen Organisationen die Rede sein, denen sozusagen naturhaft die Versuchung innewohnt, irdischpolitische Macht zu entfalten. Sondern hier ist jene Kirche gemeint, die durch Gottes heiligen Willen in dieser Welt begründet ist, die durch Gottes heiligen Willen lebt und Gottes heiligen Willen bezeugen muß. Wenn es aber wirklich der heilige Wille Gottes ist, der sie begründet, aus dem heraus sie lebt und den sie bezeugen muß, dann ist darin einbegriffen, daß es für diesen heiligen Gotteswillen keine Begrenzung gibt. Oder was für eine Kirche wäre das, die willkürlich selbst die Grenzen ihrer Verkündigungsaufgaben festsetzen wollte oder sich von außen begrenzen lassen könnte?

Man kann es auch anders ausdrücken. Die heiligen Zehn Gebote Gottes behandeln, eins wie das andere, Anliegen, die das öffentliche Leben betreffen. Von den meisten Geboten ist es ohne weiteres einleuchtend, daß sie ganz

unmittelbare Bedeutung für das Zusammenleben der Menschen haben; es braucht überhaupt nicht ausgeführt zu werden, wie wichtig es für das öffentliche Leben ist, daß Ehre, Gut, Leben, Familie und Hausstand des Nächsten geschützt werden und daß die Ordnung der Generationen durch Gottes heiliges Gebot in der elterlichen Autorität verankert ist. Es ist für das gesamte Volksleben sehr wesentlich, ob es einen christlichen Sonntag in ihm gibt und wie er gehalten wird. Es ist ein schwerer Verstoß gegen das Wesen dieses Willens Gottes, wenn man die Gottesordnungen, von denen die Zehn Gebote sprechen, zu privaten Angelegenheiten erniedrigt.
Das gleiche gilt von Gottes weltumspannender Verheißung. In ihr ist wirklich die Welt angeredet, ihr wird verkündigt, daß sie neu werden soll. Mit allem, was die Evangelisten und Apostel im Neuen Testament über das Heil der Menschen bezeugen, sind nicht private Angelegenheiten gemeint, sondern Vorgänge, die für die Welt gelten.
Die einfache Folgerung aus diesen Erkenntnissen heißt: Es ist ein unvollziehbarer Gedanke, daß die Kirche in der Öffentlichkeit schweigen könnte. Es gibt keinen erkennbaren Grund, warum das Zeugnis von dem Willen Gottes gerade vor einem so wichtigen Lebensgebiet wie der Politik Halt machen sollte.
Eine solche Aussage stößt freilich heute auf ein tiefes Mißtrauen. Eine weit verbreitete Überzeugung besagt, die Kirche habe in politischen Fragen zu schweigen. Es ist aber nicht möglich, dieser Forderung auch nur im geringsten stattzugeben. Denn wer den Satz aufstellt, die Kirche habe in der Politik zu schweigen, der geht sowohl an dem rechten Verständnis von Politik als auch an dem rechten Verständnis von Kirche vorbei.
Es gibt ein rechtes und ein falsches Verständnis von Politik.
Politik besteht ja nicht nur aus einer Reihe von Einzelfragen der politischen Technik. Es ist ganz selbstverständlich, daß die Kirche nicht den Ehrgeiz haben kann, in allen möglichen Einzelentscheidungen der Tagespolitik, wie etwa der Festsetzung einer Biersteuer, herumzudebattieren. Derartige Einzelheiten müssen den dafür geschaffenen politischen Arbeitsgremien überlassen bleiben; wer der Kirche den Rat gibt, sich aus solchen Fragen herauszuhalten, hilft ihr zu einer Entscheidung, die sie schon aus Gründen des guten Geschmacks selber fällen muß. Aber das vordergründige Geschäft der Tagespolitik steht nicht allein, hinter ihm gibt es noch ein anderes tieferes und umfassenderes Verständnis von Politik. Es schöpft seinen Inhalt aus dem ursprünglichen Sinn des Wortes polis; es ist die Kunst, das Zusammenleben in der öffentlichen Gemeinschaft, wie sie etwa in den griechischen Stadtstaaten in Erscheinung trat, zu ordnen. Deshalb ist die Politik in ihrem edlen und großen Sinn nicht die Routine eines Spezialisten für geheimnisvolle Einzelfragen, sondern die hohe Kunst, das Zusammenleben

der Menschen zu ordnen. Wie könnte aber im Ernst von dem Zusammenleben der Menschen gesprochen werden, ohne daß dabei fortgesetzt die Frage nach Gottes ewigen und heiligen Ordnungen auftauchte? Nimmt man also das Wort Politik in seinem ursprünglichen Sinn, dann ist es jedenfalls nicht mehr von vornherein unverständlich, wie die Christenheit auf den Gedanken verfallen kann, hier eine Aufgabe zu sehen.

Wenn es ein falsches spezialisiertes Verständnis von Politik gibt, dann entspricht ihm ein genau so falsches privatisiertes Verständnis von Kirche. Die Behauptung, Religion sei Privatsache, ist eine typische Spätblüte bourgeoisen Denkens. Die Religion, jedenfalls die christliche, ist niemals Privatsache gewesen. Das große christliche Grundwort martyria, das so viel wie Zeugnis oder Verkündigung heißt, bezeichnet einen öffentlichen Vorgang. Auch wenn es nicht ein ausdrückliches Wort des Herrn gäbe, das dem Christen gebietet, sich nicht in die Kammer einschließen zu lassen, sondern von den Dächern, das heißt also in aller Öffentlichkeit, zu verkündigen, müßte man begreifen, daß der ganze Sinn der neutestamentlichen Verkündigung in sich zusammenfällt, wenn man sie allein als einen Vorgang der persönlichen Herzensgeschichte gelten lassen wollte. Das wird noch durch eine besondere Beobachtung verstärkt; nach dem Zeugnis des letzten Buches der Bibel soll der weltgeschichtliche Konflikt der Endzeit genau an dieser Stelle aufbrechen, da man die Christenheit mit ihrem Zeugnis in den stillen frommen Winkel verdrängen will, obgleich sie es um ihres Auftrages willen öffentlich ausrichten muß. Jedenfalls bleibt es dabei: Eine Christenheit, die es ertrüge, mit ihrem Zeugnis von dem Gebiet der Politik ausgeschlossen zu werden, hätte ihren Auftrag willkürlich verändert und preisgegeben.

In der innen- und außenpolitischen Propaganda der letzten Jahre hat nun freilich die Behauptung eine große Rolle gespielt, gerade die lutherische Form des christlichen Glaubens habe den Menschen zu einer Staatspassivität veranlaßt, die ihn zum Untertanen schlechthin gemacht habe. Es ist eine verbreitete Meinung, der lutherische Christ werde zum bedingungslosen Gehorsam gegen die Obrigkeit erzogen. Interessanterweise hat der Nationalsozialismus aus diesem Argument die Unbrauchbarkeit des lutherischen Christen für das Reich gefolgert, wohingegen ein Teil der alliierten Propaganda während des Krieges den lutherischen Christen genau des Gegenteils bezichtigte, nämlich durch seine Unterwürfigkeit gegen den Staat das Aufkommen des Dritten Reiches verschuldet zu haben. Schon aus dieser doppelten Polemik sieht man, daß hier etwas nicht stimmt.

Diese Behauptung ist, soweit sie das lutherische Christentum betrifft, historisch einfach falsch. Kaum ein Mensch des sechzehnten Jahrhunderts hat sich mit solcher Schärfe gegen die Fürsten seiner Zeit gewandt wie Martin Luther. Er hat gelehrt, daß ein Christ verpflichtet sei, der Obrigkeit den Gehorsam zu versagen, wenn ihre Forderungen gegen das christliche Gewissen verstoßen. Und gerade weil er in der Obrigkeit eine Hilfe Gottes sah, das Zusammenleben der Menschen vor dem Chaos zu bewahren, hat er mit Nachdruck darauf hingewiesen, daß auch die Obrigkeit sich in den Grenzen des Gehorsams gegen Gottes Ordnungen halten müsse. Das Mißverständnis, aus dem diese Behauptung erwachsen ist, liegt an einer anderen Stelle. Es ist ein aufschlußreiches und — christlich beurteilt — peinliches Mißverständnis. Martin Luther hat im Unterschied zu anderen reformierten Denkern beharrlich betont, die einzige Waffe des Christen, der um des Gewissens willen Widerstand gegen die obrigkeitliche Gewalt leistet, sei das Wort Gottes. Wegen der religiösen Verkümmerung des spätbürgerlichen Denkens hat man aus dieser Feststellung so etwas wie einen Verzicht herausgehört. Der Glaube aber weiß, daß dies Wort Gottes nicht eine gleichsam spiritualisierte und daher wirkungslose Waffe ist, sondern — nach einem Wort des Propheten Jeremia — ein Hammer, der Felsen zuschlägt. Es gibt für den Christen keine mächtigere Waffe als gerade das Wort Gottes. Schon die Reformationsgeschichte kennt Beispiele für die Gewalt dieses Wortes. John Knox, der große schottische Reformator, ist seiner Königin gefährlicher gewesen als eine ganze Armee. Wo dem Wort Gottes geglaubt wird und wo es in der Gemeinde der Glaubenden und Gehorchenden verwirklicht wird, da entfaltet es auch die Macht, die ihm innewohnt.

Noch eine letzte Erwägung gehört zu der ersten grundlegenden Frage, ob die Kirche sich überhaupt politisch betätigen soll. Es hängt mit ihrem prophetischen Amt zusammen, daß sie in der Welt auch Widerspruch wecken muß, wenn sie ihr öffentliches Zeugnis ausrichtet. Wenn die Kirche Gegensätze enthüllt und Mißverständnissen begegnet, dann ist dies einfach ein Beweis dafür, daß sie es falsch gemacht hat. Denn wenn keine andere Stelle des politischen Lebens es täte, müßte die Kirche darauf hinweisen, daß die rechte politische Überzeugung nicht immer durch Popularität legitimiert wird. Wenn die Kirche mit ihrer Verkündigung in der politischen Öffentlichkeit niemals Widerspruch wecken würde, müßte sie sich ernstlich prüfen, ob sie noch auf dem rechten Wege ist. Damit ist natürlich nicht behauptet, daß jemand nur dann das Zeugnis der Kirche richtig ausrichtet, wenn er sich fortgesetzt öffentlich mißliebig macht. Aber trotzdem kann die Kirche nicht vermeiden, Anstoß zu geben, wenn anders ihr Wort wirklich das Gewissen der Regierenden und Regierten trifft.

II

Wenn es aber klar ist, daß die Kirche sich ihrer politischen Verpflichtung nicht entziehen darf, taucht die weitere Frage auf, wie sie diese Pflicht wahrnehmen kann. Mit anderen Worten: wie verhalten sich die Bereiche von Staat und Kirche unter dieser Voraussetzung untereinander?

Vielleicht ist es gut, vorweg eine einfache Feststellung zu treffen: Es kann niemals das Ziel der Kirche sein, so etwas wie eine klerikalistische Politik zu treiben. Die Aufgabe der Christenheit im politischen Leben wird nicht dadurch gelöst, daß der gesamte Bereich des öffentlichen Lebens unter kirchliche Bevormundung gerät. Es gibt Menschen, die an diesem Punkt einer gewissen Nervosität verfallen sind und die Besorgnis hegen, die Kirche könne versuchen, auf politische Weise zu Macht zu gelangen. Diese Sorge muß man nachdrücklich widerlegen.

Es ist zwar nicht ausgemacht, daß eine christlich bestimmte Politik und Staatsordnung unter allen Umständen falsch sein müßte. Die bisher größte Zeit deutscher Geschichte, das hohe Mittelalter, war gewiß von Spannungen nicht frei und darf nicht durch eine einfältige vordergründige Romantik mißdeutet werden. Aber es läßt sich nicht leugnen, daß damals die staatliche Ordnung Europas und die Christenheit eine wunderbare Verbindung eingegangen sind, der unser Volk einige seiner schönsten geistigen Güter verdankt. Es ist also nicht wahr, daß jede derartige Lösung von vornherein bedenklich sein müßte. Verwerflich und bedenklich ist es, wenn die Christenheit irdische Macht begehrt, die ihr nicht verheißen ist. Aber diese Gefahr ist heute so gering, daß sie für eine rechte Kirche praktisch nicht vorhanden ist. Denn ernstlich ist wirklich nicht zu erkennen, wo heute im politischen Leben die Kirche im vollen Sinne des Wortes Machtpolitik betreiben könnte. Wenn die Kirche dem Traum einer politischen Machtstellung auch nur flüchtig nachhängen wollte, wäre sie einer Illusion verfallen, die man überhaupt nicht zu entkräften braucht. Für unsere innerdeutsche Situation und jedenfalls für die lutherische Kirche in Deutschland ist dieser Versuch gegenwärtig schlechthin nicht aktuell.

Eine zweite ernste Erwägung kommt hinzu. Jene christliche Einheit Europas, auf der die mittelalterliche staatliche Ordnung aufgebaut war und aus der heraus das Kaisertum als das höchste weltliche Amt der Christenheit verstanden werden konnte, ist nicht mehr vorhanden. Wenn auch unsere Statistiken ausweisen, daß über 90% der Bevölkerung sich als Glieder einer christlichen Religionsgemeinschaft ansehen, so wird doch niemals ein ernsthafter Christenmensch die Folgerung daraus ziehen, Deutschland oder Europa seien noch als ein einheitliches christliches Gebilde anzusprechen. Wir stehen vielmehr vor der Tatsache einer durchgehenden weltanschaulichen Aufspaltung Europas.

Innerhalb der so gestalteten europäischen Welt kann natürlich die Rolle der Christenheit nicht mehr dieselbe sein, die sie im Mittelalter gewesen ist. Trotz aller statistischen und anderen formellen Gesichtspunkte ist, praktisch gesehen, die Christenheit eine Minderheit. Aber das heißt nun nicht, daß sie auf ihre Aufgabe verzichten müßte. In dieser Beschränkung liegt vielmehr zugleich ihre große geschichtliche Möglichkeit beschlossen. Sie hat jene Chance, die in der Geschichte jede Minderheit hat, sofern sie weiß, was sie will. Eine Gruppe von Menschen, die von einem klaren inneren Zielbild geleitet ist, vermag mehr als eine Masse, die keine geistige Gestalt hat. Von der Christenheit aber muß in besonderer Weise gelten, daß sie in der Geschichte als eine schöpferische Minderheit lebt, also als eine Gemeinschaft, die zwar zahlenmäßig eine Minderheit darstellt, aber durch die Klarheit und Bewußtheit ihres Auftrages zu einer exemplarischen Leistung befähigt ist. Daß die Christenheit in diesem Sinn eine wachsame und schöpferische Minderheit bleibe, ist unser Anliegen.

* * *

HEINRICH BÖLL

Aus: Doktor Murkes gesammeltes Schweigen

Jeden Morgen, wenn er das Funkhaus betreten hatte, unterzog sich Murke einer existentiellen Turnübung: er sprang in den Paternosteraufzug, stieg aber nicht im zweiten Stockwerk, wo sein Büro lag, aus, sondern ließ sich höher tragen, am dritten, am vierten, am fünften Stockwerk vorbei, und jedesmal befiel ihn Angst, wenn die Plattform der Aufzugskabine sich über den Flur des fünften Stockwerks hinweg erhob, die Kabine sich knirschend in den Leerraum schob, wo geölte Ketten, mit Fett beschmierte Stangen, ächzendes Eisenwerk die Kabine aus der Aufwärts- in die Abwärtsrichtung schoben, und Murke starrte voller Angst auf diese einzige unverputzte Stelle des Funkhauses, atmete auf, wenn die Kabine sich zurechtgerückt, die Schleuse passiert und sich wieder eingereiht hatte und langsam nach unten sank, am fünften, am vierten, am dritten Stockwerk vorbei; Murke wußte, daß seine Angst unbegründet war: selbstverständlich würde nie etwas passieren, es konnte gar nichts passieren, und wenn etwas passierte, würde er im schlimmsten Falle gerade oben sein, wenn der Aufzug zum Stillstand kam, und würde eine Stunde, höchstens zwei dort oben eingesperrt sein. Er hatte immer ein Buch in der Tasche, immer Zigaretten mit; doch seit das Funkhaus stand, seit drei Jahren, hatte der Aufzug noch nicht einmal versagt. Es kamen Tage, an denen er nachgesehen wurde, Tage, an denen Murke auf diese viereinhalb Sekunden Angst verzichten mußte, und er war an diesen Tagen gereizt und unzufrieden, wie Leute, die kein Frühstück gehabt haben. Er brauchte diese Angst, wie andere ihren Kaffee, ihren Haferbrei oder ihren Fruchtsaft brauchen.

Wenn er dann im zweiten Stock, wo die Abteilung Kulturwort untergebracht war, vom Aufzug absprang, war er heiter und gelassen, wie eben jemand heiter und gelassen ist, der seine Arbeit liebt und versteht. Er schloß die Tür zu seinem Büro auf, ging langsam zu seinem Sessel, setzte sich und steckte eine Zigarette an: er war immer der erste im Dienst. Er war jung, intelligent und liebenswürdig, und selbst seine Arroganz, die manchmal kurz aufblitzte, selbst diese verzieh man ihm, weil man wußte, daß er Psychologie studiert und mit Auszeichnung promoviert hatte.

Nun hatte Murke seit zwei Tagen aus einem besonderen Grund auf sein Angstfrühstück verzichtet: er hatte schon um acht ins Funkhaus kommen, gleich in ein Studio rennen und mit der Arbeit beginnen müssen, weil er vom Intendanten den Auftrag erhalten hatte, die beiden Vorträge über das Wesen der Kunst, die der große Bur-Malottke auf Band gesprochen hatte, den Anweisungen Bur-Malottkes gemäß zu schneiden. Bur-Malottke, der in der religiösen Begeisterung des Jahres 1945 konvertiert hatte, hatte plötzlich »über Nacht«, so sagte er, »religiöse Bedenken bekommen«, hatte sich »plötzlich angeklagt gefühlt, an der religiösen Überlagerung des Rundfunks mitschuldig zu sein«, und war zu dem Entschluß gekommen, Gott, den er in seinen beiden halbstündigen Vorträgen über das Wesen der Kunst oft zitiert hatte, zu streichen und durch eine Formulierung zu ersetzen, die mehr der Mentalität entsprach, zu der er sich vor 1945 bekannt hatte; Bur-Malottke hatte dem Intendanten vorgeschlagen, das Wort Gott durch die Formulierung »jenes höhere Wesen, das wir verehren« zu ersetzen, hatte sich aber geweigert, die Vorträge neu zu sprechen, sondern darum gebeten, Gott aus den Vorträgen herauszuschneiden und »jenes höhere Wesen, das wir verehren« hineinzukleben. Bur-Malottke war mit dem Intendanten befreundet, aber nicht diese Freundschaft war die Ursache für des Intendanten Entgegenkommen: Bur-Malottke widersprach man einfach nicht. Er hatte zahlreiche Bücher essayistisch-philosophisch-religiös-kulturgeschichtlichen Inhalts geschrieben, er saß in der Redaktion von drei Zeitschriften und zwei Zeitungen, er war Cheflektor des größten Verlages. Er hatte sich bereit erklärt, am Mittwoch für eine Viertelstunde ins Funkhaus zu kommen und »jenes höhere Wesen, das wir verehren« so oft auf Band zu sprechen, wie Gott in seinen Vorträgen vorkam. Das übrige überließ er der technischen Intelligenz der Funkleute. Es war für den Intendanten schwierig gewesen, jemanden zu finden, dem er diese Arbeit zumuten konnte; es fiel ihm zwar Murke ein, aber die Plötzlichkeit, mit der ihm Murke einfiel, machte ihn mißtrauisch — er war ein vitaler und gesunder Mann —, und so überlegte er fünf Minuten, dachte an Schwendling, an Humkoko, an Fräulein Broldin, kam aber doch wieder auf Murke. Der Intendant mochte Murke nicht; er hatte ihn zwar sofort engagiert, als man es ihm vorschlug, er hatte ihn engagiert, so wie ein Zoodirektor, dessen Liebe eigentlich den Kaninchen und Rehen gehört, natürlich auch Raubtiere anschafft, weil in einen Zoo eben Raubtiere gehören — aber die Liebe des Intendanten gehörte eben doch den Kaninchen und Rehen, und Murke war für ihn eine intellektuelle Bestie. Schließlich siegte seine Vitalität, und er beauftragte Murke, Bur-Malottkes Vorträge zu schneiden. Die beiden Vorträge waren am Donnerstag und Freitag im Programm, und Bur-Malottkes Gewissensbedenken waren in der Nacht von Sonntag auf Montag gekommen — und man hätte ebensogut Selbstmord begehen können wie Bur-Malottke zu widersprechen, und der Intendant war viel zu vital, um an Selbstmord zu denken.

So hatte Murke am Montagnachmittag und am Dienstagmorgen dreimal die beiden halbstündigen Vorträge über das Wesen der Kunst abgehört, hatte Gott herausgeschnitten und in den kleinen Pausen, die er einlegte, während er stumm mit dem Techniker eine Zigarette rauchte, über die Vitalität des Intendanten und über das niedrige Wesen, das Bur-Malottke verehrte, nachgedacht. Er hatte nie eine Zeile von Bur-Malottke gelesen, nie zuvor einen Vortrag von ihm gehört. Er hatte in der Nacht von Montag auf Dienstag von einer Treppe geträumt, die so hoch und so steil war wie der Eiffelturm, und er war hinaufgestiegen, hatte aber bald gemerkt, daß die Treppenstufen mit Seife eingeschmiert waren, und unten stand der Intendant und rief: »Los, Murke, los ... zeigen Sie, was Sie können ... los!« In der Nacht von Dienstag auf Mittwoch war der Traum ähnlich gewesen: er war ahnungslos auf einem Rummelplatz zu einer Rutschbahn gegangen, hatte dreißig Pfennig an einen Mann bezahlt, der ihm bekannt vorkam, und als er die Rutschbahn betrat, hatte er plötzlich gesehen, daß sie mindestens zehn Kilometer lang war, hatte gewußt, daß es keinen Weg zurück gab, und ihm war eingefallen, daß der Mann, dem er die dreißig Pfennig gegeben hatte, der Intendant war. — An den beiden Morgen nach diesen Träumen hatte er das harmlose Angstfrühstück oben im Leerraum des Paternosters nicht mehr gebraucht.

Jetzt war Mittwoch, und er hatte in der Nacht nichts von Seife, nichts von Rutschbahnen, nichts von Intendanten geträumt. Er betrat lächelnd das Funkhaus, stieg in den Paternoster, ließ sich bis in den sechsten Stock tragen — viereinhalb Sekunden Angst, das Knirschen der Ketten, die unverputzte Stelle — dann ließ er sich bis zum vierten Stock hinuntertragen, stieg aus und ging auf das Studio zu, wo er mit Bur-Malottke verabredet war. Es war

zwei Minuten vor zehn, als er sich in den grünen Sessel setzte, dem Techniker zuwinkte und sich seine Zigarette anzündete. Er atmete ruhig, nahm einen Zettel aus der Brusttasche und blickte auf die Uhr: Bur-Malottke war pünktlich, jedenfalls ging die Sage von seiner Pünktlichkeit; und als der Sekundenzeiger die sechzigste Minute der zehnten Stunde füllte, der Minutenzeiger auf die Zwölf, der Stundenzeiger auf die Zehn rutschte, öffnete sich die Tür, und Bur-Malottke trat ein. Murke erhob sich, liebenswürdig lächelnd, ging auf Bur-Malottke zu und stellte sich vor. Bur-Malottke drückte ihm die Hand, lächelte und sagte: »Na, dann los!« Murke nahm den Zettel vom Tisch, steckte die Zigarette in den Mund und sagte, vom Zettel ablesend zu Bur-Malottke:
»In den beiden Vorträgen kommt Gott genau siebenundzwanzigmal vor — ich müßte Sie also bitten, siebenundzwanzigmal das zu sprechen, was wir einkleben können. Wir wären Ihnen dankbar, wenn wir Sie bitten dürften, es fünfunddreißigmal zu sprechen, da wir eine gewisse Reserve beim Kleben werden gebrauchen können.«
»Genehmigt«, sagte Bur-Malottke lächelnd und setzte sich.
»Eine Schwierigkeit allerdings«, sagte Murke, »ist folgende, bei dem Wort Gott, so ist es jedenfalls in Ihrem Vortrag, wird, abgesehen vom Genitiv, der kasuale Bezug nicht deutlich, bei ›jenem höheren Wesen, das wir verehren‹, muß er aber deutlich gemacht werden. Wir haben« — er lächelte liebenswürdig zu Bur-Malottke hin — »insgesamt nötig: zehn Nominative und fünf Akkusative, fünfzehnmal also: ‚jenes höhere Wesen, das wir verehren' — dann sieben Genitive, also: ‚jenes höheren Wesens, das wir verehren' — fünf Dative: ‚jenem höheren Wesen, das wir verehren' — es bleibt noch ein Vokativ, die Stelle, wo Sie: ‚o Gott' sagen. Ich erlaube mir, Ihnen vorzuschlagen, daß wir es beim Vokativ belassen und Sie sprechen: ‚O du höheres Wesen, das wir verehren!' «
Bur-Malottke hatte offenbar an diese Komplikationen nicht gedacht; er begann zu schwitzen, die Kasualverschiebung machte ihm Kummer. Murke fuhr fort: »Insgesamt«, sagte er liebenswürdig und freundlich, »werden wir für die siebenundzwanzig neugesprochenen Sätze eine Sendeminute und zwanzig Sekunden benötigen, während das siebenundzwanzigmalige Sprechen von ‚Gott' nur zwanzig Sekunden Sprechzeit erforderte. Wir müssen also zugunsten Ihrer Veränderung aus jedem Vortrag eine halbe Minute streichen.«
Bur-Malottke schwitzte heftiger, er verfluchte sich innerlich selbst seiner plötzlichen Bedenken wegen und fragte: »Geschnitten haben Sie schon, wie?«
»Ja«, sagte Murke, zog eine blecherne Zigarettenschachtel aus der Tasche, öffnete sie und hielt sie Bur-Marlottke hin: es waren kurze schwärzliche Tonbandschnippel in der Schachtel, und Murke sagte leise: »Siebenundzwanzigmal Gott, von Ihnen gesprochen. Wollen Sie sie haben?«

»Nein«, sagte Bur-Malottke wütend, »danke. Ich werde mit dem Intendanten wegen der beiden halben Minuten sprechen. Welche Sendungen folgen auf meine Vorträge?«
»Morgen«, sagte Murke, »folgt Ihrem Vortrag die Routinesendung *Internes aus* KUV, eine Sendung, die Dr. Grehm redigiert.«
»Verflucht«, sagte Bur-Malottke, »Grehm wird nicht mit sich reden lassen.«
»Und übermorgen« sagte Murke, »folgt Ihrem Vortrag die Sendung *Wir schwingen das Tanzbein!*«
»Huglieme«, stöhnte Bur-Malottke, »noch nie hat die Abteilung Unterhaltung an die Kultur auch nur eine Fünftelminute abgetreten.«
»Nein«, sagte Murke, »noch nie, jedenfalls« — und er gab seinem jungen Gesicht den Ausdruck tadelloser Bescheidenheit — »jedenfalls noch nie, solange ich in diesem Hause arbeite.«
»Schön«, sagte Bur-Malottke und blickte auf die Uhr, »in zehn Minuten wird es wohl vorüber sein, ich werde dann mit dem Intendanten wegen der Minute sprechen. Fangen wir an. Können Sie mir Ihren Zettel hierlassen?«
»Aber gern«, sagte Murke, »ich habe die Zahlen genau im Kopf.«
Der Techniker legte die Zeitung aus der Hand, als Murke in die kleine Glaskanzel kam. Der Techniker lächelte. Murke und der Techniker hatten während der sechs Stunden am Montag und Dienstag, als sie Bur-Malottkes Vorträge abgehört und daran herumgeschnitten hatten, nicht ein einziges privates Wort miteinander gesprochen; sie hatten sich nur hin und wieder angesehen, das eine Mal hatte der Techniker Murke, das andere Mal Murke dem Techniker die Zigarettenschachtel hingehalten, wenn sie eine Pause machten, und als Murke jetzt den Techniker lächeln sah, dachte er: Wenn es überhaupt Freundschaft auf dieser Welt gibt, dann ist dieser Mann mein Freund. Er legte die Blechschachtel mit den Schnippeln aus Bur-Malottkes Vortrag auf den Tisch und sagte leise: »Jetzt geht es los.« Er schaltete sich ins Studio und sagte ins Mikrofon: »Das Probesprechen können wir uns sicher sparen, Herr Professor. Am besten fangen wir gleich an: ich darf Sie bitten, mit den Nominativen zu beginnen.«
Bur-Marlottke nickte, Murke schaltete sich aus, drückte auf den Knopf, der drinnen im Studio das grüne Licht zum Leuchten brachte, dann hörten sie Bur-Malottkes feierliche, wohlakzentuierte Stimme sagen: »Jenes höhere Wesen, das wir verehren — jenes höhere Wesen ...«
Bur-Malottkes Lippen wölbten sich der Schnauze des Mikrofons zu, als ob er es küssen wollte, Schweiß lief über sein Gesicht, und Murke beobachtete durch die Glaswand hindurch kaltblütig, wie Bur-Malottke sich quälte; dann schaltete er plötzlich Bur-Malottke aus, brachte das ablaufende Band, das Bur-Malottkes Worte aufnahm, zum Stillstand und weidete sich daran, Bur-Malottke stumm wie einen dicken, sehr schönen Fisch hinter der Glaswand zu

sehen. Er schaltete sich ein, sagte ruhig ins Studio hinein: »Es tut mir leid, aber unser Band war defekt, und ich muß Sie bitten, noch einmal von vorne mit den Nominativen zu beginnen.« Bur-Malottke fluchte, aber es waren stumme Flüche, die nur er selbst hörte, denn Murke hatte ihn ausgeschaltet, schaltete ihn erst wieder ein, als er angefangen hatte, »jenes höhere Wesen ...« zu sagen. Murke war zu jung, hatte sich zu gebildet gefühlt, um das Wort Haß zu mögen. Hier aber, hinter der Glaswand, während Bur-Malottke seine Genitive sprach, wußte er plötzlich, was Haß ist: er haßte diesen großen, dicken und schönen Menschen, dessen Bücher in zwei Millionen und dreihundertfünfzigtausend Kopien in Bibliotheken, Büchereien, Bücherschränken und Buchhandlungen herumlagen, und er dachte nicht eine Sekunde daran, diesen Haß zu unterdrücken. Murke schaltete sich, nachdem Bur-Malottke zwei Genitive gesprochen hatte, wieder ein, sagte ruhig: »Verzeihung, daß ich Sie unterbreche: die Nominative waren ausgezeichnet, auch der erste Genitiv, aber bitte, vom zweiten Genitiv ab noch einmal; ein wenig weicher, ein wenig gelassener, ich spiel' es Ihnen mal 'rein.« Und er gab, obwohl Bur-Malottke heftig den Kopf schüttelte, dem Techniker ein Zeichen, das Band ins Studio zu spielen. Sie sahen, daß Bur-Malottke zusammenzuckte, noch heftiger schwitzte, sich dann die Ohren zuhielt, bis das Band durchgelaufen war. Er sagte etwas, fluchte, aber Murke und der Techniker hörten ihn nicht, sie hatten ihn ausgeschaltet. Kalt wartete Murke, bis er von Bur-Malottkes Lippen ablesen konnte, daß er wieder mit dem höheren Wesen begonnen hatte, er schaltete Mikrofon und Band ein, und Bur-Malottke fing mit den Dativen an: »jenem höheren Wesen, das wir verehren«.

Nachdem er die Dative gesprochen hatte, knüllte er Murkes Zettel zusammen, erhob sich, in Schweiß gebadet und zornig, wollte zur Tür gehen; aber Murkes sanfte, liebenswürdige junge Stimme rief ihn zurück. Murke sagte: »Herr Professor. Sie haben den Vokativ vergessen.« Bur-Malottke warf ihm einen haßerfüllten Blick zu und sprach ins Mikrofon: »O du höheres Wesen, das wir verehren!«

Als er hinausgehen wollte, rief ihn abermals Murkes Stimme zurück. Murke sagte: »Verzeihen Sie, Herr Professor, aber in dieser Weise gesprochen, ist der Satz unbrauchbar.«

»Um Gottes willen«, flüsterte ihm der Techniker zu, »übertreiben Sie's nicht.«

Bur-Malottke war mit dem Rücken zur Glaskanzel an der Tür stehengeblieben, als sei er durch Murkes Stimme festgeklebt.

Er war, was er noch nie gewesen war: er war ratlos, und diese so junge, liebenswürdige, so maßlos intelligente Stimme peinigte ihn, wie ihn noch nie etwas gepeinigt hatte. Murke fuhr fort:

»Ich kann es natürlich so in den Vortrag hineinkleben, aber ich erlaube mir,

Sie darauf aufmerksam zu machen, Herr Professor, daß es nicht ganz gut wirken wird.«

Bur-Malottke drehte sich um, ging wieder zum Mikrofon zurück und sagte leise und feierlich:

»O du höheres Wesen, das wir verehren.« ...

THOMAS MANN

AUS: MEERFAHRT MIT DON QUIJOTE

Wir haben gedacht, wir wollten zunächst einmal in der Bar einen Wermut trinken, und das tun wir nun, in stiller Erwartung der Abfahrt. Dies Heft und eines der vier orangefarbenen Leinenbändchen des »Don Quijote«, der mich begleitet, habe ich aus der Handtasche genommen; mit dem weiteren Auspacken hat es keine Eile. Wir haben ja neun bis zehn Tage vor uns, ehe wir bei den Gegenfüßlern aussteigen; es wird wieder Sonnabend werden und Sonntag wie morgen, dazu noch Montag und Dienstag, bis dieses gesittete Abenteuer zu Ende geht — schneller tut der behäbige Holländer es nicht, dessen Planken wir vor kurzem beschritten haben. Warum sollte er auch? Das Zeitmaß, mit dem seine sympathische Mittelgröße es hält, ist ohne Frage natürlicher und gesünder als die schütternde Rekordsucht jener Kolosse, die in sechs oder gar vier Tagen die ungeheuren Weiten durchrasen, die vor uns liegen. Langsam, langsam. Richard Wagner meinte, das eigentliche deutsche Tempo sei das Andante — nun, es liegt reichliche Willkür in solchen Teilbeantwortungen der ewig offenen Frage »Was ist deutsch?«; sie wirken vorwiegend negativ, indem sie dazu ermutigen, alles mögliche »undeutsch« zu schelten, was es durchaus nicht ist, wie zum Beispiel das Allegretto, Scherzando und Spirituoso. Der Wagnersche Spruch wäre glücklicher, wenn er das Nationelle beiseite gelassen, das ihn sentimentalisiert, und sich an die sachliche Würde der Langsamkeit gehalten, wegen der ich ihm beistimme. Gut Ding will Weile haben. Auch groß Ding will das, anders gesagt: der Raum will seine Zeit. Daß eine Art von Hybris, etwas Frevelhaftes darin liegt, ihm eine Dimension zu stehlen oder sie ihm zu verkümmern, nämlich die ihm natürlich verbundene Zeit, ist mir ein vertrautes Gefühl. Goethe, der gewiß ein Freund des Menschen war, aber die künstliche Steigerung seiner Wahrnehmungsfähigkeit, Mikroskope und Fernrohre, nicht liebte, hätte wohl diesen Skrupel gebilligt. Freilich fragt sich, wo dann die Grenze des Sündhaften liegt und ob zehn Tage nicht ebenso schlimm sind wie sechs oder vier.

Frommerweise müßte man dem Ozean ebenso viele Wochen darangeben und mit dem Winde reisen, der eine Naturkraft ist — und das ist auch die Dampfkraft. Übrigens heizen wir mit Öl. — Aber das alles fängt an, nach Gedankenflucht auszusehen.
Erklärliche Erscheinung. Sie ist ein Merkmal heimlicher Aufregung. Ich habe einfach Lampenfieber — ist es ein Wunder? Meine Jungfernfahrt über den Atlantik, die erste Begegnung und Bekanntschaft mit dem Weltmeer steht mir bevor, und am Ende, jenseits der Erdkrümmung, über die das Riesenwasser sich zieht, erwartet uns Neu-Amsterdam, die Weltstadt. Solcher gibt es vier oder fünf, und sie bilden eine Sonder- und Monstregattung des Städtischen, übermäßigen Stils und heraustretend auch aus der Klasse der Großstädte, ähnlich wie im Bereich der Natur und des Landschaftlichen die Kategorie des Erz- und Elementarnatürlichen, Wüste, Hochgebirge und Meer, sich ungeheuerlich absondert. Ich bin an der Ostsee erwachsen, einem provinziellen Gewässer, und meine Blutsüberlieferung ist alt- und mittelstädtisch, eine mäßige Zivilisation, deren nervöse Einbildungskraft den Ehrfurchtsschrecken kennt vor dem Elementarischen — und auch seine ironische Ablehnung. Iwan Gontscharow wurde während eines Sturmes auf hoher See vom Kapitän aus seiner Kajüte geholt: er sei ein Dichter, er müsse das sehen, es sei großartig. Der Verfasser des »Oblomow« kam an Deck, sah sich um und sagte: »Ja, Unfug, Unfug!« Dann ging er wieder hinunter.
Beruhigend wirkt der Gedanke, daß wir der Großwildnis im Bunde mit der Gesittung und in ihrem Schutze begegnen werden: auf diesem guten Schiff, dessen Wandeldecks, lackierte Kabinenkorridore, Salons und teppichbelegte Treppen wir eben flüchtig besichtigten und dessen wackere Führer und Mannschaft überhaupt nichts anderes gelernt haben, als das Element zu meistern. Es wird uns hindurchtragen, wie der weiße Luxuszug mit blauen Fensterscheiben den Khartumreisenden durchs Gräuliche trägt, zwischen den toddrohenden Gluthügeln hindurch der Libyschen und der Arabischen Wüste ... »Aussetzung« — man braucht nur das Wort zu denken, um zu empfinden, was das ist: das Geborgensein in der menschlichen Zivilisation. Ich achte denjenigen nicht hoch, der im Anblick der Elementarnatur sich nur der lyrischen Bewunderung ihrer »Großartigkeit« überläßt, ohne sich mit dem Bewußtsein ihrer gräßlich gleichgültigen Feindseligkeit zu durchdringen ... Der Gedanke der Ungestörtheit bringt mich wieder auf meine Reiselektüre, das orangefarbene Bändchen, das, Teil nur eines weitläufigen Ganzen, neben mir liegt.
Reiselektüre — ein Gattungsbegriff voller Anklänge der Minderwertigkeit. Die Meinung ist weitverbreitet, was man auf Reisen lese, müsse vom Leichtesten und Seichtesten sein, dummes Zeug, das »die Zeit vertreibe«. Ich habe das niemals verstanden. Denn abgesehen davon, daß sogenannte Unterhal-

tungslektüre zweifellos die langweiligste auf Erden ist, will mir nicht eingehen, warum man gerade bei so festlich-ernster Gelegenheit, wie eine Reise sie darstellt, unter seine geistigen Gewohnheiten hinabgehen und sich aufs Alberne verlegen sollte. Ist etwa durch die enthobene und gespannte Lebenslage des Reisens eine Seelen- und Nervenverfassung geschaffen, in der das Alberne weniger anwidert als gewöhnlich? Ich schrieb vorhin vom Respekt. Da ich Achtung habe vor unserem Unternehmen, ist es recht und angemessen, daß ich auch die Lektüre achte, die es begleiten soll. Der »Don Quijote« ist ein Weltbuch — für eine Weltreise ist das gerade das Rechte. Es war ein kühnes Abenteuer, ihn zu schreiben, und das rezeptive Abenteuer, das es bedeutet, ihn zu lesen, ist den Umständen ebenbürtig. Befremdlicherweise habe ich die Lesung noch nie systematisch zu Ende geführt. Ich will es tun an Bord und mit diesem Meer von Erzählung zu Rande kommen, wie wir zu Rande kommen werden binnen zehn Tagen mit dem Atlantischen Ozean.
Die Ankerwinde lärmte, während ich diesem Vorsatz schriftlichen Ausdruck gab. Wir fahren. Wir wollen auf Deck gehen, um zurückzublicken und vorwärts ...

Den 25. Mai

... Das Abenteuer mit den Löwen ist unstreitig der Höhepunkt von Don Quijotes »Tathandlungen« und im Ernst wohl der Höhepunkt des ganzen Romans — ein herrliches Kapitel, mit einem komischen Pathos, einer pathetischen Komik erzählt, die die echte Begeisterung des Dichters für das heroische Narrentum seines Helden verrät. Ich las es gleich zweimal, und unaufhörlich beschäftigt mich sein eigentümlich bewegender, großartig-lächerlicher Gehalt. Die Begegnung mit dem bewimpelten Karren, auf dem sich die afrikanischen Bestien befinden, »die der General von Oran Seiner Majestät zum Präsent an den Hof schickt«, ist schon als Kulturbild reizend. Und die Spannung, mit der man nach allem, was man von Don Quijotes blinder, ins Leere stoßender Hochherzigkeit schon erfahren, die Seiten liest, auf denen er, zum Entsetzen seiner Begleiter und ohne sich durch irgendwelche vernünftige Einwände »irre« machen zu lassen, darauf besteht, daß der Wärter den furchtbaren und hungrigen Löwen zum Kampfe mit ihm aus dem Käfig lasse, — diese Spannung legt Zeugnis ab für die außerordentliche Kunst, mit der der Erzähler ein und dasselbe seelische Motiv durch alle Abwandlungen frisch und aufs neue wirksam zu erhalten weiß. Don Quijotes Tollkühnheit ist darum so staunenswert, weil er keineswegs so verrückt ist, sich ihrer nicht bewußt zu sein. »Die Löwen anzugreifen«, sagt er nachher, »war mir eine unerläßliche Pflicht, ob ich gleich wußte, daß es eine ungeheuere Tollkühnheit sei, denn es ist mir wohlbekannt, daß die Tapferkeit eine Tugend ist, die zwischen zweien zu verachtenden Punkten liegt, nämlich zwischen der Feigheit und der Tollkühnheit. Es ist aber weniger zu tadeln, wenn der Tapfere zu weit geht und in das Gebiet der Tollkühnheit hinüberschreitet, als wenn er herabsteigt und zur Feigheit sinkt; denn wie es dem Verschwender leichter als dem Geizigen wird, freigebig zu werden, ebenso ist es dem Tollkühnen leichter, wirklich tapfer zu werden, als dem Feigen, sich zu wahrhafter Tapferkeit zu erheben.« — Welche moralische Intelligenz! Die Betrachtung des Mannes vom grünen Mantel ist eben nichts weiter als zutreffend: Alles, was Don Quijote sagt, ist gut und vernünftig, aber alles, was er auf Grund davon tut, unsinnig, tollkühn und albern; und fast hat man den Eindruck, als ob der Dichter das als eine natürliche und unvermeidliche Antinomie des höheren moralischen Lebens hinstellen wollte.

Die klassische, hundertmal im Bilde festgehaltene Szene, wie der hagere Hidalgo, der von seiner Mähre gestiegen ist, weil er besorgt, daß ihr Mut dem seinen nicht gleichkommen möchte, mit seinem schlechten Schild und Schwert, zu dem absurdesten Kampf bereit, vor dem geöffneten Käfig steht und »mit kalter Aufmerksamkeit« die Bewegungen des riesigen Löwen betrachtet, voll heroischer Ungeduld, mit dem »handgemein« zu werden — diese außerordentliche Szene ist mir in den Worten des Cervantes wieder recht lebendig geworden, nebst ihrem Fortgange, der die so glimpfliche wir blamable Zurückweisung und Auflösung von Don Quijotes Heldenattitüde bringt. Denn der edle Löwe, auf Possen und kühne Streiche nichts gebend, wendet ihm nach kurzem Blick einfach »seine hinteren Teile« zu und legt sich mit großer Kaltblütigkeit und Ruhe in seinem Käfig wieder zu Boden. Der Heroismus ist auf die nüchternste Weise abgeblitzt. Alles, was die Idee des Verschmähtwerdens an kläglicher Lächerlichkeit enthält, kommt hier auf Don Quijotes Haupt durch das geringschätzig-gleichmütige Benehmen der majestätischen Kreatur. Auch ist er außer sich darüber. Er verlangt von dem zitternden Wärter, daß er den Löwen durch Schläge zum Aufstehen und Angreifen bringe. Dessen weigert der Mann sich denn aber doch und macht dem Ritter begreiflich, daß sich die Größe seines Herzens schon hinlänglich gezeigt habe: Kein braver Kämpfer sei zu mehr verpflichtet, als seinen Gegner herauszufordern und ihn im freien Feld zu erwarten; wenn dieser kneife, so falle der Schimpf auf ihn, und so weiter. Das läßt denn Don Quijote sich schließlich gefallen und steckt dasselbe Taschentuch, womit er sich den Käseschweiß abgetrocknet, als Siegeszeichen auf seinen Speer, worauf der davongelaufene Sancho, der es von ferne sieht, sagt: »Ich will sterben, wenn mein Herr nicht die wilden Bestien überwunden hat, denn er ruft uns dort.« Es ist wundervoll.

An keiner Stelle wird die radikale Bereitschaft des Dichters, seinen Helden zugleich zu erniedrigen und zu erhöhen, deutlicher als hier. Erniedrigung und Erhöhung aber sind ein Begriffspaar voll christlichen Empfindungsgehaltes, und gerade in ihrer psychologischen Vereinigung, ihrem humoristischen Ineinanderfließen zeigt sich, wie sehr der »Don Quijote« ein Produkt christlicher Kultur, christlicher Seelenkunde und Menschlichkeit ist und was das Christentum für die Welt der Seele, der Dichtung, für das Humane selbst und seine kühne Erweiterung und Befreiung denn doch ewig bedeutet. Ich muß an meinen Jaakob denken, der vor dem Knaben Eliphas im Staube gewinselt hat, und, über und über entehrt, sich aus der Tiefe seiner letztlich ungedemütigten Seele im Traume die große Haupterhebung schafft. Sagt, was ihr wollt: das Christentum, diese Blüte des Judentums, bleibt einer der beiden Grundpfeiler, auf denen die abendländische Gesittung ruht und von denen der andere die mediterrane Antike ist. Die Verleugnung einer dieser Grundvoraussetzungen unserer Sittlichkeit und Bildung, oder gar ihrer beider, durch irgendeine Gruppe der abendländischen Gemeinschaft würde ihr Ausscheiden aus dieser und eine unvorstellbare, übrigens gottlob gar nicht vollziehbare Zurückschraubung ihres humanen Status, ich weiß nicht, wohin, bedeuten. Der hektische Kampf Nietzsches, dieses Bewunderers Pascals, gegen das Christentum war eine unnatürliche Exzentrizität und mir im Grunde von je eine Verlegenheit — wie manches bei diesem rührenden Helden. Goethe, glücklicher ausgewogen und psychisch freier, hat sich durch sein »dezidiertes Heidentum« nicht hindern lassen, dem Christentum die ausdruckvollsten Huldigungen darzubringen, es als die sittigende Macht, die es ist, und also als Verbündeten zu empfinden. Aufgeregte Zeiten, wie die unsrige, die immer dazu neigen, das bloß Epochale mit dem Ewigen (zum Beispiel Liberalismus und Freiheit) zu verwechseln und das Kind mit dem Bade auszuschütten, halten jeden Ernsteren und Freieren, der nicht nur im Zeitwinde flattert, dazu an, auf die Grundlagen zurückzugehen, sie sich wieder bewußt zu machen und abweisend auf ihnen zu bestehen. Die Kritik, die das Jahrhundert am Christlich-Moralischen übt (von Dogma und Mythologie zu schweigen), die lebensgefühlsmäßigen Korrekturen, die es daran vornimmt, bleiben, so tief sie reichen, so umgestaltend sie wirken mögen, Oberflächenbewegung. Das Unterst-Bedingende, Bestimmende und Bindende, die kulturelle Christlichkeit des abendländischen Menschen als das Einmal-Errungen — Nie-zu-Veräußernde berühren sie gar nicht.

JOHANN WOLFGANG GOETHE

Die Sakramente

Die Sakramente sind das Höchste der Religion, das sinnliche Symbol einer außerordentlichen göttlichen Gunst und Gnade. In dem Abendmahle sollen die irdischen Lippen ein göttliches Wesen verkörpert empfangen und unter der Form irdischer Nahrung einer himmlischen teilhaftig werden. Dieser Sinn ist in allen christlichen Kirchen eben derselbe, es werde nun das Sakrament mit mehr oder weniger Ergebung in das Geheimnis, mit mehr oder weniger Akkommodation an das, was verständlich ist, genossen; immer bleibt es eine heilige, große Handlung, welche sich in der Wirklichkeit an die Stelle des Möglichen oder Unmöglichen, an die Stelle desjenigen setzt, was der Mensch weder erlangen noch entbehren kann. Ein solches Sakrament dürfte aber nicht allein stehen; kein Christ kann es mit wahrer Freude, wozu es gegeben ist, genießen, wenn nicht der symbolische oder sakramentliche Sinn in ihm genährt ist. Er muß gewohnt sein, die innere Religion des Herzens und die der äußeren Kirche als vollkommen *eins* anzusehen, als das große allgemeine Sakrament, das sich wieder in so viel andere zergliedert und diesen Teilen seine Heiligkeit, Unzerstörlichkeit und Ewigkeit mitteilt.
Hier reicht ein jugendliches Paar sich einander die Hände, nicht zum vorübergehenden Gruß oder zum Tanze; der Priester spricht seinen Segen darüber aus, und das Band ist unauflöslich. Es währt nicht lange, so bringen diese Gatten ein Ebenbild an die Schwelle des Altars; es wird mit heiligem Wasser gereinigt und der Kirche dergestalt einverleibt, daß es diese Wohltat nur durch den ungeheuersten Abfall verscherzen kann. Das Kind übt sich im Leben an den irdischen Dingen selbst heran, in himmlischen muß es unterrichtet werden. Zeigt sich bei der Prüfung, daß dies vollständig geschehen sei, so wird es nunmehr als wirklicher Bürger, als wahrhafter und freiwilliger Bekenner in den Schoß der Kirche aufgenommen, nicht ohne äußere Zeichen der Wichtigkeit dieser Handlung. Nun ist er erst entschieden ein Christ, nun kennt er erst die Vorteile, jedoch auch die Pflichten. Aber inzwischen ist ihm als Menschen manches Wunderliche begegnet, durch Lehren und Strafen ist ihm aufgegangen, wie bedenklich es mit seinem Innern aussehe, und immerfort wird noch von Lehren und von Übertretungen die Rede sein; aber die Strafe soll nicht mehr stattfinden. Hier ist ihm nun in der unendlichen Verworrenheit, in die er sich bei dem Widerstreit natürlicher und religioser Forderungen verwickeln muß, ein herrliches Auskunftsmittel gegeben, seine Taten und Untaten, seine Gebrechen und seine Zweifel einem würdigen, eigens dazu bestellten Manne zu vertrauen, der ihn zu beruhigen, zu warnen, zu stärken, durch gleichfalls symbolische Stra-

fen zu züchtigen und ihn zuletzt, durch ein völliges Auslöschen seiner Schuld, zu beseligen und ihm rein und abgewaschen die Tafel seiner Menschheit wieder zu übergeben weiß. So, durch mehrere sakramentliche Handlungen, welche sich wieder, bei genauerer Ansicht, in sakramentliche kleinere Züge verzweigen, vorbereitet und rein beruhigt, kniet er hin, die Hostie zu empfangen; und daß ja das Geheimnis dieses hohen Akts noch gesteigert werde, sieht er den Kelch nur in der Ferne: es ist kein gemeines Essen und Trinken, was befriedigt, es ist eine Himmelsspeise, die nach himmlischem Tranke durstig macht.

Jedoch glaube der Jüngling nicht, daß es damit abgetan sei; selbst der Mann glaube es nicht! Denn wohl in irdischen Verhältnissen gewöhnen wir uns zuletzt, auf uns selber zu stehen, und auch da wollen nicht immer Kenntnisse, Verstand und Charakter hinreichen; in himmlischen Dingen dagegen lernen wir nie aus. Das höhere Gefühl in uns, das sich oft selbst nicht einmal recht zu Hause findet, wird noch überdies von so viel Äußerem bedrängt, daß unser eignes Vermögen wohl schwerlich alles darreicht, was zu Rat, Trost und Hülfe nötig wäre. Dazu aber verordnet findet sich nun auch jenes Heilmittel für das ganze Leben, und stets harrt ein einsichtiger, frommer Mann, um Irrende zurecht zu weisen und Gequälte zu erledigen.

Und was nun durch das ganze Leben so erprobt worden, soll an der Pforte des Todes alle seine Heilkräfte zehnfach tätig erweisen. Nach einer von Jugend auf eingeleiteten zutraulichen Gewohnheit nimmt der Hinfällige jene symbolischen, deutsamen Versicherungen mit Inbrunst an, und ihm wird da, wo jede irdische Garantie verschwindet, durch eine himmlische für alle Ewigkeit ein seliges Dasein zugesichert. Er fühlt sich entschieden überzeugt, daß weder ein feindseliges Element, noch ein mißwollender Geist ihn hindern könne, sich mit einem verklärten Leibe zu umgeben, um in unmittelbaren Verhältnissen zur Gottheit an den unermeßlichen Seligkeiten teilzunehmen, die von ihr ausfließen.

Zum Schlusse werden sodann, damit der ganze Mensch geheiligt sei, auch die Füße gesalbt und gesegnet. Sie sollen, selbst bei möglicher Genesung, einen Widerwillen empfinden, diesen irdischen, harten, undurchdringlichen Boden zu berühren. Ihnen soll eine wundersame Schnellkraft mitgeteilt werden, wodurch sie den Erdschollen, der sie bisher anzog, unter sich abstoßen. Und so ist durch einen glänzenden Zirkel gleichwürdig heiliger Handlungen, deren Schönheit von uns nur kurz angedeutet worden, Wiege und Grab, sie mögen zufällig noch so weit auseinander gerückt liegen, in einem stetigen Kreise verbunden.

Aber alle diese geistigen Wunder entsprießen nicht, wie andere Früchte, dem natürlichen Boden, da können sie weder gesäet noch gepflanzt noch gepflegt werden. Aus einer andern Region muß man sie herüberflehen, welches nicht jedem, noch zu jeder Zeit gelingen würde. Hier entgegnet uns nun das Höchste dieser Symbole aus alter, frommer Überlieferung. Wir hören, daß ein Mensch vor dem andern von oben begünstigt, gesegnet und geheiligt werden könne. Damit aber dies ja nicht als Naturgabe erscheine, so muß diese große, mit einer schweren Pflicht verbundene Gunst von einem Berechtigten auf den andern übergetragen, und das größte Gut, was ein Mensch erlangen kann, ohne daß er jedoch dessen Besitz von sich selbst weder erringen noch ergreifen könne, durch geistige Erbschaft auf Erden erhalten und verewigt werden. Ja, in der Weihe des Priesters ist alles zusammengefaßt, was nötig ist, um diejenigen heiligen Handlungen wirksam zu begehen, wodurch die Menge begünstigt wird, ohne daß sie irgend eine andere Tätigkeit dabei nötig hätte als die des Glaubens und die des unbedingten Zutrauens. Und so tritt der Priester in der Reihe seiner Vorfahren und Nachfolger, in dem Kreise seiner Mitgesalbten, den höchsten Segnenden darstellend, um so herrlicher auf, als es nicht er ist, den wir verehren, sondern sein Amt, nicht sein Wink, vor dem wir die Kniee beugen, sondern der Segen, den er erteilt, und der um desto heiliger, unmittelbarer vom Himmel zu kommen scheint, weil ihn das irdische Werkzeug nicht einmal durch sündhaftes, ja lästerhaftes Wesen schwächen oder gar entkräften könnte.

ROMANO GUARDINI

Der Sonntag und der heutige Mensch

Der christliche Glaube überholt?

Darauf wird man erwidern, das Religiöse habe den Charakter der Allgemeingültigkeit verloren. Es sei ein für alle Mal zur Sache des privaten Urteils und persönlichen Bedürfnisses geworden. So könne die Ordnung des kulturellen Lebens nicht mehr von ihm her bestimmt werden. Was aber den Sonntag angehe, so ruhe er auf dem Begriff einer Offenbarung, an welche der Großteil der Bevölkerung nicht mehr glaube. Ja selbst bei denen, die konfessionsmäßig an ihr festhielten, handle es sich weithin nicht mehr um eine echte Überzeugung, sondern um das Festhalten einer immer mehr verblassenden Tradition.
Zunächst einmal: Die Zahl derer, die an die Offenbarung glauben, ist viel größer, als hier angenommen wird. Gewiß entfernen sich viele von ihr; dafür erwacht aber der christliche Glaube in einer neuen Weise bei einer steigen-

den Anzahl Anderer; und nach dem Prinzip der Elitebildung ist zu hoffen, von ihnen werde eine heute noch nicht absehbare Wirkung ausgehen. Das Christentum ist an die Behauptung gewöhnt, es gehe zu Ende. Sie gehört zum Inventar der Zeitparolen; ist schon oft erhoben und ebenso oft Lügen gestraft worden.

Dann aber ist etwas anderes zu bedenken. Soll ein Ruhetag werden, was sein Wesen meint, dann darf er nicht nur darin bestehen, daß nicht gearbeitet werde. Das reicht nicht hin, um ihm jene Gültigkeit zu geben, welche auf die Dauer die Niederlegung der Arbeit rechtfertigt und schützt. Ebensowenig reicht es hin, daß an ihm Dinge geschehen, welche der Erholung und Freude dienen oder kulturell bereichern. Und abermals nicht, daß sich an ihm ein Gefühl der Gemeinsamkeit derer entwickle, die ruhen, nachdem sie vorher in der Gemeinschaft der Arbeit gestanden haben. Das alles bleibt im Empirischen; mehr ist nötig. Echte Ruhe hat immer eine Dimension gehabt, die über das Empirische hinausgeht. Sie war immer vom Charakter der Feier getragen, und »Feier« ist ein religiöses Phänomen.

Im Westen war aber die religiöse Feier zweitausend Jahre lang vom christlichen Glauben getragen. Die nationalsozialistischen Experimente haben gezeigt, welch leere Angelegenheiten Feiern sind, die nach Programmen gemacht werden. Der vom Christlichen her bestimmte Weltbereich, das heißt also auf jeden Fall Europa und Amerika, haben ihre Wurzeln im Christentum; und diese sind trotz aller Entfremdung immer noch lebendig. So wäre es ein gefährliches Experiment, sie zu zerstören. Was man in Rußland in dieser Beziehung mit Gewalt und Propaganda erreicht hat, kann ich nicht beurteilen. Noch schwieriger ist die Frage, was im asiatischen und afrikanischen Bereich geschehen werde. Uns geht das aber zunächst nichts an. Die westliche Welt muß sich in ihre eigene Tradition stellen, sonst verliert sie ihren Stand.

So wäre es gut, wenn die Gegner der Sonntagsordnung sich klar machten, was alles an geschichtlich wirksamen Vorstellungen, an Werten der Ehrfurcht und des Vertrauens, an Gefühlszusammenhängen verschiedenster Art mit ihr verbunden ist und selbst da noch weiterwirkt, wo der christliche Glaube verschwunden scheint. Jeder Chirurg hütet sich, Organzusammenhänge zu zerschneiden, von denen er nicht weiß, wohin sie wirken. Würde aus noch so starken wirtschaftlich-technischen Erwägungen heraus der Sonntag wegoperiert, so würde man nach einiger Zeit mit Schrecken sehen, welche Schäden das anrichtet. Um ein Beispiel zu nennen: Hätte vor einigen Jahrzehnten jemand gesagt, die Fabriken dürften ihre Abwässer nicht in die Flüsse leiten, weil dadurch unabsehlicher Schaden angerichtet werde, dann hätte man ihn einen Reaktionär, einen Ästheten, einen Romantiker genannt. Man hätte gesagt, hier handle es sich um harte Notwendigkeiten; davor hätten Dinge, wie die Sauberkeit der Flußwässer selbstverständlich zurückzutreten. Heute steht man vor einer fast verzweifelten Situation. Man hat erkannt, daß die Flüsse mehr sind, als nur befahrbare Wasserstraßen, nämlich lebendige Adern im geographisch-kulturellen Organismus eines Landes, ja eines ganzen Länderkomplexes. Von ihnen hat aber kürzlich einer der Fachleute gesagt: »Unsere Flüsse sind Kloaken geworden.« Etwas Analoges gilt hier. Der Sonntag ist nicht nur eine soziologische Einrichtung, die gegenüber technisch-wirtschaftlichen »Notwendigkeiten« unwesentlich würde, sondern ein wichtiges Organ im Gesamtleben; von vitaler Bedeutung auch für jene, die seinen christlichen Inhalt nicht mehr anerkennen. So kann man den verantwortlichen Stellen nur sagen, was einst im römischen Senat ernste Männer den Trägern der Staatsgewalt zuriefen, wenn die Dinge einen bedenklichen Weg zu gehen schienen: »Mögen die Konsuln zusehen, daß dem Gemeinwesen kein Schaden erwachse!«

Der Sonntag und der vollständige Mensch

Das Problem des Sonntags hängt mit einem anderen zusammen, das bis in die Wurzeln unseres Daseins reicht. Es entsteht aus der Tatsache, daß der neuzeitliche Mensch die ungeheure wissenschaftliche und technische Leistung der letzten Jahrhunderte mit einem Verlust bezahlt hat, dessen Bedeutung uns immer schärfer zum Bewußtsein kommt: er ist zum Aktivisten geworden. Diesen Aktivismus hat man lange als Aufstieg zu höherem Lebenswert und ernsterer sittlicher Verantwortung angesehen. Einer wachsenden Zahl von Menschen aber wird klar, was an dieser Meinung falsch war. Gewiß ist Großes gewonnen, aber auch Wichtiges verloren worden — alles das nämlich, was man die »kontemplativen« Werte nennen mag: die Kräfte der Stille und Sammlung; des tieferen, aus dem Seelengrund kommenden Wissens; des Gefühls für Weisungen und Warnungen aus einem Bereich, der weiter innen liegt als bloße Vernunft und Zweckmäßigkeit. Der moderne Mensch hat überall an Tiefgang verloren. Sein Leben wird immer dünner; sein Instinkt immer schwächer. So verliert er sich immer mehr an den Zusammenhang maschineller Apparaturen, der seine Welt erfüllt. Entsprechendes gilt gegenüber der Macht des Staates. Durch die ganze Welt geht eine totalitäre Tendenz, nicht bloß durch die kommunistische, sondern auch durch die freiheitliche; nur daß sie hier einen anderen Charakter annimmt — zu erinnern an den Behördenapparat, der in immer mehr Gebiete des Lebens eingreift; an die Presse, welche Gedanken, Urteile, Stellungnahmen der Bevölkerung bestimmt; an die Prägung des Lebensgefühls und des Geschmacks durch Kino und Radio; an die fortschreitende Veröffentlichung alles Lebens, welche den privaten Bereich zerstört. Gegen alles das wird der moderne

Mensch immer schwächer, weil die in eigener Tiefe verwurzelte Standkraft der Person, die Fähigkeit, Herr seiner selbst zu sein, der Zusammenhang mit den Halt gebenden absoluten Werten bei ihm beständig abnimmt.
Eine echte Pädagogik hat daher die wichtige Aufgabe, die verlorenen Werte zurückzuholen. Dafür ist es aber von größter Bedeutung, den Raum zu gewinnen, in welchem absichtslose, frei in sich ruhende Existenz möglich wird, und dazu gehört vor allem der Sonntag. Er ist nicht nur Abwesenheit von Arbeit und Möglichkeit von Erholung, sondern »Feier«; ein Zustand des Lebens, in welchem die Hoheit Gottes hervortritt und den Menschen frei macht. Verschwindet der Sonntag, dann bedeutet das einen weiteren und entscheidenden Schritt zur Veräußerlichung des Lebens. Der Verlust an menschlicher Substanz aber, die Schwächung echter, geschichtsschaffender Kraft, die daraus folgen, werden durch keine technischen oder wirtschaftlichen Vorteile aufgewogen. So mögen auch Jene, für die der christliche Kern des Sonntags keine Gültigkeit mehr hat, diese Momente berücksichtigen und den Sonntag nicht nur aus technischen oder formal-paritätischen, sondern aus tieferen Gesichtspunkten her betrachten.
Wenn man aber behauptet, am gleitenden Ruhetag könne man sich doch auch religiös vertiefen, so gibt es darauf nur die Antwort, wer so spricht, kenne weder das Wesen des Sonntags, noch das des Menschen. Glaubt er wirklich, man könne die seit über dreitausend Jahren wirkende Hoheit des Herrentages durch einen Kalendertermin ersetzen, der, auf Befehl modernster Nützlichkeiten, von einem Wochentag auf den anderen springt? Und die Seele des Menschen werde diesem technisch-ökonomischen Fabrikat gehorchen und sich in ihm »religiös vertiefen«? Nur der Herr aller Tage kann Seinen Tag begründen und ihm jene Heiligkeit geben, welche die glaubensbereite Innerlichkeit empfindet, und von welcher auch jene zehren, die nicht an Ihn glauben — in einem Maße, das ihnen gar nicht zu Bewußtsein kommt.
Das mag eine andere Erwägung näher bringen. Man pflegt zu sagen, der moderne Mensch bedürfe keiner Religion. Was für den früheren die Religion war, seien für ihn die Arbeit, der kulturell-politische Fortschritt und die Natur.

Die Neuzeit hat etwas ganz Elementares vergessen: Alle Elemente des Daseins — Dinge, Handlungen, Beziehungen, Ordnungen — gewinnen ihren vollen Sinn erst dann, wenn sie über ihren unmittelbaren Sachgehalt hinaus die Dimension des Religiösen gewinnen. Es ist nicht so, daß der Mensch in sich fertig wäre, und er außerdem, wenn er das Bedürfnis empfindet, auch noch in eine religiöse Beziehung eintreten könnte, sondern das Dasein wird erst im Religiösen vollständig. Die Mächtigkeit der alten Kulturen kommt daraus, daß sie diese Dimension hatten. Und nicht nur, weil sie Tempel und Kultstätten besaßen, sondern weil ihr ganzes Leben dieses

Element enthielt. Es wäre ein dünner Ästhetizismus, etwa die griechische Kunst zu schätzen und nicht zu sehen, daß das ganze griechische Dasein von religiöser Energie durchwirkt war. Das Sich-Vollenden eines Werkes, das Gipfeln einer Begegnung, das Gelingen einer Tat war etwas, das sich letztlich im Religiösen vollzog; Walter F. Otto hat in seinem Buch über »Die Götter Griechenlands« hierüber Entscheidendes gesagt. Das gilt aber nicht nur für die griechische, sondern für alle Kulturen; gilt für das Mittelalter und gilt noch für die Neuzeit — bis zum Durchbruch des europäischen Positivismus und Marxismus. Dann wendet sich das Dasein endgültig ins Nur-Weltliche.

Das Gleiche wäre von der Natur zu sagen. Das echte Verhältnis zu ihr besteht nicht darin, daß man fühlt, wie gut die Luft ist, und wie schön die Landschaft — von der Barbarei zu schweigen, die sich an arbeitsfreien Tagen aus den Städten ergießt und den Wald zu einem Ablagerungsplatz für Abfälle und zu einem Ort für Radiospektakel macht. In ihm geht es um die lebendige, innere Beziehung des Menschen zu dem, was da draußen als Baum still wächst, sich als Berg in die Höhe hebt, als Fluß rein ist und strömt. Wenn überhaupt noch »Natur« sein soll — wie weit das möglich sei, steht dahin — dann kann es nur aus einer menschlichen Tiefe heraus erwachsen, die ihrerseits selbst erst wieder geweckt und entwickelt werden muß.

Im Letzten läuft freilich das ganze Problem auf die Frage hinaus, wie der Einzelne bzw. die Gruppe oder Richtung, der er angehört, zur christlichen Lebensordnung stehe. Hört man schärfer hinter die Begründungen, mit denen der Sonntag für überholt erklärt wird, so merkt man, daß das tiefste Motiv die Gleichgültigkeit, ja die Feindschaft gegen das Christentum ist. Hier müssen die Verteidiger des Sonntags die Illusionen wegtun — ebenso wie die Angreifenden ehrlich sein und ihre letzten Beweggründe nicht hinter vorletzten verschanzen sollten. Die Schwierigkeiten, welche der Wahrung des Sonntags entgegenstehen, können überwunden werden, wenn man es ernstlich will. Unüberwindlich werden sie erst durch den geheimen Willen, sie sollen unüberwindlich sein, damit der Tag des Herrn als überholt, kirchlich reaktionär, dem Fortschritt feindlich erscheine.

Dann bleibt nur der Kampf. Die Christen tun gut, sich das ganz klar zu machen. Man wird sagen, sie seien rückständig; sie seien aus irgend einem Grund Interessenten oder von solchen bezahlt; sie hätten keinen Sinn für den arbeitenden Menschen und so fort durch die Reihe der Motivverfälschungen, wie sie von je auftauchen. In Wahrheit geht es um etwas schlechthin Entscheidendes, und sie dürfen nicht weich werden. Sie kämpfen noch für die mit, gegen die sie kämpfen müssen, denn sie stehen für den Menschen.

13 Klosterkirche Ottobeuren
Blick vom Hochaltar auf die Vierung und das Langhaus
1748—1766 erbaut von Johann Michael Fischer

Endlich aber muß noch etwas anderes gesagt, richtiger, gefragt werden, und es soll in allem Freimut geschehen.

Hat die kirchliche Verkündigung und religiös-ethische Erziehung hier alles getan, was getan werden sollte? Genauer: ist die Aufgabe der Sonntagsheiligung nicht zu einseitig unter den Gesichtspunkt des Gebotes und der Pflicht gestellt worden?

Selbstverständlich steht hinter dem Herrentag das dritte der Gebote Gottes. Er hat — das wurde schon gesagt — nicht nur wichtigste Wirkung auszuüben, sondern auf ihm liegt der Charakter der Hoheit, und diese findet ihren Ausdruck im Gebot: »Gedenke, daß du den Tag des Herrn heilig haltest«. Das ist wahr und soll in keiner Weise angetastet werden. Waren aber Verkündigung und Unterweisung auch hinreichend bemüht, die Werte des Sonntags herauszuarbeiten und sie überzeugend darzustellen? Ist der Herrentag dem heutigen Menschen mit seinem Leben in Beziehung gesetzt worden, wie es wirklich ist, so, daß er sich verstanden fühlte und die Hilfe sah, die ihm daraus erwächst? Oder mußte er das Sonntagsgebot als etwas empfinden, das aus einer vergangenen Welt kam und der seinigen auferlegt wurde? Waren Unterweisung und Praxis hinreichend bemüht, zu zeigen, wie man den Sonntag mit wertvollen und Freude schaffenden Momenten erfüllen könne? Oder wurde der Glaubende mit dem Gebot allein gelassen, so daß seine Fähigkeiten des Erfindens und Gestaltens versagen mußten, und er den Tag im wesentlichen als etwas Negatives empfand?

Der Hörer versteht gewiß, daß es uns hier nicht um bloße Kritik geht. Wer selbst vor der Aufgabe gestanden hat, weiß, wie schwer es ist, eine Verbindung zwischen dem Feiercharakter des Sonntags und den gegebenen durchschnittlichen Verhältnissen zu schaffen. Die Fragen sollten zu einer Selbstprüfung anregen, ohne die der Kampf um den Sonntag auf die Dauer vergeblich bleiben muß.

JOSEF PIEPER

Die übernatürliche Hoffnung

Die Selbstverständlichkeit, mit der eine sicher aus dem Glauben lebende Zeit die natürliche Hoffnung mit der übernatürlichen verknüpfte, ist uns heute fast unzugänglich geworden. Es fällt uns sehr schwer zu begreifen, mit welcher Unbefangenheit etwa Dante im *Paradiso* im fünfundzwanzigsten Gesang (dieser Gesang der Göttlichen Komödie entfaltet im Zwiegespräch mit dem Apostel der Hoffnung, Jakobus, dem »Baron« des Himmelreiches, eine ganze Theologie der Übernatürlichen Hoffnung) — mit welcher Unbefangenheit, sagte ich, Dante, entrückt in die Sphären des »Fixsternhimmels«, auch seiner irdischen Hoffnung auf eine ruhmvolle Rückkehr nach Florenz freien Ausdruck gibt. (»Sollt je dem heiligen Lied es widerfahren, / Den Haß zu tilgen, der mir wehrt, zu liegen / Im schönen Pferche, drin ich schlief, ein Lämmlein: / Mit andrer Stimme dann, mit anderm Haare / Käm ich als Dichter heim, daß sich am Borne, / Wo ich getauft, die Stirn dem Lorbeer paare«)

Die übernatürliche Hoffnung also, die nicht nur das erwartende Auslangen selbst, sondern auch die lebendige Kraftquelle dieses Auslangens in sich schließt, vermag auch die natürlichen Hoffnungskräfte in einem neuen Aufschwung zu verjüngen.

»Verjüngung« ist hier genau das richtige Wort. Jugendlichkeit und Hoffnung sind einander in mehrfachem Sinne zugeordnet. Beide gehören, im natürlichen wie im übernatürlichen Bereich, zusammen. Die Gestalt des Jünglings ist der ewige Symbolträger der Hoffnung, wie sie auch der Symbolträger der Hochgemutheit ist.

Die natürliche Hoffnung entspringt der jugendlichen Kraft des Menschen und versiegt mit ihr. »Jungsein ist die Ursache der Hoffnung. Die Jugend nämlich hat viel Zukunft und wenig Vergangenheit«. So wird anderseits mit dem versinkenden Leben vor allem die Hoffnung müde; das »Noch nicht« verkehrt sich in das Gewesene, und das Alter wendet sich, statt dem »Noch nicht«, erinnernd dem »Nicht mehr« zu.

Für die übernatürliche Hoffnung aber gilt das Umgekehrte: sie ist nicht nur nicht gebunden an das natürliche Jungsein, sondern sie begründet gerade eine viel wesenhaftere Jugendlichkeit. Sie schenkt dem Menschen ein »Noch nicht«, das dem Sinken der natürlichen Hoffnungskräfte schlechthin überlegen und entrückt ist. Sie gibt dem Menschen so »viel Zukunft«, daß die Vergangenheit eines noch so langen und reichen Lebens dagegen als »wenig Vergangenheit« erscheint. Die theologische Tugend der Hoffnung ist die Kraft des Auslangens nach einem »Noch nicht«, das um so unausmeßbarer sich weitet, je näher wir ihm sind.

Und die übernatürliche Spannkraft der Hoffnung strömt über und strahlt aus auch in die verjüngten Kräfte der natürlichen Hoffnung. Aus unzähligen Heiligenlegenden leuchtet dieser wahrhaft erstaunliche Sachverhalt hervor. Verwunderlich ist nur, wie selten man die hinreißende Jugendlichkeit unserer großen Heiligen, vor allem der in der Welt wirkenden, bauenden und »gründenden« Heiligen, zu bemerken scheint. Kaum etwas anderes denn gerade diese Jugendlichkeit des Heiligen spricht so aufrufend für die Tatsache, die noch den heutigen Menschen besonders betroffen machen müßte: daß, im wörtlichsten Sinn der Worte, nichts so sehr »ewige Jugend« verbürgt und begründet wie die theologische Tugend der Hoffnung. Sie allein vermag dem Menschen zu unverlierbarem Besitz jenes Sichspannen mitzuteilen, das gelöst ist und straff zugleich, jene Elastizität und Leichtigkeit, jene starkherzige Frische, jene federnde Freudigkeit, jene gelassene Tapferkeit des Vertrauens, die den jugendlichen Menschen unterscheidend auszeichnen und so liebenswert machen.

Man denke nicht, hier sei nur dem »Zeitgeist« ein fatales Zugeständnis gemacht. Es gibt ein Augustinus-Wort: »Gott ist jünger als alle«.

Das Jungsein, das die übernatürliche Hoffnung dem Menschen gibt, prägt das menschliche Wesen in einer viel tieferen Schicht als das natürliche Jungsein. Die übernatürlich begründete, aber doch sehr sichtbar in das Natürliche sich auswirkende Jugendlichkeit des hoffenden Christen lebt aus einer Wurzel, die in eine Zone des menschlichen Seins hinabdringt, welche die natürlichen Hoffnungskräfte nicht erreichen. Die übernatürliche Jugendlichkeit nämlich strömt aus der Teilhabe am Leben Gottes, der uns innerlicher und näher ist als wir selbst.

Darum ist die Jugendlichkeit des auf das Ewige Leben sich spannenden Menschen wesentlich unzerstörbar. Sie ist dem Altern wie der Enttäuschung unerreichbar; sie bewährt sich gerade im Vergehn der natürlichen Jugend und in den Versuchungen der Verzweiflung. Paulus sagt: »Wenn auch unser äußerer Mensch vergeht, der innere verjüngt sich von Tag zu Tag« (2 Kor. 4,16). Kein Wort aber gibt es in der Heiligen Schrift und in der Menschensprache überhaupt, das die aller Vernichtung standhaltende Jugend des hoffenden Menschen, durch einen Vorhang von Tränen hindurch, so triumphal laut werden läßt wie der Satz des Dulders Hiob: »Wenn er mich auch tötet, ich werde auf ihn hoffen« (13, 15).

Diesem Satze ist dies ganze Buch über die Hoffnung deshalb unterstellt worden, weil es, wie ich glaube, notwendig ist, daß eine Zeit, deren forcierter und sehr äußerlicher Jugendlichkeitskult wahrscheinlich aus ihrer Verzweiflung entspringt, den äußersten Gipfel in den Blick bekommt, bis zu dem hin das hoffende Jungsein des gotthingegebenen Menschen sich aufzuschwingen vermag. Zugleich entzieht jenes Wort aus dem Buche Hiob einem Mißverständnis den Boden, das in einer katastrophischen Zeit buchstäblich lebensgefährlich ist. Es ist das Mißverständnis, als könnte die Durchformtheit der natürlichen Hoffnung durch die übernatürliche auch von unten her (statt von oben) verstanden werden; mit anderen Worten, als müsse die Erfüllung der übernatürlichen Hoffnung ihren Weg nehmen über die Erfüllung der natürlichen Hoffnungen. Und es mag gut sein, wenn eine Christenheit, die in einer Epoche der Versuchungen zur Verzweiflung die Feldzeichen der

Hoffnung auf das Ewige Leben hochzuhalten sich müht, ihrer jungen Generation den Satz des Hiob früh genug zu lesen und, vor allem, zu verstehen gibt.

* * *

Eine Heimat zu haben, habe ich stets für rühmlich gehalten. Wenn man dazu noch ein Vaterland hat, so muß man das nicht gerade bereuen, aber zum Hochmut ist kein Grund vorhanden, und sich gar so zu benehmen, als ob man allein eines hätte und die andern keins, erscheint mir verfehlt.

KARL KRAUS

THEODOR HEUSS

HEIMAT, VATERLAND UND WELT

Beim internationalen Jugendtreffen in Watenstedt-Salzgitter, jener Stadt, die aus mehreren kleinen Bauerngemeinden in ihrer industriellen Entwicklung zu einem Schmelztiegel von Menschen aller deutschen Stämme, insbesondere auch von Vertriebenen geworden ist, deutet Theodor Heuss die Begriffe Heimat, Vaterland und Welt neu für unsere Gegenwart in der Würde der Selbstgestaltung und des freien Gehorsams.

Lassen Sie mich versuchen, den Lebensraum, in den unsere Jugend wie jede Jugend jeder Generation gestellt ist, in den drei Ringen der Entfaltungen zu deuten: Was ist Heimat, was ist Vaterland, was ist Welt für den, der seine Zeit bewußt erlebt? Dabei darf ich eingehen auf den Eindruck, den der Besuch in dieser Stadt Salzgitter gemacht hat.
Vor ein paar Jahrzehnten war das die *Heimat* von Bauern, etwas kleinstädtisches Gewerbe, etwas kleinindustrielles Leben daneben. Heute ist dieses Stadtgebilde der Wohnsitz von über hunderttausend Menschen: Nette, saubere Siedlungshäuser mit kleinen Gärtchen liegen neben den Resten von Elendsbaracken, die man einen Wohnsitz nennt und die kein Wohnsitz sind. Und das ist nun die entscheidende Frage für die jungen Menschen, die in diesem rasch gewachsenen Gebilde heranreifen sollen, wieweit ihnen der »Aufenthaltsort« ihrer Jugend, wenn ich das einmal so nennen darf, durch mancherlei Zufall, durch tragische Not hierher verweht, etwas wie »Heimat«

werden kann. Das Wort Heimat hat einen sentimentalen Klang für viele Menschen, aber wer Heimatgefühl gehabt hat — und viele, die vertrieben sind, leben aus der Sehnsucht nach einer verlorenen Heimat —, der weiß, daß das nicht bloß ein sentimentales Gerede ist, sondern daß es für Menschen eine aufbauende Kraft sein kann. Es ist eine schwere und ernste Sache: Heimatlosigkeit als Massendasein. Da steht hier über der Pforte eines Hauses: »Das Haus für alle«. Und es sollte darunter noch stehen: »Das Haus für jeden!« Hier wurde unternommen — und wie mir scheint, mit Glück —, eine Rückzugslinie der Heimatlosen in eine tragende Gemeinschaft zu zeigen und dann auch noch die Rückzugslinie zum individuellen Winkel, zur eigenen Selbstentfaltung. Hier erhebt sich die Frage, wie zwischen Hochöfen, Fabrikhallen, zwischen Werkbahnen und fruchtbarem Ackerboden und Elendshütten Heimatgefühl wachsen kann. Das ist schwer für die Vertriebenen, für die Pommern, Schlesier, für die Sudetendeutschen, für die aus dem Banat, aber es ist eine Aufgabe, die an die Jugend gestellt ist und die auch den Älteren zugehört; daß hier in diesem werdenden Land einer seltsamen Vergangenheit und einer, wie ich glaube, großen Zukunft das Heimatgefühl der Menschen sich verwurzeln kann.
Durch den raschen Zustrom von Menschen müssen neue Friedhöfe angelegt werden. Menschen sterben hier, für die die alten Gottesäcker zu eng geworden sind; doch indem sie in das Grab gesenkt werden — vielleicht überrascht es Sie, was ich jetzt sage —, entstehen für ihre Hinterbliebenen neue Heimatgefühle. Die sehr merkwürdige Kraft des Bodens, daß dort, wo den geliebten Menschen der Boden umfängt, ein Stück der Seele des einzelnen in ihm ein Stück Heimat findet.
In diesem Raum, in dem nun Menschen aus ganz Deutschland, von draußen her, Heimat finden sollen, schneiden sich auch — schmerzhaft genug — die Probleme der deutschen Gegenwart: Eine Grenze läuft mitten durch den deutschen Siedlungsboden. Das ist keine Grenze der menschlichen deutschen Grundempfindung, aber es ist eine Sperrvorrichtung der geistigen und wirtschaftlichen Kommunikation. Und hier nun, in Ansehung der Selbstgestaltung der Jugend, eine Aufgabe des heute in dem Wort »Bundesrepublik« umfaßten Teiles Deutschlands, ihre Lebensformen, ihre Lebensgesinnungen frei zu gestalten, daß sie über diese Grenze hinweg wirken. So wollen wir das Gespräch, das nie ruhte, das ein Gespräch der Seelen ist, von dieser Stelle aus auch in den Osten führen.
Und wir spüren dann noch, wie die Jugend zum Staat, wie der Staat zur Jugend steht. Wir spüren, daß sich drüben das schmerzhaft wiederholen soll, was wir in Deutschland schon tragisch genug erlebt haben, daß die heranwachsenden, suchenden, gläubigen jungen Menschen ein Werkzeug sein sollen in der Hand des totalitären Parteimachtwillens, während wir hier hof-

fen und erwarten, daß die Jugend in den freien Gemeinschaften sich zusammenschließt und *von sich aus* den Weg zum Staate findet. Gerade weil wir in der Hitlerzeit das schon erlebt haben, was »ausrichten«, »gleichschalten« usw. heißt, was der ungeheure Mißbrauch der Willigkeit zu einem freien Gehorsam an jedem verderblich darstellte, eben um deswillen wünschen wir die *freie* Selbstgestaltung, die etwas von der Würde des freien Gehorsams, aber auch von der Würde des freien Stolzes weiß, die sich einordnet und einstuft nach eigenem Willen und eigener Einsicht. Das wollen wir eben nicht, daß die Jugend in die Hand des Staates kommt, um nur von ihm gebildet zu werden. Heißt das aber nun, indem wir uns bekennen zu der Vielfältigkeit der bündischen, der vereinsmäßigen, der sportlichen, der konfessionellen, der politischen Vereinigungen, daß wir damit eine Konzession machen an das, was man das deutsche Erbübel manchmal genannt hat, die Zersplitterung? Die Vielgestaltigkeit, die Vielfältigkeit des Sonderlebens wollen wir. Die »Zersplitterung« wollen wir nicht. Ich habe in den letzten Jahren bei den Begegnungen mit vielen jungen Menschen vielerlei Herkunft erlebt, daß eine freie Kameradschaft der Gesinnung jetzt zwischen den Führern der Jugendvereinigungen, auch zwischen den Gruppen selber vorhanden ist, daß man gelernt hat in Deutschland, nachdem die menschliche Würde vom Staate selber zertreten wurde, den Respekt vor der Meinung, vor der Haltung, vor dem anständigen Gesinnungsweg des anderen wieder zu pflegen. Wenn die Nazis von einem etwas Hämisches sagen wollten, dann sagten sie, das sei so ein toleranter Schwachmatikus — sie waren für das »Harte«. Das Wort Toleranz, Duldung, das galt als ein Wort der Weichherzigkeit, des »Sich-nicht-entscheiden-Könnens«. Im nahen Wolfenbüttel hat vor 180 Jahren ein Mann gelebt, Gotthold Ephraim *Lessing,* der war der erste große Prediger der Toleranz in Deutschland, und der war, weiß Gott, kein schlappes sentimentales Gemüt, sondern eine tapfere, kämpferische Natur. Er spürte, daß im anderen seinen Wert zu erkennen, eine tapfere Haltung ist, weil man in dem inneren eigenen Menschen ein Vorurteil, eine schlechte Meinung überwunden haben muß. Diese sich selbst achtende und dem anderen seine Würde nicht raubende Haltung soll zwischen den jungen deutschen Menschen vorhanden sein. Wir sind heute manchmal in Sorge, daß ein Stück von dem, was wir in den letzten Jahren glaubten spüren zu können, wieder gefährdet wird, wenn wir davon lesen und hören, daß der Radau als Ersatz des Arguments wieder in Deutschland sein Heimatrecht zu gewinnen versucht, daß wir rückfällig werden. Mancher fürchtet: Das sieht ja schon wieder so aus wie 1930, 1931, 1932, da man glaubte, die ehrliche, anständige Auseinandersetzung durch die Vergewaltigung ablösen zu können. Temperament und Leidenschaft sind sehr schöne Eigenschaften, und ich würde meine eigene Jugend verkennen, wenn ich etwas dagegen sagen würde, daß junge Menschen mit Temperament in die politischen Fragen hineinwirken wollen. Aber es ist die Frage des Willens zur *eigenen* Entscheidung, nicht des Gehorsams irgendwelchen Funktionären einer fremden Lehre gegenüber.

Nun wollte ich aber auch ein Wort an die Älteren richten. Ich war in einem der Lager draußen, und da sagte man mir: Es sind hier Kinder dabei, die zwei Jahre lang überhaupt keinen Unterricht gehabt haben. Furchtbares Wort! Ungeheure Aufgabe für die Lehrer und allen Respekt davor, wenn sie mit dieser Situation fertig werden. Wir sehen, daß junge Menschen heute aus der Kriegsgefangenschaft zurückkehren, die einmal als Flakhelfer mit sechzehn Jahren mißbraucht worden sind und nichts seitdem gelernt, aber Lebenserfahrung gesammelt haben. Dann spüren wir, welche Aufgabe auf den Staat, auf die Kirchen, auf die Wirtschaft, auf die Schulen wartet, diesen vom Schicksal hin und her gerissenen Menschen mit Liebe, mit Nachsicht, mit dem guten Helferwillen, aber vor allem auch mit der Ermunterung zur Selbstgestaltung, die in den jungen Menschen fast unzerstörbar vorhanden ist, zu begegnen.

Ich glaube, es geht durch die Jugend der europäischen Völker heute eine echte Bewegung, das Größere und das Gemeinsame nicht bloß zu suchen, sondern auch mit zu formen. Der letzte Weltkrieg war ein gewaltiger Erzieher zu dieser Erkenntnis, weil die Kriegstechnik mit ihrer Übersteigerung ja nun auf einmal das militärische Gesicht der Auseinandersetzungen zwischen Völkern und Staaten radikal gewandelt hat. Nicht, als ob die früheren Kriege »schön« gewesen wären. Es sei mir erlaubt, hier an ein Wort Bismarcks zu erinnern: Kriege sind nie schön. Aber sie waren früher militärische Aktionen, heute sind sie zum *Passionsweg von Völkern* geworden, ob sie mit militärischen Dingen etwas zu tun hatten oder nicht.

Mit diesem Hintergrund einer Kriegsangst, die vorüber ist, und mancher Panikstimmung, die jener oder dieser machen will, beginnt ein Umdenken und ein Umfühlen. Das machen sich manche Leute etwas leicht. Es gibt solche, die gerne beschreiben, daß der Weg zum Nationalstaat ein Irrweg gewesen ist. Das war er nicht. Er war auch geschichtliche Erfüllung, und es ist gerade die Demokratie gewesen, als sie in die Geschichte eingebrochen ist, die die Völker von der Tiefe her zu ihrem staatlichen Selbstbewußtsein geführt hat. Und man erledigt das Problem Europa, Staaten in Europa, Völker in Europa nicht dadurch, wie viele meinen, daß man eine Mitgliedskarte als Weltbürger Nr. 683 oder so etwas sich anschafft; so einfach sind diese Dinge nicht. In dem Gespräch zwischen jungen Menschen europäischer Völker muß tief zusammenklingen das Heimatgefühl als der Ausdruck einer seelischen Ruhelage, das Nationalgefühl als der Träger eines Volksschicksals und dann das Wissen um das über Grenzen und Sprachen webende Gemeinsame. Ich sagte vorhin, wir wollen die Vielfältigkeit gerade auch bei der Jugend, wir wollen

nicht den genormten jungen Deutschen der unfreien Freien Deutschen Jugend. Wir wollen auch nicht den genormten und typisierten Europäer.
Aber wir wissen, daß in der Begegnung aufgeschlossener junger Menschen von Volk zu Volk zuletzt jeder bescheiden wird. Und dann mag er auch und darf er und soll er auch stolz werden können. Die Bescheidenheit im Gespräch mit den anderen ist nicht Würdelosigkeit, wie dann der oder jener sagen würde, der meint, das nationalsozialistische Lautgeschreie sei Patriotismus gewesen, sondern wir müssen lernen und zu lernen bereit sein, was auch die anderen, ob Franzosen, Engländer, Skandinavier, Schweizer, Italiener, auch was die großen Russen, Tolstoi und andere, für das europäische Bewußtsein bedeuten. Dann dürfen wir gewiß dessen innebleiben, daß der deutsche Beitrag in das europäische, in das Weltgefühl so groß ist, daß die Welt ärmer wäre, wenn er früher nicht gewesen, und daß sie ärmer bleiben würde, wenn er nicht wieder im freien Gespräch, im Geben und Nehmen zur Wirkung käme. Darum handelt es sich für uns, in der Beziehung der Völker, in der Beziehung der Gruppen, in der Beziehung des einzelnen, daß in einer Zeit, wo man von dem Wort der Vermassung wieder redet oder manche meinen, das Kollektiv sei ein Stück unabwendbaren Schicksals für die Millionen-Völker der modernen Technik, daß in solcher Zeit bei der Begegnung junger Menschen das *Ich* nicht verloren gehe, daß es das köstlichste Schicksal und die köstlichste Aufgabe der einzelnen Seele ist, die sich ihrer sozialen Verantwortung zum Bruder bewußt bleibt, indem sie ihrer Freiheit sich erfreut!

BENNO REIFENBERG

Rede auf Theodor Heuss

Der Preis des Friedens, der schöne Preis der Tat und der beständigen Gesinnung, er wird heute dem Mann zuerkannt, der während eines Jahrzehnts als der beste Anwalt der deutschen Sache das Wort hat nehmen dürfen. Er vereinigt in sich den Schriftsteller, den politischen Lehrer, den Parlamentarier, den Staatsmann. Theodor Heuss hat in die Bundespräsidentschaft seine Gaben eingebracht, die Fügungen seines Daseins, Hoffnung, Erkenntnis, Ernst und stete Zuversicht. Als er die höchste Würde übernahm, wurde dem Volk die Person sichtbar und bald vertraut. Indem er so sich selbst vervollkommnete, erfüllte sich der Sinn des Amtes. Das Amt erschien notwendig, als Dach

des Gemeinwesens, von woher die entscheidende staatliche Rechtfertigung ausstrahlen muß: die Autorität.
Der Preis gilt der Leistung eines ganzen Lebens.

Die schwäbische Objektivität

Zuweilen konnte der Redner Heuss sich unterbrechen. Er schaltete den für ihn kennzeichnenden Satz ein: »Und nun spricht nicht der Bundespräsident, sondern Theodor Heuss.« Er sagte auch »der Theodor Heuss« oder schlechthin »der Heuss«. Das ist die schwäbische Objektivität gegen sich selbst. Jedenfalls wollte er so das Subjektive der vorgebrachten Meinung unterstreichen, vor allem wollte er sein persönliches Urteil nicht durch das geliehene Ansehen des Amtes gewichtiger machen. Solche Unterscheidung hatte etwas Launiges, war aber wohlbedacht: Er, dem das Pathetische fernlag und fernliegt, dem jedoch die Sicherheit für Form nie versagt, er spürte genau die Grenze, wo hinter einer individuellen Freiheit sich die res severa öffnet, die ernste Sache des Amtes und seiner die Allgemeinheit bindenden Aussage. Das Erstaunliche blieb, wie er beide Bereiche, indem er sie zu trennen verstand, in der Einheit seiner Person vereinigen konnte. Darin lag das Vollkommene der Amtsführung: Niemals widersprach eine Heuss'sche private Äußerung dem Geist seines Amtes, niemals wirkte bei ihm das Amt als eine Fessel. Sein Nachfolger wird das Beispielhafte des ersten Bundespräsidenten durchaus nicht als Zwang, sondern als Wohltat erfahren: daß dieses höchste Amt die Freiheit der Person voraussetzt.
In gewissem Sinn darf Theodor Heuss die Zeit der Bundespräsidentschaft als ein weiteres Kapitel seiner Vita mit zwar großartigen Ausblicken betrachten, aber doch als eben ein anderes Durchgangsstück der Lebensreise. Er brachte das Stück hinter sich so natürlich und ruhevoll, wie er es einst betreten hatte. Und wahrlich, wie er als Bundespräsident in diesen Reihen bei diesen bedeutenden Anlässen anwesend war, so finden wir ihn heute unter uns, keineswegs als einen vom Gipfel zurückkehrenden, sondern als diese bestimmte Person, die erinnernd den Blick nach vorne richtet. Er wird reden als der Unverwechselbare, der er ist seit je: Theodor Heuss.
Dennoch: nachdem nun dieses Dezennium der Bundespräsidentschaft abgelaufen ist, worin es ihm vergönnt war, mit Leib, Seele, Geist das Staatsoberhaupt greifbar zu machen, muß Theodor Heuss sich darein finden, daß jetzt und später, daß vor der Geschichte mit seinem Namen auch das Amt, dem er Leben eingehaucht hat, aufgerufen sein wird. Er hat dem Amt den Herzton gegeben. Das Ansehen der Person hat sich in das Ansehen des Amtes verwandelt. Das gilt für alle unsere Landsleute und bedeutet Außerordentliches. Erinnern wir uns, daß eine Gruppierung der Parteien in Heuss den Partei-

führer emporgehoben hat, daß er gegen einen energiereichen Mann, der die Hoffnung eines großen Teils unseres Volkes war, gewählt worden ist. Aber der erste telegraphische Glückwunsch kam von Kurt Schumacher, und es dauerte nicht lang, da war der Name Theodor Heuss ein Inbegriff der Bundesrepublik, für alle Schichten, für jedermann.

Das Geschenk der Einmütigkeit

Das geschah in der zweiten Nachkriegsepoche unseres Landes, und solche Einmütigkeit war noch nie gesehen, seit wir uns der Republik, und das heißt heute unverrückbar der parlamentarischen Demokratie verschrieben haben. Darum zieht der Name Theodor Heuss in die Geschichte ein. Er half den Staat formen. Hierin liegt das Geschenk seiner Gaben, seiner Beharrlichkeit, seiner Tugend. Das ist sein Verdienst. Das bleibt ein Glück unseres jungen Staatswesens.

Indem wir das Wort Glück für dieses unser Deutschland aussprechen, überfällt uns eine Scheu. Wir müssen uns daran erinnern, daß die Zeit nicht so weit zurückliegt, wo wir gezweifelt haben, ob denn mit deutscher Zunge um Teilhaberschaft am Glück gebeten werden konnte. Wir vermögen nicht zu vergessen, was dieser Raum, in dem wir zu schöner, feierlicher Stunde zusammengekommen sind, uns einmal vor Augen geführt hat. Wir sahen das goldene Kreuz oben vom Turm kopflings nach unten hängen, als hätte eine zornige Hand der Kirche, der Stadt, dem Land, dem Volk das Zeichen heruntergeschlagen, als sei nach solchen Tagen, nach solchen Duldungen es nicht angemessen und nicht vergönnt, das Symbol aufzurichten, dessen Sinn wir allzu lange verschmäht hatten, uns zu Herzen zu nehmen. Wir vermögen nicht zu vergessen, wie in diesem ausgebrannten Saal nur die Säulen der Empore, jedes Schmuckes entkleidet, stumm im Kreise standen, als träumten sie in antiker Form um ein leeres Grab. Denn hier war ja nicht nur eine edle Hoffnung als eine Aufwallung vaterländischen Glaubens entschwunden, sondern die Stätte war doppelt leer und war unkenntlich geworden, platt geschlagen vom Marschtritt der Gewalt. Meine Generation hat mit ungläubigem Staunen und einem Gefühl des Unverdienten von sich feststellen dürfen, nach einigen Jahren der Betäubung: man war nicht gänzlich zu Stein geworden. Denn auch nur der Ansatz einer echten Ordnung in den öffentlichen Dingen rührte uns, jede Regung von Natürlichkeit und Selbstverständlichkeit und — sagen wir das Wort — jede erste Spur von Anstand griff ans Herz: es war erlaubt, wieder einer Vaterlandsliebe zu vertrauen, die mehr ist als Selbstlob.

Die große Menge, die nach so schlimmen Zeiten anzureden war, wenn eine Mitverantwortung des Volkes den Staat ins Leben rufen und lebendig erhalten sollte, das Volk also, das in diesem Punkt helles Ohr besitzt, hörte aus der Sprache, aus dem Tonfall des Bundespräsidenten Nüchternheit und Wirklichkeitssinn heraus, natürlich auch das Humorige, das Gesellige, Süddeutsche, entscheidend aber die Redlichkeit. Die Menge, menschlich angeredet, ist feinfühliger, fordert das Gute heißer, als man uns glauben machen will. Dieser Redner redete menschlich, er machte der Menge nichts vor, aber er verstand sie zu nehmen, und von ihm ließ sie sich das wohlgefallen.
Heuss kannte die eigenen Möglichkeiten, seine parlamentarische Praxis war gewiß nicht zu schlagen, die Vorstellung des Politischen in den gesellschaftlichen, wirtschaftlichen, geistigen Zusammenhängen hatte er sich in vierzig Jahren erlebter Geschichte, in Kenntnis der Hauptfiguren, im Studium siebenmal sieben geläutert und gehärtet: Aber sollte er dieses Amt übernehmen? »Das unmittelbare Tätertum meines Lebens, wovon zu erzählen wäre, ist verhältnismäßig gering«, so heißt es im Vorwort seiner Jugenderinnerungen. Er wußte, was ein freier Beruf, dessen gefährdete Lage er wie kaum ein anderer kannte, bedeutet, und er war stolz darauf, ihm anzugehören. Er beschreibt einmal, wie er durch den Klosterhof von Maulbronn schlendert und wie man von den Lebensläufen erzählt, deren Anfänge dieser Hof umsäumt hat. Von Kepler und Hölderlin, von Schelling und von Friedrich Reinhard; der brachte es einmal zum Außenminister der französischen Republik, später war er Gesandter der Bourbonen am Frankfurter Bundestag, einst Vikar von Balingen, dann Pair von Frankreich. »Über solche Schicksale mag man träumen«, so notiert Heuss, als er vor fünfunddreißig Jahren zwischen den alten Mauern den Atem der Geschichte spürte. Man würde zögern, Heuss als ehrgeizig zu bezeichnen, aber er hatte Phantasie, und warum sollte der Einfallsreichtum der Geschichte nicht für ihn Besonderes im Schilde führen?
Als man ihn zum Bundespräsidenten wählte, war er bewegt, er gedachte seines Vaters, der ihn gelehrt hatte, was Demokratie und was Freiheit meint, und man ist geneigt, an Jean Jacques Rousseau zu denken, den beim Abschied von zu Hause der Vater umarmt und mit einer Erschütterung in der Stimme, die der Sohn nie vergessen konnte, ihm sagt: »Jean Jacques, aime ton pays.« Die deutsche Heimat, sie ließ sich nicht nur erdkundlich erfassen, sie war Gedankensehnsucht und mußte erst Wirklichkeit werden. Dessen war Heuss gewiß und ist es zeitlebens geblieben. Auch heute, mitten im 20. Jahrhundert, wo manche Bewährungsproben uns noch bevorstehen. Es war da mehr zu schaffen als Einrichtungen, ja mehr als Gesetze und Methoden. Im

Parlamentarischen Rat, der ja unsere Bundesrepublik aus der Taufe gehoben hat, war jede der Fragstellungen für Theodor Heuss seit langem durchstudiert und in der Weise des Liberalen nach allen Seiten verstanden und gewertet worden. Er hatte ja nicht umsonst den glühenden Gedanken seines Lehrmeisters verwirklichen helfen und in Berlin an der Hochschule für Politik gelehrt und in wieviel Diskussionen selbst gelernt, im Begreifen, im Ergreifen der Macht »das Vernünftige« zu erstreben. Aber es gab da noch etwas anderes, was tiefer lag. Als man nun die Bundesrepublik beschloß und dabei die von Weimar ein wenig von oben herab traktierte, da hat Heuss den Finger auf die Wunde gelegt und an einen »grandiosen Irrtum« der Weimarer Verfassung erinnert: »Sie glaubte nämlich — — — an die Fairneß der Deutschen. Es kennzeichnet die sehr tragische Lage für unser Volk, daß wir für diesen Begriff Fairneß in Deutschland selber kein eigenes Wort besitzen. So geschah, daß der Entwicklungsweg der Demokratie von ... nationalistischer Romantik, von monarchistischer Restauration und dem elenden Verbrechen der Dolchstoßlegende begleitet wurde.«
Das war 1948 am 9. September gesagt, und Heuss hat es dabei bewenden lassen. Aber bei seiner Kenntnis unserer Geschichte hätte er noch mehr aufzählen können, was ihn zu jener Ermahnung veranlaßte: Letztlich war Friedrich Ebert von der Infamie der Dolchstoßlegende zu Tode gehetzt worden. Max Weber, der leidenschaftliche Geist, den die Besten nach 1918 zu Rate zogen, welche Folgerungen Deutschland aus seiner Niederlage zu gewinnen hätte, dieser moderne, unerschrockene Deutsche — von dem Karl Jaspers ganz einfach sagte, »er war der größte Deutsche unseres Zeitalters«, Max Weber wurde von den Studenten in München, in ihrem romantischen Nationalismus, zum Verstummen gebracht; welchen Enttäuschungen war nicht Friedrich Naumann ausgesetzt gewesen; und, um noch tiefer ins Vergangene zu stoßen: wie verkannt ist Friedrich List im eigenen Vaterland geblieben, wie elend in den Selbstmord getrieben.

Die Ordnung wieder herbeizurufen

Es ist im Grunde staunenswert, daß ein Wissender wie Theodor Heuss nicht verzweifelt auf ein öffentliches Wirken in Deutschland verzichtet hat. Privates mag eine Rolle spielen: Seiner Person hat der Zuspruch und das Gedenken Friedrich Naumanns viel bedeutet, sein Weg ist ohne die Strecke, auf der Frau Elly Heuss-Knapp ihren Mann begleitete, nicht zu denken. Damals, im Parlamentarischen Rat, sagte er jedenfalls »gegenüber der Wirklichkeit sind wir illusionsloser geworden, meine Generation ist durch die Schule der Skepsis hindurchgegangen. Doch ein Stück Glauben für unseren Beruf müssen wir mitbringen, sonst verliert unser Handwerk von Beginn an die innere

Würde.« Dem Amt des Bundespräsidenten waren in Weimar Entscheidungsfunktionen zugefallen — auf Max Webers und auf Friedrich Naumanns Raten, die ein Stück der monarchistischen Verantwortung gegenüber dem Parlament errichtet wissen wollten. Heuss war sich darüber im klaren: vom Präsidenten der Bundesrepublik mußte eine andere Art von Autorität gewonnen werden. Er handelt nicht. Aber er denkt laut. Und damit trennt er Recht von Unrecht, nennt er die Sorgen beim Namen, ermutigt er berechtigte Hoffnungen. Im alten China gab es eine Einrichtung, wonach der legitime Herrscher die Begriffe richtigstellt. Seine, des Oberhauptes gedankliche Klärung genügte, um die Ordnung wieder herbeizurufen. Die Legitimation des Bundespräsidenten beruht auf der Vereinigung, um nicht zu sagen auf der Wahlverwandtschaft, die hier Amt und Person eingehen müssen. Vom Gesetz her, von den verfassungspolitischen Möglichkeiten her ist der Bundespräsident fast waffenlos, scheinbar nur Zierde. In Wahrheit ist der Einfluß des Bundespräsidenten genau so mächtig wie Verstand und Rechtlichkeit, die ihn beseelen. Es gibt über diesen Gegenstand der Kompetenz einen Briefwechsel, der nicht veröffentlicht wurde, der aber wohl einmal in unsere Verfassungsgeschichte eingehen wird.

Was es mit der Richtigstellung der Begriffe auf sich haben mag, wird einleuchten, sobald wir uns an Beispiele erinnern, wann Theodor Heuss diese Macht ausgeübt hat. Die Rede von Belsen hat unserem Gewissen erlaubt, mit sich ins reine zu kommen, sie bleibt epochenmachend für unser Verhältnis zur jüngsten deutschen Geschichte, sie war schonungslos, und deshalb gab sie Trost. Zu Krieg und Schicksal, zu Unglück und Unmenschlichkeit wurden die Begriffe richtiggestellt, als am Buß- und Bettag 1957 der Bundespräsident, Gast des italienischen Staates, nicht nur den Kranz auf dem Friedhof der deutschen Soldaten vor den Toren Roms niederlegte, sondern nach eigenem Wunsch auch die ardeatinischen Grotten aufsuchte und schweigend vor dem Ort stand, wo dreihundertvierunddreißig Geiseln erschossen worden sind. Die Begriffe wurden richtiggestellt, als am 4. Oktober 1954 zum erstenmal das deutsche Staatsoberhaupt auf einem Gewerkschaftskongreß erschien und der Bundespräsident, hier in Frankfurt, seinen Zuhörern das Recht ihrer Organisation zum Schutz der »Ware Arbeit« bestätigte, zugleich aber ihnen schilderte, daß und warum das Wort »Proletariat« seinen Sinn verloren habe.

Ein unbefangenes Draufzugehen

Die Beispiele ließen sich vermehren. Man wird dabei entdecken, daß in allen Äußerungen, die vom Amt des Bundespräsidenten verlauteten, eine Erkenntnis und eine Nutzanwendung verborgen lag und daß sie auch nicht davor zurückschreckten, auf die Spannungen hinzuweisen, die sich nicht völlig auf-

lösen lassen, etwa die von Macht und Recht. Theodor Heuss hat — und sogar verkehrtermaßen waren manche davon betroffen — im März dieses Jahres vor der Führungsakademie der Bundeswehr die Pflicht der Selbstverteidigung erläutert. Er trat für den Grundgedanken der demokratischen Wehrpflicht ein. Das hatte er schon im Parlamentarischen Rat getan und war sich darin treu geblieben. Nach dem ersten Weltkrieg hatte er sich dem radikalen Pazifismus versagt. Und wenn manche von uns damals, 1919, vermeinten, nun sei kein Grund mehr denkbar, um dessentwillen je wieder die Waffen in die Hand zu nehmen wären, so hat ein totalitäres Regime, das unsere Sprache sprach, den europäischen Nachbarn um Deutschland die Sklaverei aufzuerlegen gedacht und uns vor Augen geführt, daß es sehr wohl ein höchstes Gut gibt, daß sehr wohl die Freiheit den Einsatz des Lebens verlangen darf. Hier öffnet sich mehr als ein deutsches Dilemma, es ist das Dilemma der westlichen Welt überhaupt. Auch in diesen Tagen der sensationellen Begegnungen: Die Freiheit muß bereit sein können, sich zu verteidigen.
Dem Erstaunen, das diese Rede hervorrief, mag Äußerliches zugrunde gelegen haben. Vielleicht haben manche das Zivile mit Hemdsärmeligkeit verwechselt und damit durchaus verkannt. Nun ist der Auftritt, die Gestik dieses Bundespräsidenten jedermann bald vertraut gewesen: die Freundlichkeit dieses Lächelns, dieses Zuhörenkönnen, das Wohlbehagen verschenkt. Alle kannten den sanft erhobenen Zeigefinger ernster oder launiger Belehrung, die auch der reizenden Gestalt einer Königin väterlich freundlich zuteil geworden ist. Andererseits konnte niemand leugnen, daß beim Abschreiten von Fronten das Gesicht des Herrn Bundespräsidenten wie ein Haus mit zugeklappten Läden wirkte; deutlich war zu erkennen, daß er da einen Akt der Pflichterfüllung ausführte, gemäß der alten Vorschrift »Mut bei allen Dienstobliegenheiten«. Dem elementaren Gefühl für das Lebendige, Bewegte muß der Ruf »Stillgestanden« und das Erstarrte der Kader widersprochen, ja Unbehagen erweckt haben. In solchen Augenblicken konnte man meinen, der Bundespräsident würde am liebsten durch eine einfach natürliche Handbewegung die kommandierte Unbeweglichkeit auflösen. In diesem unbefangenen Draufzugehen, mit dem er so vielen geholfen hat, aus einer schwierigen Situation herauszufinden, steckt sein Hauptgestus. Er wurde überall verstanden, und auf ihn hat die Volkstümlichkeit geantwortet. Wie dringlich Heuss auch, in der Nachfolge Naumanns, daran gelegen ist, der deutschen Politik von unten her durch Lehre und Schulung eine verständige, willensstarke, ja passionierte Generation heranzubilden, die Auswahl wäre nach der Begabung und nach dem Charakter zu treffen. An eine Elite ist nicht gedacht. Das ist nicht sein Wort, vermutlich würde es ihn irritieren. Er für seine Person ist da, wo er wirkt, auch zu Hause. Er fühlt sich wohler als Bürger einer freien Gesellschaft; wenn überhaupt, wäre das Vornehme dort zu

suchen. Vielleicht regt sich so das süddeutsche Daseinsgefühl. Kein Hochmut, aber ein demokratisches Selbstbewußtsein ist überzeugt, da, wo man mit den Landsleuten zusammensitzt und diskutiert, lebt man in der Freiheit der Gleichen.

Von der Rangordnung des Geistigen

Volkstümlichkeit, ein schönes Wort für eine gute Sache, hatte lange Zeit unser Mißtrauen erregt, es stand im Schatten der Volksverführung, und die Menge, die dem Rattenfänger nachhetzte, machte den alten Spruch zuschanden, daß Volksstimme Gottesstimme sei. Auch da hat das Erscheinen von Heuss den Begriff richtiggestellt. Man respektierte nicht nur das innere Recht des Staatsoberhauptes, sondern die seit langem so beschädigte Achtung vor dem weißen Haar wurde von den jungen Zuschauern und Zuhörern unmittelbar empfunden. Mehr noch: die große Menge vernahm mit Wohlgefallen, daß für sie ein Schriftsteller das oberste Amt innehatte. Ja, sie erlebte, nicht ganz bewußt, doch deutlich, ohne Beschwer aber mit einer gewissen Aufmerksamkeit, einen geistigen Menschen. Und die Menge verzeichnete mit Genugtuung: sie konnte ihn verstehen. Es war die boshafte Dummheit der Nationalsozialisten, Weimar unter anderem auch mit dem Betrug anzugreifen, das Intellektuelle ereigne sich nur auf Kosten des Gefühlsmäßigen. Am Ende war »intellektuell« ein Schimpfwort geworden, und das Gefühl, was dann übrigblieb, war blinde Wut. Wie ein Spuk liegen diese Verwirrungen hinter uns. Der Schriftsteller, der Journalist, das Staatsoberhaupt — er hat am Ende jedermann gelehrt, von der Rangordnung des Geistigen nicht mehr gering zu denken . . .

»Aus Untertanen Bürger machen«

Die große Biographie über Friedrich Naumann offenbart auf bewegende Weise die Verehrung für einen noblen Menschen, für seine Energie, der sich verändernden Welt einen neuen politischen Sinn zu entreißen. Ohne Friedrich Naumann, so sagte Heuss nach seiner Wahl zum Bundespräsidenten, »wäre ich nicht, was ich bin. Naumann hat mich gelehrt, daß die soziale Sicherung die beste politische Sicherung ist«. Es war eine große Konzeption: aus Untertanen Bürger machen. Niemand hat wie Heuss diesen mühevollen Aufstieg begleitet, mit Naumann die vermeintlichen Auswege und die Umkehrungen nachgehen können. Aus dem felsenfesten Vertrauen auf Friedrich Naumanns sittliche Macht erklärt sich die auf Theodor Heuss zurückgehende, in diesem Jahr gegründete Stiftung, die den Namen seines Meisters trägt. Es gibt keinen Glückwunsch, kein Telegramm des Beileids, keine noch so gelegentliche Äußerung von der Hand des Schriftstellers, die nicht für den besonderen Anlaß das besondere Wort fände und also das richtige. Das Wort erscheint rasch, und die Sprache ist der Intelligenz und dem Takt des Schreibenden gefügig. Hier entspringt die rednerische Begabung, die Theodor Heuss kennzeichnet: nicht seinen Zuhörern allein, sich selber sucht er den Kern der Sache darzulegen. Er gibt sich während des Sprechens Rechenschaft: an welchem Punkt er angelangt ist, warum er diesen Punkt erwähnen mußte. Seine Reden wirken oft wie ein innerer Monolog, wie sie ja auch oft von der Frage unterbrochen werden: »warum sage ich das?« Er fragt sich selbst, und die ihm zuhören, erleben mit ihm, wie erregend, das Suchen nach dem Richtigen ist. Vielleicht liegt hier die Redlichkeit des liberalen Denkens verborgen, daß auch das Gegenargument bedacht sein will, daß man sich nicht mit dem einfachen Behaupten begnügen kann. Als Professor Einaudi, zum Präsidenten der Republik Italien gewählt, von seiner parlamentarischen Tätigkeit Abschied nehmen mußte, fiel ihm der Abschied schwer: denn nun würde er die reinste Freude des Geistes entbehren, von den Argumenten des Gesprächspartners eines Besseren belehrt zu werden, die Wohltat eines weiseren Mannes zu verspüren. Diese Moral, zu der das öffentliche Leben des Parlamentes sich erheben kann, mag auch für Theodor Heuss gültig sein.

Die Wirkung seiner Rede

Die Essenz des Liberalen also beruht auf dem gemeinsamen Wahrheitfinden. Indem man die Zahlen der Partei aufrechnet, werden wir wohl verleitet, auf eine politische Schwäche des Liberalen zu schließen. Jedoch bedenkt man, wie das Recht, die Notwendigkeit der Diskussion heute fast niemand mehr abzustreiten wagt, dann werden wir in dieser liberalen Methode eher das Salz unseres parlamentarischen Lebens herausschmecken. Vielleicht erscheint diese Wertung zu optimistisch, denn waren nicht die Siege der Radikalen auf Unbedingtheit zurückzuführen? Freilich hat der Nationalsozialismus sich durch das Reden die Menge unterworfen wie nie zuvor eine Partei, aber man müßte genauer sagen: durch den Lautsprecher seiner ein und einzigen Rede. Sie diente dazu, der Menge das Denken abzugewöhnen und sie solcherart durch Monotonie zu erniedrigen. Die Wirkung einer Heuss'schen Rede erzielt das Bessere: sie behält immer die Menschen im Auge, aus denen schließlich die Masse zusammengesetzt ist; eine Rede respektiert die Masse, wie der Gärtner den Boden achtet, dem er das Saatgut anvertraut.
Auf bewundernswerte Weise, die heute in Deutschland kaum ihresgleichen hat, erfüllt sich bei ihm das Wort von der »freien Rede«. Sie ist wahrhaft »ansprechend«, sie räumt in schwierigen Bezirken ordnend auf, die Zuhörer erleben den Doppelsinn von »aufgeräumt«, es ist, als schauten sie in ein helles, aufgeräumtes Zimmer, und alsbald fühlen sie sich selbst »aufgeräumt«, das

14 Blaubeuren, ehemalige Benediktinerklosterkirche
1491—99 erbaut von Peter von Koblenz

heißt, heiter. Ein Mann, der so zu sprechen weiß, vertraut sich seinen Hörern an, die ihm mit Vertrauen antworten. Es mag das schwierigste Thema angeschlagen sein — eine Rede von Heuss läßt ihn und seine Hörer beisammenrücken, jeder fühlt sich als Person geladen, als sei man an einem Tisch, ja daheim, und es dürfe gar keine Zweifel geben, daß man sich bei gutem Willen verständigen und eins werden könne. Zuweilen, wenn ein Gedankengang zu Ende gebracht ist, senkt sich die Baßstimme, als sinne sie dem eben Gesprochenen nach, und jedermann spürt, da wäre vielleicht noch etwas anzufügen, um was aber jedermann selbst sich zu bemühen habe. Da waltet der gleiche Takt, der instinktiv und also zuverlässig arbeitet. Heuss ist in der Verurteilung einer Tat, eines Menschen entschieden. Aber sein Urteil triumphiert nicht, und es ist sprachlich auf kennzeichnende Weise zurückhaltend. Wenn er eine Sache scharf tadelt, spricht er davon, sie sei »wüst« gewesen; darf er wohlwollend für ein Ungeschick sein, ist zu hören, der und der Einfall sei »rührend«.

Helle des Gegenwärtigen

Folgerichtig gebraucht Heuss in seinen Reden die »Ich«-Form. Sein ungemeines Wissen vermittelt sich am liebsten nicht als Vortrag oder Vorlesung, sondern im lebendigen Gegenüber, bei dem der Redner das Wagnis auf sich nimmt, doch auch die Zuhörenden von der leisen Spannung erregt sind, wie es diesmal ausgehen werde. So wittert um den Mann, der aus dem Gewölk der Geschichte zu den überraschendsten Schattenbeschwörungen greifen kann, dennoch die Helle des Gegenwärtigen. Was ihn angeht, ist auch unsere Sache, nicht einen Augenblick würde er zu der heutigen und der herannahenden Generation einen Abstand entstehen lassen, etwa den der Altersweisheit, der sentimentalen Hinwendung zum Rückblicken.
Er hat einmal geschildert, wie oft er als Bub auf den Kiliansturm zu Heilbronn gestiegen sei, da oben zu singen begonnen habe, und wie verwundert er war, daß die Stimme echolos verhallte. Seitdem ist er weit gereist, er hat in seinem Skizzenbuch sich manche Ansicht der schönen Welt notiert, manchen Turm bestiegen und Fernsichten erlebt und auch auf der Stelle gestanden, von wo die vielen Schichten, die Höhen und die Tiefen Deutschlands sich gut überschauen lassen. Die aufmerksamen Augen sind ihm geblieben, heute kommt ihm, dem Mann, der für sein Teil die Eintracht, den Frieden im Innern mit wachen Sinnen gefördert und erhalten hat, der schöne Preis des Friedens zu. Als Echo, und ganz vernehmlich, lang anhaltend. Verehrter, lieber Theodor Heuss, der Klang Ihres Namens wird nicht verhallen in diesem unserem Vaterland.

EUGEN GERSTENMAIER

Der christliche Politiker

Bei irgendeiner Grundsteinlegung oder Einweihung vor einigen Jahren fiel mir auf, wie fromm die Festredner eigentlich alle sprachen. Es war keine kirchliche Feier, sondern ein durchaus weltlicher Anlaß. Beim anschließenden Essen fragte ich einen der neben mir sitzenden Redner, den ich nicht zu den Frommen im Lande zählte, ob denn bei derlei Anlässen immer so fromm gesprochen werde. Die Antwort: zur Zeit meistens! Die Erklärung, die der Mann dafür gab, war karg, aber klar. Er meinte, die Deutschen hätten ja gemerkt, daß man mit Gott rechnen müsse. Schließlich hätten wir dafür soviel Lehrgeld bezahlt, daß es nur richtig sei, wenn man dem auch außerhalb der Kirchenmauern einen öffentlichen Ausdruck gebe.

Ich glaube, daß diese Antwort den Kern der Sache trifft. Damit will ich nicht in Abrede stellen, daß in Zeiten, in denen die Kirchen eine öffentliche Macht darstellen, es auch einen Opportunismus gibt, der es für nützlich hält, sich zuweilen der frommen Gebärde oder des frommen Wortes zu bedienen. So unerträglich das auch ist, so falsch und töricht wäre es, Äußerungen der Frömmigkeit im öffentlichen, besonders im politischen Leben schlechtweg als unsachliches Beiwerk oder gleißnerische Propaganda abzutun. Es kann gar kein Zweifel darüber sein, daß die Erfahrungen unserer Generation und die uns abverlangten Entscheidungen mit der bloßen politischen Routine nicht zu bewältigen sind. Sie fordern einen gefestigten Standort und eine Sicht, die über den Vordergrund und Alltag des Politischen hinausreicht, weil sie etwas von der wahren Bestimmung des Menschen und damit vom Ziel der Geschichte erfaßt hat. Wenn davon etwas in der Politik laut wird, so sollte es als Hinweis auf einen inneren Begründungs- oder Gesinnungszusammenhang respektiert werden. Auch Anleihen beim Sprachgut der Kirche können dabei legitim sein, wennschon ich die Bemerkung nicht unterdrücken kann, daß mir in der politischen Debatte die ausgiebigeren Anleihen bei der Kanzelsprache meist ebenso peinlich sind wie politische Kampfreden von der Kanzel.

Daß wir uns heute mit Stilfragen dieser Art auseinandersetzen müssen, liegt auch daran, daß wir in den letzten 25 Jahren eine energische Auseinandersetzung des Christentums mit politischen Tatbeständen erlebt haben. Sie ist weithin nicht nur kritisch, sondern kämpferisch verlaufen. Denn die Erscheinung des totalen Staats mußte jeden persönlichkeitsbewußten Menschen alarmieren. Den Christen stellt sie vor die grundsätzliche Frage nach den absoluten Grenzen aller Staatsmacht. Mehr als die überlieferte Frage nach der sozialen Gerechtigkeit mußte sie auf das Ganze der christlichen, ja der menschlichen Existenz gehen. Kein Wunder, daß da denn auch wieder Märtyrer zu fallen begannen.

Das Aufkommen der Atomwaffen zusammen mit dem schärfer werdenden Ost-West-Konflikt ist der andere neue weltpolitische Tatbestand, der das christliche Denken herausfordern mußte. Hier scheiden sich bis jetzt die Geister der Christenheit jedenfalls in Deutschland mit solcher Schärfe, daß mir zum Beispiel die innerkirchliche Auseinandersetzung im deutschen Protestantismus über die Atomwaffen weit heftiger und absoluter erscheint als dieselbe Auseinandersetzung im Bundestag. Nun sind die Erscheinung des totalen Staates und das Aufkommen der Atomwaffen gewiß neue Ereignisse. Aber tritt in ihnen nicht eben doch nur die uralte christliche Frage monumental vor unsere Zeit, die Frage nach dem Umgang mit der Macht überhaupt?

In einem großen Kapitel seines zweiten Korintherbriefes skizziert der Apostel Paulus den Weltaspekt des Christentums mit dem Wort: »Wir, die wir nicht sehen auf das Sichtbare, sondern auf das Unsichtbare!« Paulus sagt damit kurz und bündig, daß die christliche Existenz in Tat und Wahrheit gar nicht auf das Zeitliche, auf das in der Geschichte und Politik Maßgebende bezogen sei, sondern auf das Überzeitliche, auf das, was jenseits aller Politik liege.

Das abendländische Christentum hat trotz dieser Grundorientierung oft ein viel zu enges Verhältnis zur politischen Macht gehabt. Aber bis heute ist nicht nur in der Christenheit, sondern auch unter den vom Christentum erzogenen Völkern jene Unruhe spürbar, die sich aus der profunden Infragestellung des Machtwillens durch die Botschaft des Neuen Testaments ergibt. Der Umgang mit der Macht ist das Kernproblem des Christen in der Politik. Christen können sich für oder gegen die Wehrpflicht, für oder gegen die Atombewaffnung, für oder gegen die Planwirtschaft, die Todesstrafe, die dynamische Rente oder die Umsatzsteuerreform aussprechen. Aber sie können sich nicht etwa gegen den freiheitlichen Rechtsstaat aussprechen, denn sie müssen ein so reflektiertes Verhältnis zur Macht haben, wie es heute nur im freiheitlichen Rechtsstaat praktizierbar ist. Schon die auf das Überzeitliche, Ewige bezogene Weltschau des Christentums erlaubt dem Christen, erlaubt dem christlichen Politiker und Staatsmann kein anderes, kein ungebrochenes Verhältnis zur Macht. Dazu kommt die Infragestellung des Machtwillens durch das Liebesgebot Jesu. Auch wenn die Theologie aller großen christlichen Kirchen mit guten Gründen dafür gesorgt hat, daß die Bergpredigt nicht als ein Staatsgrundgesetz oder ein Richtlinienkatalog der Politik genommen wird, sondern als die innere Lebensordnung der Gemeinde Jesu — auch im Bewußtsein dessen darf sich der Christ in der Politik dem Klang und Geist der Worte Jesu nicht entziehen.

Von außen gesehen sind das natürlich Belastungen für die Bewegung im politischen Kampffeld. Die Leute mit dem handfesten, ungebrochenen Machtwillen und Ehrgeiz sind denn auch denen mit den selbstkritischen, gewissen-

haften Überlegungen oft genug überlegen. Wer sich selbst und der Macht mit Vorbehalten gegenübersteht, der muß nicht selten die Mahnung hinnehmen, daß es mit spinösen Überlegungen im Kampf um die Macht oder bei der Durchsetzung einer politischen Notwendigkeit nicht getan sei. Er setzt sich der Kritik von allen Seiten aus, weil er in einem gespannten Verhältnis stehen muß zur bloßen politischen Opportunität und weil darum auch die Popularität kein letzter Maßstab für ihn sein darf. Dazu kommt, daß auch der Christ in der Politik meist keine fertigen Rezepte anzubieten hat. Der Katholik, der »Quadragesimo anno« schätzt, tut sich schwer, eine heute vollziehbare Programmatik der berufsständischen Ordnung vorzulegen. Und der Protestant, der sich bedingungslos gegen Atomwaffen ausspricht, hat noch niemandem klarmachen können, wie er Berlin, wie er Deutschland, wie er die freie Welt davor schützen will, die Beute der Sowjets zu werden. Es ist wahr: auch die Christen kochen in der Politik nur mit Wasser.
Aber dennoch ist ihr kritisches Verhältnis zur Machtausübung, wie ich meine, politisch produktiver und konstruktiver als jener ungebrochene Machtwille, der naiverweise meist für die Voraussetzung politischer Wirksamkeit angesehen wird. Noch naiver ist es freilich, anzunehmen, daß die Macht an sich böse und darum zu meiden sei oder gar, daß der Christ seinen Einfluß auf diese Welt auch in der Politik unter Verzicht auf Macht ausüben solle. Das ist nicht christlich oder moralisch, das ist nur dilettantisch. Zwischen diesem Dilettantismus und dem christlichen kritischen Verhältnis zur Macht ist ein grundlegender Unterschied. Dieses reflektierte Verhältnis drückt sich darin aus, daß die Macht weder um ihrer selbst willen noch zur Steigerung des eigenen Bewußtseins begehrt wird, sondern nur insoweit, als es für die Durchsetzung einer notwendigen Aufgabe nach gewissenhafter Prüfung unerläßlich ist. Mit einer solchen Generalformel würde zwar auch noch der Kommunist seinen totalen Zwangsstaat verfechten. Deshalb kann sie auch nicht als objektiver Maßstab für die Beurteilung des Verhältnisses zur Macht verwendet werden. Aber die Formel zeigt auf das Wesentliche, wenn sie redlich zur eigenen Gewissenserforschung herangezogen und zur fortgesetzten Kontrolle des eigenen Verhältnisses zur Macht verwendet wird. Denn die Macht im Staat ist Leihgut. Es darf nicht zugunsten der eigenen Person investiert werden, sondern nur zu Nutz und Frommen der öffentlichen Aufgabe, allenfalls zugunsten des anbefohlenen Amtes.
Dieser Begriff des Amtes hat in der christlichen Tradition einen ehrwürdigen Klang. Der Respekt, den die Bibel der geordneten, legitimen Macht entgegenbringt, ist darin lebendig. Vor kurzem sah sich der stellvertretende Vorsitzende einer großen Partei in der Bundesrepublik veranlaßt, zu erklären, daß die von seiner Partei gestellten Minister keineswegs von den Funktionären der Partei gesteuert würden. Diese Feststellung setzte sich mit dem Vorwurf

auseinander, daß die Träger unserer höchsten Ämter nichts anderes seien als Vollstreckungsbeamte von Parteiorganen, durch deren Vertrauen sie in ihr Amt gelangten und zu deren Gunsten sie die Macht ausübten.

Nun kommt es vor, daß das Partei- oder Gruppeninteresse und das übergeordnete Staatsinteresse keineswegs zusammenfallen, ja daß sich ernstliche Interessenkonflikte ergeben. Ebenso kommt es vor, daß der verantwortliche Inhaber eines Amtes eine Frage von politischer Bedeutung anders beurteilt und entscheidet, als diejenigen es für richtig halten, deren Vertrauen er sein Amt verdankt. Ich glaube, daß in einem solchen Loyalitätskonflikt dem Christen kein großer Raum für taktisches Lavieren bleibt. Ein Christ sollte sich jedenfalls von vornherein darüber im klaren sein, daß die Loyalität gegen sein Amt den Vorrang hat vor allem anderen. Denn abgesehen von allem anderen ist dem Amtsträger der Schutz aller, insbesondere auch des Rechtes der Minderheiten, anbefohlen. Rechtsstaatlich gesinnte Parteien, sicher aber christliche Parteien, sollten niemals einen Zweifel darüber lassen, daß sie von den Amtsträgern, die sie stellen, gar nichts anderes erwarten, als daß sie im Konfliktsfall nach den Pflichten ihres Amtes und nach ihrem eigenen gewissenhaften Ermessen handeln. Selbstverständlich riskiert ein solcher Mann damit auch, gestürzt zu werden oder loyalerweise zurücktreten zu müssen. Wer solche Risiken aber nicht laufen will, der gehört in einem freiheitlichen Rechtsstaat auch nicht an die Macht. Wir brauchen keine Leute, die um jeden Preis an der Macht kleben.

Der großartige Artikel 38 des Grundgesetzes stellt den Abgeordneten des Bundestags grundsätzlich frei von Weisungen und Aufträgen seiner Wähler, obgleich er ihnen selbstverständlich Loyalität schuldet. Damit ist klar gesagt, daß das Mandat für die Handhabung der öffentlichen Macht im Vertrauen darauf erteilt wird, daß der Amtsträger im Rahmen des öffentlich von ihm vertretenen politischen Programms »das Rechte tut, wie's Gott ihm gibt zu sehen«, um mit Abraham Lincoln zu sprechen. Natürlich ist damit nicht nur jeder Fraktionszwang ausgeschlossen, sondern es ist auch völlig klargestellt, daß in unserer parlamentarischen Demokratie der Mandats- wie der Amtsträger grundsätzlich mehr ist als der Vollzieher von Parteibeschlüssen oder der Funktionär von Verbandsorganen. Es ist, meine ich, die Pflicht des Christen in diesem Staat, diesen Amtsbegriff mit aller Kraft zu schützen. Auch dann, wenn dagegen eingewandt werden sollte, daß damit der Autokratie Vorschub geleistet werde. Wenn ein Mann die seinem Amt zukommende, begrenzte und kontrollierte Macht verfassungsmäßig, das heißt voll ausübt, dann tut er damit nur seine Pflicht. Ein Mann im Amt darf allerdings auch nicht mehr tun, selbst wenn es ihm eine überwältigende Mehrheit gestatten würde. Er ist der Gebundene von Verfassung, Gesetz und Gewissen. Sie verleihen ihm Macht, aber sie begrenzen und kontrollieren sie auch. Schlechter-

dings unvereinbar mit christlicher Haltung ist es, das Amt der eigenen Machtgier zu unterwerfen oder es von der Herrschaft der Opportunität — etwa in der verführerischen Gestalt der bloßen Gefälligkeit — verwüsten zu lassen.
Ich glaube, daß in dem von unserer Verfassung gedeckten, im Amtseid zusammengefaßten Verständnis des Amtes das christlich Wesentliche über den Umgang mit der Macht wirksam ist. Der Politiker — gleichgültig, ob Christ oder Nichtchrist — bleibt ihm verpflichtet. Die Christenheit aber muß sich darüber im klaren sein, daß in einer Zeit, in der der freiheitliche Rechtsstaat auf den Schultern und Gewissen aller seiner Bürger ruht, es ein Gebot der Frömmigkeit ist, teilzunehmen an der Zähmung der Macht, nicht aber an ihrer Lähmung oder Diskriminierung.

HERMANN HEIMPEL

Die Wiedervereinigung im Spiegel der Geschichte

Aus einer Rede (1955)

Die Wiedervereinigung ist ein schweres Problem. Mögen die Politiker in ihren Lösungsvorschlägen sich leidenschaftlich bekämpfen, der Historiker hat als solcher dazu nicht Stellung zu nehmen; mögen andere Redner dieses Tages die weltpolitischen Bedingungen für die mögliche Verwirklichung eines sich stärkenden deutschen Einheitswillens abtasten; für den Historiker gilt die Aufgabe, daran zu erinnern, was alle wissen, was aber zu vergessen den stolpernden Schritt in eine neue Katastrophe bedeuten könnte: daß gewisse, bis vor kurzem als Gemeinplätze festgehaltene Selbstverständlichkeiten nicht mehr gelten, weil sie grausam widerlegt sind. Niemand in Deutschland denkt daran, anders als im peinlich gewahrten Frieden Deutschland wiedervereinigt zu wünschen. Und doch müssen wir einen Augenblick vom Kriege reden, weil der Krieg eine gewohnte geschichtliche Kategorie, und weil er in unserem historischen Denken sozusagen der Grenzfall des politischen Handelns ist. Wir müssen vom Kriege sprechen, um unsere geschichtliche Lage als unvergleichlich und neu zu erkennen: um zu wissen, daß die Geschichte nicht dazu da ist, wiederholt, gewissermaßen gedankenlos abgeschrieben zu werden. Der Krieg ist nicht mehr mit dem klassischen Wort von Clausewitz als die Fortsetzung der Politik mit anderen Mitteln zu verstehen. Vielmehr ist die Politik zweimal in unserem Jahrhundert die Fortsetzung des Krieges mit anderen Mitteln geworden. Niemand will, niemand kann in dieser schwer zerstörten Stadt an die Wiedervereinigung denken unter dem Risiko des Krieges. Der

Kenner der Geschichte des neunzehnten Jahrhunderts weiß, welcher diplomatischen Anstrengung es schon bedurfte, die klassischen Einheitskriege von 1864, 1866, 1870/71 isoliert zu führen. Seitdem sind zweimal aus den Vordergründen nationaler Wünsche — 1914 und 1939 — Weltkriege entstanden, und die Entscheidung über die deutsche Wiedervereinigung, aber auch über Fortbestand oder Vernichtung unserer Zivilisation, kann so gut wie an der Werra an der Straße von Formosa fallen. Aber nicht nur räumlich, sondern auch nach dem Maße der Vernichtung haben wir den Glauben an die Isolierbarkeit des Krieges verloren. Wir können nicht mehr von dem Gotte singen, der Eisen wachsen ließ. Gott hat Uran wachsen lassen. Wir können kaum noch lächeln über den Turnvater Jahn, der es ablehnte, sich mit der ungermanischen Maschinenwaffe eines Feuergewehrs gegen Napoleon führen zu lassen, und nichts als Ernst Moritz Arndts Säbel, Schwert und Spieß in seine Rechte nehmen wollte.
Solches deute ich nur an, um zu sagen: Die Wiedervereinigung ist eine Frage der richtig verstandenen Geschichte. Aus der Geschichte lernen ist aber etwas anderes als nur auf die Vergangenheit sich berufen. Nicht alle Vergangenheit, auch nicht der Verlauf der deutschen Geschichte im ganzen, ist uns gleich nahe. Wollen wir auf unser großes mittelalterliches Reich, sollen wir auf die Zeit der Hohenstaufen oder Heinrichs des Löwen pochen? Diese Zeiten, diese Gestalten sind ehrwürdige und geliebte Stücke unseres nationalen Bewußtseins, aber praktisch helfen sie uns wenig, ja, die einfache Berufung auf das Reich der alten Kaiser, auf Otto den Großen, der vor genau tausend Jahren die Ungarn schlug und somit die von seinem Vater angelegte erste deutsche Einheit befestigte, auf Barbarossa, auf den großen zweiten Friedrich, kann dem Wiedervereinigungsgedanken sogar schädlich sein. Denn sofort müßten wir uns daran erinnern, daß von der alten Mauer des Reiches große Steine abgebröckelt sind, die Niederlande, die Schweiz, um nur Beispiele zu nennen, und niemand wird diese Steine, die inzwischen durch eine eigene bedeutsame Geschichte zu glatten Quadern zurechtgehauen sind, der alten Mauer wieder einzufügen hoffen. Die Geschichte hat gesprochen. Niederländer, Belgier, Schweizer haben ein für allemal ihre eigene Geschichte. Beruft man sich also auf die alten Zeiten, überblickt man die deutsche Geschichte als die Geschichte des Reiches und seiner Entgliederung, so bedarf es keiner zu großen historischen Phantasie mehr, um sich vorzustellen, daß ebenso wie seit dem fünfzehnten Jahrhundert die Schweizer, wie seit dem sechzehnten Jahrhundert die Niederländer, so auch im zwanzigsten Jahrhundert die Sowjetzone und somit die Bundesrepublik eigene »Nationen« werden könnten. Denn der Begriff der Nation ist durchaus nicht in zeitloser Weise auf große politisch geeinte Sprach- und Kulturgemeinschaften beschränkt. Noch vor hundert Jahren sprach man unbefangen von einer preußischen, von einer

bayerischen, wenn nicht gar von einer calenbergischen Nation. Denn die Vergangenheit lehrt, daß Reiche und Völker — man denke an die Polen — nicht unteilbar, sondern teilbar sind.
»Deutschland ist unteilbar«: das Motto dieser Tagung bezeichnet nicht eine geschichtliche Tatsache, sondern ist Ausdruck eines Willens. Die Vergangenheit kann uns auch dahin verführen, wohin wir gerade nicht wollen, in die Trennung, statt in die Einheit. Diese Gefahr können wir nicht bannen durch bloße Berufung auf eine ferne große Vergangenheit. Erkenntnis von Geschichte bedeutet immer auch die Anerkennung gegebener Tatsachen; wir müssen die Tatsachen unterscheiden, die unsere Erkenntnis endgültig anerkennen muß, und die Tatsachen, mit denen wir uns noch nicht abfinden müssen und auch nicht abfinden wollen. Womit wir uns nicht abfinden wollen, und auch nicht abfinden müssen, das ist die Teilung Deutschlands. Aber nun hebt noch einmal die Geschichte den warnenden Finger und stellt uns zwei Fragen. Die erste: was ist das für ein Deutschland, dessen Einheit wir wollen? Und die zweite: mit welchem geschichtlichen Recht fordern wir dieses Eine Deutschland? Die erste Antwort: dieses Deutschland ist nicht das alte übernationale Stauferreich, wir sagten es schon. Im Jahre 1919 hätte es das um Deutsch-Österreich bereicherte Deutschland, die großdeutsche Korrektur von 1871, sein können. Diese Möglichkeit ist uns und den Österreichern damals von den Siegern aus der Hand geschlagen worden. Dann, 1938, war sie verwirklicht, 1939 schon ist sie von uns selbst aufs Spiel gesetzt und endlich verspielt worden. So ist unser Programm bescheiden geworden. Es ist zurückgeworfen auf das kleindeutsche Bismarcksche Reich, im besten Falle gar auf die Grenzen von 1937. Die zweite Antwort: glaube niemand, daß es so etwas gäbe, wie ein in den Sternen geschriebenes Naturrecht auf die Einheit der Nation. Es mag ein natürliches Recht des einzelnen auf seine Heimat geben. In der Geschichte aber ist nichts natürlich und alles geschichtlich, ein Produkt nämlich aus Tat, Leiden, Schuld und Willen. Noch ist es eine edle, aber unnütze Klage, daß die sogenannte Grenze zwischen Bundesrepublik und Sowjetzone westlicher verläuft als die Ostgrenze des Reiches Karls des Großen einst gegen die Westslawen: daß wir an der Werra mehr als tausend Jahre zurückgeworfen sind. Mitten durch altes sächsisches, fränkisches, thüringisches, deutsches Kulturland, nicht zwischen Altdeutschland und Kolonialland zieht die böse Grenze, aber auch jenes Deutschland ostwärts von Saale und Elbe, durch die große Kolonisationsbewegung seit dem zwölften Jahrhundert von fast allen Stämmen und bis nach Ostpreußen fester deutscher Kulturbesitz geworden, liegt uns unvergessen im Herzen. Wir können es ja noch so oft sagen, daß der deutsche Bauer, Handwerker und Ritter und Kaufmann, daß die deutsche Leistung von Jahrhunderten dieses Leipzig und Berlin, dieses Stettin und Königsberg in deutscher Weise an die westeuropäi-

sche Kultur angeschlossen haben, die Geschichte kann nicht nur Eigentum durch Arbeit gewinnen, sondern auch gutes altes Recht durch Politik aufs Spiel setzen und durch Niederlagen verlieren. So bleibt uns wieder nicht der einfache Rückblick auf die Vergangenheit, auf die alten Dome und Rathäuser der östlichen Backsteingotik, sondern nur die Liebe und der Wille. Aber auch Liebe und Wille müssen an eine Vergangenheit anknüpfen können, an eine Geschichte, die uns noch nahe ist, die Gegenwart ist, weil wir sie als Wirklichkeit noch ernst nehmen können. Dann freilich hat unser Wille nicht mehr viel Zeit. Fremde Ideologie, bei allem tapferen Widerstand, frißt sich ein, und Ideologien wie Religionen können Staaten, können Nationen entstehen lassen: die protestantischen Niederlande, das katholische Belgien haben es im vorigen Jahrhundert bewiesen. Warum sollte es einem kommunistischen Mitteldeutschland nicht gelingen, eine Nation zu werden? Der Tod räumt auf unter den Menschen, die Ostpreußen, die Schlesien, die Pommern als ihre Heimat selbst erfahren haben. Bei aller beglückenden Verbindung hinüber und herüber: Göttingen und Jena, Leipzig und Braunschweig können sich eines Tages fremd geworden sein. Darum muß der Wille zur Einheit sich jetzt regen, und nur dieser Wille läßt dann auch die Vergangenheit, und auch die ferne Vergangenheit in der rechten Weise für die Zukunft fruchtbar werden. Nur wenn unser Wille behutsam und kräftig ist, beißt sein Anker Grund auch in der fernen Vergangenheit in Weimar und Jena, Goethes liebem närrischem Nest, läßt uns Naumburg im Sinne haben, wenn wir im Dome in Bamberg stehen.

Unser Wille verbinde Entschlossenheit und Behutsamkeit: Entschlossenheit, damit er nicht zu spät komme; Behutsamkeit, damit er nicht ende in der Angst vor der eigenen Courage. Ein Wille zur Einheit nur in Freiheit und nur in Frieden. Nicht weil unsere Jugend nicht mehr bereit wäre, sich für etwas Großes zu opfern, sondern weil der Kriegsgedanke aus den Überlegungen ausscheidet.

In diesem Sinne gibt es allerdings nicht die Wiedervereinigung um jeden Preis. Entschiedenheit und Behutsamkeit aber auch in der Einsicht in die geschichtliche Lage: daß wir ein Volk sind, das sich selbst geschlagen und darum auch sich selbst geteilt hat. Denn wer sich daran klammert, daß die Sieger Deutschland geteilt haben und teilen wollten, macht es sich selbst zu bequem und erwartet vom Sieger eine Weisheit, die er ihm in glücklichen Tagen wahrlich nicht zugebilligt hat. Einsicht muß walten auch darin, daß die Einheit Opfer fordert, Opfer am Lebensstandard, Opfer auch am Rechthabenwollen und die Kraft des Verzeihens im Schicksal der Vertreibung. Daß wir uns vielmehr in einer wenig bequemen Weise einlassen müssen in die Diskussion mit fremden Gedanken und mit fremden Einrichtungen. Einsicht darin, daß wir unsere eigene geistige Standfestigkeit schon jetzt einer harten Übung unterwerfen müssen. Einsicht in die geschichtliche Lage bedeutet auch den Verzicht auf jenen zivilisatorischen Hochmut, für den es innerhalb Deutschlands so etwas geben möchte wie ein west-östliches Kulturgefälle. Stadt und Universität Immanuel Kants, Stadt und Kirche Johann Sebastian Bachs, Königsberg und Leipzig, liegen ebenso in Europa wie das Köln des Albertus Magnus und Kirchen und Schlösser unseres bayerischen Barock. Dieser Wille ist zugleich Liebe als Bereicherung, Vertiefung, Vermenschlichung des Nationalgefühls in den Bereich der Nächstenliebe, des nicht Aus-den-Augen-Lassens der achtzehn Millionen Deutsch sprechender Menschen, eine Gesinnung, welche die Begriffe West und Ost als eines Gebenden und eines Nehmenden gar nicht aufkommen und sich nicht von dem englischen Historiker Toynbee einreden läßt, die sogenannten Westdeutschen würden bessere Europäer werden, wenn man sie von den sogenannten Ostdeutschen getrennt hielte. Wir kennen nur Ein Deutschland, nach Ländern gegliedert, in dem Geben und Nehmen hin- und herflutet. Diese Liebe schließt nicht nur die Thomaner ein und unsere alten Universitäten, wie Jena, Halle, Greifswald und Rostock, sondern auch Potsdam. Ja, auch Potsdam, aber ebenso die Arbeiter von Leuna und Zeiss und im sächsischen Braunkohlengebiet, die Leipziger Buchdrucker und die so selten mehr bei uns gehörten Mundarten, das Sächsische, nicht ausgeschlossen. Der Wille aber bindet sich an die geschichtliche Erfahrung. An die Erfahrung, daß keine ferne Vergangenheit uns Ansprüche schenkt, da ein Volk sie auch verspielen kann. Daß kein Naturrecht uns die Einheit garantiert, wenn wir sie nicht behutsam und eifrig wollen. Die geschichtliche Erfahrung zwingt die Leidenschaft zur Geduld. Aber diese Geduld geht in die Geschichte ein nur als gebändigte Leidenschaft. Leidenschaft und Geduld, Geduld und Leidenschaft, beide in der Spannung unserer Seele zu vereinigen, ist die Aufgabe, die uns die Geschichte gestellt hat.

EDUARD SPRANGER

Aus der Rede zum 2. Jahrestag der Bundesrepublik am 12. September 1951

... Vor einigen Monaten schrieb mir ein Gelehrter aus Iran, sein Vaterland Persien sei ein Gebiet, in dem der unaufhörliche Sturm der Eroberer und Zerstörer alle nationalen Geschichtsquellen immer wieder vernichtet habe. Die historische Wissenschaft könne nur spärlich gesicherte Feststellungen machen. Er fügt in schönstem Deutsch hinzu: »Der Umstand hat zu einer Meinungsverschiedenheit geführt zwischen dem Volke und der gelehrten Welt: Diese verneint alles, was nicht belegt und bestätigt ist. Jenes hält auf seine Mythen, Epen und Rückerinnerungen.«

Bei uns in Deutschland sind zwar nur in jüngster Zeit viele Archive zerstört worden. Dafür aber sind die politischen Bildungen selbst, die wir uns aufgebaut hatten, immer wieder zertrümmert worden, und wir wurden »haltlos von Klippe zu Klippe geworfen«. Die Folge ist, daß auch unser Geschichtsbewußtsein unsicher und zwiespältig geworden ist.

Aber das gemeineuropäische Geisteserbe liegt seit unserem Auftreten in der Geschichte unverlierbar in uns. Das deutsche Volk erwuchs allmählich, was schon der Name bestätigt, aus dem »Heiligen Römischen Reich deutscher Nation«. Seine geographische Lage nötigte ihm die schwere europäische Mission auf, nach Osten hin militärische und geistige Wacht zu halten. Mögen auch besondere Verträge und strategische Operationen dazu geführt haben: es wirkt wie ein tiefes Symbol der Weltgeschichte, daß am Ende des größten Völkerringens Land und Nation in eine östliche und eine westliche Hälfte auseinandergefallen sind. Wir sind das eigentliche Schicksalsvolk Europas gewesen, und wir sind es noch heute. Unsere politischen Verirrungen im zweiten Weltkrieg haben eine Situation herbeiführen helfen, durch die sich ganz Europa verändert hat. Es ist nicht mehr das Europa, von dem die »bisherige Geschichte« erzählt.

Aber jede kräftige Nation hat doch einmal die große Stunde gehabt, von der sie glauben muß, daß sie der Zeitpunkt ihrer vollen geistigen Selbstverwirklichung gewesen sei. Wir reden von klassischen Epochen im Leben der neueren Völker. Es besteht die Vermutung, daß sie zugleich diejenigen sind, in denen ihr Nationalbewußtsein erwacht ist. So halten auch wir Deutschen dafür, daß unsere klassische Zeit der Ausdruck unseres tieferen Wesens war, und daß wir uns heute noch auf sie berufen dürfen.

Trotz aller äußeren Stürme der französischen Revolution und der Napoleonischen Kriege, die uns endgültig zur Nation wachgerufen haben, war es ein eminent *geistiges* Ringen in jener deutschen Morgendämmerung. Schon damals haben wir auf unsere Art die großen ethischen Gedanken durchkämpfen müssen, die heute wieder zum Fundament des gemeineuropäischen und also unseres Lebens werden sollen.

Immanuel Kant ist es, der den in Frankreich geforderten Urrechten des Menschen eine *methaphysische* Deutung gegeben hat. Der Kern der menschlichen Persönlichkeit ist nicht bloß Durchgangspunkt von Einwirkungen der Natur und der Gesellschaft. Der Mensch als Person steht über der erscheinenden Natur; nur dadurch wird sittliche Freiheit möglich. Er entscheidet sich, nicht nur im Hinblick auf Glück und nützlichen Erfolg, sondern hat den höchsten Maßstab an seiner überweltlichen Würde als Mensch. In dieser metaphysischen Sonderstellung liegt es begründet, daß alle Menschen als Menschen gleich sind. Ihre wesenhafte Gemeinschaft ist die Gemeinschaft mit Gott als dem allein heiligen Willen. Sie muß in allen gesellschaftlichen Verflechtungen erhalten bleiben, denn sie ist das eigentlich Sittlich-Normative. Man sieht, es sind christliche Grundüberzeugungen, freilich in stark rationalisierter Form. Kant hat auch schon die rechtsphilosophischen Konsequenzen gezogen. Nach ihm ist es das Urprinzip der Rechtsordnung, daß die Freiheit eines jeden mit der Freiheit aller anderen zusammen bestehen könne. Zugleich bildete er Rousseaus Gedanken von dem überindividuellen Volkswillen weiter, der die Quelle alles gerechten Rechtes ist, und ebenso *unveräußerlich* wie die persönlichen Menschenrechte. Er meinte die demokratische Form der staatlichen Willensbildung. Das wird nur dadurch verdeckt, daß man damals im deutschen Sprachgebrauch republikanisch nannte, was heute demokratisch heißt.

Wer Fichte genauer kennt, weiß, daß er zeitlebens darum gerungen hat, sein leidenschaftlich verkündetes Urprinzip der Freiheit in einem politischen Bau zu realisieren, in welchem auf demokratischer Rechtsgrundlage sowohl der Sozialismus wie der ethische Liberalismus zur Geltung käme. Es ist dieselbe lebendige Dialektik, die auch in unserem gegenwärtigen Verfassungsleben fortdauert, weil sie zeitlos im Urgefüge freien Zusammenlebens wurzelt. Fichte ist der erste deutsche Sozialist. Aber sein Sozialismus hat zum Ziel die freie sittliche Persönlichkeit.

Kant wie Fichte haben ihre Idee des Rechtsstaates mit entschiedener Folgerichtigkeit weiter gebildet zu dem Projekt einer rechtlich geordneten Völkergemeinschaft, zu einer Völkerrepublik, wie sie sagten; wir würden von einer Demokratie der Völker reden. Der amerikanische Präsident Wilson hat 1918 mit seinem Völkerbundgedanken an diese deutschen Entwürfe angeknüpft. Also haben wir früh an solchen überstaatlichen Zielsetzungen mitgearbeitet, und zwar schon vor mehr als 150 Jahren, genau in der Epoche unseres erwachenden Nationalbewußtseins.

Auch dieses nationale Selbstbewußtsein hat sich lange die weltbürgerlichen Züge des 18. Jahrhunderts erhalten. Der Deutsche wollte zunächst nur eine Sonderprägung hoch entfalteten *Menschentums* sein. Nationalität im Rahmen der Humanität, darin fand er seine Bestimmung. Auch Fichtes »Reden an die deutsche Nation« haben, wie man sich überzeugen kann, nichts weiter gepredigt. Aber es ist überflüssig, dies heute noch näher auszuführen ...

Den Europagedanken finden wir, nicht zufällig, bei den Romantikern am stärksten vertreten, bei den protestantischen wie bei den katholischen. Novalis, Friedrich Schlegel, Adam Müller gehören hierhin. Man sollte das farbenreiche Gemälde kennen, das Joseph Görres in seinem Buche »Europa und die Revolution« (1821) von dem Völkerverband Europa entwirft. Er redet von der Napoleonzeit so, wie wir von der Hitlerzeit und dem 2. Weltkrieg reden, und hält den freien Völkern das Ideal einer vom Recht geordneten Gemeinschaft vor, in Worten, die für uns wieder einen neuen Klang erhalten haben. Hier ist es das Band des Christentums, das deutlich hervorleuchtet; bei anderen mehr der Humanitätsgedanke, diese unverkennbare Säkularisation von sittlichen Grundsätzen, die erst in christlicher Zeit ihre volle weltgestaltende Kraft empfangen haben.

Die Bilder, die ich hier flüchtig wieder aufsteigen lasse, sind keine »klassisch-romantische Phantasmagorie«. Gewiß, das war noch ein Zeitalter der Ideenpolitik. Aber es will mir scheinen, als ob auch in unseren Tagen die rein wirtschaftlichen Motive der Politik ein wenig zurückträten und — nicht ohne amerikanischen Einfluß — wieder ein starker Zusatz von sittlichen Ideen zu spüren wäre. Der amerikanische Volksgeist will eine moralische Politik. Gebe Gott, daß wenigstens dieses Resultat aus den Wirren und Verirrungen der beiden Weltkriege herauskäme!

Ich übersehe nicht, daß uns von jener klassischen, also als klassisch verpflichtenden, deutschen Epoche lange Zeiträume anderer Art trennen. Die deutsche Reichsgründung war die Verwirklichung einer Idee mit realpolitischen Mitteln. Dieser Teil unserer nationalen Geschichte ist heute hart umkämpft, wie die Gestalt Friedrichs des Großen um 1790 bis 1810 im Brennpunkt schärfster Angriffe stand. Das geschichtliche Bewußtsein hat noch nicht Zeit gehabt, mit gerechter Wägung die Vorgänge des letzten Jahrhunderts zu festeren Bildern zu formen. Was im Gegenwartskampf noch mitkämpft, hat das Vorrecht, noch lebendiges Gedankenferment zu sein. Wir dürfen und können uns diesen Kämpfen nicht entziehen, wenn unser Nationalbewußtsein mit Bezug auf seine historischen Fundamente wieder fest und sittlich klar werden soll. Auch anderen Nationen sind solche Auseinandersetzungen nicht erspart geblieben; man denke an das Verhältnis der Franzosen zu Napoleon I. Wenn historische Gerechtigkeit möglich wird, dann werden die Gestalten der Vergangenheit nicht mehr in Schwarz und Weiß gemalt, sondern Licht und Schatten verteilen sich nach sorgfältig geprüften Maßen.

So weit sind wir hinsichtlich der Epoche von 1848—1933 noch nicht. Es ist auch nicht unsere vordringliche Aufgabe. Allein die Tatsache, daß unsere Nation noch, in zwei Hälften zerrissen, unter sehr verschiedenen politischen Bedingungen lebt, daß unsere Hauptstadt Berlin in der Mitte zerschnitten ist, — diese Tatsachen zwingen uns, den Blick nach vorwärts zu richten. Unsere dringendsten Auseinandersetzungen betreffen die *Zukunft*, eine sehr verschleierte, gefahrdrohende, uns unerbittlich zu Entscheidungen drängende Zukunft.

Ich spreche hier nur von *einem* Faktor der Zukunft, allerdings dem wichtigsten, von der Jugend als der Trägerin künftiger Entscheidungen wie auch Erdulderin künftiger Schicksale. Denn das Leben ist ein unentwirrbares Gewebe von Schicksalen und Entscheidungen.

Um mit dem Anteil der reifen Generation zu beginnen: Der Jugend aller Altersstufen bleiben wir als Verarmte immer noch viel schuldig. Beide Kirchen, Privatorganisationen, staatliche Stellen haben die größten Anstrengungen gemacht, um Jugendnot zu mildern, Verwahrlosung zu bekämpfen, positiv wertvolle Ordnungen zu fördern. Aber die Verhältnisse sind vielfach stärker als wir. Vor allem glückt eines nicht ausreichend: die Familie, wo sie sich wirklich durch alle Kriegsgreuel hindurch als Faktum erhalten hat, so gegen äußeren Druck zu sichern, daß sie wieder zur wahren seelischen Heimat und Keimzelle der Lebensordnung werden kann, daß sie *die* Erziehungsfunktionen ausüben kann, zu denen nur familienhafter Liebesgeist fähig ist. Moralische und physische Gesundheit jedes Volkes ruht auf der Kraft seines Familienlebens. Dieser Satz wird im Westen allgemein anerkannt. Nicht immer wird danach in Lebensgestaltung und Gesetzgebung auch gehandelt.

Es ist heute der Tag, um der deutschen Hausfrau und Mutter endlich einmal öffentlich für alles das zu danken, was sie ein Jahrzehnt lang mit ihrer Hand und ihrem Herzen bewältigt hat. Diese Treue und Aufopferung bleibt mitten in dem Dunkel der abgelaufenen Epoche ein hell strahlendes Licht. Wir bitten auch das Ausland, das uns in der schwersten Zeit vielfach verständnisvoll geholfen hat, sich mit uns in der Anerkennung solcher Werke der Liebe und der Leidensfähigkeit zu vereinigen. Nicht ganz so günstig kann das Urteil über den Erziehungswillen und die Erziehungsgaben der Väter lauten. Eine kleine Untersuchung des Bundesministeriums für Ernährung und Landwirtschaft (1951) wirft darauf ein beachtliches Streiflicht. Man redet unendlich viel von Maßnahmen für eine neue öffentliche Erziehung. Wo sind denn die Familienväter, die schon begriffen haben, was es heißt, *im* Geist der rechten Freiheit *zur* echten Freiheit zu erziehen? Wenn die Kinder schon beim Eintritt in die Schule an eine Prügelpädagogik gewöhnt sind, wird es dem Lehrer schwer, zu beweisen, daß es auch anders geht. Nicht nur die Lehrer müssen sich auf das System der Freiheit umstellen. Wir alle müssen es tun: Väter, Lehrherren, Fabrikdirektoren, kurz jeder, der in irgendeinem Sinne »Chef« heißt.

Man glaube doch nicht, daß das ohne sehr ernstes Nachdenken und eine innere Umwandlung der ganzen Person geht! Die schmale Gasse zu finden zwischen einer Erziehungsliberalität, die alles duldet, und einer Bevormundung, die das eigene Wollen des jungen Menschen früh erstickt, ist eine schwere Kunst. Sie gelingt nur dem, der selbst ein sittlich freier Mensch ist und seine Freiheit nicht als Bindungslosigkeit, sondern als Willen zur Ordnung und zur persönlichen Verantwortung versteht. Was heißt überhaupt Freiheit, zunächst im ethischen, dann im rechtlichen und politischen Sinne? Wie ist sittlich gebundene Freiheit zu verstehen? Darüber könnten wir noch sehr lange reden. Ich stelle nur fest, daß der Erziehungsgeist, der auf diesem Ethos beruht, in unseren Familien weithin nicht lebendig ist — sage man nun: »nicht mehr« oder »noch nicht«.

Aber vielleicht gehört das nicht hierher. Wohl aber gehört in ein Fest des Anfangs die Frage, wie es denn mit der politischen Haltung unserer Jugend bestellt ist? Ich unterscheide eine Jugend unter 18/19 Jahren und die darüber, die die Römer schon juvenes, junge Männer, nannten.

Hinsichtlich der ersten hat sich bei uns seit fast 50 Jahren eine Haltung eingebürgert, die einmal als falsch gebrandmarkt werden muß, nämlich das *Werben um die Jugend.* Sie stammt aus der Zeit der ersten eigentlichen Jugendbewegung, als die erwachsene Generation mit Bezug auf alle großen Lebensfragen, nicht nur die politischen, innerlich ganz orientierungslos geworden war. Nun erwartete sie von der nachrückenden Generation, daß *sie* ihr sagen solle, wohin der Weg eigentlich ginge. Was dabei herausgekommen ist, habe ich an anderem Ort dargestellt. Der Abdankung der Alten von der Erziehung entsprach die Emanzipation der Jugend, und damit völlige Ratlosigkeit. Von jenem Stil aus dem ersten Jahrzehnt unseres Jahrhunderts ist manchenorts mindestens so viel stehen geblieben, daß man die Jugend aufmarschieren läßt, damit ihre Kundgebungen der Öffentlichkeit »imponieren«. Demonstrationen sind noch lange keine vollgültigen Bekenntnisse. Junge Menschen zwischen 15 und 19 haben Freude, vielleicht nur Spaß, am Apparat solcher Aufzüge. Wofür sie eigentlich demonstrieren, wissen sie meistens nicht, wenn dieses Wissen heißt: echte, selbstgeprüfte Überzeugungen zu haben. Wir müssen auch gründlichst Abschied nehmen von dem Wort: »Wer die Jugend hat, der hat die Zukunft« und statt dessen sagen: »Wer eine wertvolle Jugend haben will, gebe ihr eine sittlich gute Erziehung!«

Werfen wir, zum Ende hindrängend, noch einen Blick auf die Jugend um 20 und darüber, so geziemt hier allein volle Offenheit. Davon, daß ein allgemeiner ethischer Schwung dem neuen politischen Gebilde der Deutschen Bundesrepublik entgegenkäme, kann leider noch nicht die Rede sein. Bei den psychologischen Hinderungsgründen brauche ich nicht lange zu verweilen. Schon der eine, etwas burschikose Satz: »Wer sich in Politik einläßt, fällt immer herein«, könnte zur Beleuchtung der Stimmung genügen. So bleibt es vorläufig leider bei dem alten deutschen Bild: viel Begabung, viel tüchtige Leistung im Beruf, viel gediegener Charakter — aber Distanzierung von den öffentlichen Angelegenheiten.

Seit drei Jahrzehnten erklärt die deutsche Jugend, daß ihr die vorhandenen Parteien nicht gefallen — und man braucht vielleicht nicht so *sehr* jung zu sein, um ähnlich zu denken. Aber sie sagt nicht, was sie denn statt dessen will — welche anderen Parteien, überhaupt keine Parteien und was dann aber statt ihrer? Der unbestimmt Schwankende ist natürlich besonders propagandaanfällig.

Dies negative Bild male ich nicht weiter aus. Wichtiger ist die Frage, was geschehen kann, um den Zielen und Werten, die uns ja eigentlich die Gesamtlage Deutschlands eindeutig aufdrängt, innere Anteilnahme bei der Generation zu erwecken, um deren eigenstes Schicksal es dabei geht. Es handelt sich um eine Lähmung, nicht um einen Mangel des Herzens, um noch verschlossene Augen, nicht um Blindheit.

Ich vertraue auf die allmählich weckende Wirkung, die von dem sich täglich deutlicher enthüllenden Gegenbeispiel ausgeht. Eine absolut andere Lebensanschauung, eine völlig andere Bewertung des Menschen, ein radikal kontrastierender Stil der politischen Gestaltung stellen Tag für Tag die laute Frage: »Willst du so sein und leben?« Die Antwort haben die meisten sich schon gegeben. Es fehlt nur noch der Wille, entsprechend zu lernen und gemeinsam zu handeln.

Die Umstellung auf übernationale Ideale fällt keiner Nation und keinem Lebensalter leicht. An solchen ideologischen Umbildungen arbeitet die Geschichte sonst Jahrzehnte. Wir aber haben keine Zeit. Ich vertraue darauf, daß der Notruf schließlich doch gehört wird. Dafür aber haben wir Älteren mitzusorgen, nicht durch Propaganda, sondern durch sehr verantwortungsbewußte Arbeit, die auf Erweckung echter persönlicher Überzeugungen gerichtet ist. Wieder die absolute Priorität des Gewissens!

Hier und da kündigt sich schon ein Erwachen an. Die noch sektenhaften Kreise werden sich zusammenschließen. Eine Umbildung des akademischen Korporationslebens ist deutlich zu spüren. Allen Jugendlichen geöffnete Klubhäuser, in denen politisch debattiert wird, können hilfreich sein. Die Hochschulen und Fachschulen sind aufgerufen, die Pflicht der Stunde zu erkennen. So wird auch der Tag kommen, an dem wir hinsichtlich eines Fichtewortes, das uns jetzt noch Sorge macht, beruhigter denken können als heute. Ich meine das Wort: »Immer und ewig siegt der, der begeistert ist, über den, der nicht begeistert ist.«

Ein Fest des Anfanges kann nur wenig von Erfüllungen reden; um so mehr soll es Verpflichtungen zum Bewußtsein bringen. Ich bin von dem Gedanken ausgegangen, daß unserer Verfassung, wie sie auch sonst sei, eine eindeutige sittliche Entscheidung zugrunde liegt. Diese Entscheidung schließt noch vieles ein, wovon nicht geprochen werden konnte. Wir können im westlichen Teildeutschland nicht sozial genug denken und handeln. Wäre es nicht ursprüng-

lichste Menschenpflicht, so würde es auch die bloße Besinnung über die Kontrastlage fordern. Mit Sorge sehe ich den Hang zum Genußleben, der sich schon wieder in Kreisen gut Verdienender bemerkbar macht. Er mag von ästhetischem Geschmack begleitet sein. In unserer Situation ist er eine Geschmacklosigkeit. Das Schlimmste aber wäre, wenn wir in den Verdacht kämen, aus wirklichen Fehlern gar nichts gelernt zu haben.
Kein Mensch darf sich eines ehrlichen Umlernens schämen. Alles in der Welt hat sich verwandelt. Wir allein sollten keiner Verwandlung bedürfen? — Stirb und werde! Wenn ich auf mein Leben zurückblicke, so habe ich vieles, was meinem Herzen nahe lag, in nicht leichten Selbstüberwindungen abtun müssen. »Das Liebste wird vom Herzen weggescholten.« Aber wahrscheinlich wird das, was mir nun als besser und gegründeter erscheint, auch noch Torheit vor Gott sein. Vor der letzten Instanz — und ein jeder erkennt eine letzte Instanz an — stehen wir immer nur mit der Unruhe des kämpfenden Gewissens. Für dieses sich vor Gott entscheidende Gewissen gibt unsere Verfassung wieder Raum. Das ist ihr Brennpunkt. Mögen unter diesem Zeichen und unter dieser Bindung unsere verantwortlichen Staatsmänner den unendlich schweren Weg finden, der unser Volk wieder aufwärts führt, wieder einigt und einer friedlichen Völkergemeinschaft als ein geachtetes Glied einfügt! Der schwerste Teil des Weges ist geschafft. Wir spüren die immer stärker werdende Aufwärtsdynamik in der deutschen Politik. Gott schenke ihr den vollen Erfolg und segne unser Werk!

DOLF STERNBERGER

Meditation über Deutschland

Ein Deutscher, der alt genug ist, sich an die Zeiten des »Dritten Reiches« und des Zweiten Weltkrieges und womöglich an diejenigen der Ersten Republik zu erinnern, und der zudem die Mühe nicht scheut, sich überhaupt zu erinnern, muß sich in der Bundesrepublik zuweilen wie verzaubert vorkommen. Die Verzauberung oder Verwandlung merkt man gerade daran, daß die Erinnerung so schwer fällt. Eine gewisse Mühe mag es wohl zu jeder Zeit gekostet haben, sich wahrhaft und ernsthaft zu erinnern — eine Ausnahme davon macht vielleicht die Erinnerung der eigenen Kindheit. Wo aber die äußere wie die innere Szenerie sich in ihrem Grundmuster schroff und gewaltsam verändert hat, noch dazu mehrere Male, da streift unsere seelische Verfassung nicht selten an diejenigen des Mannes, der sein Gedächtnis verloren hat: mit einer Miene, die vor Anstrengung erstarrt ist, sucht er nach den Zeichen, die ihm die Umstände seines vorigen Lebens wiederaufzurufen vermöchten.

Die große Wandlung

Aus einem finsteren deutschen Lande scheint ein helles geworden, aus einem verbissen handelnden und verbissen leidenden Volke ein zwar eifriges, aber doch auch maßvoll vergnügtes. Vordem berauschte oder vergiftete Gemüter scheinen zur Nüchternheit, ja zum Behagen fähig geworden, und Mienen, die ehemals in wütender Macht oder wütender Ohnmacht sich verzerrt hatten, erscheinen geglättet, frisch und zufrieden. Sind wir aus einem wüsten Traume endlich erwacht? Oder sind wir erst jetzt in einen leichten, angenehmen Schlaf gesunken, sind es trügerische Bilder, die uns nun als freie schöne Gegenwart umgaukeln? Müssen wir ihnen mißtrauen? Steht uns ein anderes Erwachen bevor? Noch ungläubig reiben wir uns die Augen, zupfen wir uns an der Nase. Es ist wahr, das Leben in der Bundesrepublik ist Wirklichkeit, es läßt sich nicht bestreiten. Und doch bleibt an dieser Lebensweise und Existenzform etwas Verwunderliches. Es ist, als wären wir — wir, die wir überlebt haben — aus dumpfen unterirdischen Gelassen über Nacht in einen Garten versetzt, worin man sich, grabend und pflanzend, an allen Ecken und Enden fleißig regt und wo uns auf allen Wegen freundlich grüßende Leute begegnen. Wie konnte das geschehen? . . .

Wohin sind jene strammen Knaben verschwunden, die kurzgeschorenen mit dem Dolch im Gürtel? Was ist aus jenen drallen Mädchen geworden, den organisierten, mit ihren Knoten und Zöpfen? Wo sind all die Marschierer geblieben, die alten und die jungen in Sechserreihen und Kolonnen, die Wimpel voraus? Heute wimmeln auf allen Gassen die kleinsten Mädchen mit Pferdeschwanzfrisuren oder struppigen Bubenköpfen oder langen pariserischen Haarfransen, und ihre Beine stecken in engen Hosen aus kariertem Tuch, wie's die Mode will; Töchter und Töchterchen aller Klassen in Stadt und Land sind mit einem Mal aufs beste darüber informiert, wie man sich kleidet, um zu gefallen. Im kleinsten Dorf kann man junge Männer an der Ecke stehen sehen, die man für durchreisende Ausländer hielte, hörte man nicht ihren Dialekt: mit dichtem, über der Stirn hochgebürstetem Haar, mit weiten Dufflecoats und nagelneuen Schuhen mit gesteppten Nähten, und ihre blanken, wohlgepflegten Mopeds lehnen an der Mauer, bereit, die Paare in die Stadt zum Kino zu bringen. Nahezu klassenlos scheint die Mode geworden; die großen Kaufhäuser und Versandgeschäfte sorgen dafür, die Frist auf ein Minimum zu reduzieren, in der sich die Vorbilder der Haute

Couture ausbreiten, in der ihre Nachahmung allgemein wird. Tief im Gebirge habe ich mich neulich mit einem Dorfbürgermeister unterhalten — eine hohe steile Stiege war im Rathaus zu erklimmen, und der bucklige Gemeindediener wurde gerade gerufen, auf der öffentlichen Waage ein lebendes Schwein zu wiegen —, dieser Bürgermeister aber saß in seiner Amtsstube, rauchte eine dicke Zigarre wie der Minister Erhard, und mit rosiger Miene betrachtete er seine glänzend manikürten Fingernägel. Das war nicht im Fernschnellzug zwischen Frankfurt und Bonn, sondern — wie ich schon sagte — tief im Gebirge und »hinter dem »Wald«, und der Mann war kein Generaldirektor noch Verbandssyndikus, nicht einmal Gewerkschaftssekretär, sondern der Bürgermeister eines kleinen Dörfchens von ein paar hundert Einwohnern. Er gehörte auch nicht einmal der Regierungspartei an, sondern derjenigen, die seit bald zehn Jahren im nationalen Parlament die Bänke der Opposition einnimmt. Wie lange ist es her, da machte selbst die »deutsche Frau« sich verdächtig, wenn sie sich schminkte und die Nägel färben ließ, zu schweigen von den Männern, gar von Männern auf dem Lande, die doch etwas von »Blut und Boden« sehen lassen sollten, aber nichts von Kosmetik. Wie lange ist es her — oh, ich erinnere mich noch recht gut daran! —, da galt ein Schuljunge, der sich lange Haare wachsen ließ, seinen organisierten Kameraden für asozial, und sie machten sich mit groben Fäusten und einer Haarschneidemaschine alsbald daran, ihm den Individualismus gewaltsam auszutreiben. Keiner von denen, die derartig gedemütigt wurden, und keiner von den wohlgesinnten Lehrern, die allenfalls solcher Präriejustiz Einhalt zu gebieten strebten, konnte sich dazumal auf Bürger- und Freiheitsrechte berufen. Heute hat man ein verbrieftes Recht auf die freie »Entfaltung der Persönlichkeit«, und dies nicht nur im Hinblick auf die Haartracht. Damals nannte man die langhaarigen Individualisten voll Verachtung »Jimmyboys«, und es waren dieselben, von denen man sich zuraunte, daß sie des Abends in verschwiegenen und wohlverriegelten Hinterzimmern zum gedämpften Klang einer Jazzplatte moderne Tänze tanzten. Das war »Negermusik« und führte nach der herrschenden Lehre unweigerlich zu »rassischer Entartung«; die provinziellen Spartaner, die zuerst das Reich und hernach fast ganz Europa beherrschten, hatten ein blutrünstiges Tabu darauf gelegt, jeglicher Anflug von Mondänität schien schon die Grundfesten dieser Herrschaft zu erschüttern. Jüngst aber hat man die schwarze Tänzerin Josephine Baker, die sich mit vorrückenden Jahren der Übung und Mission praktischer Toleranz unter den Rassen gewidmet hat, eingeladen, in der Paulskirche zu Frankfurt öffentlich zu sprechen, an einer Stätte, die den Liberalen und den Demokraten in Deutschland heilig ist, weil hier vor gut hundert Jahren das erste nationale Parlament sich versammelt und die erste deutsche Verfassung ausgearbeitet hat. Ungeheuerlich ist in der Tat der Wechsel der Szene, und dabei habe ich doch nur ein paar ganz beiläufige und überdies sehr harmlose Symptome angeführt — die massiveren sind ohnehin im Gedächtnis der Völker.

Fast unmöglich scheint es im Angesichte dieser Beobachtungen, dieser Erfahrungen, konstante Elemente der jüngsten deutschen Geschichte oder gar des deutschen Charakters aufzufinden. Ich möchte nicht leugnen, daß es so etwas wie einen nationalen Charakter gebe, aber die Geschicke, die Verwundungen, Schuld und Schmerzen, Übermut und Fall, Taten und Untaten, graben sich in diesen nationalen, in diesen gesellschaftlichen Charakter ein wie in denjenigen des Individuums. Das Bleibende steckt wohl tiefer in den Falten des inneren Gewandes verborgen, als daß man's in offenbaren Eigenschaften jederzeit wiederzuerkennen vermöchte.

Wir reiben uns die Augen und zupfen uns an der Nase: Sind wir noch im gleichen Vaterlande? Im selben Lande und doch nicht im selben. Noch strömen der Rhein und die Donau und — ja — auch die Elbe in ihren alten Betten dahin. Noch liegt das Heidelberger Schloß in seinen vertrauten Trümmern, noch fliegen die Tauben aus und ein unter den Figuren und Fialen des Kölner Doms, und auch der Kaisersaal im Römer zu Frankfurt ist in den alten Maßen wiederhergestellt — heller als zuvor ist das Getäfel, und so kann es von neuem anfangen, nachzudunkeln. Fern freilich steht die Wartburg, wo einst ein Illegaler sich die geheime Muße damit vertrieb, die ganze Bibel ins Deutsche zu übertragen, noch ferner der Dresdener Zwinger, und das Brandenburger Tor markiert einen Punkt an der Demarkationslinie der Welt, eine durchlässige Stelle glücklicherweise und immerhin — so ist es doch ein Tor geblieben in gewissem Maße und gewissem Sinne . . .

Das neue Biedermeier

Aus drei Stücken besteht Deutschland heute, aus der Bundesrepublik, der Sowjetzone (kurz »Zone« genannt, und das gemahnt an die Wendung von der »Zone des Schweigens«) — und Berlin. Preußen ist gestrichen, aufgelöst, getilgt und verschwunden — und das nicht nur auf dem Papier, es ist eine gewaltige Veränderung in der Wirklichkeit. Berlin, Westberlin hat sich selbst und ganz für sich allein zum Land erklärt (durch die Verfassung von 1950), zu einem Lande der Bundesrepublik Deutschland sogar, aber die Stadt, von der aus einst das Reich regiert wurde — erst kräftig-kühn, danach übermütig, danach mühselig und danach gewalttätig —, von der es am Ende in Schrecken gehalten und aufs Spiel gesetzt worden ist, und in deren Trümmern sich 1945 die drei Männer aus Washington, Moskau und London zusammenfanden zu einem brüchigen Vertrage, die Stadt liegt nun abseits, abgeschnürt und eingezingelt. Sie ist uns teuer, ja sie ist unseren Herzen vielleicht nähergerückt als je zuvor, aber nicht dorthin ist das Land orientiert. Nach Westen sind die Akzente verschoben, gegen den Rhein und ein anderer Ton wird von daher angegeben. In der Bundesrepublik selber liegt alles ziemlich nahe beieinander, man kann fast von überallher auf ein paar Stunden in die Hauptstadt fahren (man sagt freilich niemals »in die Hauptstadt«, sondern man sagt einfach »nach Bonn«) und mit dem Minister sprechen. Man findet dort einen Präsidenten, der ein Schriftsteller ist und der aus Schwaben stammt und auch kein Hehl daraus macht, der es liebt, die Leute beim Namen und ohne Titel anzureden, der erstaunlich viele Briefe schreibt, manche auch mit der Hand, und von dem man das Gefühl hat, er kenne jedermann im Lande persönlich. Die Gesellschaft der Bundesrepublik hat irgendwie ein intimes, vertrauliches, fast biedermeierliches Gepräge, wie hoch im übrigen auch die Verwaltungsgebäude aufschießen und wie stark die Produktionszahlen wachsen mögen. Das Gemütliche dominiert anstatt des Schneidigen. Den raschen Witz Berlins haben wir freilich erst so recht schätzen gelernt, seitdem wir ihn als tägliches Gewürz entbehren müssen, und auch, seitdem er nicht mehr mit einem Anspruch von Vorherrschaft verknüpft ist. Bonn erhebt kaum einen solchen Anspruch. Das umgebende Nordrhein-Westfalen hat unter den zehn Ländern des Bundes zwar das meiste Volk und besteht aus vormals preußischen — neupreußischen —Provinzen, aber es ist kein neues Preußen; denn es hat sich nicht großgehungert wie dieses, hat sich auch nicht auf die Macht verlegt, sondern eher aufs Geld, und nicht die Kasernenhöfe sind es, die dort auffallen, sondern die Schlote, die Abraumhalden und die Hochöfen. Sein Vorrang ist nichts weniger als erdrückend, wenn auch zuweilen vielleicht für ärmere Bundesländer ärgerlich. Aber es gibt durchaus andere Zentren neben Bonn und Düsseldorf — da sind München, Frankfurt, Hamburg, die eigentümliche Geltung beanspruchen dürfen und auch genießen.

Lieben sie jetzt das Leben?

So ists dasselbe Deutschland also doch, aber in gründlich veränderter innerer Anordnung. Aber sind es dieselben Leute? Ist es dieselbe Nation, die das veränderte Land bevölkert? Sie hatten wohl kaum je viel Sympathie bei ihren Nachbarn, diese Deutschen, those Germans, ces Allemands-là — auch vor Hitler. Vor den Deutschen würde Europa niemals Ruhe haben, so ungefähr hatte doch der alte Clemenceau, der Tiger, zu seinem Sekretär gesagt, und er könne auch den Grund davon angeben: Ils n'aiment pas la vie. Natürlich war das auch zu seiner Zeit eine Übertreibung, aber dennoch — wie oft und wie tief bekümmert haben wir an dieses Wort denken müssen damals, in jenen Tagen, als man uns abermals und so gründlich wie nie zuvor das Sterben lehrte und nicht einmal nur ruhmvolles Sterben, sondern auch schmachvolles — damals, als selbst die Lebensfreude von Staats wegen in Dienst gezwungen wurde als ein bloßes Mittel, ein Mittel zur Kraft (»Kraft durch Freude«), ein Instrument der Bevölkerungspolitik, eine Etappe in der Folge der Arbeits- und Erzeugungsschlachten. Wie steht es? Haben wir denn nun gelernt zu leben, haben wir angefangen, das Leben zu lieben? (Wenn wir anders denn je damit aufgehört haben sollten — aber freilich, freilich, seit Kant schon stand das Glück in keinem guten Rufe und die Pflicht obenan, und seit Luther schon wars die »Obrigkeit«, die den sündigen Adam und Untertan in Zucht zu halten befugt war, und so hatte denn auch der Usurpator, der die Geißel der Pflicht ergriff, kein allzu schweres Spiel, den Volksgenossen die Liebe zum Leben auszutreiben, zumal wenn er andere Entschädigungen bereithielt: cum grano salis hatte es doch seine Wahrheit, was Clemenceau da in seinem Grimme gesagt hat.) Würde der Alte, wenn er heute auferstünde von den Toten und wenn er — sagen wir — von dem anderen Alten, dem Herrn Bundeskanzler, zu einem Staatsbesuch in die Bundesrepublik oder zu einer Preis- und Ordensverleihung beispielsweise nach Aachen oder zu einer Ehrenpromotion nach Heidelberg eingeladen werden könnte — würde er nun seine vormalige Ansicht revidieren? Würde er zu einer solchen Revision veranlaßt und gezwungen sein — und würde er nicht bloß aus Höflichkeit und um der europäischen Einigung willen, sozusagen Herrn Robert Schuman zuliebe, seine Gefühle unterdrücken?

Man muß sich diese Frage vorlegen, auch auf die Gefahr hin, dem oder jenem Enthusiasten des Lebensstandards und des Wirtschaftswunders in unserem Wunderlande durch solche Zweifelsucht ein momentanes Ärgernis zu bereiten. Kleinlich und beschränkt wäre es wahrhaftig, wollten wir immer noch oder immer wieder die Menschheit in Deutschenfreunde und Deutschenhasser einteilen, um uns an den Lobsprüchen der einen zu erlaben, von den skeptischen Mienen und verstummenden Lippen der anderen aber uns abzukehren.

* * *

ERNST JÜNGER

Das Lied der Maschinen

Berlin

Gestern, bei einem nächtlichen Spaziergang durch entlegene Straßen des östlichen Viertels, in dem ich wohne, sah ich ein einsames und finsteres Bild. Ein vergittertes Kellerfenster öffnete dem Blick einen Maschinenraum, in dem ohne jede menschliche Wartung ein ungeheures Schwungrad um die Achse pfiff. Während ein warmer, öliger Dunst von innen heraus durch das Fenster trieb, wurde das Ohr durch den prachtvollen Gang einer sicheren, gesteuerten Energie fasziniert, der sich ganz leise wie auf den Sohlen des Panthers des Sinnes bemächtigte, begleitet von einem feinen Knistern, wie es aus dem schwarzen Fell der Katzen springt, und vom pfeifenden Summen des Stahles in der Luft — dies alles ein wenig einschläfernd und sehr aufreizend zugleich. Und hier empfand ich wieder, was man hinter dem Triebwerk des Flugzeugs empfindet, wenn die Faust den Gashebel nach vorne stößt und das schreckliche Gebrüll der Kraft, die der Erde entfliehen will, sich erhebt; oder wenn man nächtlich sich durch zyklopische Landschaften stürzt, während die glühenden Flammenhauben der Hochöfen das Dunkel zerreißen und inmitten der rasenden Bewegung dem Gemüte kein Atom mehr möglich scheint, das nicht in *Arbeit* ist. Hoch über den Wolken und tief im Innern der funkelnden Schiffe, wenn die Kraft die silbernen Flügel und die eisernen Rippen durchströmt, ergreift uns ein stolzes und schmerzliches Gefühl — das Gefühl, im Ernstfall zu stehen, gleichviel, ob wir in der Luxuskabine wie in einer Perlmutterschale dahintreiben, oder ob unser Auge den Gegner im Fadenkreuz des Visieres erblickt.

Das Bild dieses Ernstfalles ist schwer zu erfassen, weil die Einsamkeit zu seinen Bedingungen gehört, und stärker noch wird es verschleiert durch den kollektiven Charakter unserer Zeit. Und doch besetzt ein jeder heute seinen Posten sans phrase und allein, gleichviel, ob er hinter den Feuern einer Kesselanlage steht oder in die verantwortliche Zone des Denkens einschneidet. Der große Prozeß wird dadurch erhalten, daß der Mensch ihm nicht auszuweichen gedenkt, und daß seine Zeit ihn bereit findet. Was ihm jedoch begegnet, indem er sich stellt, ist schwer zu beschreiben; vielleicht ist es auch wie in den Mysterien nur ein allgemeines Gefühl, etwa daß die Luft allmählich glühender wird. Wenn Nietzsche sich wundert, daß der Arbeiter nicht auswandert, so irrt er insofern, als er die schwächere Lösung für die stärkere hält. Es gehört eben zu den Kennzeichen des Ernstfalles, daß es ein Ausweichen in ihm nicht gibt; der Wille führt vielleicht auf ihn zu, dann aber vollziehen sich die Dinge, wie bei der Geburt oder beim Sterben, unter pressendem Zwang. Daher ist unsere Wirklichkeit denn auch jener Sprache entzogen, mit welcher der miles gloriosus sie zu meistern sucht. In einem Vorgange wie dem der Sommeschlacht war der Angriff doch eine Erholung, ein geselliger Akt.

Die stählerne Schlange der Erkenntnis hat Ringe um Ringe und Schuppen um Schuppen angesetzt, und unter den Händen des Menschen hat seine Arbeit sich übermächtig belebt. Nun dehnt sie als blitzender Lindwurm sich über Länder und Meere aus, den hier fast ein Kind zu zügeln vermag, während dort sein glühender Atem volkreiche Städte zu Asche verbrennt. Und doch gibt es Augenblicke, in denen das Lied der Maschinen, das feine Summen der elektrischen Ströme, das Beben der Turbinen, die in den Katarakten stehen, und die rhythmische Explosion der Motore uns mit einem geheimeren Stolze als mit dem des Sieges ergreift.

IMMANUEL KANT

Mathematik und Naturwissenschaften

Die Mathematik ist von den frühesten Zeiten her, wohin die Geschichte der menschlichen Vernunft reicht, in dem bewunderungswürdigen Volke der Griechen den sichern Weg der Wissenschaft gegangen. Allein man darf nicht denken, daß es ihr so leicht geworden, wie der Logik, wo die Vernunft es nur mit sich selbst zu tun hat, jenen königlichen Weg zu treffen, oder vielmehr sich selbst zu bahnen; vielmehr glaube ich, daß es lange mit ihr (vornehmlich noch unter den Ägyptern) beim Herumtappen geblieben ist, und diese Umänderung einer Revolution zuzuschreiben sei, die der glückliche Einfall eines einzigen Mannes in einem Versuche zustande brachte, von welchem an die Bahn, die man nehmen mußte, nicht mehr zu verfehlen war, und der sichere Gang einer Wissenschaft für alle Zeiten und in unendliche Weiten eingeschlagen und vorgezeichnet war. Die Geschichte dieser Revolution der Denkart, welche viel wichtiger war als die Entdeckung des Weges um das berühmte Vorgebirge, und des Glücklichen, der sie zustande brachte, ist uns nicht aufbehalten. Doch beweist die Sage, welche Diogenes der Laertier uns überliefert, der von den kleinsten, und, nach dem gemeinen Urteil, gar nicht einmal eines Beweises benötigten Elementen der geometrischen Demonstrationen den angeblichen Erfinder nennt, daß das Andenken der Veränderung, die durch die erste Spur der Entdeckung dieses neuen Weges bewirkt wurde, den Mathematikern äußerst wichtig geschienen haben müsse, und dadurch unvergeßlich geworden sei. Dem ersten, der den gleichseitigen Triangel demonstrierte, (er mag nun Thales oder wie man will geheißen haben), dem ging ein Licht auf; denn er fand, daß er nicht dem, was er in der Figur sah, oder auch dem bloßen Begriffe derselben nachspüren und gleichsam davon ihre Eigenschaften ablernen, sondern durch das, was er nach Begriffen selbst a priori hineindachte und darstellte, (durch Konstruktion) hervorbringen müsse, als was aus dem notwendig folgte, und daß er, um sicher etwas a priori zu wissen, der Sache nichts beilegen müsse, als was aus dem notwendig folgte, was er seinem Begriffe gemäß selbst in sie gelegt hat.

Mit der Naturwissenschaft ging es weit langsamer zu, bis sie den Heeresweg der Wissenschaft traf, denn es sind nur etwa anderthalb Jahrhunderte, daß der Vorschlag des sinnreichen Baco von Verulam diese Entdeckung teils veranlaßte, teils, da man bereits auf der Spur derselben war, mehr belebte, welche eben sowohl nur durch eine schnell vorgegangene Revolution der Denkart erklärt werden kann. Ich will hier nur die Naturwissenschaft, sofern sie auf empirische Prinzipien gegründet ist, in Erwägung ziehen.

Als Galilei seine Kugeln die schiefe Fläche mit einer von ihm selbst gewählten Schwere herabrollen, oder Toricelli die Luft ein Gewicht, was er sich zum voraus dem einer ihm bekannten Wassersäule gleich gedacht hatte, tragen ließ, oder in noch späterer Zeit Stahl Metalle in Kalk und diesen wiederum in Metalle verwandelte, indem er ihnen etwas entzog und wiedergab: so ging allen Naturforschern ein Licht auf. Sie begriffen, daß die Vernunft nur das einsieht, was sie selbst nach ihrem Entwurfe hervorbringt, daß sie mit Prinzipien ihrer Urteile nach beständigen Gesetzen vorangehen und die Natur nötigen müsse auf ihre Fragen zu antworten, nicht aber sich von ihr allein gleichsam am Leitbande gängeln lassen müsse; denn sonst hängen zufällige, nach keinem vorher entworfenen Plane gemachte Beobachtungen gar nicht in einem notwendigen Gesetze zusammen, welches doch die Vernunft sucht und bedarf. Die Vernunft muß mit ihren Prinzipien, nach denen allein übereinkommende Erscheinungen für Gesetze gelten können, in einer Hand, und mit dem Experiment, das sie nach jenen ausdachte, in der anderen, an die Natur gehen, zwar um von ihr belehrt zu werden, aber nicht in der Qualität eines Schülers, der sich alles vorsagen läßt, was der Lehrer will, sondern eines bestallten Richters, der die Zeugen nötigt, auf die Fragen zu antworten, die er ihnen vorlegt. Und so hat sogar Physik die so vorteilhafte Revolution ihrer Denkart lediglich dem Einfalle zu verdanken, demjenigen, was die Vernunft selbst in die Natur hineinlegt, gemäß, dasjenige in ihr zu suchen, (nicht ihr anzudichten) was sie von dieser lernen muß, und wovon sie für sich selbst nichts wissen würde. Hierdurch ist die Naturwissenschaft allererst in den sicheren Gang einer Wissenschaft gebracht worden, da sie soviel Jahrhunderte durch nichts weiter als ein bloßes Herumtappen gewesen war.

Wir sehen in der Natur nicht Wörter, sondern immer nur Anfangsbuchstaben von Wörtern, und wenn wir alsdann lesen wollen, so finden wir, daß die neuen sogenannten Wörter wiederum bloß Anfangsbuchstaben von anderen sind.

GEORG CHRISTOPH LICHTENBERG

ROBERT MUSIL

ANSÄTZE ZU EINER MORAL DES MANNES OHNE EIGENSCHAFTEN

Der zweite Versuch

Aber Ulrich wechselte nur das Pferd, als er von der Kavallerie zur Technik überging; das neue Pferd hatte Stahlglieder und lief zehnmal so schnell.
In Goethes Welt ist das Klappern der Webstühle noch eine Störung gewesen. In der Zeit Ulrichs begann man das Lied der Maschinensäle, Niethämmer und Fabriksirenen schon zu entdecken. Man darf freilich nicht glauben, die Menschen hätten bald bemerkt, daß ein Wolkenkratzer größer sei als ein Mann zu Pferd; im Gegenteil, noch heute, wenn sie etwas Besonderes von sich hermachen wollen, setzen sie sich nicht auf den Wolkenkratzer, sondern aufs hohe Roß, sind geschwind wie der Wind und scharfsichtig, nicht wie ein Riesenrefraktor, sondern wie ein Adler. Ihr Gefühl hat noch nicht gelernt, sich ihres Verstandes zu bedienen, und zwischen diesen beiden liegt ein Unterschied der Entwicklung, der fast so groß ist wie der zwischen dem Blinddarm und der Großhirnrinde. Es bedeutet also kein gar kleines Glück, wenn man darauf kommt, wie es Ulrich schon nach Abbruch seiner Flegeljahre geschah, daß der Mensch in allem, was ihm für das Höhere gilt, sich weit altmodischer benimmt, als es seine Maschinen sind.
Ulrich war, als er die Lehrsäle der Mechanik betrat, vom ersten Augenblick an fieberhaft befangen. Wozu braucht man noch den Apollon von Belvedere, wenn man die neuen Formen eines Turbodynamo oder das Gliederspiel einer Dampfmaschinensteuerung vor Augen hat! Wen soll das tausendjährige Gerede darüber, was gut und böse sei, fesseln, wenn sich herausgestellt hat, daß das gar keine »Konstanten« sind, sondern »Funktionswerte«, so daß die Güte der Werke von den geschichtlichen Umständen abhängt und die Güte der Menschen von dem psychotechnischen Geschick, mit dem man ihre Eigenschaften auswertet! Die Welt ist einfach komisch, wenn man sie vom technischen Standpunkt ansieht; unpraktisch in allen Beziehungen der Menschen zueinander, im höchsten Grade unökonomisch und unexakt in

ihren Methoden; und wer gewohnt ist, seine Angelegenheiten mit dem Rechenschieber zu erledigen, kann einfach die gute Hälfte aller menschlichen Behauptungen nicht ernst nehmen. Der Rechenschieber, das sind zwei unerhört scharfsinnig verflochtene Systeme von Zahlen und Strichen; der Rechenschieber, das sind zwei weiß lackierte, ineinander gleitende Stäbchen von flach trapezförmigem Querschnitt, mit deren Hilfe man die verwickeltsten Aufgaben im Nu lösen kann, ohne einen Gedanken nutzlos zu verlieren; der Rechenschieber, das ist ein kleines Symbol, das man in der Brusttasche trägt und als einen harten weißen Strich über dem Herzen fühlt: wenn man einen Rechenschieber besitzt, und jemand kommt mit großen Behauptungen oder großen Gefühlen, so sagt man: Bitte einen Augenblick, wir wollen vorerst die Fehlergrenzen und den wahrscheinlichsten Wert von alledem berechnen!

Das war zweifellos eine kraftvolle Vorstellung vom Ingenieurwesen. Sie bildete den Rahmen eines reizvollen zukünftigen Selbstbildnisses, das einen Mann mit entschlossenen Zügen zeigte, der eine Shagpfeife zwischen den Zähnen hält, eine Sportmütze aufhat und in herrlichen Reitstiefeln zwischen Kapstadt und Kanada unterwegs ist, um gewaltige Entwürfe für sein Geschäftshaus zu verwirklichen. Zwischendurch hat man immer noch Zeit, gelegentlich aus dem technischen Denken einen Ratschlag für die Einrichtung und Lenkung der Welt zu nehmen oder Sprüche zu formen wie den von Emerson, der über jeder Werkstätte hängen sollte: »Die Menschen wandeln auf Erden als Weissagungen der Zukunft, und alle ihre Taten sind Versuche und Proben, denn jede Tat kann durch die nächste übertroffen werden!« Genau genommen war dieser Satz sogar von Ulrich und aus mehreren Sätzen von Emerson zusammengestellt.

Es ist schwer zu sagen, warum Ingenieure nicht ganz so sind, wie es dem entsprechen würde. Warum tragen sie beispielsweise so oft eine Uhrkette, die in einseitigem, steilen Bogen von der Westentasche zu einem hochgelegenen Knopf führt, oder lassen sie über dem Bauch eine Hebung und zwei Senkungen bilden, als befände sie sich in einem Gedicht? Warum gefällt es ihnen, Busennadeln mit Hirschzähnen oder kleinen Hufeisen in ihre Halsbinden zu stecken? Warum sind ihre Anzüge so konstruiert wie die Anfänge des Automobils? Warum endlich sprechen sie selten von etwas anderem als ihrem Beruf; und wenn sie es doch tun, warum haben sie dann eine besondere, steife, beziehungslose, äußere Art zu sprechen, die nach innen nicht tiefer als bis zum Kehldeckel reicht? Bei weitem gilt das natürlich nicht von allen, aber es gilt von vielen, und die, welche Ulrich kennen lernte, als er zum erstenmal den Dienst in einem Fabrikbüro antrat, waren so, und die, die er beim zweitenmal kennen lernte, waren auch so. Sie zeigten sich als Männer, die mit ihren Reißbrettern fest verbunden waren, ihren Beruf liebten und in ihm eine bewundernswerte Tüchtigkeit besaßen; aber den Vorschlag, die Kühnheit ihrer Gedanken statt auf ihre Maschinen auf sich selbst anzuwenden, würden sie ähnlich empfunden haben wie die Zumutung, von einem Hammer den widernatürlichen Gebrauch eines Mörders zu machen. So endete schnell der zweite und reifere Versuch, den Ulrich unternommen hatte, um auf dem Wege der Technik ein ungewöhnlicher Mann zu werden.

Der wichtigste Versuch

Über die Zeit bis dahin vermochte Ulrich heute den Kopf zu schütteln, wie wenn man ihm von seiner Seelenwanderung erzählen würde; über den dritten seiner Versuche nicht. Es läßt sich verstehen, daß ein Ingenieur in seiner Besonderheit aufgeht, statt in die Freiheit und Weite der Gedankenwelt zu münden, obgleich seine Maschinen bis an die Enden der Erde geliefert werden; denn er braucht ebensowenig fähig zu sein, das Kühne und Neue der Seele seiner Technik auf seine Privatseele zu übertragen, wie eine Maschine imstande ist, die ihr zugrunde liegenden Infinitesimalgleichungen auf sich selbst anzuwenden. Von der Mathematik aber läßt sich das nicht sagen; da ist die neue Denklehre selbst, der Geist selbst, liegen die Quellen der Zeit und der Ursprung einer ungeheuerlichen Umgestaltung.
Wenn es die Verwirklichung von Urträumen ist, fliegen zu können und mit den Fischen zu reisen, sich unter den Leibern von Bergriesen durchzubohren, mit göttlichen Geschwindigkeiten Botschaften zu senden, das Unsichtbare und Ferne zu sehen und sprechen zu hören, Tote sprechen zu hören, sich in wundertätigen Genesungsschlaf versenken zu lassen, mit lebenden Augen erblicken zu können, wie man zwanzig Jahre nach seinem Tode aussehen wird, in flimmernden Nächten tausend Dinge über und unter dieser Welt zu wissen, die früher niemand gewußt hat, wenn Licht, Wärme, Kraft, Genuß, Bequemlichkeit Urträume der Menschheit sind, — dann ist die heutige Forschung nicht nur Wissenschaft, sondern ein Zauber, eine Zeremonie von höchster Herzens- und Hirnkraft, vor der Gott eine Falte seines Mantels nach der anderen öffnet, eine Religion, deren Dogmatik von der harten, mutigen, beweglichen, messerkühlen und -scharfen Denklehre der Mathematik durchdrungen und getragen wird.
Allerdings, es ist nicht zu leugnen, daß alle diese Urträume nach Meinung der Nichtmathematiker mit einemmal in einer ganz anderen Weise verwirklicht waren, als man sich das ursprünglich vorgestellt hatte. Münchhausens Posthorn war schöner als die fabrikmäßige Stimmkonserve, der Siebenmeilenstiefel schöner als ein Kraftwagen, Laurins Reich schöner als ein Eisenbahntunnel, die Zauberwurzel schöner als ein Bildtelegramm, vom Herz seiner Mutter zu essen und die Vögel zu verstehn, schöner als eine tierpsy-

chologische Studie über die Ausdrucksbewegungen der Vogelstimme. Man hat Wirklichkeit gewonnen und Traum verloren. Man liegt nicht mehr unter einem Baum und guckt zwischen der großen und der zweiten Zehe hindurch in den Himmel, sondern man schafft; man darf auch nicht hungrig und verträumt sein, wenn man tüchtig sein will, sondern muß Beefsteak essen und sich rühren. Genauso ist es, wie wenn die alte untüchtige Menschheit auf einem Ameisenhaufen eingeschlafen wäre, und als die neue erwachte, waren ihr die Ameisen ins Blut gekrochen, und sie muß seither die gewaltigsten Bewegungen ausführen, ohne dieses lausige Gefühl von tierischer Arbeitsamkeit abschütteln zu können. Man braucht wirklich nicht viel darüber zu reden, es ist den meisten Menschen heute ohnehin klar, daß die Mathematik wie ein Dämon in alle Anwendungen unseres Lebens gefahren ist. Vielleicht glauben nicht alle diese Menschen an die Geschichte vom Teufel, dem man seine Seele verkaufen kann; aber alle Leute, die von der Seele etwas verstehen müssen, weil sie als Geistliche, Historiker und Künstler gute Einkünfte daraus beziehen, bezeugen es, daß sie von der Mathematik ruiniert worden sei und daß die Mathematik die Quelle eines bösen Verstandes bilde, der den Menschen zwar zum Herrn der Erde, aber zum Sklaven der Maschine mache. Die innere Dürre, die ungeheuerliche Mischung von Schärfe im Einzelnen und Gleichgültigkeit im Ganzen, das ungeheure Verlassensein des Menschen in einer Wüste von Einzelheiten, seine Unruhe, Bosheit, Herzensgleichgültigkeit ohnegleichen, Geldsucht, Kälte und Gewalttätigkeit, wie sie unsre Zeit kennzeichnen, sollen nach diesen Berichten einzig und allein die Folge der Verluste sein, die ein logisch scharfes Denken der Seele zufügt! Und so hat es auch schon damals, als Ulrich Mathematiker wurde, Leute gegeben, die den Zusammenbruch der europäischen Kultur voraussagten, weil kein Glaube, keine Liebe, keine Einfalt, keine Güte mehr im Menschen wohne, und bezeichnenderweise sind sie alle in ihrer Jugend- und Schulzeit schlechte Mathematiker gewesen. Damit war später für sie bewiesen, daß die Mathematik, Mutter der exakten Naturwissenschaft, Großmutter der Technik, auch Erzmutter jenes Geistes ist, aus dem schließlich Giftgase und Kampfflieger aufgestiegen sind.
In Unkenntnis dieser Gefahren lebten eigentlich nur die Mathematiker selbst und ihre Schüler, die Naturforscher, die von alledem so wenig in ihrer Seele verspürten wie Rennfahrer, die fleißig darauf lostreten und nichts in der Welt bemerken wie das Hinterrad ihres Vordermanns. Von Ulrich dagegen konnte man mit Sicherheit das eine sagen, daß er die Mathematik liebte, wegen der Menschen, die sie nicht ausstehen mochten. Er war weniger wissenschaftlich als menschlich verliebt in die Wissenschaft. Er sah, daß sie in allen Fragen, wo sie sich für zuständig hält, anders denkt als gewöhnliche Menschen. Wenn man statt wissenschaftlicher Anschauungen Lebensanschauung

setzen würde, statt Hypothese Versuch und statt Wahrheit Tat, so gäbe es kein Lebenswerk eines ansehnlichen Naturforschers oder Mathematikers, das an Mut und Umsturzkraft nicht die größten Taten der Geschichte weit übertreffen würde. Der Mann war noch nicht auf der Welt, der zu seinen Gläubigen hätte sagen können: Stehlt, mordet, treibt Unzucht — unsere Lehre ist so stark, daß sie aus der Jauche eurer Sünden schäumend helle Bergwässer macht; aber in der Wissenschaft kommt es alle paar Jahre vor, daß etwas, das bis dahin als Fehler galt, plötzlich alle Anschauungen umkehrt oder daß ein unscheinbarer und verachteter Gedanke zum Herrscher über ein neues Gedankenreich wird, und solche Vorkommnisse sind dort nicht bloß Umstürze, sondern führen wie eine Himmelsleiter in die Höhe. Es geht in der Wissenschaft so stark und unbekümmert und herrlich zu wie in einem Märchen. Und Ulrich fühlte: die Menschen wissen das bloß nicht; sie haben keine Ahnung, wie man schon denken kann; wenn man sie neu denken lehren könnte, würden sie auch anders leben.

Nun wird man sich freilich fragen, ob es denn auf der Welt so verkehrt zugehe, daß sie immerdar umgedreht werden müsse? Aber darauf hat die Welt längst selbst zwei Antworten gegeben. Denn seit sie besteht, sind die meisten Menschen in ihrer Jugend für das Umdrehen gewesen. Sie haben es lächerlich empfunden, daß die Älteren am Bestehen hingen und mit dem Herzen dachten, einem Stück Fleisch, statt mit dem Gehirn. Diese jüngeren Menschen haben immer bemerkt, daß die moralische Dummheit der Älteren ebenso ein Mangel an neuer Verbindungsfähigkeit ist wie die gewöhnliche intellektuelle Dummheit, und die ihnen selbst natürliche Moral ist eine der Leistung, des Heroismus und der Veränderung gewesen. Dennoch haben sie, sobald sie in die Jahre der Verwirklichung gekommen sind, nichts mehr davon gewußt und noch weniger wissen wollen. Darum werden auch viele, denen Mathematik oder Naturwissenschaft einen Beruf bedeuten, es als einen Mißbrauch empfinden, sich aus solchen Gründen wie Ulrich für eine Wissenschaft zu entscheiden.

Trotzdem hatte er nun aber in diesem dritten Beruf, seit er ihn vor Jahren ergriffen hatte, nach fachmännischem Urteil gar nicht wenig geleistet.

WERNER HEISENBERG

Die Naturwissenschaft als Teil des Wechselspieles zwischen Mensch und Natur

Technik und Veränderungen der Lebensweisen

Es ist oft gesagt worden, daß die tiefgreifende Veränderung unserer Umwelt und unserer Lebensweise im technischen Zeitalter unser Denken in einer gefährlichen Weise umgestaltet habe und daß hier die Wurzel der Krisen zu suchen sei, von denen unsere Zeit erschüttert werde und die sich z. B. auch in der modernen Kunst äußern. Dieser Einwand ist nun freilich viel älter als Technik und Naturwissenschaft der Neuzeit; denn Technik und Maschinen hat es in primitiver Form schon viel früher gegeben, so daß die Menschen schon längst vergangener Zeiten gezwungen waren, über solche Fragen nachzudenken. Vor zweieinhalb Jahrtausenden hat z. B. der chinesische Weise Dschuang Dsi schon von den Gefahren des Maschinengebrauchs für den Menschen gesprochen, und ich möchte hier eine Stelle aus seinen Schriften anführen, die für unser Thema wichtig ist:

›Als Dsi Gung durch die Gegend nördlich des Han-Flusses kam, sah er einen alten Mann, der in seinem Gemüsegarten beschäftigt war. Er hatte Gräben gezogen zur Bewässerung. Er stieg selbst in den Brunnen hinunter und brachte in seinen Armen ein Gefäß voll Wasser herauf, das er ausgoß. Er mühte sich aufs äußerste ab und brachte doch wenig zustande.

Dsi Gung sprach: Da gibt es eine Einrichtung, mit der man an einem Tag hundert Gräben bewässern kann. Mit wenig Mühe wird viel erreicht. Möchtet Ihr die nicht anwenden? Der Gärtner richtete sich auf, sah ihn an und sprach: Und was wäre das?

Dsi Gung sprach: Man nimmt einen hölzernen Hebelarm, der hinten beschwert und vorne leicht ist. Auf diese Weise kann man das Wasser schöpfen, daß es nur so sprudelt. Man nennt das einen Ziehbrunnen.

Da stieg dem Alten der Ärger ins Gesicht, und er sagte lachend: Ich habe meinen Lehrer sagen hören: Wenn einer Maschinen benutzt, so betreibt er alle seine Geschäfte maschinenmäßig; wer seine Geschäfte maschinenmäßig betreibt, der bekommt ein Maschinenherz. Wenn einer aber ein Maschinenherz in der Brust hat, dem geht die reine Einfalt verloren. Bei wem die reine Einfalt hin ist, der wird ungewiß in den Regungen seines Geistes. Ungewißheit in den Regungen des Geistes ist etwas, das sich mit dem wahren Sinn nicht verträgt. Nicht daß ich solche Dinge nicht kennte, ich schäme mich, sie anzuwenden.‹

Daß diese alte Erzählung einen erheblichen Teil der Wahrheit enthält, wird jeder von uns empfinden; denn ‚Ungewißheit in den Regungen des Geistes'

ist vielleicht eine der treffendsten Beschreibungen, die wir dem Zustand der Menschen in unserer heutigen Krise geben können: Die Technik, die Maschine hat sich in einem Ausmaß über die Welt ausgebreitet, von der jener chinesische Weise nichts ahnen konnte, und doch sind auch zweitausend Jahre später noch die schönsten Kunstwerke auf der Erde entstanden, und die Einfalt der Seele, von der der Philosoph spricht, ist nie ganz verlorengegangen, sondern im Laufe der Jahrhunderte bald schwächer, bald stärker in Erscheinung getreten und immer wieder fruchtbar geworden. Schließlich hat sich der Aufstieg des Menschengeschlechts ja doch durch die Entwicklung der Werkzeuge vollzogen; es kann also die Technik jedenfalls nicht an sich schon die Ursache dafür sein, daß in unserer Zeit das Bewußtsein des Zusammenhanges an vielen Stellen verlorengegangen ist.
Man wird der Wahrheit vielleicht näher kommen, wenn man die plötzliche und — gemessen an früheren Veränderungen — ungewöhnlich schnelle Ausbreitung der Technik in den letzten fünfzig Jahren für viele Schwierigkeiten verantwortlich macht, da diese Schnelligkeit der Veränderung im Gegensatz zu früheren Jahrhunderten der Menschheit einfach nicht die Zeit gelassen hat, sich auf die neuen Lebensbedingungen umzustellen. Aber auch damit ist wohl noch nicht richtig oder noch nicht vollständig erklärt, warum unsere Zeit offensichtlich vor einer ganz neuen Situation zu stehen scheint, zu der es in der Geschichte kaum ein Analogon gibt . . .

Der Mensch steht nur noch sich selbst gegenüber

. . . Wenn man versucht, von der Situation in der modernen Naturwissenschaft ausgehend, sich zu den in Bewegung geratenen Fundamenten vorzutasten, so hat man den Eindruck, daß man die Verhältnisse vielleicht nicht allzu grob vereinfacht, wenn man sagt, daß *zum erstenmal im Laufe der Geschichte der Mensch auf dieser Erde nur noch sich selbst gegenübersteht,* daß er keine anderen Partner oder Gegner mehr findet. Das gilt zunächst in einer ganz banalen Weise im Kampf des Menschen mit äußeren Gefahren. Früher war der Mensch durch wilde Tiere, durch Krankheiten, Hunger, Kälte und andere Naturgewalten bedroht, und in diesem Streit bedeutete jede Ausweitung der Technik eine Stärkung der Stellung des Menschen, also einen Fortschritt. In unserer Zeit, in der die Erde immer dichter besiedelt wird, kommt die Einschränkung der Lebensmöglichkeit und damit die Bedrohung in erster Linie von den anderen Menschen, die auch ihr Recht auf die Güter der Erde geltend machen. In dieser Auseinandersetzung braucht die Erweiterung der Technik aber kein Fortschritt mehr zu sein. Der Satz, daß der Mensch nur noch sich selbst gegenüberstehe, gilt aber im Zeitalter der Technik noch in einem viel weiteren Sinne. In früheren Epochen sah sich der

Mensch der Natur gegenüber; die von Lebewesen aller Art bewohnte Natur war ein Reich, das nach seinen eigenen Gesetzen lebte und in das er sich mit seinem Leben irgendwie einzuordnen hatte. In unserer Zeit aber leben wir in einer vom Menschen so völlig verwandelten Welt, daß wir überall, ob wir nun mit den Apparaten des täglichen Lebens umgehen, ob wir eine mit Maschinen zubereitete Nahrung zu uns nehmen oder die vom Menschen verwandelte Landschaft durchschreiten, immer wieder auf die vom Menschen hervorgerufenen Strukturen stoßen, daß wir gewissermaßen immer nur uns selbst begegnen. Sicher gibt es Teile der Erde, wo dieser Prozeß noch lange nicht zum Abschluß gekommen ist, aber früher oder später dürfte in dieser Hinsicht die Herrschaft des Menschen vollständig sein.
Am schärfsten aber tritt uns diese neue Situation eben in der modernen Naturwissenschaft vor Augen, in der sich herausstellt, daß wir die Bausteine der Materie, die ursprünglich als die letzte objektive Realität gedacht waren, überhaupt nicht mehr ‚an sich' betrachten können, daß sie sich irgendeiner objektiven Festlegung in Raum und Zeit entziehen und daß wir im Grunde immer nur unsere Kenntnis dieser Teilchen zum Gegenstand der Wissenschaft machen können. Das Ziel der Forschung ist also nicht mehr die Erkenntnis der Atome und ihrer Bewegung ‚an sich', d. h. abgelöst von unserer experimentellen Fragestellung; vielmehr stehen wir von Anfang an in der Mitte der Auseinandersetzung zwischen Natur und Mensch, von der die Naturwissenschaft ja nur ein Teil ist, so daß die landläufigen Einteilungen der Welt in Subjekt und Objekt, Innenwelt und Außenwelt, Körper und Seele nicht mehr passen wollen und zu Schwierigkeiten führen. Auch in der Naturwissenschaft ist also der Gegenstand der Forschung nicht mehr die Natur an sich, sondern die der menschlichen Fragestellung ausgesetzte Natur, und insofern begegnet der Mench auch hier wieder sich selbst . . .
. . . Wenn von einem Naturbild der exakten Naturwissenschaft in unserer Zeit gesprochen werden kann, so handelt es sich eigentlich nicht mehr um ein Bild der Natur, sondern um *ein Bild unserer Beziehungen zur Natur.* Die alte Einteilung der Welt in einen objektiven Ablauf in Raum und Zeit auf der einen Seite und die Seele, in der sich dieser Ablauf spiegelt, auf der anderen, also die Descartes'sche Unterscheidung von *res cogitans* und *res extensa,* eignet sich nicht mehr als Ausgangspunkt zum Verständnis der modernen Naturwissenschaft. Im Blickfeld dieser Wissenschaft steht vielmehr vor allem das Netz der Beziehungen zwischen Mensch und Natur, der Zusammenhänge, durch die wir als körperliche Lebewesen abhängige Teile der Natur sind und sie gleichzeitig als Menschen zum Gegenstand unseres Denkens und Handelns machen. Die Naturwissenschaft steht nicht mehr als Beschauer vor der Natur, sondern erkennt sich selbst als Teil dieses Wechelspiels zwischen Mensch und Natur. Die wissenschaftliche Methode des Aus-

sonderns, Erklärens und Ordnens wird sich der Grenzen bewußt, die ihr dadurch gesetzt sind, daß der Zugriff der Methode ihren Gegenstand verändert und umgestaltet, daß sich die Methode also nicht mehr vom Gegenstand distanzieren kann. *Das naturwissenschaftliche Weltbild hört damit auf, ein eigentlich naturwissenschaftliches zu sein.*

Das Bewußtsein der Gefahr unserer Situation

Mit der Klärung dieser Paradoxien in einem engen wissenschaftlichen Bereich ist freilich noch wenig gewonnen für die allgemeine Situation unserer Zeit, in der wir, um eine vorhin gebrauchte Vereinfachung zu wiederholen, plötzlich in erster Linie uns selbst gegenüberstehen. Die Hoffnung, daß die Ausbreitung der materiellen und geistigen Macht des Menschen immer ein Fortschritt sei, findet ja durch diese Situation eine wenn auch erst undeutlich sichtbare Grenze, und die Gefahren werden um so größer, je stärker die Welle des vom Fortschrittglauben getragenen Optimismus gegen diese Grenze brandet. Vielleicht kann man die Art der Gefahr, um die es sich hier handelt, noch durch ein anderes Bild deutlicher machen. Mit der scheinbar unbegrenzten Ausbreitung ihrer materiellen Macht kommt die Menschheit in die Lage eines Kapitäns, dessen Schiff so stark aus Stahl und Eisen gebaut ist, daß die Magnetnadel seines Kompasses nur noch auf die Eisenmasse des Schiffes zeigt, nicht mehr nach Norden. Mit einem solchen Schiff kann man kein Ziel mehr erreichen; es wird nur noch im Kreis fahren und daneben dem Wind und der Strömung ausgeliefert sein. Aber um wieder an die Situation in der modernen Physik zu erinnern: Die Gefahr besteht eigentlich nur, solange der Kapitän nicht weiß, daß sein Kompaß nicht mehr auf die magnetischen Kräfte der Erde reagiert. In dem Augenblick, in dem Klarheit geschaffen ist, kann die Gefahr schon halb als beseitigt gelten. Denn der Kapitän, der nicht im Kreise fahren, sondern ein bekanntes oder unbekanntes Ziel erreichen will, wird Mittel und Wege finden, die Richtung seines Schiffes zu bestimmen. Er mag neue, moderne Kompaßarten in Gebrauch nehmen, die nicht auf die Eisenmasse des Schiffes reagieren, oder er mag sich, wie in alten Zeiten, an den Sternen orientieren. Freilich können wir nicht darüber verfügen, ob die Sterne sichtbar sind oder nicht, und in unserer Zeit sind sie vielleicht nur selten zu sehen. Aber jedenfalls schließt schon das Bewußtsein, daß die Hoffnung des Fortschrittglaubens eine Grenze findet, den Wunsch ein, nicht im Kreise zu fahren, sondern ein Ziel zu erreichen. In dem Maße, in dem Klarheit über diese Grenze erreicht wird, kann sie selbst als der erste Halt gelten, an dem wir uns neu orientieren können. Vielleicht kann man also aus dem Vergleich mit der modernen Naturwissenschaft die Hoffnung schöpfen, daß es sich hier wohl um eine Grenze für bestimmte Formen der

Ausbreitung des menschlichen Lebensbereiches handeln mag, nicht aber um eine Grenze für diesen Lebensbereich schlechthin. Der Raum, in dem der Mensch als geistiges Wesen sich entwickelt, hat mehr Dimensionen als nur die eine, in der er sich in den letzten Jahrhunderten ausgebreitet hat. Daraus würde folgen, daß in längeren Zeiträumen die bewußte Hinnahme dieser Grenze zu einer gewissen Stabilisierung führen wird, in der sich die Erkenntnisse und schöpferischen Kräfte der Menschen wieder von selbst um eine gemeinsame Mitte ordnen.

HANS FREYER

Füllet die Erde und macht sie euch untertan

Wenn du etwas machen willst, mußt du die Welt der Stoffe studieren wie ein Buch. Es gibt da vieles zu lernen, und jede neue Einsicht gibt ein neues Können her. Nicht Wachstumsgesetze, deren Wirkungen man geduldig abwarten muß, sondern Sachgesetze, denen man ungeduldig nachspüren kann, herrschen in dieser Welt. Der junge Hirt wird mit der Herde groß, aber der junge Schmied muß in die Lehre gehen. Daß Holz sich spalten, Rohr sich biegen läßt; welche Härten und Schärfen nötig sind, um einen Stoff zu schneiden, zu feilen, zu bohren; daß Wärme das Wachs weicht und Hitze den Ton härtet; daß Harz wasserdicht macht, daß ein gespannter Bogen zurückschnellt, daß ein Schifferknoten sich festzieht: diese ganze Physik ist in den Handwerken ausprobiert, dann angewandt und ausgewertet worden. Der Hebel, der Keil, die Rolle, das Rad, die Transmission — alle diese Grundfiguren der Mechanik wurden erkundet, indem mit ihnen hantiert wurde; hier gilt wirklich der Satz, daß wir nur erkennen, was wir herstellen. Die hohe Schule dieser praktischen Physik war einerseits die Metallurgie, auf der die Schmiedekunst beruht, andererseits die Architektur, die aus Stützen und Gebälk, aus Pfosten, Streben und Zügen Häuser und Brücken baut.

Eine sehr nüchterne Ethik gilt im Umgang mit den Sachen. Materie blickt uns nicht mit Augen an wie ein Tier, geht auf keine Liebkosung ein, zuckt nicht zurück, wenn sie geschunden wird. Sie folgt ihren Gesetzen; in diese unabänderliche Logik muß sich das Machen einfügen. Aber nichts hindert, die Gesetze der Materie gegen sie auszuspielen. Sie wirken in der finalen Umkehrung genauso glatt wie im natürlichen Ablauf. Man liebt den Stoff nicht, höchstens schätzt man ihn ob seines Wertes; im übrigen verfährt man mit ihm zweckmäßig. Ein kategorischer Imperativ, daß irgend etwas *nicht* als Mittel benutzt werden solle, hat hier keinen Sinn. Aber jeder Irrtum, jeder

Mangel an Sachkenntnis und jede Pfuscherei rächt sich unverzüglich: die Sache geht dann nicht, und der Stoff ist vertan ...

Die Domäne des Machens ist und bleibt das Handwerk, samt seinen industriellen Derivaten, und vom Schmied stammen in direkter Linie alle reinrassigen homines fabri ab: der Schlosser, der Spengler, der Monteur, der Ingenieur. Wo die Hand oder das Werkzeug, das sie führt, auf den Stoff aufstößt und mit seinem Widerstand zu tun bekommt, da ist der Ort des Machens. Die ackernde und hegende Hand bereitet immer nur die Bedingungen, zum Beispiel den Boden, das Futter, den Stall. Sie greift gleichsam um den Gegenstand ihrer Pflege herum; ihr Symbol ist die Furche. Die Hand des Handwerkers aber greift den Stoff selbst an. Sie verformt ihn, indem sie Späne abhebt: durch Hobeln, Feilen, Sägen, Bohren, Schnitzen, Ritzen und Schleifen. Oder sie verformt ihn »spanlos« durch Kneten, Pressen, Prägen, Biegen und Falten. Sie zuckt zurück, wenn an irgendeinem Punkt die werdende Oberfläche des werdenden Dinges erreicht ist. Sie ruht, wenn die Sache ringsum fertig ist. Das ist nicht das Zurückhalten und Einhalten, um Lebendiges zu schonen. Die Hand reagiert vielmehr auf das, was sie zu machen im Begriffe ist und was unter ihr erst entsteht. Die Materie stöhnt und bockt nicht, wenn ihr ins Fleisch geschnitten wird; denn das Fleisch, in das geschnitten wird, ist nicht das ihre, sondern dasjenige der Form, die aus ihr werden soll. Darum ist alles Machen ein Abtasten des Werkstücks auf die Form hin und ein Aufhören zur rechten Zeit. Es kontrolliert beständig sich selbst, es reflektiert auf sich selbst; gerade darum rundet sich unter seinen Griffen das neue Ding. Im größten Fall, zum Beispiel in dem der Kunst, steht solch ein Werk am Ende wie ein Wunder da, und läßt alle Mühe, alle Sorgfalt des Machens vergessen.

Die Maschine, will sagen: die Werkzeugmaschine bringt bei alledem keine grundsätzliche Änderung. Das Werkzeug wird nur umwegiger in Tätigkeit gesetzt. Statt es selber zu handhaben und zu innervieren, löst der Arbeiter den Mechanismus aus, der es betätigt, stellt ihn ein, lenkt ihn, überwacht ihn. Aber es bleibt: der direkte Angriff auf den Stoff, das Abtasten und Herausarbeiten der neuen Kontur. Die Spitzen, Zähne und Zangen, mit denen die Maschine den Stoff angreift, können sehr weit vorverlegt und durch zahlreiche Gestänge, Getriebe und Übersetzungen vermittelt sein: gleichviel, bis zu ihnen hin reicht der arbeitende Mensch. Sie sind verlängerte, gehärtete, verfeinerte Hand, und der Ort des Machens ist nach wie vor die Stelle, wo die Werkzeuge auftreffen und einwirken. Je vollkommener die Maschine wird, desto weiter rückt diese Stelle von der Hand weg. Der Mensch legt einen Hebel um: dadurch löst er ganze Ketten von Arbeitsvorgängen aus, als ob er mit seinem lebendigen Finger Tausende von eisernen in Bewegung versetzte. Ganz fern am anderen Ende werden dann Serien von fertigen Produkten ausgeworfen. Alles, was dazwischen liegt, die ganze Arbeit des Machens, übernimmt die Maschine. Sie steuert sich neuerdings sogar selbst, nämlich durch automatische Fühler, die das Werkstück abtasten und in dem Moment, wo die Form erreicht ist, auf den nächsten Arbeitsgang umschalten. Nicht nur die Hand, auch das Auge und das Gehirn des Menschen ist dann im Mechanismus objektiviert und kann darin zu übermenschlicher Präzision und Schnelligkeit gesteigert werden.

Der nächste Schritt war, daß der Mensch dem Stoff nicht nur eine neue Form gab, sondern ihn in seiner Substanz veränderte. Auch diese Künste sind sehr alt. In viel Spekulationen eingehüllt, sind sie von den Alchimisten großartig betrieben worden. Die natürlichen Stoffe nach ihren wirksamen Eigenschaften, auch nach den geheimen, zu studieren und zu nutzen, war ihr eines Bestreben; das andere war, Stoffe ineinander umzuwandeln, zum Beispiel aus gemeinen Stoffen Gold zu machen, sowie Materien herzustellen, die die Natur überhaupt nicht oder nicht rein hervorbringt — das Alkahest, den Stein der Weisen, das große Elixier. Die moderne Chemie hat aus diesen Phantasmen eine Wirklichkeit herauspräpariert, die wunderbar genug ist. Die Elektronen der äußeren Atomhüllen sind ja so locker an den Kern gebunden! Unabsehbare Kombinationen werden möglich, wenn die elektrostatischen Kräfte und die Austauschkräfte, die zwischen ihnen wirken, so aktiviert werden, daß die Atome zu Molekülen zusammenschießen . . .

Hegel fand, der Mensch sei frei, weil er in einer von ihm selbst gebauten oder bearbeiteten Welt lebe; so trete ihm die Umwelt nicht als fremde Natur entgegen, sondern vorgeformt durch menschliche Arbeit. Sie sei Geist von seinem Geist; vom Eigenen aber bestimmt zu werden, das eben sei Freiheit.

Man möchte sagen, daß die Menschheit im Geltendmachen dieses ihres Freiheitswillens jahrtausendelang sehr schonsam und zurückhaltend war, sehr sparsam in der Vergebung ihres Geistes an die Umwelt. Sie ließ ihre Kulturen wie Schiffe schwimmen auf dem Gewoge der Natur, wie Schollen auf der mütterlichen Flut. Sie bettete ihre Werke in lauter Wachstum ein, wie ein Garten in die natürliche Landschaft eingebettet ist. Ihre selbstbestimmten Welten waren wie das Haus eines Grenzers: drinnen gewollte Ordnung, draußen die Wildnis, und überdies jene aus lauter Steinen, Stämmen, Rinden und Schilfen gebaut, die aus dieser geschlagen waren. In jedem Gebilde schien der natürliche Stoff durch. Selbst das Kunstwerk entfaltete ihn mehr, als daß es ihn verhüllte, verzauberte ihn mehr, als daß es ihn zerstörte.

Hier aber macht nun der Trend, der vom Warten aufs Machen geht, Epoche. Schon rein der überdeckten Fläche nach haben sich die vom Menschen gemachten Sachen unheimlich ausgebreitet, und die Wildnisse aller Art sind geschrumpft. An vielen Stellen ist hinter dem Künstlichen die Natur nahezu verschwunden. Die 775 km^2, auf denen New York steht, sind zwar immer noch eine winzige Insel auf der natürlichen Erde, und selbst die großen Industriereviere und metropolitan areas sind klein im Vergleich zu den Ländern, die in ihrer Ländlichkeit verbleiben. Aber diese Inseln des durch und durch Gemachten gewinnen Land, sie wachsen sich zu ganzen Landschaften aus, und zwischen ihnen stellt sich ein System her, in dem die Grünflächen, die man ausgespart oder eingeschossen hat, wie ein raffinierter Putz wirken. Kein Zweifel, daß der Mensch die Oberfläche unseres Planeten so stark verwandelt hat wie sonst keine Macht außer den Kräften, die die Gebirge aufgeworfen und die Meere getieft haben; und neun Zehntel dieser Veränderungen der Erde entfallen auf die letzten drei Menschenalter. Vielleicht hätten die Termiten mit ihren steinharten Bauten aus verdauter Zellulose eine ähnlich große Veränderung hervorgebracht, wenn sie den Kampf um die Erde gewonnen hätten, den wir gewonnen haben, und sie hätten ihn gewonnen als Wesen, die sich die Welt machen können, in der sie leben. Zur Reichweite über die Länder hinweg kommt die fortschreitende Intensität des Machens: jenes Übertrumpfen der Natur nicht nur in der Herstellung von Formen, sondern in der synthetischen Fabrikation neuer Stoffe. Millionen großstädtischer Menschen treten die ganze Woche lang mit keinem Fuß auf wirkliche Erde, sondern auf lauter Asphalt, Linoleum, Kunststein und Hartglas. Eine Wiese, einen Felsen oder auch nur einen geschotterten Weg unter die Füße zu bekommen, das ist schon ein »Ausflug«. Wie rührend, zu denken, daß man aus dieser Welt ausflöge, wenn man unter staubigen Akazien Coca-Cola trinkt!

Man darf sich beim bloßen »Unbehagen«, das in einer solchen Lebenswelt leicht um sich greift, nicht allzu lange aufhalten. Wohl aber ist es wichtig einzusehen, daß unser moralisches Verhältnis zum Gemachten, erst recht zum Machbaren, von Grund auf anders ist als dem Lebendigen gegenüber. Unsere Ethik ist am Mitmenschen und am Mitwesen ausgebildet worden. Sie setzt die (wenn auch stummen) Fragen voraus, die jene stellen, und rechnet mit den (wenn auch stummen) Antworten, die sie geben. Das Machen aber ist nicht ein Frage-und-Antwort-Spiel und nur sehr im übertragenen Sinne eine Begegnung. Der Stoff ist für den homo faber gleichsam praktisch das Noch-nicht-Seiende. Er gilt als das, woraus etwas werden kann und werden soll, und zwar (das ist das Praktische daran) nicht von selbst, sondern durch menschliche Zwecksetzung und Arbeit. Wir sind über die Stoffe, aus denen man etwas machen kann, in ganz anderem Sinne Herr als über die Haustiere, die uns gehören, auch ohne jede Sentimentalität; desgleichen über die Sachen, die wir daraus gemacht haben.

Wir haben zwischendurch schon mehrfach angemerkt, daß es auch in der Welt des Machens hohe und höchste Formen gibt, und daß der homo faber nicht der verlorene Sohn, sondern der ebenbürtige Bruder des kultivierenden

Menschen ist, freilich sein gefährdeter Bruder. Diese hohen Formen liegen dort, wo das Handwerk zur Kunst wird oder die Kunst noch ganz in sich enthält. Ihr Adel aber besteht darin, daß in ihnen der Stoff nicht nur verwendet, sondern empfangen und wiedergeboren wird. Es wird mit ihm sei es gespielt, sei es gerungen. Er behält sein Recht, und die Form bestätigt dieses Recht, ja sie erhöht es. Daß es trotzdem eine Gefahr, vielleicht sogar ein Frevel des Menschen sein könnte, den schaffenden Gott nachzuahmen und Dinge zu machen, die »einen Schatten werfen«, ist nicht nur dort, wo die Bilder verboten wurden, sondern zuweilen gerade von denen geahnt worden, die es mit genialer Hand taten.

Der Trend geht gewiß nicht von diesen hohen Künsten und Handwerken aus. Sie sind eine Insel, die eher schwindet als wächst, bestenfalls sich behauptet und nach Überflutungen wieder aufsteigt. Er geht vielmehr von den Machenschaften aus, die termitenhaft zäh und stetig die Umwelt des Alltags verändern. In ihren Dienst ist fast die ganze moderne Technik eingespannt worden, und in ihnen wird der Geist des Machens selbstherrlich. Sie spielen weder mit dem Stoff noch ringen sie mit ihm. Sie verwenden ihn rationell, oder sie stellen ihn allererst her. In den Nutzdingen, die sie produzieren, ist ein Zweck, im reinen Fall ein einziger und bestimmter Zweck, inkorporiert. Ein grader Strahl geht von dem Bedürfnis über den Entwurf zur fertigen Sache und durch diese hindurch zu ihrer Verwendung, und der Stoff wird bei alledem nur verbraucht. Es ist zu vermuten, daß diese kühle und nüchterne Moral um so reiner gültig wird, je weiter das Machen auf den Wegen, die wir geschildert haben, fortschreitet. Ein Perserteppich altert, nur in viel längerer Lebensdauer als eine Menschengeneration. Aber ein Linoleumbelag verschleißt. Es gibt ihm gegenüber keine Pietät. Wo aber der Weg des Machens zu Ende, vielmehr zum Anfang gegangen wird und die synthetische Fabrikation ihre Stoffe aus den Elementen der Materie herholt, wird jede andre Einstellung als die technische sinnlos, und die Frage: was man alles daraus machen könne und durch welche Verfahren, wird alleinherrschend. Es gibt keinen Bauxitfrevel, wie es einen Baumfrevel gibt. Es gibt keine Molekülquälerei, wie es Tierquälerei gibt. Der Mensch hat sich, indem er der Machbarkeit der Sachen freien Lauf ließ, in eine Welt begeben (oder er ist in sie hineingeraten), in der er rein technisch denken muß, weil er es nur mit Stoffen zu tun hat, denen er seine Zwecke aufdrückt, nicht mit Partnern des Lebens. Das muß Folgen haben, auch für ihn selbst.

Gott sprach: Füllet die Erde und macht sie euch untertan. Es wird anzunehmen sein, daß in dieser Bevollmächtigung sehr viel Freiheit, die Natur nach Zwecken umzugestalten, eingeschlossen ist; jedenfalls hat der Mensch sie so verstanden. Immerhin hat Gott, indem er den Menschen die Erde gab, nicht zu ihnen gesagt: Macht damit, was ihr wollt.

GÜNTER EICH

SCHUTTABLAGE

Über den Brennesseln beginnt,
keiner hört sie und jeder,
die Trauer der Welt, es rührt der Wind
die Elastik einer Matratzenfeder.

Wo sich verwischt die goldene Tassenschrift,
ein Schnörkel von Blume und Trauben,
wird mir lesbar, — oh wie es mich trifft:
Liebe, Hoffnung und Glauben.

Ach, wer fügte zu bitterem Schmerz
so die Scherben zusammen?
Durch die Emaille wie durch ein Herz
wachsen die Brennesselflammen.

Im verrosteten Helm blieb ein Wasserrest,
schweifenden Vögeln zum Bade.
Verlorene Seele, wen du auch verläßt,
wer fügt dich zusammen in Gnade?

* * *

WILHELM RÖPKE

LUDWIG ERHARDS SOZIALE MARKTWIRTSCHAFT

Als der zweite Weltkrieg zu Ende ging, gab es nur wenige, die es wagten, der freien Wirtschaftsordnung der Marktwirtschaft ein gutes Leumundszeugnis auszustellen oder gar noch eine Zukunft vorauszusagen. An der Spitze dieser wenigen befanden sich einige, die sich frühzeitig gefragt hatten, an welchen grundsätzlichen Schwierigkeiten die kollektivistische Behörden- und Befehlswirtschaft scheitern müsse und welche unvergleichlichen Vorteile die Marktwirtschaft ihr entgegenzustellen hätte. Männer in verschiedenen Ländern griffen lange, bevor die Marktwirtschaft wieder zur Selbstverständlichkeit und zu der von ihnen erwarteten Quelle des Massenwohlstandes geworden war, zur Feder, um den Begriff der wirtschaftlichen Ordnung als eines Systems von Prinzipien der Steuerung und des Antriebs der Volkswirtschaft volkstümlich zu machen und um auseinanderzusetzen, daß es im letzten nur zwischen zwei Systemen dieser Art zu wählen gilt: dem auf Plan und Befehl beruhenden System des Kollektivismus und dem entgegengesetzten der Marktwirtschaft.

Im Jahre 1945 war die Schweiz als eine Art von liberalem Museumsstück übriggeblieben, das man mit einem überlegenen Lächeln abtun mochte. Die Lage änderte sich jedoch bereits spürbar, als im Jahre 1946 Belgien der Schweiz folgte und, den Kurs einer nichtinflationären Marktwirtschaft steuernd, bald so erfolgreich das Gleichgewicht der Volkswirtschaft wiederherstellte, daß es sich mit einer ausgeglichenen Zahlungsbilanz der auf die Nöte der sozialistischen Länder zugeschnittenen Marshallhilfe unwürdig machte, während gleichzeitig Schweden, dessen Ausgangslage durchaus derjenigen der Schweiz vergleichbar gewesen war, sich unter der Führung sozialistischer Theoretiker erfolgreich um den Nachweis bemühte, daß es mit entschiedener Steuerung des »linken« Kurses selbst einem so reichen und vom Kriege verschont gebliebenen Lande möglich ist, eine harte Währung im Handumdrehen weich zu machen. Aber besaß nicht Belgien, so mochten Gedankenlose argumentieren, den Schatz des Kongos, der dieses »Wunder« ohne Erschütterung des sozialistisch-inflationären Glaubens erklären mochte? Als Antwort darauf folgte im Jahre 1947 eine neue Herausforderung, als Italien durch die berühmte Politik Einaudis, des damaligen Gouverneurs der Banca d'Italia und späteren Präsidenten der Republik, der die Erkenntnisse des Professors der Nationalökonomie in die Praxis umsetzte, sich diesem Kern der liberal-nichtinflationären Länder anschloß und vom Sumpf der Inflation und der Zwangswirtschaft befreien konnte. So groß auch hier der Erfolg war, der wahrscheinlich Italien vor dem Siege des Kommunismus bewahrt hat, so wurde doch seine Eindruckskraft durch viele Probleme belastet, die Italien eigentümlich sind.

So kam der wirklich entscheidende Schlag im Sommer 1948 von Deutschland, als wiederum ein die Theorie mit der Praxis vertauschender Professor, Ludwig Erhard mit seiner Gruppe, den hier völlig unverschleierten und vollkommenen Bankerott des inflationären Kollektivismus — der »zurückgestauten Inflation« — mit der entschlossenen Rückkehr zur Marktwirtschaft und zur monetären Disziplin beantwortete und dabei taktlos genug war, einen alle Erwartungen übersteigenden Erfolg zu erringen. Damit begann ein Kapitel der Wirtschaftsgeschichte, in dem mit einer geradezu epischen Eindruckskraft der tiefste Fall eines Volkes und sein Wiederaufstieg, gepaart mit einem beispiellosen Niedergang seiner Wirtschaft und ihrem steilen Wiederemporklimmen, sich auf wenige Jahre zusammendrängten. Hier wurde der Welt

die einzigartige und unvergeßliche Lehre erteilt, in welche Tiefen der Lähmung und Anarchie das Wirtschaftsleben eines Volkes sinken kann, wenn eine extrem fehlerhafte Wirtschaftspolitik die Grundlagen der wirtschaftlichen Ordnung zerstört, und wie rasch und vollständig es diesen Fall überwinden und wie steil es wiederemporsteigen kann, wenn die Fehler der Wirtschaftspolitik erkannt und beseitigt werden.
Hier war ein vom Krieg verheertes, durch ein Jahrzehnt zurückgestauter Inflation ausgelaugtes, verstümmeltes, durch den Verlust eines ungerechten Krieges und die Demaskierung einer hassenswerten Gewaltherrschaft demoralisiertes, mit Flüchtlingen vollgestopftes Land ohne Hoffnung, durch das man, leicht geniert durch die am Bahndamm auf Speisereste wartenden Kinder, hastig in internationalen Zügen hindurchfuhr. Und nun war es von allen Ländern dieses, das den Mut hatte, dem Triumph der kollektivistisch-inflationären Politik in Europa mit dem Gegenprogramm freier Märkte und monetärer Disziplin entgegenzutreten, unter den Augen aufgeschreckter junger Ökonomen der Besetzungsmächte, die in den Lehren von Marx, Keynes und ihrer Glossatoren erzogen worden waren. Nicht nur war der Erfolg überwältigend, sondern er stieg unaufhaltsam zur selben Zeit, in der der Fehlschlag des Sozialismus in Großbritannien immer offenbarer wurde und den Eindruck erweckte, als ob das besiegte Land wohlhabender sei als das Land des Siegers.
Dies war eine kaum erträgliche Herausforderung, weil sie das Ende des sozialistischen Mythos bedeutete. Wenn es als besonders anstößig erscheinen mochte, daß es das besiegte Deutschland war, das eine solche Lehre in Wohlstand durch Freiheit erteilt, so begriffen nur wenige, daß dies eine nicht unedle Art war, das Unheil wiedergutzumachen, das dasselbe Land dadurch über die Welt gebracht hatte ... Der Erfolg dieses wirtschaftlichpolitischen Gegenkurses war sozusagen durch jedes Kapitel der neuen Linksdoktrin der Ökonomie streng verboten. Er konnte einfach nicht zugelassen werden, und so vereinigten sich falsche Theorien mit geheimen Wünschen, um jene Kette von Katastrophenprophezeiungen zu erzeugen, die die deutsche Wirtschaftspolitik von einem Triumph zum anderen begleitet haben. Als die falschen Propheten mit allen ihren Spielarten stets aufs neue widerlegter Voraussagen mehr und mehr der Lächerlichkeit anheimfielen, nahmen sie ihre Zuflucht zu der Taktik, entweder möglichst wenig vom Erfolg der deutschen Marktwirtschaft zu reden oder ihn durch alle möglichen statistischen Tricks, durch grobe Entstellung der Tatsachen oder durch Hervorhebung der ungelösten Probleme zu verkleinern, indem sie ihre Bedeutung übertrieben und die Marktwirtschaft ungerechterweise für sie verantwortlich machten.
Die düsteren Unheilsprognosen hatten mit der Behauptung begonnen, daß das Rumpfgebilde Westdeutschland wirtschaftlich nicht lebensfähig sei, und

dieses Thema in Moll ist dann in allen möglichen Variationen durchgespielt worden, bis die Katastrophenmusik angesichts der Tatsache, daß Deutschland zu einer der ersten Industrie- und Handelsnationen der Welt und zur führenden Wirtschaftsmacht des Kontinents mit einer der gesuchtesten und härtesten Währungen geworden war, hastig abgebrochen werden mußte. Dann versuchte man es mit anderen Argumenten. Eine Scheinblüte sei das alles, meinten die einen, Geldreform und Marshallhilfe seien die Segenspender, nicht die Marktwirtschaft, versicherten andere. Ein schwarzes Schaf finsterer Wirtschaftsreaktion und erdrosselnder Deflation sei dieses Deutschland, neben Belgien und Italien das größte unter den Problemkindern der europäischen Familie, gaben allen Ernstes die Jahresberichte der Europäischen Wirtschaftskommission zu verstehen. Wenn Deutschland unbestreitbar aufblühe, so hätte das nichts mit der Marktwirtschaft zu tun, denn die Deutschen seien eben fleißig, bescheiden und sparsam, redeten sich noch andere heraus. Es lohnt kaum, diese Reihe von Beispielen der Verlegenheiten und Absurditäten fortzusetzen, denn die tatsächliche Entwicklung ist längst über sie hinweggegangen. Damit ist die Lehre, die Deutschland und dann unter gleich schwierigen Umständen Österreich durch ihr Beispiel der Marktwirtschaft und monetären Disziplin erteilt haben, mehr und mehr dem Bereiche demagogischer Kritik und ideologischer Parteikämpfe entrückt und zu einem der wichtigsten Gründe dafür geworden, daß überall diesseits des Eisernen Vorhangs die Marktwirtschaft den Kollektivismus in die Defensive gedrängt hat.

LUDWIG ERHARD

Die Verantwortung des Einzelnen

Ist es berechtigt, zu behaupten, die Erfolge der sozialen Marktwirtschaft entpuppten sich jetzt insofern als Scheinerfolge, als sie das deutsche Volk auf den gefährlichen Weg eines seelenlosen Materialismus abzudrängen drohen, so daß es im Wohlstand verkümmern müßte?
Hier ist zunächst einmal zu fragen, ob diese vermutete Verflachung des Lebens dem wirklichen Sachverhalt entspricht, und ob — falls wir diese Frage zu bejahen genötigt wären — eine echte Kausalität zwischen wachsendem Wohlstand und zunehmendem Materialismus vorliegt. Eine Bestätigung dieser Aussage käme einem Todesurteil über die Prinzipien und die Ziele der westlichen freien Welt gleich.

Ich glaube auch nimmermehr, daß die in Deutschland sich seit 1948 abzeichnende Entwicklung einer breitangelegten und rasch vorwärtsgreifenden Erhöhung des allgemeinen Lebensstandards derart tragische Schlüsse für unser Volk und Schicksal rechtfertigen könnte. Wir müssen nüchtern überlegen, was sich in diesen letzten Jahren ereignet hat.

Ein darbendes und hungerndes Volk, das der primitivsten Lebensmöglichkeiten beraubt war, und das unter der seelenlosen Herrschaft eines staatlichen Wirtschaftsdirigismus jede individuelle Freiheit entbehren mußte, gewann in einer relativ kurzen Zeitspanne Leben und Freiheit zurück. Was liegt da menschlich näher, als sich im Vollgefühl der wieder erstarkten Lebenskraft ausleben, als verbrauchen und selbst genießen zu wollen.

Es kommt noch hinzu, daß im Zuge der Demokratisierung der Massen eine soziale Umschichtung Platz greift, die insbesondere den Lohnempfänger in seinem materiellen Sein stark hebt. Im Zuge dieser Entwicklung ist es fast selbstverständlich, ja sogar unausweichlich, daß immer mehr Menschen zu einem gehobenen Lebensstandard hingeführt, d. h. zum Kauf von immer mehr Gebrauchs- und Verbrauchsgütern befähigt werden, die ihnen bislang vorenthalten waren.

Diese Entwicklung habe ich bewußt angestrebt, und ich bin über den Erfolg glücklich. Mutet es da nicht allenthalben pharisäerhaft an, wenn sich die wohlhabenderen oder gar reicheren Schichten unseres Volkes über die Genußsucht und Begehrlichkeit derjenigen ereifern, die im Grunde genommen keinen anderen Wunsch haben, als es jenen gleich zu tun. Gegen solches Pharisäertum führe ich deshalb auch einen leidenschaftlichen Kampf.

Ich verbuche den materiellen Aufstieg des deutschen Arbeiters und anderer Schichten unseres Volkes als einen absoluten politischen, sozialen und volkswirtschaftlichen Gewinn.

Ich frage daher mit allem Nachdruck: Bedeutet der Rundfunkempfänger, der Staubsauger, der Kühlschrank usf. im Hause eines Begüterten etwas anderes als in der Wohnung des Arbeiters? Ist er etwa das eine Mal Ausdruck von Zivilisation und Kultur, das andere Mal Zeugnis materialistischer Gesinnung? Ich vermag auch nicht einzusehen — wenn wir einmal den unterschiedlichen Lärm außer acht lassen — worin sich unter solcher Wertung das Moped vom Auto unterscheiden sollte.

Aus solch zwielichter Haltung heraus wird also dem echten und berechtigten Anliegen, unser Volk vor einer materialistischen Verflachung des Lebens bewahrt zu sehen, nicht begegnet werden können. Die Höhe des Einkommens ist weder Maßstab noch Grenzscheide für eine sittliche Wertung des Verbrauchs. Ich weiß deshalb auch nicht, warum und inwiefern die menschliche Seele durch Wohlstand und Reichtum an sich gefährdet sein sollte. Man müßte dann folgerichtig die Gegenfrage stellen: Von welcher

Einkommenshöhe ab ist die menschliche Seele durch Reichtum eigentlich nicht mehr gefährdet? Ist diese Fragestellung aber nicht schon ein reiner Hohn?
Jene Schichten, die mehr und mehr in den Genuß eines verstärkten Konsums gelangen, sind auch nicht deshalb zu tadeln, weil ihnen die jetzt erreichbaren Güter zunächst einmal Erfüllung ihrer Sehnsucht bedeuten oder weil sie in dieser Phase noch gar nicht fähig sein können, bei ihrer Bedarfsbefriedigung geistige, seelische, kulturelle und materielle Werte in eine gemäße Rangordnung zu bringen. Mit der Sicherung des sozialen Seins wird es gewiß zu einer stärkeren Besinnung kommen, die Gut und Böse, Wert und Unwert besser zu unterscheiden vermag.

Die Leute, die niemals Zeit haben, tun am wenigsten.

GEORG CHRISTOPH LICHTENBERG

Unbedingte Tätigkeit, von welcher Art sie sei, macht zuletzt bankerott.

JOHANN WOLFGANG GOETHE

SIEGFRIED LENZ

Der grosse Wildenberg

Mit dem Brief kam neue Hoffnung. Er war nur kurz, enthielt keine Anrede, er war mit gleichgültiger Höflichkeit diktiert worden, ohne Anteilnahme, ohne die Absicht, mir durch eine versteckte, vielleicht unfreiwillige Wendung zu verstehen zu geben, daß meine Sache gut stand. Obwohl ich den Brief mehrmals las, nach Worten suchte, die ich in der ersten Aufregung überlesen zu haben fürchtete, und obwohl all meine Versuche, etwas Gutes für mich herauszulesen, mißlangen, glaubte ich einige Hoffnungen in ihn setzen zu können, denn man lud mich ein, oder empfahl mir, zum Werk herauszukommen und mich vorzustellen.
Ich faltete den Brief zusammen, legte ihn, damit ich ihn gegebenenfalls schnell zur Hand hätte, in die Brieftasche und fuhr hinaus zur Fabrik. Es war eine Drahtfabrik, ein langgestrecktes, flaches Gebäude; es war dunkel, als ich hinausfuhr, und es schneite. Ich ging an einer hohen Backsteinmauer entlang, ging in ihrem Windschutz; elektrische Bogenlampen erhellten den Weg, nie-

mand kam mir entgegen. In das Pflaster der Straße waren Schienen eingelassen, sie glänzten matt, der Schnee hielt sich nicht auf ihnen. Der Schienenstrang führte mich zu einer Einfahrt, er verließ in kurzem Bogen die Straße, lief unter einem Drahtgitter hindurch und verschwand im Innern eines schwarzen Schuppens. Neben dem Tor stand ein Pförtnerhaus aus Holz, es wurde von einer schwachen Birne erleuchtet, die an der Decke hing.
Im Schein der Birne erkannte ich den Pförtner, einen alten, mürrischen Mann, der vor einem schäbigen Holztisch saß und mich beobachtete. Hinter seinem Rücken brannte ein Koksfeuer. Ich ging an das Häuschen heran, und der Pförtner legte sein Ohr an das Fenster und wartete auf meine Anmeldung: ich schwieg. Der Mann wurde ärgerlich und stieß ein kleines Fenster vor mir auf. Ich spürte, wie ein Strom von verbrauchter, süßlicher Luft ins Freie drang. Der Pförtner war offenbar besorgt, daß zuviel Luft aus seinem Raum entweichen könnte, und er fragte ungeduldig:
»Zu wem wollen Sie? Sind Sie angemeldet?«
Ich sagte, daß ich bestellt sei; wenn er wolle, könne ich ihm den Brief zeigen. Der Brief sei von einem Mann namens Wildenberg unterzeichnet.
Als ich diesen Namen nannte, blickte der Pförtner auf seine Uhr, dann sah er mich an, bekümmert und mit sanftem Spott, und ich fühlte, daß er seinen Ärger vergessen hatte und nur ein berufsmäßiges Mitleid für mich empfand.
»Ist Herr Wildenberg nicht da?« fragte ich.
»Er ist fast immer da«, sagte der Pförtner. »Es kommt selten vor, daß er verreist ist. Aber Sie werden ihn heute nicht sprechen können.«
Und dann erzählte er mir, wie schwer es sei, an Wildenberg heranzukommen; er erzählte mir, wieviel auf diesem großen Mann laste, der in schweigender Einsamkeit hinter fernen Türen, seine Entschlüsse fasse, und daß es zwecklos sei, wenn ich, obgleich ich bestellt sei, zu dieser Stunde noch herkäme. Ich solle am nächsten Tag wiederkommen, empfahl mir der Pförtner, hob die Schultern, seufzte und sagte, daß das der einzige Rat sei, den er mir geben könne, ich täte gut daran, ihn zu befolgen.
Ich befolgte den Rat des Pförtners und ging nach Hause, und am nächsten Morgen, in aller Frühe, machte ich mich wieder auf den Weg zur Fabrik. Die Bogenlampen brannten noch, es war kalt, und von der Werkskantine roch es nach Kohl. Der Pförtner empfing mich freundlich, er schien auf mich gewartet zu haben. Er winkte mir, draußen stehen zu bleiben, telefonierte längere Zeit und erklärte schließlich mit glücklichem Eifer, daß es ihm gelungen sei, mich auf die Spur zu setzen, ich könne nun ohne Schwierigkeiten bis zu Doktor Setzkis Büro gehen, seine Sekretärin würde mich dort erwarten.
Die Sekretärin war forsch und mager, sie bot mir eine Tasse Tee an, den sie gerade gekocht hatte, und entschuldigte sich mit einer eiligen Arbeit. Ich wertete den Tee als gutes Zeichen, das Angebot hatte mich seltsamerweise so zu-

versichtlich für meine eigene Sache gemacht, daß ich der Sekretärin eine von meinen beiden Zigaretten hinüberreichen wollte, doch sie lehnte ab. Ich rauchte auch nicht, weil Dr. Setzki jeden Augenblick aus seinem Zimmer kommen konnte, ich hörte Geräusche hinter seiner Tür, Knistern und Murmeln.

Es wurde hell draußen, die Bogenlampen erloschen, und die Sekretärin fragte mich, ob sie das Licht im Zimmer ausknipsen dürfe. Ich antwortete ihr lang und umständlich, in der Hoffnung, sie dadurch in ein Gespräch zu ziehen, denn es war mir ihretwegen peinlich, daß Dr. Setzki mich so lange warten ließ. Aber das Mädchen ging nicht auf meine Bemerkungen ein, sondern verbarg sich sofort wieder hinter ihrer Schreibmaschine, wo sie sicher war.

Dr. Setzki kam spät, er war unerwartet jung, entschuldigte sich, daß er mich so lange hatte warten lassen, und führte mich über einen Gang. Er entschuldigte sich vor allem damit, daß Wildenberg, der große einsame Arbeiter, keinen zur Ruhe kommen lasse, immer wieder frage er nach, versichere sich aller Dinge mehrmals und verhindere dadurch, daß man einen genauen Tagesplan einhalten könne. Ich empfand fast ein wenig Furcht bei der Vorstellung, in wenigen Sekunden Wildenberg gegenüberzusitzen, ich spürte, wie auf den Innenflächen meiner Hände Schweiß ausbrach, und sehnte mich nach dem Zimmer der Sekretärin zurück.

Dr. Setzki durchquerte mit mir ein Büro und brachte mich in ein Zimmer, in dem nur ein Schreibtisch und zwei Stühle standen. Er bat mich, auf einem der Stühle Platz zu nehmen und auf Dr. Petersen zu warten, das sei, wie er sagte, die rechte Hand Wildenbergs, die mir alle weiteren Türen zu dem großen Mann öffnen werde. Er zeigte sich unterrichtet, in welcher Angelegenheit ich hergekommen war, sprach mit großer Bewunderung von Wildenbergs Geschick, Leute auszusuchen, und verabschiedete sich schließlich, indem er mir die Hand flüchtig auf die Schulter legte. Als ich allein war, dachte ich noch einmal an seine Worte, hörte noch einmal seinen Tonfall, und jetzt schien es mir, als sei die Bewunderung, mit der er von Wildenberg gesprochen hatte, heimliche Ironie.

Dr. Petersen war, wie die Sekretärin, die unter einem Vorwand ins Zimmer kam, sagte, auf einer Sitzung. Sie konnte nicht sagen, wann er wieder zurück wäre, aber sie glaubte zu wissen, daß es nicht zu lange dauern würde; dafür, meinte sie, seien Sitzungen zu anstrengend. Sie lachte vielsagend und ließ mich allein.

Die Sekretärin hatte recht. Ich hatte zehn Minuten gewartet, da erschien Dr. Petersen, ein Hüne mit wässerigen Augen; er bat mich, Platz zu behalten, und wir sprachen über meine Bewerbung. Sie sei, sagte er, immer noch bei Wildenberg, er habe sie bei sich behalten, trotz seiner enormen Arbeitslast,

und ich käme diesem großen Mann gewiß entgegen, wenn ich nicht weiter danach fragte, sondern meinen Aufenthalt bei ihm so kurz wie möglich hielte.
»Ich bin sicher«, sagte Dr. Petersen, »Herrn Wildenbergs Laune wird um so besser sein, je kürzer Sie sich fassen. Leute seiner Art machen alles kurz und konzentriert.« Dann bat er mich, ihm zu folgen, klopfte an eine Tür, und als eine Stimme »Herein« rief, machte er mir noch einmal ein hastiges Zeichen, all seine Ratschläge zu bedenken, und ließ mich eintreten. Ich hörte, wie die Tür hinter mir geschlossen wurde.
»Kommen Sie«, sagte eine freundliche, schwache Stimme, »kommen Sie zu mir heran.«
Ich sah in die Ecke, aus der die Stimme gekommen war, und ich erkannte einen kleinen, leidvoll lächelnden Mann hinter einem riesigen Schreibtisch. Er winkte mir aus seiner Verlorenheit mit einem randlosen Zwicker zu, reichte mir die Hand, eine kleine, gichtige Hand, und bat mich schüchtern, Platz zu nehmen.
Nachdem ich mich gesetzt hatte, begann er zu erzählen, er erzählte mir die ganze Geschichte der Fabrik, und wenn ich in einer Pause zu gehen versuchte, bat er mich inständig, zu bleiben. Und jedesmal, wenn ich mich wieder setzte, bedankte er sich ausführlich, klagte über seine Einsamkeit und wischte mit dem Ärmchen über den leeren Schreibtisch. Ich wurde unruhig und erinnerte mich der Ratschläge, die man mir gegeben hatte, aber sein Bedürfnis, sich auszusprechen, schien echt zu sein, und ich blieb.
Ich blieb mehrere Stunden bei ihm. Bevor ich mich verabschiedete, fragte ich nach meiner Bewerbung. Er lächelte traurig und versicherte mir, daß er sie nie gesehen habe, er bekomme zwar, sagte er, gelegentlich etwas zur Unterschrift vorgelegt, aber nur, um sich nicht so einsam zu fühlen, denn man entreiße es ihm sofort wieder. Und er gab mir flüsternd den Rat, es einmal bei Dr. Setzki zu versuchen, der habe mehr Möglichkeiten und sei über den Pförtner zu erreichen: ich mußte ihm glauben.
Ich verabschiedete mich von dem großen Wildenberg, und als ich bereits an der Tür war, kam er mir nachgetrippelt, zupfte mich am Ärmel und bat mich, ihn bald wieder zu besuchen. Ich versprach es.

Gäbe es nur lauter Rüben und Kartuffeln in der Welt, so würde einer vielleicht einmal sagen: es ist schade, daß die Pflanzen verkehrt stehen.

GEORG CHRISTOPH LICHTENBERG

Was man sehr prächtig Sonnenstäubchen nennt, sind doch eigentlich Dreckstäubchen.

GEORG CHRISTOPH LICHTENBERG

JOSEPH ROTH

Dem Anschein nach

Dem Anschein nach ist die Heiterkeit dieser Welt nicht geringer geworden, seitdem ihre Qualen zugenommen haben, und es sieht gerade so aus, als wüßte sie nicht abzuschätzen, was ihr alles jede Stunde zustößt. Wollte man lediglich dem Anschein nach urteilen, so könnte man sagen, das subjektive Befinden der Welt sei heiter, indes ihr objektives miserabel ist, wie wir wissen. Man betrachte die stehenden photographischen Aufnahmen in den illustrierten Zeitungen und Zeitschriften und die beweglichen in der Wochenschau. Weit und breit ist, zum Beispiel, kein europäischer Staatsmann zu erblicken, der nicht beglückt lächelte nach einer beispiellosen diplomatischen Niederlage; kein geschlagener Tennismeister, der nicht erfreut in die Gesichter seiner offenbar keineswegs enttäuschten Anhänger schaute; kein Boxer, der ein muskulöser Brei in einem Bademantel, nicht durch Blut und Tränen schmunzelte, brüderlich dankbar die Hand des Gegners schüttelnd, der neben dem beseligten Besiegten beinahe traurig aussieht, als wäre er dessen Opfer; kein schwerverletzter Rennfahrer, der auf dem Grat zwischen der Chirurgie und dem Tod nicht noch gleichsam befriedigt röchelte. Es sind keine Phänomene, sondern Symptome.

Selbstverständlich bieten die sogenannten harmlosen, ihrer Natur nach freudigen Ereignisse und deren Urheber erst recht einen unwahrscheinlich freundlichen Anblick. Ein junges Mädchen, das während der letzten Tage in mehreren Zeitungen photographiert ist, weil es eines Tages mit einem Dollar in der Tasche — nach einer anderen Version waren es fünf Dollar — ausgezogen war, um die ganze weite Welt kennenzulernen, hätte zwar Anlaß gehabt, eher ein wehmütiges Gesicht zu zeigen, hätte sie diese Welt wirklich kennengelernt. Aber weder sie noch die Zeitungsleute, die sie beschreiben, wissen, daß die Aufgabe offenbar vollends mißglückt ist. Ein Fest, ein Ball, ein Schönheitswettbewerb, eine Hunde-Ausstellung, ein Wettlauf, ein Kabarettier, eine neue Revue, ein eben geschiedener und bereits neuverlobter Filmstar: deren Heiterkeit dürfte eigentlich niemanden wundernehmen. Aber auch die streikenden Arbeiter in den stillgelegten Werken lassen sich, gehorsam dem Willen der »Bild-Reporter«, hockend auf den Mauern der Fabrikhöfe photographieren, allem Anschein nach durch eine Welt entfernt von ihrem eigenen Ernst und von jenem, den ihr Streik zur Ursache hat und auch von jenem, den er zu bereiten wahrscheinlich imstande wäre. Dem Anschein nach, das heißt: nach den Bildern zu urteilen, zieht das Proletariat so munter in den Streik, wie jenes Mädchen mit einem Dollar in die Welt. Welch eine geheime, unheimliche Macht bewegt die Arbeiter, einer Redaktion oder einem Aktualitäten-Kino zuliebe, auf Mauern zu klettern? Auf jeden Fall eine gespenstische Macht. Es scheint, daß es ihre Absicht ist, die handelnden wie die zuschauenden Personen dieser Zeit geradezu als unverbesserliche Optimisten darzustellen. Die Katastrophen bekommen so die Physiognomie besonderer Glücksfälle. Jene Ereignisse aber, deren Teilnehmern oder Opfern auf keine Weise ein Lächeln, eine Heiterkeit, eine Freundlichkeit abzugewinnen möglich ist, wie zum Beispiel den Bombardierten in Spanien und den Pogromierten in Deutschland, werden überhaupt nicht oder nur äußerst selten photographiert. Also herrscht dem Anschein nach eitel Zufriedenheit in dieser Welt.

Dennoch gesteht jedes der Bilder, die in der ersten Sekunde eine dem Anschein nach noch vor-herrschende Heiterkeit wiedergaben, nach der zweiten und dritten bereits eine Verlogenheit. Wie eine eiserne Klammer liegt das Lächeln um den Mund der Diva, der Weltumseglerin, des Ministers, des Boxers, des Tennisspielers. Eine eiserne Klammer? Ein lächelnder Maulkorb vielmehr, freiwillig vom Träger angelegt, damit er der Versuchung oder dem Zwang, die Wahrheit zu sagen, auch sicher widerstehe. Die Photographie wird schneller geständig, als das billige Papier vergilbt, auf dem sie veröffentlicht ist. Man betrachte die Lächler zwei Tage später an jenen verschwiegenen Orten, die sie mit Recht, trotz der Hygiene, immer noch zieren, man betrachte sie bei dem trübseligen Licht, das wahrhaftiger ist, als der Scheinwerfer, der die Sekunde der Aufnahme erhellt hat, und man wird feststellen, daß es trübe Feste sind, die wir feiern und betrachten; saure Trauben, die uns den Mund stopfen; schaler Wein, der uns trunken macht, ein Dummkopf, der Titel und Würde und Amt und Verantwortung leichtfertiger trägt, als ein Packesel seine Last; ein Verrat, der nicht mehr begangen zu werden braucht, weil er der Einfachheit halber und damit er einem Vertrag ähnlich sei, von vornherein abgeschlossen wird; ein Stahlbad, in dem die Haifische nach uns schnappen und das die glatte, weil allzu stählerne Oberfläche eines anmutigen Sees hat. Man kann nicht einmal sagen, daß die Lügen gleisnerisch sind, wie es einst ihre Art war. Sie stellen sich matt, damit sie wie Wahrheiten erscheinen. Legierte Lügen.

Immerhin können uns die lebendigen Objekte des Photographen nicht in dem Grade täuschen, wie die Bilder und die begleitenden Texte. Sobald wir in die trüben Augen der von Zeit zu Zeit obligat werdenden Heiterkeit blicken — Weihnachtsmärkte, Silvesterfeiern, Faschingsmaskeraden erwarten uns—, ist es, als hätten wir graue, versteinerte Lava gesehen, eine Zukunftsschau, die Lava, die der Vulkan bald ausspeien wird, unser Vulkan eben, auf dem wir wirklich, nicht metaphorisch tanzen. Nicht einmal der Schrecken vor seinem Ausbruch beherrscht und färbt diese Heiterkeit, sondern bereits das fürchterlich graue Nichts des erloschenen, versteinerten Schlammes. Der Tod ist noch fruchtbar und ein Engel. Dies aber ist Schatten und Vernichtung. Denn das Leben dieser Erde ist einheitlich, und ein Lebendiges ist, noch über Millionen Kilometer, mit dem anderen Lebendigen verschwistert, und wenn irgendwo das Böse geschieht, ist es überall geschehen. Viellleicht kann es eine wirtschaftliche »Autarkie« geben; eine sittliche ist unmöglich. Vor einem Kino, an dem ich manchmal vorbeigehe, stehen die Menschen in Zweierreihen geordnet, überwacht von Polizisten; um Eintrittskarten zu bekommen, stellen sie sich geduldig an. Man gibt einen lustigen Film; über den Leuten aber, die auf ihn warten, lagert das Echo jenes namenlosen Wehs, das die Wartenden, ein paar hundert Meilen weiter, in bereits durch Umbau, Neubau, Umgestaltung verwüsteten Städten vor den Konsulaten erfüllt; und die auf den Genuß Harrenden werden jenen ähnlich, die der Erlösung harren. Denn es gibt auch keine Autarkie des Leids. Der Schmerz galoppiert über die ganze Welt, auf einem höllischen Hengst, rundum, rundum und keinen Flecken läßt er aus.

SIGISMUND VON RADECKI

Bemerkungen über den Sport

Der Sport ist ein Spiel. Und da man die Spiele in abbildende und kämpferische einteilt, so müßte der Sport zu den kämpferischen gehören. Doch es gibt naturverbundene Sporte, wie Skilaufen, Reiten oder Segeln, die sich auch ohne Wettkampf ausüben lassen: Freude an der Natur und an der Bemeisterung können ihnen genügen, wiewohl es auch hier Wettkämpfe gibt. Auch sind sie keine Abbildungen, sondern Wiederholungen notwendiger Tätigkeiten in der Sphäre lustvoller Unnotwendigkeit. Diese fügen sich also nicht ganz dem Schema, wohl aber die zwei anderen Sportgattungen, nämlich die olympischen und die Ballspiele, welche ja in ihrem Wesen den Kampf enthalten. Die olympischen Sporte, wie Wettlauf, Faustkampf oder Diskuswerfen, waren ursprünglich Kriegsübungen. Daher kannten die antiken Spiele zwar Wagenrennen, aber keine Reitrennen: weil sie aus einer so frühen Zeit stammten, wo man das Pferd im Kriege nur als Wagentier benutzte. Die dritte Sportgattung nämlich die gleichfalls uralten Ballspiele, wie Fußball, Hockey, Golf oder Tennis, ist heute die volkstümlichste, weil sie, wie später gezeigt wird, im Ball ein symbolisch abbildendes Element besitzen.

Kampf bedeutet Rivalität. Wir haben mit den Tieren zwei Rivalitäten gemeinsam: die soziale und die erotische. Eine soziale Rivalität ist etwa der Kampf der Leitkuh, eine erotische und soziale das Forkeln der Hirsche. Diese Tierkämpfe setzen Rangordnungen fest: Herden oder Vogelschwärme sind oft hierarchisch gegliedert, was ein vorhergegangenes Sichmessen vermuten läßt. Diesen zwei animalischen Rivalitäten gesellt sich aber beim Menschen eine dritte: das Bewußtsein seiner Einzigkeit. Alles in der Schöpfung ist ähnlich und doch einzig; kein Baumblatt ist dem andern gleich. Und zum Bewußtsein der Einzigkeit kommt der Mensch durch seine Fähigkeit des Abbildens: Sprache ist weltsetzende Abbildung, und wer abbildet, dem wird alles zum Objekt. (Ein Tier kann zwar instinktiv nachahmen, zum Beispiel in der Mimikry, aber noch nie hat ein Tier etwas abgebildet.) Da sich aber alle Menschen als einzig fühlen, so entsteht hieraus eine Rivalität, die jene der Tiere weit übertrifft und sich in zweckenthobenen Wettkämpfen, zum Beispiel auch im Sport äußert.

Gerade bei hochstehenden Völkern hat das Wettkampfprinzip ihr Leben durchwaltet, zum Beispiel bei den antiken Chinesen, doch das große Beispiel für den Agon geben uns die Griechen. Der Agon ist ordnende Kanalisierung furchtbarer Leidenschaften, die sonst überfluten würden. Selbst ihr Götterolymp ist ständig von Ehrgeiz durchzittert; kaum ein griechischer Gott, der nicht über irgend etwas gekränkt wäre — also wohl auch kaum ein Grieche ... Der Beste sein! — sogar drei Göttinnen streiten sich darum, wer die schönste ist. Dieses Kampfprinzip überschlägt sich im Scherbengericht, wo der Beste von der Gemeinschaft verbannt wird, nur eben weil er der Beste ist: Schmach und Ehrung zugleich. Hellas ist an seinem Agonalprinzip untergegangen in politischer Agonie. Mitten in das immer kraftlosere Sichzerfleischen der Städte tritt der römische Flaminius wie ein Fortinbras und rettet, was noch zu retten ist. — Auf Vasen, auf Steinfriesen, in Bronzen, in Gedichten sehen wir noch diese Kampfspiele, welche Kunst wurden, weil sie Gottesdienst waren. Und selbst die römischen Gladiatorenkämpfe stammten von einer grausamen etruskischen Bestattungssitte her.

Diese religiöse Bindung hat unser Sport verloren; unsere Olympischen Spiele sind allenfalls ein Fest der Menschheit, aber nicht der Gottheit. Die Ursache davon liegt im Christentum. Zwar ist das Christentum erst recht Kampf, doch nicht ein Kampf innerhalb der Welt, sondern mit der Welt und mit sich selbst. Paulus malt diese Parallele mit dem antiken Kampfspiel genau aus: nur eben, daß es jetzt so sehr Ernst ist, daß sich darüber kein Spiel mehr emporschwingen kann! Das Christentum brachte eine Säkularisierung der Leibesübungen.

Kampfspiele hat es indessen immer weiter gegeben, doch unser Sport stammt aus dem England des achtzehnten Jahrhunderts. Damals die Griechen, jetzt die Engländer: immer war es ein Seefahrervolk. Denn der Seemann erlebt Freiheit und Zwang, Einsamkeit und Gemeinsamkeit am stärksten; sein Leben ist ein Sichmessen, und so wird das Kampfspiel bei ihm Institution. Sport ist ein Wort jener einzigen Sprache, in der »ich« stets großgeschrieben wird. Dieses aristokratisch ausgerichtete England des Selfgovernment und der Abenteuerlust, der Solidität und des Wettens, der Ekonomisten und der Dichter machte im Jahrhundert Goethes eine industrielle Revolution durch, die auch den Sport aus einem Spiel der Muße in ein demokratisches Spiel verwandelte. Das entsprach einer sozialen Umwandlung, welche den Durchschnittsmenschen zum »man in the crowd«, zum Einzelnen in der Menge machte, der sich seinen Platz im Leben selbst erobern mußte.

Was ein Hobbes im siebzehnten Jahrhundert noch als chaotischen Urzustand sah: der Krieg aller gegen alle, wurde nun, von Adam Smith bis Darwin, als ein schöpferisches Spiel freier Kräfte gepriesen, die im »struggle for life« und »survival of the fittest« Entwicklung und Fortschritt verbürgten. Die Manchesterleute lebten in einer Apotheose des Kampfes; noch nie seit den Griechen hatte der Wettkampfgedanke so sehr alles Leben und Treiben ergriffen. In dieselbe Zeit fällt Goethes Wort: » . . . Das ist der Weisheit letzter Schluß: Nur der verdient sich Freiheit wie das Leben, der täglich sie erobern muß.« Alles kam, banal gesagt, darauf an, daß man die Chance ergriff, vorwärtstrieb und mit ihr sein Ziel erreichte.

Der vollkommenste Ausdruck dieses Lebenskampfes waren die Ballspiele und vor allem der Fußball. Denn der Ball, dessen Hin und Her Zehntausende atemlos verfolgten, war die Verkörperung von dem, was jeder für sich suchte: die Verkörperung der Chance. War man nur flink im Erwischen, nur treu im Zusammenspiel (wie auch in Werkstatt oder Fabrik), so konnte man trotz allem seines Lebens Ziel und Tor erreichen! Und das Team war um so besser, je mehr es wie ein Mann spielte. Daher die leidenschaftliche Teilnahme der Menge in Jubel und Zorn (wobei zuweilen noch in den Garderoben weitergeprügelt wurde) — denn dort, auf dem Felde, wird ihre eigene Sache geführt. Sie sieht, im Spiele verdichtet, ihren Lebenskampf, oder doch dessen allgemeines Wunschbild, abrollen. Hier haben wir in der Tat einen Kampf, der zugleich vollkommenste, nämlich symbolische Abbildung ist. Doch diese Anteilnahme erfuhr noch eine Steigerung durch den Fußball-Toto: das Abbild seiner Chance wird dem Wet-

tenden zur eigenen Geldchance, die ihn im Leben real vorwärtsbringt — hier fließen Bild und Wirklichkeit zusammen.
Demokratie heißt Diskussion. Im Tennis haben wir ein Abbild des Kampfgespräches, wobei der Ball das Thema und der Rakettschlag das Argument ist, welches so schlagend sein muß, daß dem Gegner die Replik ins Netz fliegt. Das ruckweise Hin und Her der Zuschauerköpfe beim Tennis findet man genauso bei einem Disput, wo die Blicke aller Anwesenden sich auch der jeweiligen Antwort zuwenden.
Aber auch bei den Ausübenden fließen Spiel und Ernst zusammen: da der Erwerb eine Art Sport wurde, wurde auch der Sport ein Erwerb. Spiegelte er der Masse ihr innerstes Streben, so machte diese den Sport durch ihre Eintrittsgelder zu einem Geschäft, wo der Amateur nur den Erfolg abwartet, um als Professional zu arbeiten, und Fußballhelden zu hohen Preisen gehandelt werden. Aber die Massenversammlungen der Sechstagerennen, der Boxmeisterschaften, der Cupfinales haben noch eine andere, soziale Bedeutung: sind sie doch die einzige Gelegenheit, wo die Masse sich selber sieht, hört und sich fühlt; wo sie e i n Schrei des Jubels oder der Ablehnung ist. Hier erlebt die Masse nicht nur ihren Kampf, hier erlebt sie sich selbst.
Das hat mit Körperkultur nicht mehr viel zu tun, stammt aber doch aus dem allgemeinen Streben danach und damit von jener selben Industrierevolution. Denn diese brachte zwar mit der Verstädterung ungesundes Leben und einseitige Beschäftigung, aber auch geregelte Arbeitszeit und somit Muße für den Sport, der nun als Gegengewicht wieder dem Körper gab, was des Körpers ist. Denn der Bauer treibt keinen Sport, weil ja sein ganzer Werktag Leibesübung ist; er schwärmt ebensowenig für Natur, wie der Fisch für das Wasser schwärmt. Dagegen feiert der Bauer Erntefeste, Winzerfeste, wo er seine Alltagsmühe in darstellendem Spiel und Kampf verklärt. Solche Feste stammen aus der Arbeit und heben sie ins Spiel empor, während unser Sport eine Art Protest gegen unsere Arbeit ist.
Daß der Körper des Zivilisationsmenschen heute gesünder, größer und langlebiger ist als früher, verdanken wir der Wissenschaft, der besseren sozialen Gerechtigkeit, aber schließlich auch dem Sport. In einer Zeit der Sklaverei konnte man Olympische Spiele feiern, weil man, eben dank den Sklaven, Zeit hatte. Heute tun wir ein Ähnliches, weil wir dank den Maschinen Zeit haben: die Mannschaften langen per Flugzeug an. Doch hat die Maschine, und mit ihr der Gedanke des Fortschritts, auch schädlich auf den Sport gewirkt, nämlich durch den Fetisch des Weltrekordes. Dieser Begriff ist von der Maschine her in unser Denken eingedrungen. Die Geschichte einer Maschine ist ihre ständig ansteigende Leistungskurve: jedes neue Modell bricht einen Rekord. Ist aber aus dem Konstruktionsgedanken alles herausgeholt,

so wird sie zum alten Eisen geworfen und durch eine *andersartige* Maschine ersetzt, die noch mehr leistet. So wurde die Schiffs-Kolbendampfmaschine in hundert Jahren immer besser, bis sie dann plötzlich von der Parsonturbine verdrängt war. Die Maschine ist für ihren einen Zweck gebaut und kann ersetzt werden: hier hat ständiges Rekordbrechen einen Sinn. Unser Körper jedoch steht harmonisch für tausend Zwecke da und kann beileibe nicht ersetzt werden. Hier muß das Weltrekordbrechen (das anfangs vielleicht stimulierend gewirkt hat) sich allmählich in einer déformation professionelle *gegen* den Körper wenden. Man spricht ja nicht umsonst von einem Sportherz, und die Gesichter am Zielband spiegeln die Qualen einer Gruppe aus dem Tartarus. Roger Bannister, der als erster die Meile unter vier Minuten lief, wird zwar als »the miler of the Century« gepriesen, bricht aber regelmäßig am Ziel zusammen und darf diesen Lauf nur dreimal im Jahr machen, »weil die Ärzte sonst für seine Gesundheit fürchten« ... Wie sehr muß man also für die Gesundheit jener Jünglinge fürchten, die künftig Bannisters Rekord brechen werden! Der zehnte dieser Rekordbrecher dürfte bereits ein Monstrum sein, wobei noch die Frage aufschluchzt, was man sich eigentlich dafür kaufen kann? Unsere Olympiarekorde übertreffen die antiken wie ein Wolkenkratzer die Akropolis. Aber alles jubelt. Schade um jeden neuen Weltrekord! Heute, wo Sportsleute aus dem Osten mit denen des Westens kämpfen, erhält das auch eine politisch-propagandistische Bedeutung. Wie kommt es, daß der Osten uns im Sport teilweise überlegen ist? — In der kommunistischen Wirtschaft kommt zuerst der Plan, und dann erst wird diesem der Wettkampf als Stachanoff-System und Fabriksduell aufgepfropft. Bei uns aber gibt es zuerst den wirtschaftlichen Wettbewerb und dann erst den Plan in Form von Koordinierung und Lenkung — was der natürlichere Weg ist, der im allgemeinen zu besseren Leistungen führt. Doch im östlichen *Sport* kommt ebenfalls der Wettkampf zuerst, weil Sport ja (im Gegensatz zu Arbeit) schon in seinem Wesen rivalisierend ist. Diese Sportkämpfe wurden im Osten sogleich von einem einheitlichen Plane erfaßt und gelenkt: der Sport ist dort ausnahmsweise den Weg der westlichen Wirtschaft gegangen! Hingegen ist der westliche Sport, unserer Zersplitterung gemäß, keineswegs einheitlich koordiniert und schon gar nicht (Gott sei Dank!) vom Staate erfaßt worden — weshalb aus unserem Sport auch nicht soviel herausgeholt werden konnte. Der Sport blüht im Osten dank naturgegebener Übernahme unserer Methode. Unsere Wirtschaftsform ist der sowjetischen wahrscheinlich überlegen, doch eben darum auch die östliche Sportleistung der unseren.

Schließlich erhebt sich die Frage, ob es außer dem bekannten Sportherz nicht auch ein gewisses Sportgehirn gibt. Damit soll nichts gegen Leibesübungen gesagt sein: sind sie doch, solange sie nicht Selbstzweck werden, ein Mittel zur schönen Menschlichkeit. Auch vergesse man nicht, daß ein so kulturwichtiges Gebilde wie das Britische Commonwealth hauptsächlich durch Kricket zusammengehalten wird. Doch setzt »mens sana in corpore sano« *zwei* Energien voraus: eine des Körpers und eine der Seele. Stürzt sich die der Seele ausschließlich auf den Sport, so ist das eine Perversität, an der die Seele verödet. Auch muß im corpore sano nicht unbedingt eine mens sana wohnen, denn es ist ja nicht der Körper, der sich den Geist baut. Im Sonnenschein der Arena machen sich die Enthusiasten Kopfbedeckungen aus ihren Sportzeitungen. Sportresultate sind vielfach fiktive Werte, wie etwa die »blaue Mauritius« der Markensammler. So urteilte jedenfalls ein Schah von Persien, der die Einladung zum Derby mit den Worten ablehnte: »Daß ein Pferd erstes wird, weiß ich. Und welches, ist mir gleichgültig.« Vielleicht hätte ihn Aga Khan darauf aufmerksam machen sollen, daß er ja das Wichtigste, den herrlichen Kampf, ausgelassen habe! Auch die Schule besteht ja nicht nur aus Zensuren ... Nicht fiktiv ist der schöne Kampf. Keine Fiktion ist es auch, wenn man auf Skiern durch den Schnee gleitet oder im Sattel den Mut seines Pferdes fühlt oder gegen den Wind durch die glitzernden Wellen steuert.

PETER GAN

Das Vernünftigste aber,
was die Kinder mit ihrem Spielzeug machen können,
ist, daß sie dasselbe zerbrechen.

HEGEL

Die Zauberflöte spricht

Nichts, dein reiner Atem ist genug,
daß mein Wunder sich begibt,
wenn dirs einen kurzen Atemzug
mein Gespiel zu sein beliebt.

Spiele mich, die ohne Töne singt,
bis die Sphäre taumelnd steigt,
tanzende in Brudersphären dringt,
träumend, was mein Lied verschweigt.

Bist du des Spielens müde, setz mich ab;
gönn uns die verdiente Ruh.
Ungefährdet ins Spiralengrab
fällt die müde Welt dir zu.

Wandelt Spielverlangen neu dich an,
komm zu mir, ich bin bereit.
Spiel ist alles. Und wer spielen kann,
dem gehört die Ewigkeit.

* * *

Die Lüftung der Nation kommt mir zur Aufklärung derselben unumgänglich nötig vor. Denn was sind die Menschen anders als alte Kleider? Der Wind muß durchstreichen.

GEORG CHRISTOPH LICHTENBERG

MARIE LUISE KASCHNITZ

Stelzvogel

Römische Betrachtung

Wir Nordländer sind hier, und nicht nur an unseren plumperen Schuhen, unter den Einheimischen auf den ersten Blick zu erkennen. Wir gehen anders, zielstrebig, gerichtet, angezogen und aus dem Gleichgewicht gebracht von dem, was wir erreichen wollen, ein Museum, die Arbeit zuhause, einen Menschen, den es uns wiederzusehen begehrt. Wir scheinen nicht im Augenblick, sondern in der Zukunft zu leben, nicht innerhalb, sondern außerhalb unseres Selbst heimisch zu sein. Wir gehen mit vorgebeugtem Oberkörper, weggestrecktem Kopf und geschlenkerten Armen, wie Kinder, die auf dem Eise vorwärtszukommen versuchen. Auf der glatten Fläche des Augenblicks nun weiß der Südländer sich vortrefflich zu halten, ja diese scheint sein eigentliches Element zu sein. Die Weiterbewegung ist bei ihm nur eine Kette von Stillstand, unmerklich und anmutig aneinandergereiht. Nichts erscheint so wichtig, daß es eilends erreicht werden müßte, nichts verpflichtender als das Dasein in diesem gegebenen Moment. Das Zeitliche mit der ganzen menschlichen Würde, das heißt der eines aufrecht stehenden, von natürlichem Selbstbewußtsein getragenen Wesens auszufüllen, ist die Aufgabe, die geleistet wird, mit derselben ruhigen Anmut, mit der eine Frau auf dem Lande den Wasserkrug auf dem Kopfe trägt. Auch mit dem Wasserkrug strebt man irgendwohin, aber es würde bei schnellerem, unbeherrschterem Lauf das Gleichgewicht, und damit einiges von dem kostbaren Inhalt verlorengehen. Der Verlust des inneren Gleichgewichts und die damit verbundene Einbuße an Persönlichkeit wird hier gewiß als ähnliche Gefahr empfunden, jedes Sichfortwerfen an andere Dinge, jeder übertriebene Eifer mutet barbarisch an. Una bestialità — eine Bestialität — hörte ich einmal ein leidenschaftliches, von keinerlei Rhetorik geadeltes Streitgespräch nennen, als tierisch gilt jede Bemühung, die die Einheit der Person verletzt. Den Frauen zumal wird Hast und Dringlichkeit nicht zugebilligt — ihre Bewegungen dürfen nicht stürmischer sein, als es der Umriß ihrer Lockenfrisur zuläßt, ihre Schritte nicht eiliger, als es die anmutige Linie ihres Körpers erlaubt. Daß auch ein von seinen Gedanken besessener oder durch innere Disharmonien im ruhigen Da-Sein gestörter Mann absonderlich und komisch wirkt, erfuhren wir vor kurzem bei einem Ausflug, den wir mit einem deutschen Freunde machten. Während wir nämlich vor einem Kaffeehaus an der Piazza eines umbrischen Städtchens saßen, verließ uns dieser Freund für ein paar Minuten, um in einem nahen Geschäft Einkäufe zu machen. Er ging über den Platz, und wie wir ihm nachsahen, bemerkte ich einige halbwüchsige Buben, die sich auf die sonderbarste Weise, wie stelzende und mit den Flügeln schlagende Vögel bewegten. Erst nach einer Weile kam ich darauf, daß sie den Gang unseres Freundes nachahmten und daß dieser ihnen grotesk und überwältigend komisch erschien. Der Freund tauchte wieder auf, sie unterbrachen ihre Vorstellung nicht, und es wurde mir bange bei dem Gedanken, wie der Betroffene ihre Verhöhnung auffassen mochte. Er hatte aber, wie wir alle, so wenig Gefühl für seine eigene Erscheinung, daß er das wunderliche Gehaben der Kinder mit sich selbst überhaupt nicht in Zusammenhang brachte. Steifbeinig, krumm und die Arme schlenkernd ging er mitten zwischen den stelzenden, flügelschlagenden und sich vor Lachen ausschüttenden Knaben hindurch und sah sie fröhlich verwundert, mit einem schönen, unschuldigen Lächeln an.

MORITZ HEIMANN

Nietzsche und sein Volk

In einer Wochenschrift der literarischen und sonstigen Ultras, der »Aktion«, findet sich ein Aufsatz des Herausgebers Pfemfert über die »Deutschsprechung Nietzsches«; ein höchst verdienstlicher Aufsatz, weil er den Übereifer züchtigt, der einseitig bis zur Fälschung Nietzsche für den unmittelbaren Patriotismus reklamiert — und weil es keinen Sinn hat, sich in die eigene Tasche zu lügen. Es hat in der Tat niemand den Deutschen Böseres gesagt als Nietzsche, nicht bloß in Worten des Grolls, sondern der völligen Abneigung und Abwendung. »O peuple des meilleurs Tartuffes«, spottlacht er, bevor er die Anker nach »Kosmopolis« lichtet, und sogar *die* Tartufferie hat er vorausgesehen, die ihn selbst, den Mann von jenseits der Moral, zum Philosophen der preußischen Junkergesinnung machen und ihn für »bestes Potsdam«, »echtes, bestes Preußentum« ausgeben würde.

Aber wenn wir es nicht verhehlen oder abstreiten lassen, daß Nietzsche in wachsendem Maße und ganz konsequent, mit allen Mitteln seiner Beredsamkeit, mit aller Bosheit des guten Stils, mit der Unbändigkeit seines Freiheitdranges Deutschland, deutsches Wesen und deutsche Kultur weggestoßen hat — müssen wir denn sein Urteil, sei es auch mit Knirschen, gelten lassen? Ist er, selbst abgesehen von dem Gesamtbild des menschlichen Lebens, das er in sich trug, und das die Vorbedingung jedes Einzelurteils ist (ein Gesamtbild, das ganz gewiß den wenigsten von denen annehmbar scheint, die mit seinen Aussprüchen ihre allzu zeitlichen Erregungen putzen), ist er so ehrlich wie deutlich, wenn er über die Kulturen Europas spricht, so tief wie stürmisch, so treu im Gewinnen wie im Aussprechen des Urteils? »Ich glaube nur an französische Bildung«, sagt er und läßt in diesem Zusammenhang die *deutsche* Bildung mit betont geringschätziger Bewegung aus seiner Hand fallen.

Jedoch man mache es sich einmal klar, was es heißt, wenn ein empfindlicher Mann das eine Stück Leben immer nur von weitem, ein andres immer im Druck der nächsten Nähe zu spüren bekommt. Nietzsche hat Frankreich und die Franzosen aus eigener Anschauung nicht gekannt; er hatte es mit Büchern zu tun und mit Menschen auch fast nur, insoweit sie Bücher waren. Die paar leibhaftigen Ausnahmen, die er traf, waren auf Reisen, waren in der Fremde — und wie sieht ein Mensch in der Fremde aus, zumal wenn man selbst aus Gründen der geistigen Hygiene unterwegs ist? Es ist fast immer ein Mensch, der irgendwie seiner Not entronnen ist, ein leise verklärter, einigermaßen verallgemeinerter Mensch, an dem gerade das verschwiegen bleibt, was ihn unbequem machen könnte; vor allem aber ein ge-

bildeter Mensch, der auch seinerseits geistige Hygiene und geistigen Sybaritismus schmecken läßt. Von solchen Typen, höchst gereinigten Exemplaren, schloß Nietzsche auf die Kultur, der sie entstammten. Er verachtete Leute, die täglich ein Ei essen und niemals lernen, welche Sorte am besten schmeckt. Wie es aber in französischen Kleinbürgerwohnungen, auf französischen Bauernhöfen, in der Provinz des französischen Geistes aussieht, das wußte er nicht, und sein Kulturbedürfnis, das sich so viel auf Realität zugute tat, schlug der fernen Welt gegenüber gleich ins Idealistische um.
Umgekehrt hielt er's gegen Deutschland. Er hatte das deutsche »Warm« zu nahe gefühlt, die Enge, den Kampf im deutschen Gelehrtenleben, Geschmacklosigkeit und ähnliche Menschlichkeiten zu direkt gesehen, und seine Empfindlichkeit verdichtete sich zu einem Mißbehagen und Mißtrauen grundsätzlicher Art. Bei den Franzosen ersetzte ihm der Kulturtyp die Erfahrung, bei den Deutschen verdächtigte ihm die Erfahrung den Kulturtyp. Aufs Äußerste ungeduldig gegen den betrogenen Betrug in der deutschen Philosophie und selbst im Urteil ohne Zweifel zu literatenhaft schnell, zu summarisch, übersah er, daß man von deutscher Bildung nicht sprechen dürfe, ohne die Namen Goethe, Bach und Dürer zu nennen, und daß diese höchsten Erscheinungen in ungetrübtem Glanze bestehen bleiben, selbst wenn es wirklich um die deutsche Philosophie so »zweideutig« bestellt wäre, wie er im Verlaufe seiner Entwicklung mit immer unbedingterer Wildheit glaubte.
Vor allem darf man auch nicht vergessen, daß Nietzsches Verhältnis zur deutschen Kultur von Anfang an durch sein Verhältnis zu Wagner vergiftet war. Als er Wagner und Deutschland für identisch nahm, war er selbst »zweideutig«. Und er wußte das früh. Nicht weil er sich von Wagner zu lösen hatte, geschah die Befreiung so revoltant. Es war etwas in ihm schief geworden und wurde nicht mehr gerade. Es ist bekannt, daß lange vor dem Bruch, ja zur Zeit der leidenschaftlichsten Parteinahme in Nietzsche schon die Gegnerschaft gegen Wagner heranwuchs. Höchst bezeichnend ist das kleine Erlebnis, wie Nietzsche das Triumphlied von Brahms, woran er Gefallen gefunden hatte, Wagner aufdrängen wollte und es ihm immer wieder aufs Klavier stellte, indes Wagner es immer wieder wortlos wegtat. Nietzsche hat das dem Meister als einen Mangel an Wahrheitsmut verargt; in jungen Jahren sind wir geneigt, ihm recht zu geben; älter geworden, empfinden wir Wagners Recht, nicht zu leiden, was ihm das Innere störte. Und ganz so wie Nietzsche — von Grund auf zu falsch gestimmt, als daß er Wagner je wieder im klaren Umriß hätte sehen lernen — in spielender Scheinfreiheit Bizets »Carmen«, die tragische Operette, gegen Wagners Drama ausspielte, während die deutsche Musik ihren Weg zu Bruckner weiterging: ganz so hat er gegen das deutsche Wesen Gegenkönige aufgestellt,

von der Lust des Königmachens mehr als von dem Drang nach Wahrheit geführt. Er ist ein hinreißender Mann; und daß ich ihn immer nur zitiere, um ihm zu widersprechen, geschieht aus Respekt vor ihm und vor seinem Problem, die beide ich mich schämen würde auf die ästhetische leichte Achsel zu nehmen, ja es geschieht aus Bescheidenheit. Aber sein Denkstil ist trotz alledem für die großen Entscheidungen, die er unternimmt, nicht klassisch genug; denn klassisch ist ein Stil nur, der weder kritisch noch historisch ist.

Selbst aber wenn wir dem Urteil Nietzsches über Deutschland nicht von vornherein mit Zweifel begegneten, so bliebe es doch noch in der deutschen Gesamtrechnung nicht zu unsern Lasten, sondern zu unserm Vorteil. Je mehr ein Denker sich ins Prophetische steigert, um so geneigter ist er, sein Volk zu schelten. Das aber gereicht dem Volk zur Ehre. Der jüdische Prophet ist eine Ehre seines Volkes, nicht eine Bestätigung seiner Schande. Denn ein solcher Prophet, selbst ein Genosse, ein Organ des Volkes, beweist durch seine eigene Flamme, daß dieses Volk weiter und über sich hinaus will.

Wenn einem müden Leib ein erhabener Wille noch eine Meile und noch eine Meile Marsch im Sonnenbrand abtrotzt, so ist der Leib nicht die Schande des Menschen. Und so müssen wir uns bewußt werden, daß sich der Zeugnisse eines Volkes gegen sich selbst um so mehr finden, je tüchtiger das Volk noch — oder schon! — ist; eine Wahrheit, die wir zudem nicht nur für uns in Anspruch nehmen sollten. Es steckt ein schädlicher und ärgerlicher Selbstbetrug darin, wenn wir zum Beispiel Zeugnisse gegen England aus Ruskin abschreiben, solche Zeugnisse gehören auf die englische Kreditseite. Man kann mit den Urteilen über eine ganze Kultur, über ein ganzes Volk nicht vorsichtig genug sein, sowohl im Rühmen wie im Verdammen. Denn zu leicht wird man verführt, sich dadurch seine eignen unmittelbaren Pflichten und Aufgaben bequemer, statt strenger zu machen.

FRIEDRICH NIETZSCHE

Sie haben noch kein Heute

Ich hörte, wieder einmal zum ersten Male — Richard Wagners Ouvertüre zu den *Meistersingern:* das ist eine prachtvolle, überladne, schwere und späte Kunst, welche den Stolz hat, zu ihrem Verständnisse zwei Jahrhunderte Musik als noch lebendig vorauszusetzen: — es ehrt die Deutschen, daß sich ein solcher Stolz nicht verrechnete! Was für Säfte und Kräfte, was für Jahreszeiten und Himmelsstriche sind hier nicht gemischt! Das mutet uns bald altertümlich, bald fremd, herb und überjung an, das ist ebenso willkürlich als pomphaft-herkömmlich, das ist nicht selten schelmisch, noch öfter derb und grob, — das hat Feuer und Mut und zugleich die schlaffe falbe Haut von Früchten, welche zu spät reif werden. Das strömt breit und voll: und plötzlich ein Augenblick unerklärlichen Zögerns, gleichsam eine Lücke, die zwischen Ursache und Wirkung aufspringt, ein Druck, der uns träumen macht, beinahe ein Alpdruck —, aber schon weitet und breitet sich wieder der alte Strom von Behagen aus, von vielfältigstem Behagen, von altem und neuem Glück, *sehr* eingerechnet das Glück des Künstlers an sich selber, dessen er nicht Hehl haben will, sein erstauntes glückliches Mitwissen um die Meisterschaft seiner hier verwendeten Mittel, neuer neuerworbener unausgeprobter Kunstmittel, wie er uns zu verraten scheint. Alles in allem, keine Schönheit, kein Süden, nichts von südlicher feiner Helligkeit des Himmels, nichts von Grazie, kein Tanz, kaum ein Wille zur Logik; eine gewisse Plumpheit sogar, die noch unterstrichen wird, wie als ob der Künstler uns sagen wollte: »Sie gehört zu meiner Absicht«; eine schwerfällige Gewandung, etwas Willkürlich-Barbarisches und Feierliches, ein Geflirr von gelehrten und ehrwürdigen Kostbarkeiten und Spitzen; etwas Deutsches, im besten und schlimmsten Sinn des Wortes, etwas auf deutsche Art Vielfaches, Unförmliches und Unausschöpfliches; eine gewisse deutsche Mächtigkeit und Überfülle der Seele, welche keine Furcht hat, sich unter die Raffinements des Verfalls zu verstecken, — die sich dort vielleicht erst am wohlsten fühlt; ein rechtes echtes Wahrzeichen der deutschen Seele, die zugleich jung und veraltet, übermürbe und überreich noch an Zukunft ist. Diese Art Musik drückt am besten aus, was ich von den Deutschen halte: sie sind von vorgestern und von übermorgen, — *sie haben noch kein Heute.*

»Der Wille zur Macht.« Ein Buch zum Denken, nichts weiter: es gehört zu denen, welchen Denken Vergnügen macht, nichts weiter ... Daß es deutsch geschrieben ist, ist zum mindesten unzeitgemäß: ich wünschte es französisch geschrieben zu haben, damit es nicht als Bestärkung irgendwelcher reichsdeutscher Aspirationen erscheint. Die Deutschen von heute sind keine Denker mehr: ihnen macht etwas anderes Vergnügen und Eindruck. Der Wille zur Macht als Prinzip wäre ihnen schon verständlich.

FRIEDRICH NIETZSCHE

Was das Politische angeht, scheint die profane Weltgeschichte bis jetzt zu lehren, daß die relativ *dauerhaften* Imperien nicht von den unbändig starken Völkern gegründet werden — sie sind immer nur Augenblicksrausch —, sondern von denen, die neben ihrer Stärke *den größeren und weiteren Verstand* haben. Es ist nicht wahrscheinlich, daß diese Erfahrungen der Geschichte in Zukunft werden Lügen gestraft werden.

THEODOR HAECKER

Der Mensch will lieber der Vor- und Nachzeit angehören als der Zeit.

JEAN PAUL

Ich glaube, daß die Quelle des meisten menschlichen Elends in Indolenz und Weichlichkeit liegt. Die Nation, die die meiste Spannkraft hatte, war auch allezeit die freiste und glücklichste. Die Indolenz rächt nichts, sondern läßt sich den größten Schimpf und die größte Unterdrückung abkaufen.

GEORG CHRISTOPH LICHTENBERG

Eine wahrhaft allgemeine Duldung wird am sichersten erreicht, wenn man das Besondere der einzelnen Menschen und Völkerschaften auf sich beruhen läßt, an der Überzeugung jedoch festhält, daß das wahrhaft Verdienstliche sich dadurch auszeichnet, daß es der ganzen Menschheit angehört.

JOHANN WOLFGANG GOETHE

Die himmlischen und irdischen Dinge sind ein so weites Reich, daß die Organe aller Wesen zusammen es nur erfassen mögen.

JOHANN WOLFGANG GOETHE

VIERTER TEIL

SPRACHE DER KUNST

Schläft ein Lied in allen Dingen,
Die da träumen fort und fort,
Und die Welt hebt an zu singen,
Triffst du nur das Zauberwort.

JOSEPH VON EICHENDORFF

MARTIN BUBER

Erinnerung

In diesen Tagen, die mich in einer besonderen Weise auf den Weg meines Lebens besinnen lassen, ist auch die Erinnerung an die frühen Stadien meiner Beziehung zur deutschen Sprache neu erwacht.

In Wien geboren, bin ich in der ersten Kindheit in die Hauptstadt der galizischen Provinz gekommen, in der eine eigentümliche Sprachenvielheit mir die Tatsache des Nebeneinanderlebens sehr verschiedener Volkstümer unauslöschlich einprägte. Im großväterlichen wie im väterlichen Hause herrschte die deutsche Rede, aber Straße und Schule waren polnisch, nur das Judenviertel rauschte von derbem und zärtlichem Jiddisch, und in der Synagoge erklang, lebendig wie je, die große Stimme hebräischer Vorzeit. Aber nicht bloß dieser, auch dem deutschen Wort wohnte ein Pathos inne. Das kam daher, daß die Großmutter, Adele Buber, die mich bis ins vierzehnte Jahr erzog, diese Sprache wie einen gefundenen Schatz hütete. Sie hatte einst, eine Fünfzehnjährige, die in ihrem heimatlichen Ghetto als weltlich verbotenen deutschen Bücher ihrer Liebe auf dem Speicher versteckt gehalten; ich besitze noch ihr Exemplar von Jean Pauls »Levana«, dessen Lehren sie in der Erziehung ihrer künftigen Kinder anwenden wollte und dann auch wirklich angewandt hat. Nun, in meiner Kinderzeit schrieb sie in ihre hohen schmalen Rechnungsbücher zwischen die Aufstellungen über Einkünfte und Ausgaben des großen Landguts, dessen Verwaltung sie nicht aus den Augen ließ, teils Sprüche der verehrten Geister, teils eigene Eingebungen, alles in einem kernhaften und festlichen Deutsch. In dieser Sprachluft bin ich aufgewachsen.

Mit achtzehn Jahren kam ich nach Wien auf die Universität. Was da am stärksten auf mich wirkte, war das Burgtheater, in das ich mich oft Tag um Tag nach mehrstündigem »Anstellen« drei Treppen hoch stürzte, um einen Platz auf der obersten Galerie zu erbeuten. Da wurde von Menschen, die Schau-Spieler heißen, die deutsche Sprache gesprochen. Ich verstand: in den Büchern, die ich gelesen hatte, waren die Zeichen angegeben, hier erst wurden sie zu den Lauten, die gemeint waren. Das war eine große Belehrung. Aber es war auch eine holde Verführung dabei: hier erst wurde recht eigentlich das Urgold der Sprache dem unbemühten Erben in den Schoß geschüttet. »Den Erben laß verschwenden«, so begann das »Lebenslied«, das mir aus einem auf der Gasse gekauften Heft entgegenklang; es war von einem verfaßt, der Hofmannsthal hieß und wie ich bald erfuhr, nur um vier Jahre älter als ich war. Ich verstand: die deutsche Sprache wurde in dieser Stadt nicht bloß zu ihrer vollen Lautbarkeit gebracht, sie trieb auch immer noch neues Gedicht hervor. Aber um all dies war eine wunderliche Leichtigkeit, die des Menschen, der dem Gedicht gemäß lebte, »wie den kein Walten vom Rücken her bedroht«. Diese Leichtigkeit des den Urzeit-Schatz »verschwendenden« Erben bezauberte mein Herz; es drang in mein Reden und Schreiben ein. Zwei Jahrzehnte vergingen, bis ich mich im Sturm des Weltkrieges, der die innerste Bedrohung des Menschen offenbar machte, zum strengen Dienst am Wort durchgerungen hatte und das Erbe so hart erwarb, wie wenn ich es nie zu besitzen gemeint hätte. Als ich mehrere Jahre danach Hofmannsthal nach langer Pause wiedersah, merkte ich nun auch an Zügen, Gebärde und Tonfall, was mir schon sein Spätwerk mitgeteilt hatte: daß er den gleichen Weg der Entsagung, der Mühsal und des Neubeginns gegangen war. In der Sprache wie in allen Bereichen des menschlichen Daseins ist heute kein Bestand mehr zu behaupten, es sei denn durch das Opfer.

HUGO VON HOFMANNSTHAL

Wert und Ehre deutscher Sprache

Denkt man über das Geschick und die Beschaffenheit unserer Sprache nach, so tritt dies entgegen: wir haben eine sehr hohe dichterische Sprache und sehr liebliche und ausdrucksstarke Volksdialekte, von denen die Sprache des Umgangs in allen deutschen Landschaften verschiedentlich angefärbt ist. Woran es uns mangelt, das ist die mittlere Sprache, nicht zu hoch, nicht zu niedrig, in der sich die Geselligkeit der Volkslieder untereinander auswirkt. Unsere Nachbarn, Nord und Süd, Ost und West, haben sie; wir allein sind ihrer entbehrend. In dieser mittleren Sprache aber faßt sich allezeit das Gesicht einer Nation zusammen; — noch einer nicht mehr gegenwärtigen Nation: die Miene der Römer erkennen wir in den Sprachen, die von der mittleren Römersprache abgeleitet sind. Die Deutsche Nation aber hat für den Blick der andern kein Gesicht; davon kommt viel Mißtrauen, Unruhe, Nichtverstehen, geringe Würdigung, ja sogar Haß und Verachtung; aber das muß getragen werden, da es zum Schicksal gehört.
Die mittleren Sprachen der anderen besitzen eine glatte Fügung, in der das einzelne Wort nicht zu wuchtig noch zu grell hervortritt. An den Hörer soll gar nicht das Wort herandringen mit seiner magischen Eigenkraft, sondern die Verbindungen, das in jedem Wort Mißverstandene, das mimische Element der Rede. Nicht sowohl der Einzelne, der zu ihm redet, soll ihm zunächst fühlbar werden, als das gesellige Element, worin sich beide, der

Redende und der Angeredete zusammen wissen; von dem Einzelnen, der ihm gegenübersteht, nicht so sehr dessen Sich-Unterscheiden, nicht der individuelle Anspruch, der ja leicht zu Ablehnung herausfordert, sondern die Verflochtenheit, gemäß der ein jeder zu den Gruppierungen innerhalb der Gesamtheit, den Einrichtungen, den Unternehmungen in gewissen typischen Verhältnissen steht. Nicht so sehr das, was er für sich ist, soll in seiner Sprache sich ausprägen, als das, was er vorstellt. In seinem Sprechen repräsentiert sich der Einzelne, in der ganzen Sprache repräsentiert sich die Gesamtheit. Es herrscht in einer solchen Umgangsrede zwischen den Worten ein Etwas, das sie untereinander gleichsam Familie bilden, wobei sie alle gleichmäßig verzichten, ihr Tiefstes auszusagen. Ihre Anklänge und Wechselbezüge kommen mehr zur Geltung als ihr Urlaut.
Unsere gegenwärtige deutsche Verkehrssprache hingegen ist ein Konglomerat von Individualsprachen. In einer Individualsprache ringen die Worte um ihr höchstes Eigenleben, das sie nie völlig erlangen können, sie wollen sozusagen in ihr statisches Gleichgewicht zurück, und schwanken in sich selber. Nur das Individuum mit seiner Magie vermag sie fallweise zu bändigen. Dies aber ist unübertragbar. Darum kann man deutsch nicht korrekt schreiben. Man kann nur individuell schreiben, oder man schreibt schon schlecht. An Stelle einer geselligen Sprache haben wir, da doch etwas da sein muß, eine Gebrauchssprache hervorgebracht, in der die Dialekte — wenn auch nicht alle gleichmäßig — zusammentraten; es ist wie ein See, dessen Wasser schal schmecken würde, brächten ihm nicht die immer zuströmenden Quellen etwas von ihrer Schmackhaftigkeit. Aber wie alles aus dem Ursprünglichen Abgezogene — wo nicht ein gewaltiger geistiger Schwung immer wieder dreinfährt — hat diese Verkehrssprache viele Laster. Sie will mehr und weniger, als sie kann; es stecken zu viele philosophische ausgebildete Begriffe in ihr, die nur durch eine unablässige Aufmerksamkeit treffend scharf erhalten werden könnten, so aber bald der Verwahrlosung anheimfallen, bald der Pedanterie oder der Affektion Nahrung geben. Bald macht sich eine Eigenbrötelei geltend, die auch niemals frei ist von Affektation, bald die Überlust am Annehmen fremder Naturen. Die Sprache ist voller zerriebener Eitelkeiten, falscher Titanismen, voller Schwächen, die sich für Stärken ausgeben möchten. Man mag hundert Bücher, Abhandlungen, Zeitungsblätter in die Hand nehmen, und wird in ihrer Sprache das Volk nicht finden, nicht seine Zufriedenheit mit sich selbst, das Behagliche, noch sein Tiefes, Starkes — noch das Einfache, welches das Höchste wäre; noch aber auch wird man aus dieser Bücher- und Zeitungssprache die Anschauung einer großen Nation gewinnen, ja nicht die Ahnung von ihrer Haltung, ihrer eigentlichen und eigenartigen Präsenz.
Wo aber ist dann die Nation zu finden? Einzig in den hohen Sprachdenk-

mälern und in den Volksdialekten. Die einen und die anderen stehen in Wechselbezug. In den Dialekten deutet der Naturlaut schattenhaft auf hohe Sprachgeburten, in den hohen Denkmälern blickt das Naturhafte hindurch — in beiden zusammen ist die Nation; aber wie unsicher und zerrissen ist dieser Zustand, wie bedarf er des Schlüssels der Vertrautheit, um einem solchen Volk ins Innere zu dringen?

Die poetische Sprache der Deutschen vermag in eine sehr erhabene Region aufzusteigen. Dort wo sie zuhöchst schwebt, in Goethes vorzüglichsten lyrischen Stücken, in Hölderlins letzten Elegien und Hymnen, dort wird sie kaum von einer der neueren Nationen erreicht — vielleicht daß selbst Miltons Flügelschlag dahinter zurückbleibt. Hier wird jenes »Griechische« der deutschen Sprache wirksam, jenes Äußerste an freier Schönheit. Die »glatte« und die »rauhe« Fügung vermögen in dieser Region kaum mehr unterschieden zu werden, alles was dem Bereich der poetischen Rhetorik angehört, bleibt weit zurück; das Gehauchte, dem Volkslied Verwandte verbindet sich mit der höchsten Kühnheit, Erhabenheit und Wucht des Ausdrucks, die Spannung zwischen dem Sprachlaut, in dem »die Unmittelbarkeit des Kreatürlichen sich enthüllt«, und dem von höchster Besonnenheit gesetzten Sprachbild ist aufgehoben; wer in diese Region verstehend aufzusteigen vermag, weiß, wie die deutsche Sprache ihre Schwingen führt — auch in Prosa kann ein solches Höchstes zuweilen erreicht werden, es ist gleichfalls den Meistern vorbehalten: das Ende der »Wanderjahre« ist in einer solchen Prosa verfaßt, bei Novalis hie und da für Augenblicke erscheint diese letzte Meisterschaft, in Hölderlins Briefen der spätesten Zeit: da ist wirklich das Zauberische erreicht, die Gewalt der Worte und Wortverbindungen übersteigt alles, was ohne solche Beispiele geahnt werden könnte; die Sprache wirkt hier völlig als geisterhaftes Wunder wie bei Rembrandt manchmal die Farbe, in Beethovens späten Werken der Ton.

Weit darunter ist die Region, in der wir leben. Unsere höchsten Dichter allein, möchte man sagen, gebrauchen unsere Sprache sprachgemäß — ob auch die Schriftsteller, bleibt schon fraglich. Die Zeitung, die öffentliche Rede, die Fassung der Gesetze und Anordnungen, all das ist in seiner Sprache schon verwahrlost; die wahre, zur zweiten Natur gewordene Aufmerksamkeit fehlt, es fehlt das Gefühl für das Richtige und Mögliche, es ist ein ewiges »das Kind mit dem Bade ausgießen«. Die Rückwirkung dessen auf die Nation ist gefährlich, ja verderblich; aber es spricht ja daraus auch schon der Zustand der Nation selber, jenes fieberhaft Unruhige und zugleich Gefesselte, Dumpf-Ängstliche.

Es ist eine sehr harte, finstere und gefährliche Zeit über uns gekommen. Sie ist wohl über ganz Europa gekommen, aber keines der anderen Völker hat so viele Fugen in seiner Rüstung, durch die das Gefährliche eindringt und sich bis ans Herz heranbohren kann. Wo das wahre Leben der Nationen immer wieder im Zueinanderstreben aller ihrer Glieder liegt, haben wir, schon entzwei-geteilt durch die Religion, zuerst noch, zu Ende des achtzehnten Jahrhunderts, alles Überkommene, sittlich-geistig Gebundene jäh auseinandertreten sehen mit dem Neuen, Individual-Geistigen, Verantwortungslosen; auseinandertreten dann allmählich die Geisteswissenschaften mit den Naturwissenschaften, auseinandertreten die Sprache, die alles vereinigen müßte, und jenes mathematisch übersprachliche Streben, von dem die Wissenschaften schicksalhaft ergriffen wurden, und dem nur Einzelne zu folgen vermögen; nun reißen neue Glaubensbegriffe, mit religiösem Eifer in die Massen geworfen, die Klassen der Gesellschaft auseinander — aber wie in einem Wirbelsturm überschäumende Querwellen die Wellen noch durchkreuzen, so jagt jetzt quer durch alles Denken hin, zerstäubend was sich ihm entgegenstellt, ein neuer Begriff von der alleinigen Gültigkeit der Gegenwart. Es ist der Zustand furchtbarer sinnlicher Gebundenheit, in welchen das neunzehnte Jahrhundert uns hineingeführt, woraus nun dieses Götzenbild »Gegenwart« hervorsteigt. Nur den ans Sinnliche völlig Hingegebenen, der sich aller Machtmittel des Geistes entäußert hat, bannt das Scheinbild des Augenblicks, der keine Vergangenheit und keine Zukunft hat. Allem höheren Denken immer lag das Wunder in der Gemeinschaft des Gegenwärtigen mit dem Vergangenen, im Fortleben der Toten in uns, dem einzig wir danken, daß die wechselnden Zeiten wahrhaft inhaltvoll sind und nicht »als ewiger Gleichklang sinnlos wiederholter Takte erscheinen«. Dem Denkenden ist, nach Kierkegaards Wort, das Gegenwärtige das Ewige — oder besser: das Ewige ist das Gegenwärtige und dieses ist das Inhaltsvolle. »Der Augenblick bezeichnet das Gegenwärtige als ein solches, das keine Vergangenheit hat und keine Zukunft. Darin liegt ja eben die Unvollkommenheit des sinnlichen Lebens. Das Ewige bezeichnet auch das Gegenwärtige, das kein Vergangenes und kein Zukünftiges hat, und dies ist des Ewigen Vollkommenheit.« Nur mit dieser wahren Gegenwart hat die Sprache zu tun. Der Augenblick ist ihr nichts. Aber das Dahingegangene zu vergegenwärtigen, das ist ihre wahre Aufgabe. Das was nicht mehr ist, das was noch nicht ist, das was sein könnte; aber vor allem das was niemals war, das schlechthin Unmögliche und darum über alles Wirkliche, dies auszusprechen, ist ihre Sache. Sie ist das uns gegebene Werkzeug, aus dem Schein zu der Wirklichkeit zu gelangen, und indem er spricht, bekennt der Mensch sich als das Wesen, das nicht zu vergessen vermag. Die Sprache ist ein großes Totenreich, unauslotbar tief; darum empfangen wir aus ihr das höchste Leben. Es ist unser zeitloses Schicksal in ihr, und die Übergewalt der Volksgemeinschaft über das Einzelne.

Unmittelbar schreiten wir durch sie in das Volk hinein; das fühlen wir. Wie

wir das erfassen können: die Seele eines Volkes, danach fahnden wir, und Zweifel versehrt uns wieder, ob einem solchen Begriff jemals die Anschauung abzuringen sei. Hier aber in der Sprache spricht uns ein Wirkliches an, durchdringt uns bis ins Mark: die Urkraft, daran wir teilhaben.
Unsere Gedanken über die wichtigsten Gegenstände unseres Lebens bedürfen immer aufs neue der Klärung. Nichts aber ist so hoch, daß ihm nicht Pflege not täte. Das, von dem selbst die höchste bejahende Kraft ausgeht, muß immer aufs neue bejaht werden und dies ist der Sinn eines jeden gegenwärtigen Geschlechtes: daß es das Leben des Hohen nicht unterbreche ...

MARTIN HEIDEGGER

Geheimnis der Sprache Johann Peter Hebels

... Die deutsche Schriftsprache, in der Hebels Betrachtungen und Erzählungen sprechen, ist die einfachste, hellste, zugleich bezauberndste und besinnlichste, die je geschrieben wurde. Die Sprache des Hebelschen Schatzkästleins bleibt die hohe Schule für jeden, der sich anschickt, maßgebend in dieser Sprache zu reden und zu schreiben.
Worin liegt das Geheimnis der Sprache Hebels? Nicht in einem gekünstelten Stilwillen, auch nicht in der Absicht, möglichst volkstümlich zu schreiben. Das Geheimnis der Sprache des Schatzkästleins ruht darin, daß Hebel es vermochte, die Sprache der alemannischen Mundart der Hoch- und Schriftsprache einzuverleiben. Auf diese Weise läßt der Dichter die Schriftsprache als reines Echo des Reichtums der Mundart erklingen.
Hören wir noch die Sprache des Schatzkästleins? Geht uns denn überhaupt unsere Sprache noch so an, daß wir auf sie hören? Oder schwindet uns die eigene Sprache weg? In der Tat. Das einst Gesprochene unserer Sprache, ihr unerschöpfliches Altertum, versinkt mehr und mehr in einer Vergessenheit. Was geschieht hier?
Wann immer und wie immer der Mensch spricht, er spricht nur, indem er zuvor schon auf die Sprache hört. Dabei ist auch das Überhören der Sprache noch eine Art des Hörens. Der Mensch spricht aus jener Sprache heraus, der sein Wesen zugesprochen ist. Wir nennen diese Sprache: Muttersprache.
Im Blick auf die geschichtlich gewachsene Sprache — daß sie Muttersprache ist — dürfen wir sagen: *Eigentlich spricht die Sprache, nicht der Mensch. Der Mensch spricht erst, insofern er jeweils der Sprache ent-spricht.*
Im gegenwärtigen Zeitalter bringt sich aber zufolge der Hast und Gewöhn-

lichkeit des alltäglichen Redens und Schreibens ein anderes Verhältnis zur Sprache immer entschiedener in die Vorherrschaft. Wir meinen nämlich, auch die Sprache sei nur, wie alles Tägliche sonst, womit wir umgehen, ein Instrument, und zwar das Instrument der Verständigung und der Information.
Diese Vorstellung von der Sprache ist uns so geläufig, daß wir ihre unheimliche Macht kaum bemerken. Inzwischen kommt jedoch dieses Unheimliche deutlicher ans Licht. Die Vorstellung von der Sprache als einem Instrument der Information drängt heute ins Äußerste. Man hat zwar eine Kenntnis von diesem Vorgang, bedenkt aber nicht seinen Sinn. Man weiß, daß jetzt im Zusammenhang mit der Konstruktion des Elektronenhirns nicht nur Rechenmaschinen, sondern auch Denk- und Übersetzungsmaschinen gebaut werden. Alles Rechnen im engeren und weiteren Sinne, alles Denken und Übersetzen bewegt sich jedoch im Element der Sprache. Durch die genannten Maschinen hat sich die *Sprachmaschine* verwirklicht.
Die Sprachmaschine im Sinne der technischen Anlage von Rechen- und Übersetzungsmaschinen ist etwas anderes als die Sprechmaschine. Diese kennen wir in der Form einer Apparatur, die unser Sprechen aufnimmt und wiedergibt, die somit in das Sprechen der Sprache noch nicht eingreift.
Dagegen regelt und bemißt die Sprachmaschine von ihren maschinellen Energien und Funktionen her bereits die Art unseres möglichen Gebrauches der Sprache. Die Sprachmaschine ist — und wird vor allem erst noch — eine Weise, wie die moderne Technik über die Art und die Welt der Sprache als solcher verfügt.
Inzwischen erhält sich vordergründig immer noch der Anschein, als meistere der Mensch die Sprachmaschine. Aber die Wahrheit dürfte sein, daß die Sprachmaschine die Sprache in Betrieb nimmt und so das Wesen des Menschen meistert.
Das Verhältnis des Menschen zur Sprache ist in einer Wandlung begriffen, deren Tragweite wir noch nicht ermessen. Der Verlauf dieser Wandlung läßt sich auch nicht unmittelbar aufhalten. Er geht überdies in der größten Stille vor sich.

Zwar müssen wir zugeben, daß die Sprache im Alltag wie ein Mittel der Verständigung erscheint und als dieses Mittel für die gewöhnlichen Verhältnisse des Lebens benutzt wird. Allein es gibt noch andere Verhältnisse als die gewöhnlichen. *Goethe* nennt diese anderen Verhältnisse die »tiefern« und sagt von der Sprache:

> »Im gemeinen Leben kommen wir mit der Sprache notdürftig fort, weil wir nur oberflächliche Verhältnisse bezeichnen. Sobald von tiefern Verhältnissen die Rede ist, tritt sogleich eine andere Sprache ein, die poetische.« (Werke. 2. Abt. Bd. 11. Weimar 1893, S. 167)

Diese tieferen Verhältnisse des menschlichen Daseins nennt Johann Peter Hebel, wenn er einmal schreibt:

> »Wir sind Pflanzen, die — wir mögen's uns gerne gestehen oder nicht — mit den Wurzeln aus der Erde steigen müssen, um im Äther blühen und Früchte tragen zu können.« (III, S. 314.)

Die Erde — dieses Wort nennt in Hebels Satz alles das, was uns als Sichtbares, Hörbares, Fühlbares trägt und umgibt, befeuert und beruhigt: das Sinnliche.
Der Äther (der Himmel) — dieses Wort nennt in Hebels Satz alles das, was wir vernehmen, aber nicht mit den Sinnesorganen: das Nicht-Sinnliche, den Sinn, den Geist.
Weg und Steg aber zwischen der Tiefe des vollkommen Sinnlichen und der Höhe des kühnsten Geistes ist die Sprache.
Inwiefern? Das Wort der Sprache tönt und läutet im Wortlaut, lichtet sich und leuchtet im Schriftbild. Laut und Schrift sind zwar Sinnliches, aber Sinnliches, darin je und je ein Sinn verlautet und erscheint. Das Wort durchmißt als der sinnliche Sinn die Weite des Spielraums zwischen Erde und Himmel. Die Sprache hält den Bereich offen, in dem der Mensch auf der Erde unter dem Himmel das Haus der Welt bewohnt.
Johann Peter Hebel, der Dichter, wandert hellen Sinnes auf den Wegen und Stegen, als welche wir die Sprache erfahren können. Wir können es, wenn wir die Freundschaft suchen mit dem Freund, der als Dichter selbst Freund ist dem Haus der Welt —
mit Johann Peter Hebel: dem Hausfreund.

HERMANN BROCH

Übersetzen

Übersetzen heißt: zwei Sprachorganismen einander gegenüberstellen und beiden gerecht werden. Jedes Kunstwerk ist in sich selber eine organisch-systematische Ganzheit (sein wesenhaftes Charakteristikum) und demgemäß spiegelt das sprachliche die Ganzheit der Sprache, aus der heraus es geboren ist, in der es steht. Als Beispiel hierzu sei ein ganz einfaches Gedicht, eines der einfachsten der Weltliteratur angeführt, das »Abendlied« von Matthias Claudius:

Der Mond ist aufgegangen,
Die gold'nen Sternlein prangen
Am Himmel hell und klar;
Der Wald steht schwarz und schweiget,
Und aus den Wiesen steiget
Der weiße Nebel wunderbar.

Nehmen wir an, jemand wollte diesen Vers ins Englische übersetzen:
1. Schlagen wir im Wörterbuch unter »aufgehen« (aufgegangen) nach, so finden wir »rise«, »evaporate«, »open« (»as a door, but also as a blossom«), »come loose«, »untwist«, »consumed, mathematically contained without a remainder« usw. All diese Geschehnis-Bedeutungen werden im Deutschen durch einen einzigen Ausdruck gedeckt; es werden also die faktualen Differenzen, auf die das Englische alles Gewicht legt und durch Vokabel-Vielfalt herausgearbeitet, im Deutschen zugunsten einer tieferen Gemeinsamkeit vernachlässigt, und sieht man nur etwas näher hin, so findet man diese Gemeinsamkeit: es ist die eines beinahe abstrakten geräuschlosen Geschehens, in dem sich — auch darin der deutsche Vielsinn — etwas löst, auflöst, ja sogar erlöst; das Geräuschlose ist dabei fast die Hauptsache, doch es ist keine irdische, sondern eine geradezu metaphysische und jenseitige Geräuschlosigkeit, die da ausgedrückt wird. Gewiß, der Satz »Der Mond ist aufgegangen« ist ein durchaus üblicher und an und für sich banaler deutscher Ausdruck, der ohne weiteres mit »The moon has risen« übersetzt werden könnte, doch da das Gedicht, das echte Gedicht, wie es eben das vorliegende ist, den Gesamtorganismus der Sprache spiegelt, kann es sich mit dieser einen Bedeutung nicht bescheiden, sondern muß, wie die deutsche Sprache es eigentlich will, das Gemeinsame, das in all den verschiedenen »Aufgehen« enthalten ist, seine schwebende Bedeutung mitahnen lassen; das Mondlicht ist nicht nur am Himmel erschienen (risen), sondern es hat sich da auch wie eine Blüte eröffnet, ja ist fast wie ein unendliches Tor zur nächtlichen Himmelstiefe (open), und in seinen schwindenden (evaporated) Strahlen löst es sich nicht nur (untwists) die harte Dinglichkeit der Welt, sondern bringt sie auch, indem es sie im wahrsten Wortsinn »restlos« (without remainder) erfüllt, mit all ihren Problemen zur vollkommenen, zur restlosen Lösung, ja Erlösung. Und dies alles geht in unverbrüchlicher Geräuschlosigkeit vor sich. Dies auszudrücken ist die Absicht der deutschen Sprache, zu diesem Zweck hat sie vermöge ihres syntaktischen Systemzusammenhanges die schwebende Bedeutung des Wortes »aufgehen« gebildet, und das Gedicht hat die Aufgabe, solche Absicht zur Klarheit, man könnte hier sagen zur Mondesklarheit zu erheben. Die »Satzfunktion« der deutschen Sprache wird von ihrer »Gedichtfunktion« übernommen: erst im Gesamtorganismus des Gedichts, in dem

der Satz sozusagen zu einer einzigen Gedichtvokabel wird, läßt er seine ganze Fülle erfassen.

2. Die zweite Zeile enthält einen dichterischen Trick, der mit dem syntaktischen Charakter der deutschen Sprache bloß in losem Zusammenhang steht. Hieße nämlich diese Zeile »Die gold'nen Sterne prangen«, so wäre sie bloßer Kitsch. Daß das Gold »prangt« ist eine völlig abgegriffene Metapher, und sie würde sich glatt auch auf die »gold'nen Sterne« übertragen, wenn diese nicht, durch einen geradezu genialen Trick, in das Diminutiv »Sternlein« verwandelt worden wären. Das Englische kennt das Diminutiv nicht, aber auch die französische Diminutiv-Endung »ette« und die italienische »li« läßt sich mit dem deutschen »lein« und »chen« nicht völlig vergleichen: das deutsche Diminutiv drückt nämlich nicht bloß Kleinheit aus, sondern auch — wiederum mit schwebend fluktuierender Bedeutung — das Unstarre, das Kindliche, das Nicht-Erschreckende, kurzum, und zwar insbesondere mit dem »lein«, das Märchenhafte, also etwas ganz spezifisch Deutsches. Claudius hat hier das »lein« gewählt, und indem er das kindlich märchenhafte »Sternlein« mit dem barock-erstarrten »goldprangen« verband, deutet er zugleich das lösend Erlösende des Gesamtbildes an.

3. Dagegen ist in der dritten Zeile die deutsche Syntax wieder voll am Werke. »Die Sternlein prangen hell und klar«, und das ist ganz in Ordnung; »hell und klar« stehen da als adverbiale Bestimmung. Aber so lautet es ja gar nicht; es hat sich zwischen dem »prangen« und dem »hell und klar« das »am Himmel« eingeschoben, und dadurch hat das »hell und klar« außer seiner adverbialen Bedeutung auch noch eine appositionell-attributive gewonnen, so daß sie zugleich auch das Bild des »hell-klaren Nachthimmels« erweckt, also eben jenes Himmels, der einerseits der Ort des »aufgegangenen« Mondes ist, andererseits aber selber im Mondenschein »aufgeht« d. h. sich gelöst und geöffnet hat. Erst hierdurch ist die erste Zeile abgerundet, erst hierdurch hat sie ihre Vielsinnigkeit erhalten . . .

Die drei ersten Zeilen schildern die Himmelsvorgänge, die drei nächsten ihr irdisches Gegenbild.

4. Über die adverbiale Konstruktion das »steht schwarz« muß nichts weiter gesagt werden; es wäre bloß Wiederholung. Doch das hindert uns nicht, uns an dem darauffolgenden »und« zu erfreuen, mit dem das zweite Prädikat, das anthropomorphierende »schweigt« angefügt wird, so daß an der adverbialen Verwendung des »schwarz« kein Zweifel gelassen wird. Freilich ist damit die Funktion des »schweiget« noch nicht ausgeschöpft; in jenen obersten Himmelsphären, in denen die Sterne prangen und der Mondenschein webt, ist hoch über der donnertragenden Wolkendecke die absolute Ruhe so ursprünglich beheimatet, daß sie nicht eigens erwähnt zu werden braucht, vielmehr ist sie ebenso ursprünglich, von vornherein stillschweigend im Wort

»aufgegangen« enthalten; hier jedoch im Irdischen muß die Geräuschlosigkeit, soll sie die himmlische spiegeln, eigens erwähnt werden, und so rauscht der Wald nicht, und er murmelt weder, noch wispert er, sondern er »schweiget«, drückt also sozusagen aktiv die Ruhe aus; mit der er »schwarz stehend«, also in tiefer Erwartung, der himmlischen entgegensieht, um sie in sich spiegelnd aufzunehmen.
5. Dieses Spiegelverhältnis beherrscht auch die fünfte Zeile. Denn aus den »Wiesen«, die der eigentliche Widerpart der Himmelsgefilde sind, »steiget« der »weiße Nebel«, also die irdische Stille an sich, beinahe ebenso still wie die himmlische, dennoch — als Zeichen ihrer Irdischkeit — »weiß«, also undurchsichtig und nicht durchsichtig »klar« wie jene. Noch viel stärker aber wird dieser spiegelnde Gegensatz im »steiget« ausgedrückt: der Mond geht auf, der Nebel steiget auf; im »aufgehen« ist, wie wir sagten, immer etwas entrückt Abstraktes enthalten, während das »Aufsteigen« mit irdischen, konkreten Dingen wie »Stiege«, »Steg« verwandt ist. Statt des himmlischen Lösens, des Zerfallens nach allen Seiten, des restlosen Erfüllens und des Öffnens, wird hier nur eine einzige Bedeutung, nämlich die des »rise« festgehalten, und das ist die einer einsinnig gerichteten, konkreten Aufwärtsbewegung, die zwar auch dem Mond zukommt, wenn er als konkreter Gegenstand über dem Horizont »emporsteigt«, nichts jedoch von der still-metaphysischen Pracht ahnen läßt, mit der das Geschehen bereits schwanger ist.
6. Daß der »weiße Nebel« in die letzte Zeile zu stehen kommt, ist kein Zufall. Hier nämlich, zum Abschluß des Verses, vollzieht sich etwas Besonderes, ja fast möchte man sagen, daß hier das Gedicht sich erst endgültig vollzieht. Das Schlüsselwort hierzu ist das »steigen«, das korrekterweise eigentlich nach der adverbialen Komplettierung durch das »auf«, also zum »aufsteigen« verlangt, so daß es, nach gebotener Invertierung und Zerreißung des Verbums, »der weiße Nebel steiget auf« lauten müßte. Wollten wir unsern Spaß der Korrigierung des Gedichtes, also seiner Verballhornung ins Korrekte wiederholen, so würde es sich etwa folgendermaßen präsentieren:

Der Mond ist aufgegangen,
Am Himmel droben prangen
Golden die Sternenhauf';
Der Wald steht still und schweiget
Und aus den Wiesen steiget
Der weiße Nebel auf.

In diesem Un-Gedicht wäre allerdings »aufgehen« und »aufsteigen« parallelisiert, aber der Dichter Claudius hat, weil er ein Dichter ist, auf die pedantische Parallelisierung verzichtet. Statt dessen nimmt er eine ganz andere vor:

er ersetzt das nachgehängte »auf« durch eine andere adverbiale Bestimmung, durch ein adverbial gebrauchtes Adjektiv, durch das »wunderbar«, das also dem »hell und klar« der dritten Zeile wahrlich nicht nur des Reimes wegen entspricht, sondern dem Reim die Aufgabe zuweist, den konstruktiven Parallelismus zu verstärken. Kraft dieses syntaktischen Paralellismus entwickelt sich im Himmel und auf Erden der nämliche Vorgang; »hell und klar« prangen dort die Sterne, »hell und klar« ist der Himmel selber; »wunderbar« steiget es hier auf, und »wunderbar« ist der Nebel selber — die adjektivisch-adverbiale Bestimmung da wie dort ist in schönsten, ja wunderbarsten Einklang gebracht worden. Denn des »Wunderbaren« im jenseitigen Geschehen wird der Mensch erst inne, wenn es sich im Irdischen spiegelt; erst das, was sich der irdischen Kausalität entzieht, wird zum »Wunder«, erst vor seiner Sichtbarwerdung, Sichtbarmachung »steigt« die metaphysische Frage hinauf, auf daß ihm von dorther die Lösung »aufgehe«. Das deutsche Wort »wunderbar« enthält also ebensowohl das englische »miracle« wie das englische »wondering«, und wenn auch beides noch im »wonderful« nachklingt, so daß auch dieses »astonishing« und »exceptional« mitmeint, es deckt sich doch weit mehr mit dem deutschen »wundervoll« als mit dem »wunderbar«, da jenes, dem Englischen gleichend, im Faktual-Irdischen verbleibt, während in diesem, kraft des »bar«, das Emportragen der schier irdischen Pracht in die überirdische sich auftut. Und gerade das tut der Claudius-Vers: indem er das abschließende »auf« des »Aufsteigens« durch das »wunderbar« ersetzt, so daß es nun am Gedichtende steht, wirkt es durch alle sechs Zeilen zurück, wirkt es bis in das ihm parellele »Aufgehen« des Mondes am Anfang hinein, gibt dem Mond das »wunderbare Gehen«, das wunderbare Wandeln durch die Himmelssphären und taucht den ganzen Vers ins Wunderbare, ins Wunderbare des himmlischen Mondlichts.

Am Anfang germanischer Literatur steht eine Übersetzung: Ulfila; am Anfang neuhochdeutscher Prosa steht wieder eine Übersetzung: Luthers Bibel. Ohne Vossens Homer kein Hermann und Dorothea; und was Schlegels Shakespeare rein sprachschaffend bedeutet, ist nicht abzumessen.

JOSEF HOFMILLER

In keiner Sprache kann man sich so schwer verständigen wie in der Sprache.

KARL KRAUS

Nicht die Sprache an und für sich ist richtig, tüchtig, zierlich, sondern der Geist ist es, der sich darin verkörpert, und so kommt es nicht auf einen jeden an, ob er seinen Rechnungen, Reden oder Gedichten die wünschenswerten Eigenschaften verleihen will: es ist die Frage, ob ihm die Natur hierzu die geistigen und sittlichen Eigenschaften verliehen hat. Die geistigen: das Vermögen der An- und Durchschauung, die sittlichen: daß er die bösen Dämonen ablehne, die ihn hindern könnten, dem Wahren die Ehre zu geben.

JOHANN WOLFGANG GOETHE

Die Gewalt der Sprache ist nicht, daß sie das Fremde abweist, sondern daß sie es verschlingt.

JOHANN WOLFGANG GOETHE

Die deutsche Sprache an sich ist reich, aber in der deutschen Konversation gebrauchen wir nur den zehnten Teil dieses Reichtums; faktisch sind wir also spracharm.
Die französische Sprache an sich ist arm, aber die Franzosen wissen alles, was sie enthält, in der Konversation auszubeuten, und sie sind daher sprachreich in der Tat.
Nur in der Literatur zeigen die Deutschen ihren ganzen Sprachschatz, und die Franzosen, davon geblendet, denken, wunders wie glänzend wir zu Hause — sie haben auch keinen Begriff davon, wie wenig Gedanken bei uns im Umlauf zu Hause. Bei den Franzosen just das Gegenteil: mehr Ideen in der Gesellschaft, als in den Büchern, und die Geistreichsten schreiben gar nicht oder bloß zufällig ...

HEINRICH HEINE

Es sind heute über sechs Monde, daß kein deutscher Laut an mein Ohr klang, und alles was ich dichte und trachte, kleidet sich mühsam in ausländische Redensarten ... Ihr habt vielleicht einen Begriff vom leiblichen Exil, jedoch vom geistigen Exil kann nur ein deutscher Dichter sich eine Vorstellung machen, der sich gezwungen sähe, den ganzen Tag französisch zu sprechen, zu schreiben, und sogar des Nachts, am Herzen der Geliebten französisch zu seufzen! Auch meine Gedanken sind exiliert, exiliert in eine fremde Sprache.

HEINRICH HEINE

Nur so viel will ich bemerken, daß, um vollendete Prosa zu schreiben, unter andern auch eine große Meisterschaft in metrischen Formen erforderlich ist. Ohne solche Meisterschaft fehlt dem Prosaiker ein gewisser Takt, es entschlüpfen ihm Wortfügungen, Ausdrücke, Zäsuren und Wendungen, die nur in gebundener Rede statthaft sind, und es entsteht ein geheimer Mißlaut, der nur wenige, aber sehr feine Ohren verletzt.

HEINRICH HEINE

Man schreibt nur im Angesicht der Poesie gute Prosa.

FRIEDRICH NIETZSCHE

Die Einbuße an Tradition wird verschieden beurteilt werden, je nach dem Standort und nach dem Maßstab, in dem man Bewegung und Beweglichkeit in den vor uns liegenden Abschnitten für notwendig hält. Wenn der Einfluß der Klassiker schwindet oder museal wird, so bedeutet das noch nicht, daß unsere Jugend für das Wort und seine Gewalt unansprechbar geworden ist. Auch das Wort kann ja nicht zweimal in den gleichen Strom tauchen. Nur im Unausgesprochenen, dort, wo es Geist ist, hat es Bestand. In diesem Sinne ist die Sprache die feste Burg, das Kernwerk der Überlieferung.
Es fehlt nicht an Versuchen, auch die Sprache zu verbilligen und zu einer Art Verkehrsmittel zu entwürdigen. Aber sie hat schon schlimmere Zeiten überlebt. Das Wunderbare ist, daß der Schatz, der in ihr schlummert, von einzelnen gehoben werden kann, und zwar auf substantielle Art. Wenn der große Historiker die Geschichte belebt, so hebt er ein sinnvolles Bild aus der Vergangenheit empor. Wo aber der Dichter die Sprache erneuert, gibt er

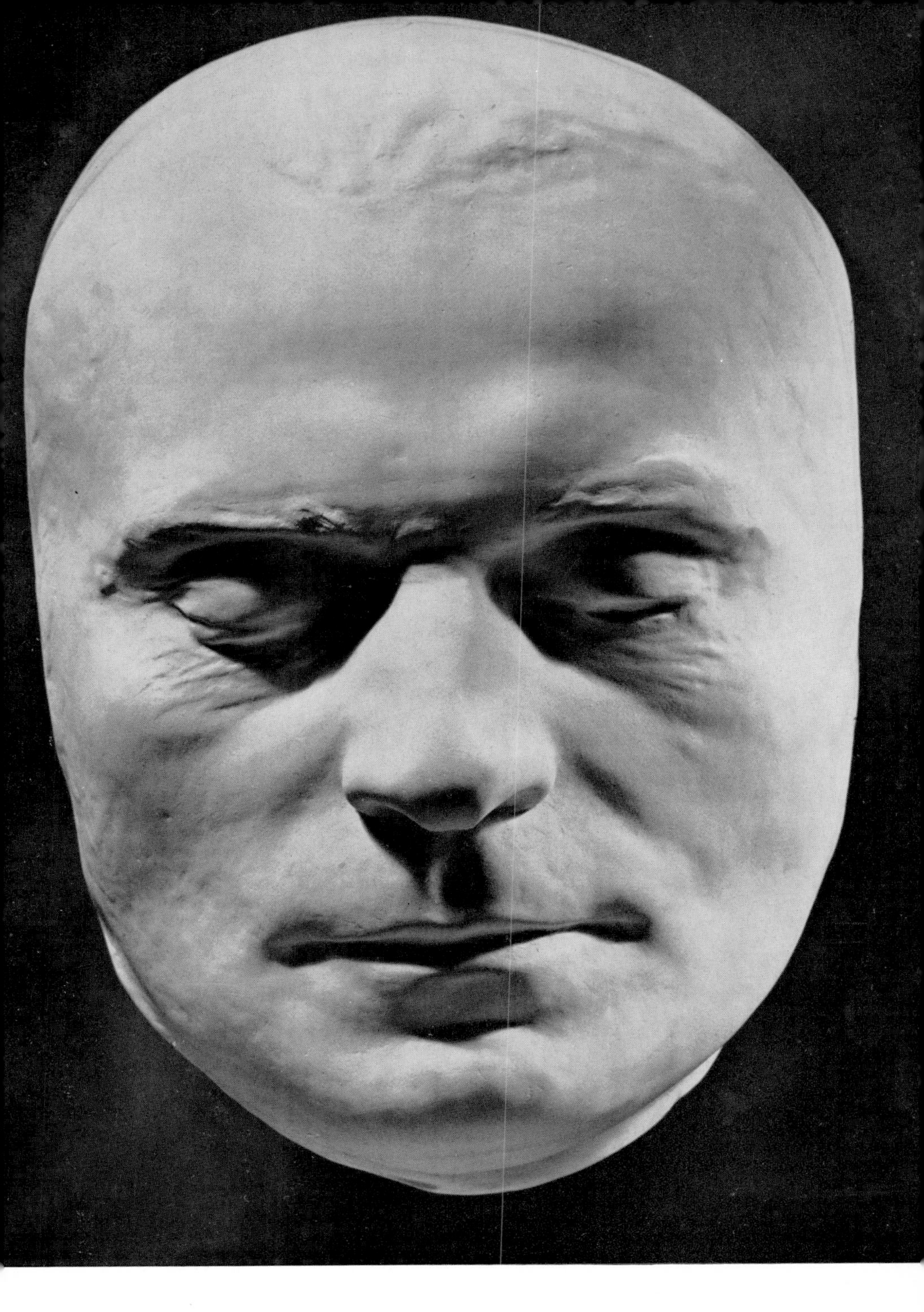

15 Gotthold Ephraim Lessing
Totenmaske

Sinnbild und Urbild zugleich, schlägt mit dem Stab an den Felsen, bringt aus dem Geiste Leben hervor. Dort, wo die in Jahrhunderten erstarrte Sprache hell und flüssig wird wie Lava, springt auch der Quell, in dem Vergangenheit und Zukunft durchsichtig und ungeschieden sind.

ERNST JÜNGER

Die wahre Heimat ist eigentlich die Sprache. Sie bestimmt die Sehnsucht danach, und die Entfremdung vom Heimischen geht immer durch die Sprache am schnellsten und leichtesten, wenn auch am leisesten vor sich.

WILHELM VON HUMBOLDT

Es ist eine wunderbare Sache um die Macht des Wortes, nicht umsonst hat so mancher Aberglaube sich damit vermischt; daß zum Beispiel das Wort des Menschen Macht habe über Gott, so daß er müsse töten oder wettern, je nachdem, das Wort die Macht habe, aus den Gräbern die Toten zu rufen und zu öffnen die Schatzkammern der Erde. Aber ein fromm vertrauensvolles Wort zum Vater im Himmel, eine Bitte aus innigem Herzen, was hat sie nicht vermocht und wie oft hat nicht ein Wort geschlagen in das Herz des Sünders wie der Blitzstrahl aus einer Donnerwolke! Wie oft nicht ein Wort das Andenken großer Verstorbener herbeigerufen, neues Leben geweckt in den Herzen der Enkel! Wie oft ist nicht das Wort in Herzen gedrungen, hat Steine von den Gräbern gesprengt, unter welchen die edelsten Kräfte begraben lagen, und ein junger, schöner Frühling erblühte, wo früher Öde war und totes Gestein! Wie oft ward das Wort nicht zur feurigen Röte, welche den Bösewicht unstät jagte über die Erde! Das Wort ist unendlich mächtiger als das Schwert, und wer es zu führen weiß in starker, weiser Hand, ist viel mächtiger als der mächtigste der Könige. Wenn die Hand erstirbt, welche das Schwert geführt, wird das Schwert mit der Hand begraben, und wie die Hand in Staub zerfällt, so wird vom Rost das Schwert verzehrt. Aber wenn im Tode der Mund sich schließt, aus dem das Wort gegangen, bleibt frei und lebendig das Wort; über dasselbe hat der Tod keine Macht, ins Grab kann es nicht verschlossen werden, und wie man die Knechte Gottes schlagen mag in Banden und Ketten, frei bleibt das Wort Gottes, welches aus ihrem Munde gegangen. Aber auch mächtiger als Dolch und Gift ist das böse Wort, das durch die Herzen fährt und in die Seelen schleicht oder schlüpft. Schlangen und Banditen sind greuliche, scheußliche Dinger, aber viel scheußlicher sind glattzüngige Verführer, welche Gift träufeln in arglose Herzen, sind viele Wortführer des Tages, falsche Propheten des Lügengeistes, der im Paradiese sein heillos Amt begann.

JEREMIAS GOTTHELF

Die deutsche Sprache bleibt unter allen europäischen Sprachinstrumenten eigentlich als die Orgel.

JEAN PAUL

THEODOR HAECKER

Herzworte der Sprache

Der unsichtbare individuelle Geist eines Volkes offenbart sich in allen seinen äußeren sichtbaren Handlungen, aber am offenbarsten wird er doch in der Leibseele seiner Sprache. Und aus jedem solchen Sprachleibe heraus hören wir Worte, die Herztöne sind, die uns verraten, woran diesen einzelnen Herzen am meisten gelegen ist, was ihre größte Sorge, was ihre Bekümmernis, ihre Sehnsucht, ihr Leiden, ihre Freude und ihre Lust ist. Solche Herzworte sind, da sie die innersten eines Sprachleibes sind, verständlicherweise auch die unübersetzbarsten. Man läßt sie am besten, wie und wo sie sind, nämlich wenn man sie ganz verstehen will. Um *diese* Worte zu verstehen, muß man schon in die *ganze* Sprache eingegangen sein.

Wie man für die griechische Sprache etwa sagen kann, daß eines ihrer Herzworte der Logos ist, von welchem als dem alles mit Sinn erfüllenden und durchdringenden geistigen All: alles, vom Artikel an, von der kleinsten Partikel der Sprache bis zur Gottheit und ihren Tiefen — eine jede andere Sprache am besten nur dann spricht, wenn sie ihm seinen ursprünglichen Klang und Namen einfach läßt und auch: Logos sagt; wie man von der französischen Sprache sagen kann, daß eines ihrer Herzworte »r a i s o n« ist, welche — die r a i s o n — in ihrer erstaunlichen Vielbeweglichkeit sogar ein Verbum bildet, das es sonst nicht gibt, r a i s o n n e r; die in ihrer Ubiquität und Gültigkeit in allen Bereichen keiner andern Sprache erlaubt, mitzukommen, und deshalb am besten bei ihrem französischen Namen genannt wird; wie man von der englischen Sprache sagen kann, daß eines ihrer Herzworte »sense« ist, sense, ein unverkennbar individuelles, reich organisiertes Konkretum von Sinnlichkeit und Spiritualität, von pragmatischer Geistigkeit, von geistig-sinnlichem Organ, das in keiner andern Sprache gewachsen ist und darum am besten seinen Sinn in seiner eigenen Gestalt, ob im moral sense oder im common sense, ausdrücken kann; freilich die Sache geht ja sehr viel tiefer: so hat der Kardinal Newman den illative sense, den Folgerungssinn beschreiben können; wie man von der deutschen Sprache sagen kann, daß eines ihrer Herzworte »das Wesen« ist, ein für Fremde nicht leicht zugängliches Wort, mehr und tiefer aber freilich auch dunkler, als was alle anderen europäischen Völker dafür unzulänglich sagen können oder müssen: essentia, ein Substantiv, das kein eigenes Verbum abgibt, während das deutsche »Wesen« Substantiv und Verbum in einem sein kann, die einzige Sprache Europas, die zur Unterscheidung des schwierigsten Verbums, das es gibt, nämlich: »sein«, noch eines mehr hat, das Verbum »wesen«; dieses Wort Wesen ist Wesen und Schicksal der deutschen Philosophie, dort wo sie glücklich ist und wo unglücklich, dort wo sie wahr ist und wo falsch. Wie Logos, raison, sense, Wesen Herzwörter sind der jeweiligen Sprache, zu der sie gehören, so ist res ein Herzwort der lateinischen Sprache. Und es ist, wie alle solche Herzwörter, schließlich nicht übersetzbar. Eine jede Übersetzung, auch die glücklichste noch — und die deutsche und englische Übersetzung: Ding, thing, Sache ist ja eine glückliche, glücklicher als das französische chose, das zur vorherrschenden Statik der lateinischen res die Dynamik der causa bringt —, eine jede Übersetzung schwächt oder karikiert die Sinngestalt, die nur in einer einzigen Form der Anschauung und des praktischen Lebens wachsen kann. Das Wort res hat der Römer der ganzen Welt gegeben. Wie kein europäisches Volk und in Bälde auch wohl kein anderes Volk dieses Planeten das Logische des Seins anders wird benennen können als eben das Logische, wodurch wir den Griechen für ewig verbunden und verpflichtet bleiben, so kann keines anderen Volkes Sprache das Reale anders benennen als eben das Reale, wodurch wir für ewig dem antiken Rom verbunden und verpflichtet bleiben. Wenn der Deutsche meint, er könne es mit »Wirklichkeit« übersetzen, so täuscht er sich, so greift er fehl, so irrt er; er soll sich besinnen und beide Wörter gebrauchen und sinnvoll unterscheiden: Wirklichkeit und Realität, und sich freuen, daß er so bereichert wurde, so reich ist, daß er beide hat. Res ist Ding und Beziehung der Dinge, Sache und Sachverhalt, Sein und Bewegung in einem, aber mit dem Akzent auf Ding und Sache und Sein, wie der Deutsche in »Wirklichkeit« ihn auf dynamischer Beziehung und Verhalten und Bewegung hat. Nicht ein Staats- w e s e n kennt der Römer, sondern eine r e s publica, Glück, das sind günstige Dinge, r e s secundae, und Unglück, das sind widrige Dinge, r e s adversae; die Geschichte, das sind die r e s; der Geschichtsschreiber schreibt nicht über Ideen oder Kultur als Begriff und Wesen, sondern über Dinge; er ist r e r u m scriptor. Der einzige Römer mit dem Stigma des Philosophen, der Leidenschaft nämlich zur Erkenntnis und zur theoretischen Wahrheit, r e r u m cognoscere causas, der unvorhersehbarer Weise — das ist so die Weise der Vorsehung! — zugleich ein großer Dichter war, schreibt nicht über Physik oder Metaphysik oder über die Seele oder über das Logische oder über die Zahl oder über das Gute und Schöne und Wahre, sondern de r e r u m natura, über das Wesen der Dinge, als welche eben alle sind, alles, die ganze Welt mit Einschluß des Menschen, seiner Seele und seiner Verzweiflung und seiner Sehnsucht. Rom ist das Haupt der Welt, d. h. der Dinge, caput r e r u m, domina r e r u m; Cäsar ist der Hüter der Welt, d. h. der Dinge, custos r e r u m; Rom in seiner Fülle, als Stadt und Staat, Senat und Volk, Friede und Kultur, Pietät und Gerechtigkeit, Cäsar und Imperium ist nicht primär eine Idee, sondern mit den Worten des größten Römers, eben Vergils, maxima r e - r u m, das größte aller Dinge, ja pulcherrima r e r u m, das schönste aller Dinge, die gloria der menschlichen Dinge. Von solcher Klarlegung der zentralen Bedeutung des Wortes r e s in Wesen und Sein und Leben und Sprache des römischen Volkes kehre ich zurück zu jenem Herzwort Vergils und der Aeneis: sunt lacrimae rerum. D i e D i n g e haben ihre Tränen, die Dinge, welche doch alles sind, diese ganze Welt, die hinwiederum nicht ist ohne das Fatum, das zu den Dingen dieser Welt gehört, zu den res. Ein konstituierender Bestandteil dieser Welt, dieses Äons, aus dem heraus das adventistische Heidentum einen andern ersehnt, sind die Tränen. Dieses sagt ein Römer a. Chr. n., wenn auch nur wenige Jahre vorher, und er sollte die Jahre, die 70 Jahre eines Patriarchenlebens nicht erfüllen. Es ist auch darin »adventistisch«. Und es ist kein sentimentaler Satz, sondern: ein ontologischer. Nicht eine weibische Seele — Vergil war eine männliche und mutige Seele — exhibitioniert ihre Schwäche, sondern ein unbestechlicher Geist sagt die Wahrheit über die Verfassung des Seins. Man kann einem alten Römer manches Unerfreuliche nachsagen, aber ganz gewiß nicht Sentimentalität, und wiewohl zweifellos Vergil die humanste, sensibelste, zarteste, verwundbarste, scheueste Seele der Antike überhaupt ist, dennoch — sentimental ist Vergil nicht, nicht die leiseste Spur davon ist in ihm, dem Sänger des römischen Imperiums auf dessen Höhepunkt, dem klaren und völlig bewußten Künder der einzigen wahrhaft originalen Kunst des römischen Volkes, der Kunst des Herrschens, einer Kunst, die viele Defekte und Laster, wie Grausamkeit, ja Bestialität und Ignoranz höherer Dinge nicht auszuschließen braucht, wohl aber notwendig jegliche Sentimentalität. Und dennoch oder vielleicht eben deshalb, weil die Welt, die Dinge, die r e s, nicht bestehen können in diesem Äon ohne den Staat und seine Gewalt, ohne Imperium, ohne Herrschen und sogar Kriegführen, welche alle so viele Tränen erfordern, gilt der Satz: s u n t l a c r i m a e r e r u m — kein sentimentaler Satz, sondern: ein ontologischer. Vergil ist der größte und einzige Tragiker Roms; er ist tragisch, weil es die Dinge, die r e s, sind. Und r e s ist in der lateinischen Sprache alles: die ganze Welt.

FRIEDRICH NIETZSCHE

Aus der Vorrede zur »Morgenröte«

— Zuletzt aber: wozu müßten wir das, was wir sind, was wir wollen und nicht wollen, so laut und mit solchem Eifer sagen? Sehen wir es kälter, ferner, klüger, höher an, sagen wir es, wie es unter uns gesagt werden darf, so heimlich, daß alle Welt es überhört, daß alle Welt *uns* überhört! Vor allem sagen wir es *langsam* ... Diese Vorrede kommt spät, aber nicht zu spät, was liegt im Grunde an fünf, sechs Jahren? Ein solches Buch, ein solches Problem hat keine Eile; überdies sind wir beide Freunde des *lento,* ich ebensowohl als mein Buch. Man ist nicht umsonst Philologe gewesen, man ist es vielleicht noch, das will sagen, ein Lehrer des langsamen Lesens: — endlich schreibt man auch langsam. Jetzt gehört es nicht nur zu meinen Gewohnheiten, sondern auch zu meinem Geschmacke — einem boshaften Geschmacke vielleicht? —, nichts mehr zu schreiben, womit nicht jede Art Mensch, die »Eile hat«, zur Verzweiflung gebracht wird. Philologie nämlich ist jene ehrwürdige Kunst, welche von ihrem Verehrer vor allem eins heischt, beiseite gehn, sich Zeit lassen, still werden, langsam werden —, als eine Goldschmiedekunst und -kennerschaft des *Wortes,* die lauter feine vorsichtige Arbeit abzutun hat und nichts erreicht, wenn sie es nicht *lento* erreicht. Gerade damit aber ist sie heute nötiger als je, gerade dadurch zieht sie und bezaubert sie uns am stärksten, mitten in einem Zeitalter der »Arbeit«, will sagen: der Hast, der unanständigen und schwitzenden Eilfertigkeit, das mit allem gleich »fertig werden« will, auch mit jedem alten und neuen Buche: — sie selbst wird nicht so leicht irgend womit fertig, sie lehrt *gut* lesen, das heißt langsam, tief, rück- und vorsichtig, mit Hintergedanken, mit offengelassenen Türen, mit zarten Fingern und Augen lesen ... Meine geduldigen Freunde, dies Buch wünscht sich nur vollkommne Leser und Philologen: *lernt* mich gut lesen! —

GEORG CHRISTOPH LICHTENBERG

Bemerkungen über Leser und Schriftsteller

Wenn ein Buch und ein Kopf zusammenstoßen und es klingt hohl, ist das allemal im Buch?

Ein Buch ist ein Spiegel: wenn ein Affe hineinsieht, so kann kein Apostel herausgucken.

Er las immer Agamemnon statt »angenommen«, so sehr hatte er den Homer gelesen.

Die Wälder werden immer kleiner, das Holz nimmt ab, was wollen wir anfangen? O, zu der Zeit, wenn die Wälder aufhören, können wir sicherlich solange Bücher brennen, bis wieder neue aufgewachsen sind.

Heutzutage machen drei Pointen und eine Lüge einen Schriftsteller.

Ich behaupte, die meisten kennen den Menschen besser, als sie selbst wissen, sie machen auch Gebrauch davon im Handel und Wandel. Allein sobald sie schrieben, da wäre der Teufel los, da wäre alles so feiertagsmäßig schön, daß man sie gar nicht kenne, und da sie sonst ganz natürlich aussähen, so machten sie jetzt Gesichter, wie eine alte Jungfer, wenn sie sich malen läßt.

GEORG CHRISTOPH LICHTENBERG

Das Gastmahl der Journalisten

Gleich nach Jubilate voriges Jahr wurde mir von einem Freunde gemeldet, daß zu Flarchheim, einem kleinen Dorfe auf der Seite von Langensalza, eine merkwürdige Zusammenkunft sein würde, die wohl verdiente, von jemandem, der so viel Neugierde hätte und, wie er sich ausdrückte, den Seelen so gern in die Gesichter guckte als ich, gesehen zu werden. Es wären einige der wichtigsten Gelehrten, Zeitungsschreiber und Journalisten von Deutschland, wie er selbst von einem unter ihnen wisse, entschlossen, an diesem Ort zusammen zu kommen, sich persönlich kennen zu lernen und ein

paar Tage zu schmausen. Er glaubte, daß vielleicht wichtige Sachen vorgenommen werden würden, wenigstens hätte ihm dies derselbe Mann zu verstehen gegeben; vermutlich eine kleine Veränderung mit der Literatur möchte wohl der Gegenstand sein.
Ich war über diese Nachricht fast außer mir. Denn was muß das nicht für ein Anblick sein, dachte ich, diesen Zirkel von *καλοῖς κἀγαθοῖς* beisammen zu sehen, die ehrwürdigen Glieder des Gerichts, das keinen zeitlichen Richter erkennt, diese Bewahrer jenes großen Siegels, womit die Patente des Ruhms gestempelt werden, und die endlich allein das Jus praesentandi bei der Nachwelt aus den Händen der Welt empfangen haben. Man hat längst bemerkt, daß, je unbedeutlicher die Begriffe sind, die man von der Größe eines Mannes hat, sie desto mehr auf das Blut wirken, und die Bewunderung desto enthusiastischer wird. Himmel, sagte ich, mache mich so glücklich, dieses Anblicks zu genießen, die Leute zu sehen, gegen die alle Weisen der Erde das sind, was sie gegen dich sind! Und in dem Augenblick kam es mir vor, als wenn ich die Gesellschaft sähe, jeden mit einem Heiligenschein um den Kopf. Ob ich gleich nicht deutlich weiß, daß ich einen Journalisten mit einem Apostel verglichen hätte, so schien es doch fast, als wenn ich es einmal dunkel getan haben müßte, denn sie schienen mir in dem augenblicklichen Gesichte da zu sitzen wie die Eilfe auf einem Kupferstich, den ich in meiner Kindheit öfters angesehen hatte. — —

Umgangssprache entsteht, wenn sie mit der Sprache nur so umgehen; wenn sie sie wie das Gesetz umgehen; wie den Feind umgehen; wenn sie umgehend antworten, ohne gefragt zu sein. Ich möchte mit ihr nicht Umgang haben; ich möchte von ihr Umgang nehmen, die mir tags wie ein Rad im Kopf umgeht; und nachts als Gespenst umgeht.

KARL KRAUS

* * *

Ein Schriftsteller, der eilt, heute und morgen verstanden zu werden, läuft Gefahr, übermorgen vergessen zu werden.

JOHANN GEORG HAMANN

Selbsterkenntnis ist und bleibt das Geheimnis echter Autorschaft.

JOHANN GEORG HAMANN

GOTTHOLD EPHRAIM LESSING

Selbstcharakteristik

Als, vor Jahr und Tag, einige gute Leute hier den Einfall bekamen, einen Versuch zu machen, ob nicht für das deutsche Theater sich etwas mehr tun lasse, als unter der Verwaltung eines sogenannten Prinzipals geschehen könne: so weiß ich nicht, wie man auf mich dabei fiel, und sich träumen ließ, daß ich bei diesem Unternehmen wohl nützlich sein könnte? — Ich stand eben am Markte und war müßig; niemand wollte mich dingen: ohne Zweifel, weil mich niemand zu brauchen wußte, bis gerade auf diese Freunde! — Noch sind mir in meinem Leben alle Beschäftigungen sehr gleichgültig gewesen: ich habe mich nie zu einer gedrungen oder nur erboten, aber auch die geringfügigste nicht von der Hand gewiesen, zu der ich mich aus einer Art von Prädilektion erlesen zu sein glauben konnte.
Ob ich zur Aufnahme des hiesigen Theaters konkurrieren wolle? Darauf war also leicht geantwortet. Alle Bedenklichkeiten waren nur die: Ob ich es könne? und wie ich es am besten könne?
Ich bin weder Schauspieler, noch Dichter.
Man erweiset mir zwar manchmal die Ehre, mich für den letztern zu erkennen. Aber nur, weil man mich verkennt. Aus einigen dramatischen Versuchen, die ich gewagt habe, sollte man nicht so freigebig folgern. Nicht jeder, der den Pinsel in die Hand nimmt, und Farben verquistet, ist ein Maler. Die ältesten von jenen Versuchen sind in den Jahren hingeschrieben, in welchen man Lust und Leichtigkeit so gern für Genie hält. Was in den neueren Erträgliches ist, davon bin ich mir sehr bewußt, daß ich es einzig und allein der Kritik zu verdanken habe. Ich fühle die lebendige Quelle nicht in mir, die durch eigene Kraft sich emporarbeitet, durch eigene Kraft in so reichen, so frischen, so reinen Strahlen aufschießt: ich muß alles durch Druckwerk und Röhren aus mir heraufpressen. Ich würde so arm, so kalt, so kurzsichtig sein, wenn ich nicht einigermaßen gelernt hätte, fremde Schätze bescheiden zu borgen, an fremdem Feuer mich zu wärmen und durch die Gläser der Kunst mein Auge zu stärken. Ich bin daher immer beschämt oder verdrießlich geworden, wenn ich zum Nachteil der Kritik etwas las oder hörte. Sie soll das Genie ersticken; und ich schmeichelte mir, etwas von ihr zu erhalten, was dem Genie sehr nahe kömmt. Ich bin ein Lahmer, den eine Schmähschrift auf die Krücke unmöglich erbauen kann.
Doch freilich; wie die Krücke dem Lahmen wohl hilft, sich von einem Orte zum andern zu bewegen, aber ihn nicht zum Läufer machen kann: so auch die Kritik. Wenn ich mit ihrer Hülfe etwas zustande bringe, welches besser ist, als es einer von meinen Talenten ohne Kritik machen würde: so kostet

es mich so viel Zeit, ich muß von andern Geschäften so frei, von unwillkürlichen Zerstreuungen so ununterbrochen sein, ich muß meine ganze Belesenheit so gegenwärtig haben, ich muß bei jedem Schritte alle Bemerkungen, die ich jemals über Sitten und Leidenschaften gemacht, so ruhig durchlaufen können, daß zu einem Arbeiter, der ein Theater mit Neuigkeiten unterhalten soll, niemand in der Welt ungeschickter sein kann als ich.
Was Goldoni für das italienische Theater tat, der es in einem Jahr mit dreizehn neuen Stücken bereicherte, das muß ich für das deutsche zu tun folglich bleiben lassen. Ja, das würde ich bleiben lassen, wenn ich es auch könnte. Ich bin mißtrauischer gegen alle erste Gedanken, als De la Casa und der alte Shandy nur immer gewesen sind. Denn wenn ich sie auch schon nicht für Eingebungen des bösen Feindes, weder des eigentlichen noch des allegorischen, halte: so denke ich doch immer, daß die ersten Gedanken die ersten sind, und daß das Beste auch nicht einmal in allen Suppen oben auf zu schwimmen pflegt. Meine ersten Gedanken sind gewiß kein Haar besser als jedermanns erste Gedanken: und mit jedermanns Gedanken bleibt man am klügsten zu Hause.
Endlich fiel man darauf, selbst das, was mich zu einem so langsamen, oder, wie es meinen rüstigern Freunden scheinet, so faulen Arbeiter macht, selbst das an mir nutzen zu wollen: die Kritik. Und so entsprang die Idee zu diesem Blatte.

GOTTHOLD EPHRAIM LESSING

Über die Wahrhaftigkeit des Stils

Jeder Mensch hat seinen eigenen Stil, so wie seine eigene Nase; und es ist weder artig noch christlich, einen ehrlichen Mann mit seiner Nase zum besten zu haben, wenn sie auch noch so sonderbar ist.Was kann ich dafür, daß ich nun einmal keinen anderen Stil habe? Daß ich ihn nicht erkünstle, bin ich mir bewußt. Auch bin ich mir bewußt, daß er gerade dann die ungewöhnlichsten Kaskaden zu machen geneigt ist, wenn ich der Sache am reifsten nachgedacht habe. Er spielt mit der Materie oft um so mutwilliger, je mehr ich erst durch kaltes Nachdenken derselben mächtig zu werden gesucht habe.
Es kömmt wenig darauf an, wie wir schreiben: aber viel, wie wir denken. Und Sie wollen doch wohl nicht behaupten, daß unter verblümten, bildreichen Worten notwendig ein schwanker, schiefer Sinn liegen muß? daß

niemand richtig und bestimmt denken kann, als wer sich des eigentlichsten, gemeinsten, plattesten Ausdrucks bedient? daß, den kalten, symbolischen Ideen auf irgend eine Art etwas von der Wärme und dem Leben natürlicher Zeichen zu geben suchen, der Wahrheit schlechterdings schade?
Wie lächerlich, die Tiefe einer Wunde nicht dem *scharfen*, sondern dem *blanken* Schwerte zuschreiben! Wie lächerlich also auch, die Überlegenheit, welche die Wahrheit einem Gegner über uns gibt, einem blendenden Stile desselben zuschreiben! Ich kenne keinen blendenden Stil, der seinen Glanz nicht von der Wahrheit mehr oder weniger entlehnt. Wahrheit allein gibt echten Glanz und muß auch bei Spötterei und Posse, wenigstens als Folie, unterliegen.
Also von *der*, von der Wahrheit lassen Sie uns sprechen, und nicht vom Stil. — Ich gebe den meinen aller Welt preis, und freilich mag ihn das Theater ein wenig verdorben haben. Ich kenne den Hauptfehler sehr wohl, der ihn von so manchen anderen Stilen auszeichnen soll; und alles, was zu merklich auszeichnet, ist Fehler. Aber es fehlt nicht viel, daß ich nicht wie Ovid die Kunstrichter, die ihn von allen seinen Fehlern säubern wollten, gerade für diesen einzigen um Schonung anflehen möchte. Denn er ist nicht sein Fehler: er ist seine Erbsünde. Nämlich: er verweilt sich bei seinen Metaphern, spinnt sie häufig zu Gleichnissen und malt gar zu gern mitunter eine in Allegorie aus, wodurch er sich nicht selten in allzuentfernte und leicht umzuformende tertia comparationis verwickelt. Diesen Fehler mögen auch gar wohl meine dramatischen Arbeiten mit verstärkt haben; denn die Sorge für den Dialog gewöhnt uns, auf jeden verblümten Ausdruck ein scharfes Auge zu haben, weil es wohl gewiß ist, daß in den wirklichen Gesprächen des Umganges, deren Lauf selten die Vernunft und fast immer die Einbildung steuert, die mehresten Übergänge aus den Metaphern hergenommen werden, welche der eine oder der andere braucht. Diese Erscheinung allein, in der Nachahmung gehörig beobachtet, gibt dem Dialog Geschmeidigkeit und Wahrheit. Aber wie lange und genau muß man denn auch eine Metapher oft betrachten, ehe man den Strom in ihr entdeckt, der uns am besten weiter bringen kann! Und so wäre es ganz natürlich, daß das Theater eben nicht den besten prosaischen Schriftsteller bilde. Ich denke sogar, selbst Cicero, wenn er ein beßrer Dialogist gewesen wäre, würde in seinen übrigen in eins fortlaufenden Schriften so wunderbar nicht sein. In diesen bleibt die Richtung der Gedanken immer die nämliche, die sich in dem Dialog alle Augenblicke verändert. Jene erfordern einen gesetzten, immer gleichen Schritt; dieser verlangt mitunter Sprünge: und selten ist ein hoher Springer ein guter ebner Tänzer.

HUGO VON HOFMANNSTHAL

Gotthold Ephraim Lessing

Zum 22. Januar 1929

Die geistige Atmosphäre innerhalb dieser (um Grillparzers Worte zu gebrauchen) »wetterwendischen, in sich selber unklaren« Nation, der deutschen, ist in einer solchen Veränderung begriffen, daß es schwierig erscheint — was jedenfalls während der letzten hundert Jahre nicht für schwierig gegolten hätte —, über einen unbezweifelten Klassiker wie Lessing heute etwas auszusagen, worin zugleich das Verhältnis der Allgemeinheit zu ihm klar zum Ausdruck käme. Eine solche Schwierigkeit wäre für einen Franzosen oder Engländer unverständlich, denn dort pflegen auch die heftigsten politischen und sozialen Änderungen die geistigen Hauptverhältnisse unberührt zu lassen. Innerhalb der deutschen Sprachwelt aber sind wir im Zusammenhang mit dem, was geschehen ist, gewissermaßen in ein anderes Klima geraten, von wo aus zu dem sozusagen selbstverständlich Vorhandenen ganz neue Richtlinien gezogen werden müssen.

Trachtet man aber, in sich selber eine neutrale Ebene herzustellen, so erkennt man, daß die Erscheinung dieses außerordentlichen Menschen Lessing sich immer in der gleichen Entfernung von uns befindet — auf einer anderen Ebene zwar als wir selber, aber ohne daß die Distanz sich merklich verändert hätte. Historisch gesprochen, erkennen wir vielleicht mehr als zuvor seine Zusammenhänge mit dem achtzehnten Jahrhundert, dem er so völlig angehört, und darüber hinaus sogar mit dem sechzehnten, dem Jahrhundert des militanten Protestantismus und des militanten Gelehrtentums. Aber mit absoluten Maßstäben gemessen, ist er uns nahe, und gehört zu den Kräften, unter deren Einfluß wir stehen. Der Ton seiner Polemiken, die Vereinigung der Logik mit etwas Höherem, schwer zu Benennendem — das, was seine Logik so wenig trocken erscheinen läßt —; das Wenige und doch Bedeutende, das unser Gedächtnis von seinem Leben mitträgt; die Struktur seiner Stücke, der Rhythmus in ihnen, das Besondere und Einmalige, herb Männliche, leuchtend Metallische; die merkwürdigen Worte, die gelegentlich über dunkle Gebiete unseres Denkens so blitzartig Licht auswerfen: dies alles ist da und trifft uns mit einer Kraft, der man alles absprechen kann, nur nicht, daß sie lebendig sei. Unsere Schulverfassung, die ja ihrem Geist nach auch schon fast hundert Jahre alt ist, gibt ihm einen imposanten Platz: sie macht aus ihm, mehr als aus einem anderen unserer geistigen Vorfahren, einen Gefährten der Jugend. Man kann zweifeln, wieweit sechzehnjährige Knaben imstande sind, durch solche Verkleidungen hindurch wie den »Laokoon«

und die »Hamburgische Dramaturgie« das Großartige seines Charakters zu spüren, aber etwas bleibt von einer solchen Begegnung bei den Empfänglicheren. In einer viel sinnfälligeren Weise hält ihn das Theater am Leben.
Da sind diese drei Stücke: »Minna von Barnhelm«, »Emilia Galotti«, »Nathan der Weise«. Sie sind heute wirksam wie je. Es ist keine Phrase, wenn man sagt, daß durch ihr Wegfallen das Repertoire sehr fühlbar verarmen würde. Was sie stark macht, ist nicht die Erfindung allein und nicht die Charakteristik allein, sondern daß diese beiden ineinandergehen. Lessing hat ausgezeichnete Rollen geschrieben: darum erhalten die Schauspieler seine Stücke auf dem Theater. Aber diese Rollen stehen nicht für sich; sie stehen in Gruppen, und in diesen Gruppen liegt ein ungeheurer Kalkül: so machen die Rollen einander wechselweise noch stärker, als jede für sich schon wäre. Auskalkuliert ist alles an diesen Figuren, aber von einem Mann, dessen Genie die Logik und die Berechnung war. Shakespeare beiseite und Calderon beiseite; aber man nenne mir unter den Deutschen oder überhaupt unter den Modernen, die fürs Theater gearbeitet haben, einen, der es in sich gehabt hätte, aus der auskalkulierten Notwendigkeit, daß er eine Figur brauchte, die dem Odoardo einen Dolch in die Hand spiele, eine Gestalt wie die Orsina herauszuspinnen.
»Emilia« ist das kunstvollste dieser Produkte, im bedenklichen Sinn dieses Wortes auch, vor allem aber im positiven. Eine Gruppierung wie die: der Prinz, Marinelli, die Orsina, entspringt nur einem Kopf ersten Ranges. Daß der Schluß mit dem Virginiamotiv etwas Überhastetes und Künstliches hat, ist hundertmal ausgesprochen. Auch gegen die Sprache läßt sich alles sagen — hier ist nichts vom Hauchenden, Seelenhaften, das dann durch Goethe in die Sprache auch des Theaters kam, auch nichts vom finstern Naturlaut, den die Stürmer und Dränger aufbrachten; alle diese Figuren reden in scharfen Antithesen, in pointierten Wendungen, wie wenn sie alle Denker wären, — für diese Sprache aber läßt sich nur das eine sagen: sie hat ein solches geistiges Leben in sich, daß sie aus dem Stück etwas Unverwesliches gemacht hat.
»Nathan« hat man den Gipfel von Lessings poetischem Genie genannt; Friedrich Schlegel nannte es »Lessings Lessing, das Werk schlechthin unter seinen Werken« — andere nennen es ein schwaches Werk, das zwischen der Poesie und Philosophie im Leeren hänge. Das sind Urteile — es ist über wenige Menschen so viel Geistreiches und auch Gescheites gesagt worden wie über Lessing, — aber das Theater gibt die immerhin entscheidende Auskunft, daß »Nathan« auch heute lebt — wenngleich man dieses Stück, für mein Gefühl, nie so gespielt hat, wie es gespielt werden müßte: ganz als das geistreichste Lustspiel, das wir haben, ganz auf die unvergleichliche Gespanntheit dieses Dialoges hin, dies Einander-aufs-Wort-Lauern, Einan-

der-die-Replik-Zuspielen, auf dies Fechten mit dem Verstand (und mit dem als Verstand maskierten Gemüt), wovon das ganze Stück bis in die Figuren des Mamelucken hinab erfüllt ist, fast wie das Stück eines der großen Spanier.

An dem Leben, das in der »Minna« steckt, wagt auch der Zweifel nicht zu zweifeln; hier ist auch die Sprache über dem Nörgeln, aus einem helleren gehämmerten Metall — voll Witz und näher sich herablassend zum Mimischen.

Aber bei scheinbar so großer Verschiedenheit sind sie alle drei innigst verwandt; sie sind wahrhaft die Kinder eines Vaters, und wie seine Polemik aus seinem tiefsten Selbst herauskam, so auch die Dialektik dieser Figuren. Jede von ihnen hat etwas von ihrem Urheber: wie er, stehen sie mitten in einer Nation von Grüblern als höchst ungrüblerische Naturen; den Genuß des Denkens kennen sie alle (das ist, wenn man will, das Unrealistische an ihnen), aber Denken und Handeln sind ihnen eins: das ist das Undeutsche an ihnen.

Er beeinflußte viele, aber in der Stille. Schillers Werden, vor allem der Mut zu den entscheidenden Jugendwerken, ist ohne ihn nicht denkbar; sein Einfluß auf Grillparzer ist versteckt, aber gleichfalls sehr groß: der Dialog Grillparzers, dort wo er am besten, am freiesten von Schiller ist, hat von ihm das Salz im Blut. Andererseits hat er die Iffland und Schroeder hervorgebracht und mit ihnen das ganze deutsche bürgerliche Schauspiel bis auf den heutigen — oder den gestrigen — Tag.

Seine Stücke sind er selbst: seine Wesenheit, Form geworden. So wie diese Figuren sich zueinander und zu sich selber verhalten, so elastisch, bündig, schlagkräftig, voll von einer unglaublichen Wachheit und Bewußtheit (aber ohne alles Zerfaserte und Bohrende), so war er selbst. So verlief diese ganze Existenz. Physiognomisch genommen, um Rudolf Kassner das Wort zu entlehnen, dem seine Arbeiten eine so große Tragweite gegeben haben, ist es eine Figur von solcher Geschlossenheit, wie die deutsche Literaturgeschichte keine zweite aufzuweisen hat. Das ganze männlich Freie, Trockene seiner Lebensführung; die Existenz als freier Gelehrter, als Rezensent, in einer so dumpfen, gebundenen Welt; die Lust am Umspringen, am Wechsel immer wieder (ohne jedes romantische Schweifen) — am Kampf, in dieser herrisch nüchternen Weise; die paar Freundschaften mit Männern, mit dem unglücklichen Ewald von Kleist, mit Moses Mendelssohn; die späte Brautschaft und Ehe, der tiefe Ernst darin und doch das Schwingende; die letzten Jahre als Bibliothekar in Wolfenbüttel, und der frühe Tod, auch er von einem fast römischen Stil in der Nüchternheit — die Abwesenheit gewollt jeder Repräsentation, lebenslang; die paar Details, die wir wissen: die eingestandene Liebe zum Spieltisch, das immer Traumlose seiner Nächte:

alles geht zusammen zu einer imponierenden Einheit wie die Züge an einer römischen Porträtbüste.

Achtung zu fühlen, Achtung zuzuerkennen dort, wo er sie fühlte, das setzte sein Gemüt in Bewegung. Da ihm edle Juden, oder ein edler Jude, begegneten, bezeigte er den Juden Achtung; er spricht durch den Mund des alten Galotti von jener »guten, unsers Mitleids, unsrer Hochachtung so würdigen Gattung der Wahnwitzigen«. Die Gesinnung im allgemeinen ist die des Jahrhunderts, aber im Ausdruck ist der ganze Lessing. In der Art, wie er Achtung zuerkannte (und wie er sie verweigerte), liegt das ganze Pathos des Menschen; ein schwingender Stahlstab, fix an einem granitenen Sockel, dem Verstand! Neben ihm, nach ihm, bricht der Schwall durch: der Überschwang des Werther (den er geringschätzte), der Überschwang der Stürmer und Dränger (die er mißachtete), Jean Paul, die Romantik, Hegel, Fichte, Schelling: das Ausschweifende des Geistes, mit dem diese »gedankenvolle, aber tatenarme« Nation auf die französische Ausschweifung des Handelns antwortete.

Er war von einem anderen Geschlecht; er zeigte eine Möglichkeit deutschen Wesens, die ohne Nachfolge blieb; er beherrschte den Stoff, statt sich von ihm beherrschen zu lassen. Seine Bedeutung für die Nation liegt in seinem Widerspruch zu ihr. Innerhalb eines Volkes, dessen größte Gefahr der gemachte Charakter ist, war er ein *echter* Charakter.

Daß ein Mann wie Lessing niemals glücklich sein konnte, werdet Ihr leicht begreifen. Und wenn er auch nicht die Wahrheit geliebt hätte, und wenn er sie auch nicht selbstwillig überall verfochten hätte, so mußte er doch unglücklich sein; denn er war ein Genie. Alles wird man dir verzeihen, sagte jüngst ein seufzender Dichter, man verzeiht dir deinen Reichtum, man verzeiht dir die hohe Geburt, man verzeiht dir deine Wohlgestalt, man läßt dir sogar Talent hingehen, aber man ist unerbittlich gegen das Genie. Ach! und begegnet ihm auch nicht der böse Wille von außen, so fände das Genie doch schon in sich selber den Feind, der ihm Elend bereitet. Deshalb ist die Geschichte der großen Männer immer eine Märtyrerlegende; wenn sie auch nicht litten für die große Menschheit, so litten sie doch für ihre eigene Größe, für die große Art ihres Seins, das Unphilisterliche, für ihr Mißbehagen an der prunkenden Gemeinheit, der lächelnden Schlechtigkeit ihrer Umgebung, ein Mißbehagen, welches sie natürlich zu Extravaganzen bringt, zum Beispiel zum Schauspielhaus oder gar zum Spielhaus — wie es dem armen Lessing begegnete.

HEINRICH HEINE

ECKART PETERICH

TERPSICHORE ODER VOM SINGENDEN VOLK

Terpsichore heißt: die Tänzerin im Chor; vom Chorhaften alles Musischen, das Klio als Lobgesang anstimmt, zeugt also auch Terpsichores sprechender Name.

Damit meint der Mythos wiederum etwas ganz Einfaches: daß ein Lied beim Tanzen entsteht, ferner: daß Takt zugleich den Tanz und die gebundene Rede regiert, beide verbindend. Und noch dieser andere Sinn liegt darin verborgen: daß die Dichtung vielstimmig ist.

Vielstimmige Antwort gibt die Menge auf Klios rühmenden Anruf. Aber Terpsichore hebt die reine, weithin hallende Stimme des Dichters aus der Vielfalt menschlichen Gesanges, aus dem Chor des singenden Volkes hervor. So wirkten die beiden Schwestern zusammen, die unter den göttlichen Neun einander die Nächsten sind: damit das Schöne sich nicht vereinzele, noch in der Menge verliere, damit der fromme Wechselgesang zwischen der Seele des Einzelnen und der Sehnsucht des Volkes nicht verstumme. Ist doch das Lied nur dann vollkommen wahr, wenn es verwandelnd hin- und wiederschwebt zwischen der Einsamkeit und der Vielsamkeit, in die wir Menschen gestellt sind; wenn der Chor, den Klios Anruf geweckt, und jener andere, der sich um Terpsichore schart, sich zusammenfinden zum Gloria des singenden Volkes.

Staunend und ehrfurchtsvoll stehn wir vor der Gestalt des großen, einsam wirkenden Dichters, lesen in seinen Werken, von seinem Leben, erwägen das Außerordentliche daran, wir meinen sogar manchmal: das nie dagewesene, und so vereinzelt sich uns das Musische. Aber es gibt neun Musen, einen Musenchor, darin neben Klio und Terpsichore auch Polyhymnia, »die mit den vielen Hymnen«, die Vielstimmige. Das bedeutet: die Dichtung wächst aus dem Vielen, der Vielfalt, aus dem Allgemeinen. Sie gleicht nicht wie die Träume, welche ihr manchmal den Weg bereiten, dem aus der Welle emporgeschleuderten Schaum, sondern einer tief aus der Flut emporgewühlten Woge.

Jedes menschliche Auge schaut Bilder; jeder Mensch denkt manchmal in Gleichnissen; jedes ergriffene Herz kennt den tanzenden Takt der Chortänzerin. Und was alle bewegt, ist auch der erste Bewegende der erhabensten Dichtung.

Dies Höchste erhebt sich nicht plötzlich und unvermittelt zu den Höhen, auf denen wir's bestaunen, und lebt dort in unnahbarer Einsamkeit. Wenn der Hochmut, jene furchtbare Sünde, die den Künstler mehr als andere Menschen bedroht, deren sich sogar Dante beschuldigte, solche Überheblichkeiten

lehrt, wenn die Vermessenen es wiederholen und Betörte es nachbeten, straft sie nicht, denn die Musen selbst werden sie mit Stummheit schlagen.
Auch das höchste Lied klingt nur dann rein, wenn es durch Terpsichores Gunst gestimmt ward am Liede des singenden Volkes; an dem, was alle bewegt. Was wir Dichtung nennen, die tausendjährige Geschichte und tausendfältige Gegenwart der »Literaturen«, gleicht einem Wald, in dem Großes und Kleines, vom winzigsten Moos bis zum ragendsten Baum, mit-, von- und füreinander aus dem geheiligten Erdreiche der Erinnerung lebt. Gemeinsam sind allen Gewächsen darin die Jahreszeiten, Blühen, Fruchttragen und Welken, gemeinsam trifft sie der bewegende und der befruchtende, der begeisternde und der beseelende Wind, des Geistes Hauch, spiritus, der Seele Anhauch, anemos, anima. Die höchsten Bäume freilich schüttelt der Sturm am kräftigsten. Diese Erschütterung ist ihr einziges Vorrecht.
Wie der Komponist der Sänger und Spieler bedarf, damit hörbar werde, was in ihm und aus ihm klingen will, so bedarf der Dichter des Chors, der sein Lied singt, damit es lebe: Klios Chor. Die meisten unter ihnen drängt es, bewußt oder unbewußt, Geschautes, Gleichnishaftes, Erregendes in Worte zu verdichten, die wenigsten finden diese Worte. Darum lesen sie Dichtungen: Worte, die Dichter, Wortbegabte, für sie gefunden haben; dadurch leben Gedichte unter den Menschen.
Und wie uns nicht nur die Erfinder von musikalischen Werken, sondern auch Geiger und Bläser als Musiker gelten, so können wir nicht nur den Dichter, sondern auch den Leser, durch den die Dichtung lebt, einen Dichter nennen. Für die Menschheit wären heute gute Leser vielleicht wichtiger als gute Dichter. Die Geschichte unserer Poesie ist nämlich so reich, daß keiner sie ausschöpfen kann, aber der Gewinn, den wir daraus ziehen, ist zu gering. Wie könnte sonst, nachdem durch Jahrhunderte so viel Schönes gesungen, so viel Gutes gelehrt ward, die Welt so voll von Häßlichem und Bösem stecken? Jedermann weiß nun, daß viel zu viele Bücher geschrieben werden. Der Dichter kann uns gegen dies wuchernde Unkraut helfen, denn die Wurzeln und Schatten gewaltiger Bäume entziehen den Quecken Nahrung und Licht. Noch viel wirksamer kann uns der Leser helfen: was *er* nicht lesend belebt, muß sterben. Enden wird das Übel nie; vor hundert Jahren, als es noch nicht halb so groß war, wurde genau so darüber geklagt.
Wir Deutschen dürfen nicht einmal klagen. Wir haben Volkslieder, Märchen, Wissenschaft, Dichtung, kaum »Literatur«, jenes Zwischending zwischen Tagesschriftstellerei und Poesie; und wenn das bei uns hervorgebracht oder eingeführt wird, nehmen wir's selten ernst. Wir sind trotz unseres vielen Schreibens, Druckens und Lesens ein unliterarisches Volk geblieben. Die Dichtung freilich lieben wir, suchen sie überall. Wir sehnen uns nach dem Großen, dem Entscheidungsvollen darin. Da möchten wir uns anhangen, dem uns

16 Friedrich Schiller
Kolossalbüste in Marmor
von Johann Heinrich Dannecker

hingeben. Das ist eine deutsche Eigenschaft, doch *an sich* keine Tugend; wir wollen uns ihrer nicht rühmen, sie nur überdenken.
Gewiß, wir machen uns nichts daraus, »auf dem laufenden« zu sein, literarische »Bewegungen« sind uns recht gleichgültig, und das mag man loben, aber das Literarische, wie's vor allem die Romanen pflegen, verachte keiner. Denn auch dieser Pflege sind die Musen hold, allen voran Terpsichore. Es bildet ein Allgemeines aus; ein mittleres, doch sicheres Urteil, auch Geschmack genannt, und bewahrt oft vor dem Niedrigen oder dem Übersteigerten, vor Liliput oder Brobdingnag, ein menschliches, damit ein musisches Maß gewährleistend.
»Mäßigkeit und klarer Himmel sind Apollon und die Musen«: diesen Satz hat sich Goethe aus den Werken eines englischen Dichters herausgeschrieben; er enthält einen guten, beherzigenswerten Teil der Wahrheit. Keiner sage, daß Geschmack das ganz Große beschränkt. Auch das Suchen nach dem Allergrößten, dem »ungeheuer« Großen, das uns Deutschen eignet, birgt Gefahren. Wenn wir uns über das Gewaltige irren, muß der Irrtum gewaltig sein. Wie oft haben wir so das Maß verloren, die musische Mäßigkeit.
Unser eigenstes musisches Maß, ein Geschenk der göttlichen Chortänzerin, sind Volkslied und Märchen. Daran haben sich unsere Größten gemessen. Wo es die Geltung verliert, werden wir Deutschen maßlos und sind weder groß noch deutsch. Da schweigt auch Klios, des Rühmens, wunderbarer Chor: denn nur in Lieder, die am Gesange des singenden Volkes höher und reiner gestimmt wurden, stimmt das Volk jubelnd ein.
Schon ward von jenen Schätzen der Deutschen vieles vertan und verdorben. Das Entscheidende bleibt unverloren, weil es in unsere höchste Dichtung einging, in unsere Überlieferung: Terpsichore hat Mnemosyne beerbt.
Ausgeholzt war der deutsche Märchenwald. Schon verstummten in seinen Wipfeln die gefiederten Lieder; sein uralt-heiliges Erdreich durchwühlten die Wasser, verwehte der Wind. Da senkte die deutsche Dichtung ihre Wurzeln in diesen Boden, er gewann wieder Festigkeit, neue mächtige Bäume wuchsen daraus empor, und Goethes Jugendlieder nisteten im frischen Gezweig. Was war geschehen? Die Erinnerung war erwacht. Nun mischte sich des Knaben Wunderhorn unter die Stimmen der Völker.
Und unter den grünen Tannen des ehrwürdig-wunderbaren Haines tanzt Terpsichore mit ihren lieblichen Schwestern: für uns.

LUDWIG TIECK

GOETHE UND SEINE ZEIT

Goethe war der wahrhafte deutsche Dichter, der sich nach langer Zeit nach Jahrhunderten wieder zeigte.
Kein Land in Europa hat darin ein so sonderbares und hartes Schicksal erlebt, daß nach dem glänzenden Zeitpunkt des dreizehnten und vierzehnten Jahrhunderts seine Dichtkunst so zerrissen, abgebrochen, wie vernichtet wurde und sich schwach, ungenügend und später nur Fremdes nachahmend wieder zum Leben und ihrer Bestimmung zurückfinden konnte. Bald lateinisch, holländisch, französisch, spanisch — immer ungewiß, immer ohne Bezug auf das Leben und die Gesinnungen, mehr Rarität (höchstens Luxus) als Kraft und Fülle des Daseins, die sich behaglich und freudig kundgibt, um das Leben wieder zu erhöhen. Vaterland, Geschichte, deutsche Sitte, Familien- wie Staatsleben war längst in unsern Gedichten erloschen.
Inwiefern Deutschland, seine Eigentümlichkeit und Tüchtigkeit verschwunden war, ist eine andere und hier abzuweisende Frage. Sowie Goethe nur die Augen auftat und sie andern wieder öffnete, war Deutschland unmittelbar auch da, und soviel herrliche Anlagen, Trefflichkeit, Gesinnung und Gemüt, Herzlichkeit und Wahrheit, kurz, soviel eigentümliche Kennzeichen, die den Deutschen kundgeben und von allen Völkern so sicher absondern, zeigten sich auf einmal, daß der Erweckte sich selbst anstaunte, in einem solchen Lande der Wunder, in einer solchen poetischen Gegenwart zu leben. Es ist kein Bild mehr, daß ein Frühling mit unzähligen Blüten und Blumen aus allen Zweigen, Wäldern und Fluren drang — und der trockne, alltägliche Kleinstädter verdutzt dastand und seinen Gesinnungen nur in Zweifel und Tadel oder in Hoffnung, daß dieser törichte Blütensegen mit der Zeit abfallen würde, Luft machen konnte.
Denn nicht das Talent und die Vollendung ist es allein, die Goethe, mit dem also nach meiner Einsicht die neue deutsche Poesie anhebt, charakterisiert, sondern die deutsche Gesinnung, die Verklärung des Volks und Vaterlandes, das durch ihn gleichsam im Bewußtsein erst entstand und entdeckt wurde. Wer hatte vor ihm auf diese deutsche, naive, zarte, sinnliche und wehmütige Weise von der Liebe gesprochen? Wer hatte sich nur träumen lassen, daß man alte Erinnerungen, erloschene Verhältnisse so für die Phantasie beleben könne? Allenthalben, wo trockne Steine, dürre Heide, Langeweile und das traurige Altfränkische gewesen waren, kamen Geister, hold und freundlich, um den Menschen wieder zu dienen, sowie der Glaube an sie wieder bei den Sterblichen eingekehrt war. Über Lebensverhältnisse, Religion, die Herrlich-

keit unserer deutschen Baukunst, über deutsche Natur ließen sich Lebensworte vernehmen ...
Unsere ganze Literatur hat durch Goethe, bis in die schwächsten Autoren hinab, ihren Ton bekommen, denn er hat allen die Zunge gelöst.

JOHANN WOLFGANG GOETHE

Wald und Höhle

Faust *allein.* Erhabener Geist, du gabst mir, gabst mir alles,
Worum ich bat. Du hast mir nicht umsonst
Dein Angesicht im Feuer zugewendet.
Gabst mir die herrliche Natur zum Königreich,
Kraft, sie zu fühlen, zu genießen. Nicht
Kalt staunenden Besuch erlaubst du nur,
Vergönnest mir, in ihre tiefe Brust
Wie in den Busen eines Freunds zu schauen.
Du führst die Reihe der Lebendigen
Vor mir vorbei und lehrst mich meine Brüder
Im stillen Busch, in Luft und Wasser kennen.
Und wenn der Sturm im Walde braust und knarrt,
Die Riesenfichte, stürzend, Nachbaräste
Und Nachbarstämme quetschend niederstreift
Und ihrem Fall dumpf-hohl der Hügel donnert,
Dann führst du mich zur sichern Höhle, zeigst
Mich dann mir selbst, und meiner eignen Brust
Geheime, tiefe Wunder öffnen sich.
Und steigt vor meinem Blick der reine Mond
Besänftigend herüber, schweben mir
Von Felsenwänden, aus dem feuchten Busch
Der Vorwelt silberne Gestalten auf
Und lindern der Betrachtung strenge Lust.

O daß dem Menschen nichts Vollkommnes wird,
Empfind ich nun! Du gabst zu dieser Wonne,
Die mich den Göttern nah und näher bringt,
Mir den Gefährten, den ich schon nicht mehr
Entbehren kann, wenn er gleich, kalt und frech,
Mich vor mir selbst erniedrigt und zu Nichts,

Mit einem Worthauch, deine Gaben wandelt.
Er facht in meiner Brust ein wildes Feuer
Nach jenem schönen Bild geschäftig an.
So tauml ich von Begierde zu Genuß,
Und im Genuß verschmacht ich nach Begierde.

EDUARD SPRANGER

»... und meiner eignen Brust Geheime tiefe Wunder öffnen sich.«

Goethe hat den Monolog des Zwischenspiels »Wald und Höhle« im ersten Teil des »Faust« stehen lassen, obwohl er einer älteren Konzeption der Dichtung entstammt und nicht mehr ganz an diese Stelle paßt. Allenfalls bedeutet er einen Augenblick der Selbsteinkehr, einen Ruhepunkt vor der tragischen Wendung. Die Tiefe seines Gehaltes und der Glanz der Sprache rechtfertigen vor dem mitschwingenden Gefühl, was dem Nachdenken als störend erscheint.

Der ewige Rhythmus von Ausdehnung und Zusammenziehung, von Einatmen und Ausatmen, der Goethes ganze Lebensbewegung durchpulst, waltet auch hier. Fausts Seele strömt in die Natur hinaus und umfaßt sie mit beglückendem Verwandtschaftsgefühl. Aber das Antifugato fehlt in dieser Fuge, in diesem Gefüge des Daseins, nicht. Der Mensch bedarf auch wieder der Geborgenheit. Er zieht sich in die »sichere Höhle« zurück, die hier wie sonst, z. B. in Pestalozzis »Abendstunde eines Einsiedlers«, nur ein Gleichnis für die Einkehr in sich selbst ist.

»Dann führst du mich zur sichern Höhle, zeigst
Mich dann mir selbst, und meiner eignen Brust
Geheime tiefe Wunder öffnen sich.«

Ein berühmter Augenblick der europäischen Geistesgeschichte könnte fast als Vorbild der Szene gelten, wenn nicht ein allgemeines Gesetz zugrunde läge: Petrarca, einer der ersten modernen Bergsteiger, ruht auf dem Gipfel des Mont Ventoux in den Cevennen aus. Sein Blick schweift über das Tal der Rhône bis zu dem Golf von Lyon, wo Meer und Himmel verschweben. Aber er nimmt sogleich Augustins »Konfessionen« aus der Tasche und liest mit Bewegung die Stelle: »Da gehen die Menschen hin und bewundern die

Gipfel der Berge, die gewaltigen Fluten des Meeres, die Flüsse, die in breitem Strom sich ergießen, die Weiten des Ozeans und den Umlauf der Gestirne, vernachlässigen aber sich selbst und wundern sich nicht darüber, daß ich ja das alles nicht mit meinen Augen sah, als ich davon sprach, und doch nicht davon spräche, wenn ich nicht Berge und Ströme und Gestirne ... und den Ozean ... i n n e n in meinem Gedächtnisse in der gewaltigen Ausdehnung sähe, als ob ich sie draußen mit meinen Augen erblickte.« (X, 8)
Hier ist es die Mächtigkeit der Seele, das ganze Universum in sich zu fassen, die zum Gegenstand frommer Bewunderung wird. In Giordano Bruno, Leibniz, Herder klingt dies jubelnde Allgefühl fort: ich trage die ganze Welt in meiner Seele! Der Mikrokosmos birgt den Makrokosmos in sich. Bei Goethe, in jenem Monolog, drängt sich schon stärker das Moment der Beschränkung hervor: nach der kosmischen Einsfühlung bedarf es auch wieder der Sammlung, des Ruhens im eigenen Mittelpunkte. »So wunderbar ist das Leben gemischt.« —
Auf diesem Hintergrunde zeichnet sich für uns die erregende Gegenwartsfrage ab, was wir von der deutschen Innerlichkeit überhaupt zu halten haben. Nicht selten, und vorzugsweise von den westlichen Nationen her, wird das Urteil gefällt, gerade in ihr liege die deutsche Schwäche: die Deutschen wollten nie recht aus dem still in sich verborgenen Leben heraus; deshalb seien die Besten unter ihnen unpolitisch und überließen das Schicksal von Staat und Volk unberufenen Freibeutern, die sich dann des Machtapparates bedienten und — wie die Katastrophe zeigt — die ganze Welt mit ihrem verantwortungslosen Treiben ins Unglück stürzten. Selbst Max Scheler, ein Philosoph von augustinischer Richtung, hat schon am Ende des ersten Weltkrieges einen Feldzug gegen die deutsche Innerlichkeit geführt. Eine andere Gruppe aber behauptet, all unser Unheil rühre davon her, daß wir die geistigen Güter, die unsere wesentliche Stärke ausgemacht haben, verraten hätten und seit etwa hundert Jahren einem Prozeß der Veräußerlichung verfallen wären. Der deutsche Idealismus habe nun einmal den Ausdruck unseres besten Wesens bedeutet. Mit dem Abfall von ihm, den manche den »Zusammenbruch des deutschen Idealismus« nennen, habe im Grunde schon der Abstieg begonnen. So sei z. B. der Verlust der großen deutschen Philosophie nicht ihrem verfehlten Gehalt oder ihrer Weltfremdheit zuzuschreiben, sondern dem Versagen der Menschen und Köpfe, deren tragende Kraft dem hohen Sinn dieser Systeme nicht mehr gewachsen gewesen sei.
Die farblose Gegenüberstellung von Innerlichkeit und Äußerlichkeit wird nicht ausreichen, um eine Stellungnahme zu dem großen Problem herbeizuführen. Schwerlich wird man einem Goethe vorwerfen, er sei in unfruchtbarer Innerlichkeit befangen geblieben. Nicht zufällig war es in jenem Ausgangsmonolog die allbelebte Natur, die den Weg zu den geheimen tiefen

Wundern »zeigte«. Nur in dem beseelten Wechselspiel zwischen Natur und innerer Einkehr entfaltete sich die Dynamik seines Lebens. Und wenn damals noch die Natur die bevorzugte Lehrmeisterin des Dichters war, so traten später, wie bei Herder, Geschichte und Gesellschaft entschiedener hinzu. Der Mittelpunkt des Erlebens, Auslegens und Formens blieb freilich die Seele — aber eine Seele, die den Gehalt der gestaltenreich sich wandelnden Welt tief in sich hineingenommen hatte. Es besteht die Vermutung, daß von der Stunde an, in der man der Natur ihre lebendige Seele nahm und sie im Dienste der Technik nur auf ihren Mechanismus hin untersuchte, auch die menschliche Seele entleert und arm geworden sei . . .
Es ist eine metaphysische Haltung zum Leben, wenn man von den »geheimen tiefen Wundern« der eigenen Innerlichkeit noch zu reden wagt. Und wenn es heißt, daß sie »sich öffnen«, so liegt darin geradezu etwas von einem Offenbarungsvorgang. Aber auch hier sind zwei Auffassungen möglich. Entweder nimmt man an, die äußere Welt, in die die Seele sich verflochten findet, sei der einzige Quell solcher Erschließungen, und es komme nur darauf an, mit einem treuen und liebevollen Blick ihr die Offenbarungen abzulauschen, die sie und sie allein gewährt. Oder man schreibt der Seele noch eigene, nicht mehr innerweltlich gebundene Organe zu, vermöge deren sie mit einer höheren, ewigen Sphäre in Verbindung steht. Zu der ersten Auffassung hat sich Goethe auf seiner Lebenshöhe bekannt; zur anderen der Herzensfreund seiner Jugend und spätere Antipode: Friedrich Heinrich Jacobi. Es war ein leidenschaftlicher Streit, der zwischen dem Naturgläubigen und dem Naturverächter spielte. Jeder von ihnen setzte *seine* Auffassung von »Seele« als alleingültig voraus: Goethe die naturumfangene, vom verwandtschaftlich nahen Allgeist getragene; Jacobi die in einer anderen Welt beheimatete, zum Jenseits geöffnet »vernehmende«. Aber hier ging es doch überhaupt noch um die Seele als den Brennpunkt menschlicher Schicksale, während ein bis zwei Menschenalter später die Innenwelt vom Mechanismus der Technik und des Sozialgetriebes zerrieben wurde. Beide Denker glaubten noch an die Zentralstellung der Persönlichkeit, durch die — gemäß der Ableitung des Wortes von personare (hindurchtönen) — ein höherer metaphysischer Gehalt hindurch»töne«. Hegel vollzog dann mit seinem stets unterschätzten Wirklichkeitssinn die großartige Synthese, nach der die Persönlichkeit ebensowohl von dem großen überindividuellen Prozeß des Allgeistes getragen wird, wie sie ihn in sittlicher Verantwortung mitträgt. Allerdings kam dabei der einzigartige Moment der Entscheidung auf der Schwelle des Augenblicks noch zu kurz. Aber die Seele blieb doch der Mittelpunkt der Welt, und sie war noch immer die Unendlichkeit, die durch Entäußerung und Leiden und Zerrissenheit die Wiederherstellung des Göttlichen in ihrer Tiefe erkämpfte.

Das alles ist in Deutschland verlorengegangen, und nicht nur in Deutschland, sondern in der ganzen modernen Kulturwelt. Für die geheimen tiefen Wunder der Innerlichkeit ist in ihr kein Raum mehr. Gewiß, wir sind gescheitert, weil wir schlechte Politik und Schlimmeres als dies gemacht haben. Aber das ist nur eine Vordergrundansicht. Die entscheidenden Ursachen liegen tiefer. Sie liegen im Verlust der metaphysischen Bindungen, mögen sie sich als Philosophie oder als Religion aussprechen. Das Göttliche hat deshalb nicht darauf verzichtet, in der Welt zu walten; aber es findet in der Bewußtseinsverfassung des Menschen von heute keinen Zugang mehr: »Dein Sinn ist zu, dein Herz ist tot.« Das irdische Getriebe mag noch eine Zeitlang in den bisherigen Bahnen weitergehen; es wird sich nur als wechselndes äußeres Geschehen abwickeln können, weil es »seelenlos« geworden ist. Hört aber die Welt auf, in den Angeln einer höheren Macht zu hängen, so hat sie unwiderruflich ihre gesunde Gravitation verloren.
»Im Innern ist ein Universum auch« — dies ist das einzige Wort Goethes, das ihn auf eine überraschende Art mit Augustinus verbindet:

Sofort nun wende dich nach innen,
Das Zentrum findest du da drinnen,
Woran kein Edler zweifeln mag.
Wirst keine Regel da vermissen:
Das selbständige Gewissen
Ist Sonne deinem Sittentag.

Das klingt schon anders und kräftiger als die Botschaft von der allumfangenden Natur, die alles schenkt und allen Sinn erschließt. Gelänge es uns, wieder aus diesem Mittelpunkt heraus zu leben, so brauchten wir uns der deutschen Innerlichkeit nicht zu schämen. Vor allem: das Gewissen schweigt nicht, wo die Politik anfängt. Wohl aber enden die Staaten, wo gewissenlose Politik gemacht wird. »Meiner eignen Brust geheime tiefe Wunder öffnen sich« nirgends, wo das Band zum Metaphysischen — die Römer nannten es »religio« — zerschnitten ist. Oder mit einem Wort, das denen, die zu hören vermochten, in der abgelaufenen Zeit täglich im Ohr geklungen hat: »Was hülfe es dem Menschen, wenn er die ganze Welt gewönne und nähme doch Schaden an seiner Seele?«

CARL J. BURCKHARDT

Aus der Rede über Goethes Idee der Gerechtigkeit

... Es war im Jahre 1920, daß ich zum ersten Male Weimar betreten habe. Ich fuhr damals im Wagen von Wien durch Böhmen über Prag und Dresden mit einem unvergeßlichen deutschen Freund, welcher ohne Furcht und Tadel vom ersten bis zum letzten Tage den Feldzug des ersten Weltkrieges mitgemacht hatte, immer in den schlimmsten Ecken, und kein Haar war ihm gekrümmt worden; eine ritterliche Gestalt, geschaffen zum mutigen und heiteren Bestehen auch des harten Lebens; ein halbes Jahr nach dieser Fahrt erhielt ich die Nachricht von seinem Tode durch einen uns sinnlos erscheinenden Unfall.

Als wir beide damals Weimar plötzlich mit Augen sahen, war es schon Abend geworden, ein schöner, heller Sommerabend. Wir hatten angehalten und hatten uns auf einem Hügel bei einer altertümlichen Windmühle ins Gras gesetzt; die Flügel der Mühle standen still, groß und dunkel vor dem leuchtenden westlichen Himmel, der bald verlöschen sollte; drunten lag die Stadt an der Ilm, eingebettet in ihr stilles Tal, aus dem schon die Schatten stiegen. Allmählich entzündeten sich da und dort die Lichter, aus den Gründen erhob sich ein leichter Nebel; aber unser Hügel lag noch im Licht.

»Könntest du sagen«, fragte mich mein Begleiter, »wann dir zum erstenmal bewußt wurde, was dort unten für uns geschehen ist?«

Ich mußte weit zurückdenken in der Erinnerung, und ich sah mich als Kind im ersten Schulbeginn. Ich hatte meinen Vater — auch an einem Sommerabend — lesend im Garten getroffen.

»Was liest du?« fragte ich ihn.

Er schaute vom Buche auf: »Den Untergang der Helden von Troja lese ich«, sagte er. Es war Schillers Übersetzung von Virgils Aeneis.

»Lies mir etwas!« bat ich. Und er las die Übertragung jenes:

> Infandum, Regina, jubes renovare dolorem.
> O Königin, du weckst der alten Wunde
> Unnennbar schmerzliches Gefühl.

Nein, ich konnte noch nicht verstehen; aber zum erstenmal ergriff mich in wunderbarer Weise und bis auf den Grund die Herrlichkeit unserer geliebten Sprache; denn ich trat gewissermaßen von ihrem Rande aus unserer alemannischen Mundart an sie heran. Ich konnte die durch solch einfachen Rhythmus erreichte Hoheit, den Klang, das Unaussprechliche, das über diesen zehn Worten waltet, nicht mehr wegnehmen aus den Tiefen des Bewußt-

seins, in welche es sich gesenkt hatte. Immer wieder wie eine große Grundstimmung bemächtigte es sich meiner, und einige Jahre später nahm ich mir ein Herz, erwähnte meine Erschütterung von damals und fragte:
»Ist das der schönste Vers der deutschen Sprache?«
Mein Vater war überrascht. »Der schönste Vers? So etwas gibt es nicht, wenigstens in unserer Sprache nicht.« Und er berichtete, wie im Laufe des Lebens bald dieser, bald jener Vers unserer großen Dichtung wie helfende Genien ihm zur Seite gestanden hätten, und nachdenklich sagte er: »Durch die Musik werden sie auch aufgerufen.« Und er erzählte: »Als ich als junger Göttinger Student zum erstenmal nach Weimar kam und mit meinen Gedanken beschäftigt durch die Straßen ging, da klang aus einem offenen Fenster Musik, so hergeweht — einige Takte .. Ein Unbekannter ging vorüber, hielt mich am Arme fest und sagte: ›Bleiben Sie stehen, junger Mann‹, dann hob er den Finger und zeigte in die Richtung des Fensters: ›Franz Liszt spielt!‹ Ja, Franz Liszt spielte den langsamen Satz aus Beethovens Waldstein-Sonate; ich gehorchte und hörte aufs angespannteste zu. Jeden Ton hörte ich, als spräche jeder Finger des Meisters seine eigene Sprache — und ganz leise löste dieses Spiel, löste die Cantilene Beethovens aus meinem Gedächtnis die Verse aus dem ersten Faust:

> Wenn über schroffen Fichtenhöhn
> Der Adler ausgebreitet schwebt,
> Wenn über Flächen, über Seen
> Der Kranich nach der Heimat strebt ...«

In einfacher, ungebrochener Weise noch vermochten es die jungen Menschen jener Generation, der mein Vater angehörte, vor dem unermeßlichen Reichtum unserer eigensten Welt zu staunen, jenem Reichtum, den kein äußeres Geschehen, nur unsere innere Verwirrung und Krankheit, innerer Zerfall uns rauben kann.
Damals auf unserer Reise betraten wir Weimar bei Nacht, und wir gingen noch bis zum Gartenhaus über die stillen Wege des Parks.
»Im Krieg und auch jetzt, wo nun alles und in dieser Weise vorüber ist, hat er mir viel geholfen«, sagte mein Freund. (Er meinte den einstigen Bewohner des Gartenhauses.) »Es ist etwas in ihm — ich vermag es mir noch nicht ganz aufzuschließen —, was alles sinnvoll macht und auf weite Sicht alles gerecht und sicher. Es ist keine Lehre, man kann es nicht da oder dort vorfinden, es ist auch kein Gesetz; es ist mehr als alles Gesetzliche; ich kann es nicht ausdrücken; es ist der Sinn, den er plötzlich erkennt, der ihm aus den Dingen und dem Geschehen entgegenleuchtet.«
So sprach damals ein junger Heimkehrer aus dem ersten Weltkrieg, ein

Mann, der keine philosophischen Kenntnisse besaß und wenig bewandert war in den unendlichen Betrachtungen der immer wieder gestellten großen Grundprobleme, ein Mann, der schon bald nach jenen Weimarer Tagen Gegenwart und Zeit verlassen mußte, ohne die Wanderung im Irrgarten menschlicher Meinungen und Deutungen beginnen zu können, ein Mann, der seine Gedanken oder seine Empfindung nicht deutlich zum Ausdruck bringen konnte. Bei Goethe aber hatte er die helfende Kraft gespürt, die von diesem trotz aller scheinbaren Bildungspopularität so einsamen und äußerst geheimnisvollen Ingenium ausgeht. Er hatte auch gespürt, daß Goethe etwas sehr Seltenes vollbracht hatte unter den Großen seines Volkes, daß er sich der »conditio humana« ohne metaphysischen Aufruhr und mit Dankbarkeit unterzogen hatte.

Goethe ist das künstlerische Ingenium, welches denkend sieht und seherisch denkt; er ist ein bezauberter, zaubernder Lauscher, ein in allen Formen der Erscheinungswelt hellsichtig lesender, beständig formenschaffender Sänger und dabei ein mit kraftvollem Menschenverstand begabter, maßhaltender Weiser, der mit allem sinnlich Erkennbaren in heiterstem Austausch steht. Ein frommes Staunen im Sinne der Griechen, eine antike »pietas« stellen ihn in das würdigste Verhältnis zu Menschen und Dingen, und aus der ernsten Achtung, mit welcher er allem Vortrefflichen begegnet, baut sich seine eigene Würde auf.

In den grandiosen Kreis zum europäischen Mythos gewordener Figuren, in den Kreis der Verkörperung menschlicher Grundtypen hat Goethe eine neue, ein ganzes Geschichtsalter vorausgreifende Figur hineingestellt; zu den Siegfried und Hagen, den Lear und Hamlet, zu Don Quijote und Sancho, zu Don Juan sollte er den deutschen Doktor, den Dr. Faust, gesellen; es folgen dann später noch manche andere aus anderer Schöpferhand, Rastignac und Julien Sorel, und lautlos trat auch der unheimliche Schatten Ivan Karamasows hinzu. Der überdimensionierte goethesche Zauberer aber hat in Wesen und Wirken das ganze Zeitalter beschworen, in dem wir noch mitten drin stehen. Er ist mehr als ein gesteigerter Grundtypus; er ist die Zusammenfassung einer kollektiven Seele.

Mit dem Faust hat Goethe die Tragödie der Ungeduld geschrieben, des unersättlichen Wollens, der trügerischen Sättigung. Die Tragödie des Widerwillens und des Überdrusses, des heischenden, aufbegehrenden Willens, das Drama des Magiers und auch des Massenführers, und um ihn herum, in seiner Welt, beruft der Dichter das Wesen des allmächtigen Staates mit seinen Listen und Waffen, das Drama der Technik und ihrer gehäuften Horte und Schätze, das Drama auch der Leere, des Nichts, das am Ende all dieser Erscheinungen einsetzt; der Faust ist das Werk, an welchem Goethe lebenslang schuf.

Und er hat es zu Ende geführt, dieses Kompendium heischender Ungeduld; er, der Geduldige, maßvoll stetig Wirkende und Erkennende; er, der Mann, welcher seine eigenen Leidenschaften, seine eigenen Triebe immerzu in still wirkende Schöpferkraft umsetzte; er, in dem alles zu Weisheit wurde, zu Ausgleich, zu geistesmächtiger Vermittlung.

Ich erinnere mich an die schematischen Rezepte, welche uns auf den Schulen einst zum Verständnis der durch ihre Dimension und ihre Ubiquität unfaßlichen Gestalt Goethes mitgegeben wurden. Als ein Lehrgedicht erschien sein Leben, in welchem Apollo über Dionysos siegt, als ein Epos in zwei Teilen, in welchem zuerst ein tollkühner Jüngling erscheint, der an die Welt sich verliert, der Tücken und Gefahren, mit denen die dunklen Mächte ihn umgeben, uneingedenk, frevelnden Sinnes fortstürzt, bilderstürmend, ja willentlich barbarisch — und dann plötzlich im zweiten Teil des Gedichtes: ein anderer, durch die Begegnung mit Italien ein Verwandelter, klar durchleuchtet, maßvoll, mäßigend, ordnend.

Persönlichkeit aber läßt sich nie durch solche Antithesen, solch psychologischen Rollenwechsel erklären; Persönlichkeit heißt Einheit innerhalb der Spannung, Einheit im Widerspruch; in Goethe wirken lebenslang ungeheure, qualvolle Gegensätze; sie wirken in ihm, wie sie in der Natur wirken, in welcher jedes unterscheidbare Element, indem es sich andern entgegensetzt, schließlich frei und geheimnisvoll an der Einheit mitwirkt. Aber er beherrschte die eigenen Mächte und Gegenmächte wie einen Kosmos . . .

. . . Als im Jahre 1932, am 30. April, bei Anlaß der Jahrhundertfeier von Goethes Tod der französische Dichter Paul Valéry in der Sorbonne die Goethe-Rede hielt, sagte er: »Einige Männer vermitteln uns die Vorstellung oder vielleicht die Illusion von dem, was diese Welt und vornehmlich Europa hätten werden können, wenn eine Durchdringung politischer Macht und geistiger Macht möglich gewesen wäre — oder wenigstens wenn diese Mächte weniger schattenhafte Beziehungen unterhalten hätten.«

Von diesen paar Männern erscheinen die einen mir im zwölften und dreizehnten Jahrhundert; andere haben den Aufschwung und den Glanz der Renaissance bewirkt; die letzten, welche noch im achtzehnten Jahrhundert geboren sind, verlöschen mit den letzten Hoffnungen, die eine bestimmte Zivilisation vor allem auf den Mythos der Schönheit und auf jenen der Erkenntnis gegründet hatte — auf die beiden Errungenschaften der alten Griechen.

Goethe ist einer von ihnen. Und ich muß sogleich bekennen, daß ich nach ihm keinen andern mehr erblicke. Nach ihm verkümmern die Umstände, welche der einzigartigen universellen Größe des Menschen günstig waren.

Auch das hatte Goethe selbst gewußt, und auch das hat er ausgesprochen;

Sie alle hören den Ausklang der erstaunlichen und strengen Briefstelle an Zelter über das neunzehnte Jahrhundert:
»Laß uns so viel als möglich an der Gesinnung halten, in der wir herankamen; wir werden mit vielleicht noch wenigen die letzten sein einer Epoche, die so bald nicht wiederkehrt.«
Alle Kulturen sind sterblich, und jede, wenn sie verschwindet, nimmt etwas von ihrem Geheimnis mit sich fort.
Falls unsere europäische Geistesgeschichte, unsere geistige Leistung einmal in viel späteren Epochen von Nachgeborenen sollte betrachtet und beurteilt werden — heute so, morgen anders — im Wandel jener weit vor uns liegenden Zeiten, so dürfen wir hoffen, daß diese Betrachtung unsere gemeinsame Leistung zu ihrem Gegenstande nehmen wird und nicht unsere Fehden. So haben wir es mit den Griechen gehalten; ihr schöpferisches Wirken haben wir von wechselnden Gesichtspunkten aus bestaunt und zu erkennen gesucht; als dunkle Folie nur erschienen uns ihre Bruderkämpfe, die sie entkräfteten und schließlich verschwinden ließen.
Bei dieser möglichen, in der Zukunft liegenden Betrachtung werden manche unserer Nachfahren vielleicht den Preis jener Gefühlsgewalt zuerkennen, von welcher heute noch unsere Kathedralen zeugen, andere vielleicht die Kühnheit bewundern unserer unentwegt vordringenden Forschung, welche mit Hilfe jener ungeheuren Methode der Mathematik unsere scheinbare Herrschaft über die Natur errang. Manche werden verweilen vor den Werken der Dichtung, der Kunst, der Musik, andere vielleicht werden nur anerkennen, daß wir schließlich den Mut aufbrachten, voraussetzungslos einfach zu existieren, und noch andere — wer weiß —, daß wir bereit waren, entscheidende Teile unseres Erbes hinzugeben für das Ziel sozialer Gerechtigkeit.
Was liegt an diesen Urteilen? Wirklich nahekommen wird unserm eigentlichen Geheimnis nur jener, welcher sich an die Kraftlinien anzuschließen vermag, die wie in einem Sternbild zwischen jenen großen Individuen wirken, die der französische Dichter meint, und von denen einer der größten der Sohn der Stadt Frankfurt ist, der in unserer Sprache zu uns redet.
Heute ist es, als seien wir aus dem ungeheuren Getöse der letzten zehn Jahre für eine kurze Weile zur Besinnung in die Stille gelangt, in eine düstere Stille voll von Drohung und Not. Welch eine unermeßliche Summe menschlichen Leidens, menschlicher Willensleistung und welch scheinbare Verhältnislosigkeit, in welcher zu all dem Erduldeten und Geleisteten die Ergebnisse stehen, welche die Generation überall eingetauscht hat! Aber in diesem Augenblick der Stille dürfen wir aufhorchen und dürfen jene Stimme hören, die während des Tumultes geschwiegen hatte und die uns sagt — daß jeder an seiner Stelle, an seinem Ort, zu seiner Zeit alles übrige gleichwägt und daß auch nach anderem Maß, nach anderer Zahl als den uns vertrauten,

den uns sichtbaren Maßen und Zahlen gemessen wird, die auch zu uns spricht:

Und das Geschlecht des alten Tantalus
Hat seine Freuden jenseits der Nacht.

Indem wir wieder aufhorchen, lassen wir heilende Kräfte auf uns wirken in vertrauten Worten, in dichterischen Worten und somit in jenen, welche durch alle Not hindurch immer die Fähigkeit zur Auferstehung besitzen.

CARL FRIEDRICH VON WEIZSÄCKER

Goethe und die Natur

Rede, gehalten in der Paulskirche bei der Verleihung des Goethe-Preises der Stadt Frankfurt am Main am 31. August 1958

Darf ich mit einigen persönlichen Sätzen beginnen?
Ich danke Ihnen für die Verleihung dieses Preises und für die wohlmeinenden und ehrenden Worte, mit denen Sie, Herr Oberbürgermeister, soeben diese Verleihung begründet haben. Diese Worte waren für mich bewegend, zumal da sie in einer Weise beschämend waren. Ich fühlte mich Ihnen gegenüber ein wenig wie der Jüngling, an dem man nach Goethe das liebt, was er verspricht. Außer einigen naturwissenschaftlichen Spezialarbeiten, die mir Freude gemacht haben, habe ich noch nichts von dem zu Ende gebracht, was ich mir vorgenommen habe. So hätte ich es verstanden, wenn Sie die Entscheidung, ob Sie mir diesen Preis verleihen wollten, um dreißig Jahre vertagt hätten. Nach Ablauf dieser Zeit hätten Sie fragen können, ob es mir gelungen sei, die klassischen Probleme der Philosophie an Hand der Ergebnisse der modernen Naturwissenschaft noch einmal zu durchdenken. Und da Sie den Ernst der Politik berührt haben: dann hätten Sie vielleicht fragen können, ob die Anstrengungen vieler Menschen, denen ich mich angeschlossen habe, geglückt oder gescheitert seien; die Anstrengungen, eine Weise des Lebens und Denkens zu finden, die der Menschheit erspart, sich mit selbsterfundenen Mitteln unermeßliches Leid, vielleicht die Vernichtung zu bringen.
Was mich bewogen hat, den Preis bedenkenlos, so wie er geboten wurde,

nämlich jetzt, anzunehmen, war vielleicht am meisten seine Verbindung mit dem Namen des einen Dichters deutscher Sprache, der mich von Kindheit an begleitet hat, dem Namen Goethes. Wohl haben mich, als ich jung war, der schmale, hoch steigende Strahl der Hymnen Hölderlins, die magisch gewaltsame Wortfügung Georges oder ein Vers Mörikes, der uns anblickt wie ein aufgeschlagenes Auge, fast ebenso tief berührt wie Goethes Werk. Wohl habe ich später die große denkerische Seele Schillers, die männliche Klugheit Lessings verstehen gelernt; wohl habe ich mir endlich bewußt gemacht, wie ich — so wie wir alle, die wir deutsch denken, reden und schreiben — im Grund der Lutherbibel wurzele, und habe begonnen, aus dem naiven Reichtum der Gläubigkeit Paul Gerhardts mitzuleben. Aber der eine Dichter unter den Deutschen, von dem ich meinte, er spreche so, wie es dem Menschen natürlich ist, blieb Goethe. Als Bürger des zwanzigsten Jahrhunderts habe ich andere Sorgen, andere Bekenntnisse, andere Ziele als er; wenn ich meiner Zeit und Einsicht treu bin, so muß ich mich mit ihm streiten; aber er, und er allein, bleibt mir im Reich der Sprache die Heimat.

Ich habe von Goethe, dem Dichter, gesprochen. Kann ich als einer, der die Naturwissenschaft unseres Jahrhunderts gelernt hat, mich auch bei Goethe, dem Naturforscher, zu Hause fühlen? Indem ich die Frage stelle, werden Sie spüren, daß ich zaudere, sie zu beantworten. Viele aufrichtige Handwerker der heutigen abstrakten Wissenschaft werden den Ausweg einer Spaltung des Lebens wählen: überlaßt es der Wissenschaft, zu erkennen, wie die Welt funktioniert, und erquickt die andere Seite eures Wesens am farbigen Glanz und am Tiefsinn der Kunst. Wer aber so Dichtung und Wahrheit, Kunst und Natur voneinander trennt, bleibt auch dem Künstler Goethe fern. Nehmen wir auch nur eine Verszeile Goethes völlig ernst, so stehen wir vor der Frage, ob wir es vermögen, so wie er das Ganze als Ganzes zu sehen.

Lassen Sie mich beim Wort »Natur« anknüpfen. Ich meinte vorhin, Goethe spreche, wie es dem Menschen natürlich ist. Weil seine Sprache natürlich ist, ist sie unnachahmlich. Wer dürfte, wer könnte den elementaren Fluß seiner jugendlichen Verse oder gar die abgekürzte, hundertfach spiegelnde Bewußtheit seines Spätstils nachbilden? Natur ist für ihn die allbelebende Macht in jeweils einmaliger Gestalt, »geprägte Form, die lebend sich entwickelt«. Indem sie sinnlich gegenwärtige Gestalt ist, ist sie auch Gestaltwandel, ist sie Metamorphose, denn alles Gegenwärtige wandelt sich. Indem sie Gestaltwandel ist, ist sie die lebendige Einheit der Gegensätze. Diese Weise des Sehens zeigt sich in allen Einzelheiten seiner naturwissenschaftlichen Forschung. In der Fülle des gegenwärtig Sinnlichen entdeckte er die Erscheinungen, die wir subjektive Farben nennen. Geleitet vom Gedanken der Verbundenheit der Gestalten in der Metamorphose, fand er den mensch-

lichen Zwischenkieferknochen und schloß damit eine von den Anatomen behauptete Kluft zwischen dem Körperbau des Menschen und des Affen.
Aber nur einzelne seiner Beobachtungen wurden in den großen Bau der Naturwissenschaft aufgenommen. Zwischen Goethes Denken über die Natur und dem der neuzeitlichen Wissenschaft, das seinen Bogen von Galilei über Newton bis zu Einstein, Bohr und Heisenberg spannt, blieb eine unüberbrückbare Fremdheit.
Lassen Sie mich diese Fremdheit zuerst von außen, wie mit den Augen eines Unbeteiligten, beschreiben. Gegenüber den männlich kühlen Planungen, dem männlich grenzenlosen Ausgriff und dem männlich brutalen Zwang in der neuzeitlichen Wissenschaft und Technik hat Goethes empfangendes, harmonisierendes und individualisierendes Schauen einen weiblichen Zug. In ihm selbst war das Ewig-Weibliche angelegt. Nicht nur im Erfolg, sondern ebenso in den Grenzen seiner Naturwissenschaft läßt sich das zeigen. Er wollte die Gesteine nicht den Ausbrüchen des Feuers verdanken, sondern der sanft-unwiderstehlichen Gewalt des Wassers. Er sah schon lange den Gestaltwandel im Pflanzen- und Tierreich vor sich, aber der Kampf ums Dasein als die bittere bewegende Kraft dieser Entwicklung, wie Darwin sie uns verstehen lehrte, blieb ihm verborgen. Sein tief begründeter Zorn gegen Newton, der das lebendige Licht in einem verdunkelten Zimmer in Teile zerlegte, verwehrte es ihm, die klaren Worte des großen Engländers so aufzufassen, wie sie gemeint waren.
Aber nehmen wir unser Gleichnis ernst: das Männliche und das Weibliche sind gemeinsamer Herkunft und zu gemeinsamem Leben bestimmt. Dasselbe meine ich von Goethe und der neuzeitlichen Naturwissenschaft. Den gemeinsamen geistigen Raum, in dem sie sich bewegen, habe ich versucht, auf die Formel zu bringen: Platon und die Sinne.
Daß die sinnlich gegenwärtige Gestalt Abbild eines übersinnlichen Urbildes ist, dieser Gedanke Platons ist Goethe vertraut; ich meine, er sei sogar der Schlüssel zu dem sprachlichen Geheimnis seines Altersstils. Das letzte Gedicht des Buches Suleika, das beginnt

> In tausend Formen magst du dich verstecken,
> doch, Allerliebste, gleich erkenn ich dich

und endet

> Und wenn ich Allahs Namenhundert nenne,
> mit jedem klingt ein Name nach für dich

spricht unter dem Bilde der Geliebten die Natur und durch den Schleier der Natur Gott an. Aber wenn Platon in dem von sinnlicher Gegenwart gesättigten Land und Volk der Griechen den Nachdruck auf den Aufstieg zum Übersinnlichen gelegt hat, wendet Goethe in den »traurigen Nebeln des

Nordens« und in der wachsend unsinnlichen Abstraktheit der Neuzeit den Blick darauf zurück, wie in jedem Sinnending das Urbild gegenwärtig ist. Suleika sagt: »In mir liebt ihn, für diesen Augenblick.« Wer mit dem denkenden Auge eine Pflanze betrachtet, kann sie *als* Pflanze, kann in ihr die Pflanze schlechthin, die Urpflanze sehen. Goethe versteht intuitiv, was Psychologen unserer Zeit den »prädikativen Charakter der Wahrnehmung« genannt haben: ich sehe nicht Farbflecke, aus denen ich durch Abstraktion zum Dingbegriff käme, sondern im Wahrnehmungsvorgang ist meinem Bewußtsein schon das Ding als solches Ding, der Baum als Baum, die Träne als Kummer gegeben. Von einem Freund Goethes in unserer Zeit, dem Archäologen Ludwig Curtius, wird erzählt, das letzte Wort, das ein Mensch am Tage seines Todes aus seinem Munde gehört hat, sei an einen Studenten gerichtet gewesen, der die Altertümer Roms betrachten wollte: »Und vergessen Sie nie, man sieht nur, was man weiß.«
Auch die neuzeitliche Naturwissenschaft kann man auf die Formel bringen: Platon und die Sinne. Aber das platonische Urbild wandelt sich ihr unter dem Einfluß der aristotelischen Logik zum allgemeingültigen Gesetz und das Abbild zum Einzelfall, der unter das Gesetz fällt, der dem Gesetz genügt. So verstand sich Kepler und in seiner Weise auch Galilei als Platoniker, und dem nachdenkenden Physiker unseres Jahrhunderts begegnet das Rätsel des Urbilds, das unseren westlichen Religionen als das Geheimnis der Schöpfung erscheint, in wieder verwandelter Gestalt als das Wunder der durchgängigen Gültigkeit mathematischer Gesetze in der materiellen Welt. Einstein sagt: »Was versuchen wir, als *ihm* seine Linien nachzuziehen?«
Aber für Goethe wie für Platon ist die Gestalt das Ursprüngliche, und das Gesetz beschreibt nur, wie sie sich im Sinnending angenähert verwirklicht. Für unsere Wissenschaft ist das strenge Gesetz das Letzte, wozu wir vordringen können, und das Werden der Gestalten seine Folge. Für Goethe wurzelt das Gesetz in der Gestalt, für die Wissenschaft die Gestalt im Gesetz. Heute bin ich nicht weitergekommen, als daß ich Gemeinsamkeit und Gegensatz beider Denkweisen so bezeichnen kann. Vielleicht, wenn Glück mir beisteht, werde ich in dreißig Jahren mehr wissen.
Ist es wichtig, solche Gedanken zu denken?
Man sieht nur, was man weiß. Man tut auch auf die Dauer auf eine fruchtbare Weise nur, was man weiß. Die wissenschaftlich begründete Technik unserer Zeit reißt gewachsene Gestalten des Lebens ein. Sie ersetzt sie durch künstliche, nach einem rationalen Gesetz gebildete Gestalten. Wissen wir, was wir damit tun, wenn wir nicht wissen, wie Gestalt und Gesetz zusammengehören? Wenn ich ein wenig überspitzen darf: Können wir hoffen, die Atombombe oder die Ernährung von drei Milliarden Menschen zu verste-

hen und zu meistern, wenn niemand unter uns lebt, der versteht, wie Goethe sich zu Newton verhält? Ich würde denken, wir können es nicht hoffen.
Nun eine Schlußbemerkung, die uns zu dem Menschen Goethe zurückführt. Wenn ich sagte, man könne auf die Dauer nur tun, was man wisse, so könnte man mich fragen, ob ich damit noch auf Goetheschem Grund stehe. Goethe sagt, nur der Betrachtende habe Gewissen, der Handelnde sei immer gewissenlos:

All unser redlichstes Bemühn
glückt nur im unbewußten Momente ...

Er hat sich als Dichter glücklich gepriesen, daß er nie einen viel höheren Begriff von der Vollkommenheit eines Werkes gehabt habe als den dessen, was er in der jeweiligen Stufe seiner Entwicklung selber machen konnte. So durfte er in großartiger Bescheidenheit fortfahren:

Wie möchte denn die Rose blühn,
wenn sie der Sonne Herrlichkeit erkennte?

Wird Goethe hier zum Lobredner derer, die nicht wissen, was sie tun?
Ich glaube, die Antwort liegt in dem alten scholastischen Satz: operari sequitur esse; das Tun folgt dem Sein. Das Unbewußte im Sinne Goethes ist das, was aus dem sich formenden, aus dem geformten Wesen spontan entspringt. Nur wenn ich werde, der ich bin, kann ich tun, was ich weiß; das heißt es, daß das Urbild meines Wesens gegenwärtige Gestalt wird.
Denken und Tun sind also nicht das Letzte. Die Leidenschaft, zu denken, haben gerade die Deutschen seit langem gehabt, und wohl nie mehr als in der Zeit Goethes. Die Leidenschaft, zu handeln, ist ihnen eben damals neu erwacht und nie mehr erloschen. Goethe steht bewundert, aber fremd in der von diesen beiden Leidenschaften beherrschten Welt. Mag daran Goethes Scheu vor der Einseitigkeit, die zu einer Scheu vor der Entscheidung werden konnte, einen Teil der Schuld tragen; das, was ihn vor allem von den Parteiungen seiner Zeitgenossen trennte, war doch sein tieferes Wissen. Ist vielleicht Goethes schweigende Fremdheit gegen jene, die in Gedanken und Tat die Reife des Seins nicht abwarten, der verborgenste und größte Dienst, den er seiner und unserer Zeit geleistet hat?
Mit dieser Frage möchte ich schließen.

JOHANN WOLFGANG GOETHE

In tausend Formen magst du dich verstecken,
Doch, Allerliebste, gleich erkenn' ich dich;
Du magst mit Zauberschleiern dich bedecken,
Allgegenwärt'ge, gleich erkenn' ich dich.

An der Zypresse reinstem, jungem Streben,
Allschöngewachsne, gleich erkenn' ich dich
In des Kanales reinem Wellenleben,
Allschmeichelhafte, wohl erkenn' ich dich.

Wenn steigend sich der Wasserstrahl entfaltet,
Allspielende, wie froh erkenn' ich dich;
Wenn Wolke sich gestaltend umgestaltet,
Allmannigfalt'ge, dort erkenn' ich dich.

An des geblümten Schleiers Wiesenteppich,
Allbuntbesternte, schön erkenn' ich dich;
Und greift umher ein tausendarm'ger Eppich,
O Allumklammernde, da kenn' ich dich.

Wenn am Gebirg der Morgen sich entzündet,
Gleich, Allerheiternde, begrüß' ich dich
Dann über mir der Himmel rein sich ründet,
Allherzerweiternde, dann atm' ich dich.

Was ich mit äußerm Sinn, mit innerm kenne,
Du Allbelehrende, kenn' ich durch dich;
Und wenn ich Allahs Namenhundert nenne,
Mit jedem klingt ein Name nach für dich.

JOHANN WOLFGANG GOETHE

Bei Betrachtung von Schillers Schädel

Im ernsten Beinhaus war's, wo ich beschaute,
Wie Schädel Schädeln angeordnet paßten.
Die alte Zeit gedacht' ich, die ergraute.
Sie stehn in Reih' geklemmt, die sonst sich haßten,
Und derbe Knochen, die sich tödlich schlugen,
Sie liegen kreuzweis, zahm allhier zu rasten.

Entrenkte Schulterblätter! Was sie trugen,
Fragt niemand mehr. Und zierlich tät'ge Glieder,
Die Hand, der Fuß zerstreut aus Lebensfugen!
Ihr Müden also lagt vergebens nieder.
Nicht Ruh' im Grabe ließ man euch, vertrieben
Seid ihr herauf zum lichten Tage wieder,
Und niemand kann die dürre Schale lieben,
Welch herrlich edlen Kern sie auch bewahrte.
Doch mir Adepten war die Schrift geschrieben,
Die heil'gen Sinn nicht jedem offenbarte,
Als ich inmitten solcher starren Menge
Unschätzbar herrlich ein Gebild gewahrte,
Daß in des Raumes Moderkält' und Enge
Ich frei und wärmefühlend mich erquickte,
Als ob ein Lebensquell dem Tod entspränge.
Wie mich geheimnisvoll die Form entzückte!
Die gottgedachte Spur, die sich erhalten!
Ein Blick, der mich an jenes Meer entrückte,
Das flutend strömt gesteigerte Gestalten.
Geheim Gefäß, Orakelsprüche spendend,
Wie bin ich wert, dich in der Hand zu halten!
Dich höchsten Schatz aus Moder fromm entwendend,
Und in die freie Luft, zu freiem Sinnen,
Zum Sonnenlicht andächtig hin mich wendend.
Was kann der Mensch im Leben mehr gewinnen,
Als daß sich Gott-Natur ihm offenbare,
Wie sie das Feste läßt zu Geist verrinnen,
Wie sie das Geisterzeugte fest bewahre!

JOHANN WOLFGANG GOETHE

Zueignung

Der Morgen kam. Es scheuchten seine Tritte
Den leisen Schlaf, der mich gelind umfing,
Daß ich, erwacht, aus meiner stillen Hütte
Den Berg hinauf mit frischer Seele ging.

Ich freute mich bei einem jeden Schritte,
Der neuen Blume, die voll Tropfen hing.
Der junge Tag erhob sich mit Entzücken,
Und alles war erquickt, mich zu erquicken.

Und wie ich stieg, zog von dem Fluß der Wiesen
Ein Nebel sich in Streifen sacht hervor.
Er wich und wechselte, mich zu umfließen,
Und wuchs geflügelt mir ums Haupt empor:
Des schönen Blicks sollt ich nicht mehr genießen,
Die Gegend deckte mir ein trüber Flor.
Bald sah ich mich von Wolken wie umgossen
Und mit mir selbst in Dämmrung eingeschlossen.

Auf einmal schien die Sonne durchzudringen,
Im Nebel ließ sich eine Klarheit sehn.
Hier sank er, leise sich hinabzuschwingen,
Hier teilt' er steigend sich um Wald und Höhn.
Wie hofft' ich ihr den ersten Gruß zu bringen!
Sie hofft' ich nach der Trübe doppelt schön.
Der luftige Kampf war lange nicht vollendet —
Ein Glanz umgab mich, und ich stand geblendet.

Bald machte mich, die Augen aufzuschlagen,
Ein innrer Trieb des Herzens wieder kühn.
Ich konnt' es nur mit schnellen Blicken wagen,
Denn alles schien zu brennen und zu glühn.
Da schwebte, mit den Wolken hergetragen,
Ein göttlich Weib vor meinen Augen hin —
Kein schöner Bild sah ich in meinem Leben —
Sie sah mich an und blieb verweilend schweben.

»Kennst du mich nicht?« sprach sie mit einem Munde,
Dem aller Lieb' und Treue Ton entfloß,
»Erkennst du mich, die ich in manche Wunde
Des Lebens dir den reinsten Balsam goß?
Du kennst mich wohl, an die zu ew'gem Bunde
Dein strebend Herz sich fest und fester schloß.
Sah ich dich nicht mit heißen Herzenstränen
Als Knabe schon nach mir dich eifrig sehnen?«

»Ja!« rief ich aus, indem ich selig nieder
Zur Erde sank, »lang' hab' ich dich gefühlt.
Du gabst mir Ruh, wenn durch die jungen Glieder
Die Leidenschaft sich rastlos durchgewühlt.
Du hast mir wie mit himmlischem Gefieder
Am heißen Tag die Stirne sanft gekühlt.
Du schenktest mir der Erde beste Gaben,
Und jedes Glück will ich durch dich nur haben!

Dich nenn' ich nicht. Zwar hör' ich dich von vielen
Gar oft genannt, und jeder heißt dich s e i n;
Ein jedes Auge glaubt auf dich zu zielen;
Fast jedem Auge wird dein Strahl zur Pein.
Ach, da ich irrte, hatt' ich viel Gespielen,
Da ich dich kenne, bin ich fast allein;
Ich muß mein Glück nur mit mir selbst genießen,
Dein holdes Licht verdecken und verschließen.«

Sie lächelte, sie sprach: »Du siehst, wie klug,
Wie nötig war's, euch wenig zu enthüllen!
Kaum bist du sicher vor dem gröbsten Trug,
Kaum bist du Herr vom ersten Kinderwillen,
So glaubst du dich schon Übermensch genug,
Versäumst die Pflicht des Mannes zu erfüllen!
Wieviel bist du von andern unterschieden?
Erkenne dich, leb' mit der Welt in Frieden!«

»Verzeih mir«, rief ich aus, »ich meint' es gut;
Soll ich umsonst die Augen offen haben?
Ein froher Wille lebt in meinem Blut,
Ich kenne ganz den Wert von deinen Gaben!
Für andre wächst in mir das edle Gut,
Ich kann und will das Pfund nicht mehr vergraben.
Warum sucht' ich den Weg so sehnsuchtsvoll,
Wenn ich ihn nicht den Brüdern zeigen soll?«

Und wie ich sprach, sah mich das hohe Wesen
Mit einem Blick mitleid'ger Nachsicht an.
Ich konnte mich in ihrem Auge lesen,
Was ich verfehlt und was ich recht getan.

Sie lächelte, da war ich schon genesen,
Zu neuen Freuden stieg mein Geist heran;
Ich konnte nun mit innigem Vertrauen
Mich zu ihr nahn und ihre Nähe schauen.

Da reckte sie die Hand aus in die Streifen
Der leichten Wolken und des Dufts umher;
Wie sie ihn faßte, ließ er sich ergreifen,
Er ließ sich ziehn, es war kein Nebel mehr.
Mein Auge konnt' im Tale wieder schweifen,
Gen Himmel blickt' ich, er war hell und hehr.
Nur sah ich sie den reinsten Schleier halten,
Er floß um sie und schwoll in tausend Falten.

»Ich kenne dich, ich kenne deine Schwächen,
Ich weiß, was Gutes in dir lebt und glimmt!«
— So sagte sie, ich hör' sie ewig sprechen, —
»Empfange hier, was ich dir lang bestimmt;
Dem Glücklichen kann es an nichts gebrechen,
Der dies Geschenk mit stiller Seele nimmt:
Aus Morgenduft gewebt und Sonnenklarheit,
Der Dichtung Schleier aus der Hand der Wahrheit.

Und wenn es dir und deinen Freunden schwüle
Am Mittag wird, so wirf ihn in die Luft!
Sogleich umsäuselt Abendwindes Kühle,
Umhaucht euch Blumen-Würzgeruch und Duft.
Es schweigt das Wehen banger Erdgefühle,
Zum Wolkenbette wandelt sich die Gruft,
Besänftiget wird jede Lebenswelle,
Der Tag wird lieblich, und die Nacht wird helle«.

So kommt denn, Freunde, wenn auf euren Wegen
Des Lebens Bürde schwer und schwerer drückt,
Wenn eure Bahn ein frischerneuter Segen
Mit Blumen ziert, mit goldnen Früchten schmückt,
Wir gehn vereint dem nächsten Tag entgegen!
So leben wir, so wandeln wir beglückt.
Und dann auch soll, wenn Enkel um uns trauern,
Zu ihrer Lust noch unsre Liebe dauern.

FRIEDRICH HÖLDERLIN

An die Parzen

Nur Einen Sommer gönnt, ihr Gewaltigen!
Und einen Herbst zu reifem Gesange mir,
Daß williger mein Herz, vom süßen
Spiele gesättiget, dann mir sterbe.

Die Seele, der im Leben ihr göttlich Recht
Nicht ward, sie ruht auch drunten im Orkus nicht;
Doch ist mir einst das Heilge, das am
Herzen mir liegt, das Gedicht, gelungen,

Willkommen dann, o Stille der Schattenwelt!
Zufrieden bin ich, wenn auch mein Saitenspiel
Mich nicht hinab geleitet; Einmal
Lebt ich, wie Götter, und mehr bedarfs nicht.

STEFAN GEORGE

Das Zeitgedicht

Ihr meiner zeit genossen kanntet schon
Bemaasset schon und schaltet mich — ihr fehltet.
Als ihr in lärm und wüster gier des lebens
Mit plumpem tritt und rohem finger ranntet:
Da galt ich für den salbentrunknen prinzen
Der sanft geschaukelt seine takte zählte
In schlanker anmut oder kühler würde ·
In blasser erdenferner festlichkeit.

Von einer ganzen jugend rauhen werken
Ihr rietet nichts von qualen durch den sturm
Nach höchstem first · von fährlich blutigen träumen.
»Im bund noch diesen freund!« und nicht nur LECHZEND
nach tat war der empörer eingedrungen
Mit dolch und fackel in des feindes haus . .
Ihr kundige las't kein schauern · las't kein lächeln ·
Wart blind für was in dünnem schleier schlief.

Der pfeifer zog euch dann zum wunderberge
Mit schmeichelnden verliebten tönen· wies euch
So fremde schätze dass euch allgemach
Die welt verdross die unlängst man noch pries.
Nun da schon einige arkadisch säuseln
Und schmächtig prunken: greift er die fanfare·
Verlezt das morsche fleisch mit seinen sporen
Und schmetternd führt er wieder ins gedräng.

Da greise dies als mannheit schielend loben
Erseufzt ihr: solche hoheit stieg herab!
Gesang verklärter wolken ward zum schrei! . .
Ihr sehet wechsel· doch ich tat das gleiche.
Und der heut eifernde posaune bläst
Und flüssig feuer schleudert weiss dass morgen
Leicht alle schönheit kraft und grösse steigt
Aus eines knaben stillem flötenlied.

STEFAN GEORGE

Dante und das Zeitgedicht

Als ich am torgang zitternd niedersank
Beim anblick der Holdseligsten· von gluten
Verzehrt die bittren nächte sann · der freund
Mitleidig nach mir sah· ich nur noch hauchte
Durch ihre huld und durch mein lied an sie:
War ich den menschen spott die nie erschüttert
Dass wir so planen minnen klagen — wir
Vergängliche als ob wir immer blieben.

Ich wuchs zum mann und mich ergriff die schmach
Von stadt und reich verheert durch falsche führer . . .
Wo mir das heil erschien kam ich zu hilfe
Mit geist und gut und focht mit den verderbern.
Zum lohn ward ich beraubt verfehmt und irre
Ein bettler jahrelang an fremde türen
Aufs machtgebot von tollen — sie gar bald
Nur namenloser staub indes ich lebe.

Gesang der Geister über den Wassern

Des Menschen Seele
Gleicht dem Wasser:
Vom Himmel kommt es,
Zum Himmel steigt es,
Und wieder nieder
Zur Erde muß es,
Ewig wechselnd.

Strömt von der hohen
Steilen Felswand
Der reine Strahl,
Dann stäubt er lieblich
In Wolkenwellen
Zum glatten Fels,
Und leicht empfangen
Wallt er verschleiernd
Leisrauschend
Zur Tiefe nieder.

Ragen Klippen
Dem Sturze entgegen,
Schäumt er unmutig
Stufenweise
Zum Abgrund.

Im flachen Bette
Schleicht er das Wiesenthal hin,
Und in dem glatten See
Weiden ihr Antlitz
Alle Gestirne.

Wind ist der Welle
Lieblicher Buhler;
Wind mischt vom Grund aus
Schäumende Wogen.

Seele des Menschen,
Wie gleichst du dem Wasser!
Schicksal des Menschen,
Wie gleichst du dem Wind!

17 Johann Wolfgang Goethe
Gesang der Geister über den Wassern

Als dann mein trüber vielverschlagner lauf·
Mein schmerz ob unsrer selbstgenährten qualen·
Mein zorn auf lasse niedre und verruchte
In form von erz gerann: da horchten viele
Sobald ihr grauen schwand dem wilden schall
Und ob auch keiner glut und klaue fühlte
Durchs eigne herz: es schwoll von Etsch bis Tiber
Der ruhm zum sitz des fried- und heimatlosen.

Doch als ich drauf der Welt entfloh· die auen
Der Seligen sah · den chor der engel hörte
Und solches gab: da zieh man meine harfe
Geschwächten knab- und greisentons . . . o toren!
Ich nahm aus meinem herd ein scheit und blies —
So ward die hölle· doch des vollen feuers
Bedurft ich zur bestrahlung höchster liebe
Und zur verkündigung von sonn und stern.

STEFAN GEORGE

LIEDER

I

Fern von des hafens lärm
Ruht der besonnte strand·
Zittern die wellen aus . . .
Hoffnung vergleitet sacht.
Da regt vom hohen meer
Wind die gewölbten auf·
Bäumend zerkrachen sie·
Stürmen die ufer ein . . .
Wie nun das leiden tost!
Lautere brandung rauscht·
Zischend zur dünenhöh
Schlägt sie den dunklen schaum . . .
Wie nun die liebe stöhnt!

II

Mein kind kam heim.
Ihm weht der seewind noch im haar·
Noch wiegt sein tritt
Bestandne furcht und junge lust der fahrt.

Vom salzigen sprühn
Entflammt noch seiner wange brauner schmelz:
Frucht schnell gereift
In fremder sonnen wildem duft und brand.

Sein blick ist schwer
Schon vom geheimnis das ich niemals weiss
Und leicht umflort
Da er vom lenz in unsern winter traf.

So offen quoll
Die knospe auf dass ich fast scheu sie sah
Und mir verbot
Den mund der einen mund zum kuss schon kor.

Mein arm umschliesst
Was unbewegt von mir zu andrer welt
Erblüht und wuchs —
Mein eigentum und mir unendlich fern.

STEFAN GEORGE

Wägt die gefahr für kostbar bild und blatt
Wovor ich kniet wie wir — beim großen brand!
»Viel mehr vernichtet sie wenn sie euch bleiben
Eur ätzend gift und euer sammelgrab
Als trümmerstadt und mütterlicher schlund.
Einst mag geschehn dass aus noch kargern resten
Vom schutt behütet — aus geborstner wand
Verwittertem gestein zerfressnem erz
Vergilbter schrift ein leben sich entzünde! . .
Die art wie ihr bewahrt ist ganz verfall.

STEFAN GEORGE

Das wort

Wunder von ferne oder traum
Bracht ich an meines landes saum

Und harrte bis die graue norn
Den namen fand in ihrem born —

Drauf konnt ichs greifen dicht und stark
Nun blüht und glänzt es durch die mark . . .

Einst langt ich an nach guter fahrt
Mit einem kleinod reich und zart

Sie suchte lang und gab mir kund:
›So schläft hier nichts auf tiefem grund‹

Worauf es meiner hand entrann
Und nie mein land den schatz gewann . . .

So lernt ich traurig den verzicht:
Kein ding sei wo das wort gebricht.

STEFAN GEORGE

Horch was die dumpfe erde spricht:
Du frei wie vogel oder fisch —
Worin du hängst — das weisst du nicht.

Vielleicht entdeckt ein spätrer mund:
Du sassest mit an unsrem tisch
Du zehrtest mit von unsrem pfund.

Dir kam ein schön und neu gesicht
Doch zeit ward alt· heut lebt kein mann
Ob er je kommt das weisst du nicht

Der dies gesicht noch sehen kann.

STEFAN GEORGE

DIE BECHER

Sieh hier den becher golds
Voll von funkelndem wein —
Jedes hat einen schlurf!

Sieh dort den becher aus holz
Mit den drei würfeln aus stein —
Jedes hat einen wurf!

Dieser läßt ohne verdruss
Wissen was zu uns steht·
Heben vom tisch wir ihn bloss.

Jener bringt den beschluss
Den niemand vorsieht und dreht:
Wieviel Mein los wieviel Dein los.

HUGO VON HOFMANNSTHAL

DER SCHIFFSKOCH, EIN GEFANGENER, SINGT:

Weh, geschieden von den Meinigen
Lieg ich hier seit vielen Wochen;
Ach und denen, die mich peinigen,
Muß ich Mahl- um Mahlzeit kochen.

Schöne purpurflossige Fische,
Die sie mir lebendig brachten,
Schauen aus gebrochenen Augen,
Sanfte Tiere muß ich schlachten.

Stille Tiere muß ich schlachten,
Schöne Früchte muß ich schälen
Und für sie, die mich verachten,
Feurige Gewürze wählen.

Und wie ich gebeugt beim Licht in
Süß- und scharfen Düften wühle,
Steigen auf ins Herz der Freiheit
Ungeheuere Gefühle.

Weh, geschieden von den Meinigen,
Lieg ich hier seit wieviel Wochen!
Ach und denen, die mich peinigen,
Muß ich Mahl- um Mahlzeit kochen!

RUDOLF BORCHARDT

Hofmannsthals Unsterblichkeit

Der einzig schöne Traum ist ausgeträumt, wir sind wach in der täuschungslosen Wirklichkeit des angebrochenen Tages, den es zu leben gelten wird. Hofmannsthal ist tot, wir sind allein. Verzweiflung und Entsetzen, der grimmige Rausch, den Sinn zu leugnen und die Sterne zu verklagen, haben ihr bitterliches Recht gehabt, eine Trauerwoche lang und mehr. Jetzt beginnt das Andenken die Flöre zu räumen, das Sinnbedürfnis, die verbleibende Welt einzurichten, Gebote und Pflichten stehen mit langen Schuldzetteln, wie Masken der Tragödie, vor der Tür. Nach der kurzen Klage kommt es zur langen, zu derjenigen die nicht enden wird, so lange ein Mensch auf dem Erdballe unsere Sprache spricht. Bisher hat unser Jammer nur uns selber beklagt, so sehr daß unsere Phantasie es fast vermied, sich ihn voll zu vergegenwärtigen; heut endlich dringt die Klage zu ihm selber vor und setzt der Untröstlichkeit die Grenze der Anschauung. Die zerrissene Selbstsucht, die ihn nicht hergeben wollte, schweigt vor dem unwiderruflichen Hingange, sie erwartet die Nacht und sucht ihn unter ihren Sternen.
Jung gestorben und zu Staube zurückgekehrt ist sein Körper; vollendet hat sich ein geistiger Umlauf, länger als der unserer Beklagtesten, länger als der Schillers und Immermanns, Lessings und Winckelmanns, achtunddreißig Schöpferjahre von den betörenden des Wunderkindes bis zum Feierworte des Lessingjahres. — Die ersten Jahre die dichtesten, das dreiundzwanzigste das Jahr der Wunder, der drei Tragödien, und welcher Gedichte! Die Anklage, die gegen die Ewigkeit geht, erreicht Jupiters Thron nur als Klage über Vergänglichkeit und kehrt mit Goethes Wort zu uns zurück: »schuf ich doch, sagte der Gott, nur das vergängliche schön?« Zwei

Geblüte, niederösterreichischer Bauern- und Bürgerstamm, lombardisches Patriziergeschlecht, hatten sich durch zwei Menschenalter auf der dunklen Unterlage des ältesten Volkes, und des zähesten Europas veredelt, um eine außerordentliche Spielart des Menschen ans Licht zu drängen, das Zaubergeschöpf des ungelebten Lebens, das heißt des vorausgelebten, das, mit versteckter Blüte geboren wie die Feige, Blatt und Frucht gleichzeitig bildete, und so, als hätten drei Völkerseelen in ihm sich gegenseitig Knospe und Flor entrückt, mit drei Kräften durchstob was sonst eine einzige Kraft Schritt vor Schritt durchschleicht, den blinden Weg zum Keime zum Korn, von weicher Ungestalt zu Gebundensein und Binden, Prägen und Gepräge. Fast ein Jahrzehnt währt das unerhörte, angstvoll vorgangslose, körperlose, atemlose Feuerschleudern der Riesenfontäne aus durchsichtiger loher Luft.
1874 Geburt, 1889 die Stanzen »Fühlst du denn nicht, wie meine Lippen beben«, 1890 »Sünde des Lebens«, 1891 »Gestern«, 1892 »Tod des Tizian«, 1893 »Tor und Tod«, 1894 Alkestis, 1895 und 1896 fast das ganze lyrische Werk von dem schwerlich auch nur ein Vers vergehen wird, 1897 »Der weiße Fächer«, »Der Kaiser und die Hexe«, »Die Frau im Fenster« und zu 1898 hinüber anschließend »Sobeide«, »Der Abenteurer«, — bis dann 1899 »Das Bergwerk zu Falun« zerbricht, die letzten Verse in der Nacht löschen wie erstickende Raketen, und der »Brief« von Philip Chandos an Bacon, als Schrift und Tat wohl einzig in der Weltliteratur dastehend, im Aufstieg aus einer zur andern dichterischen Welt einem Leben abscheidet und einem Leben zuverlangt. Nach dem sechsundzwanzigsten Jahre hat Hofmannsthal so gut wie keinen lyrischen Vers geschrieben. Er wurde Tragiker, von »Elektra« zu »Oedipus und die Sphinx« —, ein zweites Dasein bis zu einer zweiten Krisis, dem zweiten Abschiede vom Leben, »Jedermann«. Danach endet auch der tragische Vers! Das rhythmische Kleid der Spiele für Musik steht ihm so fern, wie das rhythmische Kleid der Tragödien seinem ersten Stile. Am Ende des dritten Lebens steht »Der Turm«, dritte Scheidung vom Rausche und der bunten Begierde der unreinen Sinnenwelt, das dritte Verlangen nach endlicher Keuschheit der Identitäten. Diese drei Kreise bedeuten keine Entwicklung im landläufigen Wortsinne. Es sind nicht drei Stufen des Alters sondern drei Stufen der Verjüngung. Am Ende einer jeden steigt aus einem Zauberbade, in das ein ausgelebter Mensch gestiegen war, ein neuer Mensch. Reif hatte er schon den Boden der Welt mit dem ersten Schritt betreten, hingebungsselig und bildsam ihn noch mit dem letzten verlassen. Zweimal, in »Jedermann« und im »Turm«, war er einen Schritt vom Weltgedichte entfernt gewesen, und hatte ihn beidemal verlangsamt, in tiefer Scheu vor unzeitigem Griff in unabsehbare Folgenketten. Immer noch hatte er sich aufbehalten, — neben den Ringen seiner dichterischen Abschälung, zur linken Hand auch noch einen großen Schriftsteller aus sich ent-

wickelt, die einzige europäische Figur von Autorität und hohem Anstand, die unsere Literatur besaß.
Was will man mehr, was wollen wir mehr, warum das Wüten und das Entsetzen dieser allgemeinen Verzweiflung? Weil er nicht fertig geworden ist? Er war dreimal fertig und dreimal von frischem wieder angehoben, er war fertig wie er anfing, als Unsterblicher, er war unfertig im Fortgehen, als Sterblicher. Weil er nicht gehalten hat was er versprochen hatte? Und war es zu halten? Und wurde es nicht gleichzeitig versprochen und gehalten, war ein solches Versprechen nicht schon in sich eine Erfüllung sondergleichen? Welcher Undank verlangt in der tiefsten Beglückung nach mehr und immer mehr? Weil seine ersten Töne aus dem noch nie von der Poesie angerührten Urgrunde der Unendlichkeit mit der Verführung der seligen Todesflöten und den verschleierten Schalmeien des Lebens herhauchten, mußte darum sein Leben durchaus damit enden, die ahnende Andeutung durch die Ausführung zu übertreffen und die Unendlichkeit so ins Meisterwerk zu bringen, daß die Endlichkeit es bissenweise sich vortranchieren könnte? Als er mit einem reinen Griffe erhabenen Mutes und keuschen Verzichtes den Purpur seiner ersten Poesie abwarf, vor dem ihm graute, um von dem Leben und der Kunst nur Hemd und Schuh zu wollen und von seinen Tafeln nur lautere Kost, den Apfel und das Ei, wer stand zu ihm und ging mit aufwärts, wer maulte nicht mit seiner Zucht und seiner Bescheidenheit, wer pochte nicht auf ein Recht, weiter mit ihm zu schwelgen? Er war ein erhabener und sittlicher Dichter, dies herrliche Kind der Welt, — wer hätte ihn nicht mit Gönnerart einen gezierten und liebenswürdigen Weichling, einen Ästheten, duldend geheißen und heimlich gescholten, weil er freilich kein Prediger war und kein volkstümlicher Nutzanwender mit dem moralischen Trumpfzettel im Munde? Zu früh dahin, und wäre er noch so spät gegangen, jedem der das Los des Schönen auf der Erde fühlt; aber denen zu früh dahin, die heut freilich schreckenblaß dastehen, denen er vorgestern schon zu lange im Schwange war, statt dem Neid und Emporkömmlingssinn Platz zu machen? Denen zu früh, die heut die Leichenreden und die Erinnerungsbons unter den Strich hängen, und ihre Namen und ihre Eitelkeit dazu, und denen sein bloßes Dasein, weil es sie lautlos in ihre Proportion warf, ein ewiger Vorwurf war — denen die ihre Ohren verstopften, um ihn nicht mehr zu vernehmen, die ihn überschwiegen, wenn sie ihn nicht überschrieen und übertönten, für die das zarteste Lustspiel nicht gewoben, die schönste Erzählung nicht erdacht und nicht umrissen, der tiefste Aufsatz nicht da war, für die das Werk der Mannesjahre nicht bestand, weil es nicht das alte, und das Frühwerk nicht, weil es nichts Neues mehr war? Zu früh, und ja, tausendmal zu früh, für die Liebe; und für die Reue nur zu früh, weil für Reue zu spät.

Er würde dies, wenn er es hörte, nicht weiter hören wollen, ich halte die Klage an. Die Akten über das deutsche Unrecht an seinen größten Söhnen sind wieder aufgeschlagen, auch ohne meinen Zeigefinger, der Gewitterwind dieses brennenden Hochsommers wühlt in ihnen und wirft die Blätter herum bis sie auf seinen Namen zu liegen kommen. Drei Jahre sind es her, daß eine schweizer Zeitung mit der Umfrage zu mir kam, ob es in Deutschland verkannte Dichter gäbe. Da ich wußte was gemeint war, und da Hofmannsthal lebte, lachte ich und antwortete in Possen. Eben hatten den »Schwierigen« in Berlin die giftigen Hofnarren des deutschen Tyrannen, des Pöbels, von den Bühnen gerissen, alle Dramen waren vom Spielplan verschwunden, »Die Frau ohne Schatten« hatte es noch nicht zu einer redewerten Anzeige gebracht, die Gedichte verschollen langsam, nur die Spiele für Strauß und für Salzburg erhielten den Namen am Leben, aber einem Leben, das Eifersucht, Schadenfreude, Bettelhochmut ihm täglich zu vergiften und abzusprechen trachteten. Verkannte Dichter! Nämlich allerneuste, weil wir andere nicht kennen, wie Frühlingshüte und Kopfmoden. Allerneuste, weil wir an Nouveautés verdienen müssen, und jährlich, um die Läger zu räumen, ein ganzer Schub veralten muß, ob er will oder nicht. O Zeiten, o Schande! Und muß es denn, in diesem Unglücksvolke, so weitergehen von Jahrhundert zu Jahrhundert? Die Affen und Hyänen bunt und fletschend auf der Bühne, und die Weihezüge, Feierstraßen, Bannermauern und Schriftenhaufen auf Gräbern der verkannt gestorbenen Großen? Muß man tot sein in diesem Volke um zu leben, muß man auferstehen um ihm geboren zu sein? Muß man sich zu Tode arbeiten wie Schiller ums Brot für die Seinen und um ein ungeleitetes Begräbnis, muß man sterben wie Lessing, muß man leben wie Goethe nach Italien, zum alten Eisen geworfen außer für einen Fürsten und einen Freund, und nur durch Schicksalsgnade die Jahre noch sehen, in denen die dritte Generation einen zum bloßen Namen Gewordenen auf den Schild hebt — muß man gram verenden, wie Mörike kaum gelesen, wie Grillparzer vergessen, wie Kleist unaufgeführt und ungedruckt, und abgetan wie Hofmannsthal? Gibt es ein anderes Volk, in dem die Narren und die Tröpfe rennen und sich gebärden, um den letzten obskuren Windbeutel aus seinem Loche zu klauben und preiszukrönen, im Namen der Gutmachung an der Poesie, in dem die durch Jahrzehnte laufende Serie dieser Krönungen und Ernennungen, Aufnahmen und Machenschaften Makulatur wird, alles öffentliche Urteil ein dunkles Helotenmonopol ist und der Genius sich von Geschlecht zu Geschlecht, lückenlos, abseits des Volksganzen, unerblickt von ihm fortpflanzt, am hellen Tage in der Tarnkappe wandernd, in glorreichen Werkreihen bestehend, aber im Vakuum, weil niemand sieht, niemand hört, niemand behält, ja niemand behalten will, und keine Ritterlichkeit, keine Großherzigkeit, kein Mut stark genug ist, die Schar zu bilden, um deren Kern sich Urteil legt, die feurige Minderheit, die auch den Trägeren entzückt und zu sich hinüberreißt, mehr und mehr, bis eine befehlende Schicht der Wertsetzung sich abscheidet, und Pöbel heißt, wer ihr nicht willfährt? Genug; es ist vorbei, es ist umsonst, er ist dahin. Der Schatten des, der meiner Zunge so oft verzieh, verzeihe dem Schmerze, der an seinem Grabe lärmt. Er trug es wie ein König, nicht leicht, denn es war ein Urteil, nicht stumm, denn er legte den Anspruch nicht nieder, aber mit dem Stolze, der mit dem Unrechte nicht marktet und den Anspruch mit niemanden diskutiert. Er hatte vor seiner Zeit, nach Schillers bitterm Worte, die Besten, denen er genugtat; er hatte nach Goethes gefaßten Worten die Jugend die uns nie verfliegt, den Mut der früher oder später den Widerstand der stumpfen Welt besiegt. Wenige Menschen sind so fassungslos vergöttert, so ungemessen geliebt worden wie er von seinen Nächsten. Er war nur mit sich selber zu vergleichen. Hätte er nichts geschrieben, es hätte an der Wirkung, die er tat, nichts geändert. Sein Gedicht und sein Werk, sein Satz und seine Ahnung flogen nur wie machtlos versprüht vom Umlaufe seines Wesens ab. Sein Wesen war alles, eine Erscheinung aus dem Unzugänglichen, Genius. Was davon übrigbleibt, wenig wie es im Verhältnis zur Armut der Zeit ist, wird, vorgelegt, auseinandergefaltet, vollständig gesammelt und würdig erläutert, das kommende Jahrhundert beschäftigen und in nachfolgenden nicht vergehen.

HANS CAROSSA

Begegnung mit Rilke

Bevor ich meinen Weg zu den europäischen Schlachtfeldern einschlug, empfing ich eine Segnung: Rainer Maria Rilke begegnete mir. Die junge Regina Ullmann, deren eigenwüchsig starke Verse und Erzählungen schon damals viele aufhorchen machten, sie hatte mich ermutigt, den Dichter in einem Atelier aufzusuchen, wo er meistens den Nachmittag verbrachte; er sei vorbereitet, es bedürfe keiner besonderen Anmeldung. Ich kam vor das Haus, als Rilke selbst gerade darauf zuging. Er sah mich an mit einem Blick, der scharf, aber völlig abwesend war. Es wollte mir nicht mehr schicklich vorkommen, den Besuch zu verschieben; denn dies hätte ich am liebsten getan. Der gar nicht auffallende schmächtige Mann, der da in dunkelblauem Anzug, mit weichem schwarzem Hut und grauen Gamaschen, die Hände auf dem Rükken, die Straße überquerte, schien mir nämlich in einer Verfassung, in der es nicht erlaubt sein sollte, einen Menschen anzusprechen. Fremde, die ihn flüchtig angesehen hätten, konnten glauben, irgendein schlichter Grübler schlendere lebensmüde seiner traurigen Wohnung zu. Je näher ich kam, um so stärker fiel mir das Erloschene seines Gesichtes auf; ein großer Waldvogel, den ich einmal sterben gesehen, hatte mir einen ähnlichen Eindruck hinterlassen. Mich konnte es keineswegs befremden, daß ein Mensch, der sich an ungewöhnliche Leistungen hingab, auch einmal ungewöhnlich ermüdet aussah, und hätte ich vollends gewußt, daß damals bereits jene sieghaften Klagen in ihm zu erklingen begannen, die später als »Duineser Elegien« berühmt geworden sind, so wäre mir sein Aspekt noch begreiflicher gewesen. Wer an solchen Dichtungen spann, der mußte sich immer wieder wie ein Perlentaucher auf den Grund seiner eigenen Seele hinunterlassen, wo er Gefahr lief, dem Druck der oberen Schichten zu erliegen und den Rückweg zu verfehlen.

Wir befanden uns nun gerade gegenüber; es gab kein Ausweichen mehr, und ich stellte mich ihm vor in dem halben Gefühl, ein Unrecht zu begehen. Wirklich machte Rilke, als ich den Hut zog, eine ängstlich-unwillige Bewegung; doch begütigte ihn die Nennung meines Namens, und froh erkannte ich, daß es ihm schon nicht mehr schwer war, aus der Perlentiefe zurückzukehren. Seine Augen waren sehr blau in dieser Minute; ein Blick voll hellen Lichtes kam aus ihnen, ein Blick, der auf einmal knabenhaft und vergnügt und unbeschreiblich sanft war. Er gab mir die Hand und sagte, ihm sei, als kenne er mich sein Leben lang. Während ich aber nun mit ihm die vier Treppen zu dem Atelier hinaufstieg, mußte ich mir eingestehen, daß ich in seiner Dichtung noch nicht so vollkommen zu Hause war, wie sie es verdiente, ja, daß ich sie sogar eine Zeit lang, irregeführt von der Art, wie manche sie nachahmten und alles außer ihr ablehnte, gemieden hatte. Seit meinen Schülerjahren las ich außer vielem Neuen immer wieder Homer, Shakespeare und Goethe, von Zeit zu Zeit auch Karl Wittes Dante-Übertragung. Die Kern- und Sternworte Goethes hatten meine Jugend genährt, eine Gestalt wie Mignon mich mancher Verzweiflung entrissen; zu diesem Geiste hielt ich mich und verglich die Forderungen der Gegenwart mit den seinigen. Mehrmals aber war es nun geschehen, daß Freunde, die dem Bann des Rilkeschen Gedichts erlagen, Goethe künftig nicht nur gern entbehrten, sondern ihn herabredeten und verwarfen. Mir war dies vorgekommen, als wollte man in einem Garten, wo ein Flor neuartiger wunderschöner Rosen aufgegangen ist, von nun an nur noch diese züchten und bewundern, den edlen traubenvollen Rebstock aber, der die sonnige Spalierwand überbreitet, keiner Hege und Pflege mehr würdigen. Meinen stillen Widerstand besiegte auch das »Stundenbuch« nicht ganz; das »Buch der Bilder« aber, das allerschönste, kühnste seiner Jugendwerke, war mir unbekannt geblieben. Es wa-

ren die zwei herrlichen Requiem-Gedichte, die mich zuerst fühlen ließen, wer eigentlich Rilke war. Diese großen Totenklagen tönten mich im ersten Augenblick bald wie Hamlet, bald wie Hofmannsthals Alkestis an; aber von Vers zu Vers ergreifender klang mir das Andere, das Eigene entgegen, die Überwindung der Todestrauer durch den großen seligen Verzicht, die tragische Sprache einer neuen Menschheit. Jetzt war ich vorbereitet, auch den »Malte Laurids Brigge« aufzunehmen und seine wichtigsten Seiten trafen mich an Tagen, wo sie mich über manche Schwierigkeit wegheben konnten. Der unverhoffte Ton, der bald entzückende, bald quälende Fremdglanz der Vergleiche, das unerbittliche Zu-Ende-Denken und Zu-Ende-Sehen, das nur der Einsame, von allen bürgerlichen Bindungen frei Gewordene wagt, dies alles mußte mich um so stärker bewegen, als eben diese Bindungen für mich das Unerläßliche waren. Später mahnte mich Hofmannsthal, die »Neuen Gedichte« zu lesen, und es ist wohl verständlich, daß mir gerade diese in jedem Betracht neuen Versgebilde lebhaft vorschwebten, als ich nun dem Dichter in der lichtreichen terpentindurchdufteten Malerwerkstatt gegenüber saß. Hier zeugte alles für den großen Fleiß der Loulou Albert-Lazard, der dieser Raum gehörte; die Wände hingen voll fertiger und unfertiger Bilder; einige waren geheimnisvoll gegen die Mauer gekehrt. Es war aber, als ließe die Gegenwart des Dichters keines der Gemälde zur vollen Geltung kommen; sie schienen für diesmal nur dazu bestimmt, in dem Gast einen tieferen Sinn für jene farbenvollen Strophenkünste zu erwecken. Sooft ich die ausgezeichneten Portärts und Landschaften genauer ansehen wollte, stiegen zwischen Leinwand und Auge die unvergeßlichen Gesichte der Hetärengräber, des Panthers, des Karussells oder des großen Magnifikats empor.
Viele, die mit Rilke Gespräche geführt haben, rühmen seine unnachahmliche Art, sich selber in den Schatten zu stellen und alles Licht auf entlegene Dinge zu lenken und wohl auch auf eine der anwesenden Personen, die es weniger störte als ihn. Erzählte er etwa von seinen Reisen, so schaltete er sich dabei völlig aus; man freute sich der stillen Leuchtkraft, womit er spanische, russische oder ägyptische Landschaften beschrieb, und fragte sich erst nachträglich, ob diese kostbaren Schilderungen nicht am Ende nur dazu gedient hatten, das tiefe Tal der Seele zu verbergen, wo seine Gedichte wuchsen.
Kam jedoch die Rede wirklich einmal auf seine Bücher, so konnte ein Uneingeweihter, in alten Vorstellungen Befangener erst recht befremdet werden, denn Rilke sprach von der Dichtung immer nur wie von einem Handwerk, als wäre die Bemühung alles, die Eingebung nichts. Gewiß war es zum Teil ein Ausdruck seiner Güte, seiner adeligen Höflichkeit, wenn er so tat, als setze er bei dem Zuhörer eine Musik des Innern gleich der seinigen voraus; aber man spürte doch bald, wie sehr es ihm Ernst war, wenn er sein

Schaffen immer nur als eine Arbeit gelten ließ und von den Gewächsen der Sprache so demütig redete, wie Cézanne von dem Vorgang des Malens gesprochen haben mag. Zum Glück war ich, spät genug, auf eine Stufe der Einsicht gelangt, wo ich ihn verstehen konnte. Die große gottglühende Morgenzeit, wo ein Pindar Hunderte von Hymnen aus der griechischen Seele hervorsang, die ist vorüber; und als Hölderlin unter Deutschen etwas Verwandtes begann, wurde er mit Wahnsinn geschlagen. Von wenigen Freunden begleitet, geht heute der Dichter durch überwache Tage und Nächte; es gibt kein Zwielicht mehr, das seinen Traum beschützt, überall stellen ihm Geister nach, die ihn übersteigern, ihn aus einem Hellseher zum Grellseher machen möchten. Er bedarf nicht nur einer heroischen Geduld, sondern auch einer heiligen List, um das Gebot seiner Seele zu erfüllen, und es könnte dazu kommen, daß er mit einer Geheimsprache beginnen muß, um nicht zu früh erkannt zu werden. Die Wünschelrute zuckt wohl auch in seiner Hand; aber breite starre Schichten liegen zwischen dem gewohnten Leben und jener Tiefe, wo Gesang entsteht. Und wie man an manchen Orten lange graben muß, um auf Wasser zu stoßen, so ist es wohl möglich, daß heute nur noch eine Folge vieler Versuche den verschütteten Quell erschließen kann. Dem jungen Rilke waren seine Verse ungemein leicht gelungen; in der Weise des »Stunden-Buchs«, meinte er einmal, hätte er noch lange fortfahren können. Mit den Jahren aber wuchsen seine Forderungen an die eigene Kunst; er wollte tiefer schürfen und schauen. Von Rodin habe er gelernt, einen Baum, ein Tier, eine Statue, einen Menschen oder auch eine überlieferte Figur der Geschichte so oft und so eindringlich anzusehen, bis auf einmal eine wesenhafte Erscheinung des Betrachteten in ihm auftauchte. Ganz unbekannt war mir diese Verfahrensart nicht; ein kleiner anthroposophischer Aufsatz, der mir vor Augen gekommen, sagte das nämliche aus; doch hielt ich solche geistigen Schulungen für viel zu schwierig und langwierig, um sie etwa mir selber zuzutrauen. Auch bildete ich mir ein, sie könnten bloß für die ruhenden Dinge gelten, weniger für die stark bewegten und am wenigsten für den Menschen. Über diesen mußten Schicksale kommen, die ihn in verwirrend große Lagen brachten; diese nötigten ihm dann die unvergeßlichen Gebärden ab, die gedrängten Worte, die tiefen zarten Hauche, die sein Geheimstes zum Ausdruck brachten. Vielleicht fand ich überhaupt unheimlich, gleichsam den Strom des eigenen Lebens anzuhalten, damit ein Werk entstünde. Etwas östlich Fremdes glaubte ich da in unsere deutsche Träumerwelt hereingekommen, Yoga-Geist, der nicht mehr arglos die singende Natur in sich trägt, vielmehr mit Willensgewalt seine Strahlen durch das Brennglas der Seele hindurch auf einen Punkt vereinigt, bis dieser sich tönend entzündet. — »Herrlich ist es, ein Ding zu schauen, — furchtbar, es zu sein«, — auch dieses ungeheure Buddha-Wort war ja bereits im Abendland

erklungen; ich begriff es noch nicht in seiner ganzen Bedeutung; wenn ich freilich den alten Goethe las, dann war mir, als hätte dieser es längst gekannt, nur daß er sich seine göttlich fließende Spiegelruhe bewahrte, sich nicht auf die Anstrengung einließ.
Welche Wunder entstehen, wenn solche Versenkung unter der Leitung eines Genius geschieht, das haben wir an herrlichen Gedichten Rilkes mit reiner Beglückung erlebt. Sie sind aber durchaus einmalige Gebilde, kostbare Filtrate, die nur ihm gelingen konnten, weshalb ihn auch alle Nachahmungen so peinlich berührten. Er allein wußte ja, wieviel diese Ergebnisse ihn gekostet hatten, und fühlte tiefer als irgendein anderer ihre Unwiederholbarkeit. Jeder minder Begabte, der sein inneres Sehvermögen so schonungslos ausnützen, die Dichtung solchermaßen wie höhere Mathematik betreiben wollte, wie bald käme er in Gefahr, von den strömenden Kräften des Alls abgeschnitten zu werden! Und ob nicht sogar die »Duineser Elegien« selbst auf Kosten eines lebenswichtigen Organs erwachsen sind, das ist eine Frage, die manchmal den ärztlichen Sinn beschäftigt.
Es kommt bei jedem Ausspruch so sehr darauf an, wer ihn tut, und man brauchte nur eine Viertelstunde bei Rilke zu sein, um zu spüren, wie guten Gewissens gerade er seine Bahn aufzeigen und von seinen Bemühungen sprechen durfte. Damit hing es auch zusammen, daß man sich in seiner Nähe so frei fühlte; er lehrte nicht, forderte nicht, nötigte nicht auf; alle Kämpfe waren in einsamen Stunden längst von ihm geleistet, und der Gast an seinem Tische sah nur Glanz und Fülle der eroberten Provinzen.
Daß auch einem so Hochgesegneten, äußerlich Unbehinderten, die Gedichte nicht mehr einfach zuflogen, dies entsprach wohl einem tiefen Gesetz. Was aus einem lebendigen Keim und nicht aus dem bloßen Talent hervorgeht, hat meistens ein langsames Wachstum; darüber kann jeden die eigene Entwicklung belehren. Mir hatte wie manchem anderen in der Schülerzeit ein Abend genügt, um ein Hochzeitskarmen und gleich darauf einen Nekrolog zu liefern; seit ich aber, durch alte und neue Dichter gemahnt, von innen heraus zu formen versuchte, ging es anders zu. Kleine Gedichte konnten auch jetzt noch auf einmal entstehen; fast alle größeren aber blieben zunächst halbfertig liegen, bis mir das eine oder andere nach Wochen oder Monaten wieder vor Augen kam; nun erst gliederten sich die fehlenden Strophen meistens mühelos an. Die Prosa verhielt sich nicht anders. Ein hellsichtiger Freund, der durch Erbschaft Eigentümer eines weit entfernten hübschen Hauses geworden war, erzählte mir, er habe dieses Anwesen bereits in den Jahren vorher schlafwachend oft vor sich gesehen, aber nie das ganze auf einmal, sondern immer nur Einzelheiten, zuerst einen Teil der Dachziegel, später zwei klematisbewachsene Wände, dann Haustür, Altane und Garten, und so nach und nach, wie in einem Zusammensetzspiel, den ganzen Besitz. Diesem

unberechenbaren, diesem nur stückweisen In-die-Erscheinung-Treten ähnelte sehr die Schreiberei meiner letzten Jahre, und wie oft kam es vor, daß die Stelle, die ich für einen guten Anfang gehalten, sich nachher als der einzig mögliche Schluß erwies. In diesem Vorgang hatte ich stets etwas Ordnungswidriges gesehen und, wie über ein heimliches Gebrechen, darüber geschwiegen. Um so sicherer, brausender und genialer dachte ich mir den Vorgang der Gedichtwerdung bei den anderen und atmete ein wenig auf, als Rilke von seinen neubegonnenen Sachen sehr bescheiden als von einer schwierigen Arbeit sprach, mit ganz geringer Aussicht auf Gelingen. Wie frei, wie festlich aber klang in seinem Munde auch dieses erdenschwere Wort »Arbeit«! Wer es hörte, dem mußte, wenn er noch so müde war, ein frisches Vertrauen in das eigene Vermögen überkommen.

Als ich Rilke bat, mir etwas vorzulesen, zögerte er nicht einen Augenblick, holte ein schwarzes Merkbuch und begann jenes wundersame, in Prosa geschriebene Erlebnis vorzutragen, das er später in einem Almanach der Insel veröffentlichte. Diesem ließ er einen zweiten, kleineren Absatz folgen, der sich in der Ausgabe seiner Werke nicht findet. Ruhig, in klarem, schwingendem Ton las er die gründlich durchgeformten Sätze und war gerade zu der mystischen Wendung gelangt, wo der Baumgeist in die Seele des an den Stamm gelehnten Lesers herüberschwebt, als ein dunkelgekleidetes Mädchen mit weißer Schürze den Tee hereintrug, auf dem Parkettboden ausglitt und Brett, Kannen, Tassen und Löffelchen fallen ließ. Geklirr und Geschepper mögen gewaltig gewesen sein; aber sonderbar: man hörte sie und hörte sie auch nicht. Keinen Augenblick wurde das ruhige Gefälle des Vortrags unterbrochen; die Störung blieb außerhalb des magischen Kreises. Es war, als träfe die nicht gar laute Stimme des Dichters auf besondere, sehr tiefliegende Hörnerven, Antennen der Seele, die jenen alltäglichen Lärm gar nicht aufnahmen; und als Rilke endete, war nicht eine Silbe des Gelesenen verloren gegangen. Auch die Dienerin schien dies zu spüren; unbekümmert, als befände sie sich allein im Raum, stellte sie die Ordnung wieder her und holte neue Gedecke, als wäre nichts geschehen.

Diese kleine Begebenheit fällt mir heute noch jedesmal ein, wenn auf Rilke die Rede kommt und mancher sonst gescheite Freund es nicht verstehen kann, daß der Vers dieses Dichters, der so leicht und spielerisch begonnen, sich nach und nach stärker erwies als mancher andere, der großartiger, dröhnender, stürmischer eingesetzt hatte. Es gibt Leute, die es der Nachtigall ewig vorwerfen, daß sie kein Adler ist, und mancher sucht Rilke dadurch herunterzusetzen, daß er seiner Dichtung die elementare Männlichkeit abspricht, vielleicht, weil er kaum jemals ein eigentliches Liebeslied geschrieben hat. Es gibt aber verschiedenartige Auswirkungen des Männlichen, und wenn es einem Künstler nicht beschieden ist, mit einer Frau in großer metaphysischer Verbindung zu leben, so müssen wir ihm schon gestatten, daß er sich mit allen herrlichen und unscheinbaren Dingen der Welt so geistig-innig verheiratet, wie sein Ingenium es zuläßt. Was aber das Elementare angeht, so ist es nicht immer jedem erkennbar. Die meisten bezeichnen heute eine Dichtung als elementar, wenn sich der Mensch darin als ungezügeltes Tier enthüllt und alles von anderen langsam Aufgebaute über den Haufen wirft. Sie übersehen dabei nur, daß der also entfesselte Mensch im Grunde nichts ausrichtet; er kann wohl ein wenig vergewaltigen, morden und niederbrennen, aber es wird nichts durch ihn bewegt, nichts gestiftet, nichts gegründet. Wie sehr zart und musikalisch das Elemtare sich offenbaren kann, das wußte Shakespeare, als er den Ariel schuf, den traumleichten Luftgeist, der aber mit Gewitterstürmen spielt und singend Schicksale fügt. Rilke litt, wie alle, die nahe der Chaosgrenze wohnen, an einem Gefühl dauernden Bedrohtseins, war überaus reizbar und seiner Gesundheit nicht sicher; er mußte seine Kunst behandeln wie eine kostbare Geige, die durch schlechtes Wetter leicht verstimmt wird. Groß war auch zeitweise die Befürchtung in ihm, vom eigenen Mittelpunkt abgetrieben zu werden; dann blieb er stehen, um auf sein Gesetz zu horchen. Das waren die Pausen, die er, wie wir nach Jahren erfuhren, mit Übung ausfüllte. In Tagebüchern und Briefen, die er oft weniger an den Empfänger als an sich selber schrieb, errang er sich Aufschluß über sein Wesen und seine Berufung. Von Rilkes Briefen war bei solchen, die ihm nahestanden, immer viel die Rede gewesen; an Ausdruckskraft und Schönheit wurden manche den Gedichten gleichgestellt. Zuweilen erhielt man den einen oder andren vorgelesen, und wenn man auch von der Fülle, die später ans Licht kam, noch nichts wußte, so offenbarte doch schon das wenige diesen unabhängigen, leidenschaftlichen Geist in seinen vielen Formen: bald als den Bildner, der sich zur Geduld bezähmt, indem er die Stunde des Gedichtes abwartet und einstweilen, studienhaft, eine Landschaft, ein Gartenstück oder ein Kleid mit wenigen Worten zu überraschender Anschauung bringt, oder als den tief Erkenntlichen, der den ganzen Goldgehalt einer Stunde ausschöpft und ihn durch unvergeßliche Prägungen verewigt, bald auch als den Trauernden, der es nicht fassen kann, daß er von allem unschuldigen Genuß des Daseins ausgeschlossen ist, dann wieder als den Mutwilligen, der Menschen und Vorgänge mit plastischem Humor durchleuchtet, zuweilen sogar als den sorglich rechnenden Schriftsteller, der sehr bescheiden den vermutlichen Ertrag seiner Arbeit abschätzt, immer aber als den unerbitterlichen, seiner Sendung bewußten Künstler, der allem behaglichen Hausglück entflieht, um die Stimmen der Tiefe nicht zu überhören. Diese Würde, diese Königlichkeit inmitten vieler Leiden und Flüchte glänzte nie schöner auf, als wenn er einem Jüngeren, der ihn um Rat gebeten, über letzte Geheimnisse die Augen öffnet oder ihn herzlich-ernst auf den eigenen Dämon verweist. Und nirgendwo, weder in der Dichtung noch in den Briefen dieses vielfach Geängstigten, oft seine Schwäche Eingestehenden, finden wir ein müdes, ein feiges, ein unfestes Wort; hinter der kleinsten Mitteilung steht einer, der sein Leben an seinen Dienst setzt und um dieses Dienstes willen sich die größte menschliche Freiheit vorbehält. Und dieser Dichter sollte nicht ein heldenhafter Mann gewesen sein?

RAINER MARIA RILKE

Brief an die Gräfin Sizzo

Château de Muzot sur Sierre/Valais
am 12. April 1923

Meine verehrte gnädigste Gräfin,
es ist Zeit, daß ich den beiden kleinen Sendungen der vorigen Woche nun auch ein Wörtliches und Mitteilendes nachsende; dieses vor allem: den wörtlichen Dank für Güte und Freundschaft Ihres Briefes vom 10. März. Glauben Sie, ich habe ihn wieder und wieder gelesen, um Ihnen nahe zu sein und ganz den jetzigen Zustand Ihres Schmerzes zu verstehen und aufzufassen. Wie tief muß er sein, da Sie bis zu jenen Stellen seiner Windstille eindringen konnten (wenige Menschen, schon aus Mißtrauen gegen den Schmerz, gelangen dorthin) — und wie wahrhaft ist er, da Sie ihn bis ins Körperlichste verfolgen und ihn in seinen beiden Extremen erfahren können: ganz im Seelischen, dort wo er uns so unendlich übertrifft, daß wir ihn nur noch als Stille, als Pause, als Intervall unserer Natur empfinden, und auch wieder, plötzlich, an seinem anderen Ende, wo er wie ein leibliches Wehtun ist, ein unbeholfener heilloser Kinderschmerz, der stöhnen macht. Aber ist es nicht wunderbar (und ist es nicht irgendwie ein Werk der Mütterlichkeit), so in den Kontrasten des eigenen Wesens herumgeführt zu sein? Und Sie empfindens ja auch oft wie eine Einweihung, eine Einführung ins G a n z e und so, als könne einem nichts Böses, nichts in bösem Sinne Tödliches mehr widerfahren, wenn dieses elementarische Leid einmal rein und wahrhaftig durchgemacht ist. — Ich habe mir oft gesagt, daß dieses der Drang oder (wenn so zu sagen erlaubt ist) die heilige List der Märtyrer war, daß sie verlangten, den Schmerz, den fürchterlichsten Schmerz, das Übermaß alles Schmerzes, hinter sich zu legen — das, was sich sonst, unvorsehlich, in kleinen oder größeren Dosen körperlichen und seelischen Leidens über ein Leben verteilt und mit seinen Momenten vermischt — diese ganze Leidensmög-

lichkeit auf einmal heraufzurufen, zu beschwören, damit dahinter, nach solcher Überstehung, nur noch die Seligkeit sei, die ununterbrochene Seligkeit im Anschauen Gottes — die nichts mehr stören kann, am Ausgang der Überwindungen - - - So ist auch der Verlust, dessen Schatten über Ihnen liegt, eine Aufgabe des Überstehens, ja ein Aufarbeiten alles Leidens, das über uns kommen kann — (denn mit der Mutter, die uns verläßt, fällt aller Schutz), eine ungeheure Abhärtung ist auszuhalten — aber dafür geht (und auch das fingen Sie schon an zu fühlen) . . . dafür geht nun die Macht des Schützens in Sie über, und alle Mildigkeit, die Sie bisher noch empfangen durften, wird mehr und mehr in Ihrem Inneren aufblühen, und es wird nun Ihre neue Fähigkeit sein, sie als ein Eigenes (unsäglich um den tiefsten Preis Ererbtes und Erworbenes), von sich aus, auszuteilen.
Mehr als einmal schon habe ich Ihnen angedeutet, wie ich mehr und mehr in meinem Leben und in meiner Arbeit nur noch von dem Bestreben geführt bin, überall unsere alten Verdrängungen zu korrigieren, die uns die Geheimnisse entrückt und nach und nach entfremdet haben, aus denen wir unendlich aus dem Vollen leben könnten. Die Furchtbarkeit hat die Menschen erschreckt und entsetzt: aber wo ist ein Süßes und Herrliches, das nicht zu Zeiten diese Maske trüge, die des Furchtbaren? Das Leben selbst — und wir kennen nichts außer ihm — ist es nicht furchtbar? Aber so wie wir seine Furchtbarkeit zugeben (nicht als Widersacher, denn wie vermöchten wir ihr gewachsen zu sein?), sondern irgendwie in einem Vertrauen, daß eben diese Furchtbarkeit ein ganz Unsriges sei, nur ein, vor der Hand, für unsere lernenden Herzen noch zu Großes, zu Weites, zu Unumfaßliches . . ., so wie wir, meine ich, seine schrecklichste Furchtbarkeit bejahen, auf die Gefahr hin, an ihr (d. h. an unserem Zuviel!) zugrunde zu gehen — erschließt sich uns eine Ahnung des Seligsten, das um diesen Preis unser ist. Wer nicht der Fürchterlichkeit des Lebens irgendwann, mit einem endgültigen Entschlusse, zustimmt, ja ihr zujubelt, der nimmt die unsäglichen Vollmächte unseres Daseins nie in Besitz, der geht am Rande hin, der wird, wenn einmal die Entscheidung fällt, weder ein Lebendiger noch ein Toter gewesen sein. Die Identität von Furchtbarkeit und Seligkeit zu erweisen, dieser zwei Gesichter an demselben göttlichen Haupte, ja dieses einen einzigen Gesichts, das sich nur so oder so darstellt, je nach der Entfernung aus der, oder der Verfassung, in der wir es wahrnehmen . . .: dies ist der wesentliche Sinn und Begriff meiner beiden Bücher, von denen nun das eine, die Sonette an Orpheus, schon in Ihren gütigen Händen ist.
Ich hatte Freunde hier zu Besuch um Ostern und habe (zum dritten Mal nun) diese Gedichte vorgelesen; dabei erfuhr ich, jedesmal, wie sehr man der Aufnehmung zu Hilfe kommen kann, durch kleine, nebenbei ausgesprochene Erklärungen. Aber dafür ist das persönliche Vorlesen notwendig . . .

Während des Lesens, neulich abends, gedachte ich Ihrer, liebe Gnädigste Gräfin, und wünschte mir so sehr einmal dieses Buch, Blatt für Blatt, mit Ihnen durchzusehen, um Ihnen jedes einzelne Gedicht in seiner ganzen Stärke hinzustellen. Ich weiß jetzt, es ist keines da, das nicht klar und ergiebig wäre, wenn auch manche dem unsäglichen Geheimnis so nahegestellt sind, daß sie nicht zu erklären blieben, sondern eben nur ... auszuhalten. Aber ich erfuhr, wieviel meine Stimme, unwillkürlich, zur Deutung beiträgt, schon deshalb, weil das ganze Mysterium der Entstehung dieser Verse noch in ihr zittert und sich, in unbeschreiblichen Schwingungen, auf den Anhörer überträgt. —

Auch davon, wenn ich nicht irre, erzählte ich Ihnen schon: daß diese merkwürdigen Sonette an Orpheus keine beabsichtigte oder erwartete Arbeit waren; sie stellten sich, oft viele an einem Tag (der erste Teil des Buches ist in etwa drei Tagen entstanden), völlig unerwartet ein, im Februar vorigen Jahres, da ich vielmehr dabei war, mich für die Fortsetzung jener anderen Gedichte — der großen Duineser Elegien — zu sammeln. Ich konnte nichts tun, als das Diktat dieses inneren Andrangs rein und gehorsam hinzunehmen; auch begriff ich erst nach und nach den Bezug dieser Strophen zu der Gestalt jener achtzehn- oder neunzehnjährig verstorbenen Wera Knoop, die ich wenig gekannt und nur ein paarmal im Leben, da sie noch ein Kind war, gesehen habe, freilich mit eigentümlicher Aufmerksamkeit und Ergriffenheit. Ohne daß ich es so anordnete (bis auf wenige Gedichte am Eingang des zweiten Teils behielten alle Sonette die chronologische Folge ihrer Entstehung), ergab es sich, daß nur jeweils die vorletzten Gedichte der beiden Teile auf Wera ausdrücklich Bezug nehmen, sie anreden, oder ihre Gestalt hervorrufen.

Dieses schöne Kind, das erst zu tanzen anfing und, bei allen, die sie damals sahen, Aufsehen erregte, durch die ihrem Körper und Gemüt eingeborene Kunst der Bewegung und Wandlung, — erklärte ihrer Mutter unvermutet, daß sie nicht länger tanzen könne oder wolle ...; (das war eben am Ausgang des Kindseins) ihr Körper veränderte sich seltsam, wurde, ohne seine schöne östliche Gestaltung zu verlieren, seltsam schwer und massiv ... (was schon der Anfang der geheimnisvollen Drüsenerkrankung war, die dann so rasch den Tod herbeiführen sollte) ... In der Zeit, die ihr noch blieb, trieb Wera Musik, schließlich zeichnete sie nur noch — als ob sich der versagte Tanz immer leiser, immer diskreter noch aus ihr ausgäbe ... Ich kannte ihren Vater, Gerhard Ouckama-Knoop, der den größten Teil seines Lebens als Ingenieur, an den großen Knoopschen Spinnereien in Moskau zugebracht hatte. Ein Herzleiden, dessen merkwürdige Beschaffenheit den Ärzten ein Rätsel war, zwang ihn später, sich aus dieser Tätigkeit zurückzuziehen, er kam mit seiner Frau und seinen beiden Töchtern (deren Wera die jüngere war), nach

Deutschland und hatte noch Zeit, ein paar Bücher zu verfassen, die nicht unbekannt geblieben sind, aber die große Eigentümlichkeit des Erlebens, das diesen bescheidenen Mann beschäftigte und ausfüllte, vielleicht nicht genügend erkennen lassen. Seine letzten Jahre müssen voll großartiger Einsichten und Hellheiten gewesen sein — und sein Sterben, begünstigt vielleicht durch die besonderen Zustände seines Herzens, war eine restlose Lösung des Hiesigen in einer unbeschreiblichen Klärung seines Geistes . . ., er starb w i s s e n d, gewissermaßen überflutet von Einsichten ins Ewige, und sein letzter Atem wurde ihm zugeweht von den, durch ihn erregten, Flügeln der Engel . . . Ich kannte auch ihn nicht viel, denn in Paris wohnend, wo er mich nur einmal besuchte, fehlte mir die Möglichkeit näheren Umgangs mit ihm . . .; aber es bestand zwischen uns, von Anfang an, jener Instinkt des Vertrauens, jene gar nicht weiter zu beweisende Freude aneinander, — die vielleicht aus der gleichen Quelle stammte wie die unerhörte Eingebung, die mich nun so unbegreiflich begabt hat, der jungen Wera dieses Grabmal aufzurichten!
Es würde zu weit führen, wollte ich nun versuchen, einzelne der Sonette zu kommentieren, auch möchte ich so gerne diesen Grund für eine künftige Begegnung bestehen lassen. Immerhin, damit Sie das Buch richtig lesen, meinte ich diese vorangehenden Hinweise Ihnen schreiben zu dürfen — so manches wird sich nun aus ihnen ergeben und als leichte Begleitung bei Ihren Lesestunden mitwirken.
Vielleicht ists noch gut zu wissen, daß das XVI. Sonett (des ersten Teils), Seite 22, an einen Hund gerichtet ist: ich wollte das absichtlich nicht ausdrücklich anmerken, weil das fast wieder wie eine Ausschließung (oder doch Absonderung) des Geschöpfes gewirkt haben würde, das ich ja gerade ganz in unser Geschehen hereinnehmen wollte. (Errät mans wohl, erriete mans, daß da ein Hund angeredet ist?)
Ich schließe, verehrte Gräfin. Die Anemonen! Was Sie wohl zu denen gesagt haben (falls sie noch ungefähr kenntlich angekommen sind). Im vorigen Jahr sagte man mir, diese dunkelviolette bepelzte Art der Pulsatille wäre nur im Wallis zu Hause; unerfahren, wie ich leider in Botanik bin, glaubte ich das gerne, heuer aber kam jemand durch, der nannte die kleine Blume, in schmählicher Vertraulichkeit »Kuh-« oder sogar »Küchenschelle« und versicherte mir, que c'était tout ce qu'il y a de plus commun . . . Nun, das täte ja ihrer Schönheit weiter keinen Eintrag, wunderte mich aber, denn, wie sie hier so, im Gestein, als erste aufkommt, in der Vorsicht ihres silbernen, noch für alle Unbillen eingerichteten Pelzes, nimmt sie sich wirklich selten und edel aus. — Kannten Sie sie? Gibt es die gleiche in Ungarn?
Ich hatte Musik hier zu Ostern, muß ich noch erzählen, herrliche Musik — ein Ereignis für mich, der ich so selten dazukomme, Musik aufzunehmen

(und vielleicht mir auch gar nicht wünschte, oder es nicht wagte, ihr öfter offen zu sein). Mit meinen Schweizer Freunden war eine noch ganz junge Geigerin zu mir gekommen, von der man mir versichert, daß sie schon jetzt unter den besten und außerordentlichsten Künstlern ihres Instrumentes gälte. Sie spielte mir Bach während dreier Tage, fast nur Bach — und wie, wie! Mit welcher Erwachsenheit und Sicherheit der Geige, mit welcher Entschlossenheit. (So müßten Schicksale, so müßten Leben sein; aber nur im Schicksalslosen gibt es diese straffe Stärke, die das Sanfte in sich faßt und schützt — und diese Genauigkeit.) Die junge Künstlerin, Alma Moodie (Schottin vom Vater her, Irländerin von Mutterseite, in Australien geboren, gegenwärtig in Berlin mit Flesch arbeitend) geht, soviel ich weiß, nächstens auf einer Tournee nach Rumänien ... Wenn sie durch Ungarn kommt und in Pest spielt und es trifft sich so, bitte hören Sie sie ...
Ich gab ihr (nach Rumänien) das entzückende Buch der Psse Marthe Bibesco mit, Isvor, le pays des Saules, zwei Bände ... ein Buch voll tiefer Erfahrungen des aus ältesten Überlieferungen herstammenden Lebens und Fühlens des dortigen Volkes — Seiten von reinster Empfindung und Poesie: soll ich es Ihnen senden? (denn ich glaube, es ist schwer, im Auslande französische Bücher zu erhalten). In dauernder Ergebenheit Ihnen dankbar zugewendet

Ihr

Rilke

RAINER MARIA RILKE

KOMM DU, DU LETZTER, DEN ICH ANERKENNE,
heilloser Schmerz im leiblichen Geweb:
wie ich im Geiste brannte, sieh, ich brenne
in dir; das Holz hat lange widerstrebt,
der Flamme, die du loderst, zuzustimmen,
nun aber nähr' ich dich und brenn in dir.
Mein hiesig Mildsein wird in deinem Grimmen
ein Grimm der Hölle nicht von hier.
Ganz rein, ganz planlos frei von Zukunft stieg
ich auf des Leidens wirren Scheiterhaufen,
so sicher nirgend Künftiges zu kaufen
um dieses Herz, darin der Vorrat schwieg.

Bin ich es noch, der da unkenntlich brennt?
Erinnerungen reiß ich nicht herein.
O Leben, Leben: Draußensein.
Und ich in Lohe. Niemand der mich kennt.

*(Val-Mont, wohl gegen Mitte Dezember 1926:
Rilkes letzte Eintragung im letzten Taschenbuch)*

ROBERT MUSIL

Aus der Rede zur Rilke-Feier 1927

Die neuzeitliche Gepflogenheit, daß wir Deutsche immer einen größten Dichter haben müssen — gewissermaßen einen langen Kerl der Literatur — ist eine üble Gedankenlosigkeit, die nicht wenig Schuld daran trägt, daß die Bedeutung Rilkes nicht erkannt worden ist. Weiß Gott, woher sie stammt! Sie kann ebensogut vom Goethekult kommen, wie vom Exerzieren, von der konkurrenzlos unübertroffenen Qualität der X-Zigarette wie von der Tennisrangliste. Es liegt ja auf der flachen Hand, daß der Begriff der künstlerischen und geistigen Größe niemals nach Metermaß und Nummer bestimmbar ist. (Auch nicht nach dem »Umfang« des Werks oder des Bereichs behandelnder Gegenstände — sozusagen nach der Handschuhnummer des Schriftstellers!: dennoch gilt zweifellos das Viel-Schreiben bei uns für schwerer als das Wenig-Schreiben!) Niemand hat in so edler Weise kundgegeben, daß der Begriff der künstlerischen Größe nicht ausschließend ist, wie Rilke, welcher stets der selbstlose Förderer seiner jungen Mitbewerber gewesen ist.

Denken Sie einen Augenblick daran, daß das schmächtige Werk Hardenbergs und Hölderlins zur gleichen Zeit entstanden ist, wo sich das mächtige Werk Goethes vollendete; daß gleichzeitig mit den Riesenwürfen von Hebbels dramatischem Würfelspiel die knappen Entwürfe Büchners entstanden sind: Ich glaube nicht, daß Sie empfinden werden, eines von diesen wäre durch das andere zu ersetzen, wäre wegen eines anderen zu entbehren; sie sind beinahe völlig den Begriffen des Mehr, Weniger, Größer, Tiefer, Schöner, kurz jeder Art von Graduierung entzogen. Dies ist der Sinn dessen, was eine überschwengliche Zeit den Parnaß, eine Zeit, welche die Würde und Freiheit liebte, die Republik der Geister genannt hat. Die Höhe der Dichtung ist keine Spitze, auf der es immer höher geht, sondern ein Kreis, innerhalb dessen es nur ungleich Gleiches, Einmaliges, Unersetzliches, eine edle Anarchie und Ordens-Brüderlichkeit gibt. Je strenger eine Zeit in dem ist, was sie überhaupt Dichtung nennt, desto weniger Unterschiede wird sie darüber hinaus zulassen. Unsere Zeit aber ist sehr tolerant in dem, was sie Dichtung nennt; es genügt ihr unter Umständen schon, — wenn der Papa ein Dichter ist. Dem entspricht es, daß sie auf der anderen Seite den Begriffs des Stars, des Cracks im Verlagstall, des Literaturchampions auf die Spitze getrieben hat — wenn er als Federgewicht auch natürlich nicht ganz den gleichen Anspruch auf Beachtung erheben darf wie die Schwergewichte des Boxsports!

Rainer Maria Rilke war schlecht für diese Zeit geeignet. Dieser große Lyriker hat nichts getan, als daß er das deutsche Gedicht zum erstenmal vollkommen gemacht hat; er war kein Gipfel dieser Zeit, er war eine der Erhöhhungen, auf welchen das Schicksal des Geistes über Zeiten wegschreitet ... Er gehört zu den Jahrhundertzusammenhängen der deutschen Dichtung, nicht zu denen des Tages.

Wenn ich sage, das deutsche Gedicht vollkommen gemacht, meine ich keinen Superlativ mehr, sondern etwas Bestimmtes. Ich meine auch nicht jene Vollkommenheit, von der ich gesprochen habe, welche jeder wahren Dichtung eignet, auch wenn diese Dichtung, an sich selbst gemessen, unvollkommen ist. Sondern ich meine eine ganz bestimmte Eigenschaft des Rilkeschen Gedichts, eine Vollkommenheit im engeren Sinn, die seine geschichtliche Stellung zunächst bestimmt.

Das neue deutsche Gedicht hat eine eigentümliche Entwicklung. Es erreicht gleich im Beginn, bei Goethe, zweifellos einen Höhepunkt; aber es wird zum Schicksal eines Jahrhunderts deutscher Dichtung; daß Goethe überaus duldsam gegen das Gelegentliche, die Improvisation, den spielenden Geselligkeitsreim war. Bezaubernd natürlich im Ausdruck für das, was ihn packt, bewundernswert durch die Fülle dessen, was seine vielseitige Natur zu bewegen vermag, hat er sich niemals gescheut, den Rest des Gedichts entweder lose auszuschütten oder einfach als gereimte Notiz von sich zu geben. Das lag in seinem Wesen. Das lag weit mehr noch im Charakter der Zeit. Diese Zeit, die wir als unsere Klassik anzusehen gewöhnt sind, was sie in gewissem Sinn auch ist, war in anderem Sinn eine Zeit der Versuche, der Unruhe, der Hoffnungen, der großen Beteuerungen, der Betriebsamkeit. Im weitesten Gegensatz zu unserer eigenen Zeit hatten damals Männer und Frauen einen Busen. Man weinte an ihm; man warf sich an ihn. Ein eigenartiger Schwang und Überschwang vertrug sich mit harmlosen Gesellschaftsspielen; Großzügigkeit mit genialer Schlamperei. In dieser Zeit wurden mit Eifer antike, persische, arabische, provenzalische, spätlateinische, englische, italienische, spanische Formvorbilder importiert, um mit ihnen eine heimische

Form für die heimische Bewegtheit zu finden. Wir vermögen uns heute nur noch schwer eine Vorstellung davon zu machen, was ein deutscher Hexameter, oder ein Madrigal, eine Ballade, eine Romanze an Finder- und Erfinderglück ihrerzeit bedeutet haben, und wofür sie Dichter und Leser zu entschädigen vermochten, bloß dadurch, daß sie glücklich da waren. Heute, wo sich die lyrischen Formen wesentlich eingeschränkt, aber auch gefestigt haben, fällt das ganz weg. Aber wir dürfen daraus wohl auch schließen, daß die Vollkommenheitsüberzeugung, die heute noch immer viele zu empfinden glauben, eine kleine halluzinatorische Ergänzung in sich trägt.

Die Auswirkung wird unwidersprechlich im Übergang von der Klassik zur Gegenwart. Was unsere Literaturgeschichte uns da mit der Unparteilichkeit eines Markensammlers als deutsches Gedicht aufbewahrt, diese Rückert, Anastasius Grün, Lenau, Feuchtersleben, Freiligrath, Geibel, Gilm, Lingg, Pichler, Zedlitz, Scheffel, Baumbach, Wilbrandt, Wildenbruch — nehmen Sie das eine oder andere Gedicht aus, nehmen Sie von dem einen oder anderen Gedicht an, daß man sich in die Zeitlage versetzen und es in dieser gewissermaßen verrenkten Stellung genießen könne —: im ganzen bleibt das eine Sammlung lyrischer Marterwerkzeuge zum Schulgebrauch. Hier tummeln sich die Gaselen und Kanzonen, die Sonette und Rondele. Sie finden ein ganz intellektuelles, vorsätzliches Verhältnis zur Form; dafür ein sehr wenig intellektuelles zum Gedankeninhalt. Einfälle, deren Bedeutungslosigkeit man sofort bemerken könnte, wenn man sie in Prosa ausdrücken würde, werden durch Rhythmus und Reim angewärmt, durch Strophen rundherum gebraten, womöglich noch durch einen Refrain, der wie der Irrsinn wiederkehrt, völlig ausgedörrt. Diese Zeit ist die Geburtsstätte des deutschen Glaubens, daß die Form den Inhalt adeln könne, daß die gehobene Rede höher stehe als die ungehobene; daß es etwas Besonderes sei, wenn man das Stuckornament des Verses auf die flache Idee klebt. Ich glaube sagen zu dürfen, daß die Formlosigkeit unserer Zeit noch die natürliche Reaktion darauf ist; — freilich hat sie mit der schönen Form auch zum Teil den schönen Inhalt preisgegeben. Ich darf und kann mich hier nicht auf Einzelheiten einlassen. Aber ich glaube, daß fast jeder von Ihnen selbst das Gefühl des Grauens kennt, das diese Lyrik — weniges ausgenommen — in dem jungen Leser hinterläßt, den man zwingt, in ihr die Geistesgeschichte seines Volkes zu bewundern.

Die ungeheure und verdiente Autorität Goethes hat die Entwicklung des deutschen Romans reichlich 50 Jahre hinter dem Ausland zurückgehalten; ohne dafür zu können; nur dadurch, daß die unmittelbar Nachkommenden bloß die — Hinterfront der Vorbilder sehn! Auf die gleiche Weise ist aus der mißverstandenen Autorität der Klassik eine verhängnisvolle Nachsicht gegen die Fehlleistungen ihrer Nachfolger entstanden. Diese zu unserer höheren Kultur gehörende Nachsicht erlaubt jedem lyrischen Übeltäter sich auf historisch nobilitierte Ahnen zu berufen, wenn der Augenblick günstig ist. Ich spreche da von einer der unseligsten Belastungen der deutschen Dichtung! Aus der nachklassischen Epoche ist ja die gegenwärtige unmittelbar, wenn auch anfangs durch Gegensatz, hervorgegangen. Die Deutschen lernten, was ein Gedicht sei, erst wieder durch das Ausland, durch Verlaine und Baudelaire, durch Poe und Whitman kennen; der Einfluß war gewaltig; es kam eine mächtige Selbstbesinnung und Selbstentdeckung; aber was sind noch so eindringliche Selbstbesinnungen auf die Dauer gegen eine fest eingefleischte Erziehung zum Falschsehen? Sehen Sie, das ist in einer innerlich nicht sehr gefestigten Literatur immer so: Die Selbstbesinnung führt zum Kampf gegen die Lieblinge der Trägheit und Oberflächlichkeit. Die Selbstbesinnung siegt; die Lieblinge bedecken tot das Schlachtfeld. Dann läßt die Gewissensspannung einen Augenblick nach, und die Toten stehen nicht nur auf, sondern sie haben — gerade weil sie eine Weile tot waren — etwas gut Erhaltenes, etwas betriebsam Unsterbliches und ehrwürdig Rührendes. Ja bei uns weiß noch dazu niemand, ob sie nicht am Ende sogar etwas Klassisches haben.

Ich glaube, mancherlei Zeichen der Gegenwart deuten unmißverständlich darauf hin, daß heute eine sehr gute Auferstehungszeit ist. Die Straffung der deutschen Literatur ist in einem dauernden Nachlassen. Ich gerate an dieser Stelle in die Gefahr der Aktualität. Aber — wovon spreche ich denn? Ich spreche von den unangreifbaren, lähmenden Schwierigkeiten, die sich einem Erneuerer des deutschen Gedichts entgegenstellen ...

RAINER MARIA RILKE

Archaischer Torso Apollos

Wir kannten nicht sein unerhörtes Haupt,
darin die Augenäpfel reiften. Aber
sein Torso glüht noch wie ein Kandelaber,
in dem sein Schauen, nur zurückgeschraubt,

sich hält und glänzt. Sonst könnte nicht der Bug
der Brust dich blenden, und im leisen Drehen
der Lenden könnte nicht ein Lächeln gehen
zu jener Mitte, die die Zeugung trug.

Sonst stünde dieser Stein entstellt und kurz
unter der Schultern durchsichtigem Sturz
und flimmerte nicht so wie Raubtierfelle;

und bräche nicht aus allen seinen Rändern
aus wie ein Stern: denn da ist keine Stelle,
die dich nicht sieht. Du mußt dein Leben ändern.

RAINER MARIA RILKE

Aus: Die Sonette an Orpheus - Erster Teil

XII

Heil dem Geist, der uns verbinden mag;
denn wir leben wahrhaft in Figuren.
Und mit kleinen Schritten gehn die Uhren
neben unserm eigentlichen Tag.

Ohne unsern wahren Platz zu kennen,
handeln wir aus wirklichem Bezug.
Die Antennen fühlen die Antennen,
und die leere Ferne trug . . .

Reine Spannung. O Musik der Kräfte!
Ist nicht durch die läßlichen Geschäfte
jede Störung von dir abgelenkt?

Selbst wenn sich der Bauer sorgt und handelt,
wo die Saat in Sommer sich verwandelt,
reicht er niemals hin. Die Erde *schenkt.*

XIII

Voller Apfel, Birne und Banane,
Stachelbeere ... Alles dieses spricht
Tod und Leben in den Mund ... Ich ahne ...
Lest es einem Kind vom Angesicht,

wenn es sie erschmeckt. Dies kommt von weit.
Wird euch langsam namenlos im Munde?
Wo sonst Worte waren, fließen Funde,
aus dem Fruchtfleisch überrascht befreit.

Wagt zu sagen, was ihr Apfel nennt.
Diese Süße, die sich erst verdichtet,
um, im Schmecken leise aufgerichtet,

klar zu werden, wach und transparent,
doppeldeutig, sonnig, erdig, hiesig —:
O Erfahrung, Fühlung, Freude —, riesig!

XXI

Frühling ist wiedergekommen. Die Erde
ist wie ein Kind, das Gedichte weiß;
viele, o viele ... Für die Beschwerde
langen Lernens bekommt sie den Preis.

Streng war ihr Lehrer. Wir mochten das Weiße
an dem Barte des alten Manns.
Nun, wie das Grüne, das Blaue heiße,
dürfen wir fragen: sie kanns, sie kanns!

Erde, die frei hat, du glückliche, spiele
nun mit den Kindern. Wir wollen dich fangen,
fröhliche Erde. Dem Frohsten gelingts.

O, was der Lehrer sie lehrte, das Viele,
und was gedruckt steht in Wurzeln und langen
Schwierigen Stämmen: sie singts, sie singts!

XIII

Sei allem Abschied voran, als wäre er hinter
dir, wie der Winter, der eben geht.
Denn unter Wintern ist einer so endlos Winter,
daß, überwinternd, dein Herz überhaupt übersteht.

Sei immer tot in Eurydike —, singender steige,
preisender steige zurück in den reinen Bezug.
Hier, unter Schwindenden, sei, im Reiche der Neige,
sei ein klingendes Glas, das sich im Klang schon zerschlug.

Sei — und wisse zugleich des Nicht-Seins Bedingung,
den unendlichen Grund deiner innigen Schwingung,
daß du sie völlig vollziehst dieses einzige Mal.

Zu dem gebrauchten sowohl, wie zum dumpfen und stummen
Vorrat der vollen Natur, den unsäglichen Summen,
zähle dich jubelnd hinzu und vernichte die Zahl.

XVIII

Tänzerin: o du Verlegung
alles Vergehens in Gang: wie brachtest du's dar.
Und der Wirbel am Schluß, dieser Baum aus Bewegung,
nahm er nicht ganz in Besitz das erschwungene Jahr?

Blühte nicht, daß ihn dein Schwingen von vorhin umschwärme,
plötzlich sein Wipfel von Stille? Und über ihr,
war sie nicht Sonne, war sie nicht Sommer, die Wärme,
diese unzählige Wärme aus dir?

Aber er trug auch, er trug, dein Baum der Ekstase.
Sind sie nicht seine ruhigen Früchte: der Krug,
reifend gestreift, und die gereiftere Vase?

Und in den Bildern: ist nicht die Zeichnung geblieben,
die deiner Braue dunkler Zug
rasch an die Wandung der eigenen Wendung geschrieben?

RAINER MARIA RILKE

AN DER SONNGEWOHNTEN STRASSE, IN DEM
hohlen halben Baumstamm, der seit lange
Trog ward, eine Oberfläche Wasser
in sich leis erneuernd, still' ich meinen
Durst: des Wassers Heiterkeit und Herkunft
in mich nehmend durch die Handgelenke.
Trinken schiene mir zu viel, zu deutlich;
aber diese wartende Gebärde
holt mir helles Wasser ins Bewußtsein.

Also, kämst du, braucht ich, mich zu stillen,
nur ein leises Anruhn meiner Hände,
sei's an deiner Schulter junge Rundung,
sei es an den Andrang deiner Brüste.

RAINER MARIA RILKE

NEIN, ICH VERGESSE DICH NICHT
was ich auch werde,
Liebliches zeitiges Licht,
Erstling der Erde.

Alles, was du versprachst,
hat sie gehalten,
seit du das Herz mir erbrachst
ohne Gewalten.

Flüchtigste frühste Figur,
die ich gewahrte:
nur weil ich Stärke erfuhr,
rühm ich das Zarte.

GOTTFRIED BENN

Schlussworte aus dem »Doppelleben«

Die erste Hälfte des Jahrhunderts ist zu Ende, die vier Jahrzehnte, in denen ich geistig tätig sein konnte, sind dahin. Und wenn man das Ganze überdenkt, überblickt, kommen Stunden, wo man müde wird, stumpf, von Apathie bedrängt. Man war im günstigsten Fall ein Chargenspieler, ein Sonderfall, ein Spezialist — große Rollen, abendfüllende Figuren fielen einem nicht zu. Sechzig Jahre — und des Lebens Verfall und Verwahrlosung in einige Prosasätze bündeln oder in ein paar Verse balancieren — wenn das alles ist, gibt es offenbar nur eins: Nicht alt werden, nicht so alt, daß man noch seine eigene Leiche liegen sieht und über sie lacht. Das war meine Stimmung. Da schrieb mir Freund Oelze, haben Sie das letzte Heft des »Merkur« gelesen, da sind drei ausgezeichnete Sachen drin, und er nannte sie. Ich hatte das Heft wohl bekommen, aber beiseite gelegt, wie viele Bücher, die damals kamen, nichts gelesen, alles von mir abgehalten, was meine Verzweiflung nur vermehren konnte. Da nahm ich das Heft und las. In der Tat, das waren gute Sachen. Alle die Dinge waren ernst genommen, die einem selber das Leben lang so brennend beschäftigt hatten. Formulierungen, die weiterführten, Geist, der nicht nur erörtert und lamentiert, sondern Fakten schafft. Weitsichtige Blicke über Fragen der Produktion, Erfahrungen, wirkliche Erfahrungen, die sich aus dem Inneren bildeten, nur in langer Arbeit, nur in strenger einsamer Zucht. Dann war eine Studie da über einen Prosaiker in Frankreich, von dem kurze Sätze zitiert wurden, aber Sätze der Zusammenfassung echter innerer Ereignisse, Sätze, die halten, die unzerreißbar sind, Sätze der Trance, aber auch der Realität. Also diese Welt ist da, es ist gar nicht zu leugnen, daß sie da ist, verschwiegen, aber grundsätzlich und fundamental, sie hat Ordnung und sie wird weitergegeben. Das erhob mich aus meiner Apathie. Dieser Kulturkreis schuf große Männer, Wachende über diese geheime Welt. Dieser auch von mir oft verlästerte Kulturkreis ist angeschlossen an jenes Etwas, daß es nie enden kann, das macht es groß. Es gibt fast unerträglich viel, das wir nicht wissen und der Gründe und Klagen und Verzweifeln sind Legion. Aber es wird so sein müssen und es wird unsere Aufgabe bleiben, die Stunde dieser geistigen Welt, solange sie dauert, weiter mit unseren menschlichen Bildern zu erfüllen, so trauerüberladen, so untergangssicher, so monologisch oder so hybrid sie sind. Der undurchsichtigen Stellung des Geistes in unserer Welt, der uneuphorischen Haltung ihm gegenüber, die wir einnehmen müssen, gilt der letzte Prosasatz dieser Betrachtungen, er ist aus dem »Weinhaus Wolf«: »Du stehst für Reiche, nicht zu deuten, und in denen es keine Siege gibt«, aber ich ergänze ihn durch eine Strophe aus meinen Gedichten, man möge sie weder als militant noch als nihilistisch ansehen, sie ist nur ernst und versucht tapfer zu sein:

»und heißt dann schweigen und walten,
wissend, daß sie zerfällt,
dennoch die Schwerter halten
vor die Stunde der Welt.«

GOTTFRIED BENN

Epilog 1949

I

Die trunkenen Fluten fallen —
die Stunde des sterbenden Blau
und der erblaßten Korallen
um die Insel von Palau.

Die trunkenen Fluten enden
als Fremdes, nicht dein, nicht mein,
sie lassen dir nichts in Händen
als der Bilder schweigendes Sein.

Die Fluten, die Flammen, die Fragen —
und dann auf Asche sehn:
»Leben ist Brückenschlagen
über Ströme, die vergehn.«

II

Ein breiter Graben aus Schweigen,
eine hohe Mauer aus Nacht
zieht um die Stuben, die Steigen,
wo du gewohnt, gewacht.

In Vor- und Nachgefühlen
hält noch die Strophe sich:
»Auf welchen schwarzen Stühlen
woben die Parzen dich,

aus wo gefüllten Krügen
erströmst du und verrinnst
auf den verzehrten Zügen
ein altes Traumgespinnst.«

Bis sich die Reime schließen,
die sich der Vers erfand,
und Stein und Graben fließen
in das weite, graue Land.

III

Ein Grab am Fjord, ein Kreuz am goldenen Tore,
ein Stein im Wald und zwei an einem See —:
ein ganzes Lied, ein Ruf im Chore:
»Die Himmel wechseln ihre Sterne — geh!«

Das du dir trugst, dies Bild, halb Wahn, halb Wende
das trägt sich selbst, du mußt nicht bange sein
und Schmetterlinge, März bis Sommerende,
das wird noch lange sein.

Und sinkt der letzte Falter in die Tiefe,
die letzte Neige und das letzte Weh,
bleibt doch der große Chor, der weiterriefe:
die Himmel wechseln ihre Sterne — geh.

IV

Es ist ein Garten, den ich manchmal sehe
östlich der Oder, wo die Ebenen weit,
ein Graben, eine Brücke, und ich stehe
an Fliederbüschen, blau und rauschbereit.

Es ist ein Knabe, dem ich manchmal trauere,
der sich am See in Schilf und Wogen ließ,
noch strömte nicht der Fluß, vor dem ich schauere,
der erst wie Glück und dann Vergessen hieß.

Es ist ein Spruch, dem oftmals ich gesonnen,
der alles sagt, da er dir nichts verheißt —
ich habe ihn auch in dies Buch versponnen,
er stand auf einem Grab: »tu sais: — du weißt.

V

Die vielen Dinge, die du tief versiegelt
durch deine Tage trägst in dir allein,
die du auch in Gesprächen nie entriegelt,
in keinen Brief und Blick sie ließest ein,

die schweigenden, die guten und die bösen,
die so erlittenen, darin du gehst,
die kannst du erst in jener Sphäre lösen,
in der du stirbst und endend auferstehst.

GOTTFRIED BENN

Chopin

Nicht sehr ergiebig im Gespräch,
Ansichten waren nicht seine Stärke,
Ansichten reden drum herum,
wenn Delacroix Theorien entwickelte,
wurde er unruhig, er seinerseits konnte
die Notturnos nicht begründen.

Schwacher Liebhaber;
Schatten in Nohant,
wo George Sands Kinder
keine erzieherischen Ratschläge
von ihm annahmen.

Brustkrank in jener Form
mit Blutungen und Narbenbildung,
die sich lange hinzieht;
stiller Tod
im Gegensatz zu einem
mit Schmerzparoxysmen
oder durch Gewehrsalven:
man rückte den Flügel (Erard) an die Tür
und Delphine Potocka
sang ihm in der letzten Stunde
ein Veilchenlied.

Nach England reiste er mit drei Flügeln:
Pleyel, Erard, Broadwood,
spielte für 20 Guineen abends
eine Viertelstunde
bei Rothschilds, Wellingtons, im Strafford House
und vor zahllosen Hosenbändern;
verdunkelt von Müdigkeit und Todesnähe
kehrte er heim
auf den Square d'Orleans.

Dann verbrennt er seine Skizzen
und Manuskripte,
nur keine Restbestände, Fragmente, Notizen,
diese verräterischen Einblicke —,
sagte zum Schluß:
»Meine Versuche sind nach Maßgabe dessen vollendet,
was mir zu erreichen möglich war«.

Spielen sollte jeder Finger
mit der seinem Bau entsprechenden Kraft
der vierte ist der schwächste
(nur siamesisch zum Mittelfinger).
Wenn er begann, lagen sie
auf e, fis, gis, h, c.

Wer je bestimmte Präludien
von ihm hörte,
sei es in Landhäusern oder
in einem Höhengelände
oder aus offenen Terrassentüren
beispielsweise aus einem Sanatorium,
wird es schwer vergessen.

Nie eine Oper komponiert,
keine Symphonie,
nur diese tragischen Progressionen
aus artistischer Überzeugung
und mit einer kleinen Hand.

GOTTFRIED BENN

Einsamer nie —

Einsamer nie als im August:
Erfüllungsstunde —, im Gelände
die roten und die goldenen Brände,
doch wo ist deiner Gärten Lust?

Die Seen hell, die Himmel weich,
die Äcker rein und glänzen leise,
doch wo sind Sieg und Siegesbeweise
aus dem von dir vertretenen Reich?

Wo alles sich durch Glück beweist
und tauscht den Blick und tauscht die Ringe
im Weingeruch, im Rausch der Dinge —:
dienst du dem Gegenglück, dem Geist.

GOTTFRIED BENN

Nur zwei Dinge

Durch soviel Formen geschritten,
Durch Ich und Wir und Du,
Doch alles blieb erlitten
Durch die ewige Frage: wozu?

Das ist eine Kinderfrage.
Dir wurde erst später bewußt,
Es gibt nur eines: ertrage
— Ob Sinn, ob Sucht, ob Sage —
Dein fernbestimmtes: Du mußt.

Ob Rosen, ob Schnee, ob Meere,
Was alles erblühte, verblich,
Es gibt nur zwei Dinge: die Leere
und das gezeichnete Ich.

MAX RYCHNER

Deutsche Weltliteratur

... An einem Sonntagnachmittag im Sommer 1926 suchte ich in einem Villenviertel von Lausanne das kleine Haus, das zu einem Teil des Jahres Edmond Jaloux, der französische Kritiker und Romanschriftsteller, bewohnte. Es war heiß, und ich hatte die Nummer vergessen, und kein Mensch zeigte sich in den öden Straßen, den ich hätte fragen können. Als ich aus einem Fenster die Klänge einer Klaviersonate von Schubert vernahm, durchdrang mich die Gewißheit: hier muß es sein. Es war so. Der kaum mittelgroße Mann mit den kreisrunden Brillengläsern und den rundlichen Wangen öffnete und führte mich ins Arbeitszimmer, wo auf dem Schreibtisch eine große Seite, halb bedeckt, von regelmäßiger, schön geschnörkelter Schrift lag. Er bemerkte meinen Blick darauf und erklärte, ja, er sei eben daran, etwas über Jean Paul zu schreiben. »Ein herrlicher Autor; ich liebe ihn.« Ich sagte etwas über sein Schubertspiel und über seine Bemühung um Rilke und andere deutsche Dichter. Oh, sagte er, er habe wirklich einen Zugang zu unserer Literatur, denn als junger Mensch, mit sechzehn Jahren, habe er den Norden unvergeßlich erlebt. Er stamme aus dem Süden, aus Marseille; aber ein Onkel habe ihn in die Ferien nach Triest eingeladen, und da sei ihm die nordische Welt aufgegangen. Von der deutschen Literatur kamen wir auf die französische. In krisenphilosophischem Ernst fragte ich ihn, wie es da weitergehen solle, ob auf die großen Gestalten der Proust, Valéry, Claudel, Gide ein ebenbürtiges Geschlecht folgen werde. Sogleich erhielt ich die Antwort, in diesen Worten: »Seit acht Jahrhunderten bringen wir immer wieder Meisterwerke hervor; ich sehe nicht ein, weshalb das nun plötzlich aufhören sollte.« —

Was wäre gegen solche festgefügte Zuversicht denn zu sagen, die sich auf ein unerschüttertes literarisches Geschichtsbewußtsein stützte? Auf ein Geschichtsbewußtsein, das nicht einem System zuliebe der Literatur das Weiterleben absprach, auf das Bewußtsein, daß immer und überall Menschen von Geist und Seele begabt werden, das Wort, ihre Sprache zu lieben und in ihr Schönes zu zeugen.

Zuversicht in das Schicksal der Literatur als Kunst, nicht als eines Instrumentes zur Weltveränderung, das gab es auch in Deutschland. Stefan Georges *Blätter für die Kunst* erschienen erstmals mit dem hochgemuten Satz: »In der Kunst glauben wir an eine glänzende Wiedergeburt.« Er sah sie in seiner Heimat sich vorbereiten, aber er erkannte ein durchgehendes, gleichzeitiges Streben in ganz Europa. Er hat Werke Lebender übertragen; Franzosen: Mallarmé, Verlaine, Rimbaud und Henri de Régnier, den Italiener d'Annunzio, den Engländer Swinburne, den Dänen Jacobsen, den Polen Rolicz-Lieder, den Belgier Verhaeren, die Holländer Kloos und Verwey. Diesem über alle Länder verstreuten Dichterkreis entsprach der Kreis, den er in Deutschland um sich scharte. Auch hier welch ein Wille, mit mächtigem Gefühl der Gegenwart Vergangenheiten heraufzuheben zu dem heutigen Tag, das Mittelalter in Dante und dem Staufenkaiser Friedrich II., und jene andere, auf die George in einem Gedicht die Schwurformel prägte: »Hellas ewig unsre Liebe!«

Ich habe George genannt; aber zu den schöpferischen Bewahrern gehören ebenso Hofmannsthal, Schröder, Borchardt. George hat von der »neuen Fühlweise und Mache« gesprochen, also außer einem neuen Daseinsgefühl eine neue Technik, eine neue Einstellung zur Sprache verkündet. Das war nicht nur seine, es war eine Forderung der Zeit. Rilke, Borchardt, Werfel, Benn, Lehmann, das sind Namen eines in die Epoche einbrechenden neuen und doch nicht durchaus neuen Sprachbewußtseins. Sie knüpfen an Goethes Altersstil an, den das neunzehnte Jahrhundert kaum ertragen hatte, also an den Manierismus. Die geläufige Wendung, das verbrauchte Bild, das flachgenutzte Wort wird mit Ekel gemieden; der bis ins einzelne persönliche Stil, wo jedes Wort, jeder Satz von einem besonderen Menschen geprägt und verantwortet wird, und zwar von dem in ihm, was einzig und einmalig ist, er wird vom Dichter gefordert. Mit wilder Strenge hat Karl Kraus über das verludernde Sprachethos seiner Epoche Gerichtstag gehalten, mit Grauen das Eindringen der Massensprache in die Literatur wahrgenommen und es mit geistvollem Zorn bekämpft. »Kunst ist, was den Stoff überlebt«, lautet seine einfache Definition. Also Form. Formale Bewußtheit bis zu jenem verwegen hohen Spiel, das Rudolf Borchardt mit seiner Dante-Übersetzung spielte, für die er eine eigene Abwandlung des Mittelhochdeutschen erfand, wie ja auch der junge George für sich eine eigene, romanisch tönende Dichtersprache geschaffen hatte, deren Worte, von allem gewöhnlichen Leben abgezogen, überhaupt nichts anderes mehr bezeichneten als Wesenheiten der Kunstsphäre.

In dem Wertesturz unserer Epoche ist das künstlerische Ethos der Form heil und intakt geblieben. Es hat die schwerste Belastung ausgehalten: zum Tod Verurteilte haben noch Sonette geschrieben, haben ihr letztes Leben an die Formung dieser zarten Lebensgefäße aus 14 Zeilen und fünf Reimen an den fünffüßigen Jamben gewandt, die Becher der Freude oder Urnen der Trauer bedeuten können. Welch ergreifender Vorgang, wie eine Seele, angesichts des Letzten, vom Geist dieses hohe geheimnisvolle Sprachzeremoniell verlangt, die Verwandlung zum Gedicht. Aus ähnlichem Bewußtsein, dem des Todes, der Vergänglichkeit, vertritt heute Gottfried Benn mit aller Energie und Schärfe seine Ethik der Kunst. Ihm bedeutet sie seine überlegene,

unzerstörbare Gegengründung zum Nihilismus der Werte. Er hat das nichtende Nichts erfahren als »formfordernde Gewalt«. Der Wirbel des Nichts selber fordert und erzwingt ein höchstes Sein in der Form, die den Zeiten widersteht. »Unsere Ordnung«, heißt es in *Probleme der Lyrik,* »ist der Geist; sein Gesetz heißt Ausdruck, Prägung, Stil. Alles andere ist Untergang. Ob abstrakt, ob atonal, ob surrealistisch, es ist das Formgesetz, die Ananke des Ausdrucksschaffens, die über uns liegt. Das ist nicht eine private Meinung, ein Hobby des lyrischen Ichs, das haben alle gesagt, die auf diesen Gebieten tätig waren ...«
Mit diesem kantig formulierten Bewußtsein konstituiert sich das Ich gegen das Auflösende, gegen das Vorbeifließen des Zeitlichen, Allzuflüchtigen. Von der im Ungefähren sich weiterwälzenden Welt hält es sich zurück, doch bewegt es sich frei durch die menschliche Formenwelt vieler Epochen. Ein Gedicht Benns beginnt:

»Charon oder die Hermen,
Oder der Daimlerflug ...«

Thematisch angeklungen werden in diesen zwei Zeilen mit sieben Worten die mythische Frühzeit, die sich Charon und die Unterwelt dichtete, die hohe Zeit des hermengeschmückten Athen und unsere Gegenwart mit Flugzeug und Motoren. Drei Zeiträume tun sich gegeneinander auf und vereinen sich in der Evokation des Gedichts, und ebenso die drei Sphären von Unterwelt, Erde und Luft. An weiteren Motiven dieser Dichtung, am »Niemals und immer«, an der »Stunde, die eint«, ließe sich zeigen, daß das zum Absoluten erhobene Formprinzip zum Absoluten überhaupt wieder Beziehung gewinnt: die Frage nach dem sterblichen Menschen und nach dem Wesen der Zeit, die Góngora von der Sanduhr, der Sonnenuhr und aus den Sternen abgelesen hatte, die Fleming in einer frommen dichterischen Fassung erhob, diese Frage bewegte auch Benn vor Sterbenden und Toten und vor den Trümmern antiker Städte. Dieser philosophischen und religiösen Frage gibt der Dichter den ihm verliehenen produktiven Sinn; für ihn heißt vergängliches Leben: Dauer erschaffen aus den kleinsten Elementen, die ihm gegeben sind, aus den einzelnen Worten. Für die Dichter des Barockzeitalters war das Wort noch ein göttlich durchhauchtes Wesen — »Am Anfang war das Wort, und das Wort war bei Gott, und Gott war das Wort ... Alle Dinge sind durch dasselbe gemacht, und ohne dasselbe ist nichts gemacht, was gemacht ist« —; Goethes *Westöstlicher Divan* gipfelt mit dem Gedicht »Höheres und Höchstes« in einem grandiosen mystischen Sprachgleichnis, in dem eine Summa des Dichtens über das Dichten sich geheimnisvoll offenbart; unserm Zeitgenossen Benn ist das Wort eine kosmische Potenz:

Ein Wort

Ein Wort, ein Satz —: aus Chiffern steigen
erkanntes Leben, jäher Sinn,
die Sonne steht, die Sphären schweigen,
und alles ballt sich zu ihm hin.

Ein Wort —, ein Glanz, ein Flug, ein Feuer,
ein Flammenwurf, ein Sternenstrich,
und wieder Dunkel, ungeheur,
im leeren Raum um Welt und Ich.

... Wir haben derzeit wie andere Völker auch, keine große Literatur; aber wir gewahren den Willen, formschaffend, in der Sprache gründend, das Wort erschließend am Sein teilzuhaben. In Zeiten, wo alles immer wieder bis zu den Wurzeln gefährdet erscheint und ist, hat dieser bestimmte Wille eine Würde, an welche die Schlagworte des Tages, wie Kunst für die Kunst, Elfenbeinturm usw., nicht heranreichen. Mehr noch als das. Dieser Wille, durch mehr als zwei Jahrtausende wirksam, sendet, wo wir ihn heute spüren, Zeichen der Verheißung aus. Wo er lebendig ist, kann die Dichtung nicht erstorben sein.
Darf man heute in einer Welt, die gezeichnet ist von Zerstörung, darf man inmitten von Not, Leiden und Kummer, unter dem Druck neuer Gefahren von Verheißung sprechen und bereits wieder Hoffnung hegen? Oder habe ich da eine Grenze überschritten? Ich habe eine Grenze überschritten, um zu Ihnen zu kommen, nicht weil ich eine neue Variante von der Verstörung, Zerrissenheit, Geworfenheit des Menschen oder des Lebens oder der Literatur mitzuteilen hätte, sondern weil ich hoffe und es Ihnen sagen wollte. Und so kann ich denn die Frage, die einst an mich gerichtet wurde, an Sie richten: Seit Jahrhunderten bringt Deutschland, auch in der Literatur, immer wieder geniale Schöpfungen hervor — warum sollte das nun plötzlich aufhören?
Es soll nicht aufhören.

* * *

CARL SCHURZ

Die Schauspielerin Rachel

Die berühmte französische Schauspielerin Rachel befand sich damals in Berlin, um dort ihr klassisches Repertoire dem hauptstädtischen Publikum vorzuführen. Sie hatte zu jener Zeit den Höhepunkt ihres Ruhmes erreicht. Ihre Lebensgeschichte wurde wieder und wieder von den Zeitungen erzählt — wie dieses Kind armer elsässischer Juden, geboren im Jahre 1820 in einem kleinen Wirtshause im schweizerischen Kanton Aargau, ihre Eltern auf ihren Hausiertouren in Frankreich begleitet hatte; wie sie Pfennige erworben hatte, indem sie mit einer ihrer Schwestern auf den Straßen von Paris zur Harfe sang; wie ihre Stimme vielfache Aufmerksamkeit auf sich zog und sie darauf im Konservatorium aufgenommen wurde; wie sie vom Singen zum Deklamieren und zu schauspielerischen Versuchen überging; wie ihr phänomenales Genie, plötzlich hervorstrahlend, sie sofort den berühmtesten histrionischen Künstlern der Zeit voranstellte. Wir revolutionären jungen Leute erinnerten uns auch mit besonderem Interesse an die kurz nach der Februarrevolution des Jahres 1848, als König Louis Philipp geflohen und die Republik proklamiert worden war, von Paris gekommenen Berichte, wie die Rachel auf einer Bühne in Paris die Marseillaise halb singend und halb sprechend rezitiert und damit in ihren Zuhörern einen wunderbaren Paroxysmus von patriotischer Begeisterung entflammt habe.
Einige meiner jungen Freunde in Berlin, die ihrer ersten Aufführung dort beigewohnt, kamen zu mir mit überaus enthusiastischen Erzählungen. Natürlich wünschte ich sehr, das auch zu genießen. Freilich konnte ich das nicht ohne Gefahr. Aber meine Freunde meinten, die Polizeispitzel würden schwerlich im Theater sich nach Staatsverbrechern umsehn, und ich würde in einem Schwarm von Rachelenthusiasten ziemlich sicher sein. Ich könnte mich ja in irgendeiner dunkeln Ecke des Parterres aufhalten ohne Gefahr, einem feindlichen Blick zu begegnen — wenigstens einen Abend. Mit dem Leichtsinn der Jugend entschloß ich mich dann zu dem Wagnis.
So sah ich die Rachel. Es war einer der überwältigendsten Eindrücke meines Lebens. Ich hatte die meisten der Tragödien Racines, Corneilles und Voltaires gelesen und getraute mich wohl, dem Dialog folgen zu können. Aber ich hatte nie an diesen Stücken viel Gefallen gefunden. Die darin dargestellten Empfindungen waren mir gekünstelt erschienen, die Leidenschaften unecht, die Sprache stelzenhaft, die alexandrinische Versform mit ihrer unerbittlichen Zäsur über die Maßen steif und langweilig. Ich hatte mich immer gewundert, wie solche Stücke auf der Bühne packend dargestellt werden könnten. Das sollte ich nun erfahren. Als die Rachel auf die Szene trat

— nicht mit dem bekannten affektierten Kothurnschritt, sondern mit einer ihr eigentümlichen Würde und majestätischen Anmut, gab es zuerst einen Moment schweigenden Erstaunens und dann einen rauschenden Ausbruch von Beifall. Einen Augenblick stand sie still, in den Falten ihres klassischen Gewandes wie eine antike Statue frisch von der Hand des Phidias — das Gesicht ein langes Oval; eine schön gewölbte Stirn beschattet von schwarzem welligem Haar; unter hoch geschwungenen gewitterdunkeln Brauen zwei Augen, die wie schwarze Sonnen in tiefen Höhlen brannten und leuchteten; die Nase fein und leicht gebogen mit offenen, zuckenden Nüstern; über einem energischen Kinn eine strenge, vornehme Linie der Lippen mit leicht abwärts geneigten Mundwinkeln, wie wir uns den Mund der tragischen Muse vorstellen mögen; die Gestalt — zuweilen groß, zuweilen klein scheinend, sehr mager und doch voll Kraft; die schlanke, sprechende Hand mit ihren feinen Fingern von seltener Schönheit — der bloße Anblick versetzte den Zuschauer in einen Zustand des Erstaunens und der geheimnisvollen Erwartung.

Nun begann sie zu sprechen. In tiefen Tönen, wie aus den innersten Höhlen der Brust, ja, wie aus dem Bauche der Erde, kamen die ersten Sätze hervor. War das die Stimme eines Weibes? Eines fühlte man gewiß, — eine solche Stimme hatte man nie gehört, — nie einen Ton zuweilen so hohl und doch so voll, so gewaltig und doch so weich, so übernatürlich und doch so wirklich. Aber diese erste Überraschung mußte bald neuen und größeren weichen. Diese Stimme, in so tiefen Tönen beginnend, flog und rollte nun im wechselnden Spiel der Empfindungen oder Leidenschaften die Tonleiter auf und ab, — eine Oktave oder zwei, wie die Noten eines musikalischen Instrumentes von scheinbar unbegrenztem Umfang und endloser Mannigfaltigkeit der Tonfarbe. Wo war nun die Steifheit der Alexandriner geblieben? Wo die langweilige Einförmigkeit der Zäsur? Diese wunderbare Stimme und die Wirkungen, die sie auf den Hörer hervorbrachte, lassen sich kaum beschreiben ohne die Hilfe scheinbar übertriebener Metapher.

Wie ein stiller Strom durch grüne Gefilde floß die Rede dahin; oder sie hüpfte munter spielend wie ein Bach über Kieselgeröll; oder sie stürzte rauschend herab wie ein Bergwasser von Fels zu Fels. Aber wenn die Leidenschaft losbrach, wie schwoll und wogte und brauste diese Stimme gleich der vom Sturm gejagten Brandung der Meeresflut stürzend gegen den Strand; oder sie rollte und krachte und schmetterte wie der Donner nach dem Zischen des nah einschlagenden Blitzes, der uns in Schrecken auffahren macht. Die elementaren Kräfte der Natur und alle Gefühle und Erregungen der menschlichen Seele schienen entfesselt in dieser Stimme, um darin ihre beredteste, ergreifendste, durchschauerndste Sprache zu finden. Jetzt kam ein Ton der Rührung, und die Tränen schossen uns jählings in die Augen; nun eine scherzende oder einschmeichelnde Wendung, und ein glückliches Lächeln flog über alle Gesichter; nun eine Note der Trauer oder der Verzweiflung, und die Herzen aller Zuhörer zitterten vor Wehmut; aber dann einer jener furchtbaren Ausbrüche der Leidenschaft, und man griff unwillkürlich nach dem nächsten Gegenstand, um sich festzuhalten gegen den Orkan. Die wunderbaren Modulationen dieser Stimme würden allein, ohne sichtbare Gestalt, hingereicht haben, die Seele des Zuhörers mitzureißen durch alle Phasen der Empfindung, der Freude, des Schmerzes, der Liebe, des Hasses, der Verzweiflung, der Eifersucht, der Verachtung, des unbändigen Zornes, der wütenden Rachesucht.

Aber wer kann den Zauber der Geste beschreiben und das Spiel der Augen und der Gesichtszüge, mit denen die Rachel den Zuschauer überwältigte, so daß die gesprochenen Worte zuweilen fast überflüssig schienen? Das war nicht allein kein Umherschwenken der Arme, kein Durchsägen der Luft, keine der armseligen mechanischen Künste, von denen Hamlet spricht. Rachels Gestikulation war sparsam und einfach. Aber wenn diese schöne Hand mit ihren schlanken, fast durchsichtigen Fingern sich erhob oder senkte, so sprach sie, und jedem Zuschauer war diese Sprache eine Offenbarung. Breiteten diese Hände sich offen in erklärender Weise aus und verharrten einen Augenblick in dieser Stellung — einer Stellung, die das Genie des Bildhauers sich nicht schöner hätte träumen können —, so eröffneten sie das vollste, befriedigendste Verständnis. Streckten diese Hände sich nach dem Freunde, dem Geliebten aus und begleitete sie diese Bewegung mit einem Lächeln, das in ihrer Aktion selten war, aber wenn es kam, die Umgebung bestrahlte wie ein freundlicher Sonnenblick aus einem wolkigen Himmel —, so flog etwas wie ein glückliches Beben über das Haus. Wenn sie ihren edeln Kopf mit dem majestätischen Stolz der Autorität erhob, als beherrschte sie die Welt, so mußte jeder sich vor ihr beugen. Wer würde gewagt haben, den Gehorsam zu verweigern, wenn sie, mit königlicher Macht auf ihrer Stirn, die Hand erhob zum Zeichen des Befehls? Und wer hätte aufrecht vor ihr stehen können gegen den steinig stieren Blick der Verachtung in ihrem Auge, und gegen das höhnisch vorgestoßene Kinn, und den wegwerfenden Schwung ihres Armes, der den Elenden vor ihr in das Nichts zu schleudern schien?

Es war in der Darstellung der bösen Leidenschaften und der wildesten Empfindungen, daß sie ihre ungeheuersten Wirkungen erreichte. Nichts Furchtbareres kann die Phantasie sich ausmalen, als ihren Anblick in den größten Steigerungen des Ausdrucks. Wolken von unheimlich drohender Finsternis sammelten sich auf ihren Brauen. Ihre Augen, von Natur tief liegend, schienen hervorzuquellen und funkelten und blitzten mit wahrhaft höllischem Feuer. Ihr Gesicht verwandelte sich in ein Gorgonenhaupt, und man fühlte, als sähe man die Schlangen sich in ihren Haaren winden. Ihr

Zeigefinger schoß hervor wie ein vergifteter Dolch auf den Gegenstand ihrer Verwünschung. Oder ihre Faust ballte sich, als wollte sie die Welt mit einem einzigen Schlage zerschmettern. Oder ihre Finger krallten sich, wie mörderische Tigerklauen, um das Opfer ihrer Wut zu zerreißen, — ein Anblick, so grauenvoll, daß der Zuschauer, schaudernd vor Entsetzen, sein Blut erstarren fühlte und, nach Atem ringend, unwillkürlich stöhnte: »Gott steh uns bei!«

Dies alles mag wie eine wilde Übertreibung klingen, wie ein extravagantes Phantasiebild, geboren aus der erhitzten Einbildung eines von der Theatergöttin bezauberten jungen Menschen. Ich muß gestehen, daß ich zuerst meinen eigenen Empfindungen mißtrauen wollte. Ich habe daher, damals sowohl wie zu späteren Zeiten, Personen reifen Alters, welche die Rachel gesehen hatten, nach den Eindrücken gefragt, die sie empfangen, und ich habe gefunden, daß diese Eindrücke sich fast nie von den meinen wesentlich unterschieden. In der Tat, ich habe oft grauköpfige Männer und Frauen, Personen von künstlerischer Erfahrung, gebildetem Geschmack und ruhigem Urteil über die Rachel sprechen hören mit derselben unbeherrschbaren Begeisterung, die mich zur Zeit überwältigt hatte ...

Aber ich habe sie doch später wiedergesehen, im nächsten Jahr in Paris und noch später in Amerika. In der Tat, ich habe sie zu verschiedenen Zeiten in all ihren großen Rollen gesehen, in einigen davon mehrere Male, und der Eindruck war immer der gleiche, selbst auf ihrer amerikanischen Tour, als ihre Lungenkrankheit schon stark bemerklich war und es hieß, ihre Kräfte seien sehr auf der Neige. Ich habe oft versucht, mir über diese Eindrücke Rechenschaft zu geben, und mich zu diesem Ende gefragt: »Aber ist dies nun wirklich der Spiegel der Natur? Hat wirklich je ein Weib in solchen Tönen gesprochen? Haben solche Wesen, wie die Rachel uns vorführt, jemals wirklich gelebt?« Nie konnte ich eine andere Antwort finden, als daß solche Fragen müßig und eitel seien. Wenn die Phädra, die Roxane je gelebt haben, so mußten sie so gewesen sein und nicht anders. Aber die Rachel stellte nicht nur individuelle Menschen dar; in ihren verschiedenen Charakteren *war* sie die ideale Verkörperung des Glücks, der Freude, des Schmerzes, des Elends, der Liebe, der Eifersucht, des Hasses, des Zornes, der Rache; und alles dies in plastischer Vollendung, in höchster poetischer Gewalt, in gigantischer Wahrheit. Dies mag keine besonders klare oder genaue Definition sein, aber sie ist so klar und genau, wie ich sie geben kann. Man sah, man hörte, und man war überwunden, unterjocht, zauberhaft, unwiderstehlich. Die Schauer des Entzückens, der Angst, des Mitgefühls, des Entsetzens, mit denen die Rachel ihre Zuschauer übergoß, entzogen sich aller Analyse. Die Kritik tastete in hilfloser Verlegenheit umher, wenn sie unternahm, die Leistungen der Rachel zu klassifizieren, oder sie mit irgendeinem herkömmlichen Maßstabe zu messen. Die Rachel stand ganz allein in ihrer Eigentümlichkeit. Der Versuch, sie mit irgend andern Schauspielern oder Schauspielerinnen zu vergleichen, schien sinnlos, denn die Verschiedenheit zwischen ihr und den andern war nicht eine bloße Verschiedenheit zwischen Graden der Vortrefflichkeit, sondern eine Verschiedenheit der Art, des Wesens. Einige Schauspielerinnen jener Periode mühten sich ab, die Rachel nachzuahmen; aber wer das Original gesehen, hatte nur ein Achselzucken für die Kopie. Es war der bloße Mechanismus ohne den göttlichen Hauch. Ich habe seither nur drei Künstlerinnen höheren Ranges gesehen, die Ristori, die Wolter und Sara Bernhardt, die dann und wann mit einer Geste oder einer besondern Intonation der Stimme an die Rachel erinnerten, aber nur in flüchtigen Momenten. Im ganzen war der Unterschied doch unverkennbar. Es war der Unterschied zwischen dem wahren Genie, das unwiderstehlich überwältigt und vor dem wir uns unwillkürlich beugen, und dem großen Talent, das wir bloß bewundern. Die Rachel ist mir daher eine alles überschattende Erscheinung geblieben. Und wenn in späteren Jahren dann und wann in meinem Freundeskreise von großen Bühnenleistungen die Rede war und sich ein besonderer Enthusiasmus über eine lebende Theatergröße laut machte, so habe ich selten die Bemerkung zurückhalten können, — in der Tat, ich fürchte, ich habe sie oft genug bis zur Langweiligkeit wiederholt: »Alles recht schön, aber ihr hättet die Rachel sehen sollen!«

BERTOLT BRECHT

Ein alter Hut

Bei den Pariser Proben meiner Dreigroschenoper fiel mir von Anfang an ein junger Schauspieler auf, der den Filch spielte, einen verkommenen Halbwüchsigen, der den Beruf eines qualifizierten Bettlers ergreifen möchte. Er begriff schneller als die meisten anderen, wie man probieren muß, nämlich behutsam, beim Sprechen sich selber zuhörend und der Beobachtung der Zuschauer menschliche Züge vorbereitend, die man selber am Menschen beobachtet hat. Ich war nicht erstaunt, als er sich eines Vormittags ungebeten mit einigen Hauptdarstellern in einem der großen Kostümhäuser einfand, er sagte höflich, er wolle sich einen Hut für seine Rolle aussuchen. Während ich der Hauptdarstellerin half, Kostüme zusammenzustellen, was einige Stunden in Anspruch nahm, beobachtete ich ihn aus den Augenwinkeln bei seiner Hutsuche. Er hatte einiges Personal des Kostümhauses in Arbeit gesetzt und stand bald vor einem großen Haufen von Kopfbedeckungen, nach etwa einer Stunde hatte er zwei Hüte aus dem Haufen ausgesondert und ging nun daran, seine endgültige Wahl zu treffen. Sie kostete ihn eine weitere Stunde. Ich werde nie den Ausdruck von Qual vergessen, der auf seinem verhungerten und ausdrucksvollen Gesicht lag. Er konnte sich einfach nicht entscheiden. Zögernd nahm er den einen Hut auf und betrachtete ihn mit der Miene eines Mannes, der sein letztes, lange aufgespartes Geld in eine verzweifelte Spekulation steckt, von der es kein Zurück mehr gibt. Zögernd legte er ihn zurück, keineswegs wie etwas, was man nie mehr aufnehmen wird. Natürlich, der Hut war nicht vollkommen, aber vielleicht war er der beste der vorhandenen. Andererseits, wenn er der beste war, so war er jedenfalls nicht vollkommen. Und er griff nach dem andern, das Auge noch auf dem, den er weglegte. Dieser andere hatte anscheinend auch Vorzüge, nur sie lagen auf anderem Gebiete als die Schwächen des einen. Das wohl machte die Wahl so überaus schwierig. Da gab es Nuancen der Verkommenheit, unsichtbar dem fahrlässigen Auge; da war der eine Hut vielleicht einmal neu teuer gewesen, aber nun noch elender als der andere. War Filchs Hut einmal teuer gewesen oder wenigstens teurer als eben dieser andere? Wie sehr mochte er verkommen sein? Hatte Filch ihn geschont bei seinem Abstieg, war er in der Lage gewesen, ihn zu schonen? Oder war es gar ein Hut, den er überhaupt nicht getragen hatte in seiner guten Zeit? Wie lange lag diese gute Zeit zurück? Wie lange dauerte ein Hut? Der Kragen war weg, das war festgestellt in einer schlaflosen Nacht, schmutzige Kragen sind schlimmer als gar keine (großer Gott, stimmt das wirklich?), immerhin, es war festgestellt, die Debatte darüber war geschlossen, die Krawatte war noch da, das war ebenfalls festgestellt, wie konnte da der Hut aussehen? Ich sah ihn die Augen schließen, ihn wie in einen Stehschlaf verfallen. Er nahm noch einmal alle Stadien des Niedergangs durch, eines nach dem anderen. Und die Augen wieder öffnend, anscheinend ohne Erleuchtung, setzte er mechanisch den Hut auf den Kopf, als ließe er sich so ausprobieren, rein empirisch, und dann fiel sein Blick wieder auf den anderen Hut, der beiseite lag. Seine Hand griff nach ihm, und so stand er lange, den einen Hut auf dem Kopf, den andern in der Hand, der Künstler, zerrissen von Zweifeln, verzweifelnd grabend in seinen Erfahrungen, gequält von der beinahe nicht stillbaren Begierde, den *einzigen* Weg zu finden, wie er seine Figur darstellen konnte, in vier Bühnenminuten alle Schicksale und Eigenschaften seiner Figur, ein Stück Leben. Als ich wieder nach ihm sah, setzte er den Hut, den er aufhatte, mit einer entschlossenen Bewegung ab, drehte sich brüsk auf den Absätzen um und ging zum Fenster. Abwesend schaute er auf die Straße hinab, und erst nach einiger Zeit blickte er wieder, diesmal lässig, fast gelangweilt, nach den Hüten. Er musterte sie aus der Entfernung, kalt,

mit einem Minimum an Interesse. Dann, nicht ohne zuvor noch einmal durchs Fenster geschaut zu haben, ging er schlendernd wieder auf die Hüte zu, griff einen von ihnen heraus und warf ihn auf den Tisch, damit man ihn einpacke. Am nächsten Probentag zeigte er mir eine alte Zahnbürste, die aus seiner oberen Jackentasche herauslugte und die zum Ausdruck brachte, daß Filch den Brückenbögen die allerunentbehrlichsten Requisiten der Zivilisation nicht aufgab. Diese Zahnbürste bewies mir, daß er mit dem besten Hut, den er auftreiben konnte, keineswegs zufrieden war.
Dies, dachte ich beglückt, ist ein Schauspieler des wissenschaftlichen Zeitalters.

BERTOLT BRECHT

Gespräch auf der Probe

P.: Wie kommt es, daß man so oft Beschreibungen Ihres Theaters liest — meist in ablehnenden Beurteilungen —, aus denen sich niemand ein Bild machen könnte, wie es wirklich ist?
B.: Mein Fehler. Diese Beschreibungen und viele der Beurteilungen gelten nicht dem Theater, das ich mache, sondern dem Theater, das sich für meine Kritiker aus der Lektüre meiner Traktate ergibt. Ich kann es nicht lassen, die Leser und die Zuschauer in meine Technik und in meine Absichten einzuweihen, das rächt sich. Ich versündige mich, zumindest in der Theorie, gegen den ehernen Satz, übrigens einen meiner Lieblingssätze, daß der Pudding sich beim Essen beweist. Mein Theater — und das allein kann mir kaum verübelt werden — ist ein philosophisches, wenn man diesen Begriff naiv auffaßt; ich verstehe darunter Interesse am Verhalten und Meinen der Leute. Meine ganzen Theorien sind überhaupt viel naiver, als man denkt und — als meine Ausdrucksweise vermuten läßt. Zu meiner Entschuldigung kann ich vielleicht auf Albert Einstein hinweisen, der dem Physiker Infeld erzählte, er habe eigentlich nur, seit seiner Knabenzeit, über den Mann nachgedacht, der einem Lichtstrahl nachlief, und über den Mann, der in einem fallenden Aufzug eingeschlossen war. Und man sehe, was daraus an Kompliziertheit wurde! Ich wollte auf das Theater den Satz anwenden, daß es nicht nur darauf ankommt, die Welt zu interpretieren, sondern sie zu verändern. Die Änderungen, die sich aus dieser Absicht ergaben, einer Absicht, die ich selbst erst langsam erkennen mußte, waren, klein oder groß, immer nur Änderungen innerhalb des Theaterspielens, das heißt eine Unmasse von al-

ten Regeln blieb ‚natürlich‘ ganz unverändert. In dem Wörtchen ‚natürlich‘ steckt mein Fehler. Ich kam kaum je auf diese unverändert bleibenden Regeln zu sprechen, und viele Leser meiner Winke und Erklärungen nehmen an, ich wollte auch sie abschaffen. Sähen sich die Kritiker mein Theater an, wie es die Zuschauer ja tun, ohne meinen Theorien zunächst dabei Gewicht beizulegen, so würden sie wohl einfach Theater vor sich sehen, Theater, wie ich hoffe, mit Phantasie, Humor und Sinn, und erst bei einer Analyse der Wirkung fiele ihnen einiges Neue auf — das sie dann in meinen theoretischen Ausführungen erklärt finden könnten. Ich glaube, die Kalamität begann dadurch, daß meine Stücke richtig aufgeführt werden mußten, damit sie wirken, und so mußte ich für eine nichtaristotelische Dramatik — oh Kummer! — ein episches Theater — oh Elend! — beschreiben.

SIEGFRIED MELCHINGER

Theater in Berlin

Es gibt Abende, an denen sich die Zeit wie in einem Brennspiegel zusammenzieht und ihre Signale dem Betrachter entgegenschleudert, als kämen sie von einer Funkstation an der Grenze unserer Existenz. Ich habe mir vorgenommen, über Berlin zu sprechen, über das ganze Berlin, West und Ost; denn wie könnte diese Stadt, die wir geliebt haben, in unserem Bewußtsein anders da sein als ganz, unteilbar, von *einem* Pulsschlag bewegt, vom gleichen wilden, herben, stets erfrischenden Wind durchweht? So muß ich von diesem Abend, dem Brennspiegelabend, sprechen, den ich September 1955 erlebt habe, als ich auf sieben Tage zu den Festwochen in die Insel geflogen war. Die Maschine hatte aus Wolken zum Landen im Tempelhof angesetzt, sie sollte wieder in Wolken stoßen, als das Zwischenspiel Berlin für mich zu Ende war, nach sieben Tagen, die dem Gewohnten und Gewöhnlichen entrissen waren, nach sieben Tagen an der Grenze, ja, gleichsam auf der Grenze, welche die Macht in eine Stadt hineingesetzt hat, mit Schlagbäumen und Barrikaden und Stacheldraht und Zonen aus Niemandsland, nicht nur eine Stadt, sondern in ein Menschengemeinwesen, das seinen Alltag hüben und drüben mit den gleichen Verrichtungen bestreitet, das den gleichen Mond über sich hat, den »Mond für die Beladenen« (wie er in einem im Westen gespielten Drama von O'Neill heißt), das nicht nur von jenen Ideologien und Programmen durchzogen ist, die sich an der Grenze zwischen Ost und West mit Hochspannung aufladen und gegeneinander auftrumpfen, das auch

durchzogen ist von Lust und Schmerz, die hüben und drüben die gleichen sind, vom Widerspruch gegen das So-Sein-Müssen dieser Welt, von den elementaren Impulsen, aus denen je Kunst entstanden ist und auf die Bretter gehoben wurde, welche die Welt bedeuten. An jenem Abend habe ich gelernt, daß es keine Macht gibt, bisher, die imstande ist, diese Impulse zu unterdrücken. Sie brechen sich mit Listen und Hinterlisten Bahn. Sie verstecken sich hinter Vorwänden und maskieren sich mit fremden Federn, sie tarnen sich und brechen ans Licht, wo es keiner erwartet, sie sind auch, auf unserer Seite, nicht immer dort, wo das Wort »Freiheit« am lautesten tönt oder wo die Philosophien der Mode und der Avantgardismus auf Spruchbändern und Schießbudenfiguren montiert werden. An dem Abend, den ich beschreiben will, schien der Eiserne Vorhang nur noch aus Löchern zu bestehen, doch war an seiner Stelle nicht etwa die Freiheit oder der Widerschein einer besseren Welt: das große Dunkel war nicht verschwunden, aber die Impulse der Kunst flogen und huschten wie Irrlichter herüber und hinüber.
Schon auf der Fahrt vom Flugplatz zur Pension am Kurfürstendamm drängte sich die Grenzsituation ständig in das mit Plänen des Tages beschäftigte Bewußtsein. Ich hatte wenig Zeit. In einer Stunde begann eine Tagung, am Abend wollte ich im Schillertheater den »Don Carlos« sehen, in der Gastregie des Darmstädters G. R. Sellner, nichts Neues für uns Bundesrepublikaner, nur neu für die Berliner. Aber während ich auf die Uhr des Taxis sah und mit den Minuten rechnete, ließen sich die Ruinen nicht abweisen, die der Wagen durchquerte. Die Straßenschilder am Rand von rasierten, gleichgewalzten Flächen weckten beklemmende Erinnerungen. Hier hatte ich einmal gewohnt, dort hatten wir Feste gefeiert, um die Ecke ging es zu einem Studio, in dem ich Gründgens zum erstenmal getroffen hatte, vor weiß Gott wieviel Jahren, und hinter jener ausgebrannten Fassade begann eine Kette von Theaterabenden, die sich ins Nichts, ins grasbewachsene Nichts verlor. Nevermore, nevermore. Warum mußte ich das Shelley-Wort jetzt immer in den Ohren haben? Warum ließ es mir den Blick auf die Uhr so sinnlos erscheinen, diesen Zeitnotblick inmitten einer Landschaft, in der alle Zeit erloschen schien? Wie in einem Krampf konzentrierte sich der Wille auf die Gegenwart: nicht das Verlorene — das Gebliebene und das Kommende galt es zu suchen.
In der Wandelhalle der Komödie am Kurfürstendamm, wo die Tagung angesetzt war, stand Herbert Ihering, der letzte Überlebende der Berliner Kritikergarde aus den zwanziger Jahren; er wohnt im Westen und wirkt im Osten; ich hatte ihn gebeten, mir eine Karte für Brechts Theater am Schiffbauerdamm zu verschaffen, wo gerade ein neues Stück herausgekommen war: »Pauken und Trompeten«. Ihering hatte die Karte an die Kasse legen lassen, für diesen Abend. »Aber ich muß doch heute in den Carlos!« Es war der

einzige Abend in diesen sieben Tagen, an dem die Sellner-Inszenierung gegeben wurde; es war auch der einzige Abend, an dem »Pauken und Trompeten« gegeben wurde. An der Grenze sind ungewöhnliche Entscheidungen fällig. Ich mußte beides sehen.

Als der S-Bahn-Zug über die Sektorengrenze fuhr, war es dunkel geworden. Ein fahler Mond stieg, noch nicht ganz fertig, aus den Nachtschwaden. Es ging auf halb acht, als wir im Bahnhof Friedrichstraße die Treppe hinunterrannten, mein Begleiter und ich. Wir hatten keine Zeit zum Denken, aber der andere gestand mir später, daß er das gleiche empfunden hatte: Die flüchtigen Blicke, die unsere Mäntel streiften, waren auf Leute »von drüben« gerichtet, auf Fremde. Vergebens versuchte ich das hinunterzuwürgen, während wir zur Brücke liefen. Jenseits des Kanals gab es Neonreklamen. Das einstige Große Schauspielhaus lud zu einer volksdemokratischen Revue. Daneben drehte sich über dem Schiffbauerdammtheater in Leuchtbuchstaben der Kreis mit dem Namen »Berliner Ensemble«. Brechts Theater.

Es hatte schon angefangen. Freundliche Mädchen in brauner Livree führten uns zu unseren Plätzen. Der erste Eindruck war gespenstisch. Bombastischer Stuck, wo man hinsah. Karyatiden mit Walkürenbusen an der Rangbrüstung. Theater der Vorzeit, wilhelminisch, und das für Brecht ... Ein Publikum, wie wir es kaum kennen. Vor mir, in der ersten Reihe meiner Loge, hatte ein junger Arbeiter den Arm um die Schulter seines Mädchens gelegt. Sie lachten gern, wenn es etwas zu lachen gab. Und sie waren doch auch immer mit sich selbst beschäftigt. Wie im Kino. Sie waren weit entfernt von Literatur. Es gefiel ihnen. Doch klatschten sie kaum, als der Vorhang fiel.

Ich fand nur mit Mühe Zugang zu den Geschehnissen auf der Bühne. Diese »verfremdeten« Marionetten. Personen wie aus einem Wachsfigurenkabinett, Abteilung 18. Jahrhundert. Ein Leutnant und ein Sergeant. Ein Püppchen im weißen Reifrock, ein Kaffeewärmer, trippelnd und zirpend.

Bald darauf bemerkte ich, daß sich der Wind meiner Gedanken gedreht hatte. Welch eine Dekoration! Schmale, lange Wände aus Papier, aufgehängt wie im chinesischen Theater, gezeichnete Häuser, Türen, Bäume, schwarzweiß in der Manier altenglischer Stahlstiche. Auf einmal wurde ein Wäldchen daraus. Die Zweige verbanden sich zu Portalen. Darunter huschten Liebespaare. Sie verschwanden zwischen Bosketts. Immer mehr entzückte sich das ästhetische Auge an so reinem Stil: an Stellungen und Gruppierungen, an einzelnen Szenen, die den Ausdruck von Bildern annahmen, Goya, Daumier. Subtilste Künstlichkeit. Und wie studiert! Wie vollkommen gezeichnet!

Es handelte sich um eine Komödie des Iren Farquhar (gestorben 1707), eine Satire auf die Methoden britischer Soldatenwerber, die Brecht in die Zeit des amerikanischen Kolonialkrieges verlegt hatte, um Gelegenheit zur Verlesung der Unabhängigkeitserklärung und die berüchtigten Landeskinderverkäufe deutscher Fürsten mit hinein zu bekommen. Die Tendenz war alles andere als aufdringlich. Eine delikat zwischen Songstil und Raffinement schillernde Musik (von Wagner-Régeny) steigerte die Spannung an den Aktschlüssen. Die erstrebte Schlichtheit war bewußteste Kunst. Hierin und in der leidenschaftlichen Liebe, mit der jede einzelne Szene behandelt war, schien der Künstler in Brecht (der auf dem Zettel nicht genannt war, aber von dem das doch alles war) den Erzieher mehr und mehr an die Wand zu spielen.

Das Puppenmädchen schlüpfte aus dem Kaffewärmer. Während es, als Fähnrich verkleidet, hinter seinem Kapitän her war, bezauberte es uns zusehends durch spontane Reaktionen. Ironie wurde Humor. Die Verfremdung der Liebe zur Liebe selbst. Spiel, Menschenspiel, sprengte die Papierhüllen des Programms.

Nach dem zweiten Akt mußten wir in den Westen zurück. Wir erreichten das Schillertheater, als dort gerade Pause war. Die von einem künstlerisch reinen Stil verwöhnten Augen reagierten schlecht auf den kalten Materialprunk des Foyers. Aber die Menschen! Wir waren nicht mehr Fremde. Die Blicke des Mißtrauens, diese vom langen Warten stumpf gewordenen Blicke, klebten nicht mehr auf uns. Wir atmeten freier.

Wie dürsteten wir nach den Kundgebungen solcher Freiheit auf der Bühne. Wie hätte sie gerade Schiller — »Sire, geben Sie Gedankenfreiheit!« — darbieten müssen! Was auch immer bei Brecht an Kunst *gegen* das Programm zustandegekommen sein mochte, hier brauchte kein Programm als List und Vorwand (im Theaterzettel und an den Foyerwänden) vor die Kunst gestellt zu werden. Kein Programm? Was wir sahen war programmatischer als Brechts Programm. Dieses gleicht einem politischen Korsett, das abgenommen werden kann, je nach Wunsch; das Programm Sellners, das sich »instrumentales Theater« nennt, setzt das Korsett (kein politisches, sondern ein ähetisches) an die Stelle der Anatomie des Menschen. Die Gestalten stecken in Panzern und werden von unsichtbaren Peitschen über die Bretter gehetzt. Nichts Elementares ereignet sich zwischen ihnen, es sei denn, daß unterm inneren Ansturm eines nicht kommandierbaren Gefühls bei den Schauspielern der Panzer aufklafft wie gesprengt. Wie es bei Brecht anfing, so endete es hier! Marionetten in Gestalt von Gespenstern, schemenhaft, am Draht eines choreographisch enorm begabten Regisseurs (faszinierende Drehbühnen-Verwandlungen bei offenem Vorhang mit gespenstischen Lichtern), maschinell. Das ist die Absicht: Abstraktion. Es ist kaum zu glauben: sie hat ihre Wurzel in Brecht! In einem Brecht, der in den zwanziger Jahren davon ausgegangen war, der zeitlebens in seinen theoretischen Schriften darauf hinauszuwollen vorgab: Verfremdung, Gefühlsaskese, Demonstration, Antipsychologie und Zeigefingerbelehrung. Aber wie anders sieht das heute in seinem Theater aus! Wie ist es aus allem Doktrinären herausgehoben, wo immer es Kunst wird, Kunst werden darf!

Während Sellners inszenierte Orwell-Welt an mir vorüberzog, schob sich mir die Erinnerung an eine Szene aus »Pauken und Trompeten« in die Bewußtseinskulissen. Zwei Frauen sind zu dem Leutnant und dem Sergeanten, den Soldatenwerbern, gekommen; da stehen sie nun und fragen — ihre Männer sind drüben in Amerika, sie haben seit Ewigkeit nichts mehr von ihnen gehört: »Was ist mit meinem Mann?« Und jetzt geschieht in einer vorwiegend stummen Szene Folgendes. Der Sergeant hebt langsam salutierend die Hand an den Dreispitz. Nichts sonst. Eine starrende Frau und ein salutierender Sergeant. So ist das, was den einen betrifft. Vom anderen hört man dann, daß er drüben an einem Weibstück hängengeblieben ist. Schweigen. Die eine der beiden Frauen weint lautlos in sich hinein. Die andere wendet sich ganz langsam, wie ein Stück Holz, mit reglosem Gesicht, von den Werbern ab, dem Publikum zu. Ihre Blicke sind ins Leere, auf uns, über uns hinweg gerichtet. Ihre Züge sind wie aus Stein. Kein Wort mehr, nur das. Ich werde es nie vergessen.

Ja, wenn *das* Lehrstück ist, dann waren auch die Tragödien der Griechen Lehrstücke. Hier hat die Verfremdung die Empfindungen nicht herausgenommen, sondern konzentrisch in Leib und Seele eines Menschen hineingetrieben. Es war Spiel, das Bei-spiel wurde. Die Frau war nur noch Anklage. Und was an ihr Anklage war, war das Bild der ohnmächtigen Kreatur. Nicht das Plakat. Nicht das Spruchband.

Dieses sahen wir andern Tags im Westen in Max Frischs abstraktem Schauspiel »Die chinesische Mauer«, wo die Ohnmacht zur Allegorie, zur allegorischen Personifikation in einem Menschen des 20. Jahrhunderts gemacht ist, in einem wesenlosen Wesen, das sich in ein anderes wesenloses Wesen, die als Turandot verkleidete Personifikation des Hochmuts, verliebt. Solche Verzerrungen entstehen, wenn sich die Kunst um einer Philosophie oder einer Ideologie willen ihrer elementaren Impulse entledigt. Wo die Kunst die Freiheit hat, wird sie von einigen ihrer Wortführer in die Panzer der Programme gezwängt. Wo die Kunst keine Freiheit hat, bricht sie sich durch die Panzer der Programme Bahn, gegen den Willen ihrer Urheber, aber sich dieser bedienend, weil sie ihr nicht entrinnen können, im zeitlosen Widerspruch des Menschen gegen alles, was so ist, wie es ist.

Auf keinen Fall soll hier die Vorstellung erweckt werden, als würde im Osten überhaupt besseres Theater gespielt als im Westen. Brechts Bühne ist eine Insel. Ich habe Vorstellungen von Ensembles aus Weimar und Schwerin gesehen, die in doppelter Hinsicht erschreckend waren: dort durch die bedingungslose Reduzierung auf einen pathetischen Hoftheaterstil, den wir nur noch aus allerfrühester Jugend in Erinnerung haben, hier durch das — an einem Zeitstück exerzierte — Diktat fotografischer Treue, in der sich ein Schauspieler von Himmler und Göring schließlich nur dadurch unterschied, daß er tatsächlich Himmler und Göring nicht war. Dagegen habe ich in Westberlin Inszenierungen von Leopold Lindtberg (Giraudoux' »Elektra« und Anouilhs »Schule der Väter«), von K. H. Stroux, von O. F. Schuh, von R. Steinboeck, von Barlog gesehen, die den Rang des Welttheaters der Freiheit hatten. Sie bestätigten, daß Berlin, und vor allem Westberlin, noch immer die einzige Theaterstadt im deutschsprachigen Raum ist, in der ein Abglanz der großen, bewegenden Zeit der zwanziger Jahre erhalten geblieben ist. Traurig klingt die Anekdote von Kortner, die mir Friedrich Luft erzählt hat: daß er, Kortner, sich jeden Abend, wenn er in Berlin sei, in das Café setzte, das dem Theater am Kurfürstendamm und der Komödie, zwei benachbarten Bühnen, gegenüber liegt, um zu erleben, wie dort drüben um 22 Uhr die Leute fast gleichzeitig aus dem einen und dem anderen Theater herauskommen. »Dann komme ich mir vor«, sagte Kortner, »als wäre ich in Berlin.«

Es ist nicht möglich, von den Zwängen und Verdrängungen abzusehen, denen das Theater in der zweigeteilten Stadt ausgesetzt ist. Aber wo ist noch eine Stadt in Deutschland, in der gleichzeitig ein solcher Reichtum an Welttheater-Eindrücken geboten wird: Anouilhs »Ornifle«, O'Neills »Trauer muß Elektra tragen«, Faulkners »Requiem für eine Nonne«, Millers »Blick von der Brücke«, Zuckmayers »Kaltes Licht«, Brechts »Kaukasischer Kreidekreis«, Christopher Frys »Das Dunkel ist licht genug«, dazu Pirandello, Strindberg, Gerhart Hauptmann, Schnitzler, Giraudoux, von den Klassikern im engeren Sinne zu schweigen, dazu Musicals wie »Kiss, me Kate« (in der Regie von Steckel), Komödien wie »Junger Mann für Jenny« von W. D. Home (in der Regie von Preses), Operetten wie »Opernball« (in der Regie von Schuh), die große Oper unter der Ägide von Carl Ebert, die beiden Opern im Osten ... Fast könnten wir Ost und West kreuzen, so daß beides zusammengehörte, aber leider nur fast. Und doch ist die heimliche Union der Kunst unter der Decke der Vorwände unübersehbar. Nie, auch bei Brecht nicht, habe ich das lebhafter gefühlt als an meinem letzten Abend in Ostberlin, in Walter Felsensteins Komischer Oper.

Ich sah die »Schweigsame Frau« von Richard Strauß, ein Werk und eine Inszenierung von höchster Künstlichkeit, von subtilstem Raffinement, von leidenschaftlicher Sublimierung. Man weiß, daß Felsenstein, ebenso wie Brecht, monatelang probiert, und daß die Vollkommenheit seiner Inszenierungen nur unter diesen dem Kommerziellen und Konventionellen radikal entzogenen Voraussetzungen realisierbar ist. Doch kommt es hier wie überall darauf an, was einer mit seiner Zeit macht. Andere können ein Jahr probieren, und es kommt weniger dabei heraus, als wenn Felsenstein eine Woche probiert. In der Vorstellung der »Schweigsamen Frau« wurde eine filigranhafte Partitur in einer filigranhaften Inszenierung gespiegelt. Doch wurde das nicht durch eine der Musik nachgezeichnete Choreographie erzielt. Vielmehr waren jeder Schritt, jede Geste, jede Gruppierung selbständig und zusätzlich aus dem Dramatischen entwickelt. Das Hin und Her in den beschleunigten Finales wurde zu einem Gewoge, in welchem die Erregung so vollkommen geplant war, daß sich Künstlichkeit und Selbstverständlichkeit auf einer höheren Ebene, der der Grazie vermählten. Ich zögere nicht, den Satz hinzuschreiben, daß ich keine vollkommenere Operninszenierung gesehen habe. Und der Triumph dieses allem Programmatischen entzogenen Stils findet in Ostberlin statt!

Als ich nach der Vorstellung von der Behrenstraße zum Gendarmenmarkt hinüberging, an den Trümmern unvergeßlicher Staatstheaterherrlichkeit von Jessner bis Gründgens vorbei, und zur wiederaufgebauten Staatsoper Unter den Linden kam, stand der Theaterpalast, von Scheinwerfern eingefaßt, weiß und nackt in der Nacht. Wenige Autos, die meisten aus Westberlin, parkten verloren auf dem weiten Platz. Unter den Linden hallte der Schritt eines einzigen Menschen; er trug genagelte Schuhe — es war der Postbote, der die Briefkästen leert. In einer finsteren Arkade an der Ecke Friedrichstraße stand eng umschlungen ein Liebespaar.

In mir sangen die Geigen von Richard Strauß. Es war, als kämen sie von einem fernen Stern in die Einöde. Oben, wo die wirklichen Sterne standen, zogen die Lichter eines Clippers eine Spur in die Nacht. Er flog in den Westen. Morgen würde auch ich in den Westen zurückfliegen. Von der Grenze zurück in den Kreis der Gewohnheit, der Gewöhnlichkeit. Sollten etwa dort die Geigen nicht weitersingen, die Richard-Strauß-Geigen aus der Behrenstraße? Es ist das uralte und bleibende Abenteuer der Kunst, die Grenzen der Macht zu durchkreuzen.

Anmerkung. Noch immer ist Berlin die einzige Stadt im alten Deutschland, die den Namen „Theaterstadt" verdient. Sie ist von künstlerischen Spannungen erfüllt, die man in Hamburg und München vermißt. Das ist der Nachhall der großen Epoche der Theatergeschichte, die sich allmählich wie eine Legende in unseren Erinnerungen ansiedelt. Es ist jene Epoche des Welttheaters, in der Berlin das Zentrum war. Die zwanziger Jahre, in denen Reinhardt sich selbst übertraf, weil eine jüngere Generation von Theatermännern die Revolution gegen ihn entfesselt hatte: Jessner, Kortner, Fehling, Hilpert, Piscator, Viertel, Engel, Hartung, Müthel, Brecht. Von dieser Epoche gingen Bewegungen aus, die heute noch ihren Ursprung nicht verleugnen. Es sind internationale Bewegungen. Ja, wir sind so weit, daß wir ihre Ausläufer aus der Welt, aus Amerika, aus Frankreich, aus Italien, zu uns zurückkommen sehen. Das heutige Berlin ist ein Torso. Und noch dazu einer in zwei Hälften. Unserem Theater ist das legitime Zentrum abhanden gekommen. Wir haben die Provinzen, aber wir haben auch die Provinzialisierung. Allen Einsichtigen ist klar: uns fehlt Berlin.

ALFRED POLGAR

Natur und Kunst

Im Atelier ist ein kleiner Stall gebaut, ein Stallwinkel. Zwei Bretterwände, die eine mit winzigem Fenster, Stroh auf dem Boden, ein Futtertrog, ein Wassereimer.
Decke hat der Stallwinkel keine. Von oben schießen zwei große eiserne Zylinder Salven von Licht hinein. Auch unten, rechts und links, stehen solche Lichtkanonen und feuern. Aufnahme-Apparate sind nah herangerückt, mit Bemannung. Ein sympathisches Mädchen, sitzend, hält Manuskripte im Schoß. Menschen in Arbeitstracht, in Straßen- und Bauernkostüm, gruppiert um den Stallwinkel, warten auf etwas oder nichts. Im hinteren Hintergrund, außerhalb der Szene, neigt die Primadonna ihr bemaltes Antlitz über Kaffee und Kuchen. »Filmen Sie gern?« ... »Für mein Leben gern!« ... Ein Lächeln stillen Glücks spaltet die Schminke, die das Antlitz starr macht. Die Augen sind eingelegt in diese Starrheit wie der Bergsee ins Felsgestein.
Stricke, Bretter, Draht, Schläuche, Pappendeckel und Metall.
Der Kapitän pfeift, worauf schweigende Männer, gebeugt, die Kurbeln drehen, mit merkwürdiger Spannung im Blick und mit Vorsicht in der Bewegung, langsam-eilig wie Chirurgen, wie Operateure, die sie ja auch sind. Hauptperson der Szene und im Augenblick Solistin auf ihr ist eine Kuh. Eine lebendige, herrliche Kuh in naturverliehenen Filmfarben: schwarz-weiß gezeichnet wie eine Landkarte, dunkel die Kontinente, hell das Meer. Ruhevoll frißt sie, wendet manchmal den Kopf nach hinten mit einem Blick, dessen weiche Leere sagt: »Sei gut! Denn ich weiß gar nichts von dir und bin auch gar nicht neugierig. Glaub' mir das, bitte, auf's Auge.«
Sie ist nicht geschminkt. Sie verstellt sich nicht im geringsten. Auf der Szene hier fühlt sie sich wie zu Hause. Ihr Spiel ist, gleich dem großer Menschen-Darsteller, entfaltete Natur. Eine Kuh-Darstellerin ersten Ranges.
Willig hingegeben den Vorspiegelungen der Kulisse, getäuscht von deren Täuschung, verbreitet sie um sich die Illusion, der sie selbst unterliegt. Ihr Glaube versetzt Berge hierher ins Atelier. Wie in der Hand des großen Mimen das stumpfe Schwert Glanz bekommt und Schärfe, so dehnt sich hinter dem Fensterchen, das ihr Auge widerspiegelt, nicht der geschäftige Elektriker, sondern Feld und Wiese.
Sie, als einzige unter allen Anwesenden, glaubt den Stall. Mit aller Arglosigkeit ihres Herzens fällt sie auf die Maskerade hinein.
Ihr ist das Licht, schäumend aus metallenen Rohren, das den Raum mit grellem Weiß füllt und ihr den Buckel wärmt: die Sonne. Nicht nur mit dem Auge, mit Haut und Haar empfindet sie den Schein als Wahrheit. Man

könnte, da sich's um die Sonne handelt, auch sagen: den nachgeahmten Schein als echten Schein. Auch der Schweif des braven Viehs erliegt der sommerlichen Betörung. Sein Pendeln deutet wache Bereitschaft an, Fliegen zu verscheuchen, die doch bei solcher Juli-Mittagsglut da sein müßten.
Aus ihrer vollen Hingegebenheit an die Illusion erwachsen der Kuh auch Rechte. Und sie macht von ihnen Gebrauch. Ohne Rückhalt verrichtet sie auf der Szene ihr kleines wie ihr großes Geschäft. Keiner von den sonst Mitwirkenden dürfte sich das erlauben, nicht einmal der Regisseur. Quod licet bovi, non licet Jovi.
Hernach wurde die Kuh aus dem Atelier geführt. Viele klopften ihr auf den Rücken, wogegen sie nichts tun konnte. Aber wie sie so dahinging durch die gespenstige Versammlung von Spielern und Maschinen, war es, als schritte die leibhaftige Wahrheit durch das Tal der Lüge.

* * *

Die heilige Musik zeigt den Menschen eine Vergangenheit und eine Zukunft, die sie nie erleben.

JEAN PAUL

Aber was ist die Musik? Diese Frage hat mich gestern abend vor dem Einschlafen stundenlang beschäftigt. Es hat mit der Musik eine wunderliche Bewandtnis; ich möchte sagen, sie ist ein Wunder. Sie steht zwischen Gedanken und Erscheinung; als dämmernde Vermittlerin steht sie zwischen Geist und Materie; sie ist beiden verwandt und doch von beiden verschieden; sie ist Geist, aber Geist, welcher eines Zeitmaßes bedarf; sie ist Materie, aber Materie, die des Raumes entbehren kann.

HEINRICH HEINE

Es wird so viel über Musik gesprochen und so wenig gesagt. Ich glaube überhaupt, die Worte reichen nicht hin dazu, und fände ich, daß sie hinreichten, so würde ich am Ende gar keine Musik mehr machen. Die Leute beklagen sich gewöhnlich, die Musik sei so vieldeutig; es sei so zweifelhaft, was sie sich dabei zu denken hätten, und die Worte verstände doch ein jeder. Mir geht es gerade umgekehrt. Und nicht bloß mit ganzen Reden, auch mit einzelnen Worten, die scheinen mir so vieldeutig, so unbestimmt, so mißverständlich im Vergleich zu einer rechten Musik, die einem die Seele erfüllt mit tausend besseren Dingen als Worten. Das, was mir eine Musik ausspricht, die ich liebe, sind mir nicht zu unbestimmte Gedanken, um sie in Worte zu fassen, sondern zu bestimmte. Fragen Sie mich, was ich mir dabei gedacht habe, so sage ich, gerade das Lied, wie es dasteht. Und habe ich bei dem einen oder andern ein bestimmtes Wort oder bestimmte Worte im Sinn gehabt, so mag ich sie doch keinem Menschen aussprechen, weil das Wort dem einen nicht heißt, was es dem andern heißt, weil nur das Lied dem einen dasselbe sagen, dasselbe Gefühl in ihm erwecken kann wie im andern, ein Gefühl, das sich aber nicht durch dieselben Worte ausspricht.

FELIX MENDELSSOHN-BARTHOLDY

ALBERT SCHWEITZER

Heinrich Schütz

Es muß ein sonderbares Ahnen gewesen sein, das den Landgrafen Moritz von Hessen-Kassel, da er 1609 nach Marburg kam, bewegte, in seinen ehemaligen Kapellenknaben, jetzigen Studenten der Rechte, Heinrich Schütz, zu dringen, er möge sein Anerbieten annehmen und mit einem Stipendium von hundert Talern auf zwei Jahre nach Venedig gehen, um von den dortigen Meistern zu lernen. Mit diesem Jüngling zog die deutsche Kunst selber über die Alpen.

Statt zweier Jahre blieb er vier. Sein Lehrer war Giovanni Gabrieli, der ihn so lieb gewann, daß er auf dem Totenbette daran dachte, ihm einen Ring zu vermachen. Er starb 1613. Schütz gab ihm das letzte Geleite, ehe er nach Hause kehrte.

Sein anderer Lehrer war Monteverde, der Schöpfer der altitalienischen Oper. Er genoß seinen Unterricht, als er 1628 zum zweiten Male, diesmal auf ein Jahr, nach Venedig zurückkehrte.

Diese beiden Meister ergänzten sich in der glücklichsten Weise, um der deutschen Kunst, die mit Schütz bei ihnen in die Lehre ging, das mitzuteilen, wessen sie zu ihrer Erneuerung brauchte.

Bei Giovanni Gabrieli fand sie eine neue Polyphonie. Während man in Deutschland immer noch unter dem Einfluß des belebten, aber armen niederländischen Kontrapunkts stand, ohne das Vermögen zu besitzen, ihn selbständig weiterzubilden, waren die drei großen venezianischen Meister: Andrea Gabriele (1510 bis 1586), sein Neffe Giovanni Gabrieli (1557 bis 1613) und Claudio Merula (1532 bis 1604) zu einer Satzweise gelangt, die zugleich kühner und sanglicher war als die der nordischen Schule. Die Polyphonie wird durch die Melodik verklärt. Jede einzelne Stimme wird ein wirklicher Gesang, eine musikalische Persönlichkeit.

Diese neue Kunst wurde gleichzeitig in der Orgel- und in der Chormusik ausgebildet. Zugleich war die Instrumentalkunst in ein ganz neues Stadium getreten; sie beginnt selbständig zu werden. Giovanni Gabrieli verwendet sein kleines Orchester nicht nur zur Unterstützung des Chors, sondern weist ihm selbständige kurze Einleitungen zu.

Fast noch kostbarer war die Gabe, die Monteverde, der erste große Opernkomponist, der deutschen Kunst bot. Er pflanzte ihr den dramatischen Sinn ein.

Man muß diese älteste italienische Oper von dem Verdammungsurteil, das Wagner über die spätere gefällt hat, freisprechen. Sie war nicht eine lose Suite von Arien, sondern in Wirklichkeit das, was sie sein wollte: Ein Drama per Musica. Von allen Meistern steht vielleicht keiner Wagner so nahe als gerade Monteverde. Nicht mit Unrecht sagt Guido Adler, daß man den Schöpfer der Nibelungentetralogie geradezu als einen Vertreter der Renaissance und speziell der Renaissanceoper betrachten müsse.

Die Schöpfer des »stilo rappresentativo«, wie man die neue Musikart bezeichnete, hatten dieselben Ideale wie der Meister von Bayreuth. Auch für sie war die Musik nicht Selbstzweck, sondern diente einzig und allein der Darstellung der Handlung; auch sie verlangten, daß das Orchester unsichtbar sei. Ihr Gesang aber war dramatische Deklamation, deren elementare Ausdrucksfähigkeit noch den modernen Hörer bis ins Innerste ergreift. Man höre doch Ariadnes Klage (Lamento d'Arrianna) von Monteverde!

Diese gewaltige Renaissancekunst zog mit Schütz in die deutschen Kirchen ein. Von der Begeisterung, womit sie diesseits der Alpen begrüßt wurde, können wir uns kaum einen Begriff machen. Was mag das für ein Fragen und Erzählen gewesen sein, als Schütz und Michael Prätorius — der, ohne je in Italien studiert zu haben, von dort her die Regeneration der deutschen Kunst erwartete — sich im Spätsommer 1614 in Dresden trafen, um bei einer Kindtaufe im kurfürstlichen Hause in der Kirche und an der Tafel selbander mit Musik aufzuwarten!

Das Schicksal Schütz' brachte es mit sich, daß er in Jahren unsteten Wanderns die neue Kunst von Hof zu Hof, bis nach Kopenhagen trug. Zwar war

Sonata 1ma. à Violino Solo senza Basso di J. S. Bach

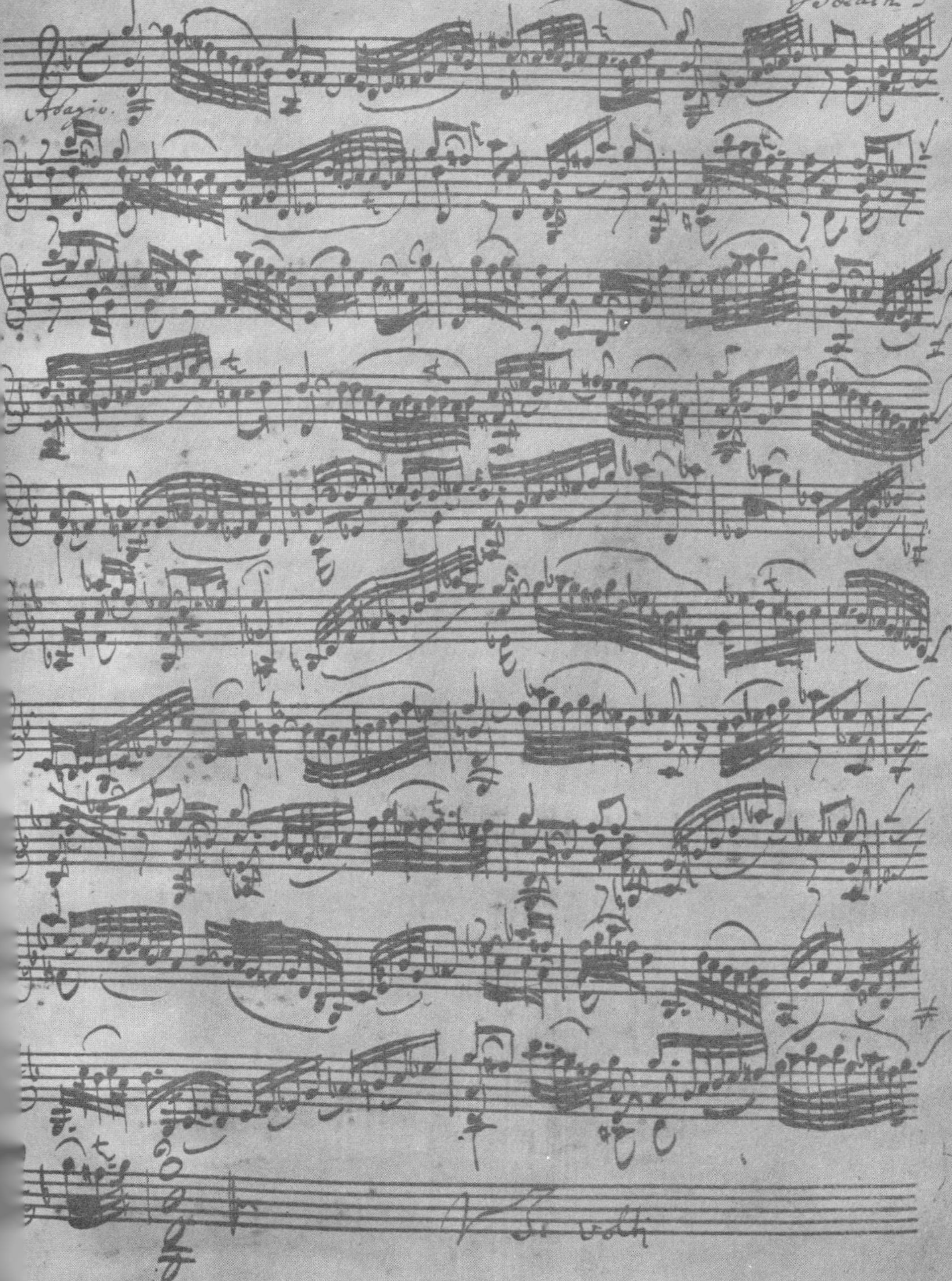

Adagio.

Si volti

18 Johann Sebastian Bach
Der erste Satz der Soloviolinsonate (BWV 1001)
Köthener Reinschrift, 1720

er 1617 zum kurfürstlichen Kapellmeister in Dresden ernannt worden und blieb es fünfundfünfzig Jahre, bis zu seinem Tode. Aber seit dem Anfang der dreißiger Jahre existierte die Kapelle fast nur noch dem Namen nach, da die Not des dreißigjährigen Krieges den kurfürstlichen Hof zu den größten Einschränkungen zwang. Anno 1639 war die Zahl der Kapellisten von sechsunddreißig auf zehn gesunken. Die Gehälter wurden ausbezahlt, wenn einmal Geld da war; in der Zwischenzeit mußten Schütz und seine Untergebenen suchen, wie sie sich durchschlugen.

Mehrmals finden wir ihn auf längere Zeit am Hofe von Kopenhagen, im Dienste des dänischen Kronprinzen, des Schwiegersohns des Kurfürsten von Sachsen. Auch andere Fürstenhöfe boten ihm zeitweilige Zuflucht. In dieser traurigen Zeit schuf er seine herrlichsten Werke, mußte aber oft jahrelang warten, bis er einen Drucker dafür fand. Wieviel mag uns verloren gegangen sein, weil es nur im Manuskript existierte! Die Erhaltung der »Sieben Worte am Kreuz« verdanken wir der Kasseler Bibliothek; anderes war in Wolffenbüttel geborgen.

Auch als der Krieg vorüber war und Schütz sich wieder definitiv in Dresden niederließ, gelang es ihm nicht, die Kapelle zu reorganisieren. Alle persönlichen Opfer, die er gebracht hatte, um wenigstens einen Stamm von jungen Musikern durch die Not auf eine bessere Zeit hindurchzuretten, schienen umsonst gewesen zu sein. Unter dem neuen Kurfürsten, Georg II., der 1656 zur Herrschaft kam und sich für die Musik mehr als sein Vater interessierte, stellten die von ihm begünstigten Italiener den siebzigjährigen Greis in den Schatten. In tiefer Niedergeschlagenheit verwünschte er den Tag, da er sich der Musik geweiht und in kurfürstliche Dienste getreten war. Am liebsten wäre er in irgend eine andere größere Kunststadt — er dachte wohl an Hamburg — gezogen, wenn ihn nicht die Not der kurfürstlichen Musiker und die Gebrechlichkeit des Alters in Dresden festgehalten hätten.

Aber die Kunst, der er grollte, wie Jeremia seinem Prophetenberuf, hielt ihn aufrecht. Der Greis schuf noch vier große biblische »Historien«; eine fast ganz verlorengegangene Weihnachtshistorie (1664), eine Johannespassion (1665), eine Matthäuspassion (1666) und eine Lukaspassion.

Er starb eines sanften Todes am Nachmittag des 6. November 1673, unter dem Gesange der das Lager umgebenden Freunde. Sein Schüler Christoph Bernhard, Kantor zu St. Jacobi in Hamburg, hatte ihm auf seine Bitte, da seine Kräfte ihm über der Arbeit ausgegangen waren, seinen Leichentext, den Psalmspruch »Deine Rechte sind mein Lied in meinem Hause« als fünfstimmige Motette übersandt, und er hatte ihm dafür gedankt ...

...Das Problem, das der ganzen deutschen Kirchenmusik bis Bach, und diesem selber noch, gar sehr zu schaffen macht, stellt sich in seiner ganzen Schärfe schon für Schütz. Die neue Kunst kann sich nicht in die bisherigen Strophenlieder über die Evangelien schicken, da diese ganz undramatisch sind. Umgekehrt ist die damalige Poesie nicht in der Lage, der Musik die dramatischen Texte in madrigalischer Form zu liefern, auf die sie sich mit der ganzen Wonne des eben erwachten dramatischen Gefühls gestürzt hätte. Die dramatisch-musikalische Darstellung des Sonntagsevangeliums bleibt ein Ideal auf die Zukunft, das Bach und seine Zeitgenossen in ihren Kantaten dann zu verwirklichen suchen.

So kommt Schütz dazu, unbekümmert um den Evangelienzyklus und um zeitgenössische Evangeliendichtungen, sich auf die Bibel allein zurückzuziehen, sich in deren ganzen Reichtum zu versenken und sie um die dramatischen Texte zu bitten, die er von den Dichterlingen seiner Zeit nicht bekommen kann. Er komponiert Psalmen, einzelne Bibelverse, ganze dramatische Abschnitte. Wo ihm die Schrift nicht von sich aus musikalische Dramatik entgegenbringt, schafft er sie, indem er die herrlichsten Sprüche in Dialogform widereinanderstellt. Der Pharisäer und Zöllner treten im Tempel auf; ein Prophet ruft über sein Volk; König David klagt um seinen Sohn Absalon; über dem niedergesunkenen Paulus erklingt die rufende Stimme von oben, bis sie sich fragend im Himmel verliert; an des heiligen Kreuzes Stamm spricht der Herr die sieben letzten Worte.

Gibt es noch ein solches deutsches Requiem, wie Schütz' aus Bibelsprüchen und Liedversen zusammengewobene Exequien? So haftet seinen Texten nichts von der Vergänglichkeit zeitgenössischer Poesie an. Nicht wie bei Bach muß die Musik mit ihrer Herrlichkeit die Blöße der Worte decken; hier ist sie nur die künstlerische Fassung, aus welcher der Glanz der köstlichen Steine der Schrift hervorstrahlt.

Ist Schütz, indem er für die Texte fast ausschließlich auf das Bibelwort zurückgreift, nichts weniger als ein Neuerer, so ist er hingegen, von rein musikalischem Standpunkte aus, geradezu ein Revolutionär zu nennen.

Revolutionär ist, in der deutschen Kirchenmusik, die Gabrielische Verwendung mehrerer Chöre zur Hervorbringung dramatischer Masseneffekte, über die sich Schütz in der Vorrede zu den »Psalmen Davids« von 1619 ausläßt. Revolutionär ist die selbständige Verwendung des Orchesters in den Kompositionen, die auf den zweiten italienischen Aufenthalt, wo er mit Monteverdes Kunst bekannt wurde, folgen.

Revolutionär ist die Einführung der rezitativischen Sologesänge. Um zu verstehen, was diese für eine Neuerung bedeutete, muß man sich vergegenwärtigen, daß die protestantische Kirchenmusik zur Wiedergabe des Schriftworts durch einen einzelnen nur die Psalmodie oder, wie man damals sagte, den Kollektenton kannte, d. h. die auch in der katholischen Kirche übliche, noch nicht in Takte gegliederte monotone Rezitierung, die Luther und Walther mit geringfügigen Änderungen in ihren Gottesdienst mit herübergenommen hatten. In dieser alten Art rezitiert der Evangelist noch in der »Historie von der fröhlichen und siegreichen Auferstehung« von 1623. Aber von dem Augenblick an, wo Schütz mit Monteverdes rezitativischem Arioso bekannt wird, verwendet er dieses und schreckt nicht davor zurück, auch die sieben Worte Jesu am Kreuz auf solche Art zu setzen.

Dies alles ist revolutionär. Zuletzt aber erscheint es doch nur als sichtbarer Ausdruck für das Revolutionärste in Schütz' Kunst: das ihm vorschwebende Ideal der charakteristischen, pathetischen Darstellung in der Musik. Er kann auf Choreffekte, auf Instrumentalbegleitung, sogar auf das dramatische Rezitativ verzichten, wie er es in seinen letzten Werken, den Passionen tut, wo der Chor ohne Begleitung singt und die Leidensgeschichte wieder im Kollektenton vorgetragen wird: seine Kunst bleibt dieselbe.

Die neue Form, so überraschend sie auch ist, und so groß die Umgestaltung war, die sie hervorgebracht hat, ist nur Dienerin des neuen Geistes. Auch Schütz' Kunst ist primitive Kunst, aber eine solche, die von keiner kommenden überholt werden kann, eben weil sie Geist und nicht Form ist. Wie man sich von den ersten Frühlingstagen nur schwer trennt, um der Zeit des vollen Entfaltens und Reifens entgegenzugehen, so reißt man sich fast widerwillig von jener primitiven Kunst los, die allen kommenden Reichtum an Ideen und Formen in eben aufgeblühten Knospen in sich trägt, um, den Weg fortsetzend, zu sehen, was daraus ward. Ist nicht in der Kunst, wie überall, alles Entfalten und Reifen irgendwie ein Welken, weil das Wahre und Wirkliche uns darin nicht mehr in jener geheimnisvollen Unmittelbarkeit entgegentritt, deren hinreißender Zauber beredter ist als alle Vollkommenheit? Für solche primitive Kunst ist das kommende Vollkommenere nicht ein Aufheben eines Unvollkommeneren, sondern es dient zuletzt nur dazu, alles was in jenem Primitivismus lag, offenbar zu machen.

Bach hat Schütz nicht gekannt, und wenn er ihn gekannt hat, hat er ihn nicht beachtet. Er schrieb die Werke aller möglichen alten und zeitgenössischen Meister ab; von Schütz ist uns keine Zeile in seiner Handschrift erhalten. Schütz' Verhältnis zu ihm kann nur ideell begriffen werden, sagt Spitta. Er steht nicht auf seinen Schultern, sondern zehrt von seinen Errungenschaften, ohne es zu wissen, wie in der Natur eine neue Vegetation ihr Leben aus den vor ihr versunkenen zieht, die sichtbarlich nicht mehr existieren und doch da sind, als wirkende Kraft ...

... In den damaligen großen und kleinen deutschen Städten finden wir Ideale, wie sie so seit der Zeit der griechischen Antike keine bürgerliche Gemeinde mehr bewegt hatten. So verhängnisvoll es für die Politik auch war, daß die Religion zur Staats- und Kommunalangelegenheit gemacht worden, so wurde doch eben dadurch jener antike Zustand erneuert, in welchem die bürgerliche Gesellschaft als solche es als ihre höchste bürgerliche Pflicht ansah, für die künstlerische Gestaltung des heimatlichen Gottesdienstes aufzukommen. Der Gottesdienst ist nicht Kirchen- sondern Stadtangelegenheit. Nicht ein Konsistorium beruft den Kantor, stellt Sänger und Instrumentalisten für die Kirche an, sondern der Magistrat und die Bürgerschaft. Ein künstlerischer Kultus gehört zum Ansehen und zum Ruhm der Stadt.

HANS MERSMANN

Bach und Händel

Bach und Händel sind im gleichen Jahre 1685 geboren; Bach starb 1750, Händel 1759. In beiden laufen die Entwicklungen der bürgerlichen und höfischen Musikkultur zusammen. Bach war Organist und Kantor, vorübergehend herzoglicher Kapellmeister. Händel umspannte in Oper und Oratorium die höfischen ebenso wie die bürgerlichen Kräfte des Londoner Musiklebens. Der Gegensatz ihrer Lebensbahnen erscheint vollendet symbolisch.

Johann Sebastian *Bach* stammt aus einer alten Familie von Musikern, die in Thüringen seit Generationen auf der Orgelbank saßen. Früh elternlos, von seinem älteren Bruder ausgebildet, Alumne der Michaelisschule in Lüneburg, wird er mit achtzehn Jahren Organist, zuerst in Arnstadt, von wo aus er die Pilgerfahrt zu Buxtehudes Abendmusiken nach Lübeck unternimmt, dann in Mühlhausen. Mit zweiundzwanzig Jahren heiratet er seine Base Maria Barbara, ebenfalls eine Bachin. Dann ist er Hoforganist und herzoglicher Kammermusikus in Weimar und 1717 Kapellmeister des Fürsten von Anhalt. Sechs Jahre lang verschwinden Orgel und Kantate aus seinem Gesichtskreis; er ist hauptsächlich Instrumentalkomponist. In dieser Zeit verliert er seine Frau und heiratet bald darauf zum zweiten Male; auch Anna Magdalena Wülken ist eine Musikertochter. 1723 wird er als Kantor an die Thomasschule und als Musikdirektor an die Universität Leipzig berufen und hat die erste Stellung siebenundzwanzig Jahre hindurch bis zu seinem Tode innegehabt. In den letzten Jahren erblindet er allmählich. Seine erste Frau schenkte ihm sieben, die zweite dreizehn Kinder; neun haben ihn überlebt. Sein Leben verläuft äußerlich still; Reibereien mit den Behörden und Kämpfe mit seinem Rektor sind die sichtbaren Ereignisse. Wie die Pilgerfahrt nach Lübeck seine Jugend durchschneidet, so erscheint seine Reise nach Berlin zu Friedrich dem Großen als ein isoliertes, aus seinem Leben herausdrängendes Ereignis.

Georg Friedrich *Händel* ist in Halle geboren, Sohn eines Kammerdieners und Barbiers. Für Bach war die Beschäftigung mit Musik von frühester Jugend an selbstverständlich; Händel ist ein Wunderkind, dessen Orgelspiel Aufsehen erregt. Er muß erst Widerstände überwinden, als Student der Rechte beginnen, ehe ihm erlaubt wird, Musiker zu werden. Der tüchtige, überdurchschnittlich begabte Organist an der Hallenser Liebfrauenkirche, Zachow, ist sein Lehrer. Wie Bach ist Händel mit achtzehn Jahren Organist. Aber während Bach von seiner Exkursion nach Lübeck, wenn auch mit erheblicher Überschreitung seines Urlaubs, nach Arnstadt auf seine Orgelbank zurückkehrt, bricht Händel nach Hamburg aus, nicht um zu studieren, sondern um sich in das Leben zu stürzen. Die Atmosphäre dieser Stadt hilft ihm, zur Oper hinüberzuwechseln; *Almira* ist sein erster Theatererfolg. Damit ist sein Weg vorgezeichnet: er führt nach Italien. Dort hat er neue Erfolge. Zu einer Zeit, in der noch niemand von Bach etwas weiß, leuchtet schon Händels Ruhm auf. Denn von Italien aus wird er als Steffanis Nachfolger zum Kapellmeister in Hannover ausersehen, reist aber vor Antritt seiner Stellung nach London und erringt mit seiner schnell entstandenen Oper *Rinaldo* einen enthusiastischen Erfolg. Für wenige Monate geht er nach Hannover, um seine Stellung anzutreten, ist aber schon 1712 wieder in London. Mit seinem *Utrechter Tedeum,* der ersten seiner großen Chorkantaten, gewinnt er die Herzen der Engländer und erhält eine feste Stellung. London bleibt seine zweite Heimat. Hier ist er der große Komponist, der gefeierte Gast auf den Landsitzen der Adligen. 1719 erhält er den Auftrag, eine Oper zu begründen. Mit Leidenschaft geht er an die Arbeit und schreibt seine beste Arbeit für die neue Bühne. Das Unternehmen geht ein; Händel versucht, es mit Hilfe von Freunden aus eigener Kraft fortzusetzen. Viele Jahre hindurch kämpft er gegen zunehmende wirtschaftliche Schwierigkeiten, höfische Intrigen und das Konkurrenztheater des entlassenen Kastraten Senesino. Ein Schlaganfall wirft ihn nieder und lähmt ihn. Händel besucht die Aachener Bäder; sein Lebenswille und seine ungeheure Energie überwinden den Feind im eigenen Körper. Er liquidiert die Oper und wendet sich dem Oratorium zu. Sein erstes Werk führt ihn auf den Gipfel: es ist der *Messias* (1742). Nun entstehen in abermals zehn Jahren seine oratorischen Meisterwerke. Auch ihn trifft im Alter das gleiche Schicksal wie Bach: er wird blind. Bis zum letzten Tage seines Lebens kämpft er gegen sein Leiden und gibt noch Konzerte. Die Engländer erweisen ihm die größte Ehrung, indem sie ihn in der Westminsterabtei beisetzen.

In den Lebensbahnen der beiden großen Meister werden alle Gegensätze zwischen ihnen sichtbar. Bachs Leben verläuft in der Stille eines deutschen Kantorendaseins und ist arm an äußeren Ereignissen. Er ist nach innen gewendet, Musiker in jeder Phase seines Wesens, durchglüht von schöpferischen Kräften, die zu stetiger Auslösung drängen. Er schreibt Musik von Amts wegen, für den Unterricht, in fürstlichem Auftrag oder aus eigenem Antrieb. Sein Werk ist Frucht, in der Stille gereift, lautlos und stetig sich lösend. Von seinem Leben ebenso wie von seinem Menschentum sehen wir nur Umrisse. Das Bild seiner Söhne, die ihm als Musiker folgen, zeigt, wie stark die alte Familientradition der Bache in ihm weiterlebt und wie die Ausstrahlung seines Wesens in diesem engsten Kreise einsetzt. Sein Klavierbüchlein für Anna Magdalena, seine zweite Frau, ist ein unvergängliches Dokument der Hausmusik im Sinne Luthers.

Alles, was bei Bach nach innen gewendet ist, drängt bei Händel nach außen. Sein Leben steht, von seinen ersten Äußerungen an bis zu seinen letzten Tagen, unter dem Druck einer ungeheuren Vitalität. Er ist eine expansive Natur. Aus der Enge der Heimat und der strengen Schule Zachows drängt es ihn in die Welt. Rom und London sind seine Pole. Hinter seinem vergeblichen Kampf um die Oper stehen unbeugsamer Wille und heroische Energie, hinter seiner Wendung von der Oper zum Oratorium Selbstüberwindung und ungewöhnliche menschliche Größe. Er steht mit beiden Füßen auf der Erde; auch die Wurzeln seiner Musik liegen im Diesseitigen, das Bach nur gelegentlich zu streifen scheint.

Die Polarität der Lebenskurven und Wesensgegensätze zwischen Bach und Händel wächst über alles Persönliche hinaus in ihrer Einstellung zu den musikalischen Formen. In ihnen erscheint die Synthese, die sie beide zusammen für die deutsche Musik bedeuten, in äußerster Vollkommenheit. Ihre Formenwelt schwingt ineinander wie zwei Hemisphären. An der schmalen Stelle ihrer Überschneidung liegt das Orchesterkonzert. In Händels Concerto grosso und Bachs Brandenburgischen Konzerten besteht eine starke Gemeinsamkeit, in der Form ebenso, wie in der Erfüllung des konzertierenden Prinzips. Auch die Orgelmusik beider liegt noch auf einer Ebene, wenn auch nur ihre Wurzeln einander überschneiden. Denn die Orgel, die für Händel eine Episode blieb, führt Bach in sein eigenstes Reich. Je weiter wir uns von diesem Schnittpunkt entfernen, um so bedeutungsvoller werden die Gegensätze. In Bach erscheint die Entwicklung der bürgerlichen Musikkultur erfüllt, während Händels Musik Hofkunst ist, die in ihrer äußersten Verbreiterung große Teile des Bürgertums, aber auf einer ganz anderen Basis als in Deutschland, einbezieht. Die Kantate verhält sich bei Bach zur Passion, wie bei Händel das Oratorium zur Oper. Oratorium und Passion grenzen aneinander; aber die *Matthäuspassion* und der *Messias,* beides zentrale Schöpfungen, sind in ihrer gegensätzlichen Abwandlung des gleichen Stoffes symbolisch. Bachs Passion gibt den kleinen Ausschnitt in letzter Vertiefung und Verinnerlichung. Händel das Lebensbild in vollster Breite, vielfarbig aufleuchtend. Eine seltsame Verknüpfung zeigt sich hier: nirgendwo

ist Bach so stark Dramatiker wie in seinen Passionen, während Händel im *Messias* gerade den Schritt vom dramatischen in das epische Oratorium tut. Der äußerste Gegensatz zwischen ihnen scheint in der Instrumentalmusik bezeichnet. Wiederum ist eine schmale gemeinsame Plattform da: die Sonatenmusik mit Generalbaß, vor allem die Violonsonate. Händels Weg führt von hier aus zur Kammermusik, zum Ausbau der dreistimmigen Triosonate, zur klaren Architektonik der Form und zur plastischen Objektivität des Ausdrucks. Bachs Weg geht in umgekehrter Richtung; er führt im Wohltemperierten Klavier, in den Suitenreihen und schon in den Kleinen Präludien und Inventionen zu einer persönlichen, innerlichen Aussprache, zu einer von allen Bindungen des Anlasses oder des Zusammenspiels abgelösten, subjektiv bedingten Musik. Hier erscheint die Musik für unbegleitete Geige als ein letzter Schritt: war die Ablösung von jeder äußeren Bindung beim Klavier eine auch Händel erreichbare Musizierform, so sind die Werke für unbegleitete Streichinstrumente ein Sonderfall, ein Zeichen nach innen gewendeten Ausdrucks.
Was aber diese Welt von Formen umschließt, ist die Gesamtheit aller der Kräfte, die sich im 17. Jahrhundert in Deutschland entwickelten. Motette und Passion, Lied und Kantate, Oper und Oratorium, Orgelphantasie und Instrumentalkonzert, Klavier- und Kammermusik, das alles wird von Bach und Händel aufgegriffen, umgedeutet und zu seiner höchsten Entwicklungsstufe emporgetragen. Ihr Werk ist Spiegelung, Zusammenfassung, Krönung; es riegelt eine Entwicklungsphase von anderthalb Jahrhunderten ab, die man später den Alten Stil nannte. Denn nach ihnen tauchen neue Sonnen aus dem Dunkel, zeichnet der Weg sich ab, der noch im gleichen Jahrhundert in Haydn und Mozart mündet.

Ich sprach mirs aus: als wenn die ewige Harmonie sich mit sich selbst unterhielte, wie sich's etwa in Gottes Busen kurz vor der Weltschöpfung möchte zugetragen haben — so bewegte sich's auch in meinem Innern, und es war mir, als wenn ich weder Ohren, am wenigsten Augen, und wieder keine übrigen Sinne besäße noch brauchte.

GOETHE ÜBER J. S. BACH

EDUARD MÖRIKE

Aus: Mozart auf der Reise nach Prag

Sie stiegen Arm in Arm über den Graben an der Straße und sofort tiefer in die Tannendunkelheit hinein, die, sehr bald bis zur Finsternis verdichtet, nur hin und wieder von einem Streifen Sonne auf sammetnem Moosboden grell durchbrochen ward. Die erquickliche Frische, im plötzlichen Wechsel gegen die außerhalb herrschende Glut, hätte dem sorglosen Mann ohne die Vorsicht der Begleiterin gefährlich werden können. Mit Mühe drang sie ihm das in Bereitschaft gehaltene Kleidungsstück auf. — »Gott, welche Herrlichkeit!« rief er, an den hohen Stämmen hinaufblickend, aus: »man ist als wie in einer Kirche. Mir deucht, ich war niemals in einem Wald, und besinne mich jetzt erst, was es doch heißt, ein ganzes Volk von Bäumen beieinander! Keine Menschenhand hat sie gepflanzt, sind alle selbst gekommen und stehen so, nur eben, weil es lustig ist, beisammen wohnen und wirtschaften. Siehst du, mit jungen Jahren fuhr ich doch in halb Europa hin und her, habe die Alpen gesehn und das Meer, das Größeste und Schönste, was erschaffen ist: jetzt steht von ungefähr der Gimpel in einem ordinären Tannenwald an der böhmischen Grenze, verwundert und verzückt, daß solches Wesen irgend existiert, nicht etwa nur so una finzione di poeti ist, wie ihre Nymphen, Faune und dergleichen mehr, auch kein Komödienwald, nein aus dem Erdboden herausgewachsen, von Feuchtigkeit und Wärmelicht der Sonne großgezogen! Hier ist zu Haus der Hirsch mit seinem wundersamen zackigen Gestäude auf der Stirn, das possierliche Eichhorn, der Auerhahn, der Häher.« — Er bückte sich, brach einen Pilz und pries die prächtige hochrote Farbe des Schirms, die zarten weißlichen Lamellen an dessen unterer Seite, auch steckte er verschiedene Tannenzapfen ein.
»Man könnte denken,« sagte die Frau, »du habest noch nicht zwanzig Schritte hinein in den Prater gesehen, der solche Raritäten doch auch wohl aufzuweisen hat.«
»Was Prater! Sapperlot, wie du nur das Wort hier nennen magst! Vor lauter Karossen, Staatsdegen, Roben und Fächern, Musik und allem Spektakel der Welt, wer sieht denn da noch sonst etwas? Und selbst die Bäume dort, so breit sie sich auch machen, ich weiß nicht — Buchecken und Eicheln, am Boden verstreut, sehn halter aus als wie Geschwisterkind mit der Unzahl verbrauchter Korkstöpsel darunter. Zwei Stunden weit riecht das Gehölz nach Kellnern und nach Saucen.«
»O unerhört!« rief sie, »so redet nun der Mann, dem gar nichts über das Vergnügen geht, Backhähnl im Prater zu speisen!«
Als beide wieder in dem Wagen saßen und sich die Straße jetzt nach einer

kurzen Strecke ebenen Wegs allmählich anwärts senkte, wo eine lachende Gegend sich bis an die entfernteren Berge verlor, fing unser Meister, nachdem er eine Zeit lang still gewesen, wieder an: »Die Erde ist wahrhaftig schön und keinem zu verdenken, wenn er so lang wie möglich darauf bleiben will. Gott sei's gedankt, ich fühle mich so frisch und wohl wie je und wäre bald zu tausend Dingen aufgelegt, die denn auch alle nacheinander an die Reihe kommen sollen, wie nur mein neues Werk vollendet und aufgeführt sein wird. Wieviel ist draußen in der Welt und wieviel daheim, Merkwürdiges und Schönes, das ich noch gar nicht kenne, an Wunderwerken der Natur, an Wissenschaften, Künsten und nützlichen Gewerben! Der schwarze Köhlerbube dort bei seinem Meister weiß dir von manchen Sachen auf ein Haar so viel Bescheid wie ich, da doch ein Sinn und ein Verlangen in mir wäre, auch einen Blick in dies und jens zu tun, das eben nicht zu meinem nächsten Kram gehört.« ...
Nach einer Pause fuhr er fort: »Und geht es nicht allem so? O pfui, ich darf nicht daran denken, was man verpaßt, verschiebt und hängen läßt! — von Pflichten gegen Gott und Menschen nicht zu reden — ich sage, von purem Genuß, von den kleinen unschuldigen Freuden, die einem jeden täglich vor den Füßen liegen.«
Madame Mozart konnte oder wollte von der Richtung, die sein leicht bewegliches Gefühl hier mehr und mehr nahm, auf keine Weise ablenken, und leider konnte sie ihm nur von ganzem Herzen recht geben, indem er mit steigendem Eifer fortfuhr: »Ward ich denn je nur meiner Kinder ein volles Stündchen froh? Wie halb ist das bei mir und immer en passant! Die Buben einmal rittlings auf das Knie gesetzt, mich zwei Minuten mit ihnen durchs Zimmer gejagt, und damit basta, wieder abgeschüttelt! Es denkt mir nicht, daß wir uns auf dem Lande zusammen einen schönen Tag gemacht hätten, an Ostern oder Pfingsten, in einem Garten oder Wäldel, auf der Wiese, wir unter uns allein, bei Kinderscherz und Blumenspiel, um selber einmal wieder Kind zu werden. Allmittelst geht und rennt und saust das Leben hin — Herr Gott! bedenkt mans recht, es möcht einem der Angstschweiß ausbrechen!« ...

Wien, den 6. April 1787

Diesen Augenblick höre ich eine Nachricht, die mich sehr niederschlägt; — um so mehr, als ich aus Ihrem Letzten vermuten konnte, daß Sie sich Gott Lob recht wohl befinden. — Nun höre aber, daß Sie wirklich krank seien! — Wie sehnlich ich einer tröstenden Nachricht von Ihnen selbst entgegen sehe, brauche ich Ihnen doch wohl nicht zu sagen. — Und ich hoffe es auch gewiß. — Obwohl ich es mir zur Gewohnheit gemacht habe, mir immer in allen Dingen das Schlimmste vorzustellen. — Da der Tod (genau zu nehmen) der wahre Endzweck unseres Lebens ist, so habe ich mich seit ein paar Jahren mit diesem wahren, besten Freunde des Menschen so bekannt gemacht, daß sein Bild nicht alleine nichts Schreckendes mehr für mich hat, sondern recht viel Beruhigendes und Tröstendes! — Und ich danke meinem Gott, daß er mir das Glück gegönnt hat, mir die Gelegenheit (Sie verstehen mich) zu verschaffen, ihn als den Schlüssel zu unserer wahren Glückseligkeit kennen zu lernen. — Ich lege mich nie zu Bette, ohne zu bedenken, daß ich vielleicht (so jung als ich bin) den andern Tag nicht mehr sein werde. — Und es wird doch kein Mensch von allen, die mich kennen, sagen können, daß ich im Umgange mürrisch oder traurig wäre. — Und für diese Glückseligkeit danke ich alle Tage meinem Schöpfer, und wünsche sie vom Herzen jedem meiner Mitmenschen.

WOLFGANG AMADEUS MOZART
in seinem letzten Brief an seinen Vater

LUDWIG VAN BEETHOVEN

Das Heiligenstädter Testament

Für meine Brüder Karl und *Johann* Beethoven

O ihr Menschen, die ihr mich für feindselig, störrisch oder misanthropisch haltet oder erkläret, wie unrecht tut ihr mir! Ihr wißt nicht die geheime Ursache von dem, was euch so scheinet. Mein Herz und mein Sinn waren von Kindheit an für das zarte Gefühl des Wohlwollens. Selbst große Handlungen zu verrichten, dazu war ich immer aufgelegt. Aber bedenket nur, daß seit sechs Jahren ein heilloser Zustand mich befallen, durch unvernünftige Ärzte verschlimmert. Von Jahr zu Jahr in der Hoffnung, gebessert zu werden, betrogen, endlich zu dem Überblick eines dauernden Übels (dessen Heilung vielleicht Jahre dauern wird oder gar unmöglich ist) gezwungen, mit einem feurigen, lebhaften Temperamente geboren, selbst empfänglich für die Zerstreuungen der Gesellschaft, mußte ich früh mich absondern, einsam mein Leben zubringen. Wollte ich auch zuweilen mich einmal über alles das hinaussetzen, wie hart wurde ich durch die verdoppelte traurige Erfahrung meines schlechten Gehörs dann zurückgestoßen, und doch war's mir noch nicht möglich, den Menschen zu sagen: sprecht lauter, schreit, denn ich bin

taub. Ach, wie wär es möglich, daß ich die Schwäche eines Sinnes zugeben sollte, der bei mir in einem vollkommeneren Grade als bei andern sein sollte, einen Sinn, den ich einst in der größten Vollkommenheit besaß, in einer Vollkommenheit, wie ihn wenige von meinem Fache gewiß haben, noch gehabt haben. — O, ich kann es nicht. Drum verzeiht, wenn ihr mich da zurückweichen sehen werdet, wo ich mich gerne unter euch mischte. Doppelt wehe tut mir mein Unglück, indem ich dabei verkannt werden muß. Für mich darf Erholung in menschlicher Gesellschaft, feinere Unterredungen, wechselseitige Ergießungen nicht statthaben. Ganz allein fast, nur soviel, als es die höchste Notwendigkeit fordert, darf ich mich in Gesellschaft einlassen. Wie ein Verbannter muß ich leben. Nahe ich mich einer Gesellschaft, so überfällt mich eine heiße Ängstlichkeit, indem ich befürchte, in Gefahr gesetzt zu werden, meinen Zustand merken zu lassen.
So war es denn auch dieses halbe Jahr, das ich auf dem Lande zubrachte. Von meinem vernünftigen Arzte aufgefordert, soviel als möglich mein Gehör zu schonen, kam er fast meiner jetzigen natürlichen Disposition entgegen, obschon, vom Triebe zur Gesellschaft manchmal hingerissen, ich mich dazu verleiten ließ. Aber welche Demütigung, wenn jemand neben mir stund und von weitem eine Flöte hörte und ich nichts hörte, oder jemand den Hirten singen hörte und ich auch nichts hörte. Solche Ereignisse brachten mich nahe an Verzweiflung: es fehlte wenig, und ich endigte selbst mein Leben. Nur sie, die *Kunst,* sie hielt mich zurück. Ach, es dünkte mir unmöglich, die Welt eher zu verlassen, bis ich das alles hervorgebracht, wozu ich mich aufgelegt fühlte, und so fristete ich dieses elende Leben, wahrhaft elend, einen so reizbaren Körper, daß eine etwas schnelle Veränderung mich aus dem besten Zustande in den schlechtesten versetzen kann.
Geduld, so heißt es, sie muß ich nun zur Führerin wählen: ich habe es. Dauernd, hoffe ich, soll mein Entschluß sein auszuharren, bis es den unerbittlichen Parzen gefällt, den Faden zu brechen. Vielleicht geht's besser, vielleicht nicht: ich bin gefaßt. Schon in meinem 28. Jahre gezwungen, Philosoph zu werden, es ist nicht leicht, für den Künstler schwerer als für irgend jemand.
Gottheit, du siehst herab auf mein Inneres, du kennst es; du weißt, daß Menschenliebe und Neigung zum Wohltun drin hausen. O Menschen, wenn ihr einst dieses leset, so denkt, daß ihr mir unrecht getan, und der Unglückliche, er tröste sich, einen seinesgleichen zu finden, der trotz allen Hindernissen der Natur doch noch alles getan, was in seinem Vermögen stand, um in die Reihe würdiger Künstler und Menschen aufgenommen zu werden.
Ihr meine Brüder Karl und Johann, sobald ich tot bin und Professor Schmidt lebt noch, so bittet ihn in meinem Namen, daß er meine Krankheit

beschreibe, und dieses hier geschriebene Blatt füget Ihr dieser meiner Krankengeschichte bei, damit wenigstens so viel als möglich die Welt nach meinem Tode mit mir versöhnt werde. Zugleich erkläre ich Euch beide hier für die Erben des kleinen Vermögens (wenn man es so nennen kann) von mir. Teilt es redlich und vertragt und helft Euch einander. Was Ihr mir zuwider getan, das wißt Ihr, war Euch schon längst verziehen. Dir, Bruder Karl, danke ich noch insbesondre für Deine in dieser letztern späteren Zeit mir bewiesene Anhänglichkeit. Mein Wunsch ist, daß Euch ein besseres, sorgenloseres Leben als mir werde. Empfehlt Euren Kinder *Tugend:* sie nur allein kann glücklich machen, nicht Geld; ich spreche aus Erfahrung. Sie war es, die mich selbst im Elende gehoben; ihr danke ich nebst meiner Kunst, daß ich durch keinen Selbstmord mein Leben endigte. Lebt wohl und liebt Euch!
Allen Freunden danke ich, besonders Fürst Lichnowsky und Professor Schmidt. Die Instrumente von Fürst Lichnowsky wünsche ich, daß sie doch mögen aufbewahrt werden bei einem von Euch; doch entstehe deswegen kein Streit unter Euch. Sobald sie Euch aber zu was Nützlicherem dienen können, so verkauft sie nur. Wie froh bin ich, wenn ich auch noch unter meinem Grabe Euch nützen kann!
So wär's geschehen. — Mit Freuden eil ich dem Tode entgegen. Kömmt er früher, als ich Gelegenheit gehabt habe, noch alle meine Kunstfähigkeiten zu entfalten, so wird er mir trotz meinem harten Schicksal doch noch zu frühe kommen, und ich würde ihn wohl später wünschen. Doch auch dann bin ich zufrieden: befreit er mich nicht von einem endlosen leidenden Zustande? Komm, wann du willst: ich gehe dir mutig entgegen. Lebt wohl und vergeßt mich nicht ganz im Tode. Ich habe es um Euch verdient, indem ich in meinem Leben oft an Euch gedacht, Euch glücklich zu machen; seid es!

Heiligenstadt, am 6. Oktober 1802

Ludwig van Beethoven

Heiligenstadt, am 10. Oktober. — So nehme ich denn Abschied von Dir, und zwar traurig. Ja, die geliebte Hoffnung, die ich mit hierher nahm, wenigstens bis zu einem gewissen Punkte geheilet zu sein, sie muß mich nun gänzlich verlassen. Wie die Blätter des Herbstes herabfallen, gewelkt sind, so ist auch sie für mich dürr geworden. Fast wie ich hierher kam, gehe ich fort. Selbst der hohe Mut, der mich oft in den schönen Sommertagen beseelte, er ist verschwunden. O Vorsehung, laß einmal einen reinen Tag der Freude mir erscheinen! So lange schon ist der wahren Freude inniger Widerhall mir fremd. O wann, o wann, o Gottheit, kann ich im Tempel der Natur und der Menschen ihn wieder fühlen! — Nie? nein — o, es wäre zu hart! —

Ich füge nur noch die letzte Unterredung an, die ich mit dem tiefernsten Denker pflog. Eines Tages brachte ich ihm eine neue, etwas komplizierte Komposition von mir; nachdem er sie aufmerksam durchgelesen, äußerte er: »Sie geben zu viel, weniger wäre besser gewesen; das liegt eben in der himmelstürmenden Jugend, die nie genug zu tun meint, wird sich aber mit der reiferen Zeit schon geben und lieber ist mir immer noch ein Überfluß als ein Mangel an Ideen.« — »Wie soll man es denn anfangen, das Rechte zu finden und — wie sind Sie selbst zu diesem hohen Ziel gelangt?« setzte ich schüchtern hinzu. »Ich trage meine Gedanken lange, oft sehr lange mit mir herum, ehe ich sie niederschreibe«, antwortete er. »Dabei bleibt mir mein Gedächtnis so treu, daß ich sicher bin, ein Thema, was ich einmal erfaßt habe, selbst nach Jahren nicht zu vergessen. Ich verändere manches, verwerfe und versuche aufs neue so lange, bis ich damit zufrieden bin; dann beginnt in meinem Kopfe die Verarbeitung in die Breite, in die Enge, Höhe und Tiefe, und da ich mir bewußt bin, was ich will, so verläßt mich die zugrunde liegende Idee niemals, sie steigt, sie wächst empor, ich höre und sehe das Bild in seiner ganzen Ausdehnung wie in einem Gusse vor meinem Geist stehen und es bleibt mir nur die Arbeit des Niederschreibens, die rasch vonstatten geht, je nachdem ich die Zeit erübrige, weil ich zuweilen mehreres zugleich in Arbeit nehme, aber sicher bin, keines mit dem andern zu verwirren. Sie werden mich fragen, woher ich meine Ideen nehme? Das vermag ich mit Zuverlässigkeit nicht zu sagen: sie kommen ungerufen, mittelbar, unmittelbar, ich könnte sie mit Händen greifen, in der freien Natur, im Walde, auf Spaziergängen, in der Stille der Nacht, am frühen Morgen, angeregt durch Stimmungen, die sich bei dem Dichter in Worte, bei mir in Töne umsetzen, klingen, brausen, stürmen, bis sie endlich in Noten vor mir stehen.«

LOUIS SCHLÖSSER

Ihm ist die Kunst bereits Wissenschaft geworden: er weiß, was er kann, und die Phantasie gehorcht seiner unergründlichen Besonnenheit.

FRANZ SCHUBERT über Beethoven

CLEMENS BRENTANO

Nachklänge Beethovenscher Musik

Einsamkeit, du stummer Bronnen,
Heilge Mutter tiefer Quellen,
Zauberspiegel innrer Sonnen,
Die in Tönen überschwellen:
Seit ich durft in deine Wonnen
Das betörte Leben stellen,
Seit du ganz mich überronnen
Mit den dunklen Wunderwellen,
Hab zu funkeln ich begonnen.
Und nun klingen all die hellen
Sternensphären meiner Seele,
Deren Takt ein Gott mir zähle.
Alle Sonnen meines Herzens,
Die Planeten meiner Lust,
Die Kometen meines Schmerzens
Tönen laut in meiner Brust.
In dem Monde meiner Wehmut,
Alles Glanzes unbewußt,
Muß ich singen und in Demut
Vor den Schätzen meines Innern,
Vor der Armut meines Lebens,
Vor den Gipfeln meines Strebens,
Ewger Gott! mich dein erinnern.
Alles andre ist vergebens.

Gott! Dein Himmel faßt mich in den Haaren,
Deine Erde reißt mich in die Hölle,
Herr, wo soll ich doch mein Herz bewahren,
Daß ich deine Schwelle sicher stelle?
Also fleh ich durch die Nacht, da fließen
Meine Klagen hin wie Feuerbronnen,
Die mit glühnden Meeren mich umschließen,
Doch inmitten hab ich Grund gewonnen,
Rage hoch gleich rätselvollen Riesen,
Memnons Bild, des Morgens erste Sonnen,
Fragend ihren Strahl zur Stirn mir schießen
Und den Traum, den Mitternacht gesponnen,
Üb ich tönend, den Tag zu grüßen.

Selig, wer ohne Sinne
Schwebt, wie ein Geist auf dem Wasser,
Nicht wie ein Schiff die Flaggen
Wechselnd der Zeit und Segel
Blähend, wie heute der Wind weht.
Nein, ohne Sinne, dem Gott gleich,
Selbst sich nur wissend und dichtend,
Schafft er die Welt, die er selbst ist,
Und es sündigt der Mensch drauf,
Und es war nicht sein Wille!
Aber geteilet ist alles.
Keinem ward alles, denn jedes
Hat einen Herrn, nur der Herr nicht;
Einsam ist er und dient nicht.
So auch der Sänger.

FELIX MENDELSSOHN-BARTHOLDY

Brief aus Paris

Paris, den 15. Februar 1832

An Zelter

Wenn ich Ihnen auch nur von den Hauptpunkten meiner Reise hätte schreiben wollen, so hätte ich es eigentlich von Deutschland aus tun müssen; denn wie jetzt nach all den Schönheiten, die ich in Italien und der Schweiz genossen, nach allem Herrlichen, das ich gesehen und erlebt, wieder nach Deutschland kam und namentlich bei der Reise über Stuttgart, Heidelberg, Frankfurt, den Rhein herunter bis Düsseldorf, da war eigentlich der Hauptpunkt der Reise, denn da merkte ich, daß ich ein Deutscher sei und in Deutschland wohnen wolle, solange ich es könne. Es ist wahr, ich kann da nicht so viel Schönheit genießen, nichts Herrliches erleben, aber ich bin da zu Hause. Es ist kein einzelner von den Orten, der mich eben besonders fesselte, wo ich besonders gern leben möchte — es ist das ganze Land, es sind die Menschen, deren Charakter und Sprache und Gebräuche ich nicht erst zu lernen und mitzumachen oder nachzumachen brauche; unter denen ich mich wohl fühle, ohne mich darüber zu wundern, und so hoffe ich, daß ich auch in Berlin meine Existenz und das zum Leben Notwendige finden, und daß ich da, wo ich Sie und die Eltern und Geschwister und die Freunde

habe, mich nicht weniger heimisch fühlen werde als an all den andern deutschen Orten. Wenn die Leute mich einmal in Deutschland nirgend mehr haben wollen, dann bleibt mir die Fremde immer noch, wo es dem Fremden leichter wird; aber ich hoffe, ich werde es nicht brauchen. So kann ich Ihnen gar nicht sagen, wie herzlich ich mich aufs Wiedersehen freue.
Es ist mir lebhaft aufgefallen, wie in Deutschland die Musik und der Sinn für die Kunst verbreitet ist und sich immer mehr verbreitet, während man ihn anderswo (hier z. B.) konzentriert. Daraus folgt zwar vielleicht, daß es bei uns nicht so schnell in die Höhe, aber auch nicht so schnell auf die Spitze getrieben wird, und ferner, daß wir den andern Ländern Musiker schicken können und doch noch reich genug bleiben. Ich habe mir das alles ausgedacht, wenn ich hier so oft Politik hören und zuweilen auch sprechen mußte, und wenn die Leute, namentlich aber die Deutschen, auf Deutschland schalten oder es beklagten, daß es keinen Mittelpunkt, kein Oberhaupt, keine Konzentrierung habe, und wenn sie meinten, das werde alles gewiß bald kommen. Es wird wohl nicht kommen, und ich denke, es ist auch ganz gut so. Was aber kommen wird und muß, das ist das Ende unsrer allzu großen Bescheidenheit, mit der wir alles für recht halten, was die andern uns bringen, unser Eigentum sogar erst achten, wenns die andern geachtet haben. Hoffentlich werden die Deutschen bald aufhören, auf die Deutschen zu schimpfen, daß sie nicht einig seien, und so die ersten Uneinigen zu sein, und hoffentlich werden sie einmal dies Zusammenhalten den andern nachmachen, was das Beste ist, das diese haben. Wenn sie das übrigens nicht bald tun, so gebe ich sie darum doch nicht auf, sondern komponiere weiter, solange mir was einfällt. Aber das tut mir immer leid, wenn wir selbst nichts von dem wissen wollen, was wir voraus haben.
Hier aber ist Frankreich, und darum kann man auch keine deutsche Stadt mit Paris vergleichen, weil hier alles zusammenströmt, was in Frankreich sich auszeichnet, während es sich in Deutschland verbreitet. Deutschland besteht aus soundso viel Städten, aber was Musik, ich glaube überhaupt, was Kunst betrifft, ist Paris Frankreich. Daher haben sie denn auch hier ihr Konservatorium, wo erzogen wird, wo sich eine Schule bildet, wohin alle Talente aus den Provinzen geschickt werden müssen, wenn sie sich irgend vervollkommnen wollen, denn außer Paris gibt es in ganz Frankreich kaum ein erträgliches Orchester, keinen ausgezeichneten Musiker, und während hier 1800 Klavierlehrer sind und es doch an Lehrern fehlt, macht man in den andern Städten so gut wie gar keine Musik. Wie tausendfach sich das nun hier im Mittelpunkt gestaltet, welch ein gewaltiges Treiben das ist, wenn man ein ganzes Land in einer Stadt vor sich sieht und von allen Leuten die Elite um sich hat, das kann ich gar nicht beschreiben. Daher kommt es auch, daß sich hier alles gleich in Fächer abteilt, denn jeder sucht und findet seinen Teil.

Von Herzen — Möge es wieder — zu Herzen gehn!

(I.) Kyrie

1.

Lit. 126

dolce

voce soli

12½ Bögen

19 Ludwig van Beethoven
Die erste Seite der Partitur-Handschrift der Missa solemnis op. 123, 1819—1822/23 mit den Worten „Von Hertzen — möge es wieder zu Hertzen gehn“

Ich bleibe nun bei dem, was Sie und die Eltern mich lieben gelehrt haben, bin also gleich in die »école Allemande« einrangiert.
Das Publikum der Konzerte liebt den Beethoven ungemein, weil sie glauben, man müsse ein Kenner sein, um ihn zu lieben; eigentliche Freude haben aber wohl die wenigsten daran, und das Herabwürdigen von Haydn und Mozart kann ich nun einmal nicht vertragen: es macht mich toll. Die Beethovenschen Symphonien sind ihnen wie exotische Pflanzen, sie riechen wohl daran, aber es ist eine Kuriosität, und wenn einer gar einmal die Staubfäden zählt und findet, es sei doch eigentlich aus einer bekannten Blumenfamilie, so ist er zufrieden und macht sich weiter nichts daraus. So klagt man sogar schon über Kälte der Leute in diesem und dem vorigen Jahre, und man wird einige Violinquartette von Beethoven für volles Saitenorchester, 28 Geigen usw. mit Kontrabässen, ohne Blasinstrumente geben, um was Neues von ihm zu haben. Ich sollte sie sogar instrumentieren und die Sonate pathétique fürs Orchester des Conservatoire einrichten, habe ihnen aber eine schöne Rede gehalten, daß es wohl unterbleibt und ohne Blasinstrumente gegeben wird.

ROBERT SCHUMANN

Aus den Musikalischen Haus- und Lebensregeln

Die Bildung des Gehörs ist das Wichtigste. Bemühe dich frühzeitig, Tonart und Ton zu erkennen. Die Glocke, die Fensterscheibe, der Kuckuck — forsche nach, welche Töne sie angeben.
Du sollst Tonleitern und andere Fingerübungen fleißig spielen. Es gibt aber viele Leute, die meinen, damit alles zu erreichen, die bis in ihr hohes Alter täglich viele Stunden mit mechanischem Üben hinbringen. Das ist ungefähr ebenso, als bemühe man sich, täglich das ABC möglichst schnell und immer schneller auszusprechen. Wende die Zeit besser an.
Man hat sogenannte »stumme Klaviaturen« erfunden; versuche sie eine Weile lang, um zu sehen, daß sie zu nichts taugen. Vom Stummen kann man nicht sprechen lernen.
Nicht allein mit den Fingern mußt du deine Stückchen können, du mußt sie dir auch ohne Klavier vorträllern können. Schärfe deine Einbildungskraft so, daß du nicht allein die Melodie einer Komposition, sondern auch die dazugehörige Harmonie im Gedächtnis festzuhalten vermagst.
Wenn du größer wirst, verkehre mehr mit Partituren als mit Virtuosen.

Spiele fleißig Fugen guter Meister, vor allem von Joh. Seb. Bach. Das *Wohltemperierte Klavier* sei dein täglich Brot. Dann wirst du gewiß ein tüchtiger Musiker.

ROBERT SCHUMANN

Johannes Brahms

Manche neue, bedeutende Talente erschienen, eine neue Kraft der Musik scheint sich anzukündigen, wie dies viele der hochaufstrebenden Künstler der jüngsten Zeit bezeugen, wenn auch deren Produktionen mehr einem engeren Kreise bekannt sind. Ich dachte, die Bahnen dieser Auserwählten mit der größten Teilnahme verfolgend, es würde und müsse nach solchem Vorgang einmal plötzlich einer erscheinen, der den höchsten Ausdruck der Zeit in idealer Weise auszusprechen berufen wäre, einer, der uns die Meisterschaft nicht in stufenweiser Entfaltung brächte, sondern wie Minerva gleich vollkommen gepanzert aus dem Haupt des Kronion spränge. Und er ist gekommen, ein junges Blut, an dessen Wiege Grazien und Helden Wache hielten. Er heißt Johannes Brahms, kam von Hamburg, dort in dunkler Stille schaffend, aber von einem trefflichen und begeistert zutragenden Lehrer gebildet in den schwierigsten Satzungen der Kunst, mir kurz vorher von einem verehrten bekannten Meister empfohlen. Er trug, auch im Äußeren, alle Anzeichen an sich, die uns ankündigen: Das ist ein Berufener. Am Klavier sitzend, fing er an, wunderbare Regionen zu enthüllen. Wir wurden in immer zauberischere Kreise hineingezogen. Dazu kam ein ganz geniales Spiel, das aus dem Klavier ein Orchester von wehklagenden und lautjubelnden Stimmen machte. Es waren Sonaten, mehr verschleierte Symphonien, Lieder, deren Poesie man, ohne die Worte zu kennen, verstehen würde, obwohl eine tiefe Gesangsmelodie sich durch alle hinzieht, einzelne Klavierstücke, teilweise dämonischer Natur von der anmutigsten Form, dann Sonaten für Violine und Klavier, und jedes so abweichend vom andern, daß sie jedes verschiedenen Quellen zu entströmen schienen. Und dann schien es, als vereinigte er, als Strom dahinbrausend, alle wie zu einem Wasserfall, über die hinunterstürzenden Wogen den friedlichen Regenbogen tragend und am Ufer von Schmetterlingen umspielt und von Nachtigallenstimmen begleitet.

Wenn er seinen Zauberstab dahin senken wird, wo ihm die Mächte der Massen, im Chor und Orchester, ihre Kräfte leihen, so stehen uns noch wunderbare Blicke in die Geheimnisse der Geisterwelt bevor. Möchte ihn der höchste

Genius dazu stärken, wozu die Voraussicht da ist, da ihm auch ein anderer Genius, der der Bescheidenheit, innewohnt. Seine Mitgenossen begrüßen ihn bei seinem ersten Gang durch die Welt, wo seiner vielleicht Wunden warten werden, aber auch Lorbeeren und Palmen; wir heißen ihn willkommen als starken Streiter.

ARNOLD SCHÖNBERG

Theorielehrer oder Musikmeister?

Wenn einer musikalische Komposition unterrichtet, wird er Theorielehrer genannt; wenn er aber ein Buch über Harmonielehre geschrieben hat, heißt er gar Theoretiker. Aber einem Tischler, der ja auch seinem Lehrbuben das Handwerk beizubringen hat, wird es nicht einfallen, sich für einen Theorielehrer auszugeben. Er nennt sich eventuell Tischlermeister, das ist aber mehr eine Standesbezeichnung als ein Titel. Keinesfalls hält er sich für so was wie einen Gelehrten, obwohl er schließlich auch sein Handwerk versteht. Wenn da ein Unterschied ist, dann kann er nur darin bestehen, daß die musikalische Technik »theoretischer« ist als die tischlerische. Das ist nicht so leicht einzusehen. Denn wenn der Tischler weiß, wie man aneinanderstoßende Hölzer haltbar verbindet, so gründet sich das ebenso auf gute Beobachtung und Erfahrung, wie wenn der Musiktheoretiker Akkorde wirksam zu verbinden versteht. Und wenn der Tischler weiß, welche Holzsorten er bei einer bestimmten Beanspruchung verwenden soll, so ist das ebensolche Berechnung der natürlichen Verhältnisse und des Materials, wie wenn der Musiktheoretiker, die Ergiebigkeit der Themen einschätzend, erkennt, wie lang ein Stück werden darf. Wenn aber der Tischler Kannelierungen anbringt um eine glatte Fläche zu beleben, dann zeigt er zwar so schlechten Geschmack und fast ebenso wenig Phantasie wie die meisten Künstler, aber doch noch immer soviel wie jeder Musiktheoretiker. Wenn nun also der Unterricht des Tischlers ebenso wie der des Theorielehrers auf Beobachtung, Erfahrung, Überlegung und Geschmack, auf Kenntnis der Naturgesetze und der Bedingungen des Materials beruht: ist dann da wirklich ein wesentlicher Unterschied?

Warum nennt sich dann also ein Tischlermeister nicht auch Theoretiker, oder ein Musiktheoretiker sich nicht Musikmeister? Weil da ein kleiner Unterschied ist: der Tischler dürfte nie sein Handwerk bloß theoretisch verstehen, während der Musiktheoretiker vor allem gewöhnlich praktisch nichts kann;

kein Meister ist. Und noch einer: der wahre Musiktheoretiker schämt sich des Handwerkes, weil es nicht das s e i n e, sondern das a n d e r e r ist. Das zu verbergen, ohne aus der Not eine Tugend zu machen, genügt ihm nicht. Der Titel: Meister ist entwertet; man könnte verwechselt werden — ein dritter Unterschied — dem vornehmeren Beruf muß ein vornehmerer Titel entsprechen und darum hat die Musik, obwohl der große Künstler auch heute noch »Meister« angesprochen wird, nicht, wie sogar die Malerei, einfach eine Handwerkslehre, sondern einen Theorie-Unterricht.

Und die Folge: Keine Kunst ist in ihrer Entwicklung so sehr gehemmt durch ihre Lehrer wie die Musik. Denn niemand wacht eifersüchtiger über sein Eigentum als der, der weiß, daß es, genau genommen, nicht ihm gehört. Je schwerer der Eigentumsnachweis zu führen ist, desto größer die Anstrengung, ihn zu erbringen. Und der Theoretiker, der gewöhnlich nicht Künstler oder ein schlechter (das ist ja: Nicht-Künstler) ist, hat also allen Grund, sich um die Befestigung seiner unnatürlichen Stellung Mühe zu geben. Er weiß: am meisten lernt der Schüler durch das Vorbild, das ihm die Meister in ihren Meisterwerken zeigen. Und könnte man beim Komponieren ebenso zuschauen lassen wie beim Malen, könnte es Komponierateliers geben wie es Malateliers gab, dann wäre es klar, wie überflüssig der Musiktheoretiker ist und daß er ebenso schädlich ist wie die Kunstakademien. Das fühlt er und sucht Ersatz zu schaffen, indem er an die Stelle des lebendigen Vorbildes die Theorie, das System setzt.

Ich will nicht gegen jene redlichen Versuche streiten, die sich bemühen, die mutmaßlichen Gesetze der Kunst zu finden. Diese Bemühungen sind notwendig. Sie sind vor allem dem strebenden Menschenhirn notwendig. Der edelste Trieb, der Trieb, zu erkennen, legt uns die Pflicht auf, zu suchen. Und eine in ehrlichem Suchen gefundene Irrlehre steht noch immer höher als die beschauliche Sicherheit dessen, der sich gegen sie wehrt, weil er zu wissen vermeint — zu wissen, ohne selbst gesucht zu haben! Es ist geradezu unsere Pflicht, über die geheimnisvollen Ursachen der Kunstwirkungen immer wieder nachzudenken. Aber: immer wieder, immer wieder von vorne anfangend; immer wieder von neuem selbst beobachtend und selbst zu ordnen versuchend. Nichts als gegeben ansehend als die Erscheinungen. Die darf man mit mehr Recht für ewig ansehen als die Gesetze, die man zu finden glaubt.

Wir dürfen, da wir sie bestimmt wissen, mit mehr Recht unser Wissen um die Erscheinungen Wissenschaft nennen als jene Vermutungen, die sie erklären wollen.

Doch auch diese Vermutungen haben ihre Berechtigung: als Versuche, als Resultate von Denkbemühungen, als geistige Gymnastik; vielleicht sogar manchmal als Vorstufen zur Wahrheit.

Gäbe sich die Kunsttheorie damit zufrieden, begnügte sie sich mit dem Lohn, den ehrliches Suchen gewährt, so könnte man nichts gegen sie einwenden. Aber sie will mehr sein. Sie will nicht sein: der Versuch, Gesetze zu finden; sie behauptet: die ewigen Gesetze gefunden zu haben. Sie beobachtet eine Anzahl von Erscheinungen, ordnet sie nach einigen gemeinsamen Merkmalen und leitet daraus Gesetze ab. Das ist ja schon deshalb richtig, weil es kaum anders möglich ist. Aber nun beginnt der Fehler, denn hier wird der falsche Schluß gezogen, daß diese Gesetze, weil sie für die bisher beobachteten Erscheinungen scheinbar zutreffen, nunmehr auch für alle zukünftigen Erscheinungen gelten müßten. Und das Verhängnisvollste: man glaubt einen Maßstab zur Ermittlung des Kunstwerts auch künftiger Kunstwerke gefunden zu haben. So oft auch die Theoretiker von der Wirklichkeit desavouiert wurden, wenn sie für unkunstmäßig erklärten, »was nicht nach ihrer Regeln Lauf«, können sie doch »vom Wahn nicht lassen«. Denn was wären sie, wenn sie nicht wenigstens die Schönheit gepachtet hätten, da doch die Kunst nicht ihnen gehört? Was wären sie, wenn es für alle Zeiten jedem klar würde, was hier wieder einmal einer zeigt? Was wären sie, da die Kunst sich in Wirklichkeit doch durch die Kunstwerke fortpflanzt und nicht durch die Schönheitsgesetze? Wäre das wirklich noch ein Unterschied zwischen ihnen und einem Tischlermeister zu ihren Gunsten?
Man könnte behaupten, ich gehe zu weit; das wisse ohnedies heute jeder, daß die Ästhetik nicht Schönheitsgesetze vorschreibe, sondern nur ihr Vorhandensein aus den Kunstwirkungen abzuleiten versuche. Ganz richtig: das weiß heute fast jeder. Aber kaum einer berücksichtigt es. Darauf käme es aber an. Ich will das in einem Beispiel zeigen. Ich glaube, es ist mir in diesem Buch gelungen, einige alte Vorurteile der Musikästhetik zu widerlegen. Daß es sie bis jetzt gab, wäre schon ein genügender Beweis für meine Behauptung. Aber wenn ich ausspreche, was ich nicht für ein notwendiges Erfordernis der Kunstwirkung halte, wenn ich sage: die Tonalität ist kein ewiges Naturgesetz der Musik, dann sieht wohl jeder, wie die Theoretiker entrüstet aufspringen, um ihr Veto gegen meine Ehre zu erheben. Wer würde das heute zugeben wollen, und wenn ich es noch schärfer bewiese, als es hier geschehen wird?
Die Macht, die der Theoretiker nötig hat, um eine unhaltbare Stellung zu befestigen, stammt von seinem Bündnis mit der Ästhetik her. Die beschäftigt sich nur mit den ewigen Dingen, kommt also im Leben immer zu spät. Das nennt man konservativ. Aber es ist ebenso lächerlich wie ein konservativer Schnellzug. Doch die Vorteile, die die Ästhetik dem Theoretiker sichert, sind zu groß, als daß er sich darum kümmern sollte. Wie wenig grandios klingt es, wenn der Lehrer dem Schüler sagt: Eines der dankbarsten Mittel zur Erzielung musikalischer Formwirkung ist die Tonalität. Wie anders aber macht

es sich, wenn er vom Prinzip der Tonalität spricht, als von einem Gesetz: »Du sollst ...«, dessen Befolgung unerläßlich sei für alle musikalische Formwirkung. Dieses »unerläßlich« — man spürt einen Hauch von Ewigkeit! Wage anders zu fühlen, junger Künstler, und du hast sie alle gegen dich, die das schon längst wissen, was ich hier wieder zeige. Und sie werden dich »Neu-Junker-Unkraut« nennen und »Schwindler« und werden verleumden: »Du wolltest düpieren, bluffen.« Und wenn sie dich mit ihrer Gemeinheit besudelt haben, werden sie als jene tapferen Männer dastehen, die es für feige hielten, für ihre Ansicht nicht etwas zu riskieren, was nur dem andern schadet. Und du bist dann der Lump!
Zum Teufel mit allen diesen Theorien, wenn sie immer nur dazu dienen, der Entwicklung der Kunst einen Riegel vorzuschieben. Und wenn, was sie Positives leisten, höchstens darin besteht, daß sie denjenigen, die ohnedies schlecht komponieren werden, helfen, das rasch zu erlernen.

HANS MERSMANN

Hindemith

Die beiden Jahrzehnte, welche die Geburtsjahre Schönbergs und Hindemiths trennen, sind in mancher Beziehung entscheidend. Die Auflösung der Tristan-Chromatik bei Schönberg steht von vornherein unter dem Gesetz des Endes. Von Brahms über Reger aber weisen Wege in die Zukunft. Auf diesen Wegen findet Paul Hindemith seine eigene Tonsprache.
Noch einmal stehen wir an einer Wasserscheide. Die Probleme, die Hindemith und seine Freunde beschäftigen, sind zunächst ganz anders geartet als die des Wiener Kreises; zudem sind sie in einem engeren Sinne in dem Raume der deutschen Musik beschlossen, als deren eindeutigster Exponent Hindemith erscheint. Die Malerei hat das Klima der neuen Musik gerade in Deutschland wesentlich mitbestimmt; sie ist zugleich ein Maß für das reißende Tempo der Entwicklung. 1906 veranstalteten die Maler der Brücke ihre erste Ausstellung, 1911 vereinigten sich Franz Marc, Macke (die beide schon im Ersten Kriege fielen) mit Kandinsky und einigen anderen Malern im Zeichen des blauen Reiters; 1919 wurde das Bauhaus in Weimar gegründet. In diesem Jahre trat Hindemith mit seinem ersten Streichquartett in das Licht der Öffentlichkeit. In den stürmischen Jahren nach dem Ende des Ersten Krieges beginnen sich die Konturen eines neuen Weltbilds abzuzeichnen. Wir spüren sie in den Bildern Kokoschkas, Otto Muellers, Heckels und in

den Plastiken Barlachs und Lehmbrucks, in der lyrischen Sendung Werfels, den Dramen Brechts und Hasenclevers. Ebenso in den erregenden Frühwerken Strawinskys und Bartoks und nun im eigenen Raume bei Hindemith.
Mit ihm tritt ein neuer Typus des Musikers und der Musik in unseren Gesichtskreis. Hindemith ist Geiger und Bratscher, wie Scherchen als Dirigent und manche Anderen in Deutschland aus der engsten Verbindung mit dem Handwerk herausgewachsen. Diese Wurzel kennzeichnet auch den Komponisten; sie bewirkt ein durch alle Phasen seiner Entwicklung konstantes Merkmal: die Genauigkeit der künstlerischen Aussage und die Eindeutigkeit in dem Verhältnis von Absicht und Verwirklichung. Wenige deutsche Musiker haben soviel experimentiert wie Hindemith, aber er baut nie in den leeren Raum hinein. Er setzt Stufe auf Stufe und ist sich stets über die Grenzen des Realisierbaren im klaren. Seine Entwicklung kennt nichts Überspanntes, keinen Flug zu den Sternen, dessen Niederschlag nur ein verschwommenes Abbild wäre. Hindemith schreibt für das Heckelphon, für die mechanische Orgel oder für das Trautonium ebenso selbstverständlich und souverän wie für Bratsche und Flöte. In engem Zusammenhang hiermit steht seine Leistung als nachschaffender Künstler. Nicht nur, weil er in seiner Jugend im Orchester saß, reizt es ihn, seine Musik selbst darzustellen. Sondern ein Werk wie das Bratschenkonzert oder die Bratschenstimme seines Ersten Streichtrios fanden früher in ihm die schlechthin bestmögliche Interpretation. Wiedergabe des Klangbilds ist ein Stück der Verwirklichung seiner künstlerischen Absicht, eine letzte Konsequenz des Komponierens.
Dieser gesunde Sinn für alle Arten von Wirklichkeit verbindet sich bei Hindemith mit einer Universalität, deren Wurzeln von frühester Zeit an in ihm liegen. Zu dem Komponisten und Interpreten (in jüngerer Zeit auch als Dirigent) treten der Lehrer, der Organisator, der zu pädagogischer und geistiger Auseinandersetzung bereite Redner und Schriftsteller. Hindemiths Universalität ist eine andere als die Strawinskys; man könnte sie als spezifisch deutsch bezeichnen. Sie beschränkt sich nicht nur auf die Gattungen der Musik, die er in seinem Werk bevorzugt. Sie verbindet sich auch mit einem gewissen Hang zur Systematik, welcher von der jeweiligen Fragestellung aus ein erschöpfendes Bild vermitteln möchte. Wenn Hindemith Sonaten für ein Melodieinstrument und Klavier schreibt, so reicht die Skala von der Flöte bis zur Posaune und zum Kontrabaß. Sein Ludus tonalis ist die künstlerische Erscheinungsform der in der Unterweisung im Tonsatz niedergelegten Erkenntnisse. Nach der frühen Phase spontanen Musikantentums wird auch für ihn das Werk zum Niederschlag geistiger, bisweilen pädagogischer Einsichten, die sich zwanglos mit der künstlerischen Aussage verbinden. Das stärkste Symbol dieser Haltung ist die Tatsache, daß Hindemith frühere Werke in neuen Fassungen vorlegt, die seiner inzwischen gewonnenen ver-

änderten Einstellung entsprechen. Zwischen der ersten Fassung des *Marienlebens,* die zu den stärksten und geschlossensten Werken Hindemiths gehört, und der neuen Bearbeitung liegen fünfundzwanzig Jahre. Die zweite Fassung fixiert für jedes Lied die veränderte Situation: zwischen kaum spürbaren Retuschen und völliger Neukomposition liegen alle nur möglichen Zwischenstufen. Der Komponist stellt dem Zweiten *Marienleben* einen ausführlichen Rechenschaftsbericht voran. Der Vergleich ist von einer den Einzelfall weit überragenden Bedeutung: er spiegelt die Standorte der Neuen Musik um 1923 und 1948, in denen sich Gewinne und Verluste mit plastischer Deutlichkeit abzeichnen. Wir sind freilich bisweilen genötigt, die erste Fassung gegen den Komponisten selbst zu verteidigen.
Die umspannende Kraft aller erreichbaren Lebensräume führt Hindemith ungewollt auf soziologische Probleme. Sein Zusammengehen mit der deutschen Jugendmusik hat uns eine Reihe von Werken geschenkt, die zu seinen besten gehören. Auch hier fallen Anlaß und innere Fügung glücklich zusammen. Hindemiths Tonsprache hat inzwischen den Grad von Vereinfachung gewonnen, der dem Wesen dieser Musik entspricht. Seine Beziehung zur Polyphonie begegnet dem gleichen Willen in der Jugendmusik. Sie verbindet sich mit einer beschwingten Musizierfreudigkeit und einer klugen Wahrung der erreichbaren technischen Grenzen ohne falsche Simplifizierung. Oft spricht auch der Pädagoge mit, der gerade in diesen Jahren als Lehrer an der Berliner Musikhochschule in eine neue und wichtige Phase seiner Entwicklung tritt. Von einer dieser Musiken (Opus 45) schreibt er im Vorwort: »Diese Musik ist weder für den Konzertsaal noch für Künstler geschrieben. Sie will Leuten, die zu ihrem eigenen Vergnügen singen und musizieren oder die einem kleinen Kreise Gleichgesinnter vormusizieren wollen, interessanter und neuzeitlicher Übungsstoff sein. Diesem Zwecke entsprechend werden an alle Ausführenden keine sehr großen technischen Anforderungen gestellt ... Trotzdem wird man von einer heute und für heutige Bedürfnisse geschriebenen Musik nicht verlangen, daß sie von jedermann vom Blatt zu spielen ist. Dem Liebhaber werden hier einige Nüsse zu knacken gegeben.« Das ist der Gegenpol des übermütigen Mottos zum Finale seiner Klaviersuite 1922, in dem er empfiehlt, das Klavier als eine interessante Art Schlagzeug zu betrachten. Der Pädagoge ist es auch, der in seinem »Schulwerk für instrumentales Zusammenspiel« eine Folge aufbaut, die von simplen, problemlosen Sätzen für zwei Geigen bis zum anspruchsvollen Streichquartett ansteigt.
Wir haben uns mit diesen Gedanken dem Werke Hindemiths gleichsam von der Peripherie aus genähert. Die Entwicklung des heute Sechzigjährigen ist mit der Geschichte der Neuen Musik etwa identisch. Aber in allen ihren Phasen empfinden wir sie als ein Stück unserer deutschen Musik. Dies gilt schon für seine künstlerische Herkunft von Brahms und Reger. Auch

Hindemith kennt das Urerlebnis der Elemente, das Wagnis überhöhter Klangmischungen, den Sturz durch rasende Tempi, die Freude am Schock und die feinen Grenzen der Parodie. Die für die östliche Musik tragende Folklore ersetzt vorübergehend der Jazz, der, als echter Gebrauchsschlager in das Finale seiner Ersten Kammermusik eindringend, darum so überzeugend einschmilzt, weil seine inneren Voraussetzungen im Stile des Werkes gegeben waren.
Hindemith durchläuft diese Sturm- und Drangphase der Neuen Musik aus eigener, urwüchsiger Kraft, aber er ist der erste, der ihre Gefahren erkennt. An dieser Stelle, an der die Mitläufer steckenbleiben oder abspringen, geht er weiter. An die Stelle des Chaos tritt auch bei ihm eine Ordnung. Er kennt die bindenden und aufbauenden Kräfte der Form. Neue Stilelemente treten in seine musikalische Sprache, deren wichtigstes ihn bis in die Gegenwart hinein trägt: die Polyphonie.

PAUL HINDEMITH

Musikalische Inspiration

Das Wort »Einfall« ist der vollkommenste Ausdruck für die seltsame Unmittelbarkeit und Unerklärbarkeit, die wir gewöhnlich mit künstlerischen Ideen im allgemeinen und mit musikalischen im besonderen verbinden. Irgendetwas — man weiß nicht, was es ist — fällt in uns hinein — man weiß nicht woher —, dort wächst es — man weiß nicht wie —, zu einer klingenden Form — man weiß nicht warum. Das scheint die überall geglaubte Meinung zu sein, und man kann es dem Laien nicht übelnehmen, wenn er für eine so merkwürdige Erscheinung keine befriedigende Erklärung findet.
Wenn wir von Einfällen sprechen, meinen wir gewöhnlich kurze, aus wenigen Tönen bestehende Motive. Oft werden sogar nicht einmal eigentliche Töne, sondern nur vage Klangkurven gefühlt. Sie können bei allen Menschen auftreten, dem Laien werden sie ebenso wie dem Fachmann beschert, sie sind ein unvermeidlicher Teil unserer Vorstellungswelt, selbst wenn wir uns ihrer gar nicht oder nur sehr dunkel bewußt werden. Beim Laien sterben sie allerdings bald und ungebraucht wieder ab, während der geübte Musiker die Fähigkeit besitzt, sie am Leben zu halten. Wir wissen nicht, ob das innere Singen und Klingen, das irgendein anonymer Zeitgenosse in seinem musikalisch gänzlich unkultivierten Geist aufquellen fühlt, in seiner ungeform-

ten Ursprünglichkeit nicht ebenso schön und befriedigend — vielleicht sogar schöner und befriedigender — ist als das noch ebenso ungeformte innere Singen und Klingen des größten Komponisten. Es ist aufregend zu sehen, wie primitiv, banal, farblos und unbedeutend oft die ernsten Einfälle selbst außerordentlicher Meister sind. Noch aufregender aber ist es, wahrzunehmen, wie die spezifische Begabung dieser Meister die Ureinfälle frisch erhält durch endlose irritierende Arbeitsgänge. Sie werden dabei geleitet durch die Tradition ihres Handwerks; durch die voraussichtlichen Aufführungsbedingungen des entstehenden Stückes; durch seinen Zweck; durch die künstlerische und geistige Fähigkeit der Ausführenden wie der Empfangenden; durch deren Bereitwilligkeit.
Man kann die Quelle des inneren Singens und Klingens bei anderen nicht beobachten und untersuchen, kein noch so raffiniertes psychologisches Experiment wird imstande sein, sie aufzudecken. Es ist sogar außerordentlich schwer und nur nach sehr sorgsamer Beobachtung und Übung möglich, seinen eigenen Geist bis in diese weit zurückliegenden Regionen des Ursprungs zu durchleuchten. Trotzdem nehmen wir manchmal einen winzigen, meteorähnlich aufleuchtenden, vom schöpferischen Feuer abspringenden Funken wahr, der uns etwas vom frühen Schicksal musikalischer Ideen ahnen läßt. Freilich muß eine solche Idee, um überhaupt wahrnehmbar zu werden, schon die Grenzen ihres ersten mystischen Erscheinens übertreten und eine allerprimitivste Form angenommen haben, sei es durch die im Geiste geschehene geringe Zutat von konstruktiven Überlegungen, sei es selbst in sichtbarer Form durch allerdings kaum weniger schemenhaftes Niedergekritzel. Eiligst hingeworfene Notizen können nur dann als nahe der Quelle liegende erste Schritte angesehen werden, wenn die Erfahrung vieler Jahre den Schreibenden gelehrt hat, den endlos langen Weg von seinem Hirn zu seiner Hand abzukürzen. Haben uns Musiker im Besitz dieser Erfahrung einmal solche Urskizzen hinterlassen, so kann man mit einiger Vorstellungsgabe sie fast bis zum Ursprung, dem inneren Singen und Klingen sich zurückerstrecken sehen. Glücklicherweise läßt sich diese Behauptung durch Tatsachen belegen. Ein großer schöpferischer Musiker hat uns tatsächlich solche nahe zur Quelle führende Skizzen hinterlassen. Ich spreche von den Skizzenbüchern Beethovens.
In ihnen finden wir manche der uns allen wohlbekannten Themen und Stücke, die als die vollkommensten, die überzeugendsten, die ausgewogensten musikalischen Schöpfungen gelten. Schöpfungen, die in ihrer Geschlossenheit, ihrer Spontaneität nur in die Welt eingetreten sein können wie die völlig gerüstete Minerva aus Jupiters Haupt. Und doch sehen wir sie durch einen Prozeß der Änderungen und Abwandlungen gehen, der sich manchmal in fünf oder mehr Stationen zwischen der ersten strukturellen Behandlung bis zur endgültigen Fassung dokumentiert. Einige der ersten Formulierun-

gen sind ihrem musikalischen Werte nach so gering, daß wir sie leicht der mäßigen Einbildungskraft irgendeines Herrn X zusprechen möchten. Niederdrückend ist es, dieses Stolpern durch so viele Phasen des schöpferischen Vorgangs zu beobachten: wenn das der Weg des Genies ist, dieses Bosseln und Stückeln und Herumkneten, um schließlich eine brauchbare Form herauszupressen, was ist dann das Los der kleineren Geister? Vielleicht ist in diesem Heranentwickeln des Unscheinbaren, unartikulierten Materials zu einer überzeugenden Form der Kleine in derselben Lage wie ein Beethoven. Wenn nur die Arbeit zählen würde, welche beide aufwenden, dann gäbe es viele Genies. Der mittelmäßige Schreiber könnte technisch dasselbe erreichen wie das echte Genie, und er könnte sich nach dem Muster vieler seiner Vorgänger und zeitgenössischer Kollegen gottähnlich fühlen, da es ihm ja immerhin gelang, sein inneres Singen und Klingen in Töne umzusetzen, was irgendeinem Herrn X niemals gelingen würde.
Ist mit allen diesen Feststellungen der Versuch gemacht, das Genie und den durchschnittlichen Musikhersteller auf dieselbe Stufe zu stellen? Sollen damit musikalische Ideen, Einfälle und Eingebungen geleugnet werden? Soll behauptet werden, daß nur durch Zufälle das eine Individuum zu einem überragenden Meister wird und das andere zu einem sechstklassigen Komponisten? Keinesfalls; wir wollen sagen: wenn wir verstehen wollen, durch welche Kraft unsere ideenhaften melodischen, harmonischen und rhythmischen Protagonisten auf der von musikalischer Zeit und musikalischem Raum gebildeten Bühne bewegt werden, dürfen wir nicht durch die geistigenRegionen stöbern, die dem namenlosen Zeitgenossen, dem belanglosen Musiker und dem schöpferischen Genie gemeinsam wird. Wir müssen Regionen echten musikalischen Schöpfertums zu erschauen suchen, die weitab unserer tagtäglichen Erfahrungen liegen, deren Dasein Herrn X höchstens vom Hörensagen bekannt ist, deren innerste Bezirke dem Unbegabten niemals zugänglich sein werden. Was den wirklich Begabten von beiden unterscheidet, ist: die Vision. Was ist musikalische Vision?
Wir kennen alle den Eindruck, den während eines nächtlichen Gewitters ein heftiger Blitzstrahl auf uns macht. Im Zeitraum einer Sekunde sehen wir eine weite Landschaft, nicht nur in ihren allgemeinen Umrissen, sondern mit jeder Einzelheit. Wir können zwar niemals beschreiben, aus welchen Teilstücken sich das Gesamtbild zusammensetzt, trotzdem fühlen wir, wie kaum der kleinste Grashalm in all der Mannigfaltigkeit unserer Aufmerksamkeit entgeht. Wir erleben einen unglaublich zusammengerafften, zugleich aber unwahrscheinlich das Einzelne betonenden Anblick, den wir im Tageslicht niemals haben könnten, und vielleicht auch nicht nachts, wenn unsere Sinne und Nerven nicht durch die außerordentliche Gewalt und Plötzlichkeit des Ereignisses angespannt wären.

Musikalische Kompositionen müssen auf dieselbe Weise erschaut werden. Den kann man kaum einen echten Komponisten nennen, dem nicht im plötzlichen Aufleuchten eines schöpferischen Moments ein Musikstück in seiner völligen Ganzheit erschiene, mit jedem seiner Bauglieder an der rechten Stelle. Es scheint, als sei in solchen Visionen noch ein schwaches Glimmen des schöpferischen Willens aus den Urtagen unserer Welt auf uns gelangt. Wurde aber damals das Geschaute verwirklicht, ohne den Schöpfer endlose Umwege über technischmaterielle Hindernisse gehen zu lassen, so ist uns zur irdischen Erbschaft geworden, zwischen jeder kreativen Vision und ihrer materiellen Formung Hürde über Hürde errichtet zu finden. Den mit musikalischer Schöpferkraft Begabten sollte diese Tatsache nicht stören. Er wird nicht nur das Talent haben, sein künftiges Werk blitzartig in seiner Totalität aufleuchten zu sehen, selbst wenn zu dessen künftiger Realisation in einer Aufführung vielleicht drei oder mehr Stunden benötigt werden; er wird außerdem die Ausdauer, die Energie und die Fertigkeit haben, sein Werk in der unverhältnismäßig mühseligen Niederschrift zu verwirklichen, so daß selbst nach monatelanger Arbeit keine der zur Ganzheit nötigen Einzelheiten, wie sie überschaut wurden, in der ausgearbeiteten Partitur fehlt oder am falschen Platz steht, keinesfalls zwingt ein solcher Prozeß der Materialisierung den Komponisten, irgendein Vortragszeichen, das irgendwo im Verlauf der fertigen Komposition auftreten wird, in der ersten Vision wahrzunehmen. Würde er das nämlich tun, so verlöre er durch solches Konzentrieren auf eine Einzelheit sicherlich den umfassenden Blick auf das Ganze. Trifft ihn die Konzeption der Totalität aber wirklich mit Blitzeskraft, so wird dieses Vortragszeichen zusammen mit Tausenden von Noten und anderen Symbolen an seinen ihm vorbestimmten Platz fallen, ohne durch die bewußte Arbeit des Komponierenden dorthin gelenkt zu werden. Die einmal gesehene Vision wird während der Ausarbeitung der Partitur immer vor seinem Geiste gegenwärtig sein. Melodien und Harmonien braucht er nicht wirklich aufzusuchen und aneinanderzureihen, er muß lediglich wartende Hohlräume melodisch und harmonisch ausfüllen, um die gefühlte Totalität zu erreichen. Hier sehen wir den wahren Grund für Beethovens mehr als philisterhaftes Herumbosseln an seinem Themenmaterial: er will nicht einen Einfall verbessern oder verändern; er muß ihn dem in der Vision erschienen Original anpassen, selbst wenn diese unabweisbare Notwendigkeit ihn zwingt, unermüdlich zu suchen und mit all seiner Handfertigkeit und Erfahrung das Material durch fünf oder mehr niedergeschriebene Realisationen zu treiben, die es schließlich fast bis zur Unkenntlichkeit von der ersten aufgezeichneten Form wegverrenken.

Der Musiker kleineren Formats mag auch seine Vision haben. Statt sie aber in blitzartiger Klarheit zu sehen, bemerkt er nur dunkle Konturen, für deren

Erfüllung mit adäquatem Material es ihm an letzter Begabung mangelt. Ihm mögen zahllose bewundernswerte und ansprechende Einzelideen zur Verfügung stehen, die er, um eine musikalische Form ähnlich seinem schattenhaften Visionsgebilde zu erzielen, eine an die andere klebt, nach dem Rezept: je größer die Anzahl wunderschöner Einzelheiten, um so wunderschöner das Ganze. Der, dem die echte blitzartige Vision erschien, wird in solcher Arbeit ein nutzloses Beginnen sehen, da ihm ja betreffend die Wahl und Anordnung seines Konstruktionsmaterials keinerlei Freiheit geblieben ist; er kann nur gehorchen und die eine vorgesehene richtige Lösung finden. Würde er den Befehl der Vision mißachten und nach einer Art des erwähnten Kompilators schöner Einzelheiten sein Werk aufzubauen versuchen, er würde vom Rang des kreativen Künstlers absinken zu dem eines Philatelisten oder sonstigen Sammlers von Wertsachen, der mit allen seinen Anstrengungen wohl dahin gelangt, eine Kollektion anzulegen, jedoch niemals einen Organismus schaffen kann.

Selbst das größte Talent ist immer in Gefahr, während der langen Zeit, die zur Herstellung einer Komposition nötig ist, deren originale Vision seinem Geiste entfliehen zu sehen. Das so scharf-gezeichnete Bild mag verblassen, seine Umrißlinien mögen verschwimmen und viele Einzelheiten mögen im Dunkel verschwinden. Hat ein solches Talent jedoch die Fähigkeit, die Frische und Schärfe der ersten Vision in sich zu halten, bis das Werk zu Ende geführt ist, so ist trotzdem noch die größte Erfahrung in allen Fragen der Satztechnik, d. h. der Zusammensetzmöglichkeiten von Tönen, ein wichtiges Erfordernis. Diese technische Erfahrung kann niemals eine fehlende Vision ersetzen oder eine schwache Vision in eine wertvolle Komposition verwandeln, andererseits wird aber eine vollkommene Vision nicht ihre angemessene Verwirklichung erfahren, wenn dem Komponisten nicht die nötigen technischen Kenntnisse zur Verfügung stehen. Die Technik des Komponierens ist, ebenso wie die Technik jeder anderen Kunst, ein trügerisches Ding. Man mag ihre Grundregeln durchaus begreifen, man mag schließlich dahin kommen, jedes aufkommende Satzproblem mit spielender Leichtigkeit lösen zu können, und doch wird der höchste Grad technischer Arbeit, der jeden klingenden Teil einer Form in Kongruenz mit dem entsprechenden Teil der Vision zu bringen imstande ist, auch wieder nur vom Höchstbegabten erreicht werden. Es gibt gar nicht allzu viele Meisterwerke, in denen diese Kongruenz festgestellt werden kann. Sicherlich haben wir viele andere Werke, die uns durch ihre Größe und Vortrefflichkeit als artistische Leistungen ersten Ranges teuer sind. Vielleicht sind sie sogar in ihrer Fähigkeit, zu Menschen auf menschliche Weise zu sprechen, unserem Herzen näher als alle anderen. Aber nur in wenigen ganz außerordentlichen Schöpfungen fühlen wir den breiten Atem der Universalität und der Ewigkeit, da in ihrer

ganz eigenen Weise der Vollkommenheit die absolute Einheit von Konzeption und Verwirklichung uns die übermenschlichen Anstrengungen ihres Schöpfers ahnen läßt.
Selbst die ideale Verbindung von größtem Talent und äußerster technischer Fertigkeit wird nicht immer solch übermenschliche Anstrengung zulassen. Das Ausnahmsweise darf ja auch auf diesem Gebiete nicht zum Alltäglichen gemacht werden. Der schöpferische Musiker sollte aber gar nicht an seine Arbeit gehen, ohne stets das hohe Ziel der Kongruenz von Vision und Realisation vor Augen zu haben, selbst wenn er weiß, daß dieses Ziel auch von den Seltensten nur selten erreicht wird. Wir dürfen uns aber glücklich preisen, wenn wir in seiner Schöpfung allein schon sein Streben erkennen.
Visionen haben, sie in klingende Wirklichkeit zu verwandeln wissen, sicherlich ist es diese Art der Begabung, die den kreativen Geist von allen anderen Arbeitenden absondert. Trotzdem ist er aber immer noch in Gefahr, im kleinlich Handwerklichen stecken zu bleiben, sich in die Klüfte musikalischer Esoterik zu verkriechen, seine Selbstsucht dem Werk aufzuzwingen, den an der Musik teilnehmenden Partner zu seinem Sklaven zu erniedrigen, der zu empfangen hat, was als Großmut maskierter Eigennutz ihm darreicht. Andere Qualitäten, Qualitäten nicht rein kreativer Natur müssen noch im Werk des vollkommenen Musikers sichtbar werden, wenn wir ihm willig als einem Anreger zum Guten folgen sollen. All diese ethische Kraft, die in der Musik verborgen ist, soll er freimachen. An die Reinheit seiner Kunst soll er glauben und sie uns in der reinsten Form zugänglich machen. Die Musik soll ihm zu seiner eigenen moralischen Veredlung helfen, und er muß versuchen, in denen, die an seiner Musik teilnehmen, ähnliches Bestreben wachzurufen. Ein solches Leben in und mit Musik, das seinem ganzen Wesen nach nur ein Besiegen niedriger Kräfte und ein Hinneigen zu geistiger Souveränität sein kann, wird zugleich auch ein Leben der Demut sein. Es wird sein Bestes dem Nächsten mitzuteilen suchen, nicht in der Form eines Almosens, das man dem Mitleidwürdigen zukommen läßt, sondern wie das Teilen eines wertvollen Besitzes mit einem würdigen Freund. Der tiefste Grund für diese Demut wird in des Musikers Seele der Glaube sein, daß jenseits allen rationalen Wissens und aller Handwerkserfahrung, jenseits allem, was er in seiner Laufbahn angesammelt hat, eine Region visionärer Irrationalität liegt, in der die endgültigen Geheimnisse der Kunst wohnen, gefühlt, doch nicht verstanden, beschworen, doch nicht befohlen, sich neigend, doch sich nicht hingebend. Er kann diese Region nicht betreten, er kann nur beten, daß er zu einem Verkünder ihrer Herrlichkeiten, die er in Visionen zu schauen erwählt war, bestimmt sein möge. Wenn seine Gebete erhört werden und er, ausgerüstet mit aller Weisheit und mit vereh-

rungsvoller Scheu für das Unwißbare, der Mann ist, den der Himmel mit der Gabe musikalischen Schöpfertums gesegnet hat, so mögen wir vielleicht in ihm eines Tages den Geber jenes köstlichen Geschenks erkennen, das wir alle mit Sehnsucht erwarten: die große Musik unserer Zeit; die Musik, welche größer ist als die Zeit; die sie überleben wird; die von uns zeugen wird, nachdem wir längst nicht mehr hier sein werden.

PETER GAN

Über die Drehorgel

Als ich zum erstenmal in meinem Leben Musik hörte, war's im Sommer und ich eben drei Jahre alt. An unserem Garten, durch dessen Gittertür ich meinen Kopf zwängte, zog ein Trupp Zigeuner vorbei: vorn ein roter Mohrenreiter auf einem Schimmel, sodann ein Bär auf zwei Beinen mit einem Querbalken im Genick, den er mit den Vorderpranken festhielt, geführt an seinem Nasenseil von einem dunklen Manne. Als dritte und letzte Erscheinung schwankte ein riesiges Dromedar vorüber, von dem das Fräulein hernach behauptete, es habe einen angekleideten Affen auf seinem Hökker getragen; aber ich konnte mich nicht mehr daran erinnern.
War's nun die Orgel, die wie vom Himmel diese Erscheinungen begleitete, oder war's der erste Anblick so ungemeiner Geschöpfe in diesem Leben, daß an dem Kinde ganze Erdteile von Ahnungen als Wirklichkeiten vorüber zogen, die doch am Gartengitter nur als das dürftige Requisit einer Wandertruppe vorbeidefilierten? Jedenfalls erhielt es damals den ersten und einen sehr nachhaltigen Begriff von der Drehorgel, die mir noch gestern, die beinah Ausgestorbene, mehr anvertraute, als ich je sagen kann.

*

Da die Ereignisse, welche die Musik anziehen wie die Scheune den Blitz (noch fehlt uns ein System und eine Liste derselben), seit geraumer Zeit in der Abnahme begriffen sind, (noch fehlt uns die Kenntnis der Gründe dieses Phänomen's), so gedenke ich hier desto lieber der Drehorgel, die, wie der Berg zum Propheten, so ihrerseits zu den Ereignissen kommt. Man hat sie inzwischen so gründlich auszurotten versucht, als ob man ihrer göttlichen Herkunft und Sendung (neben der irdischen: ihren Mann zu ernähren) bewußt sei.

Leider hat sie in mir einen schlechten Anwalt, da ich, wenn auch kein guter Mensch, so doch gewiß ein schlechter Musikante bin. Die Großtat einer »Symphonie der Tausend« wirkt auf mich mit allen ihren radschlagenden Herrlichkeiten und selbst mit extra postierten Logenchören von Dies-irae-Posaunen nicht anders als der Hahnenschrei auf einen Elefanten oder der in Schnabellinie gezogene Kreidestrich auf ein Huhn: ich laufe davon oder schlafe ein. Wie anders beglückt mich die Orgel! Ungefragt und ungebeten ertönt sie plötzlich im Straßenstrom des Geschehens: zankende Kinder lassen einander laufen, um sich als Zwillings-Satelliten um sich selber und um den drehenden Sonnen- und Leiergott zu bewegen; alte Pferde blähen ihre Nüstern und spielen so kokett mit den Ohren wie jenes gemalte Mädchen mit den Augen zu jenem Jüngling hinüber, der nun erst durch den Tonschleier hindurch ihre Schönheit gewahr wird. Und all dieses Wunderwesen quillt aus den Schleusen einer Tonmühle, die eine schwielige Hand in Bewegung setzt.

*

Wie recht hatte unser Dichter zu sagen, »daß alles Höhere unsichtbar sei«. Denn würde unsere Neugier auch die Geweide der Musenmaschine bloßlegen, wo würde diese allenfalls die simple Metamorphose der Kreisbewegung in das kuriose Menuett tanzender Hämmerchen offenbaren. Suchen wir aber das geheimnisvolle Gesetz, nach dem die harmonischen Klopfgeister antreten, so steht das verscheuchte Wunder gelassen und unbekümmert und allenfalls ein wenig spöttisch wieder vor uns, so daß uns nichts besseres übrigbleibt, als — wie der alte Kant vor dem Schwalbennest — auf die Knie unseres Herzens zu fallen und anzubeten. Freilich: hinterdrein, wenn die Melodie in der empirischen Welt verklungen und im Jenseits unserer Seele zu vorläufiger Unsterblichkeit eingegangen ist, dann sehen wir's, daß alles so hatte geschehen müssen, wie es geschah, und daß kein armseliges Dritteil einer Triole aus dem Glied hätte treten dürfen, ohne das Ganze zu kränken. Neugierig aber wäre ich, ob etwa einer der Erzengel, von denen Duns Scotus sagt, »sie unterhielten sich mit Gott, obwohl sie in ihrer Allwissenheit doch nichts Neues erfahren könnten«, der Drehorgel mit meinem Vergnügen zuhören könnte. Ich bezweifle es, da er den letzten Takt schon kennt, ehe der erste erklungen ist. Wie also könnte er mein ahnendes Entzücken nachfühlen, das seine Unvollkommenheit mit den Gnadengaben der Erwartung, der Ungewißheit, der Überraschung belohnt sieht?

*

Es war April; der blühende Apfelbaum im Garten schneite die erste Vergänglichkeit auf das junge Gras, wo eine Schwarzdrossel ihr tägliches Wurmbrot aus der Erde zog; das Fenster stand offen und meine Mutter klopfte einen Rock aus — als über die Zäune der Nachbargärten eine Drehorgel zu klagen begann. Nichts ist so traurig wie ein Walzer in Dur.

Dann schwieg sie. Mir war's in der Verzauberung der entzauberten Stille zumute, als sei mir das Unverlierbare verlorengegangen. Ich erinnerte mich eines frühen Kinderspiels, zu dem unsere Mutter uns nur ein wenig Seifenwasser und einen Strohhalm gab, wodurch wir in den Stand gesetzt waren, aus der chaotischen Milch der Möglichkeiten eine höchst willkürliche Anzahl von spiegelnden Kugelwelten ins Leben zu rufen, deren jede schon um ihrer sphärischen Gestalt willen, die wir ihr auf den Ätherweg mitgaben, nach Pythagoras' und unserer eigenen Ansicht durchaus vollkommen zu nennen war. Als schlechthin rahmenlose »Fenster-an-sich« und als vollständige Spiegel des Universums waren sie recht die Gegenwesen zu Leibnizens Monaden, die bekanntlich ohne Fenster einherfahren.

Freilich konnten wir's nicht hindern, daß jede von ihnen auf der ihr zugemessenen Himmelssprosse zersprang. Aber eine von ihnen entführte der Wind unseren Augen (vor ihnen) ins Jenseits. Und plötzlich begriff ich das verklungene Orgellied: es war ein Preislied gewesen auf jene unsterbliche Seglerin. Ich will's aufschreiben, aus dem Gedächtnis: par coeur.

Preislied auf eine Seifenblase

Seifenblase! himmelwärts verloren,
aus Entzücken an der Welt geboren
und aus eines Kindes Vaterhand
in den Wind auf Wanderschaft gesandt.

Schaumgeborene und Schaumgesäugte,
in der Taufe wunderlich Erzeugte,
mühelos geboren durch ein Kind:
Adamsatem, Gottesatem, Wind.

Du Gestalt aus nichts als heiler Hülle,
du aus Leere übervolle Fülle,
Wiederholung des verlornen Alls,
Wiederheilung seines Sündenfalls.

Durchsichtbare Haut und selber sehend,
Äußeres als Inneres verstehend,
mit der Milch der Mütter schlafgestillt,
Ebenbild aus lauter Ebenbild.

Auf dem Meeresgrunde einer Schüssel
schliefst du, Himmelsschloß und Himmelsschlüssel,
Herz, in dem das Herz des Himmels schlief,
bis dich dein Beruf ins Licht berief.

Sieh, und wo wir Menschen uns mit Jammern
jämmerlich an einen Strohhalm klammern —
makellos und nabellos, ein Ei,
gibst du ihn um Gottes Willen frei —

* * *

Der Künstler soll nicht so wahr, so gewissenhaft gegen die Natur sein. Durch die treueste Nachahmung der Natur entsteht noch kein Kunstwerk, aber in einem Kunstwerke kann fast alle Natur erloschen sein, und es kann noch unser Lob verdienen.

JOHANN WOLFGANG GOETHE

GOTTFRIED KELLER

Signal aus dem neunzehnten Jahrhundert

... Aber diese Spur eines melancholischen Müßigganges war noch höchst heiter und tüchtig zu nennen im Vergleich zu einer anderen, welche in Heinrichs Werkstatt zu entdecken war oder vielmehr dem ersten Blick auffiel. Unter den großen Schildereien ragte besonders ein wenigstens acht Fuß langer und entsprechend hoher Rahmen hervor, mit grauem Papiere bespannt, der auf einer mächtigen Staffelei im vollen Lichte stand. Am Fuße desselben war mit Kohle ein Vordergrund angefangen und einige Föhrenstämme, mit zwei leichten Strichen angegeben, stiegen in die Höhe. Davon war einiges bereits mit der Schilffeder markiert, dann schien die Arbeit stehengeblieben.

Über den ganzen übrigen leeren Raum schien ein ungeheures graues Spinnennetz zu hangen, welches sich aber bei näherer Untersuchung als die sonderbarste Arbeit von der Welt auswies. An eine gedankenlose Kritzelei, welche Heinrich in einer Ecke angebracht, um die Feder zu proben, hatte sich nach und nach ein unendliches Gewebe von Federstrichen angesetzt, welches er jeden Tag und fast jede Stunde in zerstreutem Hinbrüten weiterspann, so daß es nun den größten Teil des Rahmens bedeckte. Betrachtete man das Wirrsal noch genauer, so entdeckte man den bewunderungswertesten Zusammenhang, den löblichsten Fleiß darin, indem es in einem fortgesetzten Zuge von Federstrichen und Krümmungen, welche vielleicht Tausende von Ellen ausmachten, ein Labyrinth bildete, das vom Anfangspunkte bis zum Ende zu verfolgen war. Zuweilen zeigte sich eine neue Manier, gewissermaßen eine neue Epoche der Arbeit, neue Muster und Motive, oft sehr zart und anmutig, tauchten auf, und wenn die Summe der Aufmerksamkeit, Zweckmäßigkeit und Beharrlichkeit, welche zu diesem unsinnigen Mosaik erforderlich war, verbunden mit Heinrichs gesammeltem Talente, auf eine wirkliche Arbeit verwendet worden wäre, so hätte er ein Meisterwerk liefern müssen. Nur hier und da zeigten sich kleinere oder größere Stockungen, gewissermaßen Verknotungen in diesen Irrgängen einer zerstreuten, gramseligen Seele, und die sorglose und kluge Art, wie sich die Federspitze aus der Verlegenheit zu ziehen gesucht, bewies deutlich, daß das träumende Bewußtsein Heinrichs aus irgend einer Patsche hinauszukommen suchte.
Schon seit vielen Wochen hatte er jeden Tag zur eigentlichen Arbeit angehoben und war alsobald ohne es zu wissen noch zu wollen, in dunklem Selbstvergessen an die Fortsetzung der kolossalen Kritzelei geraten, und er arbeitete eben wieder mit eingeschlummerter Seele, aber großem Fleiß und Scharfsinn an derselben, als an die Tür geklopft wurde.
Er erschrak heftig und fuhr zusammen, als ob er über einem Verbrechen ertappt wäre. Agnes und ihr Bräutigam traten herein, und kaum hatte man sich begrüßt, so erschien Erikson mit seiner nunmehrigen Frau Rosalie, und Heinrich sah sich von Geräusch, Leben und Schönheit wachgerüttelt. Er hatte weder von Eriksons Hochzeit als von Agnesens Verlobung etwas gewußt, und der Zufall wollte, daß beide Paare am folgenden Tage abreisen wollten, das eine nach dem Rheine, das andere nach Italien.
»Meine Frau«, sagte Erikson, »bestand darauf, mit hinaufzukommen, als ich, unten vorbeigehend, mich beurlauben wollte, um dir Adieu zu sagen. Wir bleiben bis zum Juni im Süden, dann gehen wir durch Frankreich nach dem Norden, streichen in meiner Heimat herum und sehen, wo wir da einmal leben wollen. Vielleicht in einer Seestadt, etwa Hamburg. Hernach besuchst du uns auf einige Zeit, wir wollen dich protegieren und ein bißchen zurechtstutzen!« Rosalie unterbrach ihn und verlangte auf das freundlichste von

Heinrich das Versprechen, daß er sie aufsuchen werde, und Agnes nebst dem Gottesmacher begehrten, daß er jedenfalls den Rhein hinunterfahren und auch sie besuchen solle.

Inzwischen hatte sich Erikson vor die Staffelei gestellt und betrachtete höchst verwundert Heinrichs neueste Arbeit. Dann betrachtete er mit bedenklichen Blicken den Urheber, welcher in peinlicher Verlegenheit dastand, und sagte: »Du hast, grüner Heinrich, mit diesem bedeutenden Werke eine neue Phase angetreten und begonnen, ein Problem zu lösen, welches von größtem Einflusse auf unsere deutsche Kunstentwicklung sein kann. Es war in der Tat längst nicht mehr auszuhalten, immer von der freien und für sich bestehenden Welt des Schönen, welche durch keine Realität, durch keine Tendenz getrübt werden dürfte, sprechen und räsonieren zu hören, während man mit der gröbsten Inkonsequenz doch immer Menschen, Tiere, Himmel, Sterne, Wald, Feld und Flur und lauter solche trivial wirkliche Dinge zum Ausdrucke gebrauchte. Du hast hier einen gewaltigen Schritt vorwärts getan von noch nicht zu bestimmender Tragweite. Denn was ist das Schöne? Eine reine Idee, dargestellt mit Zweckmäßigkeit, Klarheit, gelungener Absicht! Diese Million Striche und Strichelchen, zart und geistreich oder fest und markig, wie sie sind, in einer Landschaft auf materielle Weise placiert, würden allerdings ein sogenanntes Bild im alten Sinne ausmachen und so der hergebrachten gröbsten Tendenz frönen! Wohlan! du hast dich kurz entschlossen und alles Gegenständliche hinausgeworfen! Diese fleißigen Schraffierungen sind Schraffierungen an sich, in der vollkommensten Freiheit des Schönen schwebend, dies ist der Fleiß, die Zweckmäßigkeit, die Klarheit an sich, in der holdesten, reizendsten Abstraktion! Und diese Verknotungen, aus denen du dich auf so treffliche Weise gezogen hast, sind sie nicht der triumphierende Beweis, wie Logik und Kunstmäßigkeit erst im Wesenlosen recht ihre Siege feiern, im Nichts sich Leidenschaften und Verfinsterungen gebären und sie glänzend überwinden? Aus Nichts hat Gott die Welt geschaffen! Sie ist ein krankhafter Abszeß dieses Nichts, ein Abfall Gottes von sich selbst. Das Schöne, das Poetische, das Göttliche besteht eben darin, daß wir uns aus diesem materiellen Geschwür wieder ins Nichts zurückabstrahieren, nur dies kann eine Kunst sein! — Aber mein Lob muß sogleich einen Tadel gebären, oder vielmehr die Aufforderung zu weiterem energischen Fortschritt! In diesem reformatorischen Versuch liegt noch immer ein Thema vor, welches an etwas erinnert, auch wirst du nicht umhin können, um dem herrlichen Gewebe einen Stützpunkt zu geben, dasselbe durch einige verlängerte Fäden an den Ästen dieser Föhren zu befestigen, sonst fürchtet man jeden Augenblick, es durch seine eigene Schwere herabsinken zu sehen. Hierdurch aber knüpft es sich wiederum an die abscheulichste Realität! Nein, grüner Heinrich! nicht also! nicht hier bleibe stehen! Die Striche, indem sie bald sternförmig, bald in der Wellenlinie, bald rosettenartig, bald geviereckt, bald radienartig, strahlenförmig sich gestalten, bilden ein noch viel zu materielles Muster, welches an Tapeten oder bedruckten Kattun erinnert. Fort damit! Fange oben in der Ecke an und setze einzeln nebeneinander Strich für Strich, eine Zeile unter die andere; von Zehn zu Zehn mache durch einen verlängerten Strich eine Unterabteilung, von Hundert zu Hundert eine wackere Oberabteilung, von Tausend zu Tausend einen Abschluß durch einen tüchtigen Sparren. Solches Dezimalsystem ist vollkommene Zweckmäßigkeit und Logik, das Hinsetzen der einzelnen Striche aber der in vollkommener Tendenzfreiheit in reinem Dasein sich ergehende Fleiß. Zugleich wird dadurch ein höherer Zweck erreicht. Hier in diesem Versuche zeigt sich immer noch ein gewisses Können; ein Unerfahrener, Nichtkünstler hätte diese Gruselei nimmer zustande gebracht. Das Können aber ist von zu leibhafter Schwere und verursacht tausend Trübungen und Ungleichheiten zwischen den Wollenden; es bringt die tendenziöse Kritik hervor und steht der reinen Absicht fort und fort feindlich entgegen. Das moderne Epos zeigt uns die richtige Bahn! In ihm zeigen uns begeisterte Seher, wie durch dünnere oder dickere Bände hindurch die unbefleckte, unschuldige, himmlisch reine Absicht geführt werden kann, ohne je auf die finsteren Mächte irdischen Könnens zu stoßen! Eine goldschnittheitere, ewige Gleichheit herrscht zwischen der Brüderschaft der Wollenden! Mühelos und ohne Kummer teilen sie einige tausend Zeilen in Gesänge und Strophen ab; der wahre Fleiß an sich freut sich seines Daseins, kein schlackenbeschwerter Könnender stört die Harmonie der Wollenden. Und weit entfernt, daß der Bund der Wollenden etwa eine einförmige, langweilige Schar darstellte, birgt er vielmehr die reizendste Mannigfaltigkeit in sich und kommt auf den verschiedensten Wegen zum Ziele. Hauptsächlich teilt er sich in drei große Heerlager; das eine dieser Heerlager will, das heißt arbeitet, ohne etwas gelernt zu haben; das zweite wendet mit eiserner Ausdauer das Gelernte, aber nicht Begriffene an; das dritte endlich arbeitet und will, ohne das Gelernte und Begriffene auf sich selber anzuwenden, und alle drei Heerzüge vereinen sich an einem friedlichen Ziele. Wer kann ermessen, wie nahe die Zeit ist, wo auch die Dichtung die zu schweren Wortzeilen wegwirft, zu jenem Dezimalsystem der leichtbeschwingten Striche greift und mit der bildenden Kunst in einer äußeren Form sich vermählt? Alsdann wird der reine Schöpfer- und Dichtergeist, welcher in jedem Bürger schlummert, durch keine Schranke mehr gehemmt, zutage treten, und wo sich zwei Städtebewohner träfen, wäre der Gruß hörbar: »Dichter?« »Dichter!« oder »Künstler?« »Künstler!« Ein zusammengesetzter Senat geprüfter Buchbinder und Rahmenvergolder würde in wöchentlichen olympischen Spielen massenhaft die Würde des Prachteinbandes und des goldenen Rahmens erteilen, nachdem sie sich eidlich verpflichtet, während der Dauer ihres Richteramtes selbst keine Epen und keine Bilder zu machen, und ganze Kohorten wissenschaftlich wie ästhetisch verbildeter Verleger würden die gekrönten Epen in stündlich folgenden Auflagen von je einem Exemplare über ganz Deutschland hin so tiefsinnig verlegen, daß sie kein Teufel wiederfinden könnte!«

»Lieber Mann, was befällt dich, wo willst du hin?« rief Rosalie, die wie die anderen mit offenem Munde dagestanden und abwechselnd bald den über und über bekritzelten Rahmen, bald den Redner betrachtet hatte, indessen Heinrich, mit Rot begossen, dann bleich werdend, in der unglückseligsten Laune verharrte. »Laßt es gut sein!« sagte Erikson, »dieser Witz, dieses Geschwätz sei für einmal mein gerührter Abschied von Deutschland! Von nun an wollen wir dergleichen hinter uns werfen und uns eines wohlangewandten Lebens befleißen!« Dann nahm er mit ernsterem Blicke Heinrich bei der Hand, führte ihn hinter einen großen Karton und sagte leise zu ihm: »Lys läßt dich freundlichst grüßen; der Arzt hat ihm geraten, nun sogleich nach dem Süden zu gehen und sich dort wenigstens zwei Jahre aufzuhalten. Er wird nach Palermo und dort genesend in sich gehen; die Krankheit scheint doch etwas an ihm geändert zu haben. Dein Gekritzel da auf dem Rahmen zeigt mir, daß du dich übel befindest und nicht mit dir einig bist; sieh, wie du aus der verfluchten Spinnwebe herauskommst, die du da angelegt hast, und wenn du dich mit dem Ding, mit der Kunst oder deren Richtung irgend getäuscht fändest, so besinne dich nicht lange und stelle die Segel anders! Ich bin im gleichen Falle und muß erst jetzt sehen, wie ich noch etwas Tüchtiges hantieren werde, daß einige nützliche Bewegung von mir ausgeht!«

PAUL KLEE

Exakte Versuche im Bereiche der Kunst

Wir konstruieren und konstruieren, und doch ist Intuition immer noch eine gute Sache. Man kann ohne sie Beträchtliches, aber nicht alles. Man kann lange tun, mancherlei und vielerlei tun, Wesentliches tun, aber nicht alles. Wo die Intuition mit exakter Forschung sich verbindet, beschleunigt sie den Fortschritt der exakten Forschung zum Vorsprung. Durch Intuition beflügelte Exaktheit ist zeitweise überlegen. Weil aber exakte Forschung exakte Forschung ist, kommt sie, vom Tempo abgesehen, auch ohne Intuition vom Fleck. Sie kann prinzipiell ohne sie. Sie kann logisch bleiben, kann sich konstruieren. Sie kann auf kühne Weise vom einen ins andere brücken. Sie kann im Drunter und Drüber geordnete Haltung bewahren.

Auch der Kunst ist zu exakter Forschung Raum genug gegeben, und die Tore dahin stehen seit einiger Zeit offen. Was für die Musik schon bis zum Ablauf des achtzehnten Jahrhunderts getan ist, bleibt auf dem bildnerischen Gebiet wenigstens Beginn. Mathematik und Physik liefern dazu die Handhabe in Form von Regeln für die Innehaltung und für die Abweichung. Heilsam ist hier der Zwang, sich zunächst mit den Funktionen zu befassen und zunächst nicht mit der fertigen Form. Algebraische, geometrische Aufgaben, mechanische Aufgaben sind Schulungsmomente in der Richtung zum Wesentlichen, zum Funktionellen gegenüber dem Impressiven. Man lernt hinter die Fassade sehen, ein Ding an der Wurzel fassen. Man lernt erkennen, was darunter strömt, lernt die Vorgeschichte des Sichtbaren. Lernt in die Tiefe graben, lernt bloßlegen. Lernt begründen, lernt analysieren.

Man lernt Formalistisches gering achten und lernt vermeiden, Fertiges zu übernehmen. Man lernt die besondere Art des Fortschreitens nach der Richtung kritischen Zurückdringens, nach der Richtung zum Früheren, auf dem Späteres wächst. Man lernt früh aufstehen, um mit dem Ablauf der Geschichte vertraut zu werden. Man lernt Verbindliches auf dem Wege von Ursächlichem zu Wirklichem. Lernt Verdauliches. Lernt Bewegung durch logischen Zusammenhang organisieren. Lernt Logik. Lernt Organismus. Lockerung des Spannungsverhältnisses zum Ergebnis ist Folge. Nichts Überspanntes, Spannung im Inneren, dahinter, darunter. Heiß nur zuinnerst. Innerlichkeit.

Das alles ist sehr gut, und doch hat es eine Not: Die Intuition ist trotzdem ganz nicht zu ersetzen. Man belegt, begründet, stützt, man konstruiert, man organisiert: gute Dinge; aber man gelangt nicht zur Totalisation.

Man war fleißig; aber Genie ist nicht Fleiß, wie ein weitgefehltes Schlagwort meint. Genie ist nicht einmal teilweise Fleiß, weil etwa geniale Männer außerdem noch fleißig waren. Genie ist Genie, ist Begnadung, ist ohne Anfang und Ende. Ist Zeugung. Genie schult man nicht, weil es nicht Norm ist, weil es Sonderfall ist. Mit dem Unerwarteten ist schwer zu rechnen. Und doch ist es als Führer in Person immer weit vorne dran. Es sprengt voran in gleicher Richtung oder in anderer Richtung. Vielleicht ist es heute schon in einer Gegend, an die man wenig denkt. Denn Genie ist zum Dogma oftmals Ketzer. Hat kein Prinzip außer sich selber.

Die Schule schweige über den Begriff Genie mit bewußtem Seitenblick, mit taktvollem Respekt. Sie wahre ihn als Geheimnis in verschlossenem Raum. Sie wahre ein Geheimnis, das, aus seiner Latenz heraustretend, vielleicht unlogisch und töricht fragen würde.

PAUL KLEE

Die bildnerischen Mittel

... Ich möchte nun die Dimension des Gegenständlichen in einem neuen Sinne für sich betrachten und dabei zu zeigen versuchen, wieso der Künstler oft zu einer solchen scheinbar willkürlichen »Deformation« der natürlichen Erscheinungsform kommt.

Einmal mißt er diesen natürlichen Erscheinungsformen nicht die zwingende Bedeutung bei wie die vielen Kritik übenden Realisten. Er fühlt sich an diese Realitäten nicht so sehr gebunden, weil er an diesen Form-Enden nicht das Wesen des natürlichen Schöpfungsprozesses sieht. Denn ihm liegt mehr an den formenden Kräften als an den Form-Enden. Er ist vielleicht ohne es zu wollen Philosoph. Und wenn er nicht wie die Optimisten diese Welt für die beste aller Welten erklärt und auch nicht sagen will, diese uns umgebende Welt sei zu schlecht, als daß man sie sich zum Beispiel nehmen könne, so sagt er sich doch:

In dieser ausgeformten Gestalt ist nicht die einzige aller Welten!

So besieht er sich die Dinge, die ihm die Natur geformt vor Augen führt, mit durchdringendem Blick.

Je tiefer er schaut, desto leichter vermag er Gesichtspunkte von heute nach gestern zu spannen. Desto mehr prägt sich ihm an der Stelle eines fertigen Naturbildes das allein wesentliche Bild der Schöpfung als Genesis ein.

Er erlaubt sich dann auch den Gedanken, daß die Schöpfung heute kaum schon abgeschlossen sein könne, und dehnt damit jenes weltschöpferische Tun von rückwärts nach vorwärts, der Genesis Dauer verleihend.

Er geht noch weiter.

Er sagt sich, diesseits bleibend: Es sah diese Welt anders aus und es wird diese Welt anders aussehen.

Nach jenseits tendierend aber meint er: Auf anderen Sternen kann es wieder zu ganz anderen Formen gekommen sein.

Solche Beweglichkeit auf den gewöhnlichen Schöpfungswegen ist eine gute Formungsschule. Sie vermag den Schaffenden von Grund aus zu bewegen und, selber beweglich, wird er schon für die Freiheit der Entwicklung auf seinen eigenen Gestaltungswegen sorgen.

Aus dieser Einstellung heraus muß man ihm zugute halten, wenn er das gegenwärtige Stadium der ihn gerade betreffenden Erscheinungswelt für zufällig gehemmt, zeitlich und örtlich gehemmt erklärt. Für allzu begrenzt im Gegensatz zu seinem tiefer Erschauten und bewegter Erfühlten.

Und ist es nicht wahr, daß schon der relativ kleine Schritt des Blickes durch das Mikroskop Bilder vor Augen führt, die wir alle für phantastisch und verstiegen erklären würden, wenn wir sie, ohne den Witz zu begreifen, so ganz zufällig irgendwo sähen?

Herr X aber riefe, in einer sensationellen Zeitschrift auf eine solche Abbildung stoßend, entrüstet: das sollen Naturformen sein? das ist ja schlechtes Kunstgewerbe!

Also befaßt sich denn der Künstler mit Mikroskopie? Historie? Paläontologie?

Nur vergleichsweise, nur im Sinne der Beweglichkeit. Und nicht im Sinne einer wissenschaftlichen Kontrollierbarkeit auf Naturtreue!

Nur im Sinne der Freiheit.

Im Sinne einer Freiheit, die nicht zu bestimmten Entwicklungsphasen führt, welche in der Natur einmal genau so waren oder sein werden oder die auf anderen Sternen (dereinst vielleicht einmal nachweisbar) genau so sein könnten,

sondern im Sinne einer Freiheit, die lediglich ihr Recht fordert, ebenso beweglich zu sein, wie die große Natur beweglich ist.

Vom Vorbildlichen zum Urbildlichen!

Anmaßend wird der Künstler sein, der dabei bald irgendwo stecken bleibt. Berufen aber sind die Künstler, die heute bis in einige Nähe jenes geheimen Grundes dringen, wo das Urgesetz die Entwicklungen speist.

Da, wo das Zentralorgan aller zeitlich-räumlichen Bewegtheit, heiße es nun Hirn oder Herz der Schöpfung, alle Funktionen veranlaßt, wer möchte da als Künstler nicht wohnen? Im Schoße der Natur, im Urgrund der Schöpfung, wo der geheime Schlüssel zu allem verwahrt liegt?

Aber nicht alle sollen dahin! Jeder soll sich da bewegen, wohin ihn der Schlag seines Herzens verweist.

So hatten zu ihrer Zeit unsere gestrigen Antipoden, die Impressionisten, völlig recht, bei den Wurzelschößlingen, beim Bodengestrüpp der täglichen Erscheinungen zu wohnen. Unser pochendes Herz aber treibt uns hinab, tief hinunter zum Urgrund.

Was dann aus diesem Treiben erwächst, möge es heißen, wie es mag, Traum, Idee, Phantasie, ist erst ganz ernst zu nehmen, wenn es sich mit den passenden bildnerischen Mitteln restlos zur Gestaltung verbindet.

Dann werden jene Kuriosa zu Realitäten, zu Realitäten der Kunst, welche das Leben etwas weiter machen, als es durchschnittlich scheint. Weil sie nicht nur Gesehenes mehr oder weniger temperamentvoll wiedergeben, sondern geheim Erschautes sichtbar machen. »Mit den passenden bildnerischen Mitteln«, sage ich. Denn hier entscheidet es sich, ob Bilder geboren werden sollen oder etwas anderes. Hier entscheidet sich auch die Art der Bilder.

Unsere aufgeregte Zeit hat wohl viel Verwirrendes durcheinandergebracht, wenn wir nicht noch zu nah dran sind, um uns nicht zu täuschen. Aber ein

Bestreben scheint sich unter den Künstlern, auch unter den Jüngsten, allmählich auszubreiten:

Die Kultur dieser bildnerischen Mittel, ihre reine Aufzucht und ihre reine Verwendung. Die Sage von dem Infantilismus meiner Zeichnung muß ihren Ausgangspunkt bei jenen linearen Gebilden genommen haben, wo ich versuchte, eine gegenständliche Vorstellung, sagen wir einen Menschen, mit reiner Darstellung des linearen Elementes zu verbinden. Wollte ich den Menschen geben, so »wie er ist«, dann brauchte ich zu dieser Gestaltung ein so verwirrendes Liniendurcheinander, daß von einer reinen elementaren Darstellung nicht die Rede sein könnte, sondern eine Trübung bis zur Unkenntlichkeit einträte. Außerdem will ich den Menschen auch gar nicht geben, wie er ist, sondern nur so, wie er auch sein könnte.

Und so kann mir eine Verbindung von Weltanschauung und reinlicher Kunstübung glücken.

Und so steht es auf dem ganzen Gebiet des Umganges mit den formalen Mitteln; überall, auch bei den Farben, ist jene ganze Trübung zu vermeiden.

Das ist dann die sogenannte unwahre Farbgebung in der neuen Kunst.

Wie Ihnen jenes »infantile« Beispiel sagt, gebe ich mich mit Teiloperationen ab: Ich bin auch Zeichner.

Ich versuchte die reine Zeichnung, ich versuchte die reine Helldunkel-Malerei, und farbig versuchte ich alle Teiloperationen, zu denen mich die Orientierung auf dem Farbkreis veranlassen mochte. So daß ich die Typen der farbig belasteten Helldunkel-Malerei, der farbig-komplementären Malerei, der bunten Malerei und der totalfarbigen Malerei ausarbeitete.

Jedesmal verbunden mit den mehr unterbewußten Bilddimensionen.

Dann versuchte ich alle möglichen Synthesen zweier Typen. Kombinierend und wieder kombinierend, und zwar immer unter möglicher Wahrung der Kultur des reinen Elementes. Manchmal träume ich ein Werk von einer ganz großen Spannweite durch das ganze elementare, gegenständliche, inhaltliche und stilistische Gebiet. Das wird sicher ein Traum bleiben, aber es ist gut, sich diese heute noch vage Möglichkeit ab und zu vorzustellen. Es kann nichts überstürzt werden. Es muß wachsen, es soll hinaufwachsen, und wenn es dann einmal an der Zeit ist, jenes Werk, desto besser!

Wir müssen es noch suchen.

Wir fanden Teile dazu, aber noch nicht das Ganze.

Wir haben noch nicht diese letzte Kraft, denn: uns trägt kein Volk.

Aber wir suchen ein Volk, wir begannen damit, drüben am staatlichen Bauhaus.

Wir begannen da mit einer Gemeinschaft, an die wir alles hingeben, was wir haben.

Mehr können wir nicht tun.

MAX BECKMANN

Brief an eine Malerin

Ich muß Sie immer wieder auf Cézanne hinweisen. Es gelang ihm, einen überspannten Courbet, einen mysteriösen Pissarro und schließlich eine mächtige, neue malerische Architektur zu schaffen, in der er wirklich der letzte Altmeister wurde, oder ich möchte lieber sagen: er wurde der erste »Neumeister«, der sinnverwandt mit Piero della Francesca, Uccello, Grünewald, Orcagna, Tizian, Greco, Goya und van Gogh dasteht. Nun, nehmen Sie, nach einer ganz anderen Seite schauend, die alten Zauberer Hieronymus Bosch, Rembrandt und als phantastische Blüte des trockenen Old England William Blake, dann haben Sie eine ganz hübsche Gruppe von Freunden, die Sie auf Ihrem dornigen Weg begleiten können, auf dem Wege der Flucht vor den menschlichen Leidenschaften in den Phantasiepalast der Kunst. Vergessen Sie nicht die »Natur«, durch die Cézanne, wie er sagt, das Klassische zu vollenden wünschte. Machen Sie lange Spaziergänge, machen Sie sie oft, und versuchen Sie so viel wie möglich das stumpfsinnig machende Auto zu meiden, das Sie Ihrer Visionen ebenso wie der Film oder die zahlreichen, verschiedenartigen Zeitungen beraubt. Lernen Sie die Formen der Natur auswendig, dann können Sie sie benutzen wie die Musikzeichen einer Komposition. Dazu sind diese Formen da. Natur ist ein wundervolles Chaos, das in eine Ordnung gebracht und vervollständigt werden soll. Lassen Sie andere, verwirrt und farbenblind, in alten Geometriebüchern oder in Problemen höherer Mathematik umherstreichen. Wir wollen uns der Formen erfreuen, die uns gegeben sind: eines menschlichen Gesichts, einer Hand, einer Frauenbrust oder eines Männerkörpers, eines frohen und traurigen Ausdruckes, der unendlichen Meere, der wilden Felsen, der melancholischen Sprache schwarzer Bäume im Schnee, der wilden Kraft der Frühjahrsblumen und der schweren Lethargie eines heißen Sommertages, wenn Pan, unser alter Freund, schläft und die Geister der Höhe des Tages wispern. Das allein genügt, um uns den Kummer der Welt vergessen zu machen oder ihm Gestalt zu geben. In jedem Falle trägt der Wille zur Form in sich selbst einen Teil der Rettung, nach der Sie suchen. Der Weg ist hart, und das Ziel ist unerreichbar, aber es ist ein Weg.

Nichts liegt mir ferner als der Versuch, Ihnen zu suggerieren, daß Sie gedankenlos die Natur nachahmen. Der Eindruck, den die Natur auf Sie macht, muß immer ein Ausdruck Ihrer eigenen Freude oder Ihres eigenen Leides werden, und folglich muß er, wenn Sie ihn bilden, jene Transformation enthalten, die ganz allein die Kunst zu einer wahrhaften Abstraktion macht.

Aber überschreiten Sie nicht die Grenze! Sobald Sie nachlässig werden, wer-

den Sie müde! Und obgleich Sie noch immer zu schaffen wünschen, werden Sie entweder in gedankenlose Imitation der Natur oder aber in fruchtlose Abstraktion abgleiten, die kaum das Niveau der bescheidenen dekorativen Kunst erreichen.
Genug für heute, liebe Freundin. Ich denke viel an Sie und Ihre Arbeit, und von ganzem Herzen wünsche ich Ihnen die Kraft und Stärke, den guten Weg zu finden und zu verfolgen. Es ist ein schwieriger Weg mit all seinen Fallgruben rechts und links! Ich weiß das. Wir sind alle Seiltänzer. Mit ihnen ist es dasselbe wie mit Künstlern und so mit der ganzen Menschheit: So wie der chinesische Philosoph Laotse sagt, wir haben »den Wunsch, Gleichgewicht zu erlangen und zu halten.«

ERNST LUDWIG KIRCHNER

Davos, 17. 4. 1937

LIEBER HERR VALENTIN

Bilder, Holzschnitte, Katalogsvorwort und Verzeichnisse schwimmen nun schon zu Ihnen und ich will Ihnen noch einiges über meine Arbeitsart schreiben.
Sie wissen, daß ich 1900 die kühne Idee hatte, die deutsche Kunst erneuern zu wollen? — Ja, ich hatte sie, sie kam mir bei Betrachtung einer Ausstellung der Münchner Secession in München, deren Bilder ob ihrer Belanglosigkeit in Inhalt und Ausführung nur durch die Interesselosigkeit des Publikums eindringlich vor Augen geführt wurde. Drinnen diese blassen, blut- und lebensleeren Atelierschinken, draußen das farbige, flutende Leben in Sonne und Trubel. Ich war damals ein gesunder, kräftiger Mensch, nicht so wie heute, wo der Geist wohl seine Schwingen noch hat, der Körper aber weniger und weniger wird. — Warum malen die guten Herren der Secession nicht dies blutvolle Leben? Sie sehen es nicht, sie können es nicht, denn es bewegt sich und nehmen sie's ins Atelier, so wird es eben Pose und nicht Leben. Und es drängte mich innerlich, versuche Du es doch und ich tat es und tue es heute noch.
Zunächst mußte ich mir eine Technik erfinden, womit ich alles fassen konnte in Bewegung und da gaben mir Rembrandts Zeichnungen im Kupferstichkabinett München einen Fingerzeig. Mit kühnen Strichen schnell etwas festzuhalten. Das übte ich, wo ich ging und stand, überall und zu Hause machte ich aus dem Kopfe größere Zeichnungen und lernte so die Bewegung fas-

sen und fand neue Formen in der Ekstase und Eile dieser Arbeit, die, ohne naturgetreu zu sein, doch alles größer und deutlicher gaben, was ich sah und geben wollte. — Und zu dieser Form kam die reine Farbe, wie sie Sonne erzeugte. Diese Herren der Akademie waren mir verhaßt, das war tot. Eine Ausstellung von französischen Neoimpressionisten ließ mich aufmerken. Die Zeichnung fand ich zwar schwach, aber die Farbenlehre, auf der Optik gegründet, studierte ich, um dann auf ihren Gegensatz zu kommen, nämlich nicht komplementäre Farben zu verwenden und die Komplementäre vom Auge selbst erzeugen zu lassen laut Goethes Theorie. Das machte die Bilder viel farbiger. Der Holzschnitt, schon als Fünfzehnjähriger beim Vater gelernt, ließ meine Form fester und einfacher werden, und so ausgerüstet kam ich nach Dresden und konnte im weiteren Stadium meine damaligen Freunde anregen mit all' diesem. Schwer war es, zu leben von der Arbeit, das ich als Mittelloser doch mußte. Mein Körper litt, meine Arbeit ging weiter. Mein erstes großes Straßenbild, 1907 in Dresden gemalt, ist heute noch gut. — Immer war mein Ziel: einfache große Form und klare Farben, mit diesen beiden Mitteln das Empfinden geben, das Erlebnis! Das ist auch heute mein Ziel, nur heute male ich nur aus dem Kopfe, damals viel von der Natur. Geben wollte ich den Reichtum, die Freude des Lebens, wollte die Menschen malen in ihrer Tätigkeit, in ihren Festen, in ihren Empfindungen zueinander und miteinander. Die Liebe gestalten wie den Haß. Aus der Einzelszene wuchs von Zeit zu Zeit das Gesamtsymbol wie ein allgemeines Lebensgesetz. Walt Whitman, der große Dichter, war mir Leiter und Führer in der Anschauung des Lebens, in der ganzen Zeit der Not und des Hungers in Dresden waren die »Grashalme« mein Trost und Ansporn und sind es heute noch. Keiner der anderen mochte sie. Nolde sagte, ihn ekle es an, Heckel »rückte es zu nahe auf den Pelz« usw. Allerdings für Ästhetiker ist er nicht, er riecht nach Erde und Leben. Er ist frei, frei. Und er hat noch das echte Priestertum des Künstlers, er liebt, ohne zu begehren und gibt. Wir haben einen, der ihn fortsetzte, Georg Heym, den Dichter der »Umbra vitae«, ein Whitman in deutsche Psyche übersetzt, der prophetisch unsere Zeit der letzten Jahrzehnte sah und schrieb. — Von Dresden trieb mich die Not nach Berlin. 1909 und 1910 hatte ich dort und dort eine Werkstatt. Ab 1911 ging es besser. B. Gräf in Jena arbeitete für das Bekanntwerden meiner Arbeit, er brachte mich zu Schames, dem ich soviel verdankte. — Ich kann nicht arbeiten und gleichzeitig mein eigener Händler sein, es ist zu unnatürlich. Die künstlerische Arbeit verlangt tiefste geistige Spannung und Versenkung, das Geschäftliche ganz andere Dinge. So war diese Verbindung mit Schames, zu der noch persönliche Freundschaft trat, ein großes Glück für mich, und die intensive Arbeit der letzten deutschen Jahre und der ersten Schweizer Periode die unmittelbare Folge und reines Verdienst des alten lieben Schames.

Nun, Sie wissen ja wohl ungefähr, wie sich die Arbeit weiterentwickelte, wie auf diese sich seit 1935 eine weitere anschließt, in der ich heute noch stecke. Die Gesichte nehmen an Deutlichkeit zu und ich bedaure nur, daß mich die Krankheit oft zum Liegen zwingt, wo ich schaffen möchte. Die neuen Erfindungen, in der Form alle aus der Natur kommend, müssen verarbeitet werden, oft immer und immer wieder in Zeichnungen geklärt und umgestaltet werden, ehe sie auf der Leinwand ihren rechten Platz erhalten. — Als älterer Mensch ist einem vieles bewußt, was der junge Maler instinktiv ahnte, und doch stehe ich immer wieder vor dem neuen Bilde nackt und naiv, wie zu Anfang, es bleibt letztlich immer das große Geheimnis, wann die Form rein und klar aus den tausend Mühen emporsteigt und plötzlich da ist, fest und verschwindet nicht. Früher habe ich Licht und Schatten zusammen im Bilde gehabt durch die Farbe ausgedrückt. Heute trenne ich sie und lege beider Formen gewissermaßen übereinander und erhalte so doppelt starken Ausdruck. Doch müssen beider Form aus dem inneren Bild geholt werden, die naturalistische Form würde da nur stören, aber gleichzeitig erfahre ich immer bei der Arbeit, wie sich gerade die genaue Wiedergabe der Gedächtnisform mit diesen heutigen Formen deckt, wie sehr ich gerade bei genauester Ausformung unbewußt alles in die Fläche lege . . .

GEORG SCHMIDT

Der Mensch in der Kunst des 20. Jahrhunderts

Versuchen wir, in der Neujahrsnacht 1899/1900 uns in einen um 1865 geborenen Menschen zu versetzen, und fragen wir ihn, mit welchen Empfindungen er vom vergangenen Jahrhundert Abschied nimmt und mit welchen Hoffnungen und Befürchtungen er das neue Jahrhundert begrüßt.
Soviel ist gewiß: der naive Fortschrittsglaube seiner gründerzeitlichen Vätergeneration ist ihm im Fin de siècle der 90er Jahre zusammengebrochen. Nehmen wir an, er habe bereits auch erkannt, daß die summarische Frage »Fortschritt — ja oder nein?« falsch gestellt ist, daß sie konkreterweise vielmehr vier Fragen umfaßt. Erstens: Gibt es Fortschritt in der technischen Bewältigung des Lebens? Zweitens: Ist die Welt dadurch schöner geworden? Drittens: Sind die Menschen dadurch glücklicher geworden? Und viertens: Ist der Mensch dadurch besser geworden? Die offiziellen Geister des 19. Jahrhunderts haben diese vier Fragen alle unterschiedslos mit Ja beantwortet.

Unser Kandidat, der, unter anderem, van de Velde gelesen hat, wird schon die erste Frage nur mit starken Einschränkungen bejahen. Gewiß, das 19. Jahrhundert hat die Dampfkraft im größten Ausmaß der Produktion und dem Transport von Waren und Menschen dienstbar gemacht und hat überdies zwei neue Antriebskräfte erfunden: die Elektrizität und den Explosionsmotor, von denen man sich im neuen Jahrhundert viel verspricht... Die Medizin hat im neunzehnten Jahrhundert geradezu überwältigende, echte Fortschritte gemacht... Wieviel Lebensangst ist dem Menschen dadurch genommen worden! Auch die Naturwissenschaften haben Anlaß, auf ihrem Gebiete den Fortschritt zu preisen.

Schon die zweite Frage, ob die Welt dadurch schöner geworden sei, die in den Gründerjahren ebenfalls bedenkenlos mit einem begeisterten Ja beantwortet war, wird von unserem Kandidaten mit noch größeren Reserven angegangen werden. Unsere Städte sind häßlicher geworden, wie ein Schorf haben sie sich ins freie Land hinausgefressen, von Eisenbahnschienen wird die Landschaft zerschnitten und von Telegraphenstangen verstellt. Unsere Stadt-Tore und Stadt-Brunnen sind funktionslos geworden. Die Gründung von Bünden für Denkmalschutz, Heimatschutz und Naturschutz ist dringlichstes Anliegen. Maschine und Massenproduktion haben das gute alte Handwerk zerstört...

Die Malerei endlich hat ebenfalls den folgenschweren Einbruch einer technischen Erfindung erfahren: die Erfindung der Photographie als eines mechanischen Verfahrens der Bildherstellung... Nicht nur das Bildnis, jede objektive Darstellung eines Stückes der sichtbaren, meßbaren, tastbaren Wirklichkeit (Pflanze, Tier und Landschaft) ist jetzt als Aufgabe der Kunst bedroht. Denn weit entfernt davon, maschinenstürmerisch die Photographie zu bekämpfen, haben die Bildermaler die vollnaturalistische Darstellung der Gegenstandswelt, die für den vor-photographischen Klassizismus um 1800 noch unzweifelbares Dogma war, geradezu freudig der Photographie überlassen und haben die naturalistischen Darstellungsmittel — Stofflichkeitsillusion, anatomische Richtigkeit, Linearperspektive — Schritt und Tritt überwunden...

Die dritte Frage wird unser Kandidat leidenschaftlich verneinend beantworten: Die wachsenden sozialen Spannungen beweisen, daß die größere Hälfte der Menschen sich keineswegs glücklicher fühlt. Aber auch in der sogenannten Oberschicht trägt man heute — um 1900 —, allem materiellen Wohlergehen zum Trotz, Pessimismus...

Zur vierten Frage endlich: der Zusammenbruch der gründerzeitlichen Fassaden der offiziellen bürgerlichen Moral (Ibsen und Strindberg) besagt lediglich, daß wir ein wenig ehrlicher geworden sind — aber besser? Kaum. Wer meint, der Mensch sei im Lauf der Geschichte besser geworden, weiß nicht, was gut und was böse ist. Das Gute ist kein Zustand, den man ein für alle Male erlangt hat, sondern täglich zu leistende Tat und das Böse täglich bedrohliche Möglichkeit . . .

Und nun: durchgehen wir die abgelaufene erste Hälfte des 20. Jahrhunderts und sehen wir zu, welche neuen Nöte und Freuden diese fünzig Jahre dem Menschen bereitet haben und wie die Kunst darauf geantwortet hat. Nach all dem Dargelegten darf ich Sie mit mir vielleicht einig wissen, daß die Frage nach dem Menschen in der Kunst des 20. Jahrhunderts nicht lautet: »Was haben die Künstler mit dem Menschen angestellt?« sondern: »Was hat der Mensch dem Menschen in den letzten fünfzig Jahren angetan? Und was steht dem Menschen heute, in der Mitte des Jahrhunderts, als Hoffnung und als Befürchtung, bevor? Welche Antworten hat die Kunst uns angeboten und welche hat sie uns heute anzubieten?« Nicht die Kunst ist es, die die Welt verändert, sondern Technik, Wirtschaft und Politik verändern die Welt und die Formen des menschlichen Zusammenlebens und die Möglichkeiten der Lebenserfüllung des Einzelmenschen. Künstler und Kunst reagieren lediglich auf eine ohne ihr Zutun sich ständig verändernde Umwelt. Ja, sie sind die sensibelsten Seismographen sich auch erst ankündigender — bedrohlicher oder beglückender — Veränderungen.

So hat sich unmittelbar nach 1900 ein höchst merkwürdiger radikaler Stimmungsumschwung vollzogen: der Fin-de-siècle-Pessimismus der 90er Jahre hat sich im ersten Jahrfünft des neuen Jahrhunderts in eine förmlich entfesselte joie de vivre gekehrt. Um 1905 werden Matisse in Frankreich und Kirchner in Deutschland die Führer des Fauvismus, der allen elementaren Lebensäußerungen zugetan ist. Matisse, der seine Lebenszuversicht weder im Ersten noch im Zweiten Weltkrieg verloren hat, ist darin geradezu die Verkörperung einer sehr realen Kraft unseres Jahrhunderts.

Bald nach 1910 hat eine nur wenig jüngere Generation gespürt, daß ein Gewitter im Anzug sei. Wird es ein reinigendes, wird es ein zerstörendes Gewitter sein? Dieser bangen Frage Ausdruck gegeben zu haben, ist die historisch exemplarische Bedeutung der »Windsbraut« von Oskar Kokoschka, die 1914, unmittelbar vor dem Ausbruch des Krieges, entstanden ist. So, von unbekannten Kräften einer ungewissen Zukunft entgegengetragen, fühlte sich damals die junge Generation. Und im Jahre 1913 hat Franz Marc in den

»Tierschicksalen« das Sinnbild für vier menschliche Verhaltensweisen gegenüber einer hereinbrechenden Katastrophe geschaffen ...
Im Kubismus geschieht, ohne jede theoretische Absicht, das weitaus folgenschwerste Ereignis der Kunst des 20. Jahrhunderts: die schrittweise Abwendung vom Gegenstand — also auch vom Menschen als Gegenstand der künstlerischen Darstellung. Das bedeutet jedoch keineswegs, wie es vielfach heute noch zu hören ist, die »Zertrümmerung des Gegenstandes« und die »Zerstörung des Menschenbildes«, sondern nichts weniger als die Erhebung der Malerei in Stand und Rang der Musik. In der Musik gilt die abbildende, Menschen darstellende Oper mit Recht als Musik niederen Ranges, die symphonische Musik aber, für die der Mensch nicht Objekt der musikalischen Darstellung, sondern ausschließlich Subjekt der musikalischen Aussage ist, mit Recht als die höhere, reinere, geistigere Stufe der Musik. So hat auch die ungegenständliche Malerei, indem sie den Menschen und die gesamte Dingwelt als Gegenstand des Kunstwerks überwand, den Menschen keineswegs verneint, sondern hat im Gegenteil, indem sie ihn ganz zum Subjekt der künstlerischen Aussage macht, den Menschen in seine volle Würde als Schöpfer des Bildes eingesetzt.
Sogleich aber zugegeben — zehnmal zugegeben: wie in der Musik, so ist auch in der ungegenständlichen Malerei fortan die stete Gefahr der unverbindlichen Subjektivität, des Mißbrauchs der Freiheit. Seit wann aber ist die Tatsache, daß mehr leerlaufende Musik gemacht wird, ein Gegenbeweis gegen die Musik an sich! ...
Schon im Jahre 1914 ist die schöpferische Phase des Kubismus zu Ende gegangen. Zugleich aber hat der Siegeszug des Kubismus eingesetzt. Während drei Jahrzehnten hat der Kubismus geradezu das Arsenal gestellt für die Darstellung alles dessen, was die Menschheit in dieser Zeit erlitten, erhofft, geliebt und gehaßt hat. Schon Franz Marcs Tierbilder beziehen von der kubistischen Formensprache ihre sinnbildliche Intensität.
Im gleichen Jahre 1914 aber ist die Menschheit in ihr erstes Stahlblutbad gestiegen. Es steht mir nicht zu, über die Kriegszweckkunst in allen kriegführenden Ländern den Stab zu brechen. Als künstlerisch irrelevant ist sie vergessen, mehr als vielleicht gut ist. Die erste künstlerisch relevante Antwort auf den Krieg aber ist der Dadaismus, der die Sprache des analytischen Kubismus dem Ausdruck der Sinnwidrigkeit des Zeitgeschehens dienstbar gemacht hat.

Erlebnis des Widerspruchs

Unmittelbar nach dem Kriege aber hat Max Beckmann, die frühkubistische Formensprache ins Expressive wendend, das Erlebnis des Krieges, die Marterung des Menschen durch den Menschen, erschütternd dargestellt.

Bald nach 1920 aber ist die Stimmung ins Friedliche, Bukolische, Idyllische, ja, Illusionäre umgeschlagen — und immer in wie beschwörend überbetont plastischen Formen: ekstatisch lebensbejahend bei Picasso — bäuerlich-schollenhaft bei den expressiv kubistischen Belgiern van den Berghe, de Smet — kleinbürgerlich-idyllisch bei Georg Schrimpf. Das Ambivalenzerlebnis des Menschen zwischen Geborgensein und Gefangensein, das von Schrimpfs »Mädchen am Fenster« entfernt an Caspar David Friedrich denken läßt, wird bei Oskar Schlemmer jäh vertieft zum Erlebnis des Widerspruchs zwischen Gemeinschaft und Individuum, zum Erlebnis der Gemeinschaft als einer ersehnten menschlichen Ordnung und des Individuums in seiner letzten, eisigen Einsamkeit.

Europäisch gesehen aber war die Stimmung bis zum Ausbruch der Krise von 1929 zuversichtlichst auf den Aufbau einer sinnvollen sozialen Gemeinschaft innerhalb der einzelnen Völker und einer sinnvollen internationalen Gemeinschaft von Volk zu Volk gerichtet. Der reinste Ausdruck dieses Glaubens an die reale Bewältigung der Probleme des innerstaatlichen wie des zwischenstaatlichen Zusammenlebens der Menschen sind der holländische und der russische Konstruktivismus — mit allen seinen Auswirkungen auf die gesamte Gestaltung der menschlichen Umwelt: Gerätebau, Möbelbau, Hausbau, Städtebau. (Sowohl Mondrian wie Malewitsch kommen vom synthetischen Kubismus her.) Der klassische Mondrian der zwanziger und dreißiger Jahre setzt dem alten Gesetz der mittelachsialen Über- und Unterordnung in Architektur und Typographie das Gesetz des freien asymmetrischen Gleichgewichts der Kräfte, das Gesetz der Proportion, entgegen, das, in der funktionalistischen Architektur der zwanziger Jahre heiß umstritten, in der Architektur der Gegenwart seinen säkularen Sieg erlangt hat. In den zwanziger Jahren ist das Bauhaus die Experimentierzelle dieses zutiefst humanen Geistes gewesen.

Sichtbare Dinge — unsichtbare Kräfte

Wie hätte sonst Paul Klee von 1922 bis 1930 das Bauhaus als die ihm gemäßeste Atmosphäre betrachten können? Paul Klee — bei dem alles auf die private Intimität des menschlichen Innenlebens gerichtet ist. Mondrian und Klee sind in Wahrheit die beiden realistischsten Künstler unsres Jahrhunderts! Mondrian im Sinne des ordnenden Gestaltens unsrer gesamten gegenständlichen Umwelt, Klee im Sinne des unbedingtesten, ja, schonungslosesten Ja zu allen guten und bösen Geistern in unserem Innern — zu jeglichem Spiel und Spott, zu jeglichem Ernst und Leid, zum Erhabensten wie zum scheinbar Nichtigsten. Klee allein genügte, die Frage nach dem Menschen in der Kunst des 20. Jahrhunderts zuversichtlichst zu beantworten! . . .

Die Wirtschaftskrise von 1929 jedoch hat sämtlichen zuversichtlichen Kräften der zwanziger Jahre den Boden entzogen. Man nannte das »Krise der Überproduktion«, und wie Mehltau legte die Arbeitslosigkeit sich auf die Menschheit. Da erfand Hitler die Aufrüstung als Wundermittel zu deren Bekämpfung. Die armen surrealistischen Maler aber wurden nach 1933 von Ruinenvisionen gepeinigt. Und 1936 geschah in Guernica die Hauptprobe zur Ausradierung von Städten. Nichts zeigt deutlicher die bloß registrierende Ohnmacht der Kunst als Picassos Aufschrei der bombenzerfetzten Kreatur: das Verhängnis nahm seinen Lauf. Die Erfindung des totalen Krieges erwies sich jedoch als Bumerang: fürchterlich fiel er auf seine Erfinder zurück. Und zum zweiten Male innerhalb vier Jahrzehnten wurde der Boden Europas mit dem Blute der Jugend getränkt. Doch furchtbarer noch sind die Bombennächte gewesen, die Frauen und Kinder nicht schonten und Stadt um Stadt in Trümmer warfen. Das Furchtbarste und Schändlichste aber: das unheimlich heimliche, kalte Massenmorden in den Verbrennungsöfen. Im »Hause der Deutschen Kunst« aber tat man, als wäre alles in süßester Ordnung. Seither wissen wir alle: dazu sind Menschen dieses Jahrhunderts fähig. Ich sage nicht Deutsche, denn das wäre der gleiche Irrwahn, aus dem diese Morde geschahen: als gäbe es bessere und schlechtere Völker. In jedem Volke können tüchtige Buchhalter Bestien werden. Und wiederum ist es Picasso gewesen, der, im besetzten Paris, das Erlebnis des Gefangenseins gültigst geformt hat.

Nach 1945 aber ist es ganz anders gekommen, als uns vorhergesagt wurde: nach kurzer Nachholbedarfs-Konjunktur neue Arbeitslosigkeit infolge all der zerstörten Arbeitsstätten. Das Gegenteil ist eingetreten: die totalste Zerstörung hat sich als produktionsfördernde Schröpfkur erwiesen! In allen Industrieländern haben Produktion und Verbrauch eine nie gekannte Höhe erreicht . . . Man sollte also meinen, die Kunst unseres Jahrzehntes sei von der Zuversicht des Wirtschaftswunders erfaßt. Merkwürdigerweise jedoch ist das gerade in Deutschland, wo dieses Wunder vielleicht am sichtbarsten ist, durchaus nicht der Fall. Zu sehr ist dieses Wunder offenbar nur ein Vordergrundswunder.

1945 ist der Krieg zu Ende gegangen mit dem einzigen »Fortschritt« einer ins Unheimliche gesteigerten Zerstörungstechnik . . .

Die gleiche Kraft jedoch, die unsere Zukunft verdunkelt, verheißt uns auch die Freiheit von jeder materiellen Not. Die Atomkraft kann jegliches Leben auf dem Erdball tilgen und kann den Erdball zum Garten machen . . . Diese Entdeckung ist die Folge eines schrittweisen Vordringens unserer Naturerkenntnis vom Sichtbaren zum Unsichtbaren. Diesen Weg aber ist gleichzeitig auch die Kunst gegangen. Franz Marc, der im Ersten Weltkrieg Gefallene, hat den Schritt von den unsichtbaren Kräften als den entscheidenden Schritt der Kunst in die Zukunft bezeichnet und hat ihn in Parallele gesehen mit dem Weg der modernen Physik. Und Kandinsky ist in Deutschland als erster diesen Weg zu Ende gegangen: das Bild als Kraftfeld optischer Energien und damit als Sinnbild sowohl der zwischen den sichtbaren Dingen als auch im Innern des Menschen unsichtbar, doch nicht weniger wirklich wirkenden Kräfte.

Und seither hat unsere tägliche Lebenserfahrung uns dies bestätigt: wir sind von Tönen und Bildern umgeben, die wir hörbar und sichtbar machen können, sobald wir nur die Empfangsgeräte bereithalten. Und für unsere Zukunft wissen wir: Heil und Unheil hängen am Einsatz von unsichtbaren Kräften. Keineswegs zufällig also, daß in allen Ländern, in denen der Künstler frei seinen Freuden und seinen Ängsten Ausdruck geben darf, heute die ungegenständliche Kunst das erste Wort hat . . .

E. T. A. HOFFMANN

Der Hausbau des Rates Krespel

Rat Krespel war einer der allerwunderlichsten Menschen, die mir jemals im Leben vorgekommen. Als ich nach H. zog, um mich einige Zeit dort aufzuhalten, sprach die ganze Stadt von ihm, weil soeben einer seiner allernärrischsten Streiche in voller Blüte stand. Krespel war berühmt als gelehrter, gewandter Jurist und als tüchtiger Diplomatiker. Ein nicht eben bedeutender, regierender Fürst in Deutschland hatte sich an ihn gewandt, um ein Memorial auszuarbeiten, das die Ausführung seiner rechtsbegründeten Ansprüche auf ein gewisses Territorium zum Gegenstand hatte, und das er dem Kaiserhofe einzureichen gedachte. Das geschah mit dem glücklichsten Erfolg, und da Krespel einmal geklagt hatte, daß er nie eine Wohnung seiner Bequemlichkeit gemäß finden könne, übernahm der Fürst, um ihn für jenes Memorial zu lohnen, die Kosten eines Hauses, das Krespel ganz nach seinem Gefallen aufbauen lassen sollte. Auch den Platz dazu wollte der Fürst nach Krespels Wahl ankaufen lassen; das nahm Krespel indessen nicht an, vielmehr blieb er dabei, daß das Haus in seinem vor dem Tor in der schönsten Gegend gelegenen Garten erbaut werden solle. Nun kaufte er alle nur möglichen Materialien zusammen und ließ sie herausfahren; dann sah man ihn, wie er tagelang in seinem sonderbaren Kleide (das er übrigens selbst angefertigt nach bestimmten eigenen Prinzipien) den Kalk löschte, den Sand siebte, die Mauersteine in regelmäßige Haufen aufsetzte und so weiter. Mit irgendeinem Baumeister hatte er nicht gesprochen, an irgendeinen Riß nicht gedacht. An einem guten Tage ging er indessen zu einem tüchtigen Maurermeister in H — und bat ihn, sich morgen bei Anbruch des Tages mit sämtlichen Gesellen und Burschen, vielen Handlangern und so weiter in dem Garten einzufinden und sein Haus zu bauen. Der Baumeister fragte natürlicherweise nach dem Bauriß und erstaunte nicht wenig, als Krespel erwiderte, es bedürfe dessen gar nicht, und es werde sich schon alles, wie es sein solle, fügen. Als der Meister anderen Morgens mit seinen Leuten an Ort und Stelle kam, fand er einen im regelmäßigen Viereck gezogenen Graben, und Krespel sprach: »Hier soll das Fundament meines Hauses gelegt werden, und dann bitte ich die vier Mauern so lange heraufzuführen, bis ich sage, nun ist's hoch genug.« — »Ohne Fenster und Türen, ohne Quermauern?« fiel der Meister, wie über Krespels Wahnsinn erschrocken, ein. »So wie ich Ihnen es sage, bester Mann«, erwiderte Krespel sehr ruhig, »das übrige wird sich alles finden«. Nur das Versprechen reicher Belohnung konnte den Meister bewegen, den unsinnigen Bau zu unternehmen; aber nie ist einer lustiger geführt worden, denn unter beständigem Lachen der Arbeiter, die die Arbeitsstätte nie verließen, da es Speis und Trank vollauf gab, stiegen die vier Mauern unglaublich schnell in die Höhe, bis eines Tages Krespel rief: »Halt!« Da schwieg Kell und Hammer, die Arbeiter stiegen von den Gerüsten herab, und indem sie den Krespel im Kreise umgaben, sprach es aus jedem lachenden Gesicht: »Aber wie nun weiter?« — »Platz!« rief Krespel, lief nach einem Ende des Gartens und schritt dann langsam auf sein Viereck los, dicht an der Mauer schüttelte er unwillig den Kopf, lief nach dem andern Ende des Gartens, schritt wieder auf das Viereck los und machte es wie zuvor. Noch einige Male wiederholte er das Spiel, bis er endlich, mit der spitzen Nase hart an die Mauer anlaufend, laut schrie: »Heran, heran, ihr Leute, schlagt mir die Tür ein, hier schlagt mir eine Tür ein!« — Er gab Länge und Breite genau nach Fuß und Zoll an, und es geschah, wie er geboten. Nun schritt er hinein in das Haus und lächelte wohlgefällig, als der Meister bemerkte, die Mauern hätten gerade die Höhe eines tüchtigen zweistöckigen Hauses. Krespel ging in dem innern Raum bedächtig auf und ab, hinter ihm her die Maurer mit Hammer und Hacke, und sowie er rief: »Hier ein Fenster, sechs Fuß hoch, vier Fuß breit! — dort ein Fensterchen, drei Fuß hoch, zwei Fuß breit!« so wurde es flugs eingeschlagen. Gerade während dieser Operation kam ich nach H —, und es war höchst ergötzlich anzusehen, wie Hunderte von Menschen um den Garten herumstanden und allemal laut aufjubelten, wenn die Steine herausflogen und wieder ein neues Fenster entstand, da, wo man es gar nicht vermutet hatte. Mit dem übrigen Ausbau des Hauses und mit allen Arbeiten, die dazu nötig waren, machte es Krespel auf ebendieselbe Weise, indem sie alles an Ort und Stelle nach seiner augenblicklichen Angabe verfertigen mußten. Die Possierlichkeit des ganzen Unternehmens, die gewonnene Überzeugung, daß alles am Ende sich besser zusammengeschickt als zu erwarten stand, vorzüglich aber Krespels Freigebigkeit, die ihm freilich nichts kostete, erhielt aber alle bei guter Laune. So wurden die Schwierigkeiten, die die abenteuerliche Art zu bauen herbeiführen mußte, überwunden, und in kurzer Zeit stand ein völlig eingerichtetes Haus da, welches von der Außenseite den tollsten Anblick gewährte, da kein Fenster dem andern gleich war und so weiter, dessen innere Einrichtung aber eine ganz eigene Wohlbehaglichkeit erregte. Alle, die hineinkamen, versicherten dies, und ich selbst fühlte es, als Krespel nach näherer Bekanntschaft mich hineinführte. Bis jetzt hatte ich nämlich mit dem seltsamen Manne noch nicht gesprochen, der Bau beschäftigte ihn so sehr, daß er nicht einmal sich bei dem Professor M — dienstags, wie er sonst pflegte, zum Mittagessen einfand und ihm, als er ihn besonders eingeladen, sagen ließ, vor dem Einweihungsfeste seines Hauses käme er mit keinem Tritt aus der Tür. Alle Freunde und Bekannten verspitzten sich auf ein großes Mahl, Krespel hatte aber niemanden gebeten als sämtliche Meister, Gesellen, Burschen und Handlanger, die sein Haus erbaut. Er bewirtete sie mit den feinsten Speisen; Maurerburschen fraßen rücksichtslos Rebhuhnpasteten, Tischlerjungen hobelten mit Glück an gebratenen Fasanen, und hungrige Handlanger langten diesmal sich selbst die vortrefflichsten Stücke aus dem Trüffelfrikassee zu. Des Abends kamen die Frauen und Töchter, und es begann ein großer Ball. Krespel walzte etwas weniges mit den Meisterfrauen, setzte sich dann aber zu den Stadtmusikanten, nahm eine Geige und dirigierte die Tanzmusik bis zum hellen Morgen.

EBERHARD SCHULZ

Über die Wendung zum dekorativen und femininen Stil

Alles zu können, war eigentlich das Laster der späten Architektur des neunzehnten Jahrhunderts, die bald in gotischer Art oder im Stil der Renaissance ihre Gebäude aufführte. Der unverbindliche Eklektizismus herrschte, Stil war Laune geworden. Alles zu können, ist auch in unseren Tagen der geheime Seufzer der Architekten, die für die Festigkeit eines Gebäudes Stahl oder Beton wahlweise zur Verfügung haben; denen für die Höhe keine Grenzen gesetzt sind, außer durch die Baupolizei, und die die Wand öffnen können, als schöben sie eine Gardine beiseite und füllen nun die Lücke mit Glas. Es geht alles oder doch sehr viel. Man kann von einer Wunscharchitektur spre-

chen. Der Widerstand der Materie ist gering, heute sogar der des Geldes, und unsere Gesellschaft endlich ist denkbar freizügig und locker geworden. Sie befindet sich überall in einem Stadium des Überrumpeltwerdens und gibt — nicht nur auf diesem Felde — gern nach.
Für die Freigeisterei des modernen Bauens lassen sich manche Ursachen nennen. Das neue Bauen ist als eine Umwälzung aufgetreten, die nun schon viele Jahrzehnte als eine permanente Revolution unterwegs ist, die in die Mode mündet. Walter Gropius hat, als man ihm die seltene goldene Medaille des Königlichen Instituts der Britischen Architekten zu seinem siebzigsten Geburtstag verlieh, erklärt, die erste Generation habe sich das neue Alphabet der Architekturformen erkämpft. Die neue Generation finde dieses Formenalphabet handlich vor, während doch immer noch die gesellschaftliche Umwelt nicht recht darauf eingestellt sei. Man lebe in der Gefahr, die Gewalt über den Wagen des Fortschritts zu verlieren. Das maschinelle, kaufmännische und private Denken nehme zu. Ein gemeinsames Idiom fehle noch, und nicht ohne Bangen sieht der Meister auf den Tummelplatz des Subjektivismus herab.
Was wird heute gebaut? Schubkästen, eine Art sehr strenger Kommoden, die sich aus der Fassade neugierig in den Vordergrund schieben und deren Betonrahmen einen kräftigen Schattenriß verspricht. Man kann dahinter den Sitzungssaal einer Versicherungsgesellschaft oder die Aula einer Schule oder auch gar nichts vermuten. Man spürt den Zeichenstift, der hier über das Reißbrett gezogen ist. Man spürt ihn in dem Flechtwerk, das als neuer Schmuck über die Quadrate der leeren Wände kriecht, und fühlt ihn in den Schachbrettmustern und auf den gerasterten Feldern wieder. Dies sind einige Varianten aus dem Spieltrieb unserer immer mehr graphisch eingestellten Architektur, die sich liebenswürdig, aber auch ebenso oft albern gibt. Liebenswert sind die Pfahlroste, zu denen die kühlen Rationalisten wie in Urzeiterinnerung hingezogen werden, wenn sie einen hohen Block auf dünne Stäbe setzen und ihr herausforderndes Spiel gegen die Schwerkraft vorführen. So geschieht es bei Kliniken und Schulen, und selbst Gropius hat bei seinen Studentenhäusern in Havard lange Trakte auf solche Weise gestützt. Man ist auf Motivsuche aus. Heimlich stellt sich neben den Künstler der Snob.

Kult des Modernen

Der Snobismus in der Architektur läßt sich als die Pose und der Kult des Modernen um seiner selbst willen definieren, ohne daß andere Werte dabei ins Bewußtsein treten. Wenn wir den Snob nun für die Willkür haftbar machen wollen, ohne die die moderne Baukunst heute nicht vorzustellen ist, so müssen wir doch zugeben, daß er nur als Zwillingsbruder des Ingenieurs möglich ist. Der Ingenieur hat ihm das Recht gegeben, das der Snob mißbraucht. Der konstruktive Genius in der Architektur war durchaus im Recht, ja er war unter allen Gebieten, auf denen der moderne Geist revolutionierend erschien, in der Psychologie, im Gesellschaftsdenken, in Dichtung und Malerei, auf diesem Felde am meisten im Recht. Richtig war das neue Material, richtig waren das Glas, der Stahl und Beton, richtig war auch die Verlockung zur Kühnheit, die der Baumeister wohl in jeder Epoche gespürt haben muß. Richtig war die Tendenz zur Reinheit gewesen, der hygienische Zug, der wohl eine gewisse Kälte in den Innenraum brachte, aber durchaus ein höheres Motiv mit sich führte. Die Slums der Riesenstädte waren eine gräßliche Erbschaft. Die ganze Stadt war verbesserungswürdig, und die Beiworte der Klarheit, der Durchsichtigkeit, der Sauberkeit bis hin zur Entlüftung hatten über das Konstruktive hinaus einen deutlich mitschwingenden ethischen Beiklang. Genau diese Nebentöne sind heute verstummt. Moderne Architektur hängt nicht mehr mit Verbesserungswünschen, mit kämpferischem Reformertum zusammen. Glas und Klimaanlage sind so wertvoll wie eine schnellere Zuggeschwindigkeit, aber niemand wird auf den Gedanken kommen, sie noch mit der sozialen Erlösung unterdrückter Massen eng zu verbinden. Niemand wird behaupten, daß diese Tütenlampen, die gebündelt und gespreizt technische Anmut zeigen sollen, diese Schwingtüren, die nichts als ein hartes Stück Rohglas darstellen und die Anwesenheit der Vorzimmersekretärin andeuten, eine besondere soziale oder menschliche Pointe besäßen. So etwas meldet ein Lebensgefühl an, aber man muß nicht unbedingt nach dieser Methode leben. Furniertes Holz würde es auch tun. Senkrechte Haltestäbe lösen heute das Geländer der Treppe ab. Sie stellen einen Formenwechsel dar, nie mehr — ebenso wie die in Einzelglieder aufgelösten Treppenstufen nur Formenspiel gegenüber der festgewendelten Treppe sind. Im Café, in der Bar, in der Höhe des Theaterhimmels wuchert der Auflösungstrieb. Die Kuppel über dem Zuschauerraum des Theaters in Münster — ein Donnerschlag im modernen Theaterbau, sagte Ernst May — ist in ein Gewimmel milchig verkleideter elektrischer Gestirne aufgelöst, während es an anderer Stelle noch als schön gilt, weiße Lampions tief in Korridore oder Vorhallen zu hängen. Man muß sich erinnern, mit welcher Energie sich noch Poelzig der indirekten Beleuchtung annahm, die in seinem Filmtheater Capitol in Berlin aus versteckten Soffiten herausquoll und in seinem Großen Schauspielhaus, dieser künstlichen Riesengrotte, eine orientalische Dämmerung erzeugte, um ein wenig ruhiger vor solchen Erfindungen zu werden und Abstand zu gewinnen. Nicht jede »raum-zeitliche« Plastik, die als Vogelskizze mit gespreizten Flügeln dem Architekten hilft, die Einöde einer leeren Wand zu überspannen, nicht jedes Mosaik, nicht jeder Steinschnitt, der ein gefälliges Ornament darstellt, Früchte oder Tiere vereinigt, ist schon eine Offenbarung. Er zeigt nur die Ab-

sicht, Architektur gefällig zu verkaufen, die heute auf der äußeren Fassade ebenso wie an der inneren Wand überall sichtbar wird.
Alfred Weber hat in einer Diskussion vor einiger Zeit der modernen Baukunst den polemischen Zug vorgehalten, der sie zu einer Selbstdarstellung in aufreizend makellosem Weiß verpflichtet habe. Das ist sicher einmal so gewesen, bei Corbusier, beim frühen Gropius und in der berühmten Weißenhofsiedlung am Ende der zwanziger Jahre. Davon ist heute keine Rede mehr. Inzwischen hat sich längst die Wendung vom männlichen und puristischen Stil zum femininen und gefälligen vollzogen, in dem die Verpackung mehr wert ist als die harte und kühl nach außen gerückte Struktur. Es ist kein Zufall, wenn das »Design« als Schlagwort und Empfehlung von Amerika zu uns herübergekommen ist; es bedeutet natürlich eine Wendung. Ein Haus, das ein Architekt als »Designer« entworfen hat und mit der ganzen Gefälligkeit der Linien umschreibt, verlangt doch bald solche Talente, wie sie der Modezeichner besitzt, wenn er um ein Modell den Wurf eines neuen Kleides zieht. Ein schön verkleideter Raum ist aus der Tiefe her eine andere Sache als jene gotische Struktur, in der Peter Behrens einst seine Turbinenhalle und Walter Gropius seine Faguswerke eben als reine Struktur, als stehendes und sich schließendes Gliederwerk errichtet hatten. Der Raum kann schön, er kann reizvoll, er kann schockierend verkleidet sein. Mitunter erinnert die Situation des Architekten im zwanzigsten Jahrhundert an die Situation des Literaten im neunzehnten Jahrhundert. Es gilt wieder, den Bürger zu reizen — épater le bourgeois —, damit er die neuen Normen begreife und annehme. Nur daß der Künstler diesmal nicht mit Worten, sondern mit Stahl, Stein und Glas um sich wirft und seine Launen dauerhafter in der Luft stehenbleiben, so unverbindlich und improvisiert sie zunächst auch gemeint waren.

Jetzt wird gespielt

Der Snobismus in der Architektur ist das Thema der zweiten Generation. Um die neuen Formen wird nicht mehr gerungen, sondern jetzt wird gespielt. Das Boudoirhafte der Innenräume, die weiche Kurve, mit der der Nierentisch sich vor die harte Wand hinstellt, das kokette Stahlrohr, das seine metallische Nacktheit unter den Wulst des Kunststoffsessels stützt, das grobe Fischernetz, das als unbegreifliches Moskitonetz von den Decken unserer Espressobars herabhängt, haben sich als Elemente des Organischen gegen die geometrische Härte vorgedrängt. Früher hat ein Gummibaum für Trost und Ausgleich gesorgt, ja gewisse tropische Pflanzen sind eigentlich das unentbehrliche Vitamin in der ganzen Entwicklungsgeschichte des modernen Konstruktivismus gewesen. Vor der Glasfassade der neuen Hamburger Oper hängen schwere Blumenschalen als pflanzliches Dauerornament sogar zur Straße hinaus.

Auch die erste Epoche der neuen Architektur war freilich verlegen und auf Motivsuche aus. Corbusier hat Bullaugen in seine Betonwand gestanzt, und in der Berliner Siemensstadt waren die Deckaufbauten eines Ozeandampfers, bugartige Balkone an der Seite des Siedlungsblocks und Exhaustoren auf ihrem Dach zu sehen. Die Verlegenheit ist immer stärker geworden. Die leere Fassade wird vom Raster zerlegt, ihre rechteckigen Felder werden in verschiedenen Mustern gegeneinander versetzt, die Front wird konkav ausgehöhlt, wie in der endlos gedehnten Fassade der amerikanischen Gedächtnisbibliothek in Berlin, oder umgekehrt plastisch gewölbt, wofür sich jüngst Gropius in Boston, aber auch bekannte Italiener und die Architekten des Düsseldorfer Phönixbaues entschieden haben.

Wird ein Bau schön, wenn das Eingangsportal anstatt mit einer Platte mit einer Betonwelle überdeckt wird und sich diese erstarrte Dünung gar über die ganze Breite ausdehnt? Das Unbehagen vor der harten Geometrik schickt die Erfinder immer wieder neu auf die Suche. Einst genügte es, die Betontafel vor unserem Eingang schräg anzuheben, ein anderes Mal wurde — ein Bastardgedanke des alten barocken Oberlichts — ein Löcherfries darübergesetzt, heute wird gern gewellt. So oft aber auch von einer Rückkehr zu organischen Motiven die Rede ist, es bleiben stets die Formen der reinen Mathematik als letzte Zuflucht übrig. Zylinder, Dreieck, Parabel, und noch immer gilt heute bei den »Designern« der Alltagsgeräte anstatt eines oval länglichen Löffels der runde Löffel für edler, der soviel schwerer in den Mund zu bringen ist. Immer noch hat der kubisch geschnittene Sessel die höhere Weihe und steht neben jenen sehr skelettartigen Gebilden, deren Sitzteile parabolische Holzstücke sind. Man wende nicht ein, daß diese Beispiele aus der Innendekoration kommen. In Köln steht vor dem Dom ein Bankhaus, das wie das gläserne Boudoir eines Bankhauses auf die Straße gestellt ist. Für puppenhafte Formen kann man in allernächster Nähe viele Beispiele finden.

Übereinstimmung herrscht insoweit, als im großen ganzen jedenfalls das Zierliche dem Massiven überlegen sein soll, der dünne Stahlfuß mehr gilt als das dicke Holzpodest oder draußen die Mauer. Das Experiment läuft noch weiter. Eigentlich läßt sich kaum ein Unterschied gegenüber dem Nebenfach der Malerei feststellen, wo die Gegenstandslosen eben von den Tachisten, diesen Berührungskünstlern, die mit der reinen Seelenspur des Pinsels arbeiten, abgelöst worden sind. Man muß zugeben, daß die Kunst, die nur mit Papier und Leinwand zu tun hat, noch viel ruheloser ist. Aber soll man erwarten, daß die Architektur es ihr an Nervosität gleichzumachen versucht? Eine Spielwiese der Affekte, auf der ohne jede Aufsicht der freie Künstler die Unruhe seines Lebens und die seiner Epoche ausleben kann, wollen wir bei allem Freisinn dem Architekten doch nicht gewähren. Seine Kunst ist notwendigerweise so, wie sie steht — sozial und von jedem Blick ergriffen, in der Materie neutral, sie erstarrt schnell und entfremdet sich dem Impuls und der Improvisation, aus denen beiden sie heute so oft geboren wird. Ihre Heimat darf nicht im Modischen liegen, so sehr sie auch jetzt danach strebt, abwechslungsreich und auffällig zu sein, sondern in der Zone des Dauerhaften. Denn Stein will nicht vergehen, sondern bleiben. Ein Haus soll halten und nicht nur zieren oder strahlen. Die Elemente des Bleibenden müssen gegen die des Affekts eingesetzt sein, wenn die Architektur wieder Standfestigkeit und Form gewinnen will. Wieder jene verbindliche Sprache, das gemeinsame Idiom, das Gropius eben als moralische und soziale Forderung verlangte. Diese aber kann gewiß nicht in dem Aussprechen und lustigen Sichvergnügen zahlloser Einfälle bestehen. Mätzchen machen keinen Stil, und dekorative Buntheit kann einer Architektur nicht nützen, die einmal in ihren großartigen Anfängen aus der Entrüstung gegen das falsche Ornament geboren worden ist.

RUDOLF SCHWARZ

Der Architekt

Wenn ich hier in einer Reihe von Referaten, die sich »Situation des Christseins« nennt und in der wichtige Berufe in eben dieser Situation dargestellt werden, einiges über den Architekten sagen soll, so überkommt mich eine gewisse Scheu. Es widerspricht der Wesensart des Baumeisters, von sich selbst zu sprechen; er liebt es nicht, sich selbst zu betrachten, seine Art ist es, von sich abzusehen. Er will sich in seinem Tun nicht gewinnen, sondern entäußern, fortgeben. Zu gewinnen ist der große Bau, daß die Menschen darin Wohnung finden. Es gehört zu der Besonderheit dieses Berufs, daß er hinter dem Werk den Urheber verschwinden läßt, es nimmt ihn in sich auf, es verzehrt ihn. Seine Tugend, will sagen sein Taugen, ist geradezu daran zu bemessen, wie sehr ihm dieses Abnehmen, dieses Schwinden und Verbrauchtwerden durch das zunehmende Werk gelingt. Darin gleicht er den Urhebern der Menschheit, Vater und Mutter. So ist es wohl recht, wenn ich nicht von dem Architekten, sondern von der Architektur spreche, nicht von ihm, sondern von dem, was er zu tun hat.

Der Architekt ist zur Zeit ohnehin von dem bedenklichen Ruf, ein moderner Mann zu sein, in Versuchung geführt. Einige, wenn auch sehr wenige wirkliche große Leistungen und manche auffällige Versuche haben die Meinung genährt, die Architektur sei eine sehr moderne Sache, während ihre Lage in dieser Stunde doch eben durch das Gegenteil bezeichnet ist, daß die Architektur eine uralte Weise ist, die Welt zu verändern, und daß ihr Anspruch, dies zu tun, von ganz anderen Verfahren mit ganz anderen Zielen in Frage gestellt oder auch bestritten wird. Es gibt keine neue Architektur. Was heute getan wird, haben die Architekten schon immer getan, aber es ist zu erörtern, ob diese Art des Tuns einmal nicht mehr da sein wird, nicht, ob sie sich je ändern wird — es gibt hier nichts zu ändern.

Das werden nun manche bestreiten, und über diesem Streitgespräch leuchtet dann das Wesen des Architektonischen klarer auf. Ich will mich darum auf diesen Streit einlassen.

Es sei doch etwas ganz Neues, daß unsere Städte allmählich zu Versammlungen von großen Würfeln werden, die oft wild und in ihrer Art auch hinreißend schön sind, wie Manhattan, oft auch langweilig und geistlos. Nein, sage ich, das ist durchaus nicht neu, es war es einmal, aber das ist schon lange her. Es sind bald 200 Jahre vergangen, daß die Berliner, nicht immer mit Begeisterung, sahen, wie sich ihre gute alte Stadt in eine Sammlung von Würfeln verwandelte, man kann auch sagen, von Kästen, und hat es gesagt. Damals nannte man diese Bauweise Klassizismus, weil man meinte, sie erneuere die Bauweise der klassischen Antike. Sie tat es auch wirklich, denn die Antike war beseelt von einem sakralen Kubismus. Sie meinte, die stereometrischen Körper seien gottähnlich, weil »Gott Geometrie treibe«. Das leuchtete also in diesem neuen Kubismus wieder auf.

Aber die hauchdünne Schalendecke einer Halle, das zarte Stabwerk eines Stahlmastes, der schlanke Sprung einer Brücke, all die atemberaubenden Werke eines geistreichen Funktionalismus seien doch etwas Neues, und darin äußere sich die gespannte Geistigkeit unserer Zeit, sagt man mir. Aber man vergißt, daß dieser Funktionalismus gotisch ist. Die Gotik hat mit bescheideneren Mitteln kühner den Stoff zu spannen gewußt, und ihr Funktionalismus ist geistreicher als der unsere, denn er steht noch näher am Ursprung. Die funktionalistische Lehre der Gotik war genährt von dem Geist der Askese und der Weltflucht. Man meinte, es sei besser, wenig Stoff als vielen zu haben, je weniger an Stoff, desto mehr an Geist enthalte ein Werk, Gott sei ein fließendes Licht, der Geist habe im Stoff keine Heimat. Das waren große Gedanken, und sie ernähren noch heute unsere hochgespannten Konstruktionen.

Aber die Auflösung der Wände in Fensterflächen, die Einnahme der Landschaft in den Innenraum, das sei doch nun wirklich neu, denn unsere Vorfahren hätten sich eingemauert, und der sogenannte »Mensch von heute« lebe im Weiten und Grenzenlosen. Das ist aber nicht einmal für uns Deutsche wahr. Es ist schier unmöglich, in einer Hauswand mehr Glas unterzubringen, als das mittelalterliche »Rote Haus« in Frankfurt zwischen seinem Holzfachwerk hatte. Die Verwebung von innen und außen hatte in geistreichster Weise schon Schinkels Museum in Berlin. Damals lagen diese Dinge gleichsam in der Luft. Wie wir es aber heute tun, kommt es aus dem Osten. Die Japaner ließen die Wand zwischen innen und außen fort, und das war kultisch gemeint: das gleiche, was die Landschaft belebte, sollte auch den Menschen beseelen. Die Architekten des Jugendstils haben gesehen, wie schön das war, sie liebten das Weben des Alls in der eigenen Seele und fanden es im Asiatischen ausgesprochen. Darum führten sie es bei uns ein.

Würde aber einer eines der wenigen Werke des organischen Bauens mit seinen Schwellungen und Biegungen für etwas Neues halten, so wäre das sehr gut zu verstehen, denn die Werke der organischen Schule sind selten bei uns, aber ihre Überlieferung reicht sehr tief hinab in die Geschichte. Man braucht ja nur an das heilige Drama der Barock-Dome zu erinnern, aber auch an den Barock vieler anderer später Kulturen, wie der römischen oder der indischen.

Es könnte ja sein, daß jemand zu all diesen Gestaltwelten, die in unabsehbaren Tiefen der Überlieferung wurzeln, eine neue hinzu erfände, aber ich kann eigentlich keine sehen. Die Architekturformen, die bei uns lebendig geübt werden, sind ihrem gründenden Gedanken nach uralt, und in jeder setzt sich eine religiöse Erfahrung und ein Gottesbild fort. Es wäre sogar sehr unvorsichtig, sie für »säkularisiert« zu halten. Das möchte später einmal ganz anders aussehen: »Weiß ich denn, ob ich kein Sonnenmythus bin?« fragt Chesterton.

Von der Form her läßt sich so wohl kaum eine moderne Architektur nachweisen. Es gibt ungefähr ein halbes Dutzend ganz verschiedener Architekturen mit ganz verschiedenen Gründungsgedanken, die wir heute üben, und sie reichen alle in tiefe und sakrale Wurzelgründe hinab. Neu ist allenfalls, daß sie nebeneinander geübt werden, daß ihre Werke nebeneinanderstehen, ohne daß sie sich stören, und daß dieses Nebeneinander nichts Eklektisches hat und zu keiner Synthese hindrängt.

Aber der Städtebau, der eine ganze Stadt nach Plänen ordnet, das möchte doch wohl etwas Neues sein. Wir begännen, uns von dem liebenswürdigen Einzelnen dem groß geplanten Ganzen zuzuwenden. Leider stimmt das aber durchaus nicht. Nicht ohne Beschämung bemerken wir, daß unser Städtebau stümperhaft ist und daß es Zeiten gab, wo die hohe Kunst des Städtebaus größere Werke hervorbrachte. Die Städtebauschule von Milet baute jedes Jahr eine neue Stadt, welche in der Schönheit wirklichen Geistes leuchtete. In Mesopotamien entstand schon früher die Großstadt Babylon in einer Formensprache, die im Guten und Bösen unheimlich modern anmutet. Dann gibt es die stolzen Stadtplanungen von Verona, Siena, Lüneburg, die echte Kinder

des christlichen Geistes waren. An ihnen gemessen sind unsere heutigen Stadtpläne materialistisch und primitiv. Aber auch das ist nicht wahr, daß erst jetzt unsere Planungen über die Städte hinausgreifen und als Landesplanung ganze Länder erfassen, nach geistigen Entwürfen einteilen und ausbauen. Auch die Landesplanung ist eine uralte Sache. Der Gedanke einer »allgemeinen Landverschönerung« ist ein Lieblingskind der Romantiker und der Klassizisten. Was damals geschaffen wurde, ist niemals mehr erreicht worden, wenngleich es in mancher Beziehung träumerisch war.
Nun bleibt noch ein Einwand gegen meine Behauptung, daß es keine neue Architektur gibt. Vor dreißig Jahren hätte er schweres Gewicht gehabt. Damals hörte man oft sagen, die Zeit der Architektur im Sinne der früheren Jahrhunderte gehe zu Ende und ihr Erbe übernehme die Technik. Was man Technik nannte, war ein Handeln nach Zwecken, so wie, was man Wissenschaft nannte, ... ein Denken mit Begriffen war. Nun gibt es tatsächlich in den untersten Lagen der weitschichtigen Architektur durchaus die Kategorien von Zweck und Mittel, in jenen Lagen nämlich, wo Schaffen gleichbedeutend mit Arbeiten ist. Dieser Angriff wäre also auf eine Proletarisierung der Baukunst ausgelaufen, aber wir haben inzwischen durchschaut, daß das technische Tun zwar zweckhaft ist, das Erzeugnis aber nicht. Es ragt in seinen edelsten Werken hoch über die Zwecke hinaus. Wir haben als ganz frühes Beispiel Babylon, das wir ja schon erwähnten: diese Stadt, die eines der stolzesten Werke ist, das die Menschen jemals ersannen, ist aus Millionen durchaus gleicher Ziegelsteine gebaut, und seine Sprache ist wortkarg: ihre wenigen Worte lauten Monotonie, Reihung, Verband, Treppe, Rechteck, Würfel und Bogen. Mir scheint es gerade umgekehrt an der Zeit zu sein, den Ingenieur wieder heimzuholen oder vielmehr den Bauingenieur, der ebenso wie wir Architekten ortsfeste und unbewegliche Dinge baut. Die Abspaltung dieses besonderen Berufs war unnatürlich, und man sollte die schöne alte Einheit des Berufsstandes wiederherstellen, wie sie in der ersten Technischen Hochschule der Welt arglos vorausgesetzt wurde. Die Medizäer nannten ihre Gründung »Akademie des Zeichnens«, und sie verband alle Menschen, welche Zeichnungen machten, um die Welt dadurch zu verändern.
So haben wir den Wirkraum des Architekten nach Weite und Höhe ausgemessen, und wir fanden ihn einen rechten Weltraum. Wir sahen, wie dieser Beruf die ganze Erde durch Zeichnungen einer geistigen Ordnung untertun will, und wir fanden, daß dieses Tun in uralten religiösen Erfahrungen wurzelt. Wir fanden auch, daß das baumeisterliche Tun in sich hierarchisch ist, gestuft nach immer edleren Verfahren und angewandt auf immer edlere Bauweisen. Es gibt da den weiten Raum der Arbeitswelt, und das Tun dort ist durch Zweck und Mittel bestimmt, und der Architekt ist der Mann, der die Arbeitswelt auf der Erde ansässig macht. Es gibt da aber auch den Weltteil

der Bildung. Hier gehorcht die Welt den großen Inbildern, und hier ist die Architektur eine Kunst. Doch darüber ragt die viel höhere, für die auch das bildende Tun nur vorläufig ist. Da wird Tun zur reinen Übung von Hoheit, und die Architektur ist ein Werk der Herrlichkeit. Und doch ist auch sie noch durchsichtig auf die letzte der Welten, die nur noch Lobpreis des Schöpfers und Anbetung ist. Da wird die Baukunst zu einem Gebet.
Architektonisches Tun ist hierarchisches Tun, ein Schaffen mit gestuften und immer wirksameren Verfahren an Werken von gestufter Wirklichkeit und Würde, und es schafft stets offene Welt, mit der Perspektive hinauf in höhere, hinab in niederere Welten, ein Wirken am Besonderen mit dem ständigen Hinblick aufs Ganze, das in das Besondere, vielleicht ganz Bescheidene mit eingebracht wird, ihm die Qualität des Lebendigen gibt und ihm auch die Unruhe nach dem Anderen, Höheren mit einbaut und damit den Trieb, sich selbst ins Bessere zu überwinden.
So stehen Anspruch und Auftrag der Architektur quer zu dem, was sich heute ins Werk setzen will. Sie ist der absolute Feind jeder Produktionsweise, die mit geschlossenen Verfahren geschlossene Welt schaffen will, gestern also des Ästhetizismus, heute des Materialismus, sie verhält sich als Schaffensweise ähnlich zur mißverstandenen Technik wie lebendiges Erkennen zur Wissenschaft, die nur noch das Wissen der greifenden Hand, nicht das der fühlenden hat, nicht das des melodienwissenden Ohrs, nicht das des gestaltengewahrenden Auges. Was die Architektur will und soll, ist, die Welt menschengesichtig zu machen. Das ist ihr uralter Auftrag, dafür steht sie und um seinetwillen ist sie heute hart bekämpft.

NOVALIS

Die stummen Gefährten des Lebens

Heinrich war eben zwanzig Jahr alt geworden. Er war nie über die umliegenden Gegenden seiner Vaterstadt hinausgekommen; die Welt war ihm nur aus Erzählungen bekannt. Wenig Bücher waren ihm zu Gesichte gekommen. Bei der Hofhaltung des Landgrafen ging es nach der Sitte der damaligen Zeiten einfach und still zu; und die Pracht und Bequemlichkeit des fürstlichen Lebens dürfte sich schwerlich mit den Annehmlichkeiten messen, die in spätern Zeiten ein bemittelter Privatmann sich und den Seinigen ohne Verschwendung verschaffen konnte. Dafür war aber der Sinn für die Gerätschaften und Habseligkeiten, die der Mensch zum mannigfachen Dienst seines

Lebens um sich her versammelt, desto zarter und tiefer. Sie waren den Menschen werter und merkwürdiger. Zog schon das Geheimnis der Natur und die Entstehung ihrer Körper den ahnenden Geist an: so erhöhte die seltnere Kunst ihrer Bearbeitung, die romantische Ferne, aus der man sie erhielt, und die Heiligkeit ihres Altertums, da sie sorgfältiger bewahrt, oft das Besitztum mehrerer Nachkommenschaften wurden, die Neigung zu diesen stummen Gefährten des Lebens. Oft wurden sie zu dem Rang von geweihten Pfändern eines besondern Segens und Schicksals erhoben, und das Wohl ganzer Reiche und weitverbreiteter Familien hing an ihrer Erhaltung. Eine liebliche Armut schmückte diese Zeiten mit einer eigentümlichen ernsten und unschuldigen Einfalt; und die sparsam verteilten Kleinodien glänzten desto bedeutender in dieser Dämmerung und erfüllten ein sinniges Gemüt mit wunderbaren Erwartungen. Wenn es wahr ist, daß erst eine geschickte Verteilung von Licht, Farbe und Schatten die verborgene Herrlichkeit der sichtbaren Welt offenbart und sich hier ein neues höheres Auge aufzutun scheint: so war damals überall eine ähnliche Verteilung und Wirtschaftlichkeit wahrzunehmen; da hingegen die neuere wohlhabendere Zeit das einförmige und unbedeutendere Bild eines allgemeinen Tages darbietet. In allen Übergängen scheint, wie in einem Zwischenreiche, eine höhere, geistige Macht durchbrechen zu wollen; und wie auf der Oberfläche unseres Wohnplatzes die an unterirdischen und überirdischen Schätzen reichsten Gegenden in der Mitte zwischen den wilden, unwirtlichen Urgebirgen und den unermeßlichen Ebenen liegen, so hat sich auch zwischen den rohen Zeiten der Barbarei und dem kunstreichen, vielwissenden und begüterten Weltalter eine tiefsinnige und romantische Zeit niedergelassen, die unter schlichtem Kleide eine höhere Gestalt verbirgt. Wer wandelt nicht gern im Zwielichte, wenn die Nacht am Lichte und das Licht an der Nacht in höhere Schatten und Farben zerbricht; und also vertiefen wir uns willig in die Jahre, wo Heinrich lebte und jetzt neuen Begebenheiten mit vollem Herzen entgegenging. Er nahm Abschied von seinen Gespielen und seinem Lehrer, dem alten weisen Hofkaplan, der Heinrichs fruchtbare Anlagen kannte und ihn mit gerührtem Herzen und einem stillen Gebete entließ . . .

20 Ernst Ludwig Kirchner
Die Maler der Brücke, 1925

JOHANN WOLFGANG GOETHE

Schicksal einer Sammlung

Als er einige Straßen auf und ab gegangen war, begegnete ihm ein Unbekannter, der nach einem gewissen Gasthofe fragte; Wilhelm erbot sich, ihm das Haus zu zeigen; der Fremde erkundigte sich nach dem Namen der Straße, nach den Besitzern verschiedener großer Gebäude, vor denen sie vorbei gingen, sodann nach einigen Polizeieinrichtungen der Stadt, und sie waren in einem ganz interessanten Gespräch begriffen, als sie am Tore des Wirtshauses ankamen. Der Fremde nötigte seinen Führer, hineinzutreten und ein Glas Punsch mit ihm zu trinken; zugleich gab er seinen Namen an und seinen Geburtsort, auch die Geschäfte, die ihn hierher gebracht hätten, und ersuchte Wilhelmen um ein gleiches Vertrauen. Dieser verschwieg eben so wenig seinen Namen als seine Wohnung.
Sind Sie nicht ein Enkel des alten Meisters, der die schönste Kunstsammlung besaß? fragte der Fremde.
Ja, ich bin's, ich war zehn Jahre, als der Großvater starb, und es schmerzte mich lebhaft, die schönen Sachen verkaufen zu sehen. —
Ihr Vater hat eine große Summe Geldes dafür erhalten. —
Sie wissen also davon? —
O ja, ich habe diesen Schatz noch in Ihrem Hause gesehen. Ihr Großvater war nicht bloß ein Sammler, er verstand sich auf die Kunst, er war in einer frühern glücklichen Zeit in Italien gewesen und hatte Schätze von dort mit zurückgebracht, welche jetzt um keinen Preis mehr zu haben wären. Er besaß treffliche Gemälde von den besten Meistern; man traute kaum seinen Augen, wenn man seine Handzeichnungen durchsah; unter seinen Marmorn waren einige unschätzbare Fragmente; von Bronzen besaß er eine sehr instruktive Suite; so hatte er auch seine Münzen für Kunst und Geschichte zweckmäßig gesammelt; seine wenigen geschnittenen Steine verdienten alles Lob; auch war das Ganze gut aufgestellt, wenngleich die Zimmer und Säle des alten Hauses nicht symmetrisch gebaut waren. —
Sie können denken, was wir Kinder verloren, als alle die Sachen heruntergenommen und eingepackt wurden. Es waren die ersten traurigen Zeiten meines Lebens. Ich weiß noch, wie leer uns die Zimmer vorkamen, als wir die Gegenstände nach und nach verschwinden sahen, die uns von Jugend auf unterhalten hatten und die wir ebenso unveränderlich hielten als das Haus und die Stadt selbst. —
Wenn ich nicht irre, so gab Ihr Vater das gelöste Kapital in die Handlung eines Nachbars, mit dem er eine Art Gesellschaftshandel einging? —
Ganz richtig! und ihre gesellschaftlichen Spekulationen sind ihnen wohl ge-

glückt; sie haben in diesen zwölf Jahren ihr Vermögen sehr vermehrt und sind beide nur desto heftiger auf den Erwerb gestellt; auch hat der alte Werner einen Sohn, der sich viel besser zu diesem Handwerke schickt als ich. —
Es tut mir leid, daß dieser Ort eine solche Zierde verloren hat, als das Kabinett Ihres Großvaters war. Ich sah es noch kurz vorher, ehe es verkauft wurde, und ich darf wohl sagen, ich war Ursache, daß der Kauf zustande kam. Ein reicher Edelmann, ein großer Liebhaber, der aber bei so einem wichtigen Handel sich nicht allein auf sein eigen Urteil verließ, hatte mich hierher geschickt und verlangte meinen Rat. Sechs Tage besah ich das Kabinett, und am siebenten riet ich meinem Freunde, die ganze geforderte Summe ohne Anstand zu bezahlen. Sie waren als ein munterer Knabe oft um mich herum; Sie erklärten mir die Gegenstände der Gemälde und wußten überhaupt das Kabinett recht gut auszulegen. —
Ich erinnere mich einer solchen Person, aber in Ihnen hätte ich sie nicht wieder erkannt. —
Es ist auch schon eine geraume Zeit, und wir verändern uns doch mehr oder weniger. Sie hatten, wenn ich mich recht erinnere, ein Lieblingsbild darunter, von dem Sie mich gar nicht weglassen wollten. —
Ganz richtig! es stellte die Geschichte vor, wie der kranke Königssohn sich über die Braut seines Vaters in Liebe verzehrt. —
Es war eben nicht das beste Gemälde, nicht gut zusammengesetzt, von keiner sonderlichen Farbe, und die Ausführung durchaus manieriert. —
Das verstand ich nicht und versteh' es noch nicht; der Gegenstand ist es, der mich an einem Gemälde reizt, nicht die Kunst. —
Da schien Ihr Großvater anders zu denken; denn der größte Teil seiner Sammlung bestand aus trefflichen Sachen, in denen man immer das Verdienst ihres Meisters bewunderte, sie mochten vorstellen, was sie wollten; auch hing dieses Bild in dem äußersten Vorsaale, zum Zeichen, daß er es wenig schätzte. —
Da war es eben, wo wir Kinder immer spielen durften und wo dieses Bild einen unauslöschlichen Eindruck auf mich machte, den mir selbst Ihre Kritik, die ich übrigens verehre, nicht auslöschen könnte, wenn wir auch jetzt vor dem Bilde stünden. Wie jammerte mich, wie jammert mich noch ein Jüngling, der die süßen Triebe, das schönste Erbteil, das uns die Natur gab, in sich verschließen und das Feuer, das ihn und andere erwärmen und beleben sollte, in seinem Busen verbergen muß, so daß sein Innerstes unter ungeheuren Schmerzen verzehrt wird. Wie bedaure ich die Unglückliche, die sich einem andern widmen soll, wenn ihr Herz schon den würdigen Gegenstand eines wahren und reinen Verlangens gefunden hat. —
Diese Gefühle sind freilich sehr weit von jenen Betrachtungen entfernt, unter denen ein Kunstliebhaber die Werke großer Meister anzusehen pflegt;

wahrscheinlich würde Ihnen aber, wenn das Kabinett ein Eigentum Ihres Hauses geblieben wäre, nach und nach der Sinn für die Werke selbst aufgegangen sein, so daß Sie nicht immer nur sich selbst und Ihre Neigung in den Kunstwerken gesehen hätten. —
Gewiß tat mir der Verkauf des Kabinettes gleich sehr leid, und ich habe es auch in reifern Jahren öfters vermißt; wenn ich aber bedenke, daß es gleichsam so sein mußte, um eine Liebhaberei, um ein Talent in mir zu entwickeln, die weit mehr auf mein Leben wirken sollten, als jene leblosen Bilder je getan hätten, so bescheide ich mich dann gern und verehre das Schicksal, das mein Bestes und eines jeden Bestes einzuleiten weiß. —
Leider höre ich schon wieder das Wort Schicksal von einem jungen Manne aussprechen, der sich eben in einem Alter befindet, wo man gewöhnlich seinen lebhaften Neigungen den Willen höherer Wesen unterzuschieben pflegt.
So glauben Sie kein Schicksal? Keine Macht, die über uns waltet und alles zu unserm Besten lenkt? —
Es ist hier die Rede nicht von meinem Glauben, noch der Ort, auszulegen, wie ich mir Dinge, die uns allen unbegreiflich sind, einigermaßen denkbar zu machen suche; hier ist nur die Frage, welche Vorstellungsart zu unserm Besten gereicht. Das Gewebe dieser Welt ist aus Notwendigkeit und Zufall gebildet, die Vernunft des Menschen stellt sich zwischen beide und weiß sie zu beherrschen; sie behandelt das Notwendige als den Grund ihres Daseins; das Zufällige weiß sie zu lenken, zu leiten und zu nutzen, und nur, indem sie fest und unerschütterlich steht, verdient der Mensch, ein Gott der Erde genannt zu werden. Wehe dem, der sich von Jugend auf gewöhnt, in dem Notwendigen etwas Willkürliches finden zu wollen, der dem Zufälligen eine Art von Vernunft zuschreiben möchte, welcher zu folgen sogar eine Religion sei. Heißt das etwas weiter, als seinem eignen Verstande entsagen und seinen Neigungen unbedingten Raum zu geben? Wir bilden uns ein, fromm zu sein, indem wir ohne Überlegung hinschlendern, uns durch angenehme Zufälle determinieren lassen und endlich dem Resultate eines solchen schwankenden Lebens den Namen einer göttlichen Führung geben. —
Waren Sie niemals in dem Falle, daß ein kleiner Umstand Sie veranlaßte, einen gewissen Weg einzuschlagen, auf welchem bald eine gefällige Gelegenheit Ihnen entgegenkam und eine Reihe von unerwarteten Vorfällen Sie endlich ans Ziel brachte, das Sie selbst noch kaum ins Auge gefaßt hatten? Sollte das nicht Ergebenheit in das Schicksal, Zutrauen zu einer solchen Leitung einflößen? —
Mit diesen Gesinnungen könnte kein Mädchen ihre Tugend, niemand sein Geld im Beutel behalten; denn es gibt Anlässe genug, beides loszuwerden. Ich kann mich nur über d e n Menschen freuen, der weiß, was ihm und an-

dern nütze ist, und seine Willkür zu beschränken arbeitet. Jeder hat sein eigen Glück unter den Händen, wie der Künstler eine rohe Materie, die er zu einer Gestalt umbilden will. Aber es ist mit dieser Kunst wie mit allem: nur die Fähigkeit dazu wird uns angeboren, sie will gelernt und sorgfältig ausgeübt sein.

Dieses und mehreres wurde noch unter ihnen abgehandelt; endlich trennten sie sich, ohne daß sie einander sonderlich überzeugt zu haben schienen, doch bestimmten sie auf den folgenden Tag einen Ort der Zusammenkunft...

FRIEDRICH SCHILLER

Souveränität der Form

In einem wahrhaft schönen Kunstwerk soll der Inhalt nichts, die Form aber alles tun: denn durch die Form allein wird auf das Ganze des Menschen, durch den Inhalt hingegen nur auf einzelne Kräfte gewirkt. Der Inhalt, wie erhaben und weitumfassend er auch sei, wirkt also jederzeit einschränkend auf den Geist, und nur von der Form ist wahre ästhetische Freiheit zu erwarten. Darin also besteht das eigentliche Kunstgeheimnis des Meisters, daß *er den Stoff durch die Form vertilgt;* und je imposanter, anmaßender, verführerischer der Stoff an sich selbst ist, je eigenmächtiger derselbe mit *seiner* Wirkung sich vordrängt oder je mehr der Betrachter geneigt ist, sich unmittelbar mit dem Stoff einzulassen, desto triumphierender ist die Kunst, welche jenen zurückzwingt und über diesen die Herrschaft behauptet. Das Gemüt des Zuschauers und Zuhörers muß völlig frei und unverletzt bleiben, es muß aus dem Zauberkreise des Künstlers rein und vollkommen wie aus den Händen des Schöpfers gehn. Der frivolste Gegenstand muß so behandelt werden, daß wir aufgelegt bleiben, unmittelbar von demselben zu dem strengsten Ernste überzugehen. Der ernsteste Stoff muß so behandelt werden, daß wir die Fähigkeit behalten, ihn unmittelbar mit dem leichtesten Spiele zu vertauschen. Künste des Affekts, dergleichen die Tragödie ist, sind kein Einwurf: denn erstlich sind es keine ganz freien Künste, da sie unter der Dienstbarkeit eines besonderen Zweckes (des Pathetischen) stehen, und dann wird wohl kein wahrer Kunstkenner leugnen, daß Werke, auch selbst aus dieser Klasse, um so vollkommener sind, je mehr sie auch im höchsten Sturme des Affekts die Gemütsfreiheit schonen. Eine schöne Kunst der Leidenschaft gibt es; aber eine schöne leidenschaftliche Kunst ist ein Widerspruch, denn der unausbleibliche Effekt des Schönen ist Freiheit von Lei-

denschaften. Nicht weniger widersprechend ist der Begriff einer schönen lehrenden (didaktischen) oder bessernden (moralischen) Kunst, denn nichts streitet mehr mit dem Begriff der Schönheit, als dem Gemüt eine bestimmte Tendenz zu geben.
Nicht immer beweist es indessen eine Formlosigkeit in dem Werke, wenn es bloß durch seinen Inhalt Effekt macht; es kann ebenso oft von einem Mangel an Form in dem Beurteiler zeugen. Ist dieser entweder zu gespannt oder zu schlaff, ist er gewohnt, entweder bloß mit dem Verstand oder bloß mit den Sinnen aufzunehmen, so wird er sich auch bei dem glücklichsten Ganzen nur an die Teile und bei der schönsten Form nur an die Materie halten. Nur für das rohe Element empfänglich, muß er die ästhetische Organisation eines Werkes erst zerstören, ehe er einen Genuß daran findet, und das Einzelne sorgfältig aufscharren, das der Meister mit unendlicher Kunst in der Harmonie des Ganzen verschwinden machte. Sein Interesse daran ist schlechterdings entweder moralisch oder physisch; nur gerade, was es sein soll, ästhetisch ist es nicht. Solche Leser genießen ein ernsthaftes und pathetisches Gedicht wie eine Predigt und ein naives oder scherzhaftes wie ein berauschendes Getränk; und waren sie geschmacklos genug, von einer Tragödie und Epopöe, wenn es auch eine Messiade wäre, Erbauung zu verlangen, so werden sie an einem anakreontischen oder katullischen Liede unfehlbar ein Ärgernis nehmen.

EDUARD MÖRIKE

Auf eine Lampe

Noch unverrückt, o schöne Lampe, schmückest du,
An leichten Ketten zierlich aufgehangen hier,
Die Decke des nun fast vergessnen Lustgemachs.
Auf deiner weißen Marmorschale, deren Rand
Der Efeukranz von goldengrünem Erz umflicht,
Schlingt fröhlich eine Kinderschar den Ringelreihn.
Wie reizend alles! lachend, und ein sanfter Geist
Des Ernstes doch ergossen um die ganze Form —
Ein Kunstgebild der echten Art. Wer achtet sein?
Was aber schön ist, selig scheint es in ihm selbst.

GEORG VON DER VRING

Das Stilleben mit den drei Birnen

(Drei Briefe)

R . . . (Frankreich), 4. Mai 1955

Sehr geehrter Herr T . . . !

Sie waren im Winter 1940—41 mehrere Monate als Angehöriger eines Stabes in der Touraine, und zwar in der kleinen Stadt R. einquartiert und haben in dieser Zeit mein Haus in der Rue Victor Hugo bewohnt. Ob Sie sich noch an mich erinnern? Wir konnten damals nur ein paar kurze, von mir nicht vergessene Gespräche führen; mehr erlaubte der Krieg nicht. Als Sie dann im März 1941 Ihrer Truppe folgten und aus R. abrückten, haben Sie Ihre Zimmer in dem gleichen Zustand zurückgelassen, wie Sie sie bezogen hatten. Ich erwähne das mit Freude, die ich um so lebhafter empfunden habe, als diese Haltung keineswegs bei allen Dienststellen selbstverständlich gewesen ist. Nur weil mir Ihre Adresse unbekannt war, habe ich es nach Beendigung des Krieges unterlassen, Ihnen für Ihre Korrektheit zu danken. Glücklich bin ich vor allem über die Erhaltung meiner kleinen Gemäldesammlung von Malern des 19. Jahrhunderts, die von meinem Vater auf mich gekommen ist und an der ich aus diesem Grunde, wie aus eigener Neigung, besonders hänge. Daß ich Ihnen heute schreibe und — nach so viel Jahren — danken kann, hat ein glücklicher Zufall ermöglicht. Vor kurzem wurde nämlich rückwärts auf dem Keilrahmen eines kleinen Bildes, eines »Stilleben mit drei Birnen«, das bei mir auf dem Flur hängt, ein aufgeklebter Zettel entdeckt, der einige Zeilen von Ihrer Hand trägt. Die Zeilen sind an mich gerichtet und haben folgenden Wortlaut: »S. g. H. O. — sollten Sie sich einmal entschließen, dies Bild, das unsigniert ist und aus der Schule von Barbizon stammen mag, zu veräußern, so würde ich Ihnen sehr verbunden sein, wenn Sie es mir an erster Stelle anbieten würden.« Darunter steht Ihr Name und Ihre Heimatadresse. Dies all die Jahre verdeckt gewesene und von der Zeit gebräunte Blatt hat mich seltsam, fast wie ein Versäumnis angerührt. Heute möchte ich mir erlauben, Ihnen das Bildchen, das Sie damals offenbar liebgewonnen haben, als eine Reverenz zu verehren. Wenn Sie die Freundlichkeit haben, mir mitzuteilen, daß mein Brief in Ihre Hände gelangt ist, werde ich Ihnen das Bild übersenden.

Jacques O.

W . . . (Deutsche Bundesrepublik), 19. Mai 1955

Sehr geehrter Herr Jacques O . . . !

Ihr Brief hat vieles in mir aufgerührt. Es ist mir ein Kummer, daß die freundlichen Zeilen aus Frankreich keinen Empfänger haben: mein Mann ist nicht mehr am Leben. Ja, der Mann, der Ihnen damals begegnete und — ich weiß es — manch gute Stunde in Ihrem Haus verbracht hat, ist mir und meinem Sohne gefallen. In Ihrer Sammlung, an Ihrem Schreibtisch, pflegte er uns damals täglich zu schreiben. Ich habe inzwischen wieder in den alten Briefen gelesen und die Stellen gefunden, wo er sich über Ihre Bilder äußert, besonders aber und immer wieder das kleine Birnenstilleben erwähnt, es sogar beschreibt und dazu bemerkt, daß er es sich oft aus dem finsteren Flur herüberhole, um sich an ihm zu erfreuen. Wie schlicht und echt mag es sein! Ich glaube fast, es mir vorstellen zu können; und ich erkenne meinen Mann darin wieder, daß er in einem der Briefe im Hinblick auf diese kleine Schöpfung die Worte braucht: »Unschuld und Frieden«. Dies waren Werte, die ihm im Leben wichtig gewesen sind. Es hat mich überrascht und gefreut zu lesen, daß Sie die Absicht gehabt haben, meinem Manne das Bild zu schenken. Wie möchte es ihn gefreut haben! Ihre Gabe hätte ihm eine Bestätigung bedeutet für vieles, was — trotz seines Berufes — in seinen Gedanken gewesen ist. Mir, als seiner hinterbliebenen Frau, ist aus seinem Tode die Verpflichtung erwachsen, diese Gedanken unserem Sohn einzuprägen, und sie sind von ihm aufgenommen worden.
Nehmen Sie meinen Dank für eine gute Absicht, die leider nicht verwirklicht werden konnte, und gedenken Sie, wenn Sie Ihr Bild betrachten, zuweilen auch meines Mannes.

Mit freundlichen Grüßen Ihre ergebene

Frau A. T.

R . . . (Frankreich), 24. Mai 1955

Gnädige Frau,

mit aufrichtiger Teilnahme habe ich gelesen, daß der Krieg Ihnen Ihren Mann genommen hat — ich hatte ihn, als ich meinen Brief schrieb, froh und gesund bei den Seinen vermutet; hatte mir seine Freude vorgestellt, wenn er das Bild erhalten und von da an als seinen Besitz würde betrachten können. Es gibt kurze Begegnungen, die bisweilen länger nachwirken als eine langjährige Bindung; und das Leben auf der Erde ist offenbar so, daß es manche Freundschaft, die sich unter gleichgestimmten Menschen entfalten will, nicht erlaubt.

Ich habe das Bild, das ich Ihrem Mann zugedacht hatte, nun aber doch an Sie abgeschickt. Nehmen Sie es bitte als ein verspätetes Geschenk, als ein — wie soll ich sagen? — bittersüßes; wie alle Geschenke sind, die zu spät kommen. Und machen Sie mir die Freude, das »Stilleben mit den drei Birnen« an Ihren Sohn weiterzugeben, damit es in einer neuen Generation wiederum fortwirke. Ihr Sohn möge es — nach den Worten seines gefallenen Vaters — als Ausdruck von Unschuld und Frieden nehmen, für die jene bescheidenen Maler von Barbizon Bürge gewesen sind.

Ihr Jacques O.

EUGEN ROTH

Aus dem Sammelsurium eines Kunstsammlers

Das Heimatlose

Die ganz große Kunst, so heißt es, ist überall zu Hause. Und schon das ist nicht wahr — ich möchte wenigstens bezweifeln, ob sich ein Dürer in Amerika so richtig wohlfühlt.

Aber bleiben wir im bescheidneren Bereich dessen, was uns kleinen Sammlern unter die Hände kommt: Ist nicht die Hälfte unserer Mühen darin beschlossen, daß wir dem Heimatlosen eine Heimat geben wollen? Beileibe nicht in unsern Mappen allein. Der große Schmerz ergreift uns, wenn wir so viele staubige Brüder, verwahrlost und müde, auf ewiger Wanderschaft antreffen, schon ganz ohne Hoffnung, jemals die Ihrigen wiederzufinden.

Oft können wir mit einem Griff, einem einzigen Wort noch alles gutmachen: ein Trödler hat eine Bücherei aufgekauft und schlachtet sie nun aus; Band für Band bietet er für 50 Pfennige feil. Die Käufer stochern in dem Berg herum, an einem Dultstand etwa — und schon ist der dritte Band von Jakob Balde im Volksgewühl verlorengegangen. Gerade noch rechtzeitig fischen wir ihn heraus, da ist auch bereits ein Käufer, und noch einmal ist, vielleicht für ein Menschenalter, eine vollständige Ausgabe des Dichters gerettet.

Wüßten wir nur immer, wohin die tausend kleinen Liebenswürdigkeiten gehören, die uns da verloren und verstreut überall begegnen, Stammbuchblätter, handgemalte Bildnisse, Ansichten vom Haus der Großmutter, Erinnerungen an ernste und heitere Begebenheiten, Widmungen aller Art. Irgendeinmal hat ein rohes Schicksal oder eigne Gefühlskälte der Erben das holde Band zerrissen, das diesen Tausendkram mit seiner eigenen Welt verband.

Ein altes Lichtbild aus den achtziger Jahren, eine Gruppenaufnahme etwa, kann ungemein wertvoll sein, wenn wir wissen, daß sie den heute weltberühmten Dichter im Kreis seiner damaligen Freunde darstellt. Aber ohne diese Kenntnis bleibt nur der komische Anblick verschollener Zeiten übrig — und achtlos lassen wir das Blättchen wieder weitertreiben, wahrscheinlich für immer.
Ein gemütvoller Sammler, der nicht nur auf seinen Vorteil schaut, wird sich gelegentlich von dem oder jenem Stück trennen, um es dorthin zu schicken, wo es wirklich zu Hause ist. Undank ist meistens der Welt Lohn, aber ein ausgleichendes Schicksal spielt vielleicht auch uns einmal einen langgesuchten Bilderbogen zu — wir hören ihn geradezu aufatmen, wenn er wieder bei den Seinigen ist.

Ein Schreckschuß

Gestern hat mir ein Freund ein Buch geschickt, ein harmloses Büchlein — und doch ist mir das Herz einen Augenblick stillgestanden und im ersten Schrecken habe ich ganz laut zu mir selber gesagt: »Aus!« Jawohl, aus und gar ist's mit dem Sammeln, Technik, du hast gesiegt, die Götterdämmerung bricht herein!
Das Büchlein enthielt die haargenauen Wiedergaben eines Skizzenbuches von Caspar David Friedrich im Lichtdruck, auf täuschend ähnlichem Papier; eine listige Leistung der Schwarzkünstler.
Ich machte einen Versuch aufs Exempel. Ich legte eins der Blätter unter Passepartout in meine Mappe, und siehe da, ich besaß zum Pfennigswert eine beinahe fast echte Zeichnung, ein paar Bleistiftstriche nur — aber unerschwinglich, wenn sie ganz echt gewesen wären. Viele Besucher sahen sie mit gutgläubiger Hochachtung an, nur der Doktor Geyer warf mir nach kurzer Prüfung einen vielsagenden Blick zu, den wir in eine längere Unterhaltung auflösten.
Noch in unsrer Kinderzeit waren wir von einem schönen Vertrauen in die Echtheit der Welt erfüllt. Wir hörten Musik und Gesang: es mußte ein Mensch sein, der da Klavier spielte oder ein Lied übte. Die Glocken hatten noch einen ehernen Mund, noch läutete nicht täuschend ähnlich, der Bochumer Stahlverein. Die Edelsteine und Perlen waren echt — oder so falsch, daß der Fachmann nicht auf sie hereinfiel. Heut braucht er die stärksten Lupen und hundert Finten, um sie zu unterscheiden. Im Lauf der Zeit wurden das Doublé und die Margarine erfunden, das künstliche Gewürz trat seinen (Pyrrhus-) Siegeszug an, kein Mensch weiß mehr, was er ißt, aus was eigentlich seine Anzüge bestehen — »daß von der Welt Besitz er nehme, er-

fand der Teufel das Bequeme« und das Billige. Am Ersatz, am beinah täuschend ähnlichen, gehen wir zugrunde.
Ich weiß schon, die ganz Gescheiten retten sich unters Dach, wenn das Erdgeschoß von Fälschungen aller Art überschwemmt wird. Dort führen sie kluge und hochmütige Redensarten, während die Fluten des Rundfunks, des Fernsehens und der Reproduktionstechnik immer höher steigen. Ich will mich auch gar nicht auf die große soziale Frage einlassen, wie es mit der »Kunst für alle« steht (Fontane, der alte Reaktionär, hat gemeint, Kunst sei stets nur für wenige gewesen, und ihm komme es vor, als ob es immer weniger würden). Ich bewundere, ich begrüße die wirklich märchenhaften Fortschritte der Technik — über ein kleines wird auch der Ärmste, und nicht nur sonntags, sein Ersatzhuhn im Topf, seinen Hamlet im Hause und seinen täuschend ähnlichen Mantegna (den er wöchentlich gegen ein anderes Galeriebild leihweise vertauschen kann) an der Wand haben. Die Gefahr einer Abstumpfung ist groß, wie uns Fachleute und Volksmeinungsbefrager versichern. Aber, wie gesagt, auf dieses weite Feld lasse ich mich gar nicht locken.
Nur als Sammler spreche ich schlicht von den Schattenseiten des Lichtdrucks: soll ich tausend Mark für ein »Original« ausgeben, das einer nur, wenn er mit allen Wassern gewaschen ist, von einer Nachahmung unterscheiden kann, die drei Mark kostet? Ich wäre ja ein Kultursnob, der nur die Rarität schätzt, die Einmaligkeit *seines* Blattes!

STEFAN ZWEIG

Sinn und Schönheit der Autographen

Ein Vortrag, gehalten in der Buchausstellung der »Sunday Times«, London 1935

Wenn ich versuche, zu Ihnen über die Schönheit und den Sinn der Autographen zu sprechen, so ist die Ursache, daß weder der Sinn noch die Schönheit dieser geheimnisvollen Kostbarkeiten klar zutage liegt. Bei anderen künstlerischen Gegenständen ist der Sinn gleichsam offen aufgeschlagen, die Schönheit kommt dem Blick unbeschworen entgegen. Ein Bild, von einem Meister gemalt, wir müssen nur herantreten und seine Formen, seine Farben beglücken das Auge; eine Vase, eine kunstvoll getriebene Bronze, ein in

Farben leuchtender Teppich, sie haben ihr tiefstes Wesen schon vollkommen erschöpft, indem sie die Harmonie ihrer Schönheit uns entgegenhalten, bei Gläsern, bei Münzen, bei Gemmen genügt es, sie optisch anzuschauen, um schon entzückt zu sein. Man versteht diese Köstlichkeiten und man liebt sie, beinahe ohne zu denken, denn leicht und bezaubernd umfangen sie unsere Sinne. Eine Sammlung von Autographen dagegen bietet dem Auge zunächst soviel wie nichts. Denn was ist ihr Anblick anderes als ein gehäufter Wust verstaubter, halb zerfallener, beschmutzter Papierblätter, ein raschelndes Durcheinander von Briefen, Akten und Dokumenten? Etwas scheinbar so Wertloses, daß man sich denken könnte, blieben sie zufällig liegen, eine eilige Hand würde sie wegwerfen als etwas Lästiges oder Unnotwendiges. Tatsächlich hat diese äußere Unscheinbarkeit der Autographen im Laufe der Jahrzehnte unzählbare Blätter höchsten Wertes sinnloser Vernichtung anheimgeführt. Die Manuskripte Shakespeares, seine Briefe, seine Aufzeichnungen, höchste und unbekannte Werte der Musik, neun Zehntel der ganzen klassischen Literatur, viele Dramen von Sophokles und Euripides und die Strophen der Sappho, alle sind nur vernichtet worden, weil der Sinn und die Schönheit solcher heiliger Blätter nicht offen vor den Blicken lag. Denn immer ist eine geistige Beziehung nötig, um den tiefverborgenen Wert dieser Kostbarkeiten zu erkennen. Nur von der Seele her, nicht mittels der gröberen äußeren Sinne, kann die Schönheit und der geistige Wert der Autographen verstanden werden.

Nicht jeder also vermag dies geheimnisvolle Reich zu betreten. Ein Schlüssel muß ihm zu Handen sein, der das Verständnis eröffnet, eine seelische Gewalt muß ihn bewegen, und zwar die schönste, die mächtigste, die es auf Erden gibt: Ehrfurcht. Um Handschriften verstehend zu lieben, um sie zu bewundern, um von ihnen angeregt und erschüttert zu sein, müssen wir vorerst gelernt haben, den Menschen zu lieben, dessen Lebenszüge in ihnen verewigt sind. Ein Gedichtblatt Keats' bleibt insolange nichts als ein armes Blatt Papier, sofern in uns nicht schon bei der bloßen Anrufung dieses Namens ehrfürchtige Erinnerung aufklingt an heilig schöne Verse, die wir von ihm gelesen haben und die unserer Seele so wirklich und gegenwärtig sind wie jedes Haus dieser Stadt und der Himmel darüber und die Wolken und das Meer. Um demütigen Schauer zu empfinden vor einem Blatt, wie Sie es in diesen Räumen aufgeschlagen sehen können, vor einer Skizze der Mondscheinsonate, muß einmal in uns diese silberne Melodie geklungen haben. Nur wenn wir Dichter, Musiker und andere Heroen des Geistes und der Tat schon mit einer Art religiösen Gefühls empfinden, nur dann können uns die Schriftspuren von ihrer Hand ihren Sinn und ihre Schönheit offenbaren. Denn sonderbar zwiespältig ist ja unsere innere Beziehung zu den großen Genies der Menschheit. Wir fühlen einerseits gewiß, daß sie größer, göttli-

cher gewesen als wir, die kleinen gewöhnlichen Menschen, wir empfinden sie über uns und das macht uns ehrfurchtsvoll. Aber anderseits empfinden wir auch eine geheime Genugtuung in dem Bewußtsein, daß diese göttlichen, diese übermenschlichen Schöpfer ebensolche Erdenmenschen waren wie wir selbst, daß sie, die über uns sind im Geiste, mitten unter uns lebten, irdische Wesen, die in Häusern weilten und in Betten schliefen und Kleider trugen und Briefe schrieben, und um dieser ihrer Diesseitigkeit willen haben wir eine so fromme Lust, pietätvoll alles zu bewahren, was an dies ihr irdisches Dasein erinnert. Aus diesem stolzen Gefühl ihrer Mitmenschlichkeit lieben wir, was an ihre Gegenwart sinnlich erinnert, darum durchforschen wir die Bücher über sie, sammeln wir ihre Bilder und die Berichte der Zeitgenossen; nichts aber gibt uns so herrlich eindringlich den Beweis ihres schöpferischen Daseins wie ihre Handschriften. Denn in ihnen begegnen wir dem Künstler in seiner wahrsten Form, hier belauschen wir ihn im innersten Raum seines Wesens: in der Werkstatt. Schon Goethe, selbst einer dieser Unsterblichen, hat den »unsterblichen Wert«, wie er sagt, solcher Autographen erkannt und diese Neigung in einem Briefe erklärt: »Da mir die sinnliche Anschauung durchaus unentbehrlich ist, so werden mir vorzügliche Menschen durch ihre Handschrift auf eine magische Weise gegenwärtig. Solche Dokumente ihres Daseins sind mir, wo nicht ebenso lieb wie ein Porträt, so doch gewiß ein wünschenswertes Supplement und Surrogat desselben.«
Ich habe einen großen Zeugen aus dem Geisterreich angerufen, der seine Liebe zu den Autographen als Sammler tätig bezeugt hat, aber Goethe war nicht der einzige, dem sich diese magische Welt erschloß. Johann Sebastian Bach hat Blätter Händels, Beethoven wieder Blätter Mozarts und Schumann wieder Blätter Beethovens aufbewahrt und Johannes Brahms musikalische Handschriften von ihnen allen. Wunderbar reicht hier eine Kette durch die Zeiten. Denn immer wird es gerade der Schaffende sein, der die reinste Ehrfurcht für das Schaffen empfindet, nur der Künstler wird jede Liebe auch zu den abseitigen und wunderbarsten Emanationen der Kunst verstehen. Aber diese Meister haben die Blätter ihrer geistigen Lehrer und Brüder nicht nur als Reliquien bewahrt, sondern vor allem aus der erlebten Erkenntnis, daß in den Autographen und gerade in ihnen eines der tiefsten Geheimnisse der Natur verborgen liegt und vielleicht sogar das tiefste. Denn wenn wir die ganze Welt anblicken mit ihren unzähligen und unlösbaren Rätseln, das tiefste und geheimnisvollste von allen bleibt doch das Geheimnis der Schöpfung. Hier läßt sich die Natur nicht belauschen. Niemals wird sie diesen letzten Kunstgriff sich ablauschen lassen, wie die Erde entstand und wie eine kleine Blume entsteht, wie ein Gedicht und wie ein Mensch. Hier zieht sie unbarmherzig und unnachsichtig ihren Schleier vor. Selbst der Dichter, selbst er, der dichterische Schöpfung vollbringt, selbst der Musiker wird nachträg-

lich den Augenblick seiner Inspiration nicht mehr erläutern können. Ist einmal die Schöpfung vollendet gestaltet, so weiß der Künstler von ihrem Ursprung nicht mehr und von ihrem Wachsen und Werden; nie oder fast nie vermag er zu erklären, wie in seinen erhobenen Sinnen sich die Magie einer Strophe, wie aus einzelnen Tönen eine Melodie sich zusammenfügte, die dann für Jahrhunderte durch die Zeiten klingt. Hier, ich sagte es, läßt sich die Natur nicht belauschen, hier hält sie streng ihren Schleier vor. Und das einzige, was eine leise Ahnung dieses unfaßbaren Schaffensprozesses uns gewähren kann, sind eben solche Blätter, von denen Sie hier kostbare Proben sehen, die Autographen. So wie der Jäger aus flüchtigster Fußspur den Weg des Wildes erkennen kann, so vermögen wir manchmal dank der Autographen, da sie Lebensspuren, Schaffensspuren sind, den Prozeß der Gestaltung zu verfolgen, und darum haben sie neben dem Wert der Pietät eine so ungeheure Bedeutung für unsere Erkenntniswelt. Sie sehen hier zum Beispiel ein Blatt aus einem Taschenbuche Beethovens und erblicken damit einen seiner promethidischen Augenblicke. Die eigentliche Inspiration Beethovens geschah fast niemals am Schreibtisch, sondern immer im Gehen, in der Bewegung. Unzählige Male sahen die verwunderten Bauern in der Umgebung Wiens einen kleinen, kurzatmigen Mann ohne Hut durch die Felder stampfen, sie hielten ihn für einen Narren, einen »Trottel«, wie sie sagten, weil er wie geistesabwesend vor sich hin brummte, summte, schrie, sang und mit den Händen wirbelte und taktierte. Plötzlich aber hielt er inne, zog aus der Seitentasche ein kleines, meist schmutziges Buch und schrieb mit raschem Riß und grobem Zimmermannsblei ein paar Noten hinein. Mit diesen hastigen Zeilen war gewissermaßen der Ureinfall kristallisiert, blitzhaft und heiß, wie er war, und wir erleben auf einem solchen Blatt das Wunder, daß, wie durch eine Röntgenphotographie das sonst unsichtbare Skelett des Menschen, hier durch die Magie des Autographs der sonst unsichtbare Augenblick der Inspiration plötzlich sichtbar wird. Dann kommen andere Blätter — auch solche können Sie hier sehen —, auf denen die nur roh notierte ursprüngliche Melodie ausgearbeitet wird, geformt, wieder verworfen und wieder neu gearbeitet. Und den ganzen Seelenzustand des Künstlers während der Arbeit kann man dann von Blatt zu Blatt erregt verfolgen. Hier strömt die Schrift heiß und rasch, kaum vermag sie dem schöpferischen Einfall zu folgen, dort stockt sie plötzlich, bricht ab, setzt noch einmal an, fällt abermals zurück, und man spürt, hier findet der Dichter, der Musiker nicht das rechte Wort, nicht den melodischen Übergang. In dem magischen Spiegel der Schrift können Sie hier Müdigkeit gleichsam mit eigenen Augen anschauen und dort Erschöpfung, manchmal am zornigen Riß sogar die Verzweiflung und jetzt wieder das Sichemporraffen zum letzten, zum endgültigen Sieg. Und dann glänzt endlich die Sonne des siebenten Tages, die Welt ist vol-

lendet, das Werk ist vollendet, die letzte endgültige Formel, sie ist glorreich geschaffen; und auch ein solches Blatt können Sie hier sehen in diesem Raum, der dadurch geheiligt ist, die erste irdische Erscheinungsform einer unsterblichen Schöpfung der Menschheit: das Scherzo der Neunten Symphonie oder das »Veilchen« von Mozart in ihrer endgültigen Niederschrift von des Meisters eigener Hand. Hier ist ein unvergänglicher Sieg des Geistes über die Materie sichtbarer als in jeder Erzählung, jedem Bild. Und da Goethes Wort ewig wahr bleibt, daß es nicht genügt, Kunstwerke in ihrer Vollendung zu kennen, um sie zu begreifen, sondern nur, wenn man ihr Entstehen verfolgt, so kann man vielleicht manche literarische, manche musikalische Kunstwerke in ihrer ganzen Tiefe erst erfassen, wenn man dank des Mediums der Autographen ihren Weg und ihr Werden miterlebt.
Aber nicht nur künstlerische, sondern auch historische Lebensaugenblicke vermag man mit Phantasie aus geschriebenen Dokumenten bildhaft zu erkennen. Ist der menschliche Sinn einmal der Phantasie aufgetan und gewillt, jede solche Lebensspur selbst als etwas Lebendiges zu betrachten, so wird uns kein einziges dieser Blätter mehr wie totes Papier, wie ein raschelndes welkes Blatt berühren. Auch der historische Autograph kann manchmal erschütternde Gewalt ausüben, weil aus seinen Schriftzügen eine Szene sich plötzlich plastischer aufbaut, als es Biograph und Dichter vermöchten. Blicken Sie hier etwa den Brief Beethovens aus seinen letzten Lebenstagen an. Seit drei Monaten liegt Beethoven im Krankenbette, der einstmals feste und schwere Körper ist leicht und schwach geworden wie der eines Kindes, längst hat die abgemagerte, blutleere Hand nicht mehr die Kraft, Noten zu schreiben oder auch nur mehr einen Brief. Der Sterbende, der selber nicht weiß, daß er sterben muß, ist gequält von den finstersten Sorgen. Wie soll er leben können, wenn er nicht schaffen kann, wie die Miete bezahlen? Aber da ist drüben jenseits des Meeres ein Land, und er weiß, dort liebt, dort achtet man ihn. Die London Philharmonic Society, sie hat ihn eingeladen, sie hat ihm eine Aufführung und Geld versprochen. So ruft der Verzweifelnde hinüber über Meer und Land um Hilfe, aber er kann selbst die Feder nicht mehr führen, sein Famulus Schindler schreibt statt seiner bis zu den erschütternden Worten: »Ich bin zu müde, ich kann nichts mehr sagen«,
Dann reicht man ihm den Brief in das Bett. Mit äußerster Anstrengung malt er mit seinen zitternden, kraftlosen Fingern noch das »Beethoven« unter das Blatt; es kostet ihn mehr Mühe als vordem eine Sonate oder eine Symphonie. Und gerade diese bebende, qualvolle Unterschrift muß für jeden fühlenden Menschen Erschütterung sein, denn nicht nur Beethoven hat diese Buchstaben geschrieben, hier schrieb der Tod schon mit. Es ist ein gleichsam in Schrift versteinerter Schrei aus der tiefsten Angst der Kreatur, ein unvergeßlicher Augenblick, der durch dieses eine aufbewahrte Blatt Papier optisch

für uns durch die Ewigkeiten währt. Und, wunderbarer Kontrast, daneben liegt ein anderes Blatt, die Heiratsurkunde Mozarts. Alles ist darin Leben und Lustigkeit, Jugend und Glück, die Lettern tanzen gleichsam einen bräutlichen Tanz, und wir wissen ja, Mozart hat an diesem Tage, kaum nach Hause zurückgekehrt von der Hochzeit, mit seiner jungen Frau wie ein Kind um den Tisch getanzt und getollt, weil er endlich trotz dem strengen Vater und all den Hindernissen sich sein »Weibchen« gewonnen. So kann ein einziges Blatt mit ein paar Schriftzügen gleichsam den höchsten Ausdruck menschlichen Glücks in sich zusammenpressen und das andere den Ausdruck tiefster menschlicher Trauer, und wer Augen hat, solche Blätter richtig anzuschauen, Augen nicht nur des Kopfes, sondern auch der Seele, wird nicht minderen Eindruck von diesen unscheinbaren Zeichen empfangen als von der offenkundigen Schönheit der Bilder und Bücher. Auf solche geheimnisvolle Weise haben die Autographen die Macht, uns die Gegenwart längst entschwundener Gestalten zurückzubeschwören, und wie entlang einer Galerie von Bildern, kann man an diesen Blättern vorübergehen, von jedem anders ergriffen und berüht. Denn bezwingend, wenn man die Schriften von Künstlern, die im Leben einander feind waren oder durch Zeit und Raum voneinander getrennt sind, in einer solchen Sammlung betrachtet, spürt man über Raum und Zeit den ganzen Unterschied schöpferischer Formen und Gestalten und damit die heilige Vielfalt, mit der die Kunst unser Herz zu erobern weiß. Da ist Händel, groß, schwungvoll, streng in seiner Schrift. Man spürt den mächtigen, starken Mann und glaubt, die kraftvollen Chöre seiner Oratorien zu hören, in denen ein männlicher Wille den wildesten Aufschwall rhythmisch meistert. Und wie beglückend anders daneben Mozarts zierliche, leichte, verspielte Rokokoschrift mit ihren leichten und lustigen Schnörkeln, diese Schrift, die selber Lebensfreude ist und Musik. Oder hier Beethovens schwere Löwenpranke, man sieht wie in einen verwölkten Himmel und spürt die Ungeduld, den titanischen Zorn des tauben Gottes, und daneben, welcher Kontrast: die feinen, damenhaften, sentimentalischen Notenzüge Chopins oder die schwungvollen und doch deutsch-systematischen Richard Wagners. Die geistige Essenz jedes dieser Künstler erscheint in diesen wenigen flüchtigen Strichen deutlicher ausgedrückt als in langen musikologischen Diskussionen, und sinnlicher als aus den meisten ihrer Gemälde wird das Geheimnis, das herrliche, ihres schöpferischen Wesens offenbar. Denn, ärmer an äußerer Schönheit, haben die Autographen dem Buch und dem Bilde doch eine ungemeine Tugend voraus: sie sind wahr. Der Mensch kann lügen, er kann sich verstellen, sich verleugnen, das Bild kann ihn verändern und verschönen, ein Buch kann lügen und ein Brief. Aber in einem ist der Mensch unlösbar an die innerste Wahrheit seines Wesens gebunden — in seiner Schrift. Die Handschrift verrät den Menschen, ob er will oder nicht, sie ist einmalig wie er selbst und spricht manchmal aus, was er verschweigt. Damit will ich nicht den übertreiblichen Graphologen das Wort reden, die Horoskope auf Zukunft und Vergangenheit in jeder flüchtigen Zeile entdekken wollen — nicht alles verrät die Schrift, aber das Wesentlichste eines Menschen, gleichsam die Essenz seiner Persönlichkeit ist uns doch gegeben in einer winzigen Abbreviatur. Verstehen wir sie so zu sehen, so zu lesen, dann wird uns eine Vereinigung von Autographen unwillkürlich zu einer physiognomischen Weltkunde, einer Typologie des schöpferischen Geistes. Aber auch eine moralische Lehre an uns alle geht von solchen Blättern aus, denn großartig erinnern sie uns, daß die Werke, die wir als vollendete bewundern, nicht bloß gütige Geschenke des Genius an den Künstler waren, sondern Frucht mühsamer, strenger, aufopfernder Arbeit. Sie zeigen uns die Schlachtfelder der geistigen Auseinandersetzung des Menschen mit der Materie, den ewigen Kampf Jakobs mit dem Engel, sie führen uns hinab in das innere Reich der Gestaltung, und um seiner heiligen Mühe willen lassen sie uns den Menschen im Künstler doppelt lieben und doppelt verehren. Alles aber, was unseren Blick vom Äußerlichen ins Innerliche führt, vom Vergänglichen ins Unvergängliche, soll gesegnet sein, und darum sollen wir diese äußerlich unscheinbaren Blätter um ihrer inneren Schönheit willen nur noch ehrfürchtiger betrachten, denn keine Liebe ist reiner als die zum geistig Schönen. Alle anderen vergehen, nur sie dauert fort und fort im Sinne des Dichters: »A thing of beauty is a joy for ever«.

* * *

MAX RYCHNER

Bewundern

Die Bewunderung gehört wohl zu den reinsten Elementen, in denen Geist dem Geist sich offenbart. Das bloße Anerkennen eines Menschen, eines Werkes weit unter sich lassend, auch die Verehrung, die sich mit ihren und den Grenzen ihres Gegenstandes zu bescheiden vermag, auch sie überfliegend, trägt sie empor in eine selige Unbehaustheit, wo einem der Atem tiefer eindringt, das Herz pochender pocht. Bei den ersten Sätzen, liest man einen unbekannten Text, mag es beginnen: man wird berührt, man folgt und ist enthoben in eine berückende Weite, aus der man, wie man spürt, nicht mehr so zurückkehren wird, wie man war. Nur wenige Seelenkräfte vermögen es, den ganzen Menschen zu überwinden und zu verwandeln: die Liebe vermag es und das sublime Gefühl der Bewunderung, wie es, nach unten hin,

21 Max Beckmann
Interieur, um 1945

der Haß vermag. »Die erste Seite, die ich von ihm las, machte mich auf Zeitlebens ihm eigen, und wie ich mit dem ersten Stücke fertig war, stund ich wie ein Blindgeborener, dem eine Wunderhand das Gesicht in einem Augenblicke schenkt. Ich erkannte, ich fühlte aufs lebhafteste meine Existenz um eine Unendlichkeit erweitert, alles war mir neu, unbekannt . . .«, schrieb der junge Goethe, als er auf Shakespeare gestoßen war.

Man entzündet sich an dem Bewunderten, man wird verzehrt und wiederhergestellt, geheimnisvoll gerettet inmitten einer lichten Feuerzone. Empfangend im Maße der Hingabe, gewinnt man, was zu wollen man zu blind war. Jedem Alter, jedem Geiste die ihm mögliche Erfüllung: mir, dem Quartaner, kam Hebbels *Judith* in die Hände; ich fühlte mich befreit und hochgehoben, so daß ich glaubte, dorthinüber blicken zu können, von wo aus seit ewig das Genie sein geschriebenes Wort durch die Zeiten lebendig erhält. Ein Organ der Welterfassung wurde zum erstenmal tätig; alles schien reicher, feinere Unterscheidungen waren möglich geworden; ein neues Bewußtsein war in die Worte gefahren, deren mögliche Verwegenheit mir aufging. Nicht die Idee des Stückes überwältigte mich, sondern die Mache: Akt, Szene, Satz, der Gang des Geistes von Wort zu Wort, wobei nicht eines davon vorauszusehen, jedes überraschend und eröffnend war — sich vollziehende Schöpfung.

Eine neue Bewunderung — eine neue Epoche für den Ergriffenen, ein Zustand höherer Reife oder neugesetzlichen Schöpfertums. Eine Ordnung wird gesetzt, in der alles um jenen Millimeter verschoben erscheint, auf den es in Dingen der Kunst ebensosehr ankommt wie auf die großen bestaunten Umbrüche. Was ist Vergil geschehen, als er Theokrit, als er Homer las? Was Dante, als er Vergil auswendig lernte? Wären sie zu sich, zu ihrem Werk gelangt ohne vorausgehendes Selbstopfer, das in hingebender Bewunderung an einem Größeren vollzogen wird und das scheinbar Geopferte erst und größer entstehen läßt? Es ist ausgesagt, wir können es wissen:

O degli altri poeti onore e lume,
Vagliami il lungo studio e il grande amore
Che m'ha fatto cercar lo tuo volume.

Tu se' lo mio maestro e il mio autore;
Tu se' solo colui da cui io tolsi
Lo bello stile che m'ha fatta onore

Ein wunderbarer Aufstieg über vordem Bewunderte nicht ebenbürtigen Ranges mit Vergil kommt zu seinem Abschluß, da das höchste Vorbild nun wirksam wird mit der Kraft, die Dante zum Buche, zur *Aeneis,* treibt. Bezeichnend ist sie zwar nicht als Bewunderung; aber diese ist rein enthalten

in den beiden Terzinen. Wem anders als einem Hochbewunderten würde Dante die Ehrenstelle unter allen Dichtern zuerkennen, indem er ihn Meister nennt und sein Werk Muster, an dem er in lange währendem Studium gerade das gelernt habe, was ihn selbst als Künstler ausmacht! Nicht auf sein Ursprüngliches, ihn Unterscheidendes ist er stolz, sondern auf sein an Vergil mit Eifer herangebildetes Können. Einzig ihm habe er seinen schönen Stil zu verdanken — ein wunderbares Geständnis dafür, wie Form die Bewunderung erweckt, die nun ihrerseits wieder nach Form verlangt! Die Kraft, die ihn zum Meisterwerk hinzog, bekennt er als »große Liebe«; sollte in ihr etwas vorhanden sein können, was sich mit Bewunderung nicht vertrüge?
Wäre denn Bewunderung etwas anderes als eine Art geistiger Liebe, in erkennender Unterordnung einem Überlegenen sich zuwendend? Sie drängt, wie Liebe, nach Vollkommenheit und ahnt deren Verkündungen im Angeschauten; sie sehnt sich auf der Höhe ihres Schwunges nach Einheit und Gleichheit mit dem bewunderten Menschen, der ohne Wissen und Absicht Bezauberung ausübte und dem Berührten eine neue Welt der Fülle, der Formen, der Bezüge, der Werte erschloß. Ja, sie genießt, wie die Liebe, ein Glück in der Vorstellung des Opfertodes, so bedrängend kann sie werden. Ein Geständnis möge es bezeugen. Der junge Paul Valéry sagte manchmal zu Mallarmé: »Savez-vous, sentez-vous ceci: qu'il est dans chaque ville en France un jeune homme secret qui se ferait hacher pour vos vers et pour vous? Vous êtes son orgueil, son mystère, son vice. Il s'isole de tous dans *l'amour sans partage* et dans la confidence de votre oeuvre, difficile à trouver, à entendre, à défendre ...« Was kann solche ausschließliche Liebe, erregt durch einige schwer zu verstehende Gedichte, anderes sein als heftige, aufs Absolute gehende Bewunderung der Jugend, die an der Geistlosigkeit ihrer vorgefundenen Umwelt verzweifelt? Schwärmerei mag ihr zugestanden werden, Verkennung des Anspruchs, der in jeder geistigen Passion liegt. Aber die Bereitschaft, sich für den bewunderten Dichter zerhacken zu lassen, zeugt dafür, in welchem Maß der Bewunderte in bestimmtem Zeitpunkt für den von ihm Ergriffenen mehr bedeuten kann als alles, was dieser von sich und der Welt bislang erfuhr. Wie anders als durch Passion sollte der Geist Welt setzen und ordnen können? Eine Welt an Welterfahrung mangelt dem, der nie bis zur Selbstverlorenheit bewundert hat.
Schwärmerei im Bewundern mag als zeitliches Merkmal der Unreife leicht wiegen; aber etwas von Anbetung, was kennzeichnender ist, bleibt ihr eigen. Dante erfleht den Segen Vergils: Höchster über allen Dichtern, den ich einzig liebte und ihm diente, segne nun Liebe und Dienst und laß mich in meinem Werk gelingen! Unmittelbar noch ausgesprochen wurde diese alles wagende Hingabe in dem versteckten Tagebuchbekenntnis Grillparzers: » . . . und ich betete Goethe an.«

Bitten und Beten in dem ursprünglichen und umfassendsten Sinn: höher läßt sich nicht mehr greifen, wo es um eine Beziehung von Geist zu Geist geht. Die Schranken der eigenen Person, an denen man sich bis zur Unseligkeit stößt, werden weggehoben. Aufgehen, untergehen im liebevoll Bewunderten, in der Hoffnung, sich selber gereinigt und erhöht, geheiligt, wieder zu erlangen, das scheint die nach Richtung und Gegenstand suchende Fülle schöpferischer Naturen selber zu verlangen, das eigentliche Verfließen, bevor sie sich in einer Form beschränkt und verewigt. Huldigung des Genius an den Genius in der Gottessprache der Religion, welch eine Zurückwendung zu den Quellen bedeutet das! Einst sprach das Höchste zu Verehrende durch den Mund der Dichter, und wo die Erinnerung daran geschwunden ist, gibt die erhaltende Sprache dem Überwältigten eine Formel, in der sich bezeichnet, was statthat. Die Erhöhung des Bewunderten steht dafür, daß im Ergriffenen der Wille zum Aufstieg sein Werk begonnen hat, daß der an seinem bisherigen Zustand friedlos Gewordene auf Wandlung drängt. Da werden zeitweilig manche Grenzen überschritten, auch die, welche die erkennende Bewunderung von der Vergötterung trennt. Die neu erlangte Reife wird erst das Maß geben, nach dem Götter und Götzen unterschieden ins richtige Verhältnis gesetzt werden; zu ihrer Hellsicht kann der Weg auch über eine Strecke der Verblendung führen.

Im Element der Bewunderung vollzieht sich die Überlieferung. So wie der Bewundernde im Bewunderten lebt, so dieser einzig in ihm. Homer ist tot, wo er nicht geliebt wird. In welch lieblose Nacht versänke alle Geschichte, wenn sie nicht mehr zu beflügeln vermöchte, in welches Schweigen die Sprache, die sich nicht mehr an der Sprachkunst der Dichter vieler Zeiten erneuerte! Schiller gewann die seine, nachdem er in Haller untergegangen war, Hölderlin die seine durch den Selbstgewinn an Schiller. Jedes Talent beginnt damit, sich in einer Fremdsprache, der Sprache des Bewunderten, auszudrücken, in der es sein eigenstes erkennen will und aus der es sich erst durch Arbeit das wahrhaft eigene Wort gewinnt. Dieses gibt sich erst, wo es durch Liebe gefunden, erweckt und zum Strahlen gebracht wird; sonst schläft es seinen Dornröschenschlaf mitten im Gesträuch redenden Alltags ein Jahrhundert lang weiter. Wo aber es finden, wenn nicht im offenbaren Geheimnis der Meisterwerke? Baudelaire in Poe, Mallarmé in Baudelaire und Poe, Valéry in Mallarmé und Baudelaire und Poe ... Aus solchen Geschlechterfolgen, hervorgehend aus dem »Zeugen im Schönen«, besteht die Menschheit der Kunst. Noch in den unteren und den Mittellagen ist es wahrzunehmen: wie viele unter den jungen Künstlern von heute malen wie Cézanne oder Picasso, komponieren wie Strawinsky, dichten wie Rilke — und der einst größte von ihnen mag vielleicht am tiefsten in dem bewunderten Vorbild untergegangen sein, so lange, bis er zu sich erstarkt. Die Unentzündlichen müssen inzwischen auf pedantische Weise auf Originalität aus sein, um sich dann selbst auf diesem Gebiet von den anderen, den schließlich Doppelstarken, überflügelt zu sehen.

Wie sehr aber die Gabe der Bewunderung dem Künstlertum zugehört, erweist sich daran, daß das große Gefühl durch die Bezauberung der Form aufgerufen wird. Das Allgemeinmenschliche vermag den Geist in dieser Weise nicht zu erregen; nur das Einzige, das Persönlichste in Tonfall, Satzbau, Rhythmus, Gliederung strahlen aus mit der Kraft, die beim Erschaffen einfloß. Zwei Sätze — und man erkennt einen bewunderten Autor, weil man ihm gestuftere Erkenntnis überhaupt zu danken hat.

Trost des Alters, daß die Bewunderungen immer mehr aufs Wesentlichste sich einschränken, auf das, was große Bewährungen, durch Zeit, Mißverstehen, Gleichgültigkeit, bestanden hat. Der Lebenskosmos des alten Goethe lag vor seinen Augen in der Ordnung gelebter Liebe und gelebter Bewunderung. Keine seiner Bewunderungen ist je ganz ausgeglüht, und so hat er sie nicht allein sich, sondern auch uns als der große Mittler erhalten, indem er uns empfänglicher für sie formte. Für abgemessene Zeit mochte ihm ein Genius den Repräsentanten aller darstellen. In der Mitte des Lebens nannte er ihn Shakespeare; aber die Gesamtheit der Genien vertretend, ersetzte sie dieser nicht, und neben ihm blieben Homer, Sophokles, Platon und wieviele noch bis auf die Zeitgenossen, denen er gehuldigt hat!

Aus der Lebensmitte stammen auch jene Verse, in denen er Genius und Liebe auf Namen bezieht, halb bekennend, halb verhüllend. Wie Dante, Vergil und Beatrice, so nennt auch Goethe zwei Namen; sie bedeuten Charlotte von Stein und Shakespeare, die Geliebte und den Bewunderten, durch die er, als die Zeit dafür gekommen war, ein anderer wurde, tiefer zu sich gewandelt als durch alles, was voraufging. Jeder der Namen galt ihm eine Welt, so reich begabte er ihn. Es war nicht möglich, daß dieser lange Augenblick der Konstellation von »Idee und Liebe« anhielt und verweilte; aber noch in der Rückschau, Jahrzehnte später, wo die drei letzten Zeilen entstanden, hat er ihn gesegnet.

Einer Einzigen angehören,
Einen Einzigen verehren,
Wie vereint es Herz und Sinn!
Lida! Glück der nächsten Nähe,
William! Stern der schönsten Höhe,
Euch verdank ich, was ich bin.

Tag und Jahre sind verschwunden,
Und doch ruht auf jenen Stunden
Meines Wertes Vollgewinn.

ADALBERT STIFTER

Der Silvesterabend

»Silvesterabend ist«, sagen die Leute, »ein Jahr ist in einigen Stunden aus, und ein neues beginnt.«
»Es ist ein wichtiger Zeitabschnitt«, sagen die andern, »er hat das, er hat jenes gebracht, was wird der neue bringen?«
Und wie viele fragen: »Was ist die Zeit?«
Und ich, wenn wir von so etwas Ungeheuerm reden, von einem Abschnitte der Zeit, frage: »Was ist die Zeit?« »Und kann man sie abschneiden und zerschneiden?«
Unzählige Millionen Menschen lebten und leben in der Zeit, sprachen und sprechen von der Zeit, und meinen, wenn sie die Frage hören, was ist die Zeit, die Antwort auf der Zunge haben: und kein Sterblicher weiß es, was die Zeit ist.
Sie ist das Geheimnis der ganzen Schöpfung, wir sind in sie eingehüllt, kein Pulsschlag, kein Blick der Augen, kein Zucken einer Fiber ist außer ihr, wir können nicht aus ihr heraus, und wissen nicht, was sie ist.
Kann ein Gedanke außer der Zeit sein?
Man glaubt, es meinen zu dürfen. Der Gedanke ist da, er ist er selbst, unabhängig von allem. Aber ich sage, kann der Gedanke nicht sein wie der Blitz, nur unendlich schneller, daß wir die Dauer seines Werdens und Seins nicht messen können und daher glauben, er ist nicht in der Zeit, und er ist es doch?
Und hat die Zeit nicht einen Bruder, der so furchtbar ist wie sie, den Raum? Was ist der Raum?
»Die Ausdehnung nach allen Richtungen«, sagt der Mathematiker. Er hat die Frage von dem Worte Raum auf das Wort Ausdehnung geschoben.
Was ist Ausdehnung?
Ist es ein Außer- und Nebeneinandersein, dann ist es ein Sein im Raume und nicht der Raum. Ist es ein Fortstreben nach allen Richtungen hin, so ist es ein Streben im Raume und nicht der Raum. Ist es ein Fortdenken, Fortvorstellen nach allen Richtungen, so ist es doch heimlich ein Fortschieben eines Beweglichen im Raume und nicht der Raum. Und endlich Richtung. Ist nicht Richtung schon selber wieder Raum oder im Raume?
Der Raum steht so einsam und unerforscht da wie früher. Und wenn der Mathematiker nicht seine Linien in ihm zöge, und seine Flächen aufstellte, und ihn begrenzte, so wäre er für ihn nicht vorhanden, wie er zwischen unsern Augen und den Himmelskörpern für uns nicht nach seiner Größe vorhanden ist, und wenn keine Sterne wären, für uns gar nicht vorhanden wäre.

Und meint nicht jeder Mensch, er wisse, was der Raum ist, und mißt nicht jeder den Raum? Freilich mit einem Dinge, das wieder im Raume ist. Und wo wir uns mit den Augen nicht notdürftig von Ding zu Ding fortschätzen, oder mit den Händen oder mit Werkzeugen von Ding zu Ding hingreifen und hintappen können, dort ist all unser Meinen und Ahnen bezüglich des Raumes ein Unsinn. Hat sich nicht jener griechische Weise vermessen, zu sagen, die Sonne sei etwa gar so groß wie der Peloponnes? Und ist er nicht von seinen Landsleuten verketzert worden, daß er sie zu groß achte? Der Mathematiker hat seitdem Werkzeuge zu Wahrnehmungen erfunden, die ihm die Grundlagen zu seinen Rechnungen geben, und die Rechnungen sagen, daß der Peloponnes auf der Erdkugel ein Pünktchen ist, und daß eine Million Erdkugeln im Bauche der Sonne Platz haben. Was ist es nun mit den Meinungen über den Raum? Die Rechnungen sagen, daß um diese Sonne in ungeheuern Entfernungen Planeten herumgehen, und dem erschrocknen Rechner sagen die Rechnungen, daß dieses ganze Sonnensystem im Bauche des Sternes Capella Platz hätte. Und die Capella ist im Raume ihrer nächsten um sie sichtbaren Sterne wieder nur ein Punkt. Was ist es nun mit dem Raume? Wer dem Weltgebäude seine Betrachtung widmet, muß sich die Frage stellen: Ist die Sternsammlung im Raume, ist sie begrenzt, und ist um sie der leere Raum, und wo dieser aufhört, geht er dort wieder fort, und wo er wieder aufhört, geht er wieder fort, und so ohne Ende? Das verstehen wir nicht. Oder: Ist der Raum mit Welten erfüllt, immer fort, ohne Grenze? Das verstehen wir auch nicht. Was ist es nun mit dem Raume?

Und doch scheint uns allen der Raum noch weit faßlicher als die Zeit. Er steht vor uns stille, während die Zeit uns unaufhörlich aus den Händen schlüpft.

Wir sagen: Die Zeit ist vergangen, sie vergeht, sie wird kommen. Wir reden von einer Vergangenheit, von einer Gegenwart und von einer Zukunft.

Die Menschen haben sogar begonnen, die Zeit zu messen, und zwar mit Zeitteilchen, die sie für gleich lang hielten. Die älteste Messung mag die sein von einem Aufgange der Sonne zum andern. Das nannten sie einen Tag. Aber bald mußten sie sehen, daß die Zeit des Sonnenaufganges wechselt. Ein Stern, der heute mit der Sonne zugleich aufgeht, geht nach einer Zeit nicht mehr mit ihr auf. Sie machten künstliche Vorrichtungen zur Zeitmessung. Eine gewisse Menge Wasser soll, um durch eine kleine Öffnung auszufließen, immer dieselbe Zeit brauchen; aber Kälte und Wärme macht das Wasser schwerer oder leichter fließen, und erweitert oder verengert die Öffnung, und das Wasser verdünstet auch beständig. Sand ist noch unzuverlässiger. Man machte mechanische Werkzeuge, welche regelmäßige Veränderungen darstellen; aber Reibung, Unvollständigkeit des Stoffes beeinflussen die Veränderungen. Pendelschwingungen sollen die Zeit messen; aber die Dauer einer Schwingung hängt von der Länge des Pendels und dem Widerstande der Luft ab, und Kälte und Wärme macht das Pendel kürzer oder länger, und verdichtet oder verdünnt die Luft. Man blieb für das Leben bei den Wandlungen der Himmelskörper. Ein Umlauf der Erde um die Sonne ist ein Jahr; aber die Erde läuft eine Anzahl Tage, Stunden, Minuten, Sekunden um die Sonne. Dies brachte wieder Verwirrung, und machte Einschaltungen, Ausbesserungen nötig. Den Tag teilte man in 24 gleiche Teile: Stunden. Man rechnete auch nach Vollmonden. Diese gehen aber wieder nicht in dem Jahre auf, und man kam auf die künstlichen Monate. So machte man auch die künstliche Woche von sieben Tagen. Und so tappt man sich an der Zeit mühselig wie am Raume hin.

Was ist nun die Zeit?

Unserem Sinne erscheint sie nicht. Im Vergnügen ist sie kurz, im Leiden, in ungeduldiger Erwartung unendlich lang.

Legen wir eine Betrachtung an die Zeit, wie bei dem Sternenhimmel an den Raum.

Um eine Billion zu zählen, würde man, wenn man in jeder Sekunde fünf zählt, in ununterbrochenem Zählen über sechstausend Jahre brauchen. In der Zeit ist die Welt erschaffen worden. Was war die Zeit vorher? Was waren in der weltleeren Zeit die billionenmal Billionen Jahre, die vielmal billionenmal Billionen Jahre? Hat die Zeit selber einen Anfang gehabt? Wenn sie einen Anfang gehabt hat, so müssen wir uns vor dem Anfange der Zeit eine leere Zeit denken, also wieder eine Zeit, und vor ihr wieder eine. Das verstehen wir nicht. Oder hat die Zeit gar nie begonnen, und ist sie immer dagewesen? Das verstehen wir auch nicht, wie den unendlichen Raum nicht.

Was ist nun die Zeit?

Ich füge noch eine Betrachtung bei.

Wir Menschen empfinden uns als Urheber unserer Handlungen. Wir fühlen oft über eine Handlung bittere Reue, wenn auch kein Schaden aus ihr entstanden ist, und wir freuen uns oft sehr einer Handlung, wenn sie auch keinen Nutzen gebracht hat. Wir loben oder tadeln in unserem Gewissen unsere Handlungen, und wissen es wie unser Dasein selber, daß sie die unsrigen sind. Nun weiß aber der allwissende Gott alle Handlungen voraus, folglich, sollte man schließen müssen, können die Handlungen nicht anders erfolgen, als sie Gott voraus weiß, sie sind eine Weltnotwendigkeit, und wir nicht ihre Urheber. Und doch sind wir die Urheber. Wo liegt nun der Zwiespalt? Er liegt in unserer Vorstellung von der Zeit, er liegt in der Vorstellung: Zukunft, er liegt in dem, daß wir nicht wissen, was die Zeit ist.

Wie wäre es, wenn vielleicht die Zeit und der Raum gar nichts Wirkliches wären? Wenn sie nur die Einrahmungen wären, in denen unsere Vorstellungen haften müssen, das Gesetz für unsere Vorstellungen, dem wir nicht zu entrinnen vermögen? Dann wäre Gott und es wären vielleicht auch andere Geister in der Zeitlosigkeit oder eigentlich Ewigkeit. Dann ist keine Zukunft, also auch kein Wissen in die Zukunft, sondern ein Wissen überhaupt, und der Zwiespalt zwischen der Voraussicht Gottes und der Freiheit unserer Handlungen ist nicht mehr da. Dann erklärt sich auch unser Unvermögen, den unendlichen Raum und die unendliche Zeit zu fassen, weil wir da über den Kreis unserer Vorstellungen hinausgegangen sind, und uns der Rahmen unserer Vorstellungen verläßt.

Ist es so? Ist es nicht so? Auch das wissen wir wieder nicht.

»Nun«, wird einer sagen, »wozu die müßigen Fragen, wozu das müßige Gerede, das man nicht einmal überall versteht, und dem vielleicht gar niemals eine Lösung wird, und sehr wahrscheinlich auch gar nicht not tut? Wozu das?«

Der Mann hat recht, ich werde die Lösungen dieser Fragen nie finden, und tue die Fragen doch immer wieder, und schreibe sie hier gar in einer Silvesterabendrede auf, und werde sie wieder tun, und mit mir werden sie diejenigen tun, die ähnliche Wege wandeln, und alle diejenigen müssen uns verzeihen, denen nicht, wenn sie vor dem Bilde von Sais säßen, die Finger zuckten, den Schleier wenigstens zum Teile zu lüften.

CLEMENS BRENTANO

Was reif in diesen Zeilen steht

Was reif in diesen Zeilen steht,
Was lächelnd winkt und sinnend fleht,
Das soll kein Kind betrüben;
Die Einfalt hat es ausgesät,
Die Schwermut hat hindurchgeweht,
Die Sehnsucht hats getrieben.
Und ist das Feld einst abgemäht,
Die Armut durch die Stoppeln geht,
Sucht Ähren, die geblieben;
Sucht Lieb, die für sie untergeht,
Sucht Lieb, die mit ihr aufersteht,
Sucht Lieb, die sie kann lieben.
Und hat sie einsam und verschmäht
Die Nacht durch, dankend in Gebet,
Die Körner ausgerieben,
Liest sie, als früh der Hahn gekräht,
Was Lieb erhielt, was Leid verweht,
Ans Feldkreuz angeschrieben:
»O Stern und Blume, Geist und Kleid,
Lieb, Leid und Zeit und Ewigkeit!«

ANDERSCH, ALFRED, * 4. Febr. 1914 in München, lebt im Tessin.

S. 353 Judith: Sansibar oder der letzte Grund S. 21-47 (gekürzt) im Walter Verlag, Olten (Schweiz) und Freiburg i. Br. 1957. — *Werke u. a.:* Die Kirschen der Freiheit, 1952; Geister und Leute (Geschichten) 1958. — *Über Andersch:* Hans Egon Holthusen: Ja und Nein, Neue kritische Versuche: S. 207 ff.

AUBURTIN, VIKTOR, * 5. Sept. 1870 in Berlin, † 26. Juni 1928 in Garmisch-Partenkirchen, Feuilletonist (Berliner Tageblatt).

S. 352 Der Prophet Sacharja (gedr. 1922): Federleichtes S. 65 Auswahl von Wilmont Haacke, Langen-Müller Verlag, München 1954. — *Weitere Auswahlen:* Seifenblasen, München 1956; Von der Seite gesehen, Rororo Bd. 244.

BAMM, PETER = DR. CURT EMMRICH, * 20. Okt. 1897 in Hochneukirch, lebt in Baden-Baden, Chirurg und Schriftsteller.

S.222 Roboter der Nächstenliebe: Die unsichtbare Flagge, Bericht, S. 38-46 im Kösel-Verlag, München 1952 (All rights reserved). *Werke u. a.:* die Feuilletonauswahlen: Die kleine Weltlaterne, 1935, Der i-Punkt, 1937, Der Hahnenschwanz, 1939; Ex ovo, Essays über die Medizin, 1949; Frühe Stätten der Christenheit, 1955; Welten des Glaubens, 1959; Das Lebendige, die Endlichkeit der Welt, der Mensch, drei Dispute mit der Philosophin Hedwig Conrad-Martius.

BECKMANN, MAX, * 12. Febr. 1884 in Leipzig, † 27. Dez. 1950 in New York, Maler.

S. 635 Brief an eine Malerin: Drei Briefe an eine Malerin, New York 1948 (abgedruckt in B. Reifenberg und W. Hausenstein, Max Beckmann, München 1949). — *Andere Schriften:* Briefe und Zeichnungen aus dem ersten Weltkrieg, München; Tagebücher 1940-1950 hrsg. von Erhard Göpel. — *Über Beckmann:* Günter Busch: Max Beckmann, Eine Einführung, Piper-Verlag, München 1960 (dort weitere Hinweise).

BEETHOVEN, LUDWIG VAN, * 16. Dez. 1770 in Bonn, † 26. März 1827 in Wien.

S. 602 Das Heiligenstädter Testament: Beethoven, Briefe und Gespräche, S. 121 ff., hrsg. von Martin Hürlimann, Atlantis Verlag, Zürich 1946. — *Über Beethoven:* Walter Riezler: Beethoven, Zürich, 8. Aufl. 1959; weitere Hinweise in: Musik in Geschichte und Gegenwart, Kassel und Basel, 1949/51, Bd. 1. — Ernst Bloch, Das Prinzip Hoffnung, Frankfurt 1959, S. 1295: Marseillaise und Augenblick im Fidelio.

BENJAMIN, WALTER, * 15. Juni 1892 in Berlin, emigrierte nach 1933, † 27. Sept. 1940 an der spanischen Grenze. *Schriften in 2 Bdn.*, hrsg. von Th. W. Adorno und Gretel Adorno, Suhrkamp Verlag, Frankfurt a. M., 1955; im 2. Bd. biographische Notiz.

S. 116: Abreise und Rückkehr: Berliner Kindheit um Neunzehnhundert, S. 31 ff. Suhrkamp Verlag, 1950, jetzt auch in Schriften Bd. 1, S. 591. — *Über Benjamin:* Max Rychner: Sphären der Bücherwelt, 1952, S. 226 ff.

BENN, GOTTFRIED, * 2. Mai 1886 in Mansfeld (Westpriegnitz), † 7. Juli 1956 in Berlin, Arzt und Dichter. — *Gesammelte Werke in 4 Bdn.*, hrsg. von Dieter Wellershoff, Limes Verlag Wiesbaden (GW), 1958 ff.; Briefe, Auswahl, hrsg. mit Nachwort von Max Rychner, Wiesbaden 1957.

S. 87 Reisen: (gedr. in Fragmente 1951) GW Bd. 3, 327; *S. 196 Anemone:* (gedr. in Statische Gedichte. 1947) GW Bd. 3, 139; *S. 565 Schlußworte:* Doppelleben S. 211, 1950; *S. 566 Epilog 1949* (gedr. in Trunkene Flut, 1949) GW Bd. 3, 343; *S. 568 Chopin* (Statische Gedichte) GW Bd. 3, 188; *S. 570 Einsamer nie* (Statische Gedichte) GW Bd. 3, 140; *S. 570 Nur zwei Dinge* (gedr. in Destillationen, 1953) GW Bd. 3, 342. — *Über Benn:* Günter Blöcker: Die neuen Wirklichkeiten, 1957 S. 149 ff.; Eugen Gürster: Hochland 47. Jahrg., Heft 4; Curt Hohoff: Geist und Ursprung, 1954, S. 87 ff.; Hans Egon Holthusen: Ja und Nein, 1954 S. 235 ff.; H. E. Holthusen: Das Schöne und das Wahre, 1958 S. 5 ff. und S. 183 ff.; Walter Jens: Statt einer Literaturgeschichte, 1957 S. 133 ff.; Fritz Martini: Das Wagnis der Sprache, 1954 S. 465 ff.; Walter Muschg: Die Zerstörung der deutschen Literatur, 1956, S. 47 ff.; Max Rychner: Merkur 3. Jahrg., Heft 8/9; Friedrich Sieburg: Nur für Leser, 1955 S. 67 ff., 245 ff.; Dieter Wellershoff: G. B., Phänotyp dieser Stunde, Köln 1958.

BERGENGRUEN, WERNER, * 16. Sept. 1892 in Riga, lebt in Baden-Baden, Erzähler und Lyriker.

S. 292 „A propos Pferde“: Der letzte Rittmeister S. 47 ff. Nymphenburger Verlagsbuchhandlung, München 1952. — *Werke u. a.:* Der Großtyrann und das Gericht, 1935; Am Himmel wie auf Erden, 1940; Die Rittmeisterin, 1954; Deutsche Reise, 1959; Die heile Welt (Gedichte), 1951; Figur und Schatten (Gedichte), 1958; Das Geheimnis verbleibt (Aufsätze und Bekenntnisse), 1952.

BISMARCK, OTTO VON, * 1. April 1815 zu Schönhausen in der Altmark, † 30. Juli 1898 zu Friedrichsruh.

S. 227 Zwei Briefe: Bismarck-Briefe, S. 431 f. ausgewählt und eingeleitet von Hans Rothfels, Vandenhoeck und Ruprecht, Göttingen. — *Werke in Auswahl* (Jahrhundert-Gedächtnis-Ausgabe) 4 Bde. hrsg. v. R. Buchner, G. A. Rein und W. Schüssler erscheint im Kohlhammer-Verlag Stuttgart. — *Über Bismarck:* Erich Eyck: Bismarck, 3 Bde., Erlenbach-Zürich 1941/44; Stellungnahme zu dem Buch Eycks bei Sigismund v. Radecki, Weisheit für Anfänger, Köln 1956, S. 159 ff.; Erick Marcks: B., eine Biographie 1815-1851, Stuttgart 1951; Hans Rothfels: Bismarck und der Staat, Ausgew. Dokumente, 3. Aufl., Stuttgart 1958, dort weitere Literatur.

BÖLL, HEINRICH, * 21. Dez. 1917 in Köln, lebt in Köln.

S. 93 Im Ruhrgebiet: Böll und Chargesheimer: Im Ruhrgebiet, S. 24-27, Kiepenheuer und Witsch, Köln 1958 (Den ersten Satz des Textes hat der Hrsg. leicht ergänzt); *S. 227 Der Bergarbeiter:* ebenda S. 16-20; *S. 383 Doktor Murkes gesammeltes Schweigen:* Anfang der satirischen Erzählung aus dem gleichnamigen Werk, Kiepenheuer und Witsch, Köln 1958. — *Werke u. a.:* Der Zug war pünktlich, 1949; Wanderer kommst du nach Spa ..., 1950; Wo warst du Adam, 1951; Und sagte kein einziges Wort, 1953; Haus ohne Hüter, 1954; Irisches Tagebuch, 1955; Billard um halbzehn, 1959.

BONHOEFER, DIETRICH, * 6. Febr. 1906 in Breslau, † hingerichtet 9. April 1945 in Flossenbürg, evang. Theologe.

S. 373 Der theoretische Ethiker und die Wirklichkeit: Ethik, S. 11 ff. Chr. Kaiser-Verlag, München. — *Werke u. a.:* Gesammelte Schriften Bd. 1-4, München; Widerstand und Ergebung, Briefe und Aufzeichnungen aus seiner Haft hrsg. von Eberhard Bethge, 1951; Communio sanctorum, 1927; Akt und Sein, 1931; Schöpfung und Fall, 1934; Die Nachfolge, 1937; Gemeinsames Leben, 1938.

BORCHARDT, RUDOLF, * 9. Juni 1877 in Königsberg, † 10. Jan. 1945 in Trins am Brenner. — *Gesammelte Werke* in Einzelbänden, Ernst Klett Verlag, Stuttgart, bisher 7 Bde.

S. 541 Hofmannsthals Unsterblichkeit: Prosa I S. 206-212, 1957. — *Werke u. a:.* Reden, 1955; Erzählungen, 1956; Gedichte, 1957; Übertragungen, 1958; Prosa II, 1959; Prosa III erscheint 1961; Der leidenschaftliche Gärtner, 1951; Briefwechsel: H. v. Hofmannsthal - R. Borchardt, 1954; G. C. Buck: Eine Bibliographie, 1958. — *Über Borchardt:* Hans Hennecke: Dichtung und Dasein, S. 135, 1950; Max Rychner: Merkur, Jahrg. 1948, Heft 8; derselbe: Arachne, Aufsätze zur Literatur S. 57 ff., 1957; Rudolf Alexander Schröder: Ges. Werke, Bd. 2, S. 864 ff.; Jos. Roth, Werke Bd. 3, S. 575.

BRECHT, BERTOLT, * 10. Febr. 1898 in Augsburg, † 14. Aug. 1956 in Berlin.

S. 579 Ein alter Hut: Schriften zum Theater, S. 273 ff., Bibliothek Suhrkamp, 1957; *S. 581 Gespräche auf der Probe:* ebenda S. 285 ff. — *Ausgaben:* Stücke, 10 Bde., 1953-57; Versuche 1-7, 1930-33; Versuche 9-15, 1949-57; Bert Brechts Gedichte und Lieder (Auswahl), 1956. — *Über Brecht:* Walter Benjamin: Was ist episches Theater, in Schriften, 2. Bd., 1955; Walter Jens: Statt einer Literaturgeschichte, S. 159 ff., Pfullingen, 1957; Günter Anders: B.-Portrait: Merkur IX. Jahrg., Heft 11; Hannah Arendt, Der Dichter B. B., Neue Rundschau 1950, S. 50 ff.

BRENTANO, CLEMENS, * 9. Sept. 1778 in Ehrenbreitstein, † 28. Juli 1842 in Aschaffenburg.

S. 178 Brautlied (gekürzt): Ausgew. Werke, hrsg. von Curt Hohoff, Carl Hanser Verlag, München, 1950; *S. 606 Nachklänge Beethovenscher Musik,* Gesammelte Werke, hrsg. von H. Amelang und K. Viëtor, Frankfurt 1923, Bd. 1, S. 139-141; *S. 681 Was reif in diesen Zeilen steht:* Sämtl. Werke, hrsg. von Carl Schüddekopf, München/Leipzig, 1909 ff. — *Werke* in 4 Bdn., hrsg. von Friedhelm Kemp, erscheint ab 1961 in der Wissenschaftlichen Buchgesellschaft Darmstadt. — *Über Brentano:* Wilhelm Lehmann: Bewegliche Ordnung, S. 35 ff.; Benno Reifenberg: Lichte Schatten, S. 137 ff., Frankfurt 1953; R. A. Schröder: Ges. Werke, 2. Bd., S. 717 ff.; Ina Seidel: Drei Dichter der Romantik, S. 11 ff., Stuttgart 1944 und 1948; Emil Staiger: Die Zeit als Einbildungskraft des Dichters, Zürich 1953; Karl Wolfskehl: Ges. Werke, Hamburg 1960, Bd. 2, S. 284 ff.

BROCH, HERMANN, * 1. Nov. 1886 in Wien, † 31. Mai 1951 in New Haven (Conn. USA).

S. 490 Übersetzen: Einige Bemerkungen zur Philosophie und Technik des Übersetzens: Essays, Bd. 7, S. 287 (gekürzt). Der Band ist im Rahmen der Gesamtsausgabe erschienen, die der Rhein Verlag, Zürich, herausgibt, 1950 ff., bisher 9 Bde. — *Werke u. a.:* Die Schlafwandler, 3 Bde., 1931/32; Der Tod des Vergil, 1947; Die Schuldlosen, 1950; Der Versucher, 1953; Essays, 2 Bde., 1955; Briefe, 1957; Massenpsychologie, 1959. — *Über Broch:* Günter Blöcker: Die neuen Wirklichkeiten, 1957, S. 307 ff.; Walter Jens: Statt einer Literaturgeschichte, 1957, S. 109 ff.; Fritz Martini: Das Wagnis der Sprache, 1954, S. 408 ff.

BUBER, MARTIN, * 8. Febr. 1878 in Wien, lebt seit 1938 in Jerusalem, Religionsphilosoph.

S. 341 Bericht von zwei Gesprächen: Gottesfinsternis S. 7-15, Manesse Verlag Zürich, 1953; *S. 483 Erinnerung:* Die Neue Rundschau, 68. Jahrg., S. 575, 1957. — *Werke u. a.:* Vom Geist des Judentums, Leipzig 1916; Reden über das Judentum, Frankfurt 1923; Die chassidischen Bücher, Hellerau 1928; Die Erzählungen der Chassidim, Zürich 1949; Gog und Magog, Heidelberg 1949; Dialogisches Leben, Zürich 1947; Das Problem des Menschen, Heidelberg 1948; Hinweise, Zürich 1953; Die Schriften über das dialogische Prinzip, Heidelberg 1954.

BURCKHARDT, CARL JACOB, * 10. Sept. 1891 in Basel, Diplomat, Historiker und Schriftsteller.

S. 21 Erinnerungen an Osteuropa: Reden und Aufzeichnungen S. 134 ff. (gekürzt) Manesse-Verlag, Basel, 1952; *S. 522. Aus der Rede über Goethes Idee der Gerechtigkeit:* ebenda S. 7-13 und 25-28. — *Werke u. a.:* Kleinasiatische Reise, 1924; Richelieu, 1934; Drei Erzählungen, 1952; Begegnungen, 1954; Hugo von Hofmannsthal - Carl J. Burckhardt: Briefwechsel, S. Fischer-Verlag, 1956; Bildnisse, 1958; Meine Danziger Mission, 1960. — *Über Burckhardt:* Adolf Frisé: C. J. B. Im Dienste der Humanität, 1950, mit Bibliographie; Hermann Rinn, Hochland, 52. Jahrg., Okt. 1959, S. 78 ff.

CAROSSA, HANS, * 15. Dez. 1878 in Tölz (Bayern), † 12. Sept. 1956 in Rittsteig bei Passau, Arzt und Dichter. Das Gesamtwerk ist im Insel-Verlag, früher Leipzig, jetzt Frankfurt/M. erschienen.

S. 45 Morsche Scholle . . . : Gesammelte Gedichte, 1950, S. 15; *S. 50 Der alte Brunnen:* ebenda S. 123; *S. 216 Pater Rupert Mayer:* Führung und Geleit. Ein Lebensgedenkbuch S. 90 ff., 1938; *S. 282 Was einer ist . . . :* Ges. Ged., S. 177; *S. 286 Hüte dein altes Geheimnis . . . :* Ges. Ged., S. 117; *S. 545 Begegnung mit Rilke:* Führung und Geleit, S. 112 ff. — *Werke u. a.:* Gedichte, 1910; Eine Kindheit, 1922; Rumänisches Tagebuch, 1924; Verwandlungen einer Jugend, 1928; Der Arzt Gion, 1931; Aufzeichnungen aus Italien, 1947; Der Tag des jungen Arztes, 1955; Wirkungen Goethes in der Gegenwart, 1938. — *Über Carossa:* Hugo von Hofmannsthal, 1928: Prosa IV, S. 475; Fritz Martini: Das Wagnis der Sprache, S. 373 ff.; Ernst Penzoldt, Ges. Schriften, Causerien, S. 189 ff., Frankfurt 1949; Ludwig Rohner: Die Sprachkunst Hans Carossas, Max Hueber Verlag, München; derselbe: Nachruf auf H. C.: Jahresring 1957/58, Stuttgart, S. 316 ff.; Grete Schaeder: H. C., der heilkundige Dichter, 1947; R. A. Schröder, Ges. Werke Bd. 2, S. 1095 ff.; B. Tecchi: Carossa, Neapel 1947.

CELAN, PAUL, * 23. Nov. 1920 in Czernowitz (Österreich), lebt in Paris.

S. 193 Landschaft: Mohn und Gedächtnis, S. 72, Deutsche Verlagsanstalt, Stuttgart, 1952; *S. 194 So bist du denn geworden:* ebenda, S. 57; *S. 362 Todesfuge:* ebenda S. 37. — *Weitere Werke:* Sand aus den Urnen, 1949; Von Schwelle zu Schwelle, 1955; Sprachgitter, 1959.

CLAUDIUS, MATTHIAS, * 15. Aug. 1740 in Reinfeld i. Holstein, † 21. Jan. 1815 in Hamburg.

S. 139 Der Mensch: Werke, hrsg. von Urban Roedl, Cotta Verlag, Stuttgart, 1954, S. 304; *Ausgaben:* Asmus omnia secum portans oder Sämtl. Werke des Wandsbecker Boten, Wandsbeck, 1775-1812; *Auswahlen:* Der Wandsbecker Bote, hrsg. von Werner Weber, Manesse-Bibliothek; Gläubiges Herz, hrsg. von Will A. Koch, Kröners Taschenausg. Bd. 142; Die Erde ist doch schön, Briefe, Eckart Verlag, Witten 1957. — *Über Claudius:* Joh. Pfeiffer: Zwischen Dichtung und Philosophie, S. 51 ff., Bremen, 1947; Peter Suhrkamp: Der Leser, S. 42 ff., Suhrkamp-Bibliothek, 1960.

DÄUBLER, THEODOR, * 17. Aug. 1876 in Triest, † 14. Juni 1934 in St. Blasien (Schwarzwald).

S. 141: „Schnee, Schnee“: Dichtungen und Schriften S. 15, hrsg. von Friedhelm Kemp, Kösel Verlag, München 1956. (All rights reserved). — *Das Hauptwerk:* Das Nordlicht, 2 Bde., Insel Verlag, Leipzig 1921/2, jetzt Frankfurt/M.

DELP, ALFRED, * 15. Sept. 1907 in Mannheim, † 2. Febr. 1945, hingerichtet im Strafgefängnis Berlin-Plötzensee, Jesuit.

S. 335 Brief an sein Patenkind: A. D., Kämpfer, Beter, Zeuge, S. 98 f. Morus Verlag, Berlin 1955. — *Schriften u. a.:* Christ und Gegenwart, 3 Bde., hrsg. von Paul Bolkovac S.J., Frankfurt.

DEMPF, ALOIS, * 2. Jan. 1891 in Altomünster (Oberbayern), lebt in München.

S. 241 Die übersehene philosophische Existenz: Kierkegaards Folgen S. 67 ff., Jakob Hegner Verlag, Leipzig 1935. — *Werke u. a.:* Ethik des Mittelalters, 1929; Metaphysik des Mittelalters, 1930; Sacrum Imperium, 1929, 1954; Meister Eckart, 1935; Die Einheit der Wissenschaft, 1955; Kritik der historischen Vernunft, 1957.

DÖBLIN, ALFRED, * 10. Aug. 1878 in Stettin, † 28. Juni 1957 in Emmendingen bei Freiburg i. Br., lebte von 1933-1945 in der Emigration.

S. 197 Am Dom von Naumburg: Hamlet oder die lange Nacht nimmt ein Ende, S. 157 ff., Albert Langen - Georg Müller Verlag, München 1957. — *Ausgabe:* Ausgewählte Werke in 10 Bdn., hrsg. von Walter Muschg 1960 ff., Walter Verlag, Olten u. Freiburg i. Br. — *Über Döblin:* Robert Minder: Deutsche Literatur im 20. Jahrhundert, 1954; Fritz Martini: Das Wagnis der Sprache S. 336 ff.; Walter Muschg: Die Zerstörung der deutschen Literatur, 3. Aufl. 1958; Walter Jens: Jahresring 1958/59; Oskar Loerke, Die Schriften Bd. 2, S. 560 ff., Frankfurt 1958.

DROSTE-HÜLSHOFF, ANNETTE VON, * 10. Jan. 1797 auf Schloß Hülshoff bei Münster i. Westfalen, † 24. Mai 1848 in Meersburg am Bodensee.

S. 66 Am Turme: Sämtliche Werke, S. 124, hrsg. von Clemens Heselhaus, Carl Hanser Verlag, München 1952; *S. 88 Im Grase:* ebenda S. 271; *S. 89 Im Münsterland* (Bilder aus Westfalen 1. Kap., 1842): ebenda S. 975 ff.; *S. 146 Kinder am Ufer:* ebenda S. 92. — *Ausgaben u. a.:* Hist. krit. Ausg.: Sämtliche Werke hrsg. von K. Schulte - Kemminghausen, 4 Bde., München 1925/30; Sämtliche Briefe, Düsseldorf 1959; Gedichte und Prosa, ausgew. von Emil Staiger, Manesse Bibliothek, Zürich; Das geistliche Jahr, Münster 1951; *Über Droste-Hülshoff:* Emil Staiger, Die Zeit als Einbildungskraft des Dichters, Zürich 1953.

EICH, GÜNTER, * 1. Febr. 1907 in Lebus an der Oder, lebt in Lenggries, Oberbayern.

S. 199 Der dritte Traum: Träume, vier Hörspiele S. 159 ff., Bibliothek Suhrkamp 1953; *S. 456 Schuttablage:* Botschaften des Regens S. 49, Suhrkamp Verlag, Frankfurt 1955. *Werke u. a.:* Abgelegene Gehöfte, Gedichte, 1948; Untergrundbahn, Gedichte, 1949; Stimmen, Sieben Hörspiele, 1958. — *Über Eich:* Curt Hohoff: Geist und Ursprung, 1954, S. 206 ff.; Werner Weber: Zeit ohne Zeit, 1959, S. 216 ff.

EICHENDORFF, JOSEPH VON, * 10. März 1788 auf Schloß Lubowitz (Schlesien), † 26. Nov. 1857 in Neiße.

S. 37 Abschied (1810, beim Abschied von dem väterlichen Schloß Lubowitz): Neue Gesamtausgabe in 4 Bdn., Bd. 1 S. 35, Cotta Verlag Stuttgart, hrsg. von Gerhard Baumann 1957/8; *S. 152 Aus dem Leben eines Taugenichts* (1823/4 Berlin/Königsberg, 1826 gedruckt), ebenda Bd. 2 S. 349/51. — *Ausgaben:* Gedichte, Erzählungen, hrsg. von Werner Bergengruen, Manesse Bibliothek 1955; Armut und Adel der Poesie, Aus den Schriften zur Literatur, hrsg. von Paul Stöcklein, Kösel Verlag, München 1955; Der Dichter des Taugenichts, Eichendorffs Welt und Leben geschildert von ihm selbst und von Zeitgenossen, Süddeutscher Verlag, München 1957. — *Über Eichendorff:* Eichendorff heute: Stimmen der Forschung mit einer Bibliographie, hrsg. von Paul Stöcklein, München 1960; Theodor W. Adorno, Noten zur Literatur: S. 105, Zum Gedächtnis Eichendorffs, Bibliothek Suhrkamp Bd. 47, 1958.

ERHARD, LUDWIG, * 4. Febr. 1897 in Fürth, Bayern, lebt in Bonn, Professor für Wirtschaftspolitik, seit 1949 Bundesminister für Wirtschaft.

S. 459 Die Verantwortung des einzelnen: Wohlstand für alle, S. 236 ff., Econ Verlag, Düsseldorf, 1957.

FONTANE, THEODOR, * 30. Dez. 1819 in Neuruppin, † 20. Sept. 1898 in Berlin.

S. 117 Auf der Suche: Neue Rundschau, 1890 S. 396, jetzt in dem Auswahlband: Der goldene Schnitt, Große Erzähler der N. R. 1890-1960, S. Fischer Verlag 1959 S. 19 ff. (gekürzt); *S. 143 Brief an den kleinen George:* Leicht zu leben ohne Leichtsinn, Briefe, hrsg. von Friedrich Seebass, Eckart Verlag, Witten, S. 92. — *Ausgaben:* Ges. Werke, 22 Bde., Berlin 1905/11; Sämtliche Werke, hrsg. von Edgar Groß, 1. Abtg. Bd. 1-8 Das erzählende Werk, 2. Abtg. Bd. 1-5 Wanderungen d. d. Mark, München 1960; Werke in 2 Bdn., Hanser Verlag, München 1955; Fontane oder die Kunst zu leben, hrsg. von Ludwig Reiners, Sammlung Dieterich 1955. — *Über Fontane:* Thomas Mann: Der alte Fontane: Adel des Geistes S. 531; Thomas Mann: Noch einmal der Alte Fontane: Nachlese S. 174; Max Rychner: Sphären der Bücherwelt S. 77 ff., 1952.

FORT, GERTRUD, VON LE, * 11. Okt. 1876 in Minden, lebt in Oberstdorf.

S. 337 Unser Weg durch die Nacht: Die Krone der Frau, Arche Verlag, Zürich, S. 90 ff. (gekürzt). — *Werke:* Erzählende Schriften, 3 Bde., 1956 Wiesbaden/München; Hymnen an die Kirche, München 1924; Die ewige Frau, München 1934. — *Über G. von le Fort:* Curt Hohoff, Geist u. Ursprung, München 1954, S. 73 ff.

FORSTER, GEORG, * 26. Nov. 1754 in Nassenhuben bei Danzig, † 12. Jan. 1794 in Paris.

S. 80 Der Kölner Dom: Ansichten vom Niederrhein (Reise mit Alexander von Humboldt an den Niederrhein und nach Belgien, Holland und England, 1790), Neue Auflage, Berlin 1800, S. 66 ff. — *Ausgabe:* Sämtliche Schriften, Tagebücher, Briefe, 9 Bde., Akademie-Verlag, Berlin, Bd. IX, hrsg. von Gerhard Steiner 1958. — *Über Forster:* Ina Seidel: Das Labyrinth, Roman, 1922.

FÖRSTER, OTTO H., * 13. Nov. 1894 in Nürnberg, lebt in Köln, Kunsthistoriker, Generaldirektor der Museen der Stadt Köln u. Direktor des Wallraf-Richartz-Museums.

S. 82 Das deutsche Stadtbild (gekürzt): Grundformen der deutschen Kunst, S. 166 ff., E. A. Seemann-Verlag, Köln 1952, jetzt im Verlag Schroll, Wien. — *Werke u. a.:* Stefan Lochner, 1938; Leonardo da Vinci, 1941; Der Dom zu Köln, 1948; Bramante, 1956.

FRANK, ANNE, * 12. Juni 1922 in Frankfurt, † März 1945 im Vernichtungslager Bergen-Belsen.

S. 319 Angst: Ernst Schnabel, Spur eines Kindes, S. 74 ff., Fischer- Bücherei Bd. 199, jetzt auch in: Geschichten und Ereignisse aus dem Hinterhaus, aufgeschrieben von Anne Frank S. 74 ff., S. Fischer Verlag 1960. — Das Tagebuch der Anne Frank, Lambert Schneider, Heidelberg, 2. Aufl. 1954 u. Fischer-Bücherei Bd. 77.

FREYER, HANS, * 31. Juli 1887 in Leipzig, lebt in Münster, Philosoph u. Soziologe.

S. 451 Füllet die Erde: Theorie des gegenwärtigen Zeitalters, S. 20 ff. (gekürzt), Deutsche Verlagsanstalt, Stuttgart 1955. — *Werke u. a.:* Theorie des objektiven Geistes, 1922; Weltgeschichte Europas, 1948.

GAISER, GERD, * 15. Sept. 1908 in Oberriexingen, Wttbg., lebt in Reutlingen.

S. 278 Der Forstmeister: Einmal und oft, S. 84 ff., Carl Hanser Verlag, München 1956. — *Werke u. a.:* Eine Stimme hebt an, 1950; Die sterbende Jagd, 1953; Das Schiff im Berg, 1955; Der Schlußball, 1958; Gib acht in Domokosch, 1959, sämtl. im Hanser Verlag.

GAN, PETER = RICHARD MOERING, * 4. Februar 1894 in Hamburg, lebte lange in Paris, jetzt in Hamburg.

S. 472 Die Zauberflöte spricht: Preis der Dinge S. 72, Insel Bücherei Nr. 628, Insel Verlag, Wiesbaden 1956, (Rechte beim Atlantis Verlag, Freiburg/Br.); *S. 623 Über die Drehorgel:* Gott und Welt, Essays, S. 131 Atlantis Verlag, Zürich, Freiburg i. Br. 1935. — *Werke u. a.:* Die Windrose, Gedichte, 1935; Die Holunderflöte, Ged., 1949; Schachmatt, Ged., 1957; Gedichte und Kommentare, eine Causerie: Jahresring 1960/61 S. 142 ff. — *Über Peter Gan:* Max Rychner, Arachne: Aufs. zur Literatur, S. 225 ff., Manesse Verlag, Zürich.

GEORGE, STEFAN, * 12. Juli 1868 in Büdesheim bei Bingen, † 4. Dez. 1933 in Minusio bei Locarno.

S. 51 München: Werke, Ausgabe in zwei Bänden, Bd. I S. 336, Verlag Helmut Küpper, vormals Georg Bondi, München und Düsseldorf 1958 (Der Siebente Ring S. 204, Berlin 1907); *S. 75 Der Rhein:* ebenda S. 332 (S. 199); *S. 76 Lied:* ebenda S. 360 (S. 160); *S. 81 Kölnische Madonna:* ebenda S. 333 (S. 200); *S. 147 Der kindliche Kalender:* ebenda S. 479 (Tage und Taten S. 13 Berlin 1903); *S. 535 Das Zeitgedicht:* ebenda S. 227 (Der Siebente Ring S. 6); *S. 536 Dante und das Zeitgedicht:* ebenda S. 228 (S. 8); *S. 537 Lieder I, II:* ebenda S. 311-312 (Der Siebente Ring S. 163-164); *S. 538 Wägt die gefahr:* ebenda S. 362 (Der Stern des Bundes S. 35 Berlin 1924); *S. 539 Das Wort:* ebenda S. 466 (Das Neue Reich S. 134 Berlin 1928); *S. 539 Horch was die dumpfe erde spricht:* ebenda S. 463 (S. 129); *S. 540 Die Becher:* ebenda S. 467 (S. 135). — *Über Stefan George:* Ernst Morwitz, Kommentar zu dem Werk St. Georges, Verlag H. Küpper 1960; Robert Boehringer, Mein Bild von Stefan George 1951; Die Zeitschrift Castrum Peregrini, Amsterdam, Postbox 645, 1951 ff.; E. R. Curtius, Kritische Essays zur europ. Literatur, Bern 1950, S. 138-157.

GERSTENMAIER, EUGEN, * 25. Aug. 1906 in Kirchheim, lebt in Godesberg, Oberkonsistorialrat, Präsident des Deutschen Bundestages.

S. 418 Der Politiker: Frömmigkeit in einer weltlichen Welt S. 256 ff., hrsg. von Hans Jürgen Schultz, (in Gemeinschaft mit dem Walter-Verlag, Olten und Freiburg/Br., veröffentlicht), Kreuz-Verlag, Stuttgart 1959.

GOETHE, JOHANN WOLFGANG, * 28. Aug. 1749 in Frankfurt a. M., † 22. März 1832 in Weimar. Zitiert wird im allgemeinen nach der Jubiläumsausgabe (JA), hrsg. von Ed. v. d. Hellen, 40 Bde., Stuttgart 1902-12.

S. 63 Abschied von Rom: JA Bd. 27 S. 278 ff. (Italien. Reise, zweiter Teil, 1786-88); *S. 76 Sankt-Rochus-Fest zu Bingen,* 16. Aug. 1814: JA, Bd. 29 S. 191 (gekürzt); *S. 104 Der Granit,* 18. Jan. 1784: JA, Bd. 40 S. 7; *S. 146 St. Nepomuks Vorabend,* Karlsbad, 15. Mai 1820 (Nach der Legende ließ König Wenzel den Heiligen, da er ihm gegenüber das Beichtgeheimnis der Königin wahrte, in die Moldau werfen. Wunderbare Lichter begleiteten den hinabtreibenden Leichnam): JA, Bd. 2 S. 221; *S. 165 Leiden des jungen Werther,* gedruckt 1774: JA, Bd. 16 S. 56; *S. 179 Melpomene, Hermann und Dorothea* 8. Gesang, entstand 1796-97: JA, Bd. 6 S. 216; *S. 181 Alles geben die Götter,* aus einem Brief an die Gräfin Auguste zu Stolberg, Weimar, 17. Juli 1777: JA, Bd. 3 S. 87; *S. 182 Warum gabst du uns die tiefen Blicke,* An Charlotte v. Stein, Weimar, 14. April 1776: JA, Bd. 3 S. 83; *S. 231 Nicht allein . . .:* Maximen u. Reflexionen, Ausgabe von Günther Müller, Kröners Taschenausgabe, Bd. 186, Nr. 314; *S. 240 Lehrbrief,* Wilhelm Meisters Lehrjahre, 7. Buch, 9. Kap. erschienen 1796/7: JA, Bd. 18 S. 259; *S. 254 Grenzen der Menschheit,* 1781: JA, Bd. 2 S. 62; *S. 255 Harfenspieler,* Wilhelm Meisters Lehrjahre: JA, Bd. 2 S. 88; *S. 256 Urworte. Orphisch,* 1817: JA, Bd. 2 S. 256; *S. 280 Brief an Gräfin Auguste zu Stolberg:* Gedenkausgabe (GA), hrsg. von Ernst Beutler, Artemis Verlag, Zürich, Bd. 21, S. 533/4; *S. 297 Metamorphose der Tiere,* begonnen 1806, vollendet 1819: JA, Bd. 2 S. 250; *S. 299 Gesang der Geister über den Wassern,* Okt. 1779: JA, Bd. 2 S. 44; *S. 300 Selige Sehnsucht,* 31. Juli 1814, Westöstlicher Divan, Buch des Sängers: JA, Bd. 5 S. 16; *S. 394 Die Sakramente,* Dichtung und Wahrheit 7. Buch: JA, Bd. 23 S. 90 u. Ausgabe Carl Hanser Verlag S. 238; *S. 461 Unbedingte Tätigkeit:* Maximen und Reflexionen, Ausgabe von Günther Müller, Kröners Taschenausg. Nr. 1415; *S. 479 Eine wahrhaft allgemeine Duldung,* Brief an Thomas Carlyle vom 20. Juli 1827: GA, Bd. 21, S. 747; *S. 479 Die himmlischen und irdischen Dinge,* Brief an Friedr. Heinr. Jacobi vom 6. Jan. 1813: GA, Bd. 19, S. 689; *S. 495 Nicht die Sprache,* Maximen u. Reflexionen: Ausg. Günther Müller, Nr. 71; *S. 495 Die Gewalt der Sprache:* ebenda Nr. 71; *S. 515 Wald und Höhle,* Faust, Erster Teil: JA, Bd. 13, S. 140; *S. 530 In tausend Formen,* 16. März 1815, Westöstl. Divan, Buch Suleika: JA, Bd. 5, S. 94 u. Ausgabe v. E. Beutler, Samml. Dieterich, Bd. 125, S. 652; *S. 530 Bei Betrachtung von Schillers Schädel,* 25./26. Sept. 1826: JA, Bd. 1 S. 285; *S. 531 Zueignung, 1784,* das Gedicht ist der „ersten, echten und vollständigen Ausgabe" von 1787-1790 vorangestellt: JA, Bd. 1, S. 1; *S. 599 Ich sprach mirs aus,* 21. Juni 1827 nach den Vorspielen des Badeinspektors Schütz in Berka: Brief an Karl Friedrich Zelter; *S. 657 Schicksal einer Sammlung,* Wilhelm Meisters Lehrjahre, 1. Buch, 17. Kap.: JA, Bd. 17, S. 74. — *Ausgaben:* Hamburger Ausgabe, Auswahl mit ausgezeichneten Einleitungen u. Anmerkungen, 14 Bde., hrsg. von Erich Trunz, Wegner Verlag 1948/59; Gesamtausg. Cotta, Stuttgart in 22 Bdn. (Tagebücher); Werke in 6 Bdn. begründet von Erich Schmidt, Insel Verlag, Wiesbaden; J. P. Eckermann, Gespräche mit Goethe, bearb. von Fritz Bergemann, Insel Verlag; Gespräche ohne die Gespräche mit Eckermann, hrsg. von Fl. v. Biedermann, Insel Verlag. — *Über Goethe:* E. Beutler, Essays um Goethe, Slg. Dieterich; W. Benjamin, Schriften, Bd. 1, S. 55 ff. (Wahlverwandtschaften); Gottfr. Benn, G. u. d. Naturwissenschaften, Zürich 1949; C. J. Burckhardt, Zu Goethes Gerechtigkeit, Bildnisse, Frankf. 1959; C. G. Carus, Goethe, Kröners Taschenausg.; E. R. Curtius, G. als Kritiker; Grundzüge seiner Welt, Krit. Essays z. europ. Lit., Bern; Fritz Ernst Essais, Bd. 2, S. 78-141, Zürich; Wilh. Flitner, G. im Spätwerk, Slg. Dieterich; Erich Heller, Enterbter Geist, S. 15-98, Frankf. 1954; H. Hesse, Ges. Werke, Bd. 7, S 15 ff. u. S. 384 ff.; H. v. Hofmannsthal, Prosa II, S. 212 ff. (Tasso); Prosa III, S. 70 ff. (Wilhelm Meister i. d. Urform); H. E. Holthusen, Der unbehauste Mensch, 3. Aufl., München 1955; Rud. Kaßner, Das neunzehnte Jahrhundert, Zürich 1949, S. 58 ff.; Max Kommerell, Gedanken über Gedichte, Frankf. 1943; Geist u. Buchstabe der Dichtung, S. 9-131, Frankf. 1944; Dichterische Welterfahrung, S. 23 ff., Frankf. 1952; Thomas Mann, Adel des Geistes, S. 104-307; Altes und Neues, S. 198 ff. u. 415 ff.; Neue Studien, S. 9 ff. und Lotte in Weimar (1939); Jos. Pieper, Über das Schweigen Goethes, München 1949; B. Reifenberg, Lichte Schatten, S. 467-539; Ed. Spranger, Goethes Weltanschauung, 1949; Max Rychner, Sphären d. Bücherwelt, S. 40 ff.; G. über die Deutschen; R. A. Schröder, Ges. Werke, Bd. 2, S. 452-609; Albert Schweitzer, Vier Goethe-Reden, 1950; Emil Staiger, Goethe, 3 Bde. 1952/59; Gerh. Storz, Goethe-Vigilien, 1953; Wolfram von den Steinen, Das Zeitalter Goethes, Bern, Slg. Dalp; K. Viëtor, Goethe, Bern 1949; W. Weber, Zeit ohne Zeit, S. 229 ff., 1959 (über Hermann u. Dorothea); C. Fr. v. Weizsäcker, Über einige Begriffe aus der Naturwissenschaft Goethes: Freundesgabe für Robert Boehringer, Tübingen 1957.

GOTTHELF, JEREMIAS = ALBERT BITZIUS, * 4. Okt. 1797 in Murten, † 22. Okt. 1854 in Lützelflüh, Emmental.

S. 497 Die Macht des Wortes: Uli der Pächter, Bd. 5, S. 322 der Werke in 20 Bdn., hrsg. von Walter Muschg, Verlag Birkhäuser, Basel, *Gesamtausgabe* im Eugen Rentsch Verlag Erlenbach-Zürich u. Stuttgart, 24 Bde. u. 20 Ergänzungsbände. — *Über Gotthelf:* Moritz Heimann: Verschollene und Vergessene, Wiesbaden, 1960, S. 82; W. Muschg, J. G., Slg. Dalp, Bern 1960.

GRIMM, DIE BRÜDER JAKOB UND WILHELM — JAKOB, * 4. Jan. 1785 in Hanau, † 20. Sept. 1863 in Berlin; WILHELM, * 24. Febr. 1786 in Hanau, † 16. Dez. 1859 in Berlin.

S. 148 Hans im Glück: Kinder- und Hausmärchen, Manesse Bibliothek Bd. 1, S. 549 ff., 1946; *S. 285 Das Hirtenbüblein:* ebenda Bd. 2, S. 338. — *Ausgabe:* 1. Auflage 1812, letzte, 7. von Wilh. Grimm herausgegebene 1857; Friedr. Panzer, die Märchen in ihrer Urgestalt, hrsg. München 1913; — *Über die Brüder Gr.:* ihr Leben und Werk in Selbstzeugnisssen, bearb. von H. Gerstner, Ebenhausen 1952; Wilhelm Scherer: Jacob Grimm, Berlin 1921; Wilh. Schoofs, Zur Entstehungsgeschichte der Gr. Märchen, Hamburg 1959; Derselbe, Wilh. Grimm, Aus seinem Leben, Bonn 1960.

GUARDINI, ROMANO, * 17. Febr. 1885 in Verona, lebt in München, Professor für christliche Weltanschauung u. Religionsphilosophie.

S. 367 Verantwortung: Verantwortung, Gedanken zur jüdischen Frage, S. 10-17 (aus dem ersten Teil der Rede, gekürzt), Kösel Verlag, München 1952 (all rights reserved); *S. 396 Der Sonntag und der heutige Mensch:* Der S., gestern, heute und immer, Eine Ansprache S. 30 ff. (der erste Satz ist leicht geändert), Werkbund Verlag, Würzburg, 1957. — *Werke u. a.:* Vom Sinn der Kirche, 1922; Der Gegensatz, Versuche zu einer Philosophie des Lebendig-Konkreten, 1925; Der Mensch und der Glaube (Versuche über d. religiöse Existenz in Dostojewskis Romanen), 1932; Christliches Bewußtsein (Versuche über Pascal), 1935; Die Engel in Dantes Göttlicher Komödie, 1937; Der Herr, 1937; Hölderlin, Weltbild u. Frömmigkeit, 1939; Zu R. M. Rilkes Deutung des Daseins, 1941; Der Tod des Sokrates, 1944; Macht, Gnade, Schicksal, 1948; Das Ende der Neuzeit, 1950; Die Macht, 1951.

HAECKER, THEODOR, * 4. Juni 1879 in Eberbach, Württemberg, † 9. April 1945 in Ustersbach bei Augsburg.

S. 371 Tragik und christlicher Glaube: Ein Nachwort, Hellerau 1917; abgedruckt in Satire und Polemik, Brenner Verlag, Innsbruck, 1922 S. 122, jetzt in: Essays, Kösel Verlag S. 42 ff., 1959 (all rights reserved); *S. 498 Herzworte der Sprache:* Vergil, Vater des Abendlandes S. 122 ff., Kösel Verlag, München, 1931 (all rights reserved). — *Werke u. a.:* Was ist der Mensch, 1933; Schöpfer und Schöpfung, 1934; Der Christ und die Geschichte, 1935; Schönheit, 1936; Der Geist des Menschen und die Wahrheit, 1937; Tag- und Nachtbücher 1939-1945, München 1947; Übersetzungen: Vergil, Kierkegaard, Kardinal Newman, sämtl. im Kösel Verlag. — *Über Haecker:* Sigismund von Radecki, Weisheit für Anfänger, Köln 1956, S. 145 ff.; Theoderich Kampmann, Gelebter Glaube, Warendorf/Westf.

HAMANN, JOHANN GEORG, * 27. Aug. 1730 in Königsberg, † 21. Juni 1788 in Münster i. Westfalen.

S. 503 Ein Schriftsteller: Hauptschriften S. 43, Sammlung Dieterich, hrsg. von Otto Mann, 1937; *S. 503 Selbsterkenntnis:* ebenda, S. 38; — *Ausgaben:* Sämtl. Werke, hist.-krit. Ausgabe von Josef Nadler, 6 Bde., Wien 1949/57; Briefwechsel erscheint im Insel Verlag, 7 Bde. — *Über Hamann:* Goethe, Dichtung u. Wahrheit XII. Buch; Hegel in Jahrbücher f. wiss. Kritik, 1828; Fritz Ernst, Etwas über Hamann (1930), jetzt in Essais Bd. 2, S. 7 ff.

HARTMANN, NICOLAI, * 20. Febr. 1882 in Riga, † 9. Okt. 1950 in Göttingen.

S. 264 Der liebende Blick: Das Ethos der Persönlichkeit, 1949, Kleinere Schriften Bd. 1, S. 316 ff., Verlag Walter de Gruyter, Berlin, 1955. — *Werke u. a.:* Grundzüge einer Metaphysik der Erkenntnis, 1921; Ethik, 1926; Das Problem des geistigen Seins, 1933; Ontologie, Bd. 1-3, 1935, 1938, 1940; Philosophie der Natur, 1950; Kleinere Schriften, Bd. 1-3, 1955, 1957, 1958. — *Über Hartmann:* N. H., der Denker und sein Werk, hrsg. von Heinz Heimsoeth u. Robert Heiß, bei Vandenhoeck u. Ruprecht, 1952, dort Bibliographie.

HAUPTMANN, GERHART, * 15. Nov. 1862 in Salzbrunn, Schlesien, † 6. Juni 1946 auf dem Wiesenstein zu Agnetendorf (Nobelpreis f. Literatur 1912). Das Gesamtwerk erscheint demnächst im Ullstein Verlag, Frankfurt/M.

S. 12 Ausfahrt eines Binnendeutschen: Das Abenteuer meiner Jugend (1937) 1. Buch, 2. Kap., S. 17, im Verlag Bertelsmann, Gütersloh, 1953; *S. 144 Der erste Schultag:* ebenda, 2. Buch, 19. Kap., S. 512. — *Über Hauptmann:* Thomas Mann: G. H., Reden von 1929 u. 1952; R. A. Schröder: Ges. Werke Bd. 2, S. 893-920; Oskar Loerke, Die Schriften, S. 483 ff.; Werner Weber, Zeit ohne Zeit, S. 38 ff., 1959; Hans Hennecke, Dichtung u. Dasein, S. 103-130, Berlin 1950: Hans Mayer, Von Lessing bis Thomas Mann, S. 338-382, Pfullingen 1959.

HAUSENSTEIN, WILHELM, * 17. Juni in Hornberg i. Schwarzwald, † 3. Juni 1957 in München, Kunsthistoriker, Schriftsteller und Diplomat.

S. 45 Passau: Besinnliche Wanderfahrten, S. 350 ff., Verlag Schnell u. Steiner, München, 2. Aufl., 1957; *S. 56 Albrecht Altdorfers Alexanderschlacht:* Begegnungen mit Bildern, S. 33 ff., Piper Verlag, München 1954. — *Werke u. a.:* Giotto, 1923; Fra Angelico, 1923; Europäische Hauptstädte, 1932; 2. Aufl. 1954; Liebe zu München, 1958; Vom Genie des Barock, 1956. — *Über Hausenstein:* Festgabe für W. H., München 1952; Gustav Hillard, Nachruf im Jahresring 1958/59, Stuttgart; Gotthard Jedlicka, Wege zum Kunstwerk, S. 272, München 1960.

HAUSER, HEINRICH, * 27. Aug. 1901, lebte von 1938-48 in den USA, wo er die Artikelreihe Hitler versus Germany schrieb, † 15. März 1955.

S. 96 Wo Menschen Autos und Autos Menschen bauen: Unser Schicksal — Die deutsche Industrie, S. 83 ff., Verlag W. Steinebach, Düsseldorf 1952 (vergr.) — *Werke u. a.:* Brackwasser, München 1929; Notre Dame von den Wogen, 1937; Nitschewo armada, 1949; Die letzten Segelschiffe, 1930; Meine Farm am Mississippi, 1950. — *Über Hauser:* Hans Bütow, Spur von Erdentagen, S. 63 ff. Societätsverlag, Frankfurt 1958.

HEBEL, JOHANN PETER, * 10. Mai 1760 in Basel, † 22. Sept. 1826 in Schwetzingen.

S. 191 Unverhofftes Wiedersehen, 1811, Werke hrsg. von Wilhelm Altwegg, Bd. 1-3, Atlantis Verlag 1943, Bd. 2, S. 80; *S. 283 Kannitverstan,* 1809: ebenda, Bd. 1, S. 389. — *Werke:* ausgewählt von Paul Alverdes, C. Hanser Verlag, München; Werke und Briefe, hrsg. von Eberhard Meckel, Insel Verlag 1943; Schatzkästlein des Rhein. Hausfreundes, hrsg. von Werner Weber, Manesse-Bibliothek Zürich. — *Über Hebel:* Emil Strauß, J. P. H., Leben und Briefe, München 1943; Theodor Heuss, J. P. H., Rede, Tübingen, 1952; Werner Weber, Zeit ohne Zeit, Zürich 1959, S. 5 ff.; derselbe in Neue Rundschau, 71. Jahrg., 2. Heft, 1960; C. J. Burckhardt, Rede, Verlag C. F. Müller, Karlsruhe; Benno Reifenberg, Lichte

Schatten, S. 215, Frankfurt 1953; Martin Heidegger, Hebel - Der Hausfreund, G. Neske Verlag, Pfullingen 1957, s. in diesem Buch S. 488; Moritz Heimann in Verschollene und Vergessene, Wiesbaden 1960, S. 79.

HEIDEGGER, MARTIN, * 26. Sept. 1889 in Meßkirch, Baden, lebt in Freiburg i. Br., Philosoph.

S. 488 Geheimnis der Sprache J. P. Hebels: Hebel - Der Hausfreund, S. 33 ff., Günther Neske Verlag, Pfullingen 1957. — *Werke u. a.:* Sein und Zeit, 1927; Kant und das Problem der Metaphysik, 1929; Was ist Metaphysik?, 1929; Hölderlin und das Wesen der Dichtung, 1936; Platons Lehre von der Wahrheit, 1942; Holzwege, 1950; Erläuterungen zu Hölderlins Dichtungen, 1951; Einführung in die Metaphysik, 1958, 2. Aufl. — *Emil Staiger:* Kunst der Interpretation, 1955, S. 34 ff.: Briefwechsel mit M. H.

HEIMANN, MORITZ, * 19. Juli 1868 in Werder, Kreis Niederbarnim, † 22. Sept. 1925 in Berlin, Berater und Lektor des S. Fischer Verlags von 1896 an.

S. 475 Nietzsche und sein Volk: M. H. eine Einführung in sein Werk und eine Auswahl von Wilhelm Lehmann, in der Schriftenreihe Verschollene und Vergessene, Franz Steiner Verlag, Wiesbaden 1960, S. 21 ff. — Prosaische Schriften in 5 Bdn., S. Fischer Verlag 1918-1926. — *Über M. Heimann:* Martin Buber: Hinweise 1953, S. 238; Oskar Loerke, Schriften Bd. 2, S. 531-545.

HEIMPEL, HERMANN, * 19. Sept. 1901 in München, lebt in Göttingen, Historiker.

S. 422 Die Wiedervereinigung im Spiegel der Geschichte: Kapitulation vor der Geschichte, S. 27 ff., Vandenhoeck und Ruprecht Verlag, Göttingen, 1956. — *Werke u. a.:* Die halbe Violine, Eine Jugend in der Haupt- und Residenzstadt München, 3. Aufl., Insel Verlag, 1958; Der Mensch in seiner Gegenwart, Sieben histor. Essays, 1954.

HEINE, HEINRICH, * 13. Dez. 1797 in Düsseldorf, † 17. Febr. 1856 in Paris.

S. 101 Der Brocken: Die Harzreise, 1824, Sämtliche Werke in 12 Bdn. hrsg. von Gustav Karpeles, Bd. 5, S. 38, Max Hesse Verlag Leipzig; *S. 308 Zerfall:* Memoiren des Herrn Schnabelewopski, 1831, Kap. IV, Bd. 11, S. 46 ff.; *S. 495 Die deutsche Sprache ...:* Gedanken und Einfälle, Bd. 12, S. 166; *S. 495 Es sind heute ...:* Heinrich Heine über Ludwig Börne, 1840, V. Buch, Bd. 11, S. 215; *S. 496 Nur soviel ...:* ebenda Bd. 11, S. 127; *S. 510 Daß ein Mann wie Lessing:* Zur Geschichte der Religion und Philosophie in Deutschland, 1834, Bd. 7, S. 70; *S. 590, Aber was ist die Musik:* Über die französische Bühne, 9. Brief, Mai 1937, Bd. 10, S. 211. — *Ausgaben:* Sämtl. Werke hrsg. von E. Elster, 1925, 2. Aufl.; Werke in 4 Bdn. im Birkhäuser Verlag, Basel 1956; Auswahl: Mein wertvollstes Vermächtnis, Manesse-Bibliothek 1950; Briefe, 3 Bde. Text, 3 Bde. Kommentar, hrsg. von Fr. Hirth Mainz 1950-57. — *Über Heine:* Walter Höllerer, Zwischen Klassik und Moderne, Stuttgart 1958; Georg Lukács, Deutsche Realisten des 19. Jahrhunderts, Bern 1951, S. 58 Heine als nationaler Dichter, Hans Mayer, Von Lessing bis Th. Mann, S. 273 ff. Pfullingen 1959; Theodor W. Adorno, Noten zur Literatur, S. 144: Die Wunde Heine, Frankfurt 1958.

HEISENBERG, WERNER, * 5. Dez. 1901 in Würzburg, lebt in München, Physiker, Direktor des Max-Planck-Instituts für Physik (Nobelpreis für Physik 1932).

S. 447 Naturwissenschaft als Teil ...: Das Naturbild der heutigen Physik, Rowohlts deutsche Enzyklopädie Nr. 8, S. 15 ff. (gekürzt). — *Werke:* Die physikal. Prinzipien der Quantentheorie, 1930; Die Pysik der Stromkerne, 1943; Wandlungen in den Grundlagen der exakten Naturwissenschaften, 1935.

HESSE, HERMANN, * 2. Juli 1877 in Calw, Württemberg, lebt in Montagnola bei Lugano (Nobelpreis für Literatur 1946).

S. 274 Über das Altern: Ges. Werke, Bd. 7, S. 876 ff., Suhrkamp Verlag Berlin und Frankfurt/M. 1957; Ges. Werke Bd. 1-6, 1952; Briefe, Frankfurt 1952. — *Werke u. a.:* Peter Camenzind, 1904; Demian, 1919; Der Steppenwolf, 1927; Siddharta, 1922; Narziß und Goldmund, 1930; Das Glasperlenspiel, 1943. — *Über Hesse:* Hugo Ball, H. H., Frankfurt 1927; E. R. Curtius, Krit. Essays zur europ. Literatur, S. 202-223; Hans Hennecke, Kritik, 1958, S. 159 ff.; Thomas Mann, Altes und Neues S. 225 ff.; Max Rychner, Zeitgenössische Literatur, S. 243 ff., Zürich 1947; M. Rychner, Sphären der Bücherwelt S. 117 ff. H. H., Briefe, Zürich.

HEUSS, THEODOR, * 31. Jan. 1884 in Brackenheim, Württemberg, lebt in Stuttgart, Politiker, Historiker, Schriftsteller, Bundespräsident von 1949-1959.

S. 363 Ein Mahnmal, abgedruckt in: Léon Poliakov und Josef Wulf, Das Dritte Reich und die Juden, Arani Verlag Berlin 1956; *S. 404, Heimat, Vaterland und Welt:* Reden an die Jugend, hrsg. von Hans Bott, S. 86-93, Rainer Wunderlich Verlag, Tübingen 1956. — *Werke u. a.:* Die neue Demokratie, 1920; Staat und Volk, 1926; Hitlers Weg, 1932; Friedrich Naumann, 1937; Hans Poelzig, 1939; Anton Dohrn in Neapel, 1940; Justus von Liebig, 1942; Robert Bosch, 1946; Schattenbeschwörung, 1947; Deutsche Gestalten, 1947; Formkräfte einer polit. Stilbildung, 1952; Vorspiele des Lebens, Jugenderinnerungen, 1954; Von Ort zu Ort, Wanderungen mit Stift und Feder, Tübingen 1959.

HINDEMITH, PAUL, * 16. Nov. 1895 in Hanau, emigrierte 1935, lebt in Zürich und New Haven, Conn. USA, Komponist.

S. 617 Musikalische Inspiration: Kontrapunkte, Bd. 2, S. 35 ff., hrsg. von H. Lindlar, P. J. Tonger Verlag, Rodenkirchen 1958; veränderte Fassung: Paul Hindemith, Komponist in seiner Welt, Atlantis Verlag Zürich, Freiburg i. Br. 1959, S. 80-88; J. S. Bach, Ein verpflichtendes Erbe, Insel Bücherei Bd. 575. Unterweisung im Tonsatz, Mainz 1937.

HÖLDERLIN, FRIEDRICH, * 20. März 1770 in Lauffen, † 7. Juni 1843 in Tübingen.

S. 3 Motto: Heimat, 2. Strophe: Sämtliche Werke, die kleine Stuttgarter Ausgabe, Bd. 2, S. 19, hrsg. von Friedrich Beissner, Cotta Verlag Stuttgart 1946 ff.; *S. 71, Der Neckar:* ebenda, S. 17; *S. 73 Heidelberg:* ebenda, S. 14; *S. 183, Menons Klagen um Diotima:* ebenda, Bd. 2, S. 79; *S. 241 Sokrates und Alcibiades:* ebenda, Bd. 1, S. 256; *S. 535 An die Parzen:* ebenda, Bd. 1, S. 247. — *Ausgaben:* Sämtl. Werke Große Stuttgarter Ausgabe, hrsg. von Fr. Beissner, 1946. — *Über Hölderlin:* Wilhelm Dilthey, Das Erlebnis und die Dichtung, 1905, jetzt 13. Aufl. Göttingen; Norbert von Hellingrath, Hölderlins Vermächtnis, 1936; Wilhelm Michel, Das Leben Hölderlins, 1949; siehe unter Guardini und Heidegger; R. A. Schröder, Ges. Werke, Bd. 2, S. 702 ff.; Eugen Gottlob Winkler, Der späte H. Dessau, 1943, jetzt Dichtungen, Gestaltungen und Probleme, hrsg. von Walter Warnach, Pfullingen, 1956; Max Kommerell, Geist und Buchstabe der Dichtung, S. 318-357, 1944; derselbe: Dichterische Erfahrung, S. 174-204, Frankfurt, 1952.

HOFFMANN, ERNST THEODOR AMADEUS, * 24. Jan. 1776 in Königsberg, † 25. Juni 1822 in Berlin.

S. 644 Der Hausbau des Rates Krespel: Ausgewählte Werke in 5 Bdn., Atlantis Verlag, Zürich, Bd. 4, S. 46 f.; Meistererzählungen, hrsg. von Jürg Fierz, Manesse-Bibliothek, S. 51 ff. Sechsbändige, zur Zeit umfangreichste Ausgabe im Aufbau-Verlag Berlin, 1958. — *Über Hoffmann:* Walter Harich, Das Leben und seine Werke, Berlin, 1920; Werner Bergengruen, Cotta Verlag, Stuttgart, 1948; Hans Mayer, Von Lessing bis Thomas Mann, S. 198 ff.: Die Wirklichkeit E.T.A. Hoffmanns, Pfullingen, 1959.

HOFMANNSTHAL, HUGO VON, * 1. Febr. 1874 in Wien, † 15. Juli 1929 in Rodaun.

S. 177, Andreas - Die glücklichste Stunde seines Lebens: Die Erzählungen, Gesam. Werke in Einzelausgaben, S. 161/2, hrsg. von Herbert Steiner, 15 Bde. im S. Fischer Verlag 1949-59; *S. 484 Wert und Ehre deutscher Sprache:* ebenda, Prosa IV, S. 480-485; *S. 507 Gotthold Ephraim Lessing:* ebenda, Prosa IV, S. 480-485; *S. 540 Der Schiffskoch, ein Gefangener singt:* ebenda, Gedichte und Lyrische Dramen, S. 28. — *Auswahl:* hrsg. von Rudolf Hirsch, 2 Bde., 1957; *Briefwechsel:* H. v. H. - Richard Strauß, Zürich, 1954; H. v. H. - Stefan George, Helmut Küpper Verlag, 1953; H. v. H. - Eberhard v. Bodenhausen, 1953; H. v. H. - Rudolf Borchardt, 1954; H. v. H. - C. J. Burckhardt, 1956. — *Über Hofmannsthal:* Richard Alewyn, Über H. v. H., Göttingen, 1958; Rudolf Borchardt, Reden 1955, S. 45-103; Hermann Broch, Essays. H. und seine Zeit, Bd. 1, Zürich 1955, S. 43-181; C. J. Burckhardt: Erinnerungen an H., München 1948; E. R. Curtius, Krit. Essays z. europ. Literatur, Bern 1950, S. 158-201; Edgar Hederer, H. v. H., S. Fischer Verlag 1960; Theodor Heuss, Würdigungen, Tübingen 1955; Walter Jens, H. und die Griechen, 1955; Max Rychner, Sphären der Bücherwelt, S. 55 ff., Zürich 1952; derselbe, Arachne, Zürich 1957, S. 154-183; R. A. Schröder Ges. Werke, Bd. 2, S. 801-863; Emil Staiger, Meisterwerke deutscher Sprache, S. 225 ff. (Der Schwierige).

HOFMILLER, JOSEF, * 22. April 1872 in Kranzegg im bayr. Allgäu, † 11. Okt. 1933 in Rosenheim.

S. 85 Unsere modernen Reisebücher: Form ist alles, Aphorismen S. 68, Piper-Bücherei 1955; *S. 267 Siebengestirn:* Über den Umgang mit Büchern, S. 124 ff., A. Langen und G. Müller Verlag, München, 1927, jetzt Nymphenburger Verlagsanstalt 1948; *S. 494 Am Anfang . . . :* Form ist alles, S. 20. — *Werke u. a.:* Versuche, 1909; Zeitgenossen, 1910; Franzosen, 1928; Pilgerfahrten, 1932; Letzte Versuche, 1952.

HUBER, KURT, * 24. Okt. 1893 in Chur, Schweiz, lehrte seit 1926 an der Universität München, † 13. Juli 1943 in München hingerichtet, Philosoph und Tonpsychologe.

S. 333 Schlußwort vor dem „Volksgerichtshof“: Du hast mich heimgesucht bei Nacht, Abschiedsbriefe und Aufzeichnungen des Widerstandes 1933-1945, hrsg. von H. Gollwitzer, Käthe Kuhn, R. Schneider, Chr. Kaiser Verlag, München, 1954. — *Arbeiten* über Herder und Leibniz s. Zeitschrift für philosoph. Forschung, Bd. I, Heft, 1, 1946. — *Inge Scholl: Die weiße Rose,* Fischer-Bücherei Nr. 88.

HUCH, RICARDA, * 18. Juli 1864 in Braunschweig, † 17. Nov. 1947 in Frankfurt a. M.

S. 107 Deutschland: Orbis terrarum. Deutschland, S. 5-6, Atlantis Verlag, Zürich und Freiburg i. Br., 1951; *S. 134 Letzte Ansprache:* Marie Baum, Leuchtende Spur. Das Leben Ricarda Huchs, Tübingen 1958; *S. 172 Willi Graf:* Zeitschrift Wandlung, 3. Jahrg., 1. Heft, S. 12-16, Verlag Lambert Schneider (abgedruckt mit Erlaubnis des Verlages Kiepenheuer und Witsch, Köln). — *Werke u. a.:* Liebesgedichte, Inselbücherei; Herbstfeuer, Inselbücherei; Der Dreißigjährige Krieg (1912/14) Neuaufl. 1958; Die Romantik (1899/1902) Tübingen, 1951; Im Alten Reich (1927-29) Bremen, 1960; Deutsche Geschichte (erschienen 1934-49), 1954; *Urphänomene, 1952.* — Bibliographie von Hans Ruppert: Else Hoppe, R. H., 1950.

HUMBOLDT, ALEXANDER VON, * 14. Sept. 1769 in Berlin, † 6. Mai 1859 in Berlin.

S. 126 Brief an Goethe: Mario Krammer, A. v. H., Mensch, Zeit, Werk, Gebr. Weiß Verlag Berlin, S. 134/6. — *Auswahl* Kröners Taschenausgabe, Bd. 266. In diesem Buch S. 121 *Rede von Max Rychner.*

HUMBOLDT, WILHELM VON, * 22. Juni 1767 in Potsdam, † 8. April 1835 in Tegel.

S. 497 Die wahre Heimat: Briefe an eine Freundin, hrsg. von Albert Leitzmann, 1. Bd. Leipzig 1909, S. 322. — *Ausgabe:* Ges. Schriften, 17 Bde., Berlin 1903-1936. — Eine Studienausgabe wird vom Cotta Verlag vorbereitet.

JASPERS, KARL, * 23. Febr. 1883 in Oldenburg, lebt in Basel.

S. 245 Vom Studium der Philosophie: Philosophie und Welt, S. 21 ff., Piper Verlag, München, 1958. — *Werke u. a.:* Psychologie der Weltanschauungen, 1915; Die geistige Situation der Zeit, 1931; Philosophie, 3 Bde., 1932 ff.; Nietzsche, 1936; Von der Wahrheit, 1947; Ursprung und Ziel der Geschichte, 1950; Die großen Philosophen, 1957. — Offener Horizont, *Festschrift für K. Jaspers* (mit Bibliographie), hrsg. von Klaas, Piper Verlag München, 1953.

JEAN PAUL = JOHANN PAUL FRIEDRICH RICHTER, * 21. März 1763 in Wunsiedel im Fichtelgebirge, † 14. Nov. 1825 in Bayreuth.

Ausgaben: Sämtliche Werke, 65 Bde., Berlin 1826/38, hist.-kritische, hrsg. von Eduard Berend, Weimar 1927 (unvollst.) = WA; Auswahl in 5 Bdn., Propyläen Verlag Berlin 1923 = PA. Auswahl in 6 Bdn. erscheint im C. Hanser Verlag München 1959 ff.

S. 64 Aus des Luftschiffers Giannozzo Seebuch, komischer Anhang zum „Titan" 2. Bändchen: WA Bd. VIII, S. 499—501; *S. 165 Ein Jüngling ...:* Titan 40. Zykel (1800/03) PA, S. 192 und WA 1. Abt. Bd. 8, S. 182; *S. 196 Wo ein Kind ...:* Horn und Flöte, Auswahl von Ernst Bertram, Inselbücherei Nr. 579, S. 5; *O schafft die Tränen ...:* ebenda und Levana § 43, PA Bd. 5, S. 499; *S. 231 Der Charakter ...,* Levana oder Erziehlehre (1807) Vorrede zur 2. Aufl. (1811): PA, Bd. 5, S. 431; *S. 274 Die Menschen soll ...,* Hesperus, Erster Hundposttag (1794): PA, Bd. 2, S. 32; *S. 286 Der alte Mann ...:* Horn und Flöte, S. 23; *S. 297 Das Tier ...,* Levana § 117: PA, Bd. 5, S. 686/7; *S. 310 Nur um den Einsamen ...,* Hesperus (1794) Siebenter Hundposttag: PA, Bd. 2, S. 111; *S. 349 Rede des toten Christus ...,* Erstes Blumenstück des Siebenkäs (1797): WA Bd. 6, S. 249-252 und PA, Bd. 5, S. 760-765; *S. 479 Der Mensch will lieber ...:* Horn und Flöte, S. 15; *S. 498 Die deutsche Sprache:* Horn und Flöte, S. 16; *S. 590 Die heilige Musik:* Horn und Flöte, S. 28. — *Auswahl:* Richard Benz, Weltgedanken und Gedankenwelt, Kröners Taschenausg. — *Über Jean Paul:* Eduard Berend, Jean Pauls Persönlichkeit, Weimar 1956; W. Dilthey, Von dt. Dichtung und Musik, Göttingen; Stefan George, Werke Bd. 1, S. 511: Lobrede auf J. P.; Hermann Hesse, Ges. Werke Bd. 7, S. 254 ff.; H. v. Hofmannsthal, Prosa III, S. 153 ff.; Max Kommerell, J. P., 3. Aufl., Frankfurt 1957; derselbe, Dichterische Welterfahrung, S. 53 ff.: J. P. in Weimar, 1952; Oskar Loerke, Gedichte und Prosa Bd. 2, S. 377-413; Max Rychner, Arachne S. 83 ff., 1957; R. A. Schröder, Ges. Schriften Bd. 2, S. 690-701; Emil Staiger, Meisterwerke deutscher Sprache, Zürich 1948, S. 56-99 (Titan); Karl Wolfskehl, Ges. Werke, Hamburg 1960, Bd. 2, S. 274 ff.

JEDLICKA, GOTTHARD, * 1899 in Zürich, seit 1939 Professor für neuere Kunstgeschichte an der Universität Zürich.

S. 187 Wilhelm Leibl: Bildnis der Frau Gedon: Anblick und Erlebnis, Bibliothek Suhrkamp 1955, S. 148. — *Werke u. a.:* Pieter Brueghel. Der Maler in seiner

Zeit, 1938; Edouard Manet 1941; Französische Malerei 1938; Spanische Malerei 1941; Pierre Bonnard, 1949; Pariser Tagebuch, 1954, Wege zum Kunstwerk, 1960.

JÜNGER, ERNST, * 29. März 1895 in Heidelberg, lebt in Wilflingen, Württemberg.

S. 318 Das Entsetzen: Das abenteuerliche Herz 2. Fassung, Hamburg 1938, S. 15; jetzt im Vittorio Klostermann Verlag Frankfurt; *S. 439 Das Lied der Maschinen:* ebenda, S. 70 ff.; *S. 496 Die Einbuße an Tradition:* Rivarol, Vittorio Klostermann Verlag, Frankfurt 1956, S. 74/5. — *Ausgabe:* Werke in 10 Bdn., Bd. 5 und 9 bisher erschienen im Verlag Ernst Klett, Stuttgart. — *Werke u. a.:* Blätter und Steine, 1934; Auf den Marmorklippen, 1939; Heliopolis, 1949; Über die Linie, 1950; Der Waldgang, 1953; An der Zeitmauer, 1959. — *Über Jünger:* Günter Blöcker, Die neuen Wirklichkeiten, 1957, S. 277; Curt Hohoff, Geist und Ursprung, 1954, S. 144 ff.; Gerhard Loose, E. J. Gestalt und Werk, Frankfurt, 1957; Jürgen Rausch, E. Jüngers Optik, Stuttgart 1951; Max Rychner, Sphären der Bücherwelt, 1952, S. 199 ff.; Friedrich Georg Jünger, Auf meinen Bruder, Rede anläßlich der Feier seines 65. Geburtstages: Jahresring 1960/61, Stuttgart.

KAFKA, FRANZ, * 3. Juli 1883 in Prag, † 3. Juni 1924 im Sanatorium Kierling bei Wien.

S. 303 Das Stadtwappen: Beschreibung eines Kampfes, S. 94, erschienen im Rahmen der von Max Brod herausgegebenen Gesammelten Werke, 10 Bde. in Einzelausgaben, S. Fischer Verlag 1950/58; *S. 314 Der Jäger Gracchus,* ebenda, S. 99 ff. — *Werke u. a.:* Der Heizer, 1913; Die Verwandlung, 1916; Das Urteil, 1916; In der Strafkolonie, 1919; Ein Landarzt, 1920; Ein Hungerkünstler, 1924; Der Prozeß, 1925; Das Schloß, 1925; Amerika, 1927. — *Briefe* (Ges. Werke), S. Fischer 1958; Briefe an Milena (Ges. Werke) 1952. — *Tagebücher* (Ges. Werke) 1951. — *Über Kafka:* Klaus Wagenbach, F. K., eine Biographie seiner Jugend, Bern 1958; Max Brod, F. K., eine Biographie 3. Aufl. 1954; Th. W. Adorno, Prismen, 1955, S. 302-42; Günther Anders, K. Pro und Contra, 1951; Fr. Beissner, Der Erzähler F. K., 1958, 2. Aufl.; derselbe, K., der Dichter, 1958; Walter Benjamin, Schriften, 1955, Bd. 2, S. 196-228; G. Blöcker, Die neuen Wirklichkeiten, 1957, S. 297 ff.; Wilh. Emrich, F. K., Bonn 1958; Erich Heller, Enterbter Geist, 1954, S. 283-329; Hans Hennecke, Kritik, 1958, S. 209 ff.; Curt Hohoff, Geist und Ursprung 1954, S. 12 ff.

KÄSTNER, ERHART, * 13. März 1904 in Augsburg, lebt als Direktor der Herzog-August-Bibliothek in Wolfenbüttel.

S. 38 Nachrichten aus Dresden: Zeltbuch von Tumilad, 1949, S. 114 ff. — *Werke:* Ölberge, Weinberge, 1953, Die Stundentrommel, 1958; Sämtl. im Insel Verlag, Wiesbaden erschienen.

KANT, IMMANUEL, * 22. April 1724 in Königsberg, † 12. Febr. 1804 in Königsberg.

Hist. krit. Ausgabe, hrsg. von der Preuß. Akad. der Wissenschaften, Berlin 1900 ff. bis 1955 23 Bde. — *Werke:* hrsg. von W. Weischedel, 6 Bde., Insel Verlag Wiesbaden, 1956 ff. — *S. 440 Mathematik und Naturwissenschaft,* aus der Vorrede zur 2. Aufl. der Kritik der reinen Vernunft, 1787.

KASCHNITZ, MARIE LUISE VON, * 31. Jan. 1901 in Karlsruhe, lebt in Frankfurt a. M.

S. 193 Am Strande: Gedichte, Claasen und Goverts Verlag, Hamburg 1947, S. 85; *S. 282 Distelstern:* Engelsbrücke, Röm. Betrachtungen, Claassen Verlag, Hamburg 1955, S. 270; *S. 473 Stelzvogel:* ebenda, S. 121. — *Werke u. a.:* Totentanz, 1948; Gustave Courbet, 1949; Zukunftsmusik, Ged., 1950; Das dicke Kind,

Erz., 1952; Das Haus der Kindheit, 1956; Neue Gedichte, 1957; Lange Schatten, Erz., 1960.

KASSNER, RUDOLF, * 11. Sept. 1873 in Groß-Pawlowitz, Mähren, † 1. April 1959 in Siders, Wallis.

S. 128 Das Lob des kleinen Mannes von Berlin: Umgang der Jahre, Eugen Rentsch Verlag, Zürich 1949, S. 239 ff. — *Werke u. a.:* Die Moral der Musik, 1905; Von den Elementen der menschlichen Größe, 1911, Insel-Bücherei; Die Chimäre, 1914; Die Nacht des ungeborenen Lebens (Auswahl), Insel Verlag; Physiognomik, 1951, Insel Verlag; Buch der Erinnerung, 1954, Zürich; Transfiguration; Die zweite Fahrt; Das neunzehnte Jahrhundert; Die Geburt Christi; Der Zauberer; Der blinde Schütze; sämtl. Eugen Rentsch Verlag Zürich. — *Auswahl:* Geistige Welten, Vorwort von C. J. Burckhardt, Ullstein-Bücherei, Bd. 202. — *Über Kassner:* Hans Paeschke, Merkur 13. Jahrg. 5; Max Rychner, Arachne, 1957, S. 195 ff.; Theophil Spoerri, Jahresring 1959/60, S. 300 ff.

KELLER, GOTTFRIED, * 18. Juli 1819 in Zürich, † 15. Juli 1890 in Zürich.

S. 61 Waldlied: Große kritische Ausgabe, Sämtl. Werke, hrsg. von Jonas Fränkel und Carl Helbling, 24 Bde., Bern 1926/48, Bd. 1, S. 53; *S. 626, Signal aus dem neunzehnten Jahrhundert* (Titel v. Hrsg.): Der grüne Heinrich, erste Fassung, vierter Bd., erstes Kap., 1885, ebenda Bd. 19 S. 14 ff. — *Sämtliche Werke und ausgewählte Briefe,* hrsg. von Clemens Heselhaus 3 Bde., Carl Hanser Verlag, München 1956/8. — *Über Keller:* Erwin Ackerknecht, G. K., Geschichte seines Lebens, 1948; Walter Benjamin, Schriften Bd. 2, S. 284; Ricarda Huch, G. K., Inselbücherei; Georg Lukács, Deutsche Realisten des 19. Jahrhunderts, Bern 1951, S. 147 ff.; Max Rychner, Sphären der Bücherwelt, S. 60 ff.; Emil Staiger, Die Zeit als Einbildungskraft des Dichters, 1953, S. 161-210.

KIRCHNER, ERNST LUDWIG, * 6. Mai 1880 in Aschaffenburg, † 15. Juni 1938 in Davos.

S. 636 Brief aus Davos: Ausstellungskatalog Valentin, New York 1952. — *Über Kirchner:* Werner Haftmann: Malerei im 20. Jahrhundert, München 1954; Hans Bütow, Spur von Erdentagen, Societätsverlag, Frankfurt 1958, S. 21-30.

KLEE, PAUL, * 18. Dez. 1879 in München-Buchsee bei Bern, † 29. 6. 1940 in Muralto bei Locarno.

S. 630 Exakte Versuche, 1928: Das bildnerische Denken, Schriften zur Form- und Gestaltungslehre, hrsg. von Jürg Spiller, Benno Schwabe Verlag Basel/Stuttgart 1956, S. 69/70 (erstmals veröffentlicht in: „Bauhaus 2. Jahrg. Nr. 2 Dessau 1928). — *S. 632 Das bildnerische Denken* (aus dem Vortrag, gehalten aus Anlaß einer Bilderausstellung im Kunstverein zu Jena, 26. Jan. 1924): ebenda, S. 92-95; Tagebücher, Köln 1960. — *Über Klee:* Will Grohmann, P. K., Stuttgart 1954; Werner Haftmann, P. K., München 1950. Siehe unter Georg Schmidt.

KLEIST, HEINRICH VON, * 18. Okt. 1777 in Frankfurt a. d. Oder, † 21. Nov. 1811 am Wannsee bei Berlin.

S. 257 Über das Marionettentheater, Erstdruck „Berliner Abendblätter" 1810: Sämtliche Werke und Briefe, 2 Bde., hrsg. von Helmut Sembdner, Carl Hanser Verlag, München, Bd. 1, S. 335; *S. 304 Robert Guiskard,* entstanden 1802/3, Erstdruck im „Phoebus": ebenda Bd. 1, S. 165. — *Über Kleist:* G. Blöcker, H. v. K. oder das absolute Ich, Berlin 1960; C. Hohoff Rowohlts Monographien Nr. 1, 1958; Wolfg. Kayser, Die Vortragsreise, S. 169 ff. (Kl. als Erzähler); Max Kommerell, Geist und Buchstabe der Dichtung, Frankfurt 1944, S. 243-317; Joachim Maaß, Kleist, die Fackel Preußens, München 1957; Thomas Mann, Adel des Geistes, S. 56 ff. Kleists Amphitryon (1926); derselbe, Nachlese: Kleist und seine Erzählungen (1954); Reinhold Schneider, Über Dichter und Dichtung, Köln 1953, S. 46 ff. Kleists Ende; H. Sembdner, Kleists Lebensspuren, Slg. Dieterich 1957; Emil Staiger, Meisterwerke deutscher Sprache, 1948, S. 100-119 (Das Bettelweib von Locarno); Dolf Sternberger, Figuren der Fabel, 1950, S. 93 ff. (Penthesilea).

KOEPPEN, WOLFGANG, * 23. Juni 1906 in Greifswald, lebt in München.

S. 109 Der eiserne Vorhang: Nach Rußland und anderswohin, Empfindsame Reisen, Henry Goverts Verlag, Stuttgart 1958, S. 127-134. — *Romane u. a.:* Tauben im Gras, 1951; Der Tod in Rom, 1954.

KOLLWITZ, KÄTHE, * 8. Juli 1867 in Königsberg, † 22. April 1945 auf Schloß Moritzburg (Sachsen).

S. 35 Jugend in Königsberg: K. K., Tagebuchblätter und Briefe, hrsg. von Hans Kollwitz, Gebr. Mann Verlag Berlin 1949 S. 28 f. — K. K.: Aus meinem Leben, List-Bücher Bd. 92.

KRAUS, KARL, * 28. April 1874 in Gitschin (Böhmen), † 12. Jan. 1936 in Wien, schrieb seine Zeitschrift „Die Fackel“ 1899-1933 zum größten Teil allein.

S. 36 Zum ewigen Frieden, Werke, hrsg. von Heinrich Fischer, Kösel Verlag 1959 (All rights reserved), Bd. 7, S. 234; *S. 240, Jetzt haben die Kinder . . . :* Werke, Bd. 3: Beim Wort genommen, S. 346; *S. 321 Letzte Verse aus der „Fackel“*, Oktober 1933; *S. 404 Eine Heimat zu haben . . .*, Bd. 3, S. 444; *S. 494 In keiner Sprache . . .*, Bd. 3, S. 326; S. 503 *Umgangssprache . . .*, Bd. 3, S. 433. — *Über Kraus:* Walter Benjamin, Schriften Bd. 2, S. 159 ff.; Ludwig Hänsel, Hochland, 32. Jahrg., Heft 1, 1934; Erich Heller, Enterbter Geist, S. 331; Werner Kraft, K. K., Salzburg 1956, mit Bibliographie; L. Liegler, K. K. und sein Werk, 1933; S. v. Radecki Wie ich glaube, 1953, S. 11-45; Max Rychner, Arachne, 1957, S. 107-143; Richard von Schaukal, K. K., Wien 1933; Ernst Krenek, Zur Sprache gebracht, München 1958, S. 224-240.

LANGGÄSSER, ELISABETH, * 23. Febr. 1899 in Alzey, † 25. Juli 1950 in Rheinzabern.

S. 195 Die Rose: Ges. Werke, Claassen Verlag Hamburg, Gedichte 1959, S. 129; *S. 361 Frühling 1946,* ebenda, S. 158. — *Werke u. a.*, Lyrik: Wendekreis des Lammes, 1924; Tierkreisgedichte, 1935; Der Laubmann und die Rose, 1947; Kölnische Elegie, 1948; Metamorphosen, 1949. — *Erzähltes:* Triptichon des Teufels, 1932; Gang durch das Ried, 1936; Das unauslöschliche Siegel, 1946; Torso, 1947; Märkische Argonautenfahrt, 1950; Geist in den Sinnen behaust (Nachlaß), 1951; Briefe, 1954; Das Labyrinth, 1949. — *Über Langgässer:* Hans Bütow: Spur von Erdentagen, 1958; Hans Hennecke: Kritik S. 168 ff.

LASKER-SCHÜLER, ELSE, * 11. Febr. 1876 in Wuppertal-Elberfeld, emigrierte 1933 nach Jerusalem und starb dort am 22. Jan. 1945.

S. 141 Die Eisenbahn: Dichtungen und Dokumente, hrsg. von Ernst Ginsberg, Kösel Verlag München (All rights reserved), S. 238 ff.; S. 358 Die Verscheuchte: ebenda S. 158; S. 359 Ich weiß: ebenda S. 180. — Kritische Gesamtausgabe der Gedichte 1902-1943, hrsg. von Friedhelm Kemp, München 1959; Briefe an Karl Kraus, Köln 1959.

LEHMANN, WILHELM, * 4. Mai 1882 in Puerto Cabello (Venezuela), lebt in Eckernförde/Ostsee.

S. 194 Der Holunder: Noch nicht genug: Heliopolis-Verlag, Tübingen 1950, S. 21; *S. 195 In Solothurn,* ebenda S. 26. — *Werke u. a.:* Meine Gedichtbücher, Ges. Gedichte, 1957; Weingott, 1921; Der Sturz auf die Erde, 1923; Die Hochzeit der Aufrührer, 1934; Verführerin Trösterin, Erz., 1947; Ruhm des Daseins, Rom.,

1953; Bewegliche Ordnung, Essays, 1947; Dichtung als Dasein, 1958; Kunst des Gedichts, Jahresring 1960/61, S. 128 ff. — *Über Lehmann:* W. Weber, Zeit ohne Zeit, Zürich 1959, S. 204 ff.; Curt Hohoff, Geist und Ursprung, 1954, S. 52-60.

LEIP, HANS, * 22. Sept. 1893 in Hamburg, lebt in Fruthwilen, Schweiz.

S. 8 Hamburg: H., in der Reihe: das kleine Kunstbuch, Verlag Knorr und Hirth, München 1955, S. 5 ff. — *Werke u. a.:* Der Nigger auf Scharhörn; Die Klabauterflagge; Herz im Wind; Der große Fluß im Meer.

LENZ, SIEGFRIED, * 17. März 1926 in Lyck, Ostpreußen, lebt in Hamburg.

S. 461 Der große Wildenberg: Jäger des Spottes, Hoffmann und Campe Verlag Hamburg 1958, S. 109 ff. — *Werke u. a.:* So zärtlich war Suleyken, 1955; Der Mann im Strom, 1957; Brot und Spiele, 1959; Das Feuerschiff, 1960.

LESSING, GOTTHOLD EPHRAIM, * 22. Jan. 1729 in Kamenz, † 15. Febr. 1781 in Braunschweig.

S. 504 Selbstcharakteristik, Hamburgische Dramaturgie 101./102. Stück: Ges. Werke in 2 Bdn., hrsg. von Wolfg. Stammler, Carl Hanser Verlag München 1958, 2. Bd., S. 755 ff.; *S. 505 Über die Wahrhaftigkeit des Stils,* Anti-Goeze II: 1. Bd., S. 1070/2. — *Ausgabe:* Werke, hrsg. von Jul. Petersen und W. v. Olshausen, 25 Bde., Berlin, 1925-35. — *Über Lessing:* W. Dilthey, Das Erlebnis und die Dichtung, Göttingen, S. 11-110; Karl Jaspers, Von der Wahrheit, 1947, S. 949 ff.: über Nathan den Weisen; Max Kommerell, Lessing und Aristoteles, 1957; Thomas Mann, Adel des Geistes, 1948, S. 9; derselbe, Altes und Neues, 1953, S. 160; Hans Mayer, Von Lessing bis Thomas Mann, 1959, S. 79 ff.; L., Mitwelt und Nachwelt; Emil Staiger, Die Kunst der Interpretation, 1957, S. 75: über Minna von Barnhelm; Dolf Sternberger, Figuren der Fabel, 1950, S. 7-92.

LICHNOWSKY, MECHTHILDE, FÜRSTIN, * 8. März 1878 auf Schloß Schönburg, Niederbayern, † 4. Juni 1958 in London.

S. 266 Herzensgüte und Genialität: Zum Schauen bestellt, Bechtle Verlag, Eßlingen 1953, S. 11 ff. — *Werke u. a.:* An der Leine, Rom., 1929; Kindheit 1932; Delaide 1937; Worte über Wörter 1949; Heute und vorgestern 1958. — *Über M. Lichnowsky:* Wolfgang Drews, Jahresring 1959/60.

LICHTENBERG, GEORG CHRISTOPH, * 1. Juli 1742 in Oberramstadt bei Darmstadt, † 24. Febr. 1799.

S. 1 Gespräch: Ges. Werke, hrsg. und eingeleitet von Wilh. Grenzmann, 2 Bde. und Ergänzungsband, Frankfurt 1949, Bd. 1, S. 132; *S. 263 Eine Uhr . . . :* Bd. 1, S. 62; *S. 263 Sind wir nicht . . .:* Bd. 1, S. 201; *S. 345 Das Land . . .:* Bd. 1, S. 126; *S. 465 Was man sehr prächtig . . . :* Bd. 1, S. 128; *S. 473 Die Lüftung der Nation . . . :* Bd. 1, S. 473; *S. 479 Ich glaube . . . :* Bd. 1, S. 182; *S. 502 Wenn ein Buch . . . :* Bd. 1, S. 295; *S. 502 Ein Buch ist . . . :* Bd. 1, S. 141; *S. 502 Er las . . . :* Bd. 1, S. 145; *S. 502 Die Wälder . . . :* Bd. 1, S. 298; *S. 502 Heutzutage . . . :* Bd. 1, S. 337; *S. 502 Ich behaupte . . . :* Bd. 1, S. 177; *S. 502 Das Gastmahl:* Bd. 2, S. 560. — *Ausgaben:* Aphorismen, Briefe, Schriften, hrsg. von P. Requadt, Kröners Taschenausgabe: Aphorismen, hrsg. von Max Rychner, Manesse-Bibliothek. — *Über Lichtenberg:* Carl Brinitzer, L., die Geschichte eines gescheiten Mannes, Tübingen 1956; Paul Requadt, L., Zum Problem der deutschen Aphoristik, 1948; Herbert Schöffler, L., Göttingen 1956.

LILJE, HANNS, * 20. Aug. 1899 in Hannover, lebt in Hannover, Landesbischof der Evang.-Luth. Landeskirche Hannover.

S. 378 Kirche und Politik: Kirche und Welt, List-Bücherei, Bd. 76, S. 43 ff. — *Werke:* Im finstern Tal, 1947; Luther, Anbruch und Krise der Neuzeit, Nürnberg, 1948.

LOERKE, OSKAR, * 13. März 1884, † 24. Febr. 1941 in Berlin.

S. 199 Die Abschiedshand: Gedichte und Prosa, hrsg. von Peter Suhrkamp in 2 Bdn., Suhrkamp Verlag, Frankfurt 1958, Bd. 1 Die Gedichte, S. 636; *S. 264 Besuch:* ebenda, S. 321; *S. 322 Lügner:* ebenda, S. 635. — *Werke:* Bd. 1 die sieben Gedichtbücher, Gedichte aus dem Nachlaß; Essays zu den Gedichten; Bd. 2 J. S. Bach, Anton Bruckner; Hausfreunde; Zeitgenossen, Tagebücher, hrsg. von Hermann Kasack, Heidelberg 1956. — *Über Loerke:* P. Suhrkamp: Der Leser, S. 125.

MANN, GOLO, * 27. März 1908 in München, Historiker, Herausgeber und Mitarbeiter der Propyläen Weltgeschichte.

S. 327 Es liegt dem deutschen Charakter nicht: Deutsche Geschichte des 19. und 20. Jahrhunderts, S. Fischer Verlag, Frankfurt 1958, S. 818; *S. 328 Widerstand:* ebenda, S. 909-916.

MANN, THOMAS, * 6. Juni 1875 in Lübeck, † 12. Aug. 1955 in Kilchberg bei Zürich (Nobelpreis für Literatur 1929).

S. 155 Über Eichendorffs „Taugenichts": Betrachtungen eines Unpolitischen, 1918, Neuausgabe S. Fischer Verlag, Frankfurt 1956, S. 368 ff.; *S. 389 Meerfahrt mit Don Quijote,* 1934; Adel des Geistes, Stockholm. Ausg. 1948, S. 588. — *Ausgabe:* Stockholmer Gesamtausgabe, 12 Bde., S. Fischer 1945/56. — *Werke:* Buddenbrooks, 1901; Toni Kröger, 1903; Der Zauberberg, 1924; Joseph und seine Brüder, 1933-43; Lotte in Weimar, 1939; Doktor Faustus, 1947; Die Bekenntnisse des Hochstaplers Felix Krull, 1954. — *Über Thomas Mann:* Hans Eichner, Th. M., eine Einführung, Bern 1953; Hans Mayer, Th. M., Berlin 1950; Erich Heller, Th. M., der ironische Deutsche, Frankfurt 1959; Max Rychner, Zeitgenöss. Literatur, Zürich 1947, S. 217-41; derselbe, Welt im Wort, Zürich 1949, S. 349-94; Alfred Andersch in der von ihm herausgegebenen Zeitschrift: Texte und Zeichen, 1955.

MELCHINGER, SIEGFRIED, * 22. Nov. 1906 in Stuttgart, seit 1953 Theaterkritiker und Leiter des Feuilletons der „Stuttgarter Zeitung".

S. 582 Theater in Berlin: Modernes Welttheater, C. Schünemann Verlag, Bremen 1956, S. 94 ff. — *Andere Schriften:* Theater der Gegenwart, Fischer-Bücherei, Bd. 118; Leitfaden durch das zeitgenössische Schauspiel, Schünemann Verlag, Bremen, 2. Auflage 1957.

MENDELSSOHN-BARTHOLDY, FELIX, * 3. Febr. 1809 in Hamburg, † 4. Nov. 1847 in Leipzig.

S. 590 Es wird soviel über Musik ..., aus einem Brief an Marc-André Souchay, Berlin 15. Okt. 1842: Reisebriefe aus den Jahren 1830-1847, hrsg. von Paul Mendelssohn-Bartholdy, 2 Bde., 1861; *S. 607 Brief aus Paris:* Reisebriefe, hrsg. von Paul Hübner, Drei-Brücken-Verlag, Mainz, S. 389-398 (gekürzt). — *Über Mendelssohn:* Peter Sutermeister, F. M.-B.: Lebensbild und Briefe 1949.

MERSMANN, HANS, * 6. Okt. 1891 in Potsdam, lebt in Köln, Musikwissenschaftler, Direktor der Staatl. Hochschule für Musik, Köln 1947-57.

S. 596 Bach und Händel: Musikgeschichte in der abendländischen Kultur, Hans F. Menck Verlag, 2. Aufl., S. 139 ff.; *S. 614 Hindemith:* Kontrapunkte, hrsg. von H. Lindlar, Bd. 1, Hans Mersmann: Deutsche Musik des XX. Jahrhunderts im Spiegel des Weltgeschehens, Kap. 7 Hindemith, S. 25 ff. (gekürzt) P. J. Tonger Verlag, Rodenkirchen. — *Schriften u. a.:* Angewandte Musikaesthetik 1926; Musikhören, 2. Aufl. 1952; Festgabe für Mersmann, Musikerkenntnis und Musikerziehung, Kassel und Basel 1957.

MEYER, CONRAD FERDINAND, * 12. Okt. 1825 in Zürich, † 28. Nov. 1898 in Kilchberg bei Zürich.

S. 62 Fülle, 1882, Sämtliche Werke hrsg. von Hans Schmeer S. 737, Droemer-Verlag 1959. — *Sämtl. Werke* histor.-krit. Ausg. in 15 Bdn., hrsg. von Hans Zeller und Alfr. Zäch, Bern, Benteli Verlag 1958 ff., bisher Bd. 10 und 11 erschienen; Werke hrsg. von Gust. Steiner 4 Bde., Basel Birkhäuser Verlag 1946. — *Über C. F. Meyer:* Robert Faesi, C. F. M., Frauenfeld 1948; Emil Staiger: Meisterwerke deutscher Sprache, Zürich 1948, S. 204 ff.; derselbe, Die Kunst der Interpretation, Zürich 1957, S. 239 ff.; Hans Mayer: Von Lessing bis Thomas Mann, 1959, S. 317 ff. (Jürg Jenatsch).

MÖRIKE, EDUARD, * 8. Sept. 1804 in Ludwigsburg, † 4. Juni 1875 in Stuttgart.

S. 71 Im Frühling, 1828: Sämtliche Werke hrsg. v. G. Göpfert, Carl Hanser Verlag München 1954, S. 29; *S. 600 Mozart auf der Reise nach Prag:* ebenda, S. 1013 ff. — *Ausgaben:* Sämtl. Werke in 3 Bdn. hrsg. v. Gerhard Baumann, Cotta Verlag, Stuttgart 1954. — *Auswahl:* Manesse Bibliothek Zürich hrsg. Werner Zemp 1954; Briefe hrsg. von W. Zemp, Manesse-Bibliothek Zürich 1949. — *Über Mörike:* Benno von Wiese, E. M., Tübingen 1950; Albrecht Goes, Von Mensch zu Mensch, 1952, S. 173; derselbe, Freude am Gedicht, 1952, S. 7 ff.

MORITZ, KARL PHILIPP, * 15. Sept. 1757 in Hameln, † 26 Juni 1793 in Berlin.

S. 310 Verfremdete Welt: Anton Reiser, ein psychologischer Roman, 1785-90, Insel Verlag mit Nachwort von Max von Brück, 1960, S. 227 ff. — *Über K. Ph. Moritz:* Fritz Ernst, Essais 1946, Bd. 2, S. 62; Robert Minder, Die religiöse Entwicklung von K. Ph. M., Berlin 1936; Peter Suhrkamp in dem Lesebuch: Deutscher Geist Bd. 1, S. 275.

MOZART, WOLFGANG AMADEUS, * 27. Jan. 1756 in Salzburg, † 5. Dez. 1791 in Wien.

S. 601 Aus dem letzten Brief an seinen Vater, Wien, den 4. April 1787: Briefe, ausgewählt und mit Nachwort versehen von Willi Reich, Manesse-Bibliothek Zürich 1948, S. 331 f. — *Über Mozart:* H. Abert, W. A. M., 7. Aufl., Leipzig 1955/56; W. Dilthey, Von deutscher Dichtung und Musik, Göttingen; Annette Kolb, M., Zürich 1956; Emil Staiger, Musik und Dichtung, Zürich 1947: Goethe und M. — *Weitere Angaben:* Die Musik in Geschichte und Gegenwart, 83. und 84. Lieferung 1960.

MUSIL, ROBERT, * 16. Nov. 1880 in Klagenfurt, † 15. April 1942 in Genf.

S. 442 Ansätze zu einer Moral . . . : Der Mann ohne Eigenschaften (1. Buch Berlin 1930; 2. Buch 1933, unvollst.), zitiert nach der Gesamtausgabe in 3 Bdn., hrsg. von Adolf Frisé, Rowohlt Verlag 1952/7, Bd. 1, S. 37 ff.; *S. 557 Rede zur Rilke-Feier:* ebenda, Bd. 2, S. 885 ff. — *Werke u. a.:* Die Verwirrungen des Zöglings Törless, Wien 1906; Vereinigungen, Berlin 1911; Drei Frauen, Berlin 1924 (jetzt Rororo Bd. 64), Nachlaß bei Lebzeit, Zürich 1936; Über die Dummheit, Berlin 1937. — *Über Musil:* W. Rasch: Erinnerungen an R. M., Merkur 9. Jahrg., S. 148-158; Walter Boehlich, Untergang und Erlösung, Akzente, 1. Jahrg. 1954, S. 35-50; Beda Allemann, Ironie und Dichtung, Pfullingen 1956, S. 177-200; R. M., Leben, Werk, Wirkung, hrsg. von Karl Dinklage, Rowohlt Verlag, Hamburg 1960, 440 S.

NIETZSCHE, FRIEDRICH, * 15. Okt. 1844 in Röcken bei Lützen, † 25. Aug. 1900 in Weimar.

S. 477 Sie haben noch kein Heute: Jenseits von Gut und Böse, 1. Aufl. 1886; 2. Aufl. 1891: Werke in 3 Bdn., hrsg. von Karl Schlechta, C. Hanser Verlag, München 1954/6: Bd. 2, S. 705; *S. 478 „Der Wille zur Macht“:* Kröners Taschenausgabe Bd. 82, S. 428; *S. 496 Man schreibt nur . . . :* Fröhliche Wissenschaft 2. Buch

(1882), Ausgabe Schlechta Bd. 2 S. 99; *S. 501 Aus der Vorrede zur „Morgenröte"*, 1886; Ausgabe Schlechta Bd. 1, S. 1016. — *Über Nietzsche:* K. Jaspers, N., Einführung in das Verständnis seines Philosophierens, Berlin 1936, 3. Aufl. 1950; Ernst Bertram, N., Versuch einer Mythologie, Berlin 1918, 7. Aufl. 1929; Thomas Mann, Neue Studien S. 105 ff., Nietzsches Philosophie im Lichte unserer Erfahrung; Gottfried Benn, Ges. Werke Bd. 1, S. 482, N. — nach 50 Jahren; Georg Friedrich Jünger, N., Frankfurt 1949; Max Kommerell, Gedanken über Gedichte, 1956, S. 481-491; Eugen Gürster, Nietzsche und die Musik, München 1929.

NOHL, HERMAN, * 7. Okt. 1879 in Berlin, † in Göttingen 1960, Philosoph und Pädagoge.

S. 231 Georg Kerschensteiner: Erziehergestalten, die kleine Vandenhoeckreihe Bd. 55 Göttingen 1958, S. 63-68. — *Werke u. a.:* Einführung in die Philosophie 1935; Die pädagog. Bewegung und ihre Theorie, 1935; Charakter und Schicksal, 1938; Pädagogik aus dreißig Jahren 1949; Friedrich Schiller, 1954.

NOSSACK, HANS ERICH, * 30. Jan. 1901 in Hamburg, lebt in Aystetten bei Augsburg.

S. 345 Die Kirchenglocken: Der jüngere Bruder, Roman, Suhrkamp Verlag 1958, S. 7 ff. — *Werke u. a.:* Spätestens im November, 1955; Spirale, 1956; Unmögliche Beweisaufnahme, 1959.

NOVALIS = FRIEDRICH VON HARDENBERG, * 2. Mai 1772 auf dem Familiengut Oberwiederstedt bei Quedlinburg, † 25. März 1801 in Weißenfels.

S. 655 Die stummen Gefährten des Lebens: Heinrich von Ofterdingen, zweites Kapitel, entstanden 1799; Briefe und Werke in 3 Bdn., hrsg. von Ewald Wasmuth, Verlag Lambert Schneider, Berlin 1943, Bd. 2, S. 24/6. — *Hist.-krit. Ausgabe* in 4 Bdn. hrsg. von Paul Kluckhohn und Richard Samuel Kohlhammer Verlag, Stuttgart, der 1. Bd. ist 1960 erschienen. — *Über Novalis:* W. Dilthey, Das Erlebnis und die Dichtung, 1905; W. Rehm, Orpheus, Düsseldorf 1950.

PENZOLDT, ERNST, * 14. Juni 1892 in Erlangen, † 27. Jan. 1955 in München.

S. 196 Warum es keinen Krieg geben kann: Die Liebende, Nachlaß Suhrkamp Verlag, Frankfurt 1958. — *Werke:* Ges. Schriften in 3 Einzelbänden, Frankfurt 1952; Squirrell; ebenda 1954, S. 221. — *Über Penzoldt:* Th. Mann, Nachlese, Prosa 1951-55, Frankfurt 1956, S. 174, E. P. zum Abschied.

PETERICH, ECKART, * 16. Dez. 1900 in Berlin, lebt in Mailand, Direktor der Deutschen Bibliotheken in Mailand und Rom.

S. 511 Terpsichore: Das Maß der Musen, Herder Verlag, Freiburg i. Br., S. 21 ff. — *Werke u. a.:* Theologie der Hellenen, 1938; Sonette einer Griechin, 1940; Vom Glauben der Griechen, 1942; Nausikas (Schauspiel), 1948; Gedichte 1933-46, 1949; Griechenland, 1957; Italien 1. Bd., 1958; Alkmene, Ein Lustspiel, 1959; Ein Fischzug u. a., Gedichte, 1959.

PICHT, GEORG, * 9. Juli 1913 in Straßburg, lebt in Hinterzarten im Schwarzwald, ist langjähriger Leiter der Schule Birklehof in Hinterzarten gewesen, jetzt Leiter der Forschungsstätte der Evang. Studiengemeinschaft Heidelberg.

S. 236 Aus dem Tagebuch eines Schulleiters: Freundesgabe für Robert Boehringer, Verlag J. C. B. Mohr, Tübingen 1957, S. 519-522. — *Schriften u. a.:* Naturwissenschaft und Bildung, Unterwegs zu neuen Leitbildern? beides Werkbund-Verlag Würzburg; Die Erfahrung der Geschichte, Vittorio-Klostermann-Verlag; Technik und Überlieferung, Furche-Verlag; Die Epiphanie der ewigen Gegenwart, in der Festschrift für Wilhelm Szilasi, Verlag Francke in Bern und München.

PIEPER, JOSEF, * 4. Mai 1904 in Elte/Westfalen, lebt in Münster in Westfalen, Philosoph.

S. 401 Die übernatürliche Hoffnung: Über die Hoffnung S. 41 ff. 1935, Jakob Hegner Verlag; jetzt wie fast alle Schriften im Kösel-Verlag München. — *Werke u. a.:* Vom Sinn der Tapferkeit, 1933; Traktat über die Klugheit, 1937; Zucht und Maß, 1939; Muße und Kult, 1948; Über das Ende der Zeit, 1950; Über das Schweigen Goethes, 1950; Über die Gerechtigkeit, 1953; Weistum, Dichtung, Sakrament, Aufsätze und Notizen, 1954; Hinführung zu Thomas von Aquin, 1958; Scholastik, 1960.

POLGAR, ALFRED, * 17. Oktober 1875 in Wien, † 24. April 1955 in Zürich, Theaterkritiker in Wien, 1925-33 in Berlin.

S. 85 Fremde Stadt: Im Lauf der Zeit, Rororo Bd. 107, Rowohlt Verlag, Hamburg 1954, S. 123; *S. 589 Natur und Kunst:* ebenda S. 166. — *Kritiken:* Kleine Zeit, 1919; An den Rand geschrieben, 1926; Ja und Nein, 4 Bde., 1926/27; Ich bin Zeuge, 1928; Schwarz auf Weiß, 1929; Bei dieser Gelegenheit, 1930; In der Zwischenzeit, 1934; Der Sekundenzeiger, 1937; Standpunkte, 1953. — *Erzähltes:* Gestern und Heute, 1922; Geschichten ohne Moral, 1943.

RADECKI, SIGISMUND VON, * 19. November 1891 in Riga, lebt in Zürich.

S. 467 Bemerkungen über den Sport: Im Vorübergehen, Kösel-Verlag, München 1959, S. 144 ff. (all rights reserved). — *Werke u. a.:* Die Welt in der Tasche, 5. Aufl. 1958; Nebenbei bemerkt, 6. Aufl. 1954; Über die Freiheit, 1950; Was ich sagen wollte, 1952; Wie ich glaube, 1953; Weisheit für Anfänger, 1956.

REIFENBERG, BENNO, * 16. Juli 1892 in Oberkassel bei Bonn, lebt in Kronberg i. Taunus. Seit 1924 leitender Redakteur der „Frankfurter Zeitung“, 1945 bis 1958 Mitherausgeber und verantwortlicher Redakteur der Halbmonatsschrift „Die Gegenwart“, seit 1959 Mitherausgeber der „Frankfurter Allgemeinen Zeitung“. Arbeitete 1956/57 zusammen mit Theodor Heuss und Hermann Heimpel an der Neuherausgabe des Sammelwerkes „Die Großen Deutschen“.

S. 113 Tagebuchnotiz aus Berlin 1947: Lichte Schatten, Ges. literarische Schriften, Societätsverlag, Frankfurt 1953, S. 89-92 (In Quarantäne); *S. 408 Rede auf Theodor Heuss:* Frankfurter Allgemeine Zeitung vom 14. Okt. 1959 Nr. 238, S. 91. — *Schriften u. a.:* Max Beckmann 1949; Das Abendland gemalt, Ges. Schriften zur Kunst, 1950. — *Über Reifenberg:* Friedrich Sieburg, Nur für den Leser, 1955, S. 265 ff.

REUTER, ERNST, * 29. Juli 1889 in Apenrade/Jütland, † 29. September 1953 in Berlin. Regierender Bürgermeister von Berlin 1948-1953.

S. 322 Brief an Thomas Mann: Nach dem Original des Berliner Reuter-Archivs mit gütiger Zustimmung von Frau Hanna Reuter.

RILKE, RAINER MARIA, * 4. Dezember 1875 in Prag, † 29. Dezember 1926 in Val Mont bei Montreux.

Sämtliche Werke hrsg. vom Rilke-Archiv, besorgt durch Ernst Zinn, bisher erschienen Bd. 1—3, Insel-Verlag, Wiesbaden 1955 ff. (SW).

S. 20 Die Insel, 1906, erschienen in Neue Gedichte, 1907, SW Bd. 1, S. 538; *S. 313 Nachmittagsstunde* (Titel v. Hrsg.), Die Aufzeichnungen des Malte Laurids Brigge, 1904—1910: Ausgew. Werke in 2 Bdn., Insel-Verlag Leipzig 1942, Bd. 2, S. 77 f.; *S. 552 Brief an die Gräfin Margot Sizzo-Noris-Crouy:* Briefe, 2 Bde., Insel-Verlag Wiesbaden 1950, 2. Bd., S. 404 ff.; *S. 556 Komm du ...*, 1926, SW Bd. 2, S. 511; *S. 560 Archaischer Torso Apollos*, 1908, Neue Gedichte Anderer Teil, erschienen 1908, SW Bd. 1, S. 557; *S. 561 Die Sonette an Orpheus*, 1922, erschienen 1923, SW Bd. 1, S. 758 ff.; *S. 564 An der sonngewohnten Straße*, 1924, SW Bd. 2, S. 166; *S. 564 Nein, ich vergesse dich nicht*, 1924, SW Bd. 2, S. 153. — *Über Rilke:* Otto Bollnow, R., Stuttgart 1956; Else Buddeberg, R. M. R., eine innere Biographie, 1955; P. Demetz, René R's Prager Jahre, 1953; R. Guardini, R's Deutung des Daseins, 1953; H. E. Holthusen, Der späte R.; derselbe, Ja und Nein, 1954, S. 166 ff.; derselbe, R. in Selbstzeugnissen, rowohlts monographien 1958; R. Kassner, Buch der Erinnerung, 1953, S. 294—318; E. Krenek, Zur Sprache gebracht, 1958, S. 31 ff.; Herman Meyer, Amsterdam: Jahrbuch f. Aesthetik u. allg. Kunstwissenschaft, Stuttgart 1954, 2. Bd., S. 69—102 (R's Cézanne-Erlebnis); derselbe, Deutsche Vierteljahresschrift 31. Jahrg. 1957, S. 465—505 (Die Bedeutung der modernen bildenden Kunst für R's späte Dichtung); Hermann Mörchen, R's Sonette an Orpheus, Stuttgart 1958; Friedrich Sieburg, Die Lust am Untergang, Hamburg 1954, S. 337—364 (R., das Zeitsymptom); R. A. Schröder, Ges. Werke, Bd. 2, S. 920—954.

RINGELNATZ, JOACHIM (BÖTTICHER), * 7. Aug. 1883 in Wurzen bei Leipzig, † 17. Nov. 1934 in Berlin.

S. 14 Segelschiffe, Gedichte dieser Jahre, 1932: und auf einmal steht es neben dir, Ges. Gedichte, Karl H. Henssel-Verlag, Berlin 1960, S. 441; *S. 15 Arm Kräutchen*, Kinderverwirrbuch, 1931: ebenda S. 381.

RÖPKE, WILHELM, * 10. Okt. 1899 in Schwarmstedt/Hannover, lebt seit 1937 in Genf, Professor der Sozial- und Wirtschaftswissenschaften am Institut für höh. internat. Studien.

S. 456 Ludwig Erhards soziale Marktwirtschaft: Jenseits von Angebot und Nachfrage, Eugen Rentsch Verlag, Erlenbach-Zürich 1958, S. 36 ff. (gekürzt). — *Werke u. a.:* Die Gesellschaftskrisis der Gegenwart, 1942; Civitas humana, 1944; Internationale Ordnung - Heute, 2. Aufl. 1954; Die deutsche Frage, 1945; Die Krise des Kollektivismus, 1947; Das Kulturideal des Literalismus, 1947; Maß und Mitte, 1950; Die Lehre von der Wirtschaft, 7. Aufl. 1954; Gegen die Brandung, 1960; sämtl. im Eugen Rentsch Verlag Zürich.

ROTH, EUGEN, * 24. Jan. 1895 in München, lebt in München.

S. 664 Aus dem Sammelsurium eines Kunstsammlers: Sammelsurium, Heitere Betrachtungen über das Kunstsammeln, 1955, S. 41-43. — *Werke u. a.: Ein Mensch* (Ged.) 1935; Eugen Roths Tierleben, 2 Bde., 1948/49); Das Schweizerhäusl (Erz.), 1950; Abenteuer in Banz (Erz.), 1952; Der Weg übers Gebirg, 1956; Unter Brüdern, 1958.

ROTH, JOSEPH, * 2. Sept. 1894 in Schwabendorf bei Brody, Galizien, † 27. Mai 1939 in Paris.

S. 286 Grock: Werke in 3 Bdn., Verlag Kiepenheuer u. Witsch, Köln 1956, Bd. 3, S. 301 ff.; *S. 465 Dem Anschein nach:* ebenda Bd. 3, S. 620 ff. — *Bibliographie* in Bd. 3 der Gesamtausgabe. — *Über Roth:* Benno Reifenberg, Lichte Schatten, Frankfurt 1953, S. 205 ff.

RYCHNER, MAX, * 8. April 1897 in Aarau, Schweiz, lebt in Zürich.

S. 121 Alexander von Humboldt: Merkur 13. Jahrg., Heft 9, S. 801-806 (Erster Teil einer zum 100. Todestag gehaltenen Rede; *S. 571 Deutsche Weltliteratur* (gekürzt): Sphären der Bücherwelt, Manesse Verlag, Zürich 1952, S. 13 ff.; *S. 672 Bewundern:* ebenda S. 59 ff. (Das zitierte Gedicht hat den Titel: Zwischen beiden Welten. — *Werke u. a.:* Zeitgenössische Literatur, 1947; Welt im Wort, 1949; Sphären der Bücherwelt, 1952; Arachne, 1957; Gedichte: Glut und Asche, 1946; Die Ersten, 1949; Freundeswort, 1951. — *Über Rychner:* C. J. Burckhardt,

Bildnisse, 1958, S. 274 ff.; Friedrich Podszus: Jahresring 1955/6, S. 385 ff.; Werner Weber, Zeit ohne Zeit, 1959, S. 211 ff.

SACHS, NELLY, * 1891 in Berlin, lebt seit 1940 in Stockholm.

S. 359 Jäger mein Sternbild: Flucht und Verwandlung, Deutsche Verlagsanstalt, Stuttgart, 1959, S. 10 f. — *Werke u. a.:* In den Wohnungen des Todes, 1947; Sternverdunkelung, 1949; Und niemand weiß weiter, 1958.

SCHILLER, FRIEDRICH, * 10. Nov. 1759 in Marbach, Württemberg, † 9. Mai 1805 in Weimar.

S. 167 Marquis Posa vor Philipp II.: Horen-Ausgabe (HA), hrsg. von C. Höfer, 22 Bde., München/Berlin 1910-26. Werke und Briefe in chronolog. Ordnung: Bd. 4, S. 170 aus Don Carlos 3. Akt, 10. Auftritt (1787); *S. 249 Der Brotgelehrte u. der philosophische Kopf:* Was heißt und zu welchem Ende studiert man Universalgeschichte? Eine akademische Antrittsrede, 1789, HA Bd. 6, S. 256 ff.; *S. 252 Worte des Wahns,* 1809, HA Bd. 17, S. 156; *S. 253 Worte des Glaubens,* 1797, HA Bd. 17, S. 12; *S. 281 Nänie,* 1799, HA Bd. 17, S. 166; *S. 660 Souveränität der Form,* 1795, Über die aesthetische Erziehung 22. Brief, HA Bd. 11, S. 82/4. — *Ausgaben:* Sämtliche Werke hrsg. von G. Fricke und H. G. Göpfert, 5 Bde., Hanser Verlag, München 1958/9; Auswahl in 3 Bdn., hrsg. von R. Buchwald, Insel-Verlag 1955. — Briefwechsel zwischen Schiller und Goethe, hrsg. von H. G. Gräf u. Alb. Leitzmann, Insel-Verlag 1955. — *Über Schiller:* Reinhard Buchwald, Schiller, 2 Bde., Wiesbaden 1959; C. J. Burckhardt, Bildnisse, 1958, S. 59 ff.; Wilh. Dilthey, Von deutscher Dichtung und Musik, 2. Aufl. 1957, S. 325-427; Herman Hefele, Geschichte und Gestalt, Hegner Verlag, 1940, S. 117-283 (Schillers Entwicklung); Schillers Selbstcharakteristik, hrsg. von H. v. Hofmannsthal, Fischer Bücherei, Bd. 292; Max Kommerell, Geist und Buchstabe der Dichtung, 1956, S. 132-242 (Sch. als Gestalter des handelnden Menschen; Sch. als Psychologe); Golo Mann, Merkur, 13. Jahrg. 1959, S. 1120-1137 (Sch. als Historiker); Thomas Mann, Versuch über Schiller, 1955, jetzt in Nachlese S. 57 ff.; Herman Nohl, Fr. Schiller, 1954; R. A. Schröder Ges. Werke Bd. 2, S. 609-689; Derselbe, Merkur 13. Jahrg. 1959, S. 1020-1037; Emil, Staiger, Die Neue Rundschau, 70. Jahrg., 1959, S. 559-573 (Sch's Größe); Gerhard Storz, Der Dichter Fr. Sch., Stuttgart 1959, S. 516; Benno v. Wiese, Fr. v. Sch., Stuttgart 1959, S. 867.

SCHLÖSSER, LOUIS, * 1800, † 1886, Hofkapellmeister in Darmstadt.

S. 605 Über Beethoven: Beethovens Persönlichkeit, Urteile der Zeitgenossen, gesammelt u. erläutert von Albert Leitzmann, 2 Bde., Insel-Verlag Leipzig, 1914, Bd. S. 289-90.

SCHMIDT, GEORG, * 17. März 1896 in Basel, 1921-1938 Kunstkritiker der Basler Nationalzeitung. Seit 1939 Direktor der Öffentlichen Kunstsammlung Basel. Seit 1958 Professor der Kunstgeschichte an der Akademie der Bildenden Künste in München.

S. 638 Der Mensch in der Kunst des 20. Jahrhunderts: Rede anläßlich der Akademischen Feier zur Eröffnung der Ausstellung der Akademie der Bildenden Künste in München, 18. Juli 1958. Leider folgt der hier wiedergegebene Text der stark gekürzten Fassung, die in der Frankfurter Allgemeinen Zeitung am 28. August 1958 erschienen ist. Dem Separatdruck aus der Sonntagsbeilage der Nationalzeitung, Basel, Nr. 482, 19 Seiten, zufolge sind mit starken Kürzungen nur S. 8-18 wiedergegeben. Der vollständige Titel lautet: Gedanken zum Thema „Der Mensch in der Kunst des 20. Jahrhunderts". —

Ergänzend sei hier eine Bemerkung aus der Rede nachgeholt (sie müßte dem 2. Abschnitt auf S. 641 „... ein Gegenbeweis gegen die Musik an sich!" folgen):

„Man nehme die vor ungegenständlichen Bildern immer wieder gehörte Behauptung, ‹das kann ja mein Kleiner auch machen!›, einmal beim Wort: Der Kleine soll das nur machen! Aber nicht nur einmal, sondern ein Jahr lang täglich. Wenn er dann noch Spaß dran hat - über den väterlichen Spaß hinaus, die ungegenständliche Kunst als Kinderspiel zu demaskieren -, dann wird das Gemachte der genaueste Test dafür sein, was der Kleine an Phantasie und an Empfindungen in sich hat. So tief und so unmittelbar wurzelt die ungegenständliche Kunst im Innern des Menschen!" *Der Schluß der Rede lautet:* „Und wie wir Menschen heute hangen zwischen Angst und Hoffnung, so sind auch in der heutigen ungegenständlichen Kunst zwei tief gegensätzliche Möglichkeiten offen: Die Nachfolge Mondrians, die allen Befürchtungen trotzend den Glauben an die heilenden, ordnenden Kräfte bewahrt hat.

Unter den anderen aber, die diese Zuversicht nicht zu teilen vermögen — sie sind, gerade in Deutschland, heute die Mehrheit —, sind abermals zwei entgegengesetzte Möglichkeiten: jene, die, den Surrealisten um 1930 ähnlich, von der Vision des total getilgten Lebens und des Heimfalls ans Chaos des Urbeginns besessen sind, und jene, die selbst dann, wenn die Menschheit noch einmal davonkommen sollte, dem uns von Atomkraft, Elektronik und Automatik verheißenen Paradiese nicht fröhlich entgegenzusehen vermögen, die vielmehr in diesem Paradiese wesentlichste Werte des Menschlichen im Innersten bedroht sehen, denen vor Elektronengehirnen graut und vor jeglicher technischen Perfektion und die im Bewahren alles Spontanen, Ursprünglichen, Improvisatorischen, Wachstumshaften — kurz alles Musischen die Schicksalsfrage des Menschlichen wie des Künstlerischen sehen.

Und wenn auch, zugegebenermaßen, diese ‹peinture informelle› unzählige überzählige Mitläufer hat, so ist in ihr doch das ernsteste Mahnwort in unsere Zeit gesprochen.

Das ernsteste — ich sage nicht: das einzig mögliche, und erst recht nicht: das einzig notwendige! Mondrian schiene mir, gerade in Deutschland, weit dringlicher. Wie oft schon hat das Unzeitgemäße von heute sich als das Zeitgemäße von morgen erwiesen.

Und fast fühle ich mich versucht, der Jugend den Mut zur Unzeitgemäßheit zu wünschen. Denn nicht wahr: ihr will doch die Zukunft gehören."

Werke u. a.: Paul Klee, Rede zu seinem Todestag 29. Juni 1940, Bern 1940; Konrad Witz (Skira, Genf); Oskar Schlemmer, Benteli Verlag, Bern; Einleitung zu Skira „Histoire de la peinture moderne", 1950; Paul Klee, drei Facsimile-Albums (Einleitungen), Basel 1948; Paul Klee, Engel bringt das Gewünschte, Baden-Baden 1953; Marc Chagall, Basel 1955; Franz Marc, Berlin 1957; Piet Mondrian heute, Köln 1957; Kleine Geschichte der modernen Malerei, 4. Aufl., Basel 1958; Malerei des 20. Jahrhunderts in Deutschland, Verlag „Die blauen Bücher", Königstein i. Taunus 1960.

SCHNABEL, ERNST, * 26. Sept. 1913 in Zittau, lebt in Hamburg.

S. 5 Sie sehen den Marmor nicht: Sie sehen den Marmor nicht, 13 Geschichten, Claassen u. Goverts Verlag, Hamburg 1949; *S. 159 Ich, Jasons Onkel und andere Personen:* Zeitschrift Merkur 11. Jahrg. 1957 Heft 115 S. 858-867 (gekürzt), Deutsche Verlagsanstalt, Stuttgart; *S. 319 Angst:* Anne Frank, Spur eines Kindes, Fischer Bücherei, Bd. 199, S. 74 ff. — *Werke u. a.:* Interview mit einem Stern, 1951; Die Erde hat viele Namen, 1955; Der sechste Gesang, 1956; Ich und die Könige, 1958.

SCHNACK, FRIEDRICH, * 5. März 1888 in Rieneck, Unterfranken, lebt bei Lugano.

S. 43 Dresden - Zauber einer Stadt: Dresden, in der Reihe: Das kleine Kunstbuch, Knorr u. Hirth Verlag, München 1956, S. 5 ff. — *Werke u. a.:* Die poetischen Werke in 7 Bdn., Kösel Verlag, München 1950/53.

SCHNEIDER REINHOLD, * 13. Mai 1903 in Baden-Baden, † 6. April 1958 in Freiburg i. Br.

S. 74 Speyer: Auf Wegen deutscher Geschichte. Eine Fahrt ins Reich, Insel Verlag Leipzig, 1934. — *Werke u. a.:* Philipp II. oder Religion und Macht, 1931; Das Inselreich, 1936; Las Casas vor Karl V., 1937; Macht und Gnade, 1940; Innozenz III., 1952. — Ausgewählte Werke in 4 Bdn., Jakob Hegner Verlag, Köln u. Olten, 1953; Verhüllter Tag, Bekenntnis und Erinnerung, 1955; Der Balkon, 1957; Auswahl: Pfeiler im Strom, 1958. — *Über Schneider:* Hans Urs von Balthasar: R. Schn., Sein Weg und sein Werk, Köln 1953; Friedrich Heer, Hochland 50. Jahrg., S. 522-35; Curt Hohoff, Jahresring 1958/59, S. 318 ff. — Briefwechsel Reinhold Schneider mit Leopold Ziegler, München 1960.

SCHNURRE, WOLFDIETRICH, * 22. Aug. 1920 in Frankfurt/Main, lebt in Berlin.

S. 289 Der Brötchenclou: Als Vaters Bart noch rot war, Verlag Die Arche, Zürich 1958, S. 52 ff. — *Werke u. a.:* Abendländler, München 1957; Eine Rechnung, die nicht aufgeht, Verlag Otto Walter, Olten, 1958; Das Los unserer Stadt Eine Chronik, München 1959.

SCHÖNBERG, ARNOLD, * 13. Sept. 1874 in Wien, † in der Emigration 14. Juli 1951 in Los Angeles, Leiter einer Meisterklasse an der Berliner Akademie der Künste 1925-33.

S. 611 Theorielehrer oder Musikmeister?: Harmonielehre, 4. Aufl., 1949, S. 1 ff., Universal-Edition Wien. — A. Sch. Briefe, hrsg. von Erwin Stein, B. Schott's Söhne, Mainz 1958; Die formbildenden Tendenzen der Harmonie, hrsg. von E. Stein, Mainz. — *Über Schönberg:* Ernst Krenek, Zur Sprache gebracht, München 1958, S. 167 ff.; Josef Rufer, Das Werk A. Schönbergs (Bibliographie), Kassel 1959.

SCHRÖDER, RUDOLF ALEXANDER, * 26. Jan. 1878 in Bremen, lebt in Bergen, Oberbayern.

S. 16 Dank an Bremen: Ges. Werke in 5 Bdn., Suhrkamp Verlag, Frankfurt, 1953, Bd. 3, S. 1158 ff.; *S. 58 Gruß an die Schweiz:* Ges. Werke Bd. 3, S. 230 ff. — *Werke u. a.:* Mitte des Lebens, Gedichte, 1930; Der Wanderer und die Heimat, 1931; Die weltlichen Gedichte, 1940; Geistliche Gedichte, 1949. — *Übersetzungen:* Homer, Vergil, Horaz, niederländische Dichter, Racine, Molière, Shakespeare, T. S. Eliot. Auswahl: Fülle des Daseins (Bürger, Weltmann, Christ, Mittler, Dichter), Suhrkamp Verlag, Frankfurt 1958. — *Über Schröder:* Carl J. Burckhardt: Bildnisse, Frankfurt 1959, S. 202 ff. u. 247 ff.; Curt Hohoff, Geist und Ursprung, München 1954, S. 31 ff. (Werk eines Humanisten); H. E. Holthusen, Ja und Nein, München 1954, S. 56 ff. (Tradition und Ausdruckskrise); Johannes Pfeiffer, Zwischen Dichtung und Philosophie, Bremen 1947, S. 120 ff. (Die Lyrik R. A. Sch's) u. S. 159 ff. („Ballade" u. „Lobgesang").

SCHUBERT, FRANZ, * 31. Jan. 1797 in Lichtenthal bei Wien, † 19. Nov. 1828 in Wien.

S. 605 Über Beethoven: Beethovens Persönlichkeit, Urteile der Zeitgenossen, hrsg. von A. Leitzmann, Leipzig, 1914, Bd. 2 S. 358.

SCHULZ, EBERHARD, * 26. Febr. 1908 in Capelle bei Dessau, seit 1959 Mitarbeiter der „Frankfurter Allgemeinen Zeitung". Von 1935 - 1943 in der Berliner Redaktion der „Frankfurter Zeitung".

S. 646 Die Wendung zum dekorativen und femininen Stil: Deutschland heute, Ullstein Bücher Bd. 190, Frankfurt 1958, S. 173-178. — *Schriften u. a.:* Der elastische Mensch, 1947; Das goldene Dach, 1952; Zwischen Glashaus und Wohnfabrik. Ein Leitfaden durch die zeitgenöss. Baukunst, C. Schünemann Verlag, Bremen 1959.

SCHUMANN, ROBERT, * 8. Juni 1810 in Zwickau, † 29. Juli 1856 in Endenich bei Bonn.

S. 609 Aus den musikalischen Haus- und Lebensregeln, 1848: Gesammelte Schriften über Musiker und Musik, 2 Bde., 1871; *S. 610 Brahms:* Neue Bahnen, 1953, Schumanns letzter Aufsatz. — *Über Schumann:* André Boucourechliew, R. Sch. in Selbstzeugnissen u. Bilddokumenten (Bibliographie) rowohlts monographien, Bd. 6, 1958. Dort weitere Hinweise.

SCHURZ, CARL, * 2. März 1829 in Liblar bei Köln, † 14. Mai 1906 in New York, amerik. Staatsmann u. Publizist.

S. 575 Die Schauspielerin Rachel: Lebenserinnerungen, bearbeitet von Sigismund v. Radecki, Manesse Bibliothek Zürich, S. 235 ff. Die Lebenserinnerungen erschienen zuerst in 3 Bdn. 1906-12.

SCHWARZ, RUDOLF, * 15. Mai 1897 in Straßburg (Elsaß), lebt in Köln, Architekt, 1946-52 Generalplaner der Stadt Köln, Professor des Städtebaues an der Staatl. Kunstakademie Düsseldorf.

S. 651 Der Architekt: Frömmigkeit in einer weltlichen Welt, Sendereihe des Süddeutschen Rundfunks, hrsg. von Hans Jürgen Schultz, Kreuz-Verlag, Stuttgart in Gemeinschaft mit dem Walter Verlag, Olten u. Freiburg i. Br., 1959, S. 278 ff. — *Schriften u. a.:* Wegweisung der Technik, 1929; Vom Bau der Kirche, 1937; Von der Bebauung der Erde, 1949; Das neue Köln, ein Vorentwurf, 1951; Kirchenbau, F. H. Kerle-Verlag, Heidelberg 1960.

SCHWEITZER, ALBERT, * 14. Jan. 1875 in Kaysersberg (Elsaß), lebt in Lambarene/Ogove (Äquatorialafrika), evang. Theologe, Arzt, Musiker, Friedensnobelpreis 1953, Friedenspreis des deutschen Buchhandels 1951.

S. 206 Von der Jugendlichkeit des Mannes: Aus meiner Kindheit und Jugendzeit, C. H. Beck'sche Verlagsbuchhandlung München, 1924, S. 59 ff.; *S. 263 Ein Mensch soll nicht ...:* ebenda S. 56; *S. 591 Heinrich Schütz:* J. S. Bach, Breitkopf u. Härtel Leipzig/Wiesbaden, S. 51 ff. (Über Schütz: Hans Joachim Moser: H. Sch. Sein Leben u. Werk, Kassel 1954, S. 654. — *Werke u. a.* Die Religionsphilosophie Kants 1899; Eine Geschichte der Leben-Jesu-Forschung, 1906; Zwischen Wasser und Urwald, 1922; Kulturphilosophie, 2 Teile, 1923; Aus meinem Leben und Denken, 1931. — *Über Schweitzer:* Oskar Kraus, A. Schw. Sein Werk u. seine Weltanschauung, Charlottenburg 1926; Werner Picht, Zeitschrift: Wort und Wahrheit, 8. Jahrg., S. 565 ff.; derselbe, Albert Schweitzer, Wesen und Bedeutung, Richard-Meiner-Verlag, Hamburg, 1960; Albert Schweitzer: Eine Freundesgabe mit Beiträgen von Theodor Heuss und Hermann Hesse.

SIEBURG, FRIEDRICH, Prof. Dr., * 18. Mai 1893 in Altena/Westfalen, lebt in Gärtringen/Württemberg, Schriftsteller. Seit 1926 politischer Auslandskorrespondent der „Frankfurter Zeitung" in Paris, Von 1948-1955 Mitherausgeber der Halbmonatsschrift „Die Gegenwart". Seit 1957 Leitartikler und Leiter des Literaturblattes der „Frankfurter Allgemeinen Zeitung".

S. 51 Vorübergehend in München: Frankfurter Allgemeine Zeitung vom 18. Februar 1960; *S. 92 Werdende Kulturlandschaft:* Was nie verstummt, Rainer Wunderlich Verlag Tübingen, 1951, S. 48/9; *S. 129 Wer füttert die Tauben:* Die Lust am Untergang, Rowohlt Verlag, Hamburg, 1954, S. 134-141. — *Buchveröffent-*

lichungen u. a.: Gott in Frankreich?, 1930; Robespierre, 1936; Unsere schönsten Jahre, 1950; Geliebte Ferne, 1952; Kleine Geschichte Frankreichs, 1953; Nur für Leser, 1955; Napoleon, 1956; Chateaubriand, 1959.

SPRANGER, EDUARD, * 27. Juni 1882 in Berlin, lebt in Tübingen, Philosoph und Pädagoge.

S. 426 Aus der Rede zum 2. Jahrestag der Bundesrepublik am 12. Sept. 1951: Kulturfragen der Gegenwart, S. 123 ff., Verlag Quelle u. Meyer, Heidelberg, 1956, 2. Aufl.; *S. 516 „Und meiner eigenen Brust ...“:* aus der Zeitschrift Die Pforte, 1. Jahrg. 1947, Heft 1, S. 16 ff., Port-Verlag/Urach. — *Werke u. a.* Wilhelm von Humboldt u. die Humanitätsidee, 1908; Lebensformen, 1914; Psychologie des Jugendalters, 1924 (25. Aufl.); Goethes Weltanschauung, 1943; Die Magie der Seele, 1947; Lebenserfahrung, 1947; Pestalozzis Denkformen, 1947; Pädagogische Perspektiven, 1951. — *Festschrift für Eduard Spranger* zum 75. Geburtstag: Erziehung zur Menschlichkeit, hrsg. von H. W. Bähr, Th. Litt, N. Louvaris, H. Wenke, Tübingen 1957, S. 638.

STERNBERGER, DOLF, * 28. Juli 1907 in Wiesbaden, lebt in Frankfurt/M., Schriftsteller, seit 1927 Mitarbeiter u. später Mitglied der Redaktion der „Frankfurter Zeitung“, nach 1945 Begründer und Mitherausgeber der Zeitschrift „Die Wandlung“. Von 1950-58 Mitherausgeber der „Gegenwart“. Darnach Mitarbeiter der „Frankfurter Allgemeinen Zeitung“. Seit 1955 Honorarprofessor an der Universität Heidelberg, seit 1958 einer der Direktoren des Instituts für Politische Wissenschaft.

S. 433 Meditation über Deutschland: Katalog „Deutschland“ der Brüsseler Weltausstellung 1958, S. 13 ff. (gekürzt). — *Werke u. a.:* Panorama oder Ansichten des 19. Jahrhunderts, 1938 (3. Aufl. 1955); Figuren der Fabel, 1950; Über Jugendstil u. a., Essays, 1956.

STIFTER, ADALBERT, * 23. Okt. 1805 in Oberplan, Böhmen, † 28. Jan. 1868 in Linz a. d. Donau.

S. 677 Der Silvesterabend: zuerst erschienen in: Die Gartenlaube für Österreich, Jg. 1, Nr. 14, Graz 1866 (gekürzt). Gesammelte Werke hrsg. von Max Stefl, Insel Verlag, Bd. 6, S. 574; u. Krit. Ausgabe Sämtl. Werke, begründet von August Sauer, 25 Bde., Reichenbach 1901-39: 15. Bd. Vermischte Schriften, S. 307-312. — *Werke u. a.:* Studien, Pest, 1844-50; Bunte Steine, Pest, 1953; Nachsommer, Pest, 1857; Witiko, Pest, 1865-67; Die Lebensgeschichte A. St's in seinen Briefen, hrsg. von Friedr. Seebaß, Tübingen, 1956. — *Über Stifter:* A. R. Hein, St., sein Leben und sein Werk, 2. Aufl., Wien, 1952; Hermann Bahr, St., Eine Entdeckung, Wien, 1919; E. Bertram, Studien zu St's Novellentechnik, Bonn, 1907; derselbe: Möglichkeiten, Pfullingen 1958, S. 67-128.

STORM, THEODOR, * 14. Sept. 1817 in Husum, † 4. Juli 1888 in Hademarschen.

S. 19 Meeresstrand (am 9. Juni 1854 als „Am Deich“ an die Eltern, Okt. 1855 an Ed. Mörike gesandt): Werke. Droemersche Verlagsanstalt München mit einem Nachwort von Thomas Mann, S. 979. — *Ausgaben:* Sämtl. Werke, Kritische Ausgabe, hrsg. von Albert Köster, Insel Verlag, Leipzig, 1919/20; Sämtl. Werke, Winkler Verlag, München, 2 Bde.; Briefwechsel zwischen St. und Eduard Mörike, Stuttgart, 1919; zwischen Storm und Gottfried Keller, Berlin, 1904; zwischen Paul Heyse und St., München 1917. — *Über Th. Storm:* Franz Stuckert, Th. St., der Dichter in seinem Werk, Tübingen, 1952. Das obengen. Nachwort von Thomas Mann auch in: Adel des Geistes, S. 506 ff.

STORZ, GERHARD, * 19. Aug. 1898 in Rottenacker bei Ehingen (Württemberg), lebt in Stuttgart, Pädagoge, Dramaturg, Literarhistoriker, Essayist u. Erzähler; Kultusminister des Landes Baden-Württemberg.

S. 67 Größe und Heiterkeit - Ottobeuren: Zeitschrift Merian, 7. Jahrg., Heft 1, S. 10 ff. (gekürzt). — *Werke u. a.:* Über den Umgang mit der Sprache, 1927, 2. Aufl. 1948; Das Drama Schillers, 1938; Gedanken über die Dichtung, 1941; Goethe-Vigilien, 1953; Sprache u. Dichtung. Eine Poetik auf sprachwissenschaftlicher Grundlage, 1957; Der Dichter Friedrich Schiller, 1959. — Erzähltes: Der Lehrer, 1937, 2. Aufl. 1948; Musik auf dem Lande, 1940; Einquartierung, 1946; Reise nach Frankreich, 1948.

TIECK, LUDWIG, * 31. Mai 1773 in Berlin, † 28. April 1853 in Berlin.

S. 514 Goethe und seine Zeit: Kritische Schriften, Bd. 2, Leipzig 1848, zitiert nach: Ludwig Tieck, hrsg. von Hermann Kasack und Alfred Mohrhenn, 2 Bde., Suhrkamp Verlag, 1943, Bd. 2 S. 168-170 (Die Wortstellung des ersten Satzes hat der Hrsg. leicht geändert). — *Ausgabe:* Schriften, 28 Bde., 1828-54. — *Werke u. a.:* Der gestiefelte Kater, 1797; Leben und Tod der hlg. Genoveva, 1799; Phantasus, 3 Bde., 1812-16; Gesammelte Novellen, 14 Bde., Breslau 1835-42; Vittoria Accorombona, histor. Romane vom Ende der Renaissance, Breslau, 1840; Kritische Schriften, 4 Bde., Leipzig 1848-52.

TRAKL, GEORG, * 3. Februar 1887 in Salzburg, † in der Nacht vom 3. zum 4. Nov. 1914 in Krakau.

S. 49 Ein Winterabend: Gesamtausgabe, hrsg. von Wolfgang Schneditz in 3 Bdn., Otto Müller Verlag, Salzburg, 1948-51: Bd. 2, S. 124; *S. 50 Verklärter Herbst:* ebenda, S. 34; *S. 50 Rondel:* ebenda S. 49. — Neue krit. Gesamtausgabe bereitet Walter Killy im Otto Müller Verlag, Salzburg vor. — *Über Trakl:* Erinnerungen in G. Tr., hrsg. von Ludwig von Ficker, Innsbruck, 1926, 2. Aufl. neu hrsg. von Ignaz Zangerle, Salzburg, 1959(Stimmen der Freunde); Emil Barth, G. Tr., Krefeld 1948; Walter Killy in der Zeitschrift Sammlung, 7. Jahrg., 1952, S. 192-204.

VRING, GEORG VON DER, * 30. Dez. 1889 in Brake in Oldenburg, lebt in München.

S. 662 Das Stilleben mit den drei Birnen: Geschichten aus einer Nuß, Langen-Müller Verlag, München, 1959, S. 139-42. — *Werke u. a.:* Die Lieder des Georg von der Vring, 1906-1956; Soldat Suhren, 1927; Der Diebstahl von Piantacon, 1952; Die Wege tausendundein, 1955. — *Übersetzungen:* Maupassant; Verlaine; Angelsächsische Lyrik: Englisch Horn, 1953 (darüber Curt Hohoff in: Geist u. Ursprung, 1954, S. 198 ff.).

WEISS, KONRAD, * 1. Mai 1880 in Rauenbretzingen bei Schwäbisch-Hall, † 4. Jan. 1940 in München.

S. 15 Geist und Geister Bremens: Deutschlands Morgenspiegel. Ein Reisebuch in zwei Teilen, Kösel Verlag, München, 1950, 2. Teil, S. 226/7; *S. 91 Im alten Essen:* ebenda S. 194/5; *S. 102 Alte Harzstädte - „Dem Geier gleich“:* ebenda, 1. Teil, S. 106-108; *S. 137 Morgen-Leis:* Gedichte, 2. Teil, Kösel Verlag, München, 1949, S. 12. — *Werke u. a.:* Tantum dic verbo, Gedichte, Kurt Wolff Verlag, München, 1918; Zum geschichtlichen Gethsemane, Ges. Versuche, 1919; Die cumäische Sybille, 1921; Die kleine Schöpfung, 1926; Das Herz des Wortes, 1929; Der christliche Epimetheus, 1933; Das Sinnreich der Erde, 1933. — Prosadichtungen, München, 1948; Konradin von Hohenstaufen, München, 1948; Wanderer in den Zeiten. Süddeutsche Reisebilder, hrsg. von Friedhelm Kemp, München, 1958. — *Über K. Weiss:* Hans Hennecke, Kritik, Gütersloh, 1958, S. 245 ff. (Versinnlichung des Abstrakten); Curt Hohoff, Geist u. Ursprung, München, 1954, S. 118 ff. (Der christliche Epimetheus.)

WEIZSÄCKER, CARL FRIEDRICH FREIHERR VON, * 28. Juni 1912 in Kiel, lebt in Hamburg, Physiker und Philosoph.

S. 525 Goethe und die Natur: Zeitschrift Die Gegenwart, 13. Jahrg., Nr. 18, 6. Sept. 1958, S. 555 ff. — *Schriften u. a.:* Zum Weltbild der Physik, Hirzel Verlag, Stuttgart 1943, 6. Aufl., 1954; Die Geschichte der Natur, Vandenhoeck-Reihe Göttingen, 1948; Die Verantwortung der Wissenschaft im Atomzeitalter, 1957; Atomenergie u. -zeitalter, 1957.

ZWEIG, STEFAN, * 28. Nov. 1881 in Wien, † 22. Febr. 1942 in Petropolis bei Rio de Janeiro.

S. 209 Unvergeßliches Erlebnis - Ein Tag bei A. Schweitzer - 1932: Begegnungen mit Menschen, Büchern, Städten, S. Fischer, Frankfurt, 1956, S. 113 ff.; *S. 666 Sinn und Schönheit der Autographen:* ebenda, S. 441 ff. — *Werke u. a.:* Brennendes Geheimnis und andere Erzählungen, 1954; Ein Gewissen gegen die Gewalt, 1954; Sternstunden der Menschheit, 1956; Baumeister der Welt, 1958; Die Welt von gestern, 1958; Schachnovelle, 1959. — *Über Zweig:* Der große Europäer Stefan Zweig, hrsg. u. eingeleitet von Hanns Arens, Kindler Verlag, München 1949.

BILDQUELLEN

Vorsatzblatt	Faksimile, Yale University Library, New Haven/Conn.
Tafel 1	phot. Lala Aufsberg, Sonthofen/Allgäu
Tafel 2	phot. Helga Schmidt-Glaßner, Stuttgart
Tafel 3	phot. Joachim Blauel, München, — Alte Pinakothek, München
Tafel 4	phot. Helga Schmidt-Glaßner, Stuttgart
Tafel 5	Bildarchiv F. Bruckmann KG, München
Tafel 6	Kunsthalle Hamburg
Tafel 7	phot. Joachim Blauel, München, — Neue Staatsgalerie, München
Tafel 8	Privatsammlung, Stuttgart
Tafel 9	Kunsthalle Hamburg
Tafel 10	Kunsthalle Hamburg
Tafel 11	Staatliche Kunsthalle, Karlsruhe
Tafel 12	Sammlung Felix Klee, Bern, — mit Genehmigung von Cosmopress, Genf/Schweiz
Tafel 13	Bildarchiv Hirmer Verlag, München
Tafel 14	phot. Helga Schmidt-Glaßner, Stuttgart
Tafel 15	phot. Fritz Eschen, — © by Knorr & Hirth Verlag, Ahrbeck
Tafel 16	Staatliche Kunstsammlungen, Stuttgart
Tafel 17	Nationale Forschungs- und Gedenkstätte, Weimar
Tafel 18	Universitäts-Bibliothek, Tübingen, Depot der ehem. Preußischen Staatsbibliothek
Tafel 19	Universitäts-Bibliothek, Tübingen, Depot der ehem. Preußischen Staatsbibliothek
Tafel 20	Staatliche Kunstsammlungen, Stuttgart, mit Genehmigung des Stuttgarter Kunstkabinetts R. N. Ketterer
Tafel 21	Archiv der Max-Beckmann-Gesellschaft, München